Submundo

Contemporánea
Narrativa

DON
DELILLO

SUBMUNDO

Traducción de Gian Castelli

AUSTRAL

Seix Barral

Título original: *Underworld*

© Don DeLillo, 1997
Por la traducción, Gian Castelli
© por la traducción, Pilar Palanco Aguado, 2001
© Editorial Planeta, S. A., 2009, 2021
  Seix Barral, un sello editorial de Editorial Planeta, S. A.
  Avinguda Diagonal, 662-664. 08034 Barcelona (España)
  www.seix-barral.es
  www.planetadelibros.com

Diseño de la colección: Compañía
Diseño de la cubierta: Austral / Área Editorial Grupo Planeta
Ilustración de la cubierta: © Dan Lamont / Corbis / Cordon Press
Primera edición en Austral: mayo de 2014
Segunda impresión: octubre de 2017
Tercera impresión: octubre de 2021

Depósito legal: B. 6.247-2014
ISBN: 978-84-322-2273-3
Impresión y encuadernación: QP Print
Printed in Spain - Impreso en España

Biografía

Don DeLillo nació y creció en Nueva York. Es autor de dieciocho novelas y tres obras de teatro, y ha ganado numerosos premios, como el National Book Award por *Ruido de fondo* (1985; Seix Barral, 2006), el International Fiction Prize por *Libra* (1988; Seix Barral, 2006), el PEN/Faulkner Award de Ficción por *Mao II* (1991; Seix Barral, 2008), la Medalla Howells por *Submundo* (1997; Seix Barral, 2009), el Jerusalem Prize y el PEN/Saul Bellow Award a toda su carrera y la Medalla del National Book Award por su contribución a las letras estadounidenses.

A la memoria
de mi madre y de mi padre

PRÓLOGO

EL TRIUNFO DE LA MUERTE

Habla con tu misma voz —americano— y en sus ojos se detecta un brillo que siempre resulta esperanzador.

Es día de colegio, desde luego, pero no anda ni mucho menos cerca de la clase. Prefiere estar aquí, a la sombra de la mole enmohecida de esta vieja estructura, y no es fácil culparle... esta metrópolis de acero y cemento y pintura desconchada y hierba segada y anuncios callejeros con enormes paquetes de Chesterfield de los que sobresalen un par de cigarrillos.

La historia es el resultado de anhelos en gran escala. Aquí no hay más que un chiquillo que alimenta una aspiración localizada, pero forma parte de una muchedumbre en desarrollo, de miles de seres anónimos que brotan de los autobuses y los trenes, de gente que avanza a trompicones formando estrechas hileras sobre el puente giratorio que atraviesa el río; personas que no representan una migración ni una revolución ni una vasta agitación del alma pero que traen consigo el calor corporal de la gran ciudad y sus propios ensueños y desesperaciones, ese algo invisible que domina la época... hombres con sombreros de fieltro y marineros de permiso, el distraído revoltijo de sus pensamientos, camino del partido.

El cielo muestra un aspecto pesado y gris, el gris turbio de la espuma de las olas.

Se detiene junto al bordillo con los otros. A sus catorce años, es el más joven, y es posible advertir que no tiene un céntimo por la nerviosa inclinación que adopta su cuerpo. Nunca ha hecho esto anteriormente, y no conoce a los otros, entre los que tan sólo dos o tres parecen conocerse entre sí, pero no pueden hacer esto solos ni en parejas por lo que se han localizado mutuamente mediante miradas deslizantes capaces de detectar a otras almas gemelas igualmente temerarias y ahí están, chavales negros y chavales blancos procedentes del metro o de las calles de Harlem, sombras esbeltas, bandidos, quince en total, de los que según la tópica leyenda puede que logren pasar cuatro por cada uno que resulte capturado.

Aguardan nerviosamente a que los pasajeros con billete despejen los torniquetes de acceso, el último grupo desgajado de hinchas, los rezagados y los ociosos. Observan la llegada de los últimos taxis procedentes del centro y de los hombres con brillantina que se aproximan con paso vivo a las ventanillas, agentes de seguros y ricachones de clubes nocturnos y peces gordos de Broadway, envueltos por un aura superior, arrancándose las bolitas de sus mangas de muaré. Situados junto al bordillo, observan sin dar muestras de ver, adoptando el aire un poco amargo de vagabundos callejeros. Ya se ha aplacado todo el alboroto, el parloteo y la agitación previos al partido, los vendedores ambulantes que recorren las atestadas aceras enarbolan tablas de resultados y banderines y entonan soniquetes ancestrales, tipos enjutos que te timan con insignias y gorras, ahora ya dispersos, de camino a sus cuartuchos en calles aisladas.

Permanecen junto al bordillo, esperando. Sus ojos se tornan fríos y arrojan menos luz. Uno de ellos saca las manos de los bolsillos. Esperan y, de repente, se lanzan, uno de ellos se lanza, un irlandés que grita *Gerónimo*.

Hay cuatro torniquetes junto a las dos taquillas. El más joven de los críos es también el más flaco, y se llama Cotter Martin; flaco y alto, con su camisa de polo y su mono, intentando no sentirse condenado de antemano, situado cerca de la cola de la avalancha, corre y grita con los demás. Gritas porque ello te inspira valor o porque quieres dar testimonio de tu intrepidez. Han desdibujado sus rostros en máscaras aullantes, los ojos apretados, las bocas distendidas, y corren con fuerza, intentando escurrirse por los pasadizos que separan las cabinas, y golpean caderas y codos sin dejar de gritar. Los rostros de las taquilleras penden tras las ventanillas como ristras de cebollas.

Cotter ve a los primeros saltar sobre las barras. Dos de ellos chocan en el aire y caen torcidos y desmadejados. Un revisor sujeta a uno de ellos por el cuello con una llave y su gorra resbala y se precipita a lo largo de su espalda mientras él intenta agarrarla con un manotazo ciego y al mismo tiempo —todo sucede al mismo tiempo— vigila al resto de aquellos saltavallas para evitar que le pisoteen. Corren y saltan. Se trata de una forma insensata de huida, con los cuerpos apretados en un coladero que comienza a tornarse real. Saltan demasiado pronto o demasiado tarde, chocando contra los postes o las barras radiales, trepando como personajes de dibujos animados por las espaldas de sus compañeros: qué pinta de estúpidos deben de ofrecer a los ojos de quienes les contemplan desde el puesto de perritos calientes, al otro lado de los torniquetes, qué espantosos chapuceros... una hilera compuesta casi enteramente por hombres comienza a mirar en su dirección, sus mandíbulas triturando la carne sudorosa y sus lenguas inundadas de burbujas de grasa, el caballero del final súbitamente inmóvil a excepción de una mano que continúa moviéndose de modo automático para aplicar la mostaza con un cepillito.

El griterío de la chiquillería arremolinada rebota sobre el espeso cemento.

Cotter cree distinguir un camino que conduce al torniquete de su derecha. Deja escapar de sí todo aquello que no le es necesario para saltar. Algunos siguen saltando, otros se lo están pensando, a algunos les vendría bien un corte de pelo, algunos tienen novias de jerséis esponjosos y el resto han aterrizado sobre la maraña y se esfuerzan por ponerse en pie y diseminarse. Un par de polis del estadio descienden retumbando por la rampa. Cotter va obviando estos elementos a medida que aparecen, apartando de sí el millar de oleadas de información que se estrellan contra su piel. Concentra su mirada sobre las barras de hierro que brotan del poste. Adquiere velocidad y parece perder su aire desgarbado, su alicaída pusilanimidad de hormonas e inadaptación y todas esas cosas tartamudeantes que sellan su adolescencia. No es más que un chiquillo a la carrera, una figura semiatisbada de las calles, pero así como la carrera revela ciertas trazas del ser, así como el que corre se desnuda a la conciencia, así parece abrirse al mundo este mocoso de piel atezada, así despierta en él la elocuencia la adrenalina de una docena de zancadas.

A continuación, despega y se ve suspendido en el aire, sintiéndose resbaladizo y elegante y en cierto modo profesional, volando de regreso de Kansas City con un portafolios repleto de efectos bancarios. Tiene la cabeza hundida, y su pierna izquierda salva los barrotes. Y en un instante prolongado, distante y aislado ve con precisión el lugar en el que aterrizará y la dirección en la que echará a correr, y aunque sabe que saldrán en su persecución tan pronto como toque tierra, aunque es consciente de que seguirá en peligro —mirando a izquierda y derecha— durante las próximas horas, ahora alberga menos temor.

Aterriza blandamente y pasa con desenfado junto al revisor, que sigue intentando recuperar su gorra, sabiendo con total certeza —sabiéndolo sin duda alguna, con toda la profundidad de su conocimiento, sintiéndolo retumbar en su corazón de corredor— que es inalcanzable.

Aquí llega un corpulento policía municipal con su pistola y sus esposas y su linterna y su porra colgando del cinturón y un cuaderno de multas embutido en el bolsillo. Cotter le esquiva con un quiebro que casi le hace caer de rodillas y los consumidores de perritos calientes se doblan por la cintura para ver cómo el chaval cambia de dirección acelerando suavemente y despidiéndose del poli con un gesto del dedo: adiós.

De vez en cuando se sorprende a sí mismo de esta suerte, realizando alguna acción espectacular surgida de caprichos insospechados.

Asciende a la carrera por una rampa en sombras hasta alcanzar una red de vigas y pilares que se entrecruzan inundados por la luz. A sus oídos llega el crescendo de los últimos acordes del himno nacional y ante su mirada aparece la enorme herradura de la tribuna principal y esa perspectiva desplegada del césped que siempre parece sugerirle que ha rebasado los límites de su existencia... el bruñido lustre que se extiende y se comba desde la arena rastrillada del campo interior hasta las elevadas verjas verdes. La excitación de algo recién revelado. Echa a correr a velocidad media, estirando el cuello para divisar las hileras de asientos, en busca de un hueco discreto tras alguno de los pilares. Se interna en uno de los pasillos de la sección 35, sumergiéndose en el calor y el olor de la masa de hinchas, penetra en el humo que pende de la parte inferior de la segunda grada, escucha las conversaciones, se introduce en el profundo zumbido, oye el estampido de las bolas de calentamiento al estrellarse en el guante del receptor, como una serie de detonaciones que arrastraran tras de sí la cola de cometa de un sonido secundario.

Y entonces le pierdes entre la multitud.

En la cabina de la radio están hablando de la multitud. Se diría que hay unos treinta y cinco mil, qué te parece. Cuando piensas en las maquilladas historias de los equipos, y en la fe y la pasión de los hinchas y en el modo en que todas estas fuerzas se entrelazan a lo largo de la ciudad, y cuando piensas en el propio partido, a vida o muerte, el tercer partido de un desempate a tres encuentros, y pronuncias los nombres de Giants y Dodgers, y te haces idea de hasta qué punto los jugadores manifiestan abiertamente el odio que se inspiran mutuamente, y recuerdas el tipo de año que ha resultado ser después de todo, el enfrentamiento emblemático que ha llevado a la ciudad a este éxtasis asfixiante, una contracción final que precisaría de algún término tomado del alemán para expresar la mezcla de placer y aprensión y suspense, y cuando piensas en su ciega lealtad, eso es lo que dicen desde la cabina: el amor por el equipo que impregna los distintos barrios y los recónditos suburbios y alcanza los condados productores de manzanas y el salvaje norte, ¿cómo explicas entonces las veinte mil plazas que aún quedan libres?

Dice el locutor:

—Lleva todo el día amenazando lluvia, y eso influye en el estado de ánimo. La gente decide que a paseo con todo.

El productor alarga una manta a través de la cabina para separar a los miembros del equipo de los tipos que acaban de llegar de la cadena KMOX de St. Louis. Dado que no hay donde acomodarlos, habrá que compartir el espacio.

Dice al locutor:

—No ha habido ventas anticipadas, no lo olvides.

Y dice el locutor:

—A ello hay que añadir la paliza que sufrieron los Giants ayer, lo que no deja de ser serio, ya que una derrota de esa clase acaba con la moral de la gente. Créanme, porque yo vivo aquí. Desmoraliza a la gente. Es como verlos morir por decenas de miles.

Russ Hodges, encargado de transmitir el partido para la WMCA, es la voz de los Giants: Russ tiene la laringe en carne viva y muestra todos los síntomas de un considerable trancazo, y no debería estar encendiendo ese cigarrillo, pero continúa diciendo:

—Todo eso está muy bien, pero no estoy tan seguro de que exista una explicación lógica. En lo que se refiere a las masas, cualquier cosa resulta impredecible.

15

Russ empieza a tener cierta papada, pero aún se advierten espontáneos rasgos muchachiles en sus ojos y en su sonrisa y en esos cabellos que parecen cortados a tazón y en ese traje que casi podría pertenecer a cualquiera. ¿Quién puede retransmitir partidos, quién puede llevar a cabo sus crónicas jugada a jugada casi diariamente durante todo el verano sin identificarse con alguna forma del pasado?

Escudriña el campo, sus atestadas esquinas, más que compensadas por los espacios de las profundas avenidas y del centro. El enorme reloj Longines que remata la sede del club. Pinceladas de color por doquier, como un fresco de sombreros y de rostros, y la verde tribuna y las pardas carreras entre base y base. Russ se siente afortunado de estar allí. Es un día único y él es el encargado de retransmitir el partido que va a tener lugar en los Polo Grounds, un nombre que adora, un precioso eco de cosas y de épocas anteriores al momento en que este siglo entró en guerra. Piensa que todos cuantos están aquí deberían sentirse afortunados porque se está cociendo algo grande, porque algo está subiendo. De acuerdo, quizá se trate tan sólo de su propia temperatura. Pero se sorprende recordando aquella ocasión en que su padre le llevó a ver la pelea de Dempsey contra Willard en Toledo y en lo que fue aquello, impresionante, en pleno Cuatro de Julio con cuarenta y tres grados y una muchedumbre de hombres en mangas de camisa y sombreros de paja, muchos con pañuelos extendidos bajo el sombrero hasta los hombros, como si fueran disfrazados de árabes, y la enormidad de la paliza que soportó el gran Jess en aquel ardiente cuadrilátero blanco, el modo en que el sudor y la sangre manaban vaporizados de su rostro cada vez que Dempsey le golpeaba.

Cuando ves una cosa así, algo que se convierte en primera noticia, comienzas a sentirte portador de un solemne retazo de historia.

En la segunda entrada Thomson golpea una bola deslizadora y la lanza sobre la tercera base.

Lockman se arquea corriendo hacia la segunda con la mirada fija en el exterior izquierdo.

Pafko se desplaza hacia la pared para atrapar la pelota al rebote.

Los espectadores de las tribunas de la izquierda se han puesto en pie, inclinándose desde las filas delanteras, y algunos de ellos comienzan a arrojar papeles sobre el borde, hojas de tanteo rasgadas y carteritas de fósforos hechas pedazos, tazas de cartón arrugadas, pequeñas servilletas enceradas que han recibido con sus perritos calientes, pañuelos de papel con gérmenes de varios días que yacían aplastados en las profundidades de los bolsillos, todo aquello comienza a caer en torno a Pafko.

Thomson avanza a grandes zancadas, rodea limpiamente la primera y se esfuerza por completar su carrera.

Pafko lanza un buen tiro a Cox.

Thomson, la cabeza gacha, progresa costeando hacia la segunda, y en ese momento ve a Lockman que, desde la base, le mira semihechizado, con el vestigio de una duda pendiente de sus labios.

Tras días de cielos plomizos y de todas las horas pasadas la semana anterior ante el micrófono, con la garganta escocida, con la tos, Russ se siente febril y exhausto: viajes en tren, nervios y falta de sueño, y describe el juego con su habitual cháchara de toda la vida, con esa voz sureña que hoy suena un poco rasposa.

Cox atisba bajo la visera de su gorra y pasa la pelota de costado a Robinson.

Fijaos entretanto cómo Mays se aproxima a la base arrastrando el cuerpo de su bate por el suelo.

Robinson recibe el tiro y gira en dirección a Thomson, quien aguarda con aire tímido a eso de metro y medio de la segunda.

A la gente le gusta ver cómo caen los papeles a los pies de Pafko, cómo flotan sobre sus hombros o aterrizan sobre su gorra. La pared tiene casi cinco metros de altura, por lo que se encuentra bien fuera del alcance de cualquier contacto, por mucho que se estiren: tienen que contentarse con ducharle de papeles.

Fijaos en Durocher, en el foso del banquillo; es el entrenador de los Giants, el pétreo Leo, veterano y matón, con un rostro que parece sacado de la Guerra de las Galias, mientras musita en el puño apretado: «Santísima mierda todopoderosa.»

Cerca del banquillo de los Giants cuatro hombres contemplan los acontecimientos desde el foso favorito de Leo cuando Robinson elimina con un *tag* a Thomson. Pertenecen en sus tres cuartas partes al mundo del espectáculo, Frank Sinatra, Jackie Gleason y Toots Shor, tres que llevan ya tiempo tomando copas juntos, y a los que acompaña un hombre bien vestido que tiene hocico de bulldog, un tal J. Edgar Hoover. ¿Qué hace el número uno de la administración de la nación en compañía de estos pelagatos? Bien, Edgar ocupa el asiento de pasillo y parece sentirse tan a gusto, sonriendo ante las groseras bromas que circulan del trovador al humorista, y de éste al dueño de club y vuelta al primero. Preferiría estar en el hipódromo, pero siempre se encuentra cómodo con esa clase de compañía, sea cual sea el ambiente. Le gusta frecuentar a ídolos cinematográficos y a celebridades del deporte, a profesionales del chismorreo tales como Walter Winchell, quien también se encuentra presente hoy, sentado junto a los jefazos de los Dodgers. La fama y el secretismo son dos aspectos opuestos de una misma fascinación, las interferencias que impregnan algo libidinoso que existe en el mundo, y Edgar responde ante las personas que tienen acceso a esas energías. Desea ser su fiel amigo del alma siempre y cuando sus vidas ocultas figuren en sus archivos privados, con todos los rumores recogidos y clasificados, con los hechos más oscuros convertidos en realidad.

Dice Gleason:

—Os lo dije, bobalicones. Hoy, el día pertenece a los Dodgers. Lo percibo en mis huesos de Brooklyn.

—¿Qué huesos? —dice Frank—. Si los tienes podridos de tanto pegarle a la priva.

El cuerpo de Thomson parece desfondarse, pierde vigor y resistencia, y Robinson pide tiempo muerto y recorre la distancia que le separa del montículo con esos andares pajariles que hacen que parezca que va caminando por un sendero torcido.

—Los Giants tendrán que contratar a ese enano como-se-llame si quieren ganar, porque su única esperanza es alguna anormalidad de la naturaleza —dice Gleason—. Un terremoto o un enano. Y como no estamos en California, más vale que recen por un duende con chándal.

—Qué graaa-cia —dice Frank.

A Edgar el tema le pone nervioso. Se muestra susceptible en lo que respecta a su talla, y eso que se encuentra a salvo entre las estaturas medias. Ha ganado peso en estos últimos años y cuando se mira al espejo para vestirse, con su corpachón y su cabeza de buda, el que le devuelve la mirada es un tipo gordo y bajo. Algo que los deslenguados de la prensa han confirmado como cierto, como si un hombre pudiera inspirar la presencia de los fantasmas que lo atormentan a las noticias públicas. Hoy en día es un hecho que aquellos agentes cuya estatura sobrepasa la media tienen pocas posibilidades de que los destinen a jefatura. Y es igualmente cierto que el enano al que se refiere su amigo Gleason, el *sportif* de apenas un metro que salió una vez, hará seis semanas, a batear para los Browns de St. Louis en una actuación que, según Edgar, constituía también un acto público subversivo, se llama Eddie Gaedel, y si Gleason llega a recordar su nombre emparejará Eddie con Edgar, tras lo cual comenzarán a volar de un lado a otro los chistes de bajitos como la proverbial mierda estrellada contra el ventilador. Gleason alcanzó el éxito como comediante agresivo e insultante y nunca ha dejado realmente de hacerlo: lo hace gratis y porque le divierte, y va dejando vidas destrozadas a su paso.

—No seas un mentecato toda tu vida, Gleason —dice Toots Shor—. Sólo es una carrera de diferencia. Los Giants no han superado una diferencia de trece juegos y medio para echarlo a perder todo en el último día. Éste es el año del milagro. Nadie tiene vocabulario con el que expresar lo que ha ocurrido este año.

Esa cara de pan y esas manos de carnicero. Miras a Toots y ves a un veterano de los bares clandestinos, recio de cuerpo, pelo engominado y peinado hacia atrás y unos ojos achinados que enseguida te previenen. Nos hallamos ante un ex gorila que se dedica a arrojar a personas inocentes de su club cada vez que bebe.

—Mays es el único —dice.

Y dice Frank:

—Hoy es el día de Willie. Va a soltarse a tope. Me lo dijo Leo por teléfono.

Gleason imita pasablemente el acento entrecortado de los británicos cuando dice:

—No pretenderás decirme en serio que ese tipo que sale a jugar va a hacer nada extraordinario.

Edgar, que detesta a los ingleses, se dobla de risa mientras Jackie, entretanto, muerde su perrito caliente casi sin aliento y comienza a toser y a atragantarse y a lanzar briznas de carne y de pan en todas direcciones, perdigones y hebras, proyectiles ensalivados.

Pero si algo conturba a Edgar son las formas de vida invisibles, por lo que aparta el rostro de Gleason y contiene el aliento.

Quiere salir corriendo hacia el lavabo, a una habitación forrada de zinc en la que haya una ovalada pastilla de jabón sin estrenar, un torrente de agua caliente y una toalla suave y esponjosa que nadie haya utilizado anteriormente. Pero, claro está, no hay nada parecido en las inmediaciones. Tan sólo más gérmenes, un entorno constantemente plagado de agentes patógenos, microbios, colonias flotantes de espiroquetas que se unen y se separan y se alargan y se retuercen y devoran, cargamentos enteros de materia que la gente despide al toser de un modo tan letal como rudimentario.

La multitud, el ruido constante, su aliento y su zumbido, ese rumor sordo que surge de vez en cuando, el indeterminado género de lo que comparten en sus respectivas experiencias del partido, el modo en que un hombre se rasca la muñeca o conforma una sarta de juramentos. Y esos aplausos encadenados que mueren rápidamente pero que nunca son suficientes. Aguardan para dejarse arrastrar por el sonido de cánticos y de rítmicas palmadas, formas prefijadas y repetidas. Es un poder que mantienen reservado a la espera del momento adecuado. Es lo que hará que sucedan las cosas, lo que cambiará la estructura del partido y les permitirá ponerse en pie de un salto, salir volando con un estrépito desatado que sacudirá el lugar hasta sus cimientos.

Dice Sinatra:

—Jack, creo haberte dicho que te quedaras en el coche hasta que terminaras de comer.

Mays batea grácilmente, pero en lugar de golpear la pelota de lleno envía un lanzamiento de rutina al encapotado cielo de octubre. El sonido del bate de fresno al entrar en contacto con la pelota alcanza a Cotter Martin, sentado en las gradas del costado izquierdo del campo con los huesudos hombros agachados. Está observando a Willie en lugar de a la pelota, y le ve corretear un poco primero y luego recoger su guante del césped y correr sin prisa hasta su posición.

Se encienden los focos, pillando a Cotter por sorpresa y alterando su estado de humor en medio de su reciente escapada, de la aérea sensación de haberlo hecho y de que no le pillen. El día se ha vuelto distinto, grave y amenazador, anunciador de lluvia, y observa a Mays en el centro del campo, mostrando un aspecto algo ridículo en un espacio tan grande, del tamaño de un crío, y se pregunta cómo puede el tipo realizar esos lanzamientos, girar y tirar, con semejante potencia. Le gusta contemplar el campo bajo las luces, incluso si ello supone inquietarse por la posibilidad de lluvia, aunque aún es por la tarde y el efecto no es el mismo que en los partidos nocturnos, en los que el campo y los jugadores parecen completamente aislados de la noche que les rodea. Tan sólo ha acudido a un partido nocturno en toda su vida, bajando por la alameda con su hermano mayor para penetrar en aquel recipiente pintado de luz. Pensó que aquellas torres despedían una energía desconocida, una potencia terrenal más intensa que aislaba a los jugadores y a la hierba y a las líneas pintadas con polvo de tiza de cualquier otra cosa que hubiera podido ver o imaginar hasta entonces. Poseían el fulgor de las cosas nuevas.

Igual que el corredor cuando frena derrapando para girar en primera base.

Lo primero que sorprendió a Cotter, mucho antes que las luces, fueron los asientos vacíos. Durante su exploración de las gradas no hacía más que ver asientos vacíos, demasiados para que el fenómeno pudiera deberse a que la gente se había ido a comprar una cerveza o a orinar. Encontró un sitio libre entre dos tipos vestidos con traje y se limitó a felicitarse de su buena suerte, de la comodidad de un asiento como Dios manda, sin preocuparse de que hubiera tantos otros.

El hombre sentado a su izquierda dice:

—Oye, ¿te apetecen unos cacahuetes?

El vendedor de cacahuetes va a pasar de nuevo, un mago atrapamonedas de unos dieciocho años, negro y esbelto. La gente le conoce de otros partidos y otras entradas y se apresuran a escarbar en busca de dinero suelto. Le llaman para que les lleve cacahuetes, *eh, aquí, una bolsa*, y chasquean los dedos para arrojarle monedas que describen un arco similar al del lanzamiento de un disco, y las manos del vendedor parecen inhalar el metal volante. Tiene la piel magnética, ese malabarista circense especializado en atrapar centavos al vuelo para luego alargar bolsas de cacahuetes hacia el pecho de la gente. Se trata de un espectáculo emocionante, pero Cotter intuye un oscuro peligro en todo ello. El tipo le está volviendo visible, avergonzándole en su guarida de merodeador. ¿No es curioso el modo en que su colorido común logra salvar el espacio que los separa? Nadie había visto a Cotter hasta que

21

ha aparecido el vendedor con esos rayos negros que brotan de sus manos. Un negro popular y amigo de multitudes. Un chaval astuto intentando pasar desapercibido.

—¿Qué respondes? —dice el hombre.

Cotter alza una mano indicando que no.

—¿No te apetece una bolsa? Vamos...

Cotter se aleja inclinando el cuerpo y alza la mano al estómago para indicar que ya ha comido o que los cacahuetes le causan retortijones o que su madre le dijo que no se llenara de comida basura porque luego no tiene apetito para la cena.

—¿De qué equipo eres? —dice el hombre.

—De los Giants.

—Menudo año, ¿verdad?

—No sé, con este tiempo es malo andar a la cola.

El hombre mira al cielo. Tendrá unos cuarenta años, va bien afeitado y engominado, pero tiene una personalidad desenfadada, un modo de ser tranquilo que Cotter relaciona con la vida en pueblos pequeños que ve en las películas.

—Sólo ganan por una carrera. Volverán al ataque. Con el año que hemos tenido, no puede estropearse por culpa del tiempo. ¿Qué me dices de una soda?

Hombres que entran y salen de los servicios, hombres que se abrochan la bragueta mientras se alejan del canalón y otros se acercan al largo receptáculo, pensando dónde van a colocarse y junto a quién y junto a quién no, y la peste y el moho del viejo estadio se encuentran allí consolidados, mareas generacionales de cerveza y de mierda y de cigarrillos y de cáscaras de cacahuetes y de desinfectantes y de meadas de millones sin cuento, y todos piensan de ese modo ordinario que ayuda a las personas a deslizarse por la vida, concibiendo reflexiones desconectadas de los acontecimientos, el polvoriento zumbido de quién eres, hombres que se abren paso a codazos a través del tráfico de los servicios de caballeros a medida que prosigue el juego, las idas y venidas, la extracción de sus miembros, la meada meditativa.

El hombre sentado a su izquierda cambia de postura y se dirige a Cotter por encima del hombro con un susurro pícaro.

—¿Qué pasa con el colegio? ¿Has decidido tomarte unas vacaciones privadas?

Una sonrisa atraviesa su rostro.

—Igual que usted —dice Cotter, y obtiene a cambio una risotada que suena como un disparo.

—Hubiera sido capaz de fugarme de la cárcel para ver este partido. De hecho, los prisioneros están escuchando la retransmisión. En las cárceles instalan radios en los bloques de celdas.

—He llegado pronto —dice Cotter—. Podría haber ido al colegio por la mañana y luego marcharme. Pero quería verlo todo.

—Un hincha de verdad. Música celestial para mis oídos.

—Mire la gente que se presenta. Los jugadores se introducen por la entrada de jugadores.

—Por cierto, me llamo Bill Waterson, y hubiera faltado gustosamente al trabajo, pero no tuve que hacerlo. Tengo mi propio negocio. Una pequeña compañía constructora.

Cotter intenta pensar en algo que decir.

—Nosotros somos los que construimos las casas divertidas para vivir.

El vendedor de cacahuetes sube por el pasillo y se encamina a la siguiente sección cuando divisa a Cotter y le dirige una sonrisa de complicidad. Va a haber problemas, piensa el chiquillo. Este bocazas se ha propuesto denunciarle de algún modo fulminante. Sus miradas se cruzan fugazmente a medida que el vendedor sube por las escaleras. Sin interrumpir la zancada, hunde la mano velozmente en busca de una bolsa de cacahuetes y se la arroja despreocupadamente a Cotter, quien la atrapa con un borroso movimiento de la mano que emula la desdibujada silueta del lanzamiento. Y aquel momento delicioso dibuja en el rostro de Cotter la sonrisa de la semana y esparce una oleada de buena voluntad por toda la zona.

—Veo que te has hecho con una después de todo —dice Bill Waterson.

Cotter abre la bolsa marrón plegada y se la alarga a Bill. Ambos permanecen allí sentados, pelando los cacahuetes y desprendiendo su sedosa piel marrón con un movimiento giratorio del pulgar y el índice y devorando la aceitosa carne salada y dejando caer las cáscaras en el suelo sin apartar un solo instante la mirada del partido.

—La próxima vez que oigas a alguien decir que está en el séptimo cielo, piensa en esto —dice Bill.

—Tan sólo nos harían falta unas cuantas carreras.

23

Alarga nuevamente la bolsa hacia Bill.

—Ya marcarán. Está al caer. No te preocupes. Vamos a hacer que te alegres de haber faltado al colegio.

Fijaos en Robinson en el extremo del extracampo, contemplando la llegada del bateador y pensando distraídamente, Otro de esos teutones pueblerinos de Leo.

—Pues lo cierto es que existe una norma de conducta caballerosa —anuncia Bill— que declara que ya que estás compartiendo tus cacahuetes conmigo yo me encuentro en el deber de comprar soda para los dos.

—Suena razonable.

—Bien. Está decidido, pues —dice, girando en el asiento y alzando un brazo en el aire—. Un par de caballeros amantes del deporte disfrutando de su asueto.

Stanky el bulldog sentado en el banquillo.

Mays intentando quitarse una musiquilla de la cabeza, su rostro azulado ligeramente congestionado, una tonada pegadiza que ha estado oyendo últimamente por la radio.

El chico que se ocupa de los bates baja los escalones con aire algo alelado y desliza el negro bate de Dark en el soporte.

El juego se cierra en las entradas centrales. Se abandonan a la espera, a cierta ansiedad informe que torna rígidos los músculos de los hombros y les impulsa a acudir a la fuente para beber y escupir.

Al otro lado del campo Branca ha subido a los chiqueros de los Dodgers. Es un hombre corpulento de orejas alargadas como las de los elfos; sus brazos compactos le permiten tirar con facilidad, soltándose simplemente.

Mays piensa desesperado, Vuelve, a casa vuelve, por Navidad.

En la tribuna, el agente especial Rafferty desciende las escaleras en dirección a la zona de palcos que se extiende tras el banquillo del equipo local. Es un hombre recio dotado de una masa de cabellos rojizos —una pelambrera pelirroja, como gusta de decir a la gente—, y se mueve con la expresión decidida de alguien que no desea que le distraigan. Se desplaza con brusquedad pero sin urgencia, en dirección al palco ocupado por el director.

Gleason tiene dos espumosas tazas plantadas ante los pies, y por los extremos de uno de sus puños apretados sobresale un perrito caliente cuya existencia ha olvidado. Está hablando con seis personas a la vez, y todos ríen y le hacen preguntas, abonados a la temporada, antiguos hinchas acompañados de sus larguiruchas esposas. Advierten que se encuentra medio borracho y admiran lo afilado de su ingenio, su agudo filo de insulto y mofa. Buscan sentirse ofendidos, y Jackie, encantado de complacerles, se sobrepone a su achispamiento para realizar la detallada imitación de un borracho. Deja caer los párpados y gruñe, burlándose del tupé, similar a una mopa, de uno de los tipos, ridiculizando a un segundo por las coderas de su chaqueta de *tweed*. Las mujeres disfrutan enormemente y piden más. Observan a Gleason, observan a Sinatra para ver cuál es su reacción ante Gleason, observan el partido, escuchan a Jackie mientras elabora titulillos para su programa de televisión, observan la mostaza deslizándose por su dedo pulgar y les da demasiada vergüenza decírselo.

Cuando Rafferty llega al asiento de pasillo del señor Hoover no se sitúa sobre el director ni se inclina sobre él para hablarle. Realiza el gesto deliberado de agacharse en el pasillo. Tiene una mano distraídamente situada sobre la boca de modo que nadie más pueda averiguar lo que está diciendo. Hoover le escucha unos instantes. Dice algo a sus acompañantes. A continuación, él y Rafferty ascienden por el pasillo hasta hallar un lugar aislado, situado a medio camino de una larga rampa, y una vez allí el agente especial le recita los detalles del mensaje.

Parece que la Unión Soviética ha realizado una prueba atómica en un enclave secreto dentro de sus propias fronteras. En lenguaje liso y llano, han hecho estallar una bomba. Y nuestros sistemas de detección indican claramente que se trata de lo que se trata: una bomba, un arma, un instrumento de conflicto que produce calor y deflagración y onda expansiva. No se trata de un uso pacífico de la energía atómica destinado a sistemas de calefacción doméstica. Se trata de una bomba con todas las de la ley que produce una enorme nube blanca, como una deidad eurasiática del trueno.

Edgar graba la fecha del día en su mente, el 3 de octubre de 1951. Registra la fecha. Sella la fecha.

Sabe que aquello no es algo del todo inesperado. Es la segunda explosión atómica que realizan. Pero la noticia es dura, le afecta, le hace pensar en los espías que habrán pasado los secretos, en la perspectiva del envío de cabezas nucleares a las fuerzas comunistas de Corea. Las siente aproximándose cada vez más, alcanzándoles, superándoles. Le afecta, hace cambiar su aspecto físico allí mismo, tensándole la piel del rostro, fijándole la mirada.

Rafferty permanece en una zona de la rampa situada algo más abajo de donde está Hoover.

Sí, Edgar se graba la fecha. Piensa en Pearl Harbor, hace poco menos de diez años, aquel día también estaba en Nueva York, y la noticia parecía estremecer el aire, era todo como un destello fotográfico en el que los objetos más comunes parecían cargados e incandescentes.

Sobre ellos se desata el estruendo de la multitud, una voz confinada que recorre los huecos de la infraestructura del estadio.

Y ahora esto, piensa. Un calor como el del sol, capaz de devorar ciudades.

Gleason ni siquiera debería estar aquí. Ahora mismo se está realizando un ensayo en un estudio próximo al centro: allí es donde debería estar, preparando un *sketch* titulado *Luna de miel* que habrá de retransmitirse por primera vez dentro de dos días exactamente. Se trata de un argumento próximo al corazón de Jackie, e intervienen en él un conductor de autobús llamado Ralph Kramden que vive con su esposa Alice en un destartalado piso de Brooklyn. Gleason no ve nada raro en perderse un ensayo por distraer a los hinchas de las gradas. Pero a Sinatra todas aquellas personas subiéndoseles a la chepa le hacen sentirse incómodo. Está habituado a ciertas distancias rituales. Le gusta encontrarse con la gente en circunstancias proyectadas de antemano. Hoy, Frank no tiene consigo a su matón de origen italiano. E incluso con Jackie a un lado y Toots al otro —un par de gorilas que funcionan a modo de barreras naturales— la gente sigue acuciándole, como inmersos en la consecución de una misión. Les ve decidir uno por uno que tienen que hablar con él. Sus rígidas sonrisas flotando cada vez más próximas. Y el modo en que le utilizan como referencia para todo cuanto ocurre. Alguien realiza un buen juego: todos miran a Frank para ver su reacción. El vendedor de cerveza tropieza con un escalón: todos miran a Frank para ver si se ha percatado.

Se inclina hacia delante y dice:

—Jack, es estupendo estar aquí, pero ¿no podrías taparte la cara con una toalla para ver si toda esta gente vuelve a concentrarse en contemplar el partido?

La gente quiere que Gleason recite diálogos famosos de su espectáculo. Le gritan las frases que quieren que diga.

Y entonces dice Frank:

—¿Dónde demonios está Hoover, por cierto? Le necesitamos para que mantenga a estas mujeres alejadas de nuestros hermosos cuerpos.

El receptor se incorpora de su postura agachada, incrustadas de polvo las arrugas que recorren su rojiza nuca. Alza la careta para escupir. Lleva defensas y protecciones, y sus labios aparecen ásperos y acartonados y cuarteados por el sol. Aquello es su mayor acto de libertad, escupir en público. Su saliva se arremolina y tiembla al estrellarse contra el polvo, tornándose de un color marrón arcilloso.

Russ Hodges ha acudido a la zona de televisión para las entradas medias, hablando menos, guiándose por la acción que muestra el monitor. Entre entrada y entrada, el estadístico le ofrece parte de un emparedado de pollo que ha traído para el almuerzo.

—¿A qué viene esa expresión melancólica que tienes hoy? —le dice a Russ.

—No sabía que tuviera una expresión. Ninguna expresión. No me siento capaz de mostrar expresión alguna. Quizá los ojos un poco hundidos.

—Pensativo —dice el estadístico.

Y es cierto, y lo sabe, Russ se siente melancólico y distraído, y lleva todo el día de un humor extrañísimo, nostálgico, un viejo chocho que vuelve al pasado, como los ancianos de las mecedoras.

—¿Esto es pollo con qué?

—Mayonesa, diría yo.

—Tiene gracia, ¿sabes? —dice Russ—, pero creo que ha sido Charlotte la culpable de esa expresión.

—¿La dama o la ciudad?

—La ciudad, desde luego. Me pasé años en un estudio realizando recreaciones de los grandes partidos de liga. El telégrafo resonando en segundo plano y el sacamuelas de Hodges inventándose el noventa y nueve por ciento de la acción. Y te diré algo con la mano en el corazón. Sé que suena descabellado, pero solía sentarme allí y soñar con retransmitir béisbol real desde una cabina de los Polo Grounds de Nueva York.

—Béisbol real.

—Real como el sol.

Alguien te alarga un trozo de papel lleno de letras y de números y con eso tú tienes que fabricarte un partido de béisbol. Te inventas el tiempo que hace, describes físicamente a los jugadores, los haces sudar y quejarse y ajustarse los pantalones, y es notable, piensa Russ, cuánto alboroto terrenal, cuánto verano y cuánto polvo puede la mente llegar a imaginar a partir de un único carácter del alfabeto latino extendido sobre el papel.

—Lo que acaba de lanzar Maglie no es ninguna chapuza —dice frente al micrófono.

Cuando retransmitía partidos fantasma le gustaba trasladar la acción a las gradas, inventándose chiquillos que perseguían pelotas extraviadas, un pelirrojo con tupé (seré sinvergüenza) que recupera la pelota y la sostiene en alto, aquella esfera de ciento cincuenta gramos fabricada de corcho, goma, hilo y cosidos espirales, una pelota de recuerdo, algo en cierto modo inapreciable, algo que parece recapitular toda la historia del juego cada vez que alguien la arroja, la golpea o la toca.

Se lleva a la boca la última porción de emparedado, se chupa el pulgar y recuerda dónde está, lejos de aquella habitación sin ventanas con su aparato de telégrafo y sus mensajes codificados en Morse.

El productor, desde la zona de radio, dice:

—¿Habéis leído eso que salió en el periódico la semana pasada acerca de Einstein?

—¿Qué Einstein? —dice el ingeniero.

—Albert, el de la pelambrera. No sé qué periodista le preguntó si sería capaz de elaborar el cálculo matemático de la liga. Ya sabéis, si un equipo gana tal cantidad de los partidos que le faltan, el otro tiene que ganar tal o cual número. ¿Cuáles son las posibilidades astronómicas? ¿Quién lleva ventaja?

—¿Qué demonios sabe él de eso?

—Por lo visto, no demasiado. Dijo que los Dodgers eliminarían a los Giants el viernes pasado.

El ingeniero se dirige a su colega de la KMOX a través de la manta. La novedad de la manta hace que aquellos hombres empleen la jerga de los presos para hablar entre sí. Cuando vuelven al dialecto de los negros el productor les obliga a callarse, pero al cabo de un rato vuelven a hacerlo, hablando en murmullos como dos negros emporrados en un sótano humeante. Desde luego, no lo suficientemente alto como para que el micrófono pueda registrar sus palabras. Un ruido ambiental similar a un zumbido casual y aislado: un charloteo, una textura, una extensión del partido.

Abajo, en los banquillos del campo, quieren que Gleason diga, «sois un público fan-fan-fantástico».

Russ regresa a la zona de radio después de que los Giants pierdan la mitad de su sexta entrada, con una carrera de menos. Se alegra de no tener un termómetro porque podría sentirse tentado de utilizarlo, lo que resultaría desmoralizador. Hace un día templado, bendito sea Dios, y las nubes aguantan.

—Seguimos emitiendo, Russ —dice el productor.

—Espero no tener que rendirme. Tengo la garganta en carne viva.

—Esto es la radio, chico. No se puede parar. Piensa en los que hay ahí fuera. Todos aferrados a sus transistores portátiles.

—No creas que con eso me haces sentir mejor.

—Todos pegados a la radio. Eres como Murrow, el de Londres.

—Gracias, Al.

—Ahorra voz.

—Eso intento por todos los medios.

—Este partido influye en todo. Los telegrafistas que transmiten el Dow Jones se dedican a enviar los resultados del partido mezclados con los resultados de Bolsa. Y te garantizo que todos los bares de la ciudad nos tienen sintonizados. Los accionistas camuflan radios para poder entrar con ellas a la sala de juntas. Tengo entendido que en la cadena de restaurantes Schrafft interrumpen la música ambiental de los ascensores para dar los resultados.

—Todas esas señoras tan correctas, con sus jerséis a juego y sus emparedados bajos en calorías.

—Ahorra voz —dice Al.

—¿Tienen té con miel en el menú?

—Comen y beben béisbol. El locutor del hipódromo de Belmont se dedica a poner al público al día entre carrera y carrera. Nos sintonizan los taxistas, los peluqueros y las consultas de los médicos.

Todo el mundo contempla al lanzador, cuyo rostro parece reflejar un presentimiento, el torso adelantado, la mano enguantada colgando a la altura de la rodilla. Está leyendo y volviendo a leer los gestos. Lee los gestos. El bateador se revuelve, inquieto. Este hijo de su madre es capaz de lograrlo.

El medio desplaza los pies para romper el trance de la espera.

Son las normas de la confrontación, fielmente cumplidas, escritas hasta sobre el rostro del más estúpido de los lanzadores posibles desde que existían equipos como los Superbas y los Bridegrooms. La diferencia se produce en el momento de golpear la pelota. A partir de ahí, todo es distinto. Los hombres se desplazan, abandonan sus posturas agachadas, y todo depende de los rebotes de la pelota, de sus rotaciones y sus efectos y sus corrientes de aire. Existen coeficientes de arrastre. Vórtices. Cosas que influyen de modo irrepetible, memoria muscular y circulación sanguínea y remolinos de polvo, la narrativa que habita en los espacios de la crónica oficial del partido.

Y la muchedumbre reside igualmente en ese espacio perdido, esa multitud que cambia en la milésima de segundo en la que el bate y la pelota entran en contacto. Un rumor de murmullos y juramentos, personas que exhalan suaves suspiros, sus rostros alterados a medida que el partido se desarrolla sobre el herboso horizonte. John Edgar Hoover entre ellas. Contempla el partido desde el ancho pasillo que encabeza la rampa. Le ha dicho a Rafferty que no abandonará el estadio. De nada serviría que se marchara. La Casa Blanca anunciará la noticia antes de una hora. Edgar detesta a Harry Truman, le gustaría verle retorciéndose sobre un suelo de parqué, destrozado por dolores de pecho, pero difícilmente cabría criticar el sentido de la oportunidad del Presidente. Al anunciarlo nosotros primero, evitamos que los soviéticos se aprovechen del acontecimiento. Y apaciguamos hasta cierto punto la inquietud de la población. La gente captará que hemos sabido mantener el control de la noticia, ya que no de la bomba. Esto no es ninguna fruslería. Edgar recorre con la mirada los rostros que le rodean, francos y esperanzados. Ansía percibir la cercanía y afinidad de un compatriota. Todas aquellas personas, formadas mediante su idioma y su clima y sus canciones populares y su estilo de desayuno y los chistes que cuentan y los automóviles que conducen, jamás han tenido algo tan profundamente en común como eso, como el hecho de estar sentados al borde de la destrucción. Intenta experimentar una sensación de pertenencia, una apertura de su viejo e insensibilizado espíritu. Pero padece cierta amarga afección que nunca ha sabido determinar, y cada vez que se topa con una amenaza proveniente del exterior, de esa decadencia moral que reina por doquier, descubre en ella una fuerza restauradora de su equilibrio. Su úlcera, claro está, protesta. Pero existe ese aspecto de su naturaleza, esa parte de él que depende de la fuerza del enemigo.

Fijaos en aquel tipo de las gradas más alejadas, recorriendo los pasillos, uno de los chiflados del barrio, agitando los brazos y murmurando para sí, bajito, rechoncho, despeinado: podría tratarse de uno de los hermanos Ritz o de un miembro perdido de los Three Stooges, el cuarto Stooge, de nombre Flippo o Dummy o Shaky o Jakey; distrae a los espectadores más cercanos, que le gritan que se siente, que se pire, tío chalado, y él sigue caminando con gesto preocupado, sacudiendo la cabeza y gimiendo como si supiera que se avecina algo, o que ya ha sucedido, o que sucedió: capta cosas que hasta al más agudo de los hinchas se le escapan.

El director regresa con expresión granítica a su asiento para ver la séptima entrada. Por supuesto, no dice nada. Gleason se dirige a gritos a un vendedor, intentando pedirle unas cervezas. La gente se pone en pie para descargar la tensión y el agobio. Un hombre se limpia las gafas con gesto pausado. Un hombre contempla inmóvil. Un hombre flexiona los miembros para desadormecerlos.

—Consígueme un brandy con soda —dice Toots.

—No seas un cabeza de chorlito toda tu vida —le dice Jackie.

—Trata bien al tipo —dice Frank—. Ha recorrido un largo camino por culpa de un judío que bebe. Es amiguete de toda la vida de líderes mundiales de los que ni siquiera has oído hablar. Todos acuden a su local más pronto o más tarde para tomarse un brandy con Toots. Salvo acaso Mahatma Gandhi. Y a ése le pegaron un tiro.

Gleason enarca las cejas; los ojos parecen salírsele de las órbitas y extiende los brazos de golpe como un cretino, asaltado por la revelación.

—Ése es el nombre del que no lograba acordarme. El enano bateador.

Rodeados de gente que oye parte de la conversación y que reacciona básicamente a las inflexiones y a los gestos: han observado cómo Jackie iba elaborando su observación y se desternillan de risa antes incluso de que concluya la frase.

Edgar también se ríe a pesar del hecho de que haya vuelto a salir el tema del enano. Admira la áspera personalidad de aquellos hombres. Parece emanar de sus poros. Poseen una solidez, una resistencia natural que deja en pañales su propio adoctrinamiento de escuela dominical al mismo tiempo que le atrae a la fuente de sonido. Él es un norteamericano autoperfeccionado, obligado a respetar la saga del muchachito paleto que emerge de una cultura de casas de vecinos, de callejones llenos de peligro. Laboratorios de egos borrascosos, de apetitos. Esos dos mujeriegos, Jackie y Frank, poseen una especie de presumido desenfado en contacto con las damas. Y lo que dicen de Toots es cierto: sabe todo cuanto merece la pena saber y a la hora de tomar copas es capaz de tumbar al mismo Gleason. Y cuando te aferra el hombro con su zarpa solidaria sientes que es una fuerza providente llegada para librarte de tu viejo descorazonamiento.

Frank dice:

—Aquí viene nuestra entrada.

Y Toots dice:

—Más nos vale. Porque estos Dodgers pisamierdas están poniéndome nervioso.

Jackie reparte cervezas por toda la fila.

Frank dice:

—Me da la sensación de que todos hemos hecho patentes nuestras auténticas lealtades. Que hemos desnudado los deseos de nuestros corazones. Contamos con un par de viejos hinchas de los Giants. Y con esta marsopa trasquilada de Brooklyn. Pero ¿qué hay de nuestro amigo, el representante del Gobierno, el hombre-G? ¿Acaso la G es por los Giants? Confiesa, Jedgar. ¿De qué equipo eres?

J. Edgar. Frank, a veces, le llama Jedgar, y al Director le gusta el nombre, aunque nunca se aviene a admitirlo: resulta medieval y principesco y oscuramente taimado.

El rostro de Hoover se distiende con una leve sonrisa.

—No albergo ningún interés especialmente profundo. El que gane —dice quedamente—. Ése es mi equipo.

Está pensando en algo completamente distinto. El proceso durante el cual nuestros aliados recibirán uno por uno la noticia de la bomba soviética. La idea le produce una euforia amarga. A lo largo de los años ha ido enfrentándose a la necesidad de aliarse con los jefes del espionaje de ciertos países y le apetece verlos agonizar un poco.

Fíjate en esos cuatro. Cada uno con su pañuelo pulcramente doblado en el bolsillo de la chaqueta. Cada uno manteniendo la cerveza lejos del cuerpo, todos ellos inclinándose hacia delante para sorber el sobrante de espuma que asoma por el borde. Gleason con una flor en la solapa, un húmedo aster birlado de un jarrón de casa de Toots. La gente sigue persiguiéndole para que recite diálogos de su espectáculo.

Quieren que diga: «Ex-traor-di-na-rio.»

El árbitro sostiene la careta en la mano, y su uniforme le proporciona un aspecto casi semiarticulado. Controla los números, cuenta los tiros de calentamiento del lanzador. Representa la pequeña y tenaz conciencia del partido. Incluso en reposo, encarna una historia llena de enredos, de hombres que levantan polvo con las botas mientras adoptan sus diversas posturas bajo el ardiente sol. Puede verse en su rostro, con la barbilla extendida, y la furiosa expresión de su mirada bajo el entrecejo. Cuando llega al número ocho, suelta un escupitajo de tabaco bien dirigido y se dispone a acudir a la goma provisto de su escoba.

En las gradas, Bill Waterson se quita la chaqueta y la agita cuan larga es sosteniéndola por el cuello. Está ajada y arrugada, y parece golpearle como un cuerpo viviente al que pretendiera soltar un severo discurso. Tras una pausa, la pliega en dos dobleces y la deposita sobre el asiento. Cotter ha vuelto a sentarse, rodeado en gran medida por gente que se mantiene en pie. Sobre él se erige Bill, un tipo corpulento, a juzgar por su aspecto un antiguo atleta de cintura cada vez más rellena y manchas de sudor bajo los brazos. La séptima entrada, qué suerte. Cotter necesita una simple carrera para no caer en la desesperación: la carrera más fácilmente conseguida que jamás se haya logrado. De otro modo, tirará la toalla. Ya saben lo que ocurre cuando te rindes antes del final y entonces llega tu equipo y realiza un acto de valor que hace que sientas una vergonzosa repugnancia que te invade como una mancha de aceite sobre la superficie de un estanque.

Bill baja la cabeza y le dice:

—Yo me tomo mi pausa de la séptima muy en serio. No me limito a ponerme de pie. Me aseguro de estirarme como es debido.

—Ya lo he notado —dice Cotter.

—Porque se trata de una costumbre heredada. Forma parte de algo. Es algo nuestro y tradicional. Te pones de pie, te estiras... en cierto modo, constituye un privilegio.

Bill se divierte realizando varias de sus estilizadas imitaciones, el culturista, el gato casero, e intenta que Cotter represente la imagen de un chiquillo soñoliento en plena clase.

—¿Has llegado a decirme cómo te llamas?

—Cotter.

—Ahí reside el truco con el béisbol, Cotter. Uno hace lo que otros han hecho antes que él. Ésa es la conexión que uno busca. Viene de muy lejos. Un hombre lleva a su hijo al partido y treinta años después los dos hablan de ello cuando el pobre viejo está agonizando en el hospital.

Bill retira su chaqueta del asiento y la coloca sobre el regazo antes de sentarse. Pocos segundos más tarde se encuentra de nuevo en pie, él y Cotter absortos en la contemplación de Pafko, que persigue un doble. Se alza un leve rugido, denso y frondoso, y los hinchas arrojan una nueva andanada de papeles que flotan hasta la base del muro. Viejas listas de la compra y billetes de transporte usados y fajos de recortes arrugados descienden en torno a Pafko bajo el crepúsculo del atardecer. Más allá, en el exterior izquierdo, la gente esparce papeles sobre los chiqueros de los Dodgers, sobre Labine y Branca mientras lanzan y sobre los dos hombres que recogen sus tiros y sobre los hombres sentados bajo el chaflán que sobresale de la pared, hombres que mascan chicle a falta de algo que decir.

Branca luce el número trece impreso sobre la espalda.

—Te lo dije —dice Bill—. ¿Qué te dije? Te lo dije. Estamos remontando.

—Aún tenemos que apuntarnos la carrera —dice Cotter.

Se sientan y ven cómo el bateador distrae una mirada hacia la derecha, hacia Durocher que gesticula desde el banquillo del entrenador, situado en tercera. Bill se pone en pie de nuevo, arremangándose y lanzando gritos de aliento a los jugadores, palabras corrientes de calor y de ánimo.

A Cotter le gusta la decisión de aquel hombre, su capacidad de fe y de esperanza. Constituye la única fuerza disponible frente al poder de la duda. Piensa que está a punto de conseguir un nuevo amigo. Se trata de un sentimiento que emana del cálido acento de Bill y de su sociable mole, sudorosa y gimnástica, y del modo en que escucha cada vez que Cotter habla y del modo en que logra hacer creer a Cotter que comparten una larga y estrecha relación, amigos del alma como suele decirse. Se siente un poco raro, le resulta una sensación extraña, hablar con Bill, pero percibe en él algo protector y acogedor que le ayudará a asimilar la derrota si llega el momento.

Lockman se dispone a golpear ligeramente la bola.

En la grada superior hay un hombre que se dedica a hojear un ejemplar del último número de *Life*. En la calle Doce de Brooklyn hay un hombre que ha conectado un magnetófono a su radio para poder grabar la voz de Russ Hodges mientras retransmite el partido. El hombre ignora por qué lo hace. Se trata simplemente de un impulso, de un capricho, es como asistir dos veces al mismo partido, es como ser joven y ser viejo, pero terminará siendo la única grabación conocida de la célebre crónica que haga Russ de los momentos finales del partido. Del partido y de sus prolongaciones. La mujer que cuece su repollo. El hombre que desearía abandonar la bebida. Unos y otros, representan el alma más remota del partido. Vinculados por la voz pulsante de la radio, conectados al boca a boca que recita el tanteo por la calle y a los hinchas que llaman a un número especial y a la multitud del estadio, convertida en imagen de televisión, personas del tamaño de medianos de arroz, y el partido en forma de rumor y conjetura e historia local. Hay en el Bronx un chaval de dieciséis años que se lleva la radio a la azotea del edificio para poder escucharlo a solas, un hincha de los Dodgers tendido bajo el crepúsculo que recoge el relato del golpe fallido y de la pelota que asegura la carrera del empate y que alza la mirada sobre los tejados, sobre esas playas de alquitrán, con sus tendederos y sus palomares y sus áticos esparcidos, y siente un escalofrío. El partido no cambia tu modo de dormir o de lavarte la cara o de masticar tus alimentos. Cambia nada menos que tu vida.

El productor dice:

—Al fin, al menos, una carrera.

Russ está agotado, colega, se le ve decaído y desaliñado y despeinado. Cuando el equipo llega a la octava informa de que han jugado ciento cincuenta y cuatro partidos regulares de temporada y dos partidos de desempate y siete entradas del tercer partido de desempate y allí están, metidos en un círculo vicioso, en un punto muerto, completamente paralizados, tíos, así que encendámonos un Chesterfield y a esperar.

La siguiente media entrada parece durar una semana. Cotter ve a los Dodgers situar hombres en primera y tercera. Observa cómo Maglie falla un tiro que rebota sobre la arena. Ve a Cox lanzar un tiro que sobrepasa la tercera. De la muchedumbre comienza a elevarse un clamor hueco, hombres que gritan desde las profundidades, una conmoción y desolación animales.

Desde la cabina, Russ ve que la multitud comienza a perder su coherencia, la gente se encuentra diseminada por las gradas, un sacerdote asciende por el pasillo con un grupo de chavales, los papeles giran y se esparcen en el viento. Oye al locutor de St. Louis al otro lado del ámbito de emisión, es Harry Caray y suena tan jovial como de costumbre y a Russ le viene a la memoria el término japonés para el desentrañamiento ritual y, deprimido, piensa que Harry y él deberían cambiarse los nombres.

La luz que inunda el cielo, los Dodgers apuntándose carreras, un hombre que baila en los pasillos, un negro con perilla y camisa a lo Bing Crosby. Todo cambiando de forma, todo convirtiéndose en algo distinto.

Cotter apenas consigue mascullar las palabras.

—¿De qué sirve empatar si luego das media vuelta y dejas que te pisoteen?

Dice Bill:

—Se están agrupando en el banquillo, pero te garantizo que no se rinden. En este equipo no existe esa palabra. No me hagas pucheros, Cotter. Somos dos colegas pasando un mal momento: tenemos que mantenernos unidos.

Cotter percibe la inminencia de una depresión, de una complicada autocompasión, sus brazos se quedan sin fuerzas y en su cabeza una voz le reprende por darle importancia a todo aquello. Y lo peor es que se recrea en ello. Sabe cómo hallar retorcidas compensaciones en esto de la derrota, de ser el perdedor, alargándolo, expandiéndolo, refocilándose de un modo malsano, convirtiéndose en alguien cuidadosamente escogido para ese papel.

El tanteo es de cuatro a uno.

Debería haber llovido en la tercera o cuarta entrada. Un buen diluvio. Deberían haberse visto truenos y relámpagos.

Dice Bill:

—Yo aún tengo confianza. ¿Y tú?

El lanzador se quita la gorra y se enjuga la frente con el antebrazo. Big Newk. A continuación, sopla en el interior de la gorra. Luego, la sacude y vuelve a ponérsela.

Shor mira a Gleason.

—Siempre igual de bocazas. Deja ya en paz a la gente. Han venido aquí a ver el partido.

—¿Qué partido? Esto es una paliza. Deberíamos marcharnos a casa.

—Aquí no se marcha nadie a casa —dice Toots.

Jackie dice:

—Podemos superar a la afición, cabeza de chorlito.

Frank dice:

—Vamos a votar.

Toots dice:

—Pareces un cadáver. Relájate y mira el partido. Porque de aquí no se marcha nadie hasta que no me marche yo, y yo no me voy.

Jackie llama a un vendedor con la mano y pide cerveza para todos. Durante la octava manga del equipo anfitrión no pasa nada. El público se dirige a las rampas de salida. Ahora son Erskine y Branca quienes se encuentran en los chiqueros, con algún que otro recorte de papel de los que han soltado de las gradas superiores. Los Dodgers ceden en la segunda mitad de la novena manga y aquí es cuando uno percibe una desbandada irremediable, algo que se palpa en el aire, que se distingue en los aullidos de lobo solitario de la parte más elevada de las gradas. Nada de lo que uno ha invertido en todo esto es ya recuperable, y dudas entre marcharte de inmediato o quedarte allí para siempre, refugiado bajo una manta para defenderte del viento.

Dice el ingeniero:

—Buena temporada, chicos. A ver si la repetimos alguna otra vez.

La falta de espacio en la cabina, toda aquella masculinidad atestada empieza a poner un poco nervioso a Russ. Enciende otro cigarrillo y, por primera vez en lo que va de día, no se reprocha a sí mismo hacerlo. Escucha aquellos lamentos solitarios y la voz de su estadístico, que recita números en francés macarrónico. Todo forma parte de lo mismo, de la sensación de algún frágil acontecimiento que plegamos y guardamos, y de una melancolía universitaria que se remonta a décadas: ese último día sobrecargado de las vacaciones de verano en el que los juegos se extinguen. He ahí el día del que nunca ha conseguido liberarse, el domingo final previo al primer lunes de colegio. Un día que parecía descargar un extraño y profundo ensombrecimiento sobre el horizonte oeste del atardecer.

Quiere regresar a casa y ver a su hija montada en bicicleta y recorriendo una calle salpicada de hojas.

Dark se estira para golpear un lanzamiento y golpea una bola que rebota como si tuviera vista propia y roza el extremo del guante del primer base.

Una cabeza asoma por encima de la lona, es el ingeniero de la KMOX, que comienza a contar un chiste acerca del amante más rápido de México —diii Mehiiiko—. Un tipo asombroso llamado Speedy González.

Russ no deja de pensar en completar la base, pero desvía rutinariamente la mirada hacia el letrero de los vestuarios del centro para ver si se enciende la primera E de CHESTERFIELD, lo que indicaría un error.

Robinson alcanza la pelota de la derecha.

—El caso es que el tipo está pasando la luna de miel en Acapulco, y como ha oído todas esas historias que cuentan de la increíble astucia de Speedy González pues está francamente preocupado; es muy nervioso, y en la primera noche, en la noche más importante, está en la cama con su mujer y le tiene metido el dedo medio en el chichi para que Speedy González no pueda meterse dentro cuando él no mira.

Mueller entra en juego y deja pasar una pelota demasiado baja.

En el banquillo de los Dodgers, uno de los entrenadores coge el teléfono y llama a chiqueros por decimoctava vez para averiguar quién está tirando bien y quién no.

Mueller ve una bola rápida a la altura de la cintura y golpea hacia la primera base.

—El caso es que el tío se muere por fumar y alarga la mano un momento para coger los cigarrillos y las cerillas.

Russ describe la llegada de Dark a tercera sin resbalar. Ve a Thomson en el banquillo con los brazos levantados y las manos vueltas hacia atrás, aferradas al borde del tejadillo. Describe a la gente que hay en los pasillos y a los que descienden en dirección al campo.

Irvin deja caer el bate lastrado.

—Conque lo enciende a toda prisa y vuelve a meter el dedo bajo las sábanas.

Maglie está ya en los vestuarios, sentado, en calzoncillos, en ese estado de ruina y desaliño posterior al juego que sugiere una confusión interior, bebiendo cerveza a morro.

Entra Irvin.

Russ describe cómo Newcombe aspira profundamente y estira los brazos por encima de la cabeza. Describe a Newcombe alerta para identificar las señales.

—Y dice Speedy González: «Se-ñooor, me ha metido usted el dedo por el cuuu-lo.»

Russ alcanza a oír la mayor parte de todo aquello y desearía no haberlo hecho. Cuenta él mismo un pequeño chiste, medio incorporado y con el abrigo por encima del micrófono, como queriendo evitar que la más mínima sílaba de cualquier vulgaridad pueda llegar a su audiencia. Ahí fuera hay gente decente.

Se escapa una pelota rápida y elevada.

El rumor de la muchedumbre es de incertidumbre. No saben si está produciéndose una recuperación o si se trata de otro de esos finales empatados que apenas sirven para alargar el dolor. Es un ruido agudo que a Russ le recuerda la espera impaciente en una estación de ferrocarril.

Irvin, con un esfuerzo, intenta lograrlo, y Russ puede oír el corazón de la multitud remedando el patético arco de la pelota, como un gemido vocálico que cayera blandamente sobre la tierra. El primer base la quita de en medio.

Ahí fuera hay gente decente. Russ quiere creer que aún permanecen congregados de algún modo identificable, el clan de la radio, viejos lazos y relaciones y proximidades.

Entra Lockman, el rubito de Carolina.

El modo en que su familia se reunía en torno al gramófono para escuchar ópera, esas erres trinadas de la vieja Europa. Pensamientos que se desvanecen y regresan. No se trata de distracciones. Permanece alerta a cualquier movimiento que se produzca sobre el terreno de juego.

Un par de marineros se aproximan a la barandilla que hay cerca de la tercera base.

Aquellos discos, vírgenes por uno de sus lados, y tan quebradizos que bastaba mirarlos con los ojos bizcos para que se cascaran. Por entonces, era el chiste de moda.

Inclinado sobre el micrófono. El campo parece abrirse a los nombres y a los verbos. Todo cuanto tiene que hacer es hablar.

Dice:

—Carl Erskine y el meteorito de Ralph Branca siguen calentándose junto a los vestuarios.

Lanzamiento.

Lockman lo envía a la red.

Surge ahora un aplauso rítmico, tímido al principio pero que luego se esparce densamente a través de las gradas. Así es como el público se sumerge en el juego. Ese ritmo ternario repetido posee la fuerza de una fe abyecta, como una voluntad desesperada que invocara la magia y el accidente.

Lockman entra de nuevo, agitando su bate amarillo.

Cómo su madre solía obligarle a hacer gárgaras de agua caliente con sal cada vez que se quejaba de la garganta.

Lockman golpea la segunda bola, que describe una trayectoria baja hacia la tercera base. Russ oye a Harry Caray gritando al micrófono, al otro lado de la lona. En ese momento, empiezan a gritar los dos y la bola se desliza hacia la línea y aterriza perfectamente levantando un puñado de tierra y encerrando una vez más a Pafko contra la pared.

Hombres corriendo, el *sprint* de primera a tercera, el tanteador avanzando de espaldas para poder supervisar lo que tiene lugar en los senderos. Todos los Giants puestos en pie frente al banquillo. La multitud también en pie, todos ladeando la cabeza en busca de perspectiva. Hombres que corren a través de un alud de sonido que se precipita sobre ellos.

El lanzamiento salió desviado, en dirección opuesta a la debida, y Harry comenzó a gritar.

El golpe ahoga el pulso de los rítmicos aplausos del público. Comienzan a rugir, produciendo un sonido que va haciéndose más grande en amplitud y alcance. Se trata de una muchedumbre renacida, de una muchedumbre renovada.

Harry comenzó a gritar y entonces Pafko se metió en el rincón y Russ comenzó a gritar y empezaron a caer papeles.

Uno fuera, una carrera, dos carreras por detrás, jugadores en segunda y en tercera. Russ piensa que cada una de sus palabras puede ser la última. Nota la garganta enrojecida, el punto preciso en el que se contrae. Mueller sigue en el suelo, lesionado por resbalar o por no resbalar, se ha detenido bruscamente y los clavos de las botas se han enganchado en la goma, dolorido, sometido al ardor de los tendones desgarrados.

Vuelven a caer papeles, multas de tráfico arrugadas y colillas aplastadas y cuartillas de la oficina y boletos de apuestas con forma de avión, impelidos por el viento y en su mayor parte blancos, y Pafko regresa a su posición y modifica la zancada para darle una suave patada a un vaso de soda, y el gesto funciona como una forma de reconocimiento, como el atisbo de alguna fuerza concordante entre los jugadores y los aficionados, el modo en que golpea el vaso blanco, un leve toque profesional con el pie, sin la menor acritud: una muestra de respeto hacia los rebuscados mecanismos del juego, hacia esas rutinas imprevisibles.

Sale el entrenador y ponen a Mueller en una camilla y se lo llevan a los vestuarios. El dolor de Mueller, el dolor que exige el juego: un hombre en camilla encaja bien aquí.

La detención del juego ha permitido a la muchedumbre reconstruir su clamor. Russ hace constantes pausas ante el micrófono para permitir que el sonido crezca. El rumor alcanza una magnitud que nunca había oído antes. No cabe calificarlo de vítores ni gritos de ánimo. Es un rugido territorial, la afirmación del ego que separa a la multitud del resto de las entidades, de los mítines políticos y las revueltas carcelarias: de todo lo que hay tras aquellos muros.

Russ aproxima los labios al micrófono e intenta mantener la calma, aunque está casi a punto de gritar porque es el único modo de hacerse oír.

Hombres agrupados en torno al montículo y el entrenador gesticulando en dirección a los chiqueros y el lanzador que se acerca y el lanzador que se marcha, y el sustituto de Mueller haciendo flexiones de rodilla en tercera base.

Alguien golpea el tejado de la cabina.

Russ dice:

—Así que no se marchen. Enciendan ese Chesterfield. Vamos a quedarnos aquí para ver qué tal se porta Ralph Branca.

Sí. Es Branca el que se aproxima a través de ese resplandor húmedo. Branca, alto y robusto, pero con los hombros caídos como si le pesaran, con el aura de un hombre abrumado. Los párpados entrecerrados, los pies de plomo, la gruesa arruga que atraviesa su frente. Su rostro adusto tras una nariz sombría, ancha y ominosa.

Los policías del estadio comienzan a situarse en sus puestos.

Fíjense en el tipo de la tribuna superior. Está arrancando páginas de su ejemplar de *Life* y dejándolas caer sin arrugar por encima de la barandilla, dejando que caigan columpiándose en el aire sobre los aficionados que aúllan bajo él. Le impulsan a hacer aquello los papeles que caen por doquier, ese contagio de papel: una diversión vertiginosa y no planificada. Comienza a hacer caso omiso del juego para poder lanzar sus páginas sobre la barandilla. Aquello le permite entrar en contacto con otros lanzadores de papel y con los hinchas de la tribuna inferior, que alargan la mano para atrapar sus páginas: constituyen entre todos una segunda fuerza paralela al juego.

No lejos de allí, otro hombre nota algo que le oprime el pecho, y los brazos que se le entumecen. Quiere sentarse, pero no sabe si podrá estirar un brazo hacia atrás para dejarse caer. El corazón, mi corazón, Dios mío.

Branca, que tiene veinticinco años pero te hace pensar en el símbolo de una labor de siglos. Para cuando llega al montículo, los camilleros se las han apañado para subir a Mueller por los escalones y meterlo en los vestuarios. La muchedumbre le olvida. Le olvidarían aunque hubiera muerto. El clamor vuelve a expandirse. Branca coge la pelota y los hombres que rodean el montículo retroceden hasta los límites.

Shor mira a Gleason.

Dice:

—Dime ahora que quieres irte a casa. ¿Qué hay de esas ganas que tenías de irte a casa? Si nos vamos ahora, podemos adelantarnos a la multitud.

Dice:

—Es que no me lo imagino, cómo podéis ser los dos tan mentecatos, os merecéis lo que os pase.

Jackie, desde luego, tiene un aspecto de lo más contrito. Se afloja el nudo de la corbata y se desabrocha el botón superior de la camisa. Es el único miembro del cuarteto que no está de pie, pero su incomodidad no se debe al giro que ha tomado el partido. Se debe a la comida grasienta y a que lleva todo el día bebiendo.

Shor dice:

—Dime ahora que quieres marcharte a casa, para que pueda ir yo delante y abrirte la puerta del coche y *ayudarte* a subir.

Caen papeles en torno al grupo, grandes páginas satinadas de una revista, completamente anónimas en la tensión del momento. Frank atrapa un anuncio a toda página que recomienda algo llamado queso pasteurizado, un producto Borden, la compañía esa en la que sale una vaca, y hay una fotografía en color de una masa comprimida y amarillenta que se derrite horriblemente en un perrito caliente.

Frank, impasible, le muestra la página a Gleason.

—Toma. Esto te ayudará a hacer la digestión.

Jackie está allí sentado, como un pasajero de avión durante un bache de aire. Y siguen cayendo páginas. Potitos, café instantáneo, enciclopedias y coches, parrillas para gofres y champúes y whiskis. Tiempos de prosperidad, optimistas recompensas que trasladan las páginas de noticias en las que los granjeros de la nación anuncian cosechas abundantes. Y esos resplandecientes productos, el fulgor de un automóvil Packard reiterado en una crónica acerca de los tesoros artísticos del Prado. Todo forma parte de lo mismo. Rubens y Tiziano y Playtex y Motorola. Y he aquí una fotografía del mismísimo Frank Sinatra sentado en un club nocturno de Nevada con Ava Gardner y no te pierdas el escote. Frank ignoraba que aparecía en el *Life* de este mes hasta que la página le cayó del cielo. Cuenta con gente que deberían decirle estas cosas. Conserva la página y alarga la mano para coger otra y estampársela en el rostro a Gleason. Mira, colega, un anuncio de Budweiser. En un país tan apresurado por construir su futuro, los nombres con los que se relacionan los productos te proporcionan una sensación de seguridad duradera. Johnson & Johnson y Quaker State y RCA Victor y Burlington Mills y Bristol-Myers y General Motors. Los venerados emblemas de la floreciente economía, más fáciles de identificar que los nombres de los campos de batalla o los presidentes fallecidos. Tampoco es que Jackie esté de humor para hojear revistas. Se encuentra hundido en una profunda inercia, se le forma un sudor rancio y su boca se llena por anticipado del sabor de masivos desplazamientos internos.

Branca realiza el último de sus tiros de calentamiento y ladea el guante para señalar una curva. Los detalles del porte o el aspecto, el soporte del peso por el cuerpo en reposo, son lo de menos. Allí, sobre el montículo, está fuerte y relajado y dibuja suavemente su movimiento previo al lanzamiento: un hombre ansioso por ganar.

Furillo le observa desde el exterior derecho. Un perfil tallado en piedra.

El tipo despeinado sigue paseando de un lado a otro entre las gradas del fondo, gimiendo y sacudiendo la cabeza: a ver si alguien llama a los loqueros y le sacan de ahí. Hablando consigo mismo, meneando la cabeza como un fanático religioso de esos que hay por las esquinas que tuviera noticia de alguna calamidad distante que se aproxima. Siéntate, cállate, le dicen.

Frank no deja de aproximar páginas al rostro de Gleason.

—Come, colega —le dice—. El papel limpia el paladar.

Y entonces entra Thomson.

El rápido y gigantesco escocés. Recordándose a sí mismo lo que tiene que hacer mientras se instala en el cuadrado. Observa la pelota. Espera a la pelota.

Russ aferra el micrófono. Agua caliente con sal. Haz gárgaras, le decía su madre.

Thomson no está seguro de verlo todo con claridad. Le zumban los ojos en las órbitas. Su cuerpo experimenta una cierta sensación, se está instalando, acoplándose a su propia postura, el cielo inundado del clamor de la muchedumbre, y siente que ha perdido el contacto con su entorno. Que está solo en todo aquel berenjenal. Observa la pelota. Observa y espera. Está, francamente, un poco atontado, Bobby. Es como cuando estás recién despierto por la mañana y no sabes en qué casa te encuentras.

Russ dice:

—Bobby Thomson agita el bate.

Mays apoyado sobre una rodilla en el círculo, medio recostado sobre el bate que abraza mientras observa los preparativos finales de Branca, vuelve, a casa vuelve, por Navidad, pensando que si Thomson falla le caerá encima a él, la temporada depende de él, y el anuncio sigue resonando en su cabeza, se trata del abrazo aéreo de las propias ondas, el mosaico del aire, que se desconectará cuando llegue el momento.

Hay una unidad de emergencia bajo las gradas, y lo que el poli del estadio tiene que hacer es buscar la manera de llevar al enfermo hasta allí sin que le aplaste la estampida de una muchedumbre. La víctima, dentro de lo malo, parece encontrarse bastante bien. Está sentado, aguardando a que llegue el ayudante con la silla de ruedas. Bueno, vale, quizá no tenga tampoco tan buen aspecto. Está pálido, tiene mala cara y parece agobiado e infartado. Pero aún puede apretar el puño y sacar la lengua, y poco puede hacer el poli hasta que no llegue la silla de ruedas, así que por qué no salir al pasillo y ver el final del partido.

Thomson, agachado, la barbilla hundida, esperando.

Russ dice:

—Uno fuera, última entrada.

Dice:

—Branca lanza, Thomson consigue un *strike* en la esquina interior.

Descarga sus decibelios sobre la palabra *strike*. Hace una pausa para dar tiempo a que la multitud reaccione. No hay que combatir el sonido de la multitud. Que sean ellos los que construyan el drama.

Todas esas páginas enormes y lujosas que descienden desde la grada superior.

Lockman se mantiene cerca de la segunda e intenta inspirar al bate de Thomson. Podría ser el lanzamiento que esperaba. A la altura de la cintura, levemente centrado: no será fácil volver a ver uno mejor.

Russ dice:

—Bobby golpea en dos noventa y dos. Ha conseguido un sencillo y un doble, y ha marcado el primer tanto de los Giants con un largo *fly* en el centro del campo.

Lockman sigue atentamente el juego que se desarrolla en torno suyo. El doble que ha conseguido aún es una presencia en su pecho, resoplando, como un recuerdo corporal que recreara el instante. Escruta la abertura deltoide entre las piernas del receptor. Le ve bajar los dedos, y su recia mano aletea hacia arriba y a la izquierda. Le lanzarán una pelota alta y rápida para regresar describiendo una curva exterior. Un bonito plan en dos partes. Desde aquí parece fácil y atractivo.

Russ dice:

—Brooklyn marcha en cabeza cuatro a dos.

Dice:

—El corredor se mantiene en la línea de tercera base. No quiere riesgos.

Thomson piensa que está ocurriendo todo demasiado deprisa. Piensa en manos rápidas, en ver la pelota, en asegurarse una posibilidad.

Russ dice:

—Lockman en segunda sin demasiada ventaja, pero correrá como el viento si Thomson la golpea.

En el palco, J. Edgar Hoover se desembaraza de una página de revista que ha caído sobre su hombro, adhiriéndose a él. Al principio le irrita que el objeto haya entrado en contacto con su cuerpo. Luego, su mirada cae sobre la página. Es una reproducción en color de un cuadro atiborrado de figuras medievales agonizantes o muertas: un paisaje de desolación y ruina visionarias. Edgar nunca ha visto un cuadro como aquél. Cubre la página por completo y, sin duda, domina el contenido de la revista. Sobre la tierra rojiza y pardusca desfilan ejércitos de esqueletos. Hombres empalados en lanzas, colgados de horcas, clavados en ruedas de púas previamente aseguradas en árboles desnudos, cuerpos abiertos a los cuervos. Legiones de muertos que forman tras escudos hechos de tapas de ataúdes. La muerte en persona a lomos de un jamelgo esquelético, en busca de sangre, la guadaña presta mientras acucia a aturdidas masas de gente en dirección a la entrada de quién sabe qué trampa mortal, una construcción extrañamente moderna que podría ser un túnel de metro o un pasillo de oficinas. Un fondo de cielos cenicientos y naves en llamas. Edgar no alberga dudas de que la página proviene de la revista *Life*, e intenta hacer acopio de indignación, preguntándose por qué una revista llamada *Life* querría reproducir un cuadro de dimensiones tan espeluznantes y espantosas. Pero no consigue apartar los ojos de la página.

Russ Hodges dice:

—Branca lanza.

Gleason emite un sonido situado a caballo entre el suspiro y el gemido. Se trata probablemente de un susurro, como el rumor de las olas en algún lugar con palmeras. Edgar recuerda la erupción anterior, el pequeño atragantamiento de Jackie, y distingue aquí algo más serio. Sale al pasillo y asciende dos escalones, apartándose de la inminente descarga de materias animales, vegetales y minerales.

No es un buen lanzamiento para golpear, es elevado y va por dentro, pero Thomson lanza el bate, que golpea la pelota como un mazazo, y todos, todos, miran. Con excepción de Gleason, doblado en su asiento, las manos entrelazadas detrás de la nuca y un cremoso hilo de baba colgando de los labios.

Russ dice:

—He ahí un buen golpe.

Su voz revela un estallido, una carga de expectación.

Dice:

—Va a lograrlo.

A su alrededor se produce una pausa generalizada. Pafko corre hacia la esquina del campo izquierdo.

Dice:

—Creo.

Pafko alcanza el muro. Luego, mira hacia arriba. La gente se pregunta dónde estará la pelota. El breve intervalo, ese fragmento de tiempo que apenas dura un suspiro. Y Cotter, en la sección 35, ve venir la pelota en dirección a él. Siente como si su cuerpo se convirtiera en humo. Pierde la pelota de vista cuando ésta se eleva sobre el voladizo y piensa que aterrizará en las gradas superiores. Pero antes de que pueda sonreír o gritar o golpear el brazo de su vecino, antes de que el momento le supere, la pelota vuelve a aparecer, sus costuras girando perceptiblemente, hasta ese punto está próxima, rebotando de costado contra uno de los pilares... manos que se agitan por doquier.

Russ es consciente de la muchedumbre a su alrededor, del estremecimiento que recorre las gradas, se pone a gritar sobre el micrófono y surge una oleada de color y movimiento, un impacto que tiene lugar arriba, en todo el estadio, manos y rostros y camisas, ondulantes legiones de hombres, y comienza a vociferar de inmediato, con una voz dotada de una potencia que creía perdida desde hacía tiempo: capaz de levantarle la tapa de los sesos como un cohete de cartón.

Dice: «*Los Giants ganan el título.*»

A pelota larga, como una peonza. Lanzó la pelota de un mazazo, ésta adquirió efecto y se abatió sobre la grada inferior, y ahí está Pafko, junto al cartel del 315, mirando hacia arriba, con el brazo apoyado en la pared y un torrente de papeles que se derrama sobre él.

Dice: «*Los Giants ganan el título.*»

Sí, el volumen de voz es excesivo, con un leve asomo de histeria en el registro agudo. Pero básicamente es un alarido salvaje. Ve a Thomson brincando en primera base. La gorra del entrenador de primera base: el entrenador de primera base ha lanzado la gorra hacia lo alto. Intentó un lanzamiento a la altura de la barbilla y lo ha bordado. La pelota despegó elevada y luego se hundió, esquivando la fachada de la grada superior y precipitándose sobre las gradas inferiores —atraída, tragada— y los jugadores de los Dodgers se han quedado mirando, ajenos ya al acontecimiento, contemplando sin ver las sombras que separan las gradas.

Dice: «*Los Giants ganan el título.*»

Los técnicos del equipo vitorean. Responden a los que golpean el techo desde arriba golpeando a su vez las paredes y el techo desde abajo. La gente se encarama a los tejadillos y la multitud se estremece con su propio sonido. Branca sobre el montículo, en atormentada postura de desgarbo. Lanzó una pelota elevada y rápida, un tiro fulminante que el tipo debía haber considerado imparable. Russ está desgañitándose hasta donde le permite su garganta en carne viva, librándose de todos sus males y sus patologías y sus achaques y sus punzadas del crecimiento y de cualquier recuerdo no reconfortante.

Dice: «*Los Giants ganan el título.*»

Cuatro veces. Branca se vuelve y recoge la bolsa de colofonia y vuelve a arrojarla, dirigiéndose ahora hacia los vestuarios, los hombros paralelamente hundidos: inicia la larga marcha de la muerte. Los papeles caen por todas partes. Russ sabe que debería tranquilizarse y permitir que el micrófono captara el sonido de la creciente confusión desatada a su alrededor. Pero no puede dejar de gritar. No quedan de él más que los gritos.

Dice: «Bobby Thomson ha alcanzado la grada inferior de las localidades de la izquierda.»

Dice: «Los Giants han ganado el título y están como locos.»

Dice: «Están como locos.»

Y entonces alza su voz en un grito puro, sin palabras, un aullido como en los viejos tiempos: ha llegado el momento de júbilo, la música de las montañas en la WCKY a las cinco y media de la mañana. La cosa brota directamente de él, como un gozo personal, podría ser *heyyy-ho* o podría ser *oh-boyyy* vociferado al revés o podría ser otra cosa completamente distinta: no resulta fácil de determinar cuando no se utilizan palabras. Y los compañeros de equipo de Thomson se reúnen en la goma mientras Thomson rodea las bases saltando como un ciervo, brincando como un gamo: ahora ya es para siempre Bobby, un chiquillo retozón que ha perdido la noción del tiempo, y respira tan deprisa que duda de si podrá procesar todo el aire que penetra en sus pulmones. Ve a hombres que aguardan en la goma formando una desordenada fila y esperándole para machacarle: sus compañeros de equipo, no hay mejor gente en el mundo, y sus rostros comparten la misma expresión, se muestran atónitos de una felicidad que se ha desplomado sobre ellos y que hace brillar sus ojos bajo las gorras.

Lanzó el golpe como un mazazo, le dio en todo el centro, y ahora le resuenan los oídos y nota un zumbido entumecedor en sus manos y sus pies. Y Robinson está detrás de la segunda base, las manos en las caderas, asegurándose de que Thomson toque todas las bases. Casi es posible ver cómo el valiente Jack se hace viejo.

Fijaos en Durocher que no para de girar. Russ se detiene por primera vez para asimilar el impacto del estruendo que le rodea. Leo sigue girando en el banquillo del entrenador. El director se pone en pie y gira, gira con los brazos extendidos de par en par: quizá se trate de un trance ascético, algo que hacen en las mezquitas de Anatolia.

La gente se asegura de qué hora es.

Edgar está de pie, con los brazos cruzados, mirando fijamente a Gleason, que sigue encorvado sobre sí mismo. Páginas que caen por doquier a su alrededor, se trataba de un ejemplar bastante grueso: laxantes y antiácidos, compresas y escayolas y remedios contra la caspa. Jackie profiere un ladrido acuático, sonoro y grosero, el áspero reclamo de un mamífero en apuros. Y entonces, el chorro de franela. Parece estar vomitando un pijama gris oscuro. El vómito sería líquidamente suave en jerga publicitaria y salpica libremente sobre los recios zapatos Oxford de Frank y los excelentes calcetines escoceses y el delicado tejido de lana de sus pantalones de entretiempo.

El reloj que corona los vestuarios indica las 3.58.

Russ ha vuelto nuevamente el rostro hacia el micrófono. Grita: «No puedo creerlo.» Grita: «No puedo creerlo.» Grita: «No *puedo* creerlo.»

Bajan todos a arremolinarse frente a las barandillas. Descienden desde los extremos más alejados de la inmensa configuración radial y avanzan por los pasillos en dirección a las vallas.

Para entonces, Pafko ya está fuera del alcance del papel y corre a paso ligero en dirección a los vestuarios. Pero sigue cayendo papel. Si las primeras oleadas eran levemente hostiles y burlonas, y las intermedias constituían una forma de abanico comunitario, esta última demostración posee una cierta suavidad, una individualidad. Descienden desde todos los puntos, recibos de lavandería, sobres escamoteados de la oficina, hay cajetillas de tabaco estrujadas y pegajosos envoltorios de cortes de helado, páginas de libretas de memorandos y de calendarios de bolsillo, están arrojando desvaídos billetes de dólar, fotografías rotas en mil pedazos, arrugados moldes de pastelería, están haciendo trizas cartas que desde hacía años portaban plegadas en sus carteras, residuos de romances y de amistades del colegio, todo se convierte en una alegre masa de basura en el íntimo deseo de los hinchas de conectarse con el acontecimiento, eternamente, en forma de desechos de bolsillo, de desperdicios personales, algo que conlleva una identidad nebulosa: rollos de papel higiénico que se desenrollan líricamente formando serpentinas.

Se han concentrado junto a la tela metálica que hay tras la goma, aferrados a la estrecha malla.

Russ continúa gritando, aún con fuerzas para gritar, en la certeza de que tiene algo que merece la pena repetir.

Diciendo: «Bobby Thomson lanzó una pelota directamente sobre las localidades de las gradas inferiores de la izquierda del campo y la gente está como loca.»

Casi sin darse cuenta, Cotter va escurriéndose de costado hasta el pasillo. Es una zona intensa y congestionada, y tiene que abrirse paso fila tras fila sirviéndose de los codos y de los hombros. Nadie parece prestarle demasiada atención. La pelota está ahí detrás, en una colosal montaña de camisas y chaquetas. El partido ha quedado muy atrás. Que la muchedumbre se quede con el partido. Él ha salido a la caza de la pelota y no tiene tiempo para preguntarse por qué. Cuando golpean las gradas, vas y la coges. Es la pelota con la que juegan, el objeto que frotan y desgastan y sudan. Sube por el pasillo dejando atrás mil corazones desbocados. Empuja y aparta. Ve a la gente agacharse frenéticamente, como cuando en Indiana intentan atrapar manzanas con la boca sólo que ligeramente violento. Y entonces la pelota se libera y alguien se lanza en su persecución, el primero de la manada, un joven que se arrastra velozmente mientras los demás intentan darle caza, tratando de aferrar su chaqueta o el fondillo de su pantalón. Sus cabellos son rojizos, como de alambre, y viste una chaqueta universitaria, ya sabes, una de esas chaquetas deportivas que tienen las mangas de un color y un aspecto similar al cuero, y el cuerpo de un tono más oscuro y probablemente de lana, y ambos colores son los colores del equipo universitario.

Cotter se deja llevar por la intuición y se abre paso a lo largo de una fila que está dos filas por debajo del meollo. Intuye, se anticipa, es como cuando sientes que algo va a pasar y luego contemplas con incredulidad cómo efectivamente ocurre, casi en etapas diferenciadas, hasta el punto de que eres testigo de cómo los componentes de tu idea van encajando en sus respectivos lugares.

Bordó el lanzamiento y la pelota salió disparada hasta allí y se desplomó y desapareció. Y Thomson llega corriendo a la goma acosado por sus compañeros, que se desplazan arrastrando los pies y con los brazos extendidos para evitar pisarse unos a otros con los clavos de las botas. Y los fotógrafos procuran acercarse y adoptan sus posturas con las piernas abiertas, y los primeros hinchas salen al campo de juego, los primeros descolgados, que se detienen dubitativos o deambulan para contemplar las cosas desde aquella perspectiva, asombrados de hallarse al nivel del suelo, o corriendo directamente hacia Thomson, desgarbados y enloquecidos, fundiéndose con la cuña de jugadores que invade la goma.

Frank baja la mirada y contempla lo expulsado. Está ahí, de pie, con las manos extendidas, las palmas hacia arriba, sobrecogido de muda repugnancia. Que pase una cosa así aquí, en público, en pleno apogeo del acontecimiento... experimenta un confuso asombro que supera a su aversión. Contempla el dorso de la reluciente cabeza de Jackie y luego sus propias perneras adornadas de un íntimo tono beis y la salpicadura que cubre la puntera de sus zapatos con un dibujo similar al resultado de un bombardeo, y el cercano charco de vómito, con unos cuantos trozos despistados de materia rosácea procedente de las profundidades del aparato digestivo de Gleason.

Y asiente con la cabeza y dice:

—Mis zapatos.

Y Shor se siente ofendido, nota que su rostro adopta una expresión que transmite el escozor de un mal afeitado, de aquellas antiguas mañanas de navaja y agua fría.

Y mira a Frank y dice:

—¿Viste el *home run*, por lo menos?

—Vi parte y me perdí parte.

Y Shor dice:

—No sé si dedicar más tiempo a preguntarte qué parte te has perdido, para así poder charlar algún día por teléfono al respecto.

Hay personas con las manos en los cabellos, sujetándose el cerebro.

Frank continúa mirando hacia abajo. Permite que uno de sus pies escore a babor, lo que le permite examinar el costado de su zapato en busca de manchas de vómito. Son zapatos fabricados a mano en una estrecha calle de pintoresco nombre situada en la zona más antigua de Londres.

Y Shor dice:

—Sencillamente, hemos ganado de un modo increíble, están haciendo pedazos el estadio. No sé si reírme, cagarme o llorar.

Y Frank dice:

—Yo voto por lo primero o por lo tercero.

Russ sigue controlando el micrófono. Aún le queda algo por decir y apenas consigue soltarlo.

—Han ganado los Giants. Con una puntuación de cinco a cuatro. Y están levantando en vilo a Bobby Thomson. Se lo llevan del terreno de juego.

Si su voz denota un matiz de inquietud se debe a que tiene que acudir al vestuario para entrevistar a jugadores y entrenadores y técnicos del equipo, y la única manera de llegar allí consiste en atravesar toda la extensión del campo a pie, y ya no le queda aliento, ni palabras, y la muchedumbre continúa creciendo sobre los muros. Ve a Thomson transportado por una falange de hombres, jugadores y otros, en su mayoría otros —los jugadores han salido corriendo, los jugadores se precipitan hacia el vestuario—, y ve a Thomson cabalgando en precario equilibrio sobre los hombros de personas que quién sabe si no le sacarán del estadio para celebrar una fiesta popular en mitad de la calle.

Gleason se encuentra suspendido sobre los restos del desastre, vacío y encogido, y apenas le quedan luces para preguntarse a qué viene tanto griterío.

El campo veteado de gente, los robasombreros, los veloces chiquillos que imitan aviones en picado, los brazos extendidos y profundamente inclinados.

Fijaos en Cotter debajo de un asiento.

Por toda la ciudad, las gentes salen de sus casas. Tal es la naturaleza del *home run* de Thomson. Hace que a la gente le apetezca estar en la calle, con otras personas, contándole a los demás lo que ha ocurrido, a los pocos que aún no se han enterado, comparando rostros y estados de ánimo.

Y Russ tiene frente a sí un micrófono al rojo vivo y tiene que encontrar a alguien que lo coja y hable, para así él poder bajar al campo y hallar el modo de pasar intacto a través de esa trituradora.

Y Cotter está debajo de un asiento, peleándose mano a mano con alguien por la pelota. Está intentando aferrarla con más fuerza. Está tratando de aislar la mano de su rival para poder arrebatarle la pelota dedo por dedo.

Es un pequeño drama de manos y de brazos, una prueba de artes marciales con reglas formales de cuerpo a cuerpo.

El hierro de la pata del asiento se le clava en la espalda. Puede oír la afanosa respiración de su rival. Están los dos buscando ventaja, intentando avanzar posiciones.

El rival está bloqueado por el respaldo del asiento, bocabajo en la fila superior con un único brazo encajado bajo el mismo.

La gente se asegura de comprobar la hora en el reloj que corona la fachada decorada con muescas del vestuario, esa elevada almena: anotan la hora a la que se lanzó la pelota.

Es una pequeña y estrecha escaramuza de dedos y centímetros, toda una vida de esfuerzo comprimida en pocos segundos.

Rodea el brazo de su rival con ambas manos, justo encima de la muñeca. Trabaja apresuradamente, piensa apresuradamente: si espera demasiado, la gente se dividirá en bandos.

El rival, el enemigo, el hombre blanco, muestra las venas tensas e hinchadas entre los blancos nudillos. Si la gente se divide en bandos, ¿qué posibilidades tiene Cotter?

Dos infartos, no uno. Un segundo hombre se desploma sobre el campo, un tipo bien vestido que más que derrumbarse exactamente deja caer una rodilla primero y otra después, lenta y controladamente, reposando el peso sobre la mano derecha y venciéndose pesadamente hacia delante. Nadie se lo toma a guasa. No es el tipo de hombre que se dedicaría a revolcarse como un perrito por el suelo.

Y las manos de Cotter en torno al brazo del rival, retorciéndolo en ambas direcciones, quemándole la piel: a eso se llama quemadura india, ¿recuerdan? Una mano retuerce en un sentido, la otra en otro, con fuerza, con rapidez.

Se produce una pausa en la respiración del rival. Se ha detenido para percibir el dolor. Llegado este punto, entona un canto a sus tribulaciones y Cotter percibe la sacudida del brazo mientras los dedos dejan escapar la pelota.

Thomson empujando los hombros de quienes le acarrean, golpeando, rehuyendo las manos que quieren asirle: ve a otros jugadores que contemplan atentamente la escena desde las ventanas de los vestuarios.

Y Cotter sujeta el brazo del rival con una mano y se abalanza hacia la pelota con la otra. La ve comenzar a rodar más allá de la pata de la silla, tambaleándose sobre la rugosa superficie. La atrapa, por así decirlo, con la vista y lanza una mano ahuecada como un cuenco.

La pelota rueda siguiendo una trayectoria escrupulosamente torcida en dirección a los espacios abiertos.

La acción de su mano es tan vieja como él mismo. Tiene la sensación de haber estado alargando la mano por uno u otro motivo desde el instante en que abandonó la infancia. Todo cuanto sabe se encuentra contenido en los dedos extendidos de esa mano doblada.

El corazón, mi corazón.

Toda la operación bajo el asiento ha durado apenas unos segundos. Ahora retrocede, moviéndose a toda prisa: tiene la pelota, la nota cálida y vibrante entre sus dedos.

La sensación de personas que se apartan a regañadientes de su camino, abriéndole paso pero sin demasiadas prisas, ojos fijos desde uno y otro lado.

La pelota está húmeda del calor y el sudor de las manos del rival. Cotter camina con el brazo colgando a un costado y procura aparecer inexpresivo, más asustado ahora de lo que estaba cuando saltó sobre las barras pero decidido a mostrarse sereno y hierático mientras desciende por las filas saltando sobre los respaldos de las localidades y escurriéndose entre otros cuerpos y caminando sobre los asientos cuando es necesario.

Fijaos en los acomodadores sujetándose los brazos por las muñecas y fabricando una sillita de la reina para la víctima del infarto y llevándoselo hasta el recinto que hay bajo la tribuna.

Un vistazo hacia atrás, en dirección a la zona superior, se permite a sí mismo un vistazo y ve al rival poniéndose en pie. El hombre destaca gracias a su camisa y a su corpulencia, y no es el estudiante de universidad por el que le había tomado, el tipo con chaqueta universitaria arrastrándose en busca de la pelota.

Y su mirada se cruza con la del sujeto. Eso no es lo que quiere Cotter, eso es perjudicial para la causa. Ha cometido un error al mirar hacia atrás. Se permitió un vistazo, un atisbo de costado, y ahora se encuentra atrapado bajo la severa mirada del hombre.

Las desgastadas costuras de la pelota laten en su mano.

Sus ojos se encuentran en espacios que se abren entre cuerpos oscilantes, entre rostros que sobresalen y las anchas espaldas de vociferantes hinchas. A su alrededor, todo es celebración. Pero está atrapado por la mirada del hombre y ambos se contemplan por encima de la multitud y a través de la multitud y resulta ser

Bill Waterson, con su camisa manchada y sus cabellos alborotados y tiesos: el viejo Bill, el bueno del vecino, dirigiéndole una sonrisa asesina.

Los muertos han venido a llevarse a los vivos. Los muertos amortajados, los regimentados muertos a caballo, el esqueleto que toca el organillo.

Edgar permanece en el pasillo, encajando entre sí las dos páginas opuestas que componen la reproducción. La gente trepa sobre los asientos y grita roncamente en dirección al campo. Él no aparta las páginas de su rostro. No se había dado cuenta de que sólo estaba viendo la mitad del cuadro hasta que la página de la izquierda descendió flotando y alcanzó a atisbar un trozo de terreno gris rojizo y un par de esqueletos humanos tañendo unas campanas. La página rozó el brazo de una mujer y se desvió para aterrizar sobre el pecho temeroso de Dios de Edgar.

Para entonces, Thomson está en el centro del campo, esquivando a aficionados que acuden saltando y a la carrera. Se lanzan sobre su cuerpo, quieren derribarle sobre el suelo, enseñarle fotos de sus familias.

Edgar lee el cuadro de información que contiene la nueva página. Se trata de una obra del siglo XVI realizada por un maestro flamenco, Pieter Bruegel, y se titula *El triunfo de la muerte*.

Un título descarado, diría yo. Pero se siente intrigado, lo admite: la página izquierda podría ser mejor incluso que la derecha.

Estudia la carreta llena de calaveras. De pie en el pasillo, contempla al hombre desnudo perseguido por los perros. Observa el perro esquelético que mordisquea al bebé que la muerta sostiene en sus brazos. Son sabuesos flacos, alargados y muertos de hambre, perros de guerra, perros infernales, perros de cementerio infestados de ácaros, de tumores perrunos y de cánceres caninos.

El querido Edgar, tan libre de gérmenes, el hombre que cuenta en su hogar con un sistema de filtrado de aire que vaporiza las motas de polvo, encuentra cierta fascinación en las úlceras, las lesiones y los cuerpos en descomposición, siempre y cuando su contacto con la fuente sea estrictamente pictórico.

Descubre en la mitad de la escena a una segunda muerta montada por un esqueleto. La postura es de carácter incuestionablemente sexual. Pero ¿está seguro Edgar de que la figura montada es una mujer o podría tratarse de un hombre? De pie en el pasillo, rodeado por la gente que no cesa de vitorear y con el rostro hundido entre las páginas. La página posee una inmediatez que le llama la atención. Sí, los muertos caen sobre los vivos. Pero comienza a darse cuenta de que los vivos son pecadores. Los jugadores de naipes, los amantes que juguetean, ve al rey envuelto por un manto de armiño y con su fortuna almacenada en los toneles. Los muertos han venido a vaciar las cantimploras de vino, a servir calaveras en bandeja a la gente de bien durante el almuerzo. Ve gula, lujuria y codicia.

A Edgar le encanta todo esto. Edgar, Jedgar. Admítelo: te encanta. Hace que se le ponga de punta el vello corporal. Esqueletos con pollas ahusadas. Muertos tocando los timbales. Muertos enfundados en sacos de arpillera rebanándole el pescuezo a un peregrino.

Los colores de la carne y de la sangre y los cuerpos arremolinados, he aquí un censo de modos horribles de morir. Contempla el cielo abrasado a gran distancia, más allá de los promontorios de la página de la izquierda: Muerte en otros lugares, Conflagración en sitios diversos. Terror universal, las cornejas, los cuervos en silencioso planeo, el grajo encaramado a la grupa del jamelgo blanco, eternos blanco y negro, y piensa en una torre solitaria que se erige en el campo de pruebas de Kazajstán, la torre equipada con la bomba, y casi puede oír el viento al soplar a través de las estepas del Asia Central, allí donde el enemigo vive envuelto en largos abrigos y gorros de piel, hablando esa vieja y pesada lengua suya, grave y litúrgica. ¿Qué secreta historia están escribiendo? Está el secreto de la bomba y están los secretos que la bomba inspira, cosas que ni siquiera es capaz de intuir el Director —un hombre cuyo propio corazón secuestrado alberga cada supurante secreto del mundo occidental— debido a que tales maquinaciones se encuentran aún en desarrollo. Esto es lo que sabe, que el genio de la bomba está impreso no sólo en su física de partículas y rayos sino en la ocasión que crea para otros nuevos secretos. Por cada detonación atmosférica, por cada atisbo que obtenemos de la fuerza desnuda de la naturaleza, ese extraño globo ocular desorbitado que explota sobre el desierto, por cada una de ellas calcula que hay un centenar de tramas que corren a enredarse y multiplicarse bajo tierra.

¿Y cuál es la conexión entre Nosotros y Ellos, cuántos víncu-los amontonados hallamos en el laberinto neutral? No basta con odiar a tu enemigo. Has de entender el modo en que tú y él llegáis a completaros profunda y mutuamente.

Los viejos muertos follándose a los vivos. Los muertos ex-trayendo ataúdes del suelo. Los muertos de la colina tañendo las viejas y ásperas campanas que repican por los pecados del mundo.

Alza la mirada un instante. Aparta el rostro de las páginas —el esfuerzo es sobrehumano— y contempla la gente que hay en el campo. Los felices y aturdidos. Los que corren alrededor de las bases gritando el resultado. Los que están tan excitados que no conciliarán el sueño esta noche. Aquellos cuyo equipo ha perdido. Los que provocan a los perdedores. Los padres que regresarán apresuradamente a casa para contar a sus hijos lo que han visto. Los maridos que sorprenderán a sus mujeres con flores y bombo-nes rellenos de cereza. Los hinchas arremolinados en la escalinata de los vestuarios entonando los nombres de los jugadores. Los hinchas que se pelean a puñetazos en el metro, camino de casa. Los gritones y alborotadores. Los viejos amigos que se encuentran por casualidad cerca de la segunda base. Todos los que ilumina-rán la ciudad con su dicha.

Cotter camina a paso normal bajo la luz de después del cole-gio. Deja atrás hileras de edificios de apartamentos en la Octava Avenida imprimiendo a sus zancadas un leve brinco solemne, una especie de ascenso y descenso apalancado, y Bill se halla en posi-ción tras él, a unos treinta metros quizá.

Divisa el anuncio del Poder de la Oración y lleva la pelota en la mano derecha y la frota varias veces y vuelve la vista atrás y ve al estudiante de la chaqueta bicolor situarse detrás de Bill, el tipo que antes se vio envuelto en la primera escaramuza por la pelota.

Bill ha perdido su sonrisa de vaquero. Apenas da muestras de ser consciente de la existencia de Cotter, un chico que recorre la tierra en zapatillas de baloncesto. El cuerpo de Cotter quiere esca-par. Pero si echa a correr en ese momento lo que tendremos será un chaval negro corriendo entre una muchedumbre mayoritaria-mente blanca y seguido por un par de blancos furiosos gritando ladrón o cabrón o algo.

Caminan calle abajo, tres miembros secretos de algún aconte-cimiento organizado.

Bill grita:

—Eh, Cotter, colega, vamos, hemos ganado juntos.

Mucha gente ha desaparecido en el interior de automóviles o por las bocas de metro, inundan la acera del puente que conduce al Bronx, pero aún hay cuerpos suficientes como para alterar el tráfico de las calles. Los policías montados están presentes, en-hiestos y dominantes, distinguibles entre los coches como seres en levitación.

—Eh, Cotter, yo puse la mano en esa pelota antes que tú.

Bill lo dice de buen talante. Se ríe al decirlo, y a Cotter co-mienza a caerle otra vez bien el tipo. Suenan las bocinas a todo lo largo de la calle, sonidos de alegría y de saludo mutuo.

El estudiante dice:

—Creo que ya es hora de que me meta yo en esto. Yo también estoy en esto. Fui el primero en agarrar la pelota. De hecho, mu-cho antes que cualquiera de vosotros. Alguien me la arrancó de la mano de un golpe. Quiero decir, si es que de lo que se trata es de quién fue el primero.

Cotter, mirando hacia atrás en diagonal, contempla al estu-diante mientras éste habla. Ve que Bill se detiene, así que él tam-bién se detiene. Bill se ha detenido como recurso para causar efec-to. Quiere pararse para poder sopesar al estudiante, para mirarle de arriba abajo de un modo escrutador. Está observando la cha-queta bicolor, los tensos cabellos rojizos, el muchacho en general, toda la forma y la estructura de la categoría del estudiante en tan-to que animal terrestre dotado de un cerebro desarrollado.

Y dice:

—¿Qué?

Eso es todo. Un agudo *qué*.

Y permanece allí con la boca abierta, su cuerpo súbitamente flácido, con una torpeza cómica impregnada de peligro.

Dice:

—¿Quién diablos eres tú, de todos modos? ¿Qué haces aquí? ¿Acaso te *conozco*?

Cotter observa aquello, distraído por la expresión del rostro del estudiante. El estudiante se creía parte de un equipo, pero so-mos nosotros contra él. Ahora sus ojos no saben adónde dirigirse.

Bill dice:

—Esto es algo entre mi colega Cotter y yo. Cosas personales, ¿vale? No te queremos aquí. Nos estás chafando la diversión. Y si tengo que decírtelo más claro hoy va a haber una familia que se va a sentar a cenar sin uno de sus más queridos miembros.

Bill echa a andar de nuevo y Cotter hace lo propio. Vuelve la mirada y ve que el estudiante sigue a Bill con unos cuantos pasos vacilantes, pero luego se desvía y comienza a desaparecer calle abajo entre la multitud.

Bill mira a Cotter y sonríe maliciosamente. Su expresión es lobuna, desprovista de piedad. Lleva la chaqueta en la mano, doblada y apelotonada, hecha una bola, como algo que pudiera querer arrojar.

Con la creciente penumbra, el campo está adquiriendo un tono de luz más oscuro. La hierba está incandescente, despide calor y brillo. La gente pasa corriendo, con aspecto semicandente, y Russ Hodges se mueve con los pasos vacilantes de un turista en un gran bazar, intentando abrirse paso con las manos a través del gentío.

Unos cuantos acomodadores alzan a un borracho de la línea de primera base, y el hombre se encoge formando una masa flácida, se desase y echa a correr entre las bases embutido en una gabardina que le viene grande, un largo trozo de cinturón arrastrando tras de sí.

Russ avanza por el centro del campo y danza un curioso paso ligero que le hace sentirse antiguo y ajeno, y piensa en los jugadores de su juventud, hombres con apodos de patán cuyas hazañas seguía todos los días a través de los periódicos, Eppa Rixey y Hod Eller y el viejo Ivy Wingo, y muestra una sonrisa bobalicona adherida al rostro porque es un hombre de cuarenta y un años con mucha fiebre y está atravesando un campo de béisbol para dialogar con un grupo de atletas en calzoncillos.

Dice a alguien que corre cerca de él: «No me lo creo, aún no me lo creo.»

Ya en el mismo centro distingue cómo las ventanas de los vestuarios se iluminan con los flases de las cámaras que se disparan en su interior. Oye agudos vítores y se vuelve y ve al borracho de la gabardina deslizándose hasta la tercera base. En ese momento se da cuenta de que el hombre que corre junto a él es Al Edelstein, su productor.

Al grita:

—¿Puedes creértelo?

—No me lo creo —dice Russ.

Se estrechan la mano sin dejar de correr.

Al dice:

—Mira esta gente. —Grita y gesticula, blandiendo un habano—. Es como yo qué sé.

—Si tú no lo sabes, yo menos.

—Ahorra voz —dice Al.

—Mi voz ya está muerta y enterrada. Ha subido al cielo en un rayo de sol.

—Una cosa puedo decirte con seguridad, amigo mío. Nunca olvidaremos este día.

—Me alegro de que coincidamos, colega.

Los hombres vuelven a estrecharse las manos en plena carrera. Han alcanzado ya las profundidades del exterior del campo, y a Russ le duelen todas las articulaciones. Las ventanas de los vestuarios captan el destello de los flases que estallan en su interior.

En las localidades de tribuna, al otro lado del campo, Edgar se ladea el sombrero. Un sombrero hongo de color gris oscuro bajo el que destacan los hermosos destellos de plata que decoran sus sienes.

Lleva el Bruegel cuidadosamente doblado en el bolsillo y piensa llevarse las páginas a casa para estudiarlas más detenidamente.

En las gradas aún hay miles que todavía no están por marcharse y que contemplan a la gente del campo, remolinos y franjas interminables, figuras aisladas que se separan corriendo de los grupos. Edgar ve a alguien que cuelga del muro situado a la derecha del campo. A esos tipos que se lanzan desde los elevados muros les gusta permanecer un rato suspendidos antes de soltarse. Chocan contra el suelo y se derrumban y luego se incorporan lentamente. Pero es el drama estático de aquel cuerpo que cuelga lo que Edgar encuentra fascinante, el pánico del que está recapacitando.

Gleason está nuevamente de pie, un crapuloso Jack ya sonrosado y a flote, listo para conducir a sus colegas pasillo arriba.

Vocifera contra Frank: «Nada personal, tío, pero me pregunto si eres consciente de que estás atufando el estadio. Menuda peste. Soy capaz de olerte incluso en presencia de Shor. Por lo general, cuando Shor anda cerca los ciegos empiezan a dar con el palo para no chocar con los cubos de basura.»

A Shor aquello le parece gracioso. Se le iluminan los ojos y el semblante se le arruga. Le encantan los insultos, las calumnias y las provocaciones, y les mira sonriente con su amorosa cabeza de melón. Es lo máximo que puede transmitirse entre hombres de cierto talante: esas burlas demoledoras mediante las que demuestran su afecto.

Pero ¿qué hay de Frank? Dice:

—No es mi peste. Es tu peste, colega. Ocurre simplemente que soy yo el que lo lleva.

Dice Gleason:

—Eh. No vayas a creerte que eres el primer amigo sobre el que vomito. He vomitado sobre tipos mejores que tú. Deberías sentirte honrado. Es una forma de cumplido que sólo otorgo a mis seres más cercanos y más queridos. —Llegado a este punto, hace ondear el cigarrillo—. Pero tampoco pienses que me subiría a una limusina en la que viajaras tú.

Se dirigen a la rampa de salida y Edgar cierra la marcha. Obedeciendo a un impulso, se vuelve hacia el campo y ve otro cuerpo que se desprende del muro del exterior del campo, una franja veteada de extremidades y de pelo y de mangas que aletean. El instante tiene algo de aparición que le produce excitación y escalofrío y le hace introducir la mano en el bolsillo para tocar las lúgubres páginas que transporta.

La muchedumbre comienza ya a dispersarse rápidamente y Cotter deja atrás al último de los policías montados cerca de la calle Ciento cuarenta y ocho.

—Oye, Cotter, seamos sinceros. Me la has quitado de la mano. Un robo con tirón en toda regla. Pero estoy dispuesto a ser razonable. Vamos a no andarnos con rodeos. ¿Qué me dices de diez dólares en billetes nuevecitos? Es una oferta bien justa. Doce dólares. Con eso puedes comprarte una pelota y un guante.

—Que te lo has creído.

—De acuerdo, lo que sea. Vamos a buscar una tienda y entramos. Un guante y una pelota. ¿Tenéis tiendas de deportes por aquí? Qué demonios, hemos ganado el partido de nuestra vida. Se impone celebrarlo.

—La pelota no está en venta. No esta pelota.

Bill dice:

—Déjame que te diga una cosa, Cotter. —Luego, hace una pausa y sonríe—. Tienes fuerza en las manos, ¿sabes? Voy a tener que ir a que me miren el brazo a fondo. Me has apretado de verdad.

—Tienes suerte de que no te mordiera. Lo estaba pensando.

Bill parece encantado del modo en que Cotter se ha incorporado al espíritu reinante. Las calles adyacentes están agobiadas de basura sin recoger y cristales rotos, y se ven coches desguazados que reposan sobre sus ejes y hombres que permanecen en los umbrales completamente idos.

Bill se lanza hacia Cotter, súbitamente emprende cuatro zancadas a la carrera, torpe y exagerado, los brazos abiertos de par en par y un rugido de película brotando de su garganta. Cotter se lo toma a broma, pero no antes de haber corrido a la calzada y ponerse al otro lado de un coche.

Se sonríen mutuamente a través del tráfico.

—Te vi arrebujado en tu asiento y pensé que había encontrado un amigo. He aquí un aficionado al béisbol, pensé, y no un delincuente callejero. Pero pareces empeñado en decepcionarme. ¿Cotter? Los amigos se sientan juntos y resuelven las cosas.

Las farolas están encendidas. Ahora caminan con paso rápido y Cotter no está seguro de quién de los dos fue el primero en imprimirlo. Nota un dolor en la espalda, en el lugar donde se le clavaba la pata del asiento.

—Y ahora dime qué quieres a cambio de separarte de esa pelota, hijo.

A Cotter no le gusta el tono con que dice aquello.

—Quiero esa dichosa pelota.

Cotter sigue andando.

—Oye, cabrón, estoy hablando contigo. Igual te piensas que esto es un espectáculo barato. ¿Pretendes tomarme el pelo?

—Puedes seguir hablando cuanto te parezca —dice Cotter—. La pelota no es tuya, es mía. Ni la vendo ni la cambio.

De la avenida surge un coche que dobla estrechamente la curva y Cotter se detiene para dejarlo pasar. Entonces, nota que algo cambia a su alrededor. Se produce una onda en el pavimento o en el aire y un breve segundo del rostro de una mujer que se encuentra próxima: sus ojos se han desviado para captar lo que ocurre tras él. Se vuelve para ver a Bill que se aproxima rápidamente agitando sus brazos abiertos. Se le antoja una exageración para una simple pelota de béisbol. El color que inunda las mejillas de Bill, el brillante tejido de sus rodillas. Muestra una expresión que parece enteramente propia de otra persona, de un hombre proveniente de otra experiencia, desesperado e impulsado.

Cotter permanece allí durante un largo intervalo. Amaga inútilmente con la cabeza y echa a correr por el callejón desierto con Bill pisándole los talones y a punto de darle alcance. Dobla certeramente y le esquiva, dejándose caer de rodillas y pivotando sobre la mano derecha, la mano de la pelota, oprimiendo la pelota con fuerza sobre el asfalto y empleándola para girar. Bill pasa junto a él con un zumbido de respiración densa, un ronroneo formal próximo al lenguaje. Cotter le ve detenerse y dar media vuelta. Tiene el rostro torcido de rabia, hinchado y crispado. De la chaqueta que lleva en la mano cuelga una manga que roza suavemente el suelo.

Cotter regresa corriendo a la avenida seguido de un rumor de respiración. Ya han dejado atrás la muchedumbre del estadio, esto es Harlem puro: todo cuanto tiene que hacer es llegar a la esquina, a la gente y a las luces. Distingue los neones de los bares y sábanas colgadas sobre un solar. Ve Pollos Frescos de Granja. Lee el cartel, o acaso lo asimila entero, y percibe en él una peculiar y apacible integridad, un gesto reconfortante. Dos mujeres se echan a un lado al aproximarse él, observan su persecución, y él nota la expresión de alerta en sus rostros, el afilamiento de su atención. Bill está cerca, sacudiendo el asfalto con sus zapatos de hombre de negocios.

Cotter gira hacia el Sur al llegar a la avenida y corre media manzana y luego se vuelve y hace una cabriola, una payasada: corre marcha atrás durante un trecho, elevando las rodillas, burlándose, mostrándole la pelota a Bill. Es un chiquillo travieso que está hasta las narices. Sostiene la pelota a la altura del pecho y la hace girar entre sus dedos, lo que no es fácil cuando estás corriendo; hace rotar la pelota alrededor de su eje, la obliga a girar lentamente una y otra vez, mostrándole las doscientas dieciséis puntadas de algodón rojo que sobresalen.

No me digan que no les encanta el gesto.

La maniobra logra que Bill aminore el paso. Contempla a Cotter pedaleando hacia atrás, pavoneándose como un bailarín, pero no ve posibilidades aquí. Porque la maniobra le hace darse cuenta de dónde está. El hecho de que Cotter no esté asustado. El hecho de que esté exhibiendo la pelota. Bill se detiene por completo, pero es demasiado listo como para mirar a su alrededor. Es mejor limitar tu panorama al frente. Porque no sabes quién podría devolverte la mirada. Y cuanto más consciente es de todo ello, tanto más crece el espacio disponible para la ira de Cotter. Realmente, no sabe cómo mostrarla. Hoy ya es la segunda vez que se ha mofado de alguien, pero no experimenta el impulso de arrojo que sentía cuando esquivaba al poli. La euforia de saltarse la verja de entrada es aquí algo mortecino: se siente confuso y cansado, y no logra que funcione su mirada de tipo peligroso. Así que permanece allí con los pies clavados en el suelo y contempla a Bill con gente que pasa junto a ellos y se fija o no se fija y hace girar la pelota arriba y abajo sobre el dorso de la mano y la captura cuando sale despedida de su muñeca al hundir y girar esa misma mano, como si dijera que te den por culo tío no sabes con quién te la juegas.

Observa a Bill, un hombre arrebolado y jadeante que ha perseguido en vano al tren de las cinco y nueve a lo largo de la vía.

A continuación, le vuelve la espalda y echa a andar lentamente calle abajo. Comienza a pensar en el asombroso final del partido. Lo que no podía ocurrir ocurrió realmente. Quiere llegar a casa, sentarse tranquilamente, revivirlo de nuevo, dejarse inundar por el *home run* para que empape su cuerpo de una especie de serenidad, el placer remansado que sigue al placer en sí.

Un hombre llama desde la ventana a otro hombre que hay en un porche.

—Qué pasa con esa chica chato me cuentan que has tenido que escayolártela.

Cotter se vuelve aquí, mira allí, experimentando una sensación de ubicación que va tornándose cada vez más familiar.

Ve a un chico que conoce, pero no se detiene a enseñarle la pelota ni a pavonearse de lo del partido.

Siente el dolor de la pata del asiento.

Ve a un orador callejero pronunciando un discurso, un tipo alto con un traje harapiento que lleva pinzas de ciclista sujetándole las perneras a la altura de los tobillos.

Percibe una pequeña depre cociéndose en la mente.

Ve a cuatro tipos de una banda local, los Alhambras, y cruza la calle para evitarlos y luego vuelve a cruzar.

Llega a su calle y sube los escalones de acceso y penetra en la agria atmósfera de su edificio y percibe esa pequeña depre, como una luz que se extingue, que ya ha notado antes mil veces.

Mierda, tío. No quiero ir mañana al colegio.

Russ Hodges, encaramado al baúl de los materiales, intenta describir la escena del vestuario y sabe que lo que dice no tiene sentido, y los jugadores que se suben al baúl para hablar con él tampoco dicen nada que tenga sentido y hablan todos con voces antinaturales, con voces fallidas, graznidos de criaturas nocturnas. Otros están acorralados junto a sus armarios por periodistas y familiares y empleados del club que no les dejan acercarse a los licores y la cerveza que llenan una mesa del centro de la habitación. Russ sostiene el micrófono sobre su cabeza y deja que penetre el sonido y luego baja el micrófono y dice otra cosa incomprensible.

Thomson sale a la terraza del vestuario respondiendo al cántico de su nombre y están en todos sitios, están en los escalones con la policía del estadio manteniéndoles a raya y hay miles más esparcidos en una densa masa que llena el espacio entre los muros que sobresalen de las gradas, muchos brazos extendidos hacia Thomson: le señalan o imploran o enarbolan el puño en señal de victoria o manifiestan su deseo de tocar, hombres con traje y sombrero allá abajo y otros que cuelgan sobre el muro de las gradas sobre Bobby, alargando la mano, medio caídos sobre el borde, algunos casi a punto de tocarle.

Al dice, el productor:

—Buen trabajo el de hoy, Russ, colega.

—Hemos hecho algo grande simplemente con estar aquí.

—Qué sensación.

—Me fumaría un puro, pero igual me muero.

—Pero qué sensación —dice Al.

—Lo que hemos hecho ha sido magia. Entre todos. Maldita sea, ahora me doy cuenta.

—¿Cómo puede un partido hacer que nos sintamos así?

—Tengo que volver. Me he dejado el abrigo en la cabina.

—Necesitamos dar un paseo, a ver si nos tranquilizamos.

—Necesitamos un largo paseo.

—Es el único abrigo al que le has tenido cariño —dice Al.

Salen por los vestuarios de los Dodgers y allí está efectivamente Branca, es lo primero que ves, tendido boca abajo en un tramo de seis escalones, con los pies tocando el suelo. Aún va de uniforme salvo por la camisa y la gorra. Lleva una camiseta húmeda y tiene la cabeza hundida entre los brazos cruzados sobre el escalón superior. Al y Russ conversan con algunos de los que quedan. Hablan en voz baja e intentan no mirar a Branca. Le miran pero se dicen a sí mismos que no están mirando. Junto a Branca hay un entrenador sentado que va vestido de uniforme, pero sin la gorra, y que fuma un cigarrillo. Se llama Cookie. Nadie quiere cruzar la mirada con Cookie. Al y Russ hablan quedamente con unos cuantos hombres más y todos se esfuerzan por no mirar a Branca.

La escalinata de los vestuarios de los Dodgers está ya casi libre de gente. Thomson ha regresado al interior pero aún quedan hinchas reunidos en la zona, saludando con la mano y cantando. Los dos hombres echan a andar a través del exterior del campo y Al señala el lugar de las localidades de la izquierda en las que cayó la pelota.

—Señala el punto. Como el lugar en el que Lee se rindió a Grant o algo así.

Russ piensa que se hallan ante una historia diferente. Piensa que se llevarán de aquí algo que los unirá de un modo extraño, que los vinculará a un recuerdo dotado de poder protector. En la avenida Amsterdam la gente trepa a las farolas y en Little Italy hacen sonar las bocinas. ¿Acaso no es posible que este instante de mitad de siglo penetre en la piel de un modo más duradero que las vastas estrategias de conformación de líderes eminentes, de acerados generales con gafas de sol: las visiones cartografiadas que taladran nuestros sueños? Russ quiere pensar que algo como aquello nos mantiene a salvo de algún modo indeterminado. Esto es lo que pulsará en su mente cuando sea viejo y vea doble y se maree: la sensación de euforia, el brinco de espectadores que ya estaban en pie, ese relámpago de sonido y de gozo cuando entró la pelota. Ésta es la historia del pueblo y posee una carne y un aliento que se aceleran bajo la fuerza de este viejo y amable juego nuestro. Y los hinchas que hoy acudieran a los Polo Grounds podrán contar a sus nietos —serán ancianos flatulentos apoyados en el siglo que viene e intentando convencer a quienes quieran escucharles, insistiendo con su aliento oloroso a medicina— que estaban aquí cuando sucedió.

El borracho de la gabardina está corriendo de base en base. Le ven rodear la primera, palmeando el aire con las manos para no desviarse al campo derecho. Se aproxima a la segunda hecho un remolino de faldones y extremidades y cordones sin atar y cinturón colgante. Advierte que va a resbalar y se detienen para ver cómo despega.

Todos los fragmentos de la tarde se arremolinan en torno a su forma en vuelo. Gritos, chasquidos de bates, vejigas llenas y bostezos aislados, la abundancia, como granos de arena, de cosas que no se pueden enumerar.

Todo va depositándose indeleblemente en el pasado.

PARTE 1

LONG TALL SALLY

PRIMAVERA - VERANO 1992

1

Conducía un Lexus a través del susurro del viento. Se trata de un automóvil montado en una zona completamente desprovista de presencia humana. Ni una gota de sudor mortal, con la excepción, de acuerdo, de los tipos que lo conducen al exterior de la planta: quizá una pequeña humedad allí donde sus manos han tocado el volante. El sistema fluye eternamente hacia delante, automatizado hasta matices sacerdotales, cada movimiento deslizante obedece a una referencia, para obtener un comportamiento perfecto. Carcasas huecas que avanzan formando una secuencia interminable. Una cola en la que ninguno de sus miembros se encuentra nervioso a consecuencia de la cafeína ni posee historiales clínicos de depresión. Tan sólo el mágico entramado de aleaciones de cromo transportadas en arcos entrelazados, bloques de hierro y lona asfáltica, altivos ornamentos de carrocería acoplados y fundidos. Robots que aprietan tuercas, currantes programados que no sueñan con los muertos familiares.

En cierto modo, es una culminación, máquinas diseñadas y construidas fuera de la insignificante farfulla del lenguaje humano. Todo lo cual convertía mi automóvil de alquiler en un complemento natural del paisaje que atravesaba. Las planicies desnudas reverberando de calor. Un cielo exangüe con brisas titilantes que arrojan polvo sobre el parabrisas. Y una ausencia factual de cualquier especie en la escena; con excepción de mí, claro está, y apenas me encontraba allí.

Digamos simplemente que el desierto es un impulso. Había decidido súbitamente cambiar de avión, alquilar un coche y lanzarme por carreteras secundarias. Los viejos tiempos tienen algo que la espontaneidad satisface. Cuanto más rápidamente decides, más íntegramente logras descargar tu deuda con los recuerdos. Quería verla de nuevo, y sentir algo y decir algo, unas pocas palabras, no demasiadas, para luego enfilar de nuevo la ventosa lejanía. Era todo lejanía. Era todo tierra cuarteada y seca, y cielo y trazas de montañas como barquillos, chatas y agazapadas en la distancia, montañas o nubes, con forma de gato, de leopardo... qué humano es ver las cosas con forma distinta.

La vieja carretera doblaba hacia el Norte, situando el sol aproximadamente perpendicular, y experimenté el deseo de sentir su calor en el rostro y en los brazos. Desconecté el aire acondicionado y bajé las ventanillas. Extendí el brazo en busca del tubo de crema solar, factor de protección quince, algo que siempre tengo a mano a pesar de que mi piel es olivácea, oscura como la de mi padre.

Aminoré la velocidad hasta que me fue posible separar las manos del volante y me apliqué la crema sobre la mitad del rostro y uno de los brazos, la parte expuesta de mi persona, porque tenía cincuenta y siete años y aún estaba aprendiendo a ser prudente.

Aquel bálsamo de coco, con su aroma a almizcle, la fragancia adolescente a calor y playas y un recuerdo soterrado de la fuerza del agua de mar, con los ojos y la nariz restregados por la sal. Estrujé el tubo hasta secarlo. Se arrugó, chasqueó y se secó. Atisbé algo, una imagen mental, una especie de detonante nervioso, un fogonazo del desierto: la brevísima mancha cromática de un vendedor de helados abriéndose paso a través de la arena.

Más tarde, el viento amainó; del cielo, inmóviles y próximas, colgaban nubes como riscos, silueteadas de rosa pálido. Para entonces me encontraba en un camino de tierra, espectacularmente perdido. Detuve el coche, descendí de él y oteé el paisaje sintiéndome bastante estúpido, creyendo ver algunas madrigueras entre las yucas: viejos búnkeres de cemento procedentes de prospecciones mineras o campos de entrenamiento militar. Anochecería en cuarenta y cinco minutos. Tenía un cuarto de depósito de gasolina, medio termo de té helado, nada de comer, ninguna prenda de abrigo, y un mapa en el que se escatimaban los detalles.

Me bebería el té y moriría.

Y entonces, un remolino de polvo, una masa nebulosa elevándose desde el horizonte de poniente. Y un objeto que se aproximaba y me hacía recordar un centenar de películas en las que algo se acerca a través de las onduladas llanuras, un jinete con el rifle enfundado o un camellero solitario arropado en muselina sobre su estúpida bestia. Esto era diferente: avanzaba a buen paso y levantaba a su paso dos hileras gemelas de arena. Pero no se trataba del típico vehículo todoterreno. Tenía techo solar y un destello de pintura amarilla y era brillante y zarandeante, bruñido como los de los tebeos. Una aparición de lo más feliz que se aproximaba por el sendero de rodadas como un objeto pop-art. A menos de cincuenta metros de distancia. Parecía tratarse, se trataba claramente de un taxi neoyorquino, imposible pero cierto, amarillo como una yema de huevo y avanzando a buen paso.

¿Qué mejor ademán cabía concebir que una mano extendida en señal de parada?

Pero aquel maldito trasto no frenó. Las ventanillas abiertas, el estrépito de la música... y el lanzamiento de una roca esteroide. Me aparté de su camino, con el brazo aún levantado, el brazo bronceado, resbaladizo de tanto producto químico. Advertí que el coche iba repleto de personas y grité a su paso el nombre de una persona, una contraseña sobre el latido del aire.

—Klara Sax —es lo que grité.

Y recibí otros gritos a modo de respuesta. El taxi aminoró ligeramente la marcha y les oí vitorear. A continuación, asomaron brazos de dos o tres ventanillas, saludando y gesticulando, junto con una única cabeza amarilla y sonriente, una mujer rubia, joven y soleada, que me miraba —el conductor sereno entre toda aquella algarabía, conduciendo sin inmutarse— y el taxi alejándose, a la carrera, a través de la achatada vegetación, para internarse en el desierto.

Subí a mi silencioso automóvil y les seguí.

Los voluntarios eran en su mayoría estudiantes de arte, pero también había otros, historiadores y profesores de permiso y nómadas y fugitivos, yendo y viniendo sin cesar, piratas informáticos ya hastiados en busca de un mundo sin redes computarizadas, gente que había oído la llamada, el susurro al oído que te hace coger la puerta y partir hacia un territorio de juegos exaltados.

Trabajando con las manos. Lijando y pintando. Removiendo sus mezclas indolentes. Viendo cómo las pinceladas señalan una superficie. *Pigmento*. Las grasas animales y los polímeros que se mezclan para construir esa palabra.

Se mostraron amables conmigo. Comían y dormían en un

conjunto de barracones abandonados construidos en la linde de una enorme base aérea.

Retretes, duchas, catres y un improvisado economato. Constituían una alegre fuerza de trabajo dotada de diversas habilidades. Arreglaban cosas, cantaban canciones, contaban chistes. Cuando su número sobrepasaba la capacidad de los barracones dormían en tiendas de campaña individuales o en sacos de dormir o en sus coches polvorientos.

Le dije a un estudiante con distintivo de bienvenida que yo no estaba allí para blandir una brocha ni una lijadora, sino tan sólo para contemplar la pieza —la obra, el proyecto, comoquiera que lo llamasen— y para saludar a Klara Sax si ello era posible.

Le dije que no quería robarles espacio, y me indicó la dirección de un motel donde podría pasar la noche, a unos cuarenta kilómetros de distancia, y luego me citó para más tarde en un lugar que denominó el taller de pintura.

Me lavé las manos para desembarazarme de la crema solar y me puse a una de las colas de comida: emparedados, kiwis y zumo de fruta. Luego me senté y charlé con cinco o seis personas. Todos eran simpáticos. Les pregunté por el taxi y me dijeron que era el coche de uno de ellos y que habían decidido pintarlo y adornarlo como regalo para Klara con motivo de su cumpleaños, que había tenido lugar al comienzo de la semana. No el propio coche, que había sido devuelto a su dueño en su nueva forma taxificada, sino la pintura, el gesto, el espíritu de su Nueva York ancestral.

Me preguntaron de dónde era y yo respondí con una frase que a veces utilizaba.

Vivo una vida tranquila en una discreta casa de los suburbios de Phoenix. Pausa. Como alguien amparado por el Programa de Protección de Testigos.

Para entonces detestaba la frase, pero parecía modificar la tonalidad de interrogación e imprimir un tono notoriamente superficial. Durante todo el rato que estuvimos hablando no dejé de mirar a mi alrededor en busca del conductor del taxi, con su cabellera color amarillo miel.

Cierto número de ellos lucían camisetas impresas con las palabras *Long Tall Sally*.

Pensé que me sería posible determinar la edad de Klara con un margen de error de uno o dos años, y cuando pregunté qué cumpleaños había celebrado alguien respondió que el setenta y dos. Más o menos lo que había pensado.

Hacía una noche clara con estrellas arremolinadas que parecían colgar cercanas y a poca altura, y una dulce brisa espumaba la superficie de la tierra. Conduje durante cosa de un minuto y medio —no vayas andando, habían dicho—, siguiendo una línea de reflectores de carretera clavados en el suelo. Había luces colgadas y un grupo de jeeps y de camionetas y una única y larga estructura de hormigón de unos tres metros de altura, dividida a lo largo de su extensión en una docena de compartimientos del tamaño de una habitación y abierta en sus dos extremos.

Aquél era el centro de operaciones, desde donde se coordinaba el proyecto: allí se creaban los diseños, se adjudicaban las tareas diarias y se almacenaba la mayor parte del material.

Uno de los espacios estaba lleno de gente, y divisé un micrófono colgante suspendido sobre las cabezas de los presentes. Focos, una cámara, una mujer con un atril portátil... y espectadores procedentes del grupo de trabajadores, acaso unos cuarenta, algunos con máscaras protectoras colgando sobre el pecho, muchos de ellos vestidos con camisas y chaquetas estampadas con la misma inscripción que había visto antes. Aparqué en las inmediaciones y me aproximé al borde del grupo. Tardé unos instantes en descubrir a la estrella. Estaba sentada en una silla de director con un bastón al alcance de la mano y una pierna apoyada sobre un cubo dispuesto boca abajo. Fumaba un cigarrillo de color negro y charlaba con la gente mientras los operarios montaban el equipo.

Ahora que me encontraba a una distancia de una o dos palabras, de un nombre, me asaltó la peculiaridad de aquel viaje. Diecisiete años. Diecisiete años había tenido la última vez que la vi. Sí: tanto tiempo hacía, y después de tanto tiempo era posible que me viera como un elemento intruso, una figura procedente de quién sabe qué sueño inquietante que regresara caminando y hablando a través de territorios salvajes para encontrarla. Permanecí allí contemplándola, intentando reunir la resolución necesaria para dirigirme a ella. Y quizá aún más extraño que los años transcurridos entre nuestros encuentros fue mi capacidad de contemplarla en retrospectiva. Me era posible entresacar de la silla a esa misma mujer en otra época más joven, separarla de aquella persona vestida con unos oscuros pantalones de cuadros y una vieja chaqueta de ante que permanecía sentada, fumando. Había visto fotografías de Klara, pero nunca había sido capaz de rescatar de ellas a la mujer que había conocido, pálida y enhiesta, de comisuras levemente torcidas y labios fruncidos que parecían mantenerla ajena a sus palabras. Y aquellos ojos evasivos, con una mirada que parecía eludir la pregunta de qué era lo que buscábamos el uno en el otro.

Su aspecto era el de una persona célebre y singular, célebre incluso ante sí misma, célebre incluso en el acto de prepararse una ensalada en la cocina. Sus cabellos eran blancos, dotados de un brillo metálico, estrechamente recortados en torno a su rostro oblongo, adornada la frente por un flequillo. Llevaba puesta una holgada camiseta de color naranja bajo la chaqueta y lucía un collar, varios anillos y una zapatilla blanca de deporte rematada por un calcetín del color uva Kool-Aid. El pie lastimado aparecía envuelto por una tobillera elástica de color carne.

Alguien pasó a su lado con un vaso de cartón y ella dejó caer el cigarrillo en su interior.

Se había maquillado los pómulos con un colorete oscuro que le proporcionaba un aspecto severo e incluso sobrecogedoramente mortuorio. Pero me era posible verla de joven. Ignoro qué estratagema mental me permitía elevarla hasta ocupar el espacio que tenía preparado para ella, con ojos levemente oblicuos y manos apergaminadas y su modo de sonreír íntima e incrédulamente al pensar en nuestro reencuentro y esa manera de operar en tiempo ficticio: la mente fija el instante y el cuerpo la sigue.

La observé. En aquellos primeros treinta segundos se albergaba una potencia comprimida. Sentí que cambiaba el ritmo de mi respiración.

Los miembros del equipo pertenecían a la televisión francesa, y estaban listos para empezar a rodar. Los espectadores se tornaron inmóviles. La mujer del atril portátil se agachó fuera de campo en el punto desde el que formularía sus preguntas. Andaría por una cimbreante cuarentena y llevaba el pelo teñido con mechas y unos tejanos de corte antiguo. A sus pies reposaba una bolsa de tela vaquera con amplias asas.

Dijo:

—De acuerdo, podemos empezar, creo. Se me permite decir cualquier estupidez porque luego mis preguntas se cortarán durante el montaje. Ésas son las reglas, ¿vale? Si me atropello al hablar, no hay problema.

—Pero yo tengo que mostrarme inteligente, graciosa, profunda y encantadora —dijo Klara.

—La verdad es que no vendría mal. Comenzaremos con la herida de su pierna izquierda. Díganos qué fue lo que ocurrió, ¿le parece?

—Me caí de una escalera. Una tontería. Un peldaño que se me escapó mientras estaba subida en ella. Empleamos todos los artilugios que podemos encontrar. No disponemos de techo sobre nuestras cabezas, ni de hangares o fábricas. No contamos con los andamiajes ni las plataformas que tienen en las plantas de montaje para construcciones y reparaciones.

Me aproximé hasta situarme a pocos metros detrás del estudiante que llevaba el distintivo, el mismo joven que se había ofrecido para prepararme una habitación.

Dijo la entrevistadora:

—Así pues, sigue usted subiéndose a escaleras, sigue trabajando.

—No es más que una torcedura de tobillo. Basta con una aspirina. Sí, me subo allí arriba a veces, cuando esto no es un infierno; cuando el calor es soportable, ya sabe. Necesito verlo y sentirlo. Contamos con numerosos voluntarios bien capaces. Pero necesito afinarlo de vez en cuando.

—Esta noche visité el lugar por primera vez y vi muchas escaleras y mucha gente paseándose por las alas. Llevan máscaras. Llevan unas bombonas enormes sujetas a la espalda.

—Tenemos pulverizadores de automoción para imprimir el metal. Tenemos pistolas industriales que aplican pintura al óleo, esmaltes, epóxido, etcétera. Utilizamos compresores portátiles de aire. Empleamos incluso pinceles. Empleamos pinceles cuando buscamos efectos tipo pincelada.

Los miembros del público rebulleron imperceptiblemente, intentando obtener una mejor perspectiva de Klara mientras hablaba o aproximándose unos centímetros para escuchar la conversación con más claridad. La voz de Klara mostraba un leve acento chirriante, algo así como una especie de temblor, como la líquida textura deslizante de algo que oscila de un lado a otro.

—Lijamos y cepillamos con chorro de arena —dijo—. Tenemos numerosos cañones de arena con pistolas, y tolvas de cuarenta litros, creo que se llaman. Tenemos algunos cañones de presión, unos trastos enormes sobre ruedas. En la mayor parte de los aviones tan sólo hay que retirar una capa de pintura debido a que originalmente se pintaron teniendo en cuenta el peso como consideración fundamental. Los construyeron, en otras palabras, para llevar bombas, y no espléndidas capas de pintura. Ni que decir tiene que se trata de un trabajo tremendo. Hay que trabajar a la intemperie bajo el calor, el polvo y el viento. Tremendo. Si se levanta demasiado polvo no podemos pintar. Si no hay mucho polvo, pintamos. No buscamos la precisión. Pulverizamos la pintura con arenisca y todo. La pulverizamos, la aplicamos, la arrojamos.

Dijo:

—Claro está que los aviones han sido despojados de la mayoría de aquellos de sus componentes que aún pueden resultar útiles o vendibles a contratistas civiles. Pero las ruedas siguen ahí, los trenes de aterrizaje, porque no quiero aviones apoyados sobre la panza. En consecuencia, necesitamos elevarnos mucho para trabajar esos fuselajes y esos formidables planos de estabilización. Tenemos gente subida a escaleras y equipada con pulverizadores de tres metros y medio de longitud, tenemos gente subida a los estabilizadores y dedicada a pulverizar esa maldita cola.

—Pero contáis con ayuda.

—Contamos con ayuda militar hasta cierto punto. Nos dejan pintar sus aviones ya neutralizados. Nos dejan pintar y nos prometen mantener las instalaciones intactas, aislarlas de cualesquiera otros usos y conservar la integridad del proyecto. No pueden emplazarse otros objetos, ni un solo objeto estacionario, a menos de kilómetro y medio de las piezas terminadas. También contamos con becas fundacionales, con apoyo del Congreso y con toda clase de permisos. ¿Qué más? Materiales donados por fabricantes, por valor de decenas de miles de dólares. Pero aun así seguimos teniendo que ahorrar y robar para obtener muchas de las cosas que necesitamos.

—Y la sequedad del aire del desierto conserva el metal.

—Es un aire seco y cálido.

—Muy cálido, ¿verdad?

—Son aviones abandonados. Como los del final de la Segunda Guerra Mundial —dijo Klara—. La única diferencia son... dos diferencias. La única diferencia es que, en realidad, esta vez no salimos de una guerra. Contamos con una cierta serie de condiciones típicas de posguerra sin haberla librado. Y, en segundo lugar, no tenemos intención de dejar que estas grandiosas máquinas expiren en un campo o terminen vendidas como chatarra.

—Vais a pintarlas.

—Estamos pintándolas. Estamos salvándolas del soplete. Y resulta muy curioso, permítame que le diga, porque hace treinta años, cuando abandoné la pintura de caballete y comencé a dedicarme a reciclar desechos, me atacaron por ello. Y no recuerdo cuándo comenzó a emplearse el término, pero terminaron por llamarme Doña Basuras, que yo dije qué gracioso, ja-ja, pensando que como mucho duraría un mes. Pero el nombre me persiguió durante una buena temporada, hasta que ya dejó de hacerme tanta gracia.

—Y ahora está aquí, en el desierto.

—Volviendo a los desechos. Esta vez no se trata de botes de aerosol, latas de sardinas, tapas de champú y colchones. Ya pinté un colchón y algunas sábanas. Se había terminado mi segundo matrimonio y pinté la cama al efecto. Sea como fuere, sí, ahora me dedico a los bombarderos B-52 de largo alcance. Estoy pintando aeroplanos de cincuenta metros de largo, con un ala aún de mayor envergadura y un peso total de unas doscientas veinte toneladas con los depósitos llenos, no sé vacíos: aviones que solían transportar bombas nucleares —tá-tá, ta-chán— por todo el mundo.

—Esto no es un colchón.

—Le diré lo que es esto. Esto es un proyecto artístico, no un proyecto pacifista. Esto es una pintura de paisaje compuesta por el paisaje mismo. El desierto es crucial para esta pieza. Es el entorno. Es el marco. Es el horizonte cuatripartito. En eso insistíamos en nuestra solicitud a la Fuerza Aérea: en una zona desnuda en torno a la obra terminada.

—Sí, es cierto, el paisaje.

—Espere. No he terminado. Quiero decir que en esta traslación de objetos pequeños a objetos muy grandes, durante los años que he tardado en encontrar estas máquinas abandonadas, después de todo eso, estoy redescubriendo la pintura. Y me siento ebria de color. Sexualmente obsesa. Lo veo en sueños. Lo como y lo bebo. Soy una mujer enloquecida por el color.

Y paseó la mirada por el público, por sus operarios, brevemente, y ellos se desperezaron y rieron.

—Pero la belleza del desierto.

—Tan fuerte, tan potente. Creo que nos hace sentir, nos consagra como cultura, como cualquier cultura tecnológica, sentimos que no debemos sentirnos dominados por él. Sobrecogimiento y terror, ya sabe. Improductivo —agitó una mano, riendo— para la industria, el progreso, etcétera. Así que utilizamos este lugar para probar nuestras armas. Lógico, por supuesto. Y ello nos permite demostrar nuestra maestría. El desierto muestra los signos visibles de todas las explosiones que hemos detonado. Todos los cráteres, y los carteles de aviso, y las zonas restringidas y las señales subterráneas allí donde están enterrados los desechos.

El entrevistador formuló una serie de preguntas acerca de los jóvenes conceptualistas que trabajaban con desechos biológicos y nucleares, y a continuación solicitó un breve descanso. Los espectadores aplaudieron blandamente y algunos se disgregaron en grupos de charla mientras otros salían a contemplar cómo el cielo nocturno se formaba y espesaba.

Me acerqué al sujeto que llevaba la bienvenida prendida en el pecho.

—¿Podría usted hablar con ella ahora? Dígale que soy Nick Shay. De Nueva York, dígale. Pregúntele si puede dedicarme un minuto —dije—. Vivíamos cerca el uno del otro en Nueva York.

Él me miró, parpadeando.

Le repetí mi nombre y le vi encaminarse hacia la silla de la directora. Hubo de esperar hasta que estuvo desocupada y, por fin, se dirigió a ella y señaló en mi dirección.

Observé su rostro, esperando que reconociera mi nombre, que la luz iluminara sus ojos. Ella vaciló y luego miró a su alrededor, buscándome. Su semblante mostraba... ¿qué? Cierta preocupación, cierto interés por mí, profundo y basado en el recuerdo. ¿Realmente estás aquí? ¿Estás bien? ¿Estás vivo?

Me aproximé, cogí una silla plegable y la extendí junto a ella, a la espera de que aquel joven se marchara.

—De modo que éste es Nick.

—Sí.

—Luego hablan de sorpresas.

—Te acuerdas.

—Oh, sí —dijo, y distinguí su sonrisa evanescente, esa mirada que se preguntaba cómo ha podido ocurrir esto.

—He estado en Houston.

—Llevas una vida normal.

—Me afeito a diario.

—Pagas tus impuestos... bien.

—Tenía negocios en Houston. Llevaba conmigo una revista en la que aparecía un artículo acerca de tu proyecto. Así que pensé: por qué no.

—Nick hacía deporte, creo.

—Bueno, veamos. Yo bebo leche de soja y corro los mil quinientos metros.

Esperé una sonrisa. Luego, dije:

—Pero el artículo no precisaba con exactitud la ubicación del lugar. Así que volé a El Paso, alquilé un coche y pensé que regresaría conduciendo a casa, a Phoenix, y que me detendría a hacer una visita por el camino.

—Y nos encontraste.

—No resultó fácil.

Me miraba abiertamente, evaluándome sin tapujos. Me pregunté qué estaría viendo. Sentí que le debía alguna explicación acerca de los años transcurridos. Experimentaba ese temor soterrado que se siente cuando alguien te estudia después de una larga separación y te hace pensar que no ha debido de irte muy bien para llegar a ese punto tan cambiado y fatigado. Sin tú saberlo, se entiende. Llegar a ese punto tan indefenso frente a tus propias complicidades que la verdad aún se te mantiene oculta.

—¿Y estás bien? Tienes buen aspecto.

Me decía que tenía buen aspecto, pero me miraba de un modo peculiar, con algo en su voz, entiéndame, que me hacía desconfiar. La gente la interrumpía constantemente para comunicarle cosas, para transmitirle recados. Se acercó alguien con un mensaje sobre no sé qué cuestión administrativa y ella nos presentó.

—Un viejo amigo de los buenos tiempos —dijo—. En fin, buenos tal y como los recordamos. En su día resultaban bastante complicados.

A continuación, se volvió de nuevo hacia mí.

—¿Te casaste?

—Sí. Dos hijos. En edad de ir a la universidad. Pero no van a la universidad.

—Yo me he casado movida por los impulsos de gratas veladas y buenos vinos. Aunque no recientemente. Últimamente ando enloquecida con el trabajo. Me llevó mucho tiempo darme cuenta de que era una persona meticulosa y lógica con las aventuras, realmente escrupulosa acerca del quién, el dónde y el cuándo, pero del todo intrépida en lo que respecta al matrimonio.

Sentí la tentación de decir: no siempre fuiste tan cuidadosa con las aventuras. Claro está que tampoco se había tratado de una aventura, ¿verdad? Tan sólo de un suceso, de algo que había tenido lugar en dos episodios, en unas pocas horas, de algo que se había medido en horas y minutos y que luego había concluido. Pero, por supuesto, no dije nada. Ignoraba cómo enfocar la cuestión. Considerando nuestra diferencia de edad, no cabía mostrarse retorcidos acerca de temas como la vejez, la sordera o las cojeras, y comencé a angustiarme levemente, comencé a pensar que ya habíamos alargado la visita más allá de cualquier límite tolerable y que había cometido un profundo error acudiendo allí porque se trataba de una cuestión no discutible: aun después de cuarenta años, demasiado secreta incluso entre sus dos guardianes.

—Pensé que nos debíamos esta visita. Aunque no sé muy bien qué significa eso —dije.

—Yo sí sé lo que significa. Experimentas una sensación de lealtad. El pasado despierta nuestro patriotismo, ¿lo sabías? Uno desea sentir la lealtad. Y es la única lealtad indivisible que existe: la que sé por todas esas personas y todas esas cosas.

—Y se hace más fuerte.

—Algunas veces pienso que todo lo que he hecho desde aquellos años, de hecho todo lo que me rodea... no sé si tú sientes lo mismo, pero que todo resulta vagamente... ¿*qué*?... ficticio.

Se trataba de un comentario pasajero que no comenzó a despertar su interés hasta que no llegó a la última palabra.

—Estamos lejos, Nick. Estamos muy lejos de casa.

—Del Bronx.

Nos echamos a reír.

—Sí. Ese lugar, esa palabra. Áspera, grosera, ¿qué más la llamamos?

—Demoledora —dije.

—Sí. Es como tres palabras aplastadas una sobre otra.

—Es como hablar con los dientes partidos.

Nos echamos a reír de nuevo y me sentí mejor. Era estupendo reírse con ella. Quería que me viera. Quería que supiera que había conseguido salir de aquello, de cualesquiera errores disparatados que hubiera podido cometer... y que había salido indemne.

—Tan fuerte y tan real —dijo—. Y todo desde entonces... pero quizá no es más que otra característica del envejecimiento. No soy lectora de filosofía.

—Yo leo de todo —le dije.

Me miró con lo que podría calificarse de renovada sorpresa.

—Quizá debería ahorrarme todo esto para los franceses —dijo—. Pero ¿acaso la vida no ha adoptado un giro irreal en algún momento?

—Bueno, Klara, ahora eres famosa.

—No. No es irreal porque sea famosa —irritada conmigo—. Es sencillamente irreal.

Extrajo un paquete de Nat Shermans de la chaqueta y encendió uno.

—No estoy embarazada, así que puedo hacer esto.

Aún llegó y partió otra persona, una mujer joven encargada de transmitir un cambio de programa; la expresión de Klara se tornó distante y crispada, pero en absoluto debido a aquellas noticias. Había alguna otra cosa que la disgustaba, algo que se debatía, penetrándola, mientras ella ladeaba la cabeza como si quisiera escuchar.

—Qué curioso que hayas aparecido ahora. Dios mío, qué raro y, en cierto sentido, qué terrible. Y hasta este instante no había establecido la relación. ¿Qué me pasa, por todos los cielos? ¿Acaso he olvidado que murió? Albert murió hace dos semanas. Hace tres semanas. Me ha llamado Teresa, nuestra hija.

—Lo siento.

—No estábamos en contacto, él y yo. Hace tres semanas. Un infarto congestivo. Una de esas enfermedades que más o menos intuyes de qué van aunque no lo sepas.

—¿Dónde vivía? ¿Seguía allí?

—Sí, seguía allí —dijo Klara—. ¿En qué otro lugar iba a haberse muerto Albert?

Albert era el marido de Klara en la época en que los conocí a ambos. Era profesor de Ciencias de mi facultad. El señor Bronzini. Varios años después de verle por última vez, aún me sorprendía pensando en él tan frecuente como inesperadamente. Ya saben el modo que tienen algunos lugares de reforzarse mentalmente con el paso del tiempo. Durante esos sueños de madrugada, tras regresar a la cama después de una soñolienta visita al baño para retornar rápidamente a las estribaciones de la noche, hay una serie de calles a las que regreso sin cesar, una oscura neblina de estancias ferroviarias en la que aparecen ciertas figuras, como fantasmas fronterizos. Albert y Klara entre ellos. Él era el marido, ella la mujer, un detalle que apenas me había detenido a considerar en aquella época.

Dos personas se inclinaron sobre Klara murmurando algo simultáneamente y en ese momento un miembro del equipo le preguntó si estaba lista para proseguir.

—Tu hermano —me dijo.

—Viviendo en Boston.

—¿Le ves?

—No. Rara vez.

—¿Qué hay de su ajedrez?

—No veo a nadie. Lo abandonó hace tiempo.

—Qué lástima.

—No podían salir dos genios de un barrio tan pequeño.

—Bah, qué bobada —dijo.

Deposité una mano sobre su brazo y sentí que se relajaba. Me miró de nuevo con ojos protuberantes, inyectados de sentimiento. Me resultaba extraordinariamente agradable estar allí sentado, con la mano sobre el brazo de Klara y recordar los labios fruncidos de su juventud, esa clase de imperfección erótica que te hace desear perderte en su desequilibrio: la boca y la mandíbula no del todo alineadas. Pero allí se extendía el límite del placer reflexivo. No había más cosas que someter al magín. Habíamos dicho lo que teníamos que decirnos, habíamos intercambiado todas las miradas y habíamos recordado a los muertos y a los ausentes, y ahora había llegado el momento de convertirme de nuevo en un adulto de pleno rendimiento.

Otra persona le dijo algo y yo me incorporé y me alejé, sintiendo los dedos de Klara recorrer mi antebrazo y la palma de mi mano. Esta vez, encontré un lugar más alejado, cerca de la entrada. El público tardó un rato en reunirse y acomodarse.

El entrevistador se agachó y habló.

—Quizá pueda usted decirnos qué motivos le impulsan a hacer esto.

—Se trata de un trabajo en curso, no lo olvide, un trabajo que cambia día a día y minuto a minuto. Permítame que intente buscar algún rodeo hasta la respuesta. Puede que llegue a ella y puede que no.

Alzó una mano y la sostuvo cerca del rostro con el cigarrillo enhiesto, a la altura de los ojos.

—Antes pasaba mucho tiempo en la costa de Maine. Estaba casada con un navegante, mi segundo marido, un tratante de valores de alto riesgo que estaba a punto de arruinarse en cualquier momento por más que entonces no lo supiera; tenía un queche precioso, y solíamos subir a navegar por la costa. Por las noches nos sentábamos en cubierta, con un cielo que estaba maravillosamente claro, y a veces veíamos una especie de halo desplazándose a través de los campos de estrellas y especulábamos sobre su naturaleza. Aviones trasatlánticos u ovnis, ya saben, se trataba de un tema popular incluso entonces. Un disco luminoso cruzando lentamente el firmamento. Borroso y muy alto. Yo pensaba que volaba demasiado alto para ser un avión comercial. Sabía que los bombarderos estratégicos vuelan a casi diecisiete mil metros de altura. Y decidí que se trataba de la luz refractada de algún objeto que había allá arriba, y que debía de adoptar aquella forma circular. Porque quería creer que eso era lo que veíamos. B-52. La guerra me daba un miedo terrible pero aquellas luces, lo confieso, aquellas luces me producían una sensación compleja. Aquellos aviones en alerta permanente, omnipresentes, ¿saben?, bordeando las fronteras soviéticas, y recuerdo estar allí sentada, con el ancla echada y aquel suave balanceo en quién sabe qué oculta ensenada y experimentando una sensación de sobrecogimiento, la soñolienta sensación de misterio y de peligro y de belleza que podría sentir un niño. Creo que eso es una forma de poder. Creo que si mantienes en el mundo una fuerza capaz de penetrar el sueño de la gente estás ejerciendo un poder significativo. Porque yo respeto el poder. Ahora que ese poder está hecho trizas, jirones, y ahora que esas fronteras soviéticas ya no existen del mismo modo que antes, creo que alcanzamos a comprender, que miramos atrás, que nos vemos con más claridad, y a ellos también. El poder significaba algo hace treinta, cuarenta años. Era una cosa estable, localizada, era algo tangible. Significaba grandeza, peligro, terror, todas esas cosas. Y nos mantenía juntos, a los soviéticos y a nosotros. Quizá mantenía unido al mundo. Uno podía medir las cosas. Uno podía medir la esperanza y podía medir la destrucción. Y no es que quisiera volver a ello. Ha desaparecido y en buena hora. Pero el hecho es eso.

Al llegar a este punto, pareció perder el hilo del argumento. Hizo una pausa, vio que el cigarrillo se había consumido y, cuando el entrevistador se inclinó para cogerlo, Klara se lo alargó delicadamente, vuelto del revés.

—Muchas cosas que se hallaban ancladas en el equilibrio de poder y en el equilibrio de terror parecen haberse descompuesto, haberse desatado. Hoy en día, las cosas no tienen límite. Yo ya no entiendo el dinero. El dinero se ha desatado. La violencia se ha desatado, ahora la violencia es algo más fácil, algo liberado, fuera de control, algo que ya no tiene medida y no se basa en una escala de virtudes.

Realizó una nueva pausa para reflexionar.

—No quiero desarmar al mundo —dijo—. O quisiera desarmarlo, pero también de un modo cuidadoso, realista, completamente consciente de aquello a lo que estamos renunciando. Renunciamos al yate. El yate fue lo primero a lo que renunciamos. Ahora tengo estos aeroplanos ya retirados de los cielos, y los he recorrido, agachada, arrastrándome desde la cabina hasta el armamento de cola, y los he contemplado bajo todas las condiciones posibles de luz, y he pensado mucho en las armas que portaban, y en los hombres que las acompañaban y es algo terrible de pensar. Pero las bombas no llegaron a lanzarse. ¿Comprenden? Los misiles permanecieron en sus soportes bajo las alas, intactos. Los hombres regresaron sin que los objetivos fueran destruidos. ¿Comprenden? Todos intentábamos pensar en la guerra, pero no estoy segura de que supiéramos cómo hacerlo. Los poetas escribieron largos poemas llenos de palabrotas, y eso es lo más que nos acercamos, en mi opinión, a una respuesta reflexiva. Porque habían traído al mundo algo que desbordaba nuestra imaginación. Ni siquiera sabían cómo llamar a las primeras bombas. La cosa, o el chisme o lo que fuera. Y Oppenheimer dijo, Es *merde*. Le citaré en francés. J. Robert Oppenheimer. Es *merde*. Quería decir que algo que elude su propia denominación se ve automáticamente relegado, afirma él, a la categoría de mierda. No puedes nombrarlo. Es demasiado grande o demasiado perverso o demasiado ajeno a tu experiencia. Y es mierda, también, porque es basura, es material de desecho. Pero creo que estoy organizando un buen gazapo de todo esto. A lo que realmente quiero llegar es a las cosas corrientes, a la vida corriente que hay tras las cosas. Porque ahí reside el corazón y el alma de lo que estamos haciendo aquí.

El temblor de su voz. Y el modo en que el sonido surgía de soslayo desde las comisuras de sus labios. Resultaba inquietantemente seductor, nos hacía pensar que podría terminar derivando hacia algún meandro incierto. Y las pausas. Durante las pausas permanecíamos en silencio, contemplando el estremecimiento de la llama cada vez que encendía un nuevo cigarrillo.

Dijo:

—¿Comprenden? Nosotros pintamos, en algunos casos a mano, depositando nuestras manitas patéticas sobre grandes sistemas de armamento, sistemas que han salido de fábricas y de naves de montaje tan parecidas entre sí como es posible, millones de componentes forjados, interminablemente repetidos, y nosotros intentamos romper esa repetición, hallar un elemento consciente de la vida; y acaso intervenga aquí cierta clase de instinto de supervivencia, de instinto de grafito: de allanar algo y de mostrarnos, de demostrar quiénes somos. Lo mismo que hacían los que decoraban los morros, los que pintaban chicas sobre el fuselaje.

Dijo:

—Algunos de estos aviones tenían marcas pintadas en el morro. Emblemas, insignias de las distintas unidades, algunos llevaban figuras, una mascota animal enseñando los dientes y soltando baba por la boca y las mandíbulas. Magníficos, la verdad. Caricaturas. Decoración de morro, lo llamaban. Y algunos con mujeres. Porque es todo una cuestión de suerte, ¿no creen? La chica *sexy* pintada sobre el morro es un amuleto contra la muerte. Podremos querer olvidar todo este asunto en el pozo de la nostalgia pero lo cierto es que los hombres que pilotaban estos aviones —y estamos hablando de alertas rojas y de alarmas preventivas a distancia, estamos hablando de las cosas llevadas al límite—, bueno, creo que vivían en un mundo aislado con sus maldiciones y símbolos específicos y que eran jóvenes y estaban más que salidos. Y un día fui a dar con uno de los aviones más viejos de todos, un aparato ya muy ajado, dotado de una espléndida decoración en el morro que ya estaba desvaída y desigual, en la que aparecía una joven vestida con una falda de volantes y un sujetador bien ceñido, y era muy alta, muy rubia, con unas piernas impresionantes, y tenía las manos apoyadas en las caderas, como pretendiendo parecer una chica de calendario —se notaba que no tenía la habilidad precisa para conseguirlo— y su nombre aparecía impreso bajo la imagen y era Long Tall Sally. Y pensé, me gusta esta chica porque no parece una amazona, ni un ángel ni nada maravillosamente idealizado. Y seguí pensando un poco más en ella y esto es lo que pensé. Pensé, incluso si es necesario taparla con pintura —y puede que lo sea o puede que no—, habrá que salvar el nombre sea como sea, pensé. Pensé, titularemos nuestra obra con el nombre de esta joven, en homenaje a los hombres que fijaron su imagen sobre este aparato y la canción que les proporcionó la inspiración necesaria para hacerlo. Una canción, por cierto, que tan sólo recuerdo vagamente. Pero existía una canción, y pensé, probablemente existe en toda esta historia una Sally auténtica y original. La misma que inspiró al compositor o al pintor o a la tripulación que pilotaba el avión. Quizá era camarera en un bar de aviadores. O la novia que alguno de ellos tenía en el pueblo. O el primer amor de alguien. Pero se trata de una vida individual. Y quiero que esta vida entre a formar parte de nuestro proyecto. Este amuleto, esta consigna contra la muerte. Quienquiera que fuese o que es, una camarera agotada, ya saben, transportando un frasco de ketchup a través del local, qué bombas ni bombas, quiero que nuestras intenciones se mantengan en un plano humilde y humano a pesar de la enorme cantidad de trabajo que hemos realizado y de la enorme cantidad de trabajo que nos espera y aquí estoy, con una pierna en alto, charlando interminablemente de mi trabajo a pesar de que sé perfectamente lo que dijo Matisse: que los pintores deberían comenzar por cortarse la lengua.

Me parecía verla en la televisión francesa, formada por los puntitos de unas ondas reconvertidas. Me parecía oír su voz distanciada tras una traducción monótona. La gente contemplándola en todos los rincones del país, con las cabezas agrupadas en la oscuridad. Me parecía ver su rostro plano en la pantalla de bordes estremecidos, sus ojos como lunas extinguidas, medio millón de Klaras flotando en la noche.

Dijo:

—No hace mucho vi una vieja fotografía, una fotografía tomada a mediados de los sesenta en la que aparecía una mujer cerca del borde. La imagen está llena de gente que ocupa el umbral de una puerta; parece la puerta de acceso a una elegante sala de baile, y visten todos de blanco y negro, los hombres y las mujeres, y llevan también máscaras; y contemplando la fotografía me di cuenta de que se trataba de aquella fiesta tan famosa, del célebre acontecimiento de la época: el baile Black & White que dio Truman Capote en el hotel Plaza de Nueva York en los oscuros días de Vietnam, y me sentí totalmente incorpórea al contemplar aquella escena, porque me llevó al menos medio minuto comprender que la mujer que se veía junto al borde era yo. Sin duda. Y estoy junto a un hombre que es Truman Capote o Edgar J. Hoover, o el uno o el otro, porque los dos tenían la misma forma de cabeza, y la máscara y el ángulo y las sombras hacían que fuera difícil determinar quién de ellos era, y yo llevo un vestido largo y ajustado que, sencillamente, me cuesta trabajo creer que haya llevado jamás, aunque ahí estoy, y soy yo, con una bonita máscara blanca con rostro de felino. Y pensé, ¿Qué tiene esta fotografía para que me resulte tan difícil acordarme de mí misma? Pensé, no sé quién es esa persona. Por qué está ahí, exactamente. ¿En qué está pensando? Qué clase de ropa interior lleva debajo de ese ridículo vestido, y les juro que lo ignoro. Rodeada de gente famosa, y de gente poderosa, de hombres del Gobierno que por entonces dirigían la guerra, y siento deseos de pintar encima, de pintar la fotografía de naranja, de azul, de burdeos, y de pintar los esmóquines y los vestidos largos y de pintar el salón de baile del Plaza y quizá eso es lo que estoy haciendo, no lo sé, se trata de una labor en permanente progreso. Y no nos olvidemos del placer. De los sentidos, de los placeres, de los humores corporales. Azul estrato, sí. Amarillo y verde y rojo geranio. Geranios de Maine, acostumbrados a florecer en atmósferas húmedas y frías. Magenta, sí. Naranja, cobalto y chartreuse.

Y alguien de la pequeña reunión gritó:

—Mejor rojo que cojo.

Y todos nos echamos a reír. La observación poseía una resonancia que parecía viajar en nuestras voces, rebotando sobre las paredes que delimitaban nuestro espacio compartido. Permanecimos allí, escuchando nuestras propias risas. Y decidimos por unanimidad que la velada había concluido.

Me dirigía a mi automóvil cuando vi el taxi neoyorquino. Había alguien subiéndose a él, y cuando se encendió la luz advertí que se trataba de la misma joven que antes había visto conduciéndolo.

—Oye, gracias —dije—. Me refiero a lo de antes.

—Tú eres el del Lexus.

—Perdido y sin rumbo. Fue una suerte que aparecierais.

—Decíamos: apuesto a que se cree que éste es el Asesino de la Autopista de Texas en busca de una nueva víctima.

—Sabía que no erais el Asesino de la Autopista de Texas porque esto no es Texas.

—Y, aparte, dudo de que conduzca un taxi amarillo.

—Ése es el otro motivo.

—¿Has venido a echar una mano? —dijo.

—Ojalá pudiera. Pero ya tenía que estar de regreso en mi edificio de oficinas de la gran capital.

—Podría ser tu última ocasión de contribuir a la historia del arte.

—O a lo que sea que estáis haciendo aquí.

—O a lo que sea que estamos haciendo aquí.

Se acomodó en el asiento del conductor con la portezuela abierta, mostrando un cuerpo generoso que no tenía nada que ver con el aspecto de sílfide en levitación que había mostrado antes bajo el remolino de polvo.

—¿Es tuyo este coche?

—Más o menos, puede decirse que lo ofrecí voluntariamente —dijo—, así que supongo que ahora estoy clavada con un taxi, lo que resulta ligeramente inconveniente. Pero si tenemos en cuenta la cara que puso Klara diría que sí, que ha merecido la pena.

Generosa y abierta como una camarera que dijera *Aquí tiene* al depositar delante de uno el plato de comida.

—¿Llevas mucho tiempo aquí?

—Va para siete semanas, y aquí seguiré aunque esto dure eternamente, cosa que podría suceder.

—¿No sientes nostalgia?

—De vez en cuando. Pero esto es una ocasión única. ¿Has llegado a salir ahí fuera?

—Saldré por la mañana —dije.

—Ve pronto. El calor es terrible.

—No me preocupa el calor. Me gusta el calor.

—¿De dónde eres?

No le dije que llevaba una vida tranquila en una discreta casa, etcétera. En su lugar, le conté dónde pensaba pasar la noche y, aunque ya lo sabía, le dejé que me contara cómo llegar allí.

Le dejé que me hablara de su ciudad natal.

La interrogué acerca de la clase de trabajo que estaba realizando allí, y ella me dijo que se encargaba de aplicar una pintura de imprimación y que a veces tenía que lijar a mano la pintura y que otras veces manejaba el chorro de arena.

Bien incorporada en el asiento, recitando los detalles y sacudiendo la cabeza, fingiéndose infantil, pero también infantil.

Le pregunté acerca de los estudios y me dijo que hacía ya varios años que los había abandonado pero que estaba pensando en volver para licenciarse en ventas al por menor. Le dejé que me hablara de todo ello.

Hablamos acerca de su hermano, que padecía una rara enfermedad de la sangre.

Le dejé que me hablara sobre una expedición de *rafting* que había realizado cuando tenía diecisiete años.

Decía *deteriado* en vez de deteriorado. Cuando decía OK sonaba como okái.

Estaba sentada sobre un cojín de junquillo. Sus cabellos, cortados a escasa longitud, reforzaban el volumen de su rostro. Advertí que, vistos de cerca, los detalles y complementos del taxi, así como la pintura, tenían más encanto de principiante que precisión. Aunque claro está que no es fácil captar bien el estilo de Nueva York.

—Andan todos con una broma —dijo—, sólo que nadie parece estar seguro de si se trata de una broma. El hecho de pintar estos aviones constituye una especie de conmemoración, pero ¿cómo podemos saber que la crisis ya ha pasado de verdad? ¿Está teniendo realmente lugar el desmembramiento de la Unión Soviética? ¿No será todo más que un plan para engañar a Occidente?

Dejó escapar una carcajada de sus senos nasales. Un sonido oral y nasal que surgió áspero y húmedo, un ruido peculiar destinado a ridiculizar la idea sin por ello dejar de admitir su siniestro atractivo.

—Están fingiendo su desintegración para que bajemos la guardia, ¿okái?

Le dejé que me hablara de ello.

Volvió a producir aquel sonido. Una letra *k* alargada, húmeda y gimiente. Y descubrí que cuanto más hablaba, más en deuda estaba conmigo. Pero no dije ni una palabra. Mi corazón me impulsaba a hablar, a romper su autoconcentración y la solidez de su ciudad natal y de su hermano agonizante. Deseaba reducir todas aquellas cosas a escombros. Se trataba simplemente de un estado de humor pasajero, algo que emana del núcleo de la débil resolución de uno.

La dejé hablar. Y cuanto más escuchaba y menos interesante se volvía, más ansiaba acostarme con ella, por motivos que nadie bajo el firmamento es capaz de comprender.

Pero no dije ni mu. Mi corazón me impulsaba a convencerla para pasar la noche en mi habitación, o media noche, o una hora y diez minutos. No sabía por qué la deseaba pero sabía por qué no la deseaba. Hubiera resultado desleal hacia Klara, hacia nuestro recuerdo compartido, hacia nuestro breve tiempo en aquel cuartito situado entre estrechos callejones que constituían las fronteras del mundo.

—Bueno, se está haciendo tarde —dije.

—Oye, mañana será un gran día.

—El mejor —dije—. Voy a ir marchándome.

Una vez más, me dijo cómo llegar allí y a continuación arrancó y partió. Todos los demás vehículos habían abandonado ya la zona, y eché a andar en la oscuridad en busca de mi coche.

Resulta interesante pensar en el inmenso resplandor de cielo que escudriñamos en busca de formas animales y utensilios de cocina.

Me puse a ver la televisión en el motel.

Vivía la realidad responsablemente. Me negaba a aceptar este asunto de la vida como una ficción, o como lo que fuera que Klara Sax había querido decir cuando afirmara que las cosas se habían vuelto irreales. La historia no era una cuestión de minutos ausentes en una cinta. Yo no me encontraba desamparado ante ella. Me conformaba con la textura de la sabiduría acumulada, enraizaba mi fe en el sólido y provechoso suelo de nuestra experiencia. Incluso si creemos que la Historia es un engranaje alimentado con sangre humana —lean los discursos de Mussolini—, al menos es algo que hemos sabido juntos. Una única pincelada narrativa, y no diez mil retazos de desinformación.

En un salón había un hombre sentado en una butaca anatómica con una mesita de café ante él y libros —o lomos de libros— alineados en la pared que se extendía a su espalda.

Creía en nuestra capacidad de saber qué nos estaba pasando. No estábamos excluidos de nuestras propias vidas. Eso no se encuentra en mi cabeza con el cuerpo de otra persona en la fotografía presentada como prueba. Yo no creía que las naciones se dediquen a representar pantomimas a gran escala. Yo vivía en la realidad. Los únicos fantasmas a los que permitía el acceso eran fantasmas locales, las nebulosas trazas de personas conocidas y el residuo de mi propia y siniestra sombra, fantasmas neoyorquinos en todo caso, el viejo y ruidoso Bronx, con la mano sobre los labios, hablando a través de dientes partidos: las burlas, los abucheos.

El hombre de la butaca dijo: «Síndrome de Down. Llame al teléfono gratuito uno, ochocientos, cinco uno cinco, dos siete seis ocho. Enfermedad de Alzheimer. Llame al teléfono gratuito uno, ochocientos, ocho uno tres, tres cinco dos siete.» Dijo: «Sarcoma de Kaposi. Veinticuatro horas al día. Uno, ochocientos, seis siete dos, nueve uno seis uno.»

Al amanecer, me dirigí en coche a la planicie. Aparqué cerca de un cobertizo de materiales y comencé a trepar una pequeña loma que me proporcionaría una perspectiva ventajosa de los aeroplanos. Los oí antes de verlos, su inquietante crujido, golpes de viento que agitaban las partes móviles. Por fin, alcancé el final de la repisa arenosa y los vi allí, en amplia formación a través del blanquecino fondo del planeta.

Ignoraba que hubiera tantos aviones. Me quedé atónito ante el número de aviones. Se hallaban dispuestos en ocho filas irregulares, con unos pocos aparatos diseminados junto a los bordes. A medida que se elevaba el sol los conté todos, sin dejar ni uno. Había doscientos treinta aviones, de amplias alas, dotados de aletas como las criaturas abisales, algunos pintados en parte, algunos casi completados, muchos de ellos aún intactos por las máquinas de pintar, y estos últimos eran de color gris marino o lucían un camuflaje desvaído o habían sido lijados hasta descubrir el metal.

Los aviones pintados recibían la luz y el pulso del sol. Pinceladas de color, franjas y manchas, etéreas aguadas, la fuerza de la luz saturada: todo el conjunto extrañamente personal, la sensación de la mano de un pintor movida por impulso y posterior reflexión tanto como por un diseño épico. No había esperado experimentar tal placer y sensación. El aire estaba teñido de color, cobres y ocres chisporroteando sobre la piel metálica de los aviones para intercambiarse con el desierto que los rodea. Pero aquellos colores no se limitaban a extraer poder del cielo o a arrancarlo de las formas terrestres que nos rodeaban. Empujaban y tiraban. Se debatían en conflicto unos con otros, exigiendo una lectura emocional, pigmentos de piel y grises industriales y un rojo rampante que aparecía repetidamente a lo largo de la pieza: el rojo de algo liberado, de una ampolla reventada, espeso como pus sanguinolento con una líquida base amarillenta. Y los otros aviones, descoloridos, cubiertos aún sus motores y ventanillas con siniestras telas, anímicamente muertos, esperando su imprimación.

A veces veo cosas tan conmovedoras que sé que debo marcharme. Contémplalas y vete. Si te quedas demasiado tiempo, desgastas esa muda conmoción. Ámalas, confía en ellas y vete.

Quería que viéramos una única masa, y no una colección de objetos. Quería que nuestro interés se viera uniformemente espaciado. Insistía en que nuestra mirada recorriera lentamente la pieza. Nos invitaba a admirar la dimensión del terreno, hasta el horizonte, en el que yacía dispuesta la pieza.

Escuché el latido de las turbohélices al viento y sentí el calor de siroco que emanaba de ellos y paseé la mirada lentamente sobre las filas, sintiendo que me rodeaba una especie de atmósfera salvaje, el adusto vigor del clima y del desierto y de aquellas viejas armas, tan contundentemente reconsideradas, la oportunidad de lo que se había hecho, pero cuando lo hube visto todo supe que no permanecería allí un segundo más.

Tres vehículos se aproximaban a la planicie, los primeros y

robustos operarios de la jornada. Yo descendí hasta mi coche y destapé el tubo de protector solar que había descubierto sobre un estante cerca del mostrador principal del motel familiar, junto a las postales y las muñecas indias: las muñecas *kachina* y los paquetes de nachos crujientes que forman parte de cierta curiosa red neuronal de una América de solitarios cromados.

Me situé junto al coche y me apliqué la loción en los brazos y el rostro, deteniéndome a leer la etiqueta una vez más. Llevaba toda la mañana leyendo aquella etiqueta. La etiqueta decía que el factor de protección era de treinta, no de quince. Conocía bien el tema. Había leído cosas al respecto, conocía estudios de investigación y había comparado los productos y sus supuestas características. Y sabía con absoluta certeza que un factor de protección quince constituía el mayor grado de defensa contra el sol científicamente posible. Ahora pretendían venderme un treinta.

Y me hizo pensar en algo curioso. Me subí al coche y salí de allí en dirección a la autopista interestatal. Me hizo pensar en la historia de Teller. La historia de Teller hablaba del doctor Edward Teller y de la primera explosión atómica realizada en el mundo, a unos trescientos veinticinco kilómetros al nordeste de mi actual posición. Y la historia hablaba de que el doctor Teller, temeroso de los efectos inmediatos que podría tener el estallido sobre su atalaya, instalada a treinta kilómetros del punto de impacto, había decidido que quizá la aplicación de loción solar en las manos y el rostro podía resultar de ayuda.

Aquellas reflexiones, aquellos destellos de luz, aquel gesto inocente y encantador, aquel automóvil japonés, todo resultaba más o menos adecuado para aquel paisaje.

Oprimí el botón que bajaba las ventanillas y vi las montañas que se alzaban en las proximidades de México, líricas por sí mismas y elegantemente bautizadas, fueran cuales fuesen sus nombres, porque es imposible bautizar una montaña con un mal nombre, y busqué alguna señal que me indicara el camino de regreso a casa.

2

En aquella época, mi madre vivía con nosotros. Conseguimos finalmente que mi madre abandonara el Este y la instalamos en una fresca habitación del fondo de la casa.

Mi mujer era cariñosa con ella. Sabían comunicarse entre las dos. Encontraban cosas de las que hablar. Hablaban de las cosas de las que yo no hablaba con Marian, de las cosas de las que me desentendía cuando Marian me preguntaba acerca de ellas, antiguas novias quizá, o qué tal me llevaba con mi hermano. Esas cosas agudas y sin importancia que solía preguntarme Marian. Cuando tenía ocho años, me caí de un árbol y me rompí el brazo. De eso hablaban.

Yo solía contemplar las oscuras colinas y crestas que definían el paisaje nordeste desde la reluciente torre de bronce en la que trabajaba. En la calle podía hacer una temperatura de cuarenta y dos grados. Quizá de cuarenta y tres o cuarenta y cuatro, y yo extendía la mirada sobre los variopintos kilómetros de achatadas estructuras cuadrangulares a las que uno llevaba a reparar el audífono o acudía para comprar materiales de piscina, el trecho autorreplicante que recorría a diario, y me decía lo mucho que me gustaba aquel lugar, con su silencioso centro y sus torres de oficinas separadas por espacios abiertos y sus parques con senderos para correr y su encantador anillo de colinas y sus calles residenciales de adelfas y palmeras y troncos de árboles encalados de blanco: de blanco contra el sol.

Nos la trajimos del Este. La sacamos del drama cotidiano de violencia y llanto y atrocidades en titulares en la prensa amarilla, con su correspondiente redención, y qué dura es la ciudad y qué perversa es la ciudad y qué agradable es la ciudad con la turista de Misuri que se olvida el bolso en el taxi, y la instalamos en una fresca habitación para que viera la televisión.

Marian quería que le hablara de las viejas calles, de los juegos callejeros, de las peleas callejeras, del sexo en callejones, de los pequeños hurtos. Yo le hablaba del coche, tampoco tan bonito, pero ella quería oír más. Quería que le hablara acerca de la ejecución ocasional de algún que otro díscolo miembro de los grupos organizados que ella imaginaba que operaban allí, el proyectil penetrando por la nuca y abriéndose camino hasta el cerebro. Pensó que la llegada de mi madre podría proporcionarle esos sabores básicos que no podía obtener del lacónico Nick. Pero mi madre sólo hablaba de las malas notas que yo obtenía en el colegio y de cómo me caí de un árbol cuando tenía ocho años.

Y a mí me gustaba el modo que tenía la historia de no descontrolarse. Segregaban historia visible. La enjaulaban, la consolidaban y la bronceaban, la exhibían cuidadosamente en su relicario en museos y plazas y parques conmemorativos. El resto era geografía, todo espacio y luz y sombra y un opresivo calor inenarrable.

Yo bebía leche de soja y corría los mil quinientos metros. Tenía un chisme que prendía del elástico de mis pantalones deportivos, un ingenio que pesaba sólo cien gramos y que tenía una pantalla en la que se indicaba la distancia recorrida, las calorías consumidas y la longitud de la zancada. Guardaba las llaves de casa en una tobillera que se fijaba mediante una cinta de velcro. No me gustaba correr con las llaves bailando en el bolsillo. La tobillera respondía a una necesidad. Se refería directamente a una inquietud personal. Me hacía sentir que ahí fuera, en el mundo del desarrollo, promoción y catalogación de productos, había gente que comprendía la naturaleza de mis pequeñas y acuciantes carencias.

También hablaban de mi padre. Era el otro tema del que hablaban durante el profundo letargo posterior a la cena. Era la clase de tema al que Marian gustaba de aferrarse, intentando rellenar sus huecos y averiguar sus detalles. Yo solía sentarme en el salón y escucharlas a intervalos bajo la urgente pulsación sexual del lavavajillas. Solía escuchar a medias, escuchar con el rostro sumergido en una revista, oyendo aquellas voces difuminadas procedentes de la habitación trasera, racimos de palabras audibles a ratos sobre el sonido del lavavajillas y el televisor. El televisor siempre estaba puesto cuando mi madre estaba en su habitación.

Viajar constituía una parte importante de mi trabajo. Abandonar las reflectantes superficies de la torre de bronce, el modo en que las personas imitan modelos ajenos, algunas personas, al fin y al cabo es algo natural, la mayor parte de ellas remedándose unas a otras, repitiendo los gestos y expresiones de alguno de sus superiores. Piensen en cualquier joven, hombre o mujer, piensen en una joven que pronuncia unas cuantas palabras con el tono profundo de un gángster de película. Es algo que solía hacer para obtener un efecto cómico y lograr que las cosas se hicieran a tiempo. Pronunciaba roncas amenazas de villano por la comisura de los labios y luego, uno o dos días después, pasaba junto a un despacho y escuchaba a alguna de mis ayudantes hablando en aquel mismo tono.

La instalamos con un televisor y un humidificador y el tocador que antes fuera de Marian cuando era adolescente. Vaciamos y limpiamos el tocador y plateamos de nuevo el espejo y colgamos una abundante colección de perchas en el armario.

O cogía el teléfono en mitad de una reunión y fingía ordenar la mutilación de alguno de mis colegas, una maniobra que despertaba sarcásticas risas del resto de los presentes en la estancia. Yo mismo intentaba no reírme de determinado modo, del modo en que se reía Arthur Blessing, nuestro director, con ja-jas articulados y una lenta oscilación de la cabeza para señalar el ritmo de las risas. El hecho de marcharme, de tomar un avión, me liberaba de las señales que rebotaban sobre todas aquellas superficies enceradas y relucientes.

Salió a comprar un paquete de cigarrillos y no regresó jamás. Algo habitual cuando oías hablar de hombres que desaparecían. El misterio familiar definitivo. Todos los misterios de las familias alcanzan su culminación en esa pasión final de la desaparición. Mi padre fumaba Lucky Strike. El paquete muestra un diseño fácilmente describible como una diana, aunque tampoco del todo: falta el pequeño círculo central, la propia diana. Se trata de un círculo grande. Hay un gran círculo rojo con borde blanco y luego un borde marrón más estrecho y, finalmente, un delgado borde negro, así que a no ser que uno amplíe la definición de diana o de lo que es un blanco, probablemente no cabría llamar diana al logotipo de Lucky Strike. Pero yo lo llamo diana de todos modos y que les den por culo a las definiciones.

Marian opinaba que eso era lo más crucial que había que considerar a la hora de intentar que alguien se sintiera como en casa. Si no le proporcionas suficientes perchas, no se sentirá querida.

Mi compañía se dedicaba a los desechos. Manejábamos desechos, comerciábamos con desechos, éramos cosmólogos de los desechos. Yo viajaba a las tierras bajas de la costa de Texas y contemplaba a tipos vestidos con trajes espaciales mientras enterraban bidones de desechos peligrosos en lechos salinos subterráneos de millones de años de antigüedad, restos deshidratados de océanos mesozoicos. En nuestro negocio teníamos la convicción religiosa de que aquellos depósitos de roca salina no dejarían escapar radiación. Los desechos son algo religioso. Sepultamos los desechos contaminados con un sentido de temor y reverencia. Es preciso respetar lo que desechamos.

En la via della Spiga vi un hombre de pie frente a una columna forrada de espejos, atusándose el pelo, deslizando ambas manos sobre sus cabellos, y el modo en que lo hacía, el aspecto de sus ojos, la piel levemente picada, las dos manos al guiar el flujo de su cabellera —algo que duró medio segundo, en Milán, un día— me recordaron un millar de cosas a la vez, hace ya mucho tiempo.

Los jesuitas me enseñaron a examinar las cosas en busca de dobles significados y de relaciones más profundas. ¿Estarían pensando en los desechos? Nosotros éramos administradores de los desechos, gigantes de los desechos, procesadores del desecho universal. Hoy en día, los desechos se encuentran arropados por un aura de solemnidad, por un carácter de intangibilidad. Blancos contenedores con desechos de plutonio ilustrados con señales amarillas de precaución. Manéjese con cuidado. Incluso la más ínfima basura doméstica es cuidadosamente escrutada. Hoy en día, la gente mira su basura de un modo diferente, contemplando cada botella y cada cartón aplastado dentro de un contexto planetario.

Mi hijo solía creer que podía mirar a un avión en pleno vuelo y hacerlo estallar en el aire simplemente con pensar en él. Creía, a los trece años, que la frontera entre él y el mundo era lo bastante delgada y porosa como para permitirle alterar el curso de los acontecimientos. Un avión en vuelo constituía una provocación demasiado poderosa como para hacer caso omiso de ella. Se ponía a contemplar un avión que ganara altura tras despegar de Sky

Harbor y percibía un elemento tácito de catástrofe en el hecho mismo de un objeto volador lleno de gente. Se mostraba sensible a los estímulos más incidentales, y pensaba que era capaz de sentir el afán del propio objeto por estallar. Todo cuanto tendría que hacer sería invocar la llameante imagen en su mente para que el avión se incendiara y desintegrara. Su hermana solía decirle, Adelante, reviéntalo, muéstrame cómo eres capaz de abatir ese aeroplano con doscientas personas a bordo, y a él le asustaba oír a alguien hablar de aquel modo y a ella le asustaba también, porque no estaba del todo convencida de que no pudiera hacerlo. Los adolescentes poseen la particular habilidad de imaginar el fin del mundo como algo complementario a su propio descontento. Pero Jeff creció, y al hacerlo perdió interés y convicción. Perdió ese don paradójico para mantenerse solo y distante pero al mismo tiempo íntimamente conectado, como mediante un cableado mental, con cosas distantes.

En casa separábamos la basura en vidrio y latas y productos relacionados con el papel. Luego, separábamos el vidrio transparente del coloreado. Luego, separábamos el estaño del aluminio. Separábamos los envases de plástico, sin tapas ni tapones, únicamente los martes. Luego, seleccionábamos los desechos del patio. Luego separábamos los periódicos y los encartes satinados, pero cuidando de no atar los paquetes con cordel, una tentación constante.

La corporación debe, en teoría, extraernos de nosotros mismos. Diseñamos estos cuerpos organizados para que reaccionen al mercado, para enfrentarse firmemente al mundo. Pero las cosas tienden a deslizarse imperceptiblemente hacia el interior. Habladurías, rumores, promociones, personalidades, es lógico al fin y al cabo, no creen: todos esos lapsos humanos que llenan el espacio del alma de la compañía. Pero el mundo persiste, el mundo en cierto modo cicatriza. Percibes los puntos de contacto en torno tuyo, la caricia de entramados conectados que te proporcionan un sentido de orden y de control. Está ahí, en el rumor de los sistemas telefónicos, en las máquinas de fax y en las fotocopiadoras y en toda esa lógica oceánica que tu ordenador almacena. Puedes quejarte de la tecnología tanto cuanto desees. La tecnología expande tu autoestima y os conecta, a ti y a tu bien planchado traje, con cosas que se deslizan por el mundo y que de otro modo no percibirías.

Marian conducía el coche con un lápiz en la mano. Creo que nunca llegué a preguntarle el motivo. Creo que no hablábamos como solíamos hablar cuando los niños estaban creciendo. Qué riqueza de temas, dos cosas vivas cambiando ante nuestros ojos, pasando del alarido obtuso, de la leche regurgitada, a la construcción de palabras, o al inicio escolar, o simplemente sentados a la mesa, comiendo, sus pequeños rostros esquemáticos e insuflados de vida. Pero ahora, después de todo, eran dos adultos con ordenador, con estantes rotatorios para los multimedia y un bebé de camino y una pegatina para el parachoques (mi hijo) en la que podía leerse *No sé adónde voy, pero llevo prisa*. Los días de nuestro matrimonio ya no estaban repletos de diálogos acerca de Lainie y Jeff. Sólo pensábamos en el nacimiento del nieto.

Corría por la acequia provisto de unos auriculares inalámbricos. Mientras corría, escuchaba cánticos sufíes. Corría a lo largo de las avenidas de palmeras y a través de las ondulantes calles de naranjos, con sus hermosas casas de estuco: calles de sueños del Oeste, la clase de sitio a la que podría habernos llevado nuestro padre medio siglo antes, luminoso y orientado al Oeste, adonde la gente iba para huir de las vicisitudes del pasado, con sus calles grises y sus pisos atestados y sus vestíbulos olorosos a repollo.

Lainie era una emprendedora, una tipa dura, una negociante, nuestra hija fenicia, la llamábamos, y vivía en Tucson con su marido, Dex. Fabricaban bisutería étnica y la vendían a través de un canal televisivo de venta por correo; pulseras, cadenas, de todo, y les hacían entrevistas y viajaban a festivales y a otros actos culturales. Su embarazo nos alegró, y nos envió fotografías de su silueta cambiante y viajamos a menudo para visitarles y contemplar su cuerpo henchido.

Reordené los libros en las estanterías. Me detuve en medio de la habitación para contemplar los libros. A continuación, me até la tobillera a la pierna y salí a correr.

Cuanto más engordaba, más contentos estábamos. Nunca sabíamos el grado de felicidad que nos aguardaba hasta que nos desviábamos de la autopista interestatal número 10 y nos uníamos al flujo del tráfico de una de esas arterias comerciales que parecen una maratón de metal y encontrábamos su diminuta calle y la veíamos posando en la entrada con su perfil señorial.

Yo llamaba diana al logotipo de Lucky Strike porque creo que estaban esperando a mi padre el día que salió a comprar un paquete de cigarrillos y se lo llevaron y le metieron en un coche y le condujeron a algún lugar de la bahía, allí donde el río desemboca en la bahía o allí donde la laguna reposa silenciosamente en la oscuridad y uno encuentra marismas y ensenadas, remotos bancos de tierra, y una vez allí se la metieron bien metida, un proyectil que entró por la nuca y se abrió camino hasta el cerebro. Y, además, si no se tratara de una diana, ¿por qué iban a llamar a la marca Lucky Strike?[1] Ciertamente, posee connotaciones de fiebre del oro. Pero un «golpe» no se refiere únicamente al descubrimiento de un metal precioso en el suelo. Significa también el impacto penetrante de un arma. ¿Y acaso no existe una conexión entre el nombre de la marca y el diseño de círculos concéntricos que lleva impreso el paquete? Todo ello implica que estaban pensando en una diana desde el principio.

1. *Lucky Strike*: en inglés, literalmente, «golpe de suerte». *(N. del T.)*

3

Sentados en el Stadium Club con nuestro whisky puro de malta y nuestras carnes poco hechas, fingíamos ver el partido. Yo ya había viajado varias veces a Los Ángeles por motivos de negocios, pero nunca me había dado un paseo por el estadio de los Dodgers. Big Sims tuvo que meterme en el coche a la fuerza para llevarme allí.

Estábamos separados del campo, aislados por los cristales de la zona de prensa, y a pesar de tener la mesa junto a la ventana tan sólo oíamos sonidos ahogados procedentes de la multitud. La voz del locutor radiofónico, transmitida desde la cabina, nos llegaba con claridad, pero la muchedumbre permanecía mágicamente distanciada, con el alma gimiente, como un batallón perdido.

Brian Glassic dijo:

—He oído que finalmente han interrumpido los vertidos al mar frente a la Costa Este.

—Ahora no, que estoy comiendo —dije.

—Díselo —dijo Sims—. Descríbeselo con detalle. Que huela el aroma.

—Y también he oído que cuantos más vertidos realizaban en una zona en particular, más se enriquecía la vida marina.

Sims miró a la inglesa, la única que comía pescado.

—¿Habéis oído? —dijo—. Florecía la vida marina.

Y Glassic dijo:

—Comamos rápido, a ver si podemos salir de aquí y sentarnos en las gradas como la gente normal.

Y Sims dijo:

—¿Para qué?

—Necesito oír a la multitud.

—Qué tontería.

—¿Qué es un partido de béisbol sin el sonido de la multitud?

—Hemos venido a comer y a ver un partido —dijo Sims—. Me he molestado en reservar una mesa junto al ventanal. Uno no va al estadio a oír un partido. Va a ver un partido. ¿Acaso no lo ves bien?

Simeon Biggs, Big Sims, era célebre en la compañía por su cintura. Era gordo y calvo, y tenía cincuenta y cinco años, pero también era fuerte, con un cuello y unos brazos duros como el arce. Si le caías bien, accedía a librar contigo una pelea de golpes de pecho o te desafiaba a echarle una carrera alrededor de la manzana. Sims se encargaba de la parte operativa de nuestro campus de Los Ángeles, como solíamos llamarlo, y diseñaba vertederos que eran más bonitos que centros comerciales de tonos pastel.

Glassic me miró y dijo:

—Necesitaríamos cascos de vídeo y guantes interactivos. Porque esto no es la realidad. Esto es realidad virtual. Y carecemos del equipo adecuado.

Sims dijo:

—Si nos vamos a las gradas no podremos llevarnos las bebidas.

—He ahí un argumento de peso —dije.

Si alguna vez comía cosas que no debía o bebía demasiado, era cuando salía con Sims, una reprobación viviente de las tácticas de la moderación.

La inglesa dijo:

—Ahora, si no comprendo mal, el lanzador recibe una señal del receptor. La pelota así o asá. Rápido o lento, alto o bajo. Pero ¿qué ocurre cuando está en completo desacuerdo con la elección del receptor?

—Le envía un gesto negativo —dijo Glassic.

—Ah, entiendo.

—Agita el guante o sacude la cabeza —dijo Sims—. O le sostiene la mirada.

La inglesa, Jane Farish, era una productora de la BBC que quería hacer un programa sobre las cúpulas salinas que, bajo la dirección del Departamento de Energía, estábamos probando con vistas al almacenamiento de desechos nucleares. Durante los últimos años, se había mantenido ocupada asimilando la cultura norteamericana y dejando a su paso, decía, un rastro de tierra quemada a fuerza de entrevistas: reyes del porno, monjes contemplativos, cantantes de *blues* encarcelados... Acababa de concluir un recorrido por California y tenía por delante un torneo de póquer en Reno y a continuación una visita al desierto para entrevistar a Klara Sax.

Los Dodgers jugaban contra los Giants.

Sims miró a Farish y dijo:

—Como sabéis, la historia de estos dos equipos se remonta un buen trecho. Eran equipos neoyorquinos hasta finales de los cincuenta.

—Se trasladaron al Oeste, ¿no es cierto?

—Se trasladaron al Oeste, llevándose consigo el corazón y el alma de Nick.

Farish me miró.

—Ya no había nada que llevar. Para entonces, ya no era hincha. Estaba quemado. Éste es el primer partido que veo desde hace décadas.

—Y encima resulta que es mudo —dijo Glassic.

Big Sims pidió otra ronda y comenzó a hablarle a Farish de los Dodgers de Brooklyn. Sims había crecido en Misuri, y se había enterado bien de algunas cosas y mal de otras. Nadie que no hubiera estado allí podía hablar de los Dodgers. A la inglesa no le importaba. Absorbía las cosas de un modo químico, cerrando a veces los ojos para concentrar el proceso.

—Nick solía subirse la radio a la azotea —dijo Glassic.

Farish se volvió hacia mí.

—Tenía un transistor portátil con el que iba a todos sitios. A la playa, al cine... si yo iba, se venía conmigo. Yo tenía dieciséis años. Y escuchaba los partidos de los Dodgers en la azotea. Me gustaba estar solo. Era mi equipo. Yo era el único hincha de los Dodgers en todo el vecindario. Cuando perdían, me moría interiormente. Y era importante morir solo. Los demás estorbaban. Tenía que escucharlo a solas. Y entonces la radio me decía si había de vivir o de morir.

No es fácil hablar inteligentemente de béisbol si no se ha crecido con él, pero las preguntas de Farish eran bastante dignas. Lo difícil eran las respuestas. Debíamos de parecer tres matemáticos, tan ausentes en nuestra refinadísima labor que no notábamos hasta qué punto nuestra terminología resultaba extraña y opaca, con doble sentido. Intentábamos razonar nuestro lenguaje, desentrañarlo para el profano.

—¿A alguien le apetece vino? —dijo Farish—. No me importaría probar algún blanco de la zona.

—El vino es una engañifa —le dijo Sims—. Nosotros nos ganamos la vida limpiando retretes.

Glassic señaló que una entrada era una entrada si hablábamos desde el punto de vista del lanzador que obtiene tres *outs*, pero sólo media entrada dentro de la perspectiva más amplia de un partido de nueve entradas divididas en media para el equipo visitante y media para el equipo anfitrión. Y la misma media entrada es también dos tercios de entrada si el lanzador se retira cuando aún le queda un *out*.

Le pedí al camarero que trajera un vaso de vino para nuestra invitada. Glassic retornó a la paradoja de las entradas, pero Big Sims le interrumpió con un gesto.

—Volvamos a los Dodgers —dijo—. Nos habíamos quedado con un chaval subido a la azotea con su radio.

—Mejor no —dije yo.

—Tienes que contarle a Jane qué fue lo que dio al traste con tu carrera de hincha fanático.

—No lo recuerdo.

—Acabó contigo hasta el punto de que nunca volviste.

—Se trata de cuitas locales. No viajan.

—Cuéntale —dijo Sims— lo del *home run* de Bobby Thomson.

Farish adoptó una expresión cortésmente esperanzada. Quería que alguien le contara algo comprensible. Así que Sims le habló de Thomson y de Branca y de que, cuarenta años después, las personas mayores aún se preguntaban unas a otras: ¿Dónde estabas tú cuando Thomson consiguió el *home run*? Le contó que algunos de nosotros habíamos congelado aquel momento y que lo conservábamos fielmente modelado y que el propio Sims había salido corriendo por las calles, un chiquillo negro que ni siquiera era de los Giants: había escuchado el partido a través de la vieja y fiel emisora KMOX y salió de casa gritando, *Soy Bobby Thomson, soy Bobby Thomson*. Y le habló a Farish de la gente que afirmaba haber estado presente en el partido sin ser cierto y de las personas que insistían en ello honestamente debido a que el acontecimiento había tenido el suficiente poder de infiltración como para hacerles pensar que tenían forzosamente que haber estado en los Polo Grounds aquel día porque si no, ¿cómo era posible que sintieran aquello en la piel con tal potencia?

—No querrás decir que es como lo de Kennedy. ¿Dónde estabas cuando dispararon a Kennedy?

Glassic dijo:

—Cuando dispararon a JFK, la gente se metió en las casas. Contemplábamos el televisor en habitaciones oscuras y hablábamos por teléfono con amigos y parientes. Estábamos todos solos y aislados. Pero cuando Thomson logró el *home run*, la gente se lanzó a la calle. Todos querían estar juntos. Puede que fuera la última vez que la gente salió espontáneamente de su casa por un motivo determinado. Increíble, impresionante. Como una apostilla al fin de la guerra. Yo qué sé.

—Yo igual —dijo Sims.

Farish me miró.

—A mí no me miréis —dije.

—Pero tú estabas en la azotea cuando dieron ese golpe, ¿no?

—Yo no tuve que salir corriendo. Yo ya estaba fuera. Yo entré corriendo. Cerré la puerta y me morí.

—Te estabas anticipando a Kennedy —dijo Farish, y dejamos escapar una breve risita.

—Al día siguiente, creo que fue, comencé a advertir toda clase de señales que señalaban al número trece. Mala suerte por doquier. Me convertí en un numerólogo en ciernes. Tomé papel y lápiz y anoté todas las conexiones ocultas que parecían conducir al número trece. Ojalá pudiera recordarlas. Recuerdo una de ellas. La de la fecha del partido. El tres de octubre, o tres del diez. Sumas el mes y el día y te salen trece.

—Y el número de Branca —dijo Sims.

—En efecto. Branca llevaba el número trece.

—Lo llamaron «El disparo que se oyó en el mundo entero» —dijo Sims, dirigiéndose a Farish.

—¿Un ligero toque de fanfarronada norteamericana, quizá?

—Sí, pero qué demonios —dijo Sims.

Glassic me miraba de un modo extraño, casi con ternura, como alguien contemplaría a un amigo lo bastante estúpido como para ignorar que va a verse descubierto.

—Cuéntales lo de la pelota —dijo Glassic.

Se inclinó sobre la mesa y cogió un poco de comida del plato de Sims.

Se suponía que Glassic era amigo mío. Conocía a Sims y a Glassic desde hacía mucho tiempo, y Glassic, el pecoso Brian independiente, un hombre de declinante encanto, era el tipo con el que solía hablar cuando tenía que hablar de algo. También hablaba con Big Sims, pero acaso me resultaba más fácil hablar con Glassic debido a que éste no me desafiaba con su propia experiencia, no aguzaba la mirada como Sims ni la fijaba en mí.

—Cambiemos de tema —le dije.

—No. Quiero que hables de eso. Se lo debes a Sims. Es un crimen que Sims aún no lo sepa. Es el único de los de aquí que aún ama el juego —Glassic se volvió hacia la inglesa—. Yo acudo a los partidos, cuando acudo, por mantenerme al tanto. No mantenerse al tanto es como perder el estado de gracia. Sólo Sims se mantiene completa y patéticamente en contacto. Teníamos a los auténticos Dodgers y Giants. Ahora tenemos los hologramas.

Farish dijo:

—¿Qué pelota?

Sims me miraba. Había terminado de comer y procedía a extraer un bizcocho de su envoltorio, un sencillo proceso que él rodeaba de meticulosa ceremonia.

Glassic me dirigió una última mirada incandescente y se volvió hacia Sims.

—Esa pelota la tiene Nick. La pelota del *home run* de Bobby Thomson. El objeto en sí.

Sims encendía su puro sin prisas.

—Nadie tiene esa pelota.

—Alguien tiene que tenerla.

—La pelota se ha dado por perdida —dijo Sims—. Alguien la tiraría hace décadas. De otro modo, lo sabríamos.

—Simeon, escucha antes de realizar declaraciones solemnes. En primer lugar —dijo Glassic—, conocí a un comerciante durante un viaje que realicé al Este hace algunos años. El tipo en cuestión me convenció de que la pelota que obraba en su poder, la pelota que él mismo afirmaba que era la del *home run* de Thomson, era de hecho la pelota auténtica.

—Nadie tiene esa pelota —dijo Sims—. La pelota nunca apareció. Quienquiera que fuese que la tuviera en tiempos, lo cierto es que jamás apareció. Todo forma parte de... ¿qué? De la mitología del juego. Nadie se presentó jamás reclamando la posesión de la auténtica pelota. O se presentarían una docena de personas, cada una con una pelota distinta, lo que viene a ser lo mismo.

—Segundo: el comerciante me reveló cómo había conseguido seguirle el rastro a la pelota remontándose casi hasta el tres de octubre de mil novecientos cincuenta y uno. No era de esa clase de tipos que se presentan en los espectáculos de béisbol en busca de gangas. Lo suyo era una obsesión patológica. Un tío completamente entregado. Y me convenció, con una probabilidad del noventa y nueve coma nueve por ciento, de que era la misma pelota. Y a continuación convenció a Nick. Y Nick le preguntó cuánto. Y llegaron a un acuerdo.

—Te timaron —me dijo Sims.

Observé cómo el medio de los Dodgers detenía una pelota en el suelo y la lanzaba con amplio ademán en dirección a la primera base.

Glassic dijo:

—El tipo se pasó muchos años persiguiendo aquel chisme. Probablemente se gastó más dinero en llamadas telefónicas, sellos y viajes, aunque exagere, de lo que Nick pagó por la pelota.

Sims mostraba una sonrisa de conmiseración, una mueca burlona que se transformaba en más malévola por momentos.

—Todo eso es una paparruchada —me dijo—. Si se trataba de la pelota auténtica, ¿cómo ibas a poder permitirte pagarla?

—Te diré los motivos —dijo Glassic—. En primer lugar, el comerciante no tenía posibilidades de mostrar una documentación irrebatible y definitiva. Eso ya bajaba el precio. En segundo lugar, esto ocurrió antes de que se disparara el mercado de recuerdos en las subastas de Sotheby's, antes de que nadie pagara cuatrocientos mil dólares por una cochambrosa postal de béisbol.

—No sé —dijo Sims.

—Yo tampoco —dije yo.

Finalmente, trajeron el vino de Farish. Me miró y dijo:

—¿Cuánto pagaste?

—Bastante avergonzado estoy. Mejor que no entremos en detalles.

—¿Avergonzado por qué?

—Bueno, tampoco la compré por la gloria y el drama que entrañaba. No tenía nada que ver con que Thomson hubiera logrado un *home run*. Sino con el lanzamiento de Branca. Tiene que ver con la pérdida.

—Mala suerte —dijo Sims, mientras ensartaba una de las patatas de mi plato.

—Tiene que ver con el misterio de la mala suerte, con el misterio de la pérdida. No sé. No hago más que decir que no sé y es verdad. Pero es lo único que he visto en mi vida que tenía que ser mío fuera como fuese.

—¿Como un secreto vergonzoso? —dijo Farish.

—Sí. Primero, gastarse el dinero en una pelota de recuerdo. Luego, comprarla por el motivo por el que la compré yo. Para conmemorar el fracaso. Para poder sostener en la mano ese momento en el que Branca se volvió y vio cómo la pelota aterrizaba en las gradas... desde él hasta mí.

Todos se echaron a reír menos Sims.

Glassic dijo:

—Su nombre, incluso. Ralph Branca, *el Oscuro*. Como un personaje de alguna épica antigua. El poderoso Ralph, *el Oscuro*, muerto —bla, bla, bla— al crepúsculo.

—La flecha maldita —dijo la mujer.

—Muy bien. Sólo que no se trata de un chiste, claro está. ¿Cómo será tener que vivir con el recuerdo de un instante espantoso?

—Un instante de un partido —dijo ella.

—Atravesando eternamente el césped del campo, camino del vestuario.

Sims comenzaba a irritarse con nosotros.

—Chicos, creo que no lo estáis entendiendo —el modo en que pronunció la palabra *chicos*—. ¿Qué pérdida? ¿De qué fracaso estamos hablando aquí? ¿Acaso al final no se fueron todos contentos a casa? Me refiero a Branca: Branca lleva el número trece en la matrícula de su coche. Quiere que sepamos que fue él y no otro. Branca y Thomson asisten continuamente a cenas de deportes. Cantan canciones y cuentan chistes. Representan el número más largo que existe en el mundo del espectáculo. No lo entendéis —haciéndonos parecer estudiantes cursis con sus impecables chaquetitas—. Branca es un héroe. Quiero decir que a Branca se le han dado todas las posibilidades de sobrevivir a aquel partido y todos conocemos el motivo.

Un leve desánimo descendió sobre la mesa.

—Porque es blanco —dijo Sims—. Porque es todo asunto de blancos. Porque uno puede sobrevivir y resistir y prosperar si le dejan. Pero tienes que ser blanco para que te dejen.

Glassic cambió de postura en su silla.

Sims contó la historia de un lanzador llamado Donnie Moore que falló un *home run* crucial en una final y terminó pegándole un tiro a su mujer. Donnie Moore era negro, y el jugador que logró el *home run* era negro. Y luego se suicidó de un tiro. Disparó varias veces contra su mujer, sin llegar a matarla, y luego se pegó un tiro. Se marchó al otro barrio en su propio lavadero, dijo Sims. Sims le contó aquella historia a la inglesa, pero para mí era completamente nueva, y no me resultó difícil adivinar que Glassic apenas la recordaba. Yo nunca había oído hablar de Donnie Moore, nunca había visto el *home run* y jamás había oído lo del tiroteo. Sims dijo que el tiroteo tuvo lugar unos cuantos años después del *home run*, pero que ambas cosas estaban directamente relacionadas. Donnie Moore no tuvo ocasión de sobrevivir a su fracaso. Los hinchas le hicieron la vida imposible y nadie bromeó al respecto en las cenas de béisbol.

Sims estaba muy enterado de lo del tiroteo. Describió el ataque a la mujer con todo detalle.

Farish cerró los ojos para visualizarlo mejor.

—Oímos lo que estás contando —dijo Glassic—, pero no puedes relacionar ambos acontecimientos por una cuestión de color.

—¿Qué otro modo hay?

—El *home run* de Thomson es inmortal porque tuvo lugar hace décadas, cuando las cosas no se reponían ni se desgastaban ni se agotaban antes de la medianoche del primer día. En cierto modo, cuantos más arañazos tengan una película antigua o una cinta vieja, más clara resulta la acción. Porque no tiene que disputarse nuestra atención con otras mil escenas. Porque es algo conservado y único. Donnie Moore... en fin, lo siento mucho, pero ¿cómo distinguimos a Donnie Moore del resto de los partidos y de los tiros?

—La cuestión no estriba en lo que advertimos o en lo que

recordamos, sino en lo que le ocurrió —dijo Sims— a los protagonistas. Hablamos de quién ha seguido viviendo y de quién ha muerto.

—Pero no del porqué —dijo Glassic—. Porque, ¿qué pasa si analizamos los motivos con franqueza y a conciencia en lugar de un modo superficial y simplista?

—Antihistórico —dije yo.

—En ese caso advertiremos que existen probablemente una docena de motivos por los que el tipo se lió a tiros, la mayor parte de los cuales nunca conoceremos ni comprenderemos.

Sims volvió a llamarnos colegas. Yo cambié de bando varias veces y pedimos otra ronda de bebidas y seguimos charlando un rato. Ya no nos dirigíamos a Jane Farish. No nos fijábamos en sus reacciones ni estimulábamos su interés. Sims nos llamó colegas varias veces y luego nos llamó chicos. Todo fue tornándose bastante divertido. Pedimos café y observamos el partido y Farish permaneció sentada, hecha un ovillo pensativo, piernas y brazos cruzados, el cuerpo ladeado hacia la ventana, cediendo a la potencia de nuestras discrepancias.

—Comprando y vendiendo pelotas de béisbol. Qué angustia. Y nunca me lo contaste —dijo Sims.

—Fue hace ya algún tiempo.

—Te lo hubiera quitado de la cabeza.

—Para poder comprártela tú —dijo Glassic.

—Yo me dedico a otro tipo de desechos. A los auténticos. Lo mío son los pañales desechables, pero medidos en toneladas. No esas chatarras melancólicas de antaño.

—No sé —dije de nuevo.

—¿Qué haces? ¿Sacar la pelota del armario para mirarla? ¿Y luego qué?

—Piensa en su significado —dijo Glassic—. Se trata de un objeto con historia. Piensa en la pérdida. Piensa en qué será lo que a uno le trae mala suerte y a otro la mejor de las fortunas. Además, tiene algo de maravilloso. ¿Una pelota vieja? Es una preciosidad, Sims. Y ésta tiene un pedigrí único.

—Le timaron bien timado —dijo Sims—. Tiene en su poder un objeto sin el más mínimo valor.

Pagamos la cuenta y salimos en fila india. Sims señaló una fotografía suspendida sobre el bar, parte de una docena de imágenes deportivas. Era una foto reciente de una pareja de ex jugadores, Thomson y Branca, vestidos de traje oscuro y con aspecto saludable, en los jardines de la Casa Blanca. Entre ellos, el presidente Bush provisto de un bate de aluminio.

Salimos y nos sentamos en el palco de la compañía durante diez minutos para que Glassic pudiera oír el clamor de la multitud. A continuación, descendimos por la rampa y nos encaminamos a la zona de estacionamiento.

Farish tenía algunas preguntas relativas al *fly* en el campo interior. Para cuando llegamos al coche, Sims y Glassic se las habían arreglado para ponerse de acuerdo al respecto. Una inesperada bendición para la BBC.

Yo me recliné en el asiento, contemplé la ciudad que discurría junto a mí y pensé en Sims de niño, corriendo por las calles de St. Louis. Lleva puesto un mono con las perneras arrolladas en abultadas dobleces de un tono más pálido que el azul oscuro del tejido de sarga exterior. Avanza agitando los brazos y gritando que es Bobby Thomson.

4

Sentado con mi madre en su habitación, charlábamos, callábamos, veíamos la televisión. Callábamos para recordar. Uno de nosotros decía algo que despertaba algún recuerdo y nos quedábamos sentados uno junto al otro, remontándonos.

Mi madre tenía un método de recuerdo documental. Proponía nombres y sucesos y los dejaba suspendidos en el aire sin atribuirles placer o remordimiento. A veces era sólo una palabra. Pronunciaba una palabra o una frase relacionada con algo en lo que yo llevaba décadas sin pensar. Tenía plena confianza en su memoria, y se desplazaba a través del pasado con un aplomo que era incapaz de aplicar al instante, la hora o el día de la semana en que vivía. Se reía de sí misma. ¿Qué día es hoy? ¿Tengo misa hoy o mañana? Yo la llevaba en coche a misa y la recogía después, y ello constituía la satisfacción más regular de mis semanas. Me aprendí el horario de misas y los tipos de misa y la duración del servicio y siempre me aseguraba de que dispusiera de dinero para el cepillo. Nos sentábamos en la habitación y hablábamos. A ella parecía no afectarle el sentimentalismo. A veces evocaba momentos que me impactaban con enorme fuerza, momentos cualesquiera, cosas ordinarias pero potentes —ordinarias únicamente si uno no las ha vivido, si no ha estado allí— y yo la miraba allí sentada, inmóvil, discreta en sus recuerdos.

Hay algo que solía contarles a mis críos cuando eran pequeños. Una guindaleza es un cabo que se emplea para amarrar los barcos. O la joroba del suelo entre las habitaciones, solía decirles. Eso se llama silla.

La instalamos con el tocador y el aire acondicionado y un colchón duro que le venía bien para la espalda. Ella evocaba nombres del martirologio familiar, del libro de los sufrimientos especiales, y nosotros callábamos y pensábamos. Sus cabellos aún eran castaños a retazos, ya enjutos e iridiscentes, con reflejos dorados bajo una luz fuerte, sujetos mediante un pasador, y nos sentábamos allí con la televisión encendida. Yo sabía que nunca hablaría demasiado ni sería descuidada en sus recuerdos. Era ella quien tenía el control, guiándonos cuidadosamente a través de las pausas.

Tras los disturbios de Los Ángeles mi hijo comenzó a vestir pantalones cortos y holgados y una gorra con la visera hacia atrás y zapatillas de deporte con gruesas lengüetas. Hasta entonces, sentado en su habitación con su ordenador, un chaval silencioso de veinte años recién cumplidos, su aspecto solía ser neutro. Vestía siempre igual. Se vestía para una entrevista de trabajo del mismo modo que uno se vestiría para pasear al perro: era algo constante en él.

Diseñábamos y gestionábamos vertederos. Éramos *brokers* del desecho. Organizábamos embarques de desechos peligrosos a través de los océanos del mundo. Éramos los Padres Espirituales del desecho en todas sus transmutaciones. A punto estuve de mencionarle mi trabajo a Klara Sax cuando estuvimos charlando en el desierto. Su propia carrera se había visto señalada en ocasiones por sus métodos de transformar y absorber la basura. Pero algo me hizo mostrarme cauteloso. No quise que pudiera pensar que estaba intentando sugerir una afinidad de esfuerzos y perspectivas.

Las personas célebres no quieren que se les diga que uno tiene cualidades en común con ellas. Les hace pensar que llevan algo arrastrándose entre las ropas.

Mi padre se llamaba James Costanza, Jimmy Costanza: sumen las letras y les saldrán trece.

En casa retirábamos el papel de cera de los paquetes de cereales. Teníamos un armario de reciclaje con cubos separados para los periódicos, las latas y los frascos. Aclarábamos las latas usadas y las botellas vacías y las depositábamos en sus cubos correspondientes. Separábamos el estaño del aluminio. Los días de recogida dejábamos cada tipo de basura en su receptáculo correspondiente y disponíamos los receptáculos, que viene del verbo latino que significa «recibir de nuevo», sobre la acera frente a la casa. Utilizábamos una bolsa de papel para las bolsas de papel. Cogíamos una bolsa de papel grande e introducíamos en ella las bolsas más pequeñas y a continuación dejábamos la bolsa grande sobre la acera junto al resto de los receptáculos. Arrancábamos el papel de cera de los paquetes de copos de trigo. No existe un lenguaje que me permitiera formular de modo exagerado la diligencia que aplicábamos a aquellas tareas. Procesábamos los desechos del jardín. Apilábamos los periódicos, pero no los atábamos con cordel.

A veces aprovechábamos las pausas para ver la televisión. Contemplábamos reposiciones de *Luna de miel* y mi madre se echaba a reír cada vez que Ralph Kramden extendía los brazos y vociferaba enormes protestas. Eran prácticamente las únicas ocasiones en las que uno podía esperar oírle reír. Debía de sentir una cierta sensación de limpia liberación al ver aquel apartamento tristemente amueblado, a la esposa Alice con su delantal o su cutre sombrero de fieltro, a Norton el vecino con su sombrero torcido y su cabeza espasmódica: cosas próximas a lo que ella conocía. Superficialmente, por supuesto. Próximo a lo que ella conocía pero de un modo más aparente que real. Una proximidad superficial pero aun así levemente conmovedora y acaso incluso misteriosamente real. Mira la imagen de la pantalla, plana y gris y brumosa por los años, no muy distinta de los recuerdos que se llevaba consigo al sueño. Dormía en una habitación de Arizona, algo que le debía de resultar sumamente extraño. Pero la presencia de Jackie Gleason en la pantalla volvía el lugar más factible: la arrastraba hacia un centro perceptible.

Una guindaleza es lo que atas alrededor de un noray.

Solía observar el modo que tienen algunas personas de jugar a ejecutivos cuando realmente ocupaban posiciones ejecutivas. ¿Hacía yo eso? Uno mantiene una distancia cambiante entre uno mismo y su trabajo. Existe un espacio consciente, una sensación de juego formal que es casi un pánico paralizante, y uno puede mostrarlo mediante un gesto forzado o un carraspeo ritual. Algo de nuestra niñez pasa zumbando por ese espacio, una sensación de juegos y personalidades autoconstruidas a medias, pero no es que uno esté fingiendo ser otra persona. Uno finge ser exactamente quien es. Eso es lo curioso del caso.

Marian quería conocerme con diecisiete años, verme a los diecisiete años, y formulaba ingeniosas preguntas sobre cosas sin importancia, y hablaban de mi padre, y yo escuchaba bajo el profundo sopor posterior a la cena.

Mi madre decía cosas que yo ya sabía, pero yo escuchaba desde el salón con una revista tapándome el rostro. Había sido un corredor de apuestas célebre por su memoria, y nunca había tenido que escribir un número sobre un trozo de papel. Era la leyenda de la calle. Yo tenía once años cuando salió por la puerta, y me enteré de la historia más tarde, de que se acordaba de todo, de que hacía sus rondas por las peluquerías y factorías del centro, en el distrito textil, por las esquinas de las calles, por los vestíbulos de los hoteles, siempre en pequeña escala, y nunca había tenido que anotar un número sobre el papel porque era capaz de recordar los detalles de todas las apuestas. Tal es la historia que surgió en torno a su nombre. Formaba parte del sobrecogimiento que sigue a una muerte violenta o a una desaparición inexplicable.

Se colocó en el umbral, con su perfil señorial, y nosotros abandonamos la autopista interestatal 10, nos incorporamos a uno de esos maratones mortales de tráfico comercial y encontramos finalmente su callejuela y allí estaba, embarazada a tope.

Mi madre le contaba cosas a Marian, una historia de cuando en cuando con su medio acento del Bronx, y yo permanecía sentado y escuchaba a rachas bajo la pulsación del lavaplatos. Le proporcionamos a su habitación una mano de pintura fresca de color verde, la antigua habitación de Lainie, pálida y tranquila. La instalamos con el televisor y el espejo recién plateado y su buena cama dura y saludable y le dejamos una caja de soda aromatizada: de lima-limón, creo.

En mi despacho de la torre de bronce me dedicaba a proferir amenazas gangsteriles que resultaban cómicamente eficaces. A un consultor que entregaba un informe con retraso, le decía: «Le estoy diciendo de una vez por todas que yo, yo mismo, Mario Badalato, pienso encargarme de cortarle la cabeza a toda su puta familia.» Todo esto con una voz áspera fiel al género y malévolamente admirada por el resto de los presentes en la estancia.

En Holanda fui al VAM, una planta de tratamiento de desechos que procesa un millón de toneladas de basura al año. Sentado en un Fiat blanco, pasé junto a taludes de desperdicios apilados hasta una altura de varios pisos. Dejaba una de aquellas torres atrás para recorrer otra, con oleadas de vapor que se alzaban de sus formas piramidales, y en el aire reinaba un hedor que llenaba mi boca y que parecía lo bastante espeso como para impregnar mi ropa. ¿Por qué pensaba que había nacido con aquella experiencia en mi mente? ¿Por qué era aquello algo personal? Pensé, ¿Por qué los malos olores parecen contarnos algo acerca de nosotros mismos? El director de la compañía seguía conduciéndome entre aquellas filas humeantes, y yo pensé, Todo mal olor tiene que ver con nosotros. Vamos abriéndonos camino por el mundo hasta que llegamos a una escena que parece extraída de un medievo moderno, una ciudad de rascacielos de basura, la peste infernal procedente de todos los objetos perecederos que jamás se han agrupado, y se nos antoja como algo que hubiéramos llevado a cuestas durante toda nuestra vida.

Era de esa clase de personas que a uno le costaría trabajo describir si la viera en el momento de cometer un crimen. Pero, tras las revueltas, se puso una gorra de los Raiders de Los Ángeles y una camiseta ultralarga en la que llevaba un par de gafas de sol colgadas del bolsillo. Nada más cambió. Vivía en su habitación, perdido entre chips y discos, el mismo muchacho de siempre pero ahora físicamente vívido, un ser social con andares de gueto.

Nos sentábamos en la habitación a ver reposiciones, mi madre y yo. Él la había abandonado por otra época anterior a mi nacimiento. A ello se debía que yo llevara el apellido de mi madre, y no el suyo. Ella no confiaba en que regresara jamás, y me contó que había ido a ver a un abogado que se había metido en ciertos chanchullos. Los tribunales tienden a determinar que un niño debe llevar el apellido del padre hasta que alcance su mayoría de edad legal, momento en el que puede escoger por sí mismo. Pero el abogado se las apañó para obtener una excepción de no sé qué juez y a ello se debe que en mi certificado de nacimiento ponga Shay. Luego, volvió y se quedó durante largo tiempo hasta que volvió a marcharse a por cigarrillos: diez años o así. Era un hombre sin raíces, decía ella, levemente resignada, como si aquello fuera lo único que pudiéramos esperar del destino —ella y yo y mi hermano—, aunque quizá yo malinterpretaba su tono de voz y lo que quería decir es que allí era de donde venía y adonde volvía, ineludiblemente, según el argot que gobierna las rimas de la vida.

De regreso a casa, al aterrizar en Sky Harbor, solía maravillarme de la rapidez con que la gente se dispersa de los aeropuertos, de cualquier aeropuerto: todos apretujados en filas de tres o cinco asientos y atestando el pasillo tras el aterrizaje, cuando el comandante desconecta la señal de abrocharse los cinturones y uno recoge sus pertenencias del compartimiento superior y aguarda en el pasillo a que se abra la puerta y la gente comience a avanzar, y te encuentras con nuevas muchedumbres cuando atraviesas la salida, gente que desembarca y otros que les esperan y aún más multitudes en la zona de recogida de equipajes y en el vestíbulo, los rugidos cruzados de voces resonantes y de anuncios de vuelo y de motores revolucionados y de gentes que atraviesan todo aquello, personas que transportan sus pertenencias, únicas y diferenciadas, como una microhistoria de artículos de aseo y de prendas interiores, de medicinas y aspirinas y lociones y polvos y geles, una cantidad increíble de personas que se entrecruzan en cualquier día cálido y seco, al borde del desierto, con la ropa interior hecha una bola y aferrada en el puño, y el modo en que se dispersan rápida y misteriosamente, el modo en que una muchedumbre enorme puede diseminarse y desaparecer en cuestión de minutos, arrastrando las bolsas sobre los suelos relucientes.

Cosas que solía decirle a los críos. Solía sostener un objeto en el aire y decirles: «La pequeña sección estriada que hay en el extremo de los tubos de pasta de dientes. Se llama ondulación.»

Gleason muerto pero igualmente presente en la habitación con nosotros, irlandés como ella y aparcado en una rancia sauna, ataviado con un uniforme de conductor de autobús, agitando los brazos, agitadamente gordo, la única persona capaz de hacerla reír. Atravesaba el suelo con paso majestuoso, blandiendo el puño. *Vas a la luna, Alice.* Lo que más le gustaba a mi madre eran las cosas familiares. Cuanto más recurría él a una frase, más se reía ella. Se mantenía al acecho de ciertas frases. Nos manteníamos los dos, y él nunca nos defraudaba. Nos sentíamos más unidos cuando Gleason estaba en la habitación. Nos soltaba la frase, nos proporcionaba la risa segura, la que necesitábamos al final del día. Gleason ofendido. Dando puñetazos sobre la mesa y doblando las rodillas y ladeando su grandiosa cabeza hacia el firmamento. Representaba el chiste al que acompaña una historia ausente: el chiste obsceno, el chiste estúpido, el chiste del rabino y el sacerdote, el chiste de la noche de bodas, el chiste del dialecto, la frase final que sobrevive largo tiempo después de que se olvide el chiste. Me sentía mejor con Jackie en la habitación, transparente en su dolor, vivo y muerto en Arizona.

La llevaba y la recogía y me aseguraba de que tuviera dinero para el cepillo.

Edificábamos pirámides de desechos sobre la superficie de la tierra y bajo ella. Cuanto más peligrosos los desechos, más profundamente intentábamos sepultarlos. La palabra plutonio viene de Plutón, dios de los muertos y señor del mundo subterráneo. Le llevaron a las marismas y le liquidaron, como decimos hoy en día, o como solíamos decir hasta que cambió para decirse de otra manera.

Me gustaba apresurarme para llegar a casa desde el aeropuerto y ponerme el bañador y la camiseta. Corría por la acequia con voces suffíes resonándome en la mente, y a veces veía despegar un avión, todo él luz y ascenso y cálculo, y pensaba en mi hijo Jeffrey cuando era más joven: en el don que creía poseer para abatir un avión en el aire, la maestría del espacio y de la materia, un poder y un control que se elevaban perversamente de la maldición del desarraigamiento.

Y a veces permanecía junto a ella durante la misa, la misa en inglés, qué acontecimiento tan puro, sin murmullos ni reverberaciones, pero así y todo lo mejor de la semana, y la cogía del brazo y la conducía al exterior de la iglesia, y aunque no era una mujer menuda parecía encogerse, perder carne episódicamente: se me antojaba bajo los dedos como si fuera de papel de arroz.

Solía afeitarse con una toalla sobre el hombro, vestido con su camiseta, su niqui, y la cuchilla producía un sonido que me agradaba escuchar, como el roce de un papel de lija sobre su espesa barba, y la brocha en el cuenco, la hoja Gem y la toalla colgada y el agua caliente del grifo: calor y destreza y filo cortante.

Dominus vobiscum, solía decir el cura, y nos abríamos paso hasta el exterior del vestíbulo, entre los cánticos de varios chiquillos, Dominick anda a registrarles. ¿Para qué servía el latín si uno no podía reducir los códigos formales a los empellones del argot callejero?

Era como las películas de ciencia ficción o las de terror, con la diferencia de que Jeff era demasiado tímido y miedoso para probarlo en el mundo real, incluso con su hermana incitándole al oído que hiciera explotar aquel trasto.

5

A veces, Brian Glassic llamaba tarde. Llamaba a rachas, ya entrada la noche, acaso cuatro llamadas en un fin de semana y, ¿de qué hablaba cuando llamaba? De la oficina, por supuesto, sacando a relucir temas que no le resultaba fácil comentar en la propia torre, o quizá el último escándalo nacional, con detalle anatómico, o peroraba sobre una película que quería que yo alquilara, armas y drogas: creía que ello nos hacía ser más amiguetes.

Lo hacía también como provocación. Brian opinaba que yo me hallaba perfecta y sólidamente instalado, arropado por una casa y una familia, con más seguridad que él, más viejo pero también físicamente superior, físicamente en forma, un hombre de más recia consistencia, tal era su argumentación y como solía manifestarla: un hombre que guarda las distancias. Y ello le desconcertaba profundamente, le hacía querer interrumpirme, lanzarse a jugarretas infantiles, exigir de un modo u otro mi atención.

Cuando sonaba el teléfono a determinadas horas, Marian y yo intercambiábamos la mirada «Brian»: tenía que ser él.

—No vas a creerte dónde estoy. Vente para aquí ahora mismo. Este lugar es increíble. Eres la única persona con la que puedo soportar compartirlo. Ven solo —dijo.

Me llevó un buen rato encontrar el sitio. No hacía más que atravesar la I-10, allí donde el mapa comienza a tornarse blanco, junto a edificios bajos de estuco rematados por antenas parabólicas: piezas de tractor y restos procedentes de puestas a punto de motores diesel, y roca y autodefensa. Entonces divisé un grupo de tiendas que encajaban con la descripción de Brian, un pequeño centro comercial, limpio y cuidado, pintado como de rosa y verde estilo rancho, tres de ellas aún no abiertas, y aparqué cerca de la última de la izquierda, la única que funcionaba, llamada Condonología.

Chavales de universidad, levemente desaliñados. Permanecían entre los estantes, charlando y curioseando, revisando los catálogos y leyéndose la letra pequeña de las cajas de productos, y se les unieron otros, hombres y mujeres algo mayores, personas con profesiones y pantalones ligeros con raya y un cierto desenfado en el porte y en su presencia allí, el conjunto de actitudes y valores que se conoce como estilo de vida.

Brian me empujó a un rincón para que pudiera otear la zona. De anchos pasillos, la moqueta era suave y pálida y los pasillos eran anchos y había pinturas murales, cinco paneles en cada una de las dos largas paredes, en las que se veían escenas de una tienda de helados de los años cuarenta y cincuenta. Un vendedor de gaseosas con pinta de cretino detrás de un mostrador de mármol preparando un batido de fresa para un par de chicas vestidas con jerséis de colegio y medias cortas: así era uno de los murales, pintado con un estilo plano, con un estilo ajeno a la escena, y el efecto resultaba interesante, completamente antionírico. Brian escrutaba mi mandíbula inferior a la espera de alguna reacción. Podía oír música en las profundidades de la distancia, un cantante de baladas interpretando canciones perdidas, la clase de baladas que a veces incluían uno o dos versos de italiano arrastrado, y todo agradablemente suavizado, pensé, sin afectación, sin humor paternalista.

Brian me susurró ásperamente, como si no me hubiera dado cuenta.

—*Condones.*

De eso se trataba, en efecto, de condones, todo aquel lugar eran condones, estantes llenos de cientos de tipos de protección, masculina y femenina, cremas corporales, espermicidas, guantes de látex, lubricantes de silicona, con libros, manuales, vídeos, expositores especiales, con artículos de novedad en la línea de pito-grande pito-chico, y camisetas, por supuesto, y gorras de béisbol con logotipos de condones.

—Y es un sitio estratégicamente situado, en los nuevos territorios salvajes —dijo—. Me parece ver una ciudad satélite naciendo en torno a esta tienda, un millar de edificios, así es la visión que tengo, alargándose como puntas a partir de la tienda de condones. Como una población medieval con su castillo en el mismo centro.

—Construían los castillos en la periferia.

—Que te den por culo. A ver si muestras algo de asombro. Tienen preservativos con sabor a melocotón. Y los chavales vienen a hacer vida social, a estar y a ver qué pasa. Estoy esperando oír a Al Hibbler cantando *Unchained Melody*.

—Al Hibbler era bueno.

—¿Bueno? Nos ha jodido, bueno. Era increíble. ¿Creías que Ray Charles era ciego? Al Hibbler, *ése* sí que era ciego. A ver si reaccionas.

Me condujo a lo largo de un pasillo. Mi reacción fue, Fíjate en todos estos condones. Con tachuelas, ajustados, con nervios, a pelo. Solíamos decir: No entres a pelo. Queriendo decir ponte un condón o la dejarás preñada. Y ahora había condones llamados «a pelo», electrónicamente probados para determinar su delgadez y su resistencia.

—Esto acabará sustituyendo a las deportivas —dijo Brian—. Los chavales se enfrentarán a tiros por culpa de una caja de condones caros de piel de oveja.

Había condones sueltos que se vendían en frascos, en jarras de caramelos: cógete un puñado. Una mujer contemplaba un modelo de muestra de un preservativo de poliuretano que llevaba aros flexibles en cada extremo. Brian la conocía del cajero automático de su Banco: hola, ¿qué tal?, ¿qué hay?, hola. Había condones-dedo y condones de cuerpo entero, y condones orales con sabor a menta. Había cajas para condones, tamaño bolsillo, y un condón que podía llevarse puesto como un sombrero.

Brian dijo:

—Mi hermano llevó un condón en la cartera durante toda la adolescencia. Una vez me lo enseñó, creo que yo por entonces tenía doce años. Abrió la cartera y me enseñó aquella cosita marchita que parecía un pene desinflado y creo que no lo he superado nunca. Se trataba de un mundo al que aún no estaba preparado para entrar. Podía entender el sexo a nivel animal. Pero aquello era otra cosa completamente distinta. Algo que tenía que ver con el material, con esa goma plasticosa, con su aspecto y su tacto, me hizo tocarlo, y con la naturaleza y la función del objeto en general, no sé, era algo ajeno e inquietante. Bastante duro era ya enfrentarse al sexo a solas. Aquello era una tecnología que pretendían arrollarme en torno al pito. Aquello era el látex producido en masa que utilizaban para pintar buques de guerra.

—Eras un crío sensible.

—Era flacucho y mudo. Apenas humano. Tú eras un chaval robusto de los que solían molernos a palos a los que éramos como yo.

—Nosotros no teníamos chavales como tú —le dije.

—¿Tú te movías con condón?

—En el bolsillito del mono.

—Para cuando cumplí dieciséis años, ya no se hacía eso.

—Pues ahora lo hacen —dije yo.

—No creo que mi hermano llegara a utilizar nunca el condón de su cartera. El día en que se agenció un coche lo dejó en el coche. Lo guardó en la guantera. Creo que fue entonces cuando por fin logró utilizarlo.

Un hombre cantaba suavemente, susurrando la letra que surgía por los altavoces. Avanzó titubeantemente hacia nosotros, empujando un carrito en el que transportaba una botella de oxígeno, un tipo con el pelo canoso, con tubos que salían del depósito y se conectaban con su nariz. La botella tenía el tamaño de un perro salchicha metido en su bolsa de transporte. Y cantaba, susurraba con tono rasposo: dominaba el fraseo y el ritmo a la perfección, las perezosas conclusiones de los versos en relación con una letra de despedida, alterada tan sólo por su voz carcomida para adaptarse a la forma de una vida propia, sentida en lo más profundo de la piel.

Nos apartamos para dejarle pasar.

Detrás de los productos y de sus instrucciones alcanzábamos a atisbar una industria de descripciones vívidas. Seda cutánea y deslizamiento cósmico y puntas con receptáculo. Había condones envasados como si fueran monedas romanas y condones en carterillas de fósforos. Brian leyó en voz alta los textos de los envases. Teníamos allí membranas animales naturales y aromas a chicle. Teníamos condones que brillaban en la oscuridad y condones para la estimulación previa y condones impresos con pintadas que se estiraban a la medida de tu erección, en los que una letra se convertía en una palabra y una palabra se convertía en una frase. Imitó un rato a Churchill: *Acabaremos con ellos en las playas.* Teníamos condones tipo piruleta, teníamos calzoncillos estampados con personajes de tebeo en forma de condones erectos, y otros que eran como flotantes, con cabeza de pezón y hablaban un lenguaje que llamaban el espermiano.

Cerca de la puerta había una joven con un tatuaje del logotipo de Ramsés en el lóbulo de la oreja.

—Mi chavala lleva uno de ésos —dijo Brian—. Sólo que el suyo pone Pepsi. ¿Debería sentirme agradecido?

—¿Qué chavala?

—Qué chavala. ¿Qué importa qué chavala sea?

Brian se mostraba cauteloso en lo que se refería a su familia. Adoptaba la pose fingida del padre que protesta de modo rutinario por los críos que no tienen cuidado con el dinero ni toman precauciones con nada, todos representamos esa pantomima, es como una segunda lengua, las fáciles quejas del padre, y Brian escenificaba desdeñosos solos notablemente animados, aunque también albergaba algo más profundo y más amargo, una sensación de que aquéllos eran sus enemigos, aquellas fuerzas descontroladas que habitaban en su propio hogar dispuestas en despojarle de su autoestima, una hijastra, una hija y un hijo, todos en la universidad, y una esposa, decía él, que andaba una chispa descentrada.

—Eso no es lo único que lleva impreso en su cuerpo.

—¿Cuál de las chavalas? —dije yo.

—Brittany.

—Me cae bien Brittany. Pórtate bien con ella.

—Pórtate bien con ella. Escucha esto: lleva un brazalete debajo del hombro, no vas a creértelo. Han organizado en el instituto un Día de Simulacro de *Apartheid*.

—¿Qué es eso?

—Lo que oyes. Tratan de simular la cultura del apartheid. Como una lección para los críos. Llevan todos brazaletes. De color oro si eres de las clases oprimidas y rojo, creo, si eras militar y verde si pertenecías a la elite. Brittany se ofreció voluntaria para alinearse con las clases oprimidas y ahora se niega a quitarse el brazalete. La simulación oficial duró un día, pero ella lleva semanas en ese plan. Nadie sigue haciéndolo más que ella. Restringe su propio horario de acceso al comedor: diez minutos diarios. Sólo monta en determinados autobuses y a determinadas horas. Se sienta en una zona delimitada del aula.

—¿Cómo reaccionan el resto de los críos?

—La escupen y la evitan.

Dibujó una pantalla de televisión con las manos, los pulgares horizontales, los índices enhiestos, y me miró desde su interior con los ojos bizcos y la lengua colgando.

Dimos una última vuelta en torno al local. Frente a uno de los murales había un chico y una chica, sentados a una mesa, con sus helados y sus vasos de agua fría, y largas cucharas para los helados; y la escena, sin pretender resultar encantadora, poseía un tono próximo al documental, y el conjunto del lugar resultaba ligeramente museístico, pensé, con su tiempo comprimido y su despliegue de objetos de interés evolutivo. Y una mujer cantaba una balada acerca de una capilla a la luz de la luna que me resultaba vagamente familiar, y me volví para ver si el tipo de la bombona de oxígeno aún seguía cantando.

Brian compró un paquete de condones para su hijo David, cosa entre coleguillas, símbolo de comunicación y armonía. Salimos a la plaza vacía y él abrió la caja y sacó una única funda, aún con su envoltura de aluminio. La miró. Tenía una risa entrecortada que reservaba para ciertas ocasiones, como la de un hombre semiahogado al que le fastidiara verse rescatado, y al mirar el objeto se echó a reír.

—Por entonces, todo el mundo hablaba de enfermedades venéreas. Lo del sifilazo era un término con un retintín muy rotundo. El sifilazo.

—La sifi.

—Todos esos términos. Si uno es malo, el otro es peor. Pero me era imposible adivinar un solo elemento salvador en el condón. Quizá porque me traía a la mente otra palabra.

—Saco de mierda.

—Y en esa especie de mente retardada que tiene uno a los doce años, quizá percibí la existencia de una vida secreta en ese objeto que llevaba mi hermano en la cartera, en ese saco de mierda... ¿cómo podía uno confiar en la seguridad del uso de algo llamado saco de mierda?

—Nosotros somos gestores de desechos —dije—. Trabajamos con sacos de mierda.

—Pero piensa en el desprecio que arrojamos sobre esa palabra. Es una palabra fea. Llena de autoaborrecimiento.

—Qué más dan las palabras. Tú le has comprado una goma a tu chaval porque es importante que la utilice. Detesto ser razonable. Sé que resulta ingrato mostrarse razonable ante la desconfianza primitiva de alguien.

—Tienes razón.

—La gente tiene que utilizar estas cosas.

—Tienes razón —dijo él—. Resulta ingrato.

Desenvolvió el preservativo y lo sacudió hasta lograr que el receptáculo de la punta pendiera oscilando bajo la brisa. A continuación, estrujó el objeto en el puño y se lo aproximó a la nariz. Dijo:

—¿A qué huele? ¿A cortina de baño? ¿A tapicería de coche o a forro para pantalla de lámpara? ¿Huele acaso a esas grandes bolsas cuadradas para tejidos en las que uno guarda la ropa que nunca utiliza?

Inhalaba profundamente, tratando de absorber el olor, de retenerlo por completo para poder determinar su naturaleza. Su esbelta cabeza parecía inflamarse, roja como la de un gallo. Pensó que podría corresponder al olor del papel de burbujas con el que encuentras envuelto el ordenador nuevo cuando lo sacas de la caja de embalaje. O a la propia caja de embalaje. O al propio ordenador. O a esas bolsitas de plástico que llevan ya demasiado tiempo en la nevera impregnándose de vapores de freón. Pensó que podría tratarse de un olor de hospital, de un olor de laboratorio, de los vertidos de una planta química. No lograba localizarlo con exactitud. Del aislamiento de las paredes. Del filtro de los aires acondicionados.

—Pensé que eran inodoros. Los condones modernos —dije—. Excepto cuando les añaden algún sabor.

—Son los nuevos, los inodoros. Yo le he comprado de esos viejos baratos de látex que ciñen el miembro sexual y reducen la sensación y huelen mal. Quiero que pague el precio de ser razonable.

Marian, sentada en la habitación de Jeff, contemplaba una película en televisión. Tuve que adaptarme a la imagen de una persona distinta en su habitación. Su habitación era su guarida animal, su pellejo y su olor, y pensé que Marian, allí sentada, estaba cometiendo una suerte de violación de las leyes de las especies.

Llevaba unos vaqueros gastados y una vieja camiseta con mangas que le colgaba por delante, de esa clase de mujeres que adquieren belleza con la edad, pienso, que se vuelven hermosas con el paso del tiempo hasta que un día lo notas, como de repente y todo el mundo a la vez: se convierte en un escándalo local de sorpresa y de cotilleo.

—¿Cuándo empezaste a fumar de nuevo?

—Cállate —dijo.

Le hablé de Condonología. De pie en el umbral, esforzándome por ahogar el sonido de la película. Su piel era tersa, rotunda de un modo enteramente fisonómico: de rostro levemente anguloso, nariz recta, cabello oscuro, ademán resuelto, muy próxima al modelo clásico americano, ese estilo algo anticuado que no se aparta drásticamente de la sencillez, como el rostro tallado de las viejas pastillas de jabón, las de Camay quizá, no estoy seguro, la cabeza de la mujer de perfil, con el pelo ondulado, aunque el de Marian era liso.

—¿Dónde está Jeff?

—Ha salido. Yo estoy viendo esto.

Le hablé del Día del Simulacro de Apartheid desde el umbral. Dijo:

—Estoy viendo esto.

—¿Te apetece algo? A mí me apetece algo.

—Agua mineral estaría bien —dijo.

Fui a la cocina y saqué todas las cosas de sus respectivos compartimientos. Vertí agua mineral en un vaso alto con hielo y eché una rodaja de limón en su interior. Saqué del congelador el vodka de patata, vaporoso de frío, y recordé lo que quería decirle. Corté una luneta de piel de limón y la puse en una copa de oporto.

Quería decirle algo de Brian.

Llevaba algún tiempo intentando beber oporto, simplemente para ver qué sensación me producía, qué tal sonaría, una copa de oporto, un vino intenso, y ahora estaba utilizando la copa de oporto para mi vodka, espeso, frío y opalino.

Alcanzaba a oír los diálogos de la película desde el otro extremo de la casa.

Su piel era pura como el Camay y sus cabellos eran oscuros y lisos y por lo general los llevaba cortos porque cortos son más cómodos. Tenía una voz modulada, profunda y tonal, como vocalmente redonda y erótica, especialmente a través del teléfono o en la oscuridad del dormitorio, con interferencias de brandy o un levísimo toque ronco de deseo nocturno.

Solía cantar en un coro de iglesia de su pueblo, en el club de los Diez Grandes, como gustaba de llamarlo, pero lo dejó a causa de no sé qué tontería, no sé qué desaire percibido... cómo detestaría oírme calificarlo de percibido.

Le alargué el agua mineral y ella dijo algo referente a Brian. Pensé que quizá estaba intentando adelantarse a mi propia observación sobre Brian. Lo habría visto venir a través de la rutinaria lectura de signos dentro de la percepción ambiental del matrimonio.

—¿No te ha recomendado alguna otra película en la que acaben todos a tiro limpio en una acequia?

—Así es como Brian se libera de la presión de ser Brian.

Recordé una fiesta en la que se había mantenido clavada en una esquina de la habitación con un tipo al que ambos conocíamos por encima, un poeta universitario de largos cabellos rastrillados y dientes manchados, riendo: él hablaba, ella se reía, de lo más inocente, diría uno, o no tan inocente pero sí completamente aceptable, una fiesta es una fiesta, y si el apretón dura demasiado, ¿quién va a notarlo sino el marido? Y se lo dije más tarde. Eso fue hace mucho tiempo, cuando los críos eran pequeños y Marian conducía sin tener que llevar un lápiz en la mano. Se lo dije más tarde, dándome importancia porque de eso se trataba, de hablar con exagerada dignidad, de hablar a lo más profundo de mi ser y de reírme de mí mismo al tiempo porque eso es precisamente lo que hacemos en las fiestas.

Dije: «Padezco una extraña afección que sufren los hombres mediterráneos. Se llama respeto hacia uno mismo.»

Permanecí en el umbral, viendo la película con ella.

—¿Tú crees que Jeff se quedará a vivir con nosotros para siempre?

—Podría ser.

—Ese empleo del rancho dietético. ¿Salió adelante?

—Eso creo.

—¿No te lo ha dicho?

—Estoy viendo esto —dijo ella.

—¿Has organizado los periódicos?

—He organizado las botellas. Mañana es día de botellas. Déjame ver esto —dijo.

—Lo veremos juntos.

—No sabes lo que está pasando. Llevo una hora y cuarto viéndolo.

—Ya me pondré al día.

—No quiero tener que estar aquí sentada explicándotelo.

—No tienes que decir ni una palabra.

—No es una película que merezca la pena explicarse —dijo.

—Me pondré al día viéndola.

—Pero me estorbas —dijo.

—Me estaré callado y miraré.

—Estorbas mirándola —dijo ella.

Aquella observación la complació, encerraba un hormigueo de perspicacia, y se estiró sonriendo con una especie de bostezo enroscado, las caderas y las piernas firmes, el torso combado hacia fuera. Creo que supe lo que quería decir: que la presencia de otro jode la firmeza del equilibrio, la compañía integral del televisor. Quería que la dejaran sola con su mala película, y yo me empeñaba en emitir un juicio.

—Trabajas demasiado —le dije.

—Me encanta mi trabajo. Cállate.

—Ahora que he dejado yo de trabajar demasiado, trabajas demasiado tú.

—Estoy viendo esto.

—Trabajas demasiado innecesariamente.

—Si el tipo intenta matarla, me voy a enfadar en serio.

—Igual la mata fuera de campo.

—Fuera de campo me parece bien. Como si quiere tirar de una sierra mecánica. Con tal de no tener que verlo.

Seguí mirando hasta apurar el vaso. Regresé a la cocina y apagué la luz. A continuación, me dirigí al salón y me puse a contemplar el sofá de color siena melocotón. Era un mueble nuevo, algo destinado a ser admirado y asimilado, algo que la estancia terminaría por incorporar con el tiempo. Algo que servía para levantar la maldición del piano. Teníamos un piano que nadie tocaba, una de las reliquias familiares de los Diez Grandes de Marian, un objeto similar a una piel de oso disecada que nos oprimía a todos con su existencia anterior.

Apagué la luz del salón, pero antes estudié los libros de las estanterías. Permanecí en la estancia observando el sofá de color siena melocotón y el empapelado rajastaní de la pared y los libros de las estanterías. Luego apagué la luz. Seguidamente, comprobé la otra luz, la del pasillo del fondo, para asegurarme de que permanecía encendida por si mi madre tenía necesidad de levantarse durante la noche.

Me planté nuevamente en el umbral. Marian miraba la televisión en cuerpo y alma. Encendió otro cigarrillo y yo me marché al dormitorio.

Me puse a contemplar los libros de las estanterías. Luego, me desnudé y me metí en la cama. Ella entró unos quince minutos después. Aguardé a que comenzara a desnudarse.

—¿Qué detecto?

—¿A qué te refieres? —dijo ella.

—Entre tú y Brian.

—¿A qué te refieres? —dijo ella.

—¿Qué detecto? A eso me refiero.

—Me hace gracia —dijo, finalmente.

—Y a su mujer también. Pero entre ellos no detecto nada.

La vi pensar en modos de responder a esto. Era un comentario divertido, quizá, ni mucho menos lo que había pretendido. Ella me miró y salió de la habitación. Oí correr la ducha al otro extremo del pasillo y me di cuenta de que lo había hecho todo mal. Debía haber sacado el tema desde el umbral de la puerta mientras ella veía la televisión. De ese modo, podría haber sido yo quien abandonara la habitación.

6

Trajimos una caja de la soda aromatizada que más le gustaba y la instalamos en una habitación tranquila, en el viejo dormitorio de Lainie, con el espejo recién plateado y el televisor de pantalla grande.

Jeff no tardó mucho en dejar de ponerse los pantalones holgados y la gorra vuelta, con lo que comenzó a parecerse nuevamente a sí mismo. Su ordenador personal contaba con una función multimedia que le permitía contemplar el célebre vídeo de aquel conductor que recibió los disparos del Asesino de la Autopista de Texas. Jeff permanecía absorto por aquellas imágenes, imaginando procesos y programas, sirviéndose de técnicas de filtrado para eliminar las texturas de fondo. Buscaba información perdida. Ampliaba imágenes y reducía velocidades, tratando de descubrir en aquella maraña algún pixel que pudiera proporcionarle pistas en torno a la identidad del francotirador.

El aparato tan sólo pesaba cien gramos, y me mostraba la distancia que había corrido y las calorías que había consumido e incluso la longitud de mis zancadas, sujeto al elástico de mis pantalones.

Tenía yo once años cuando salió a comprar cigarrillos, una cálida tarde en la que los hombres jugaban a las cartas en un club con escaparate, con voces radiofónicas que inundaban la calle por doquier, siempre hay alguien con la radio puesta, y le llevaron hasta las proximidades de la playa Orchard, allí donde la costa aparece roída de estrechos canales, y le arrojaron, su cuerpo suspendido sobre las algas, sobre la blanda oscuridad orgánica, al mundo de las profundidades. Tampoco es que recuerde con exactitud el tiempo que hacía, ni quiénes eran los jugadores. Siempre hay una radio, y siempre hay gente jugando a las cartas.

En casa nos esforzábamos por producir una basura limpia,

sana y segura. Aclarábamos las botellas viejas y las almacenábamos en los recipientes adecuados. Retirábamos meticulosamente el papel de cera de los paquetes de cereales. Era como preparar a un faraón para la muerte y la sepultura. Nos gustaba hacer esas cosas pequeñas como Dios manda.

Jamás tenía que apuntar una cifra en el papel. Tenía una mente especialmente dotada para los números, una memoria especial para los números.

La instalamos con el humidificador, las perchas, la cama —buena y dura— y el tocador que había pertenecido a Marian de jovencita, un hermoso mueble con una larga historia a sus espaldas.

Desde el rascacielos de bronce, yo contemplaba las pardas colinas y me sentía seguro y bien defendido, a salvo en mi despacho y mi crujiente camisa blanca y conectado a cosas que me hacían más fuerte.

En el rascacielos de bronce, un joven ejecutivo carraspeó y yo distinguí algo en aquel pequeño sonido ronco, una nostalgia secreta de la niñez, el juego al que jugaba con su existencia. En la calle, la temperatura debía de ser de unos cuarenta y dos grados. Se espiaba a sí mismo. La tercera persona vigila a la primera persona. El «él» espía al «yo». El «él» sabe en qué cosas no soporta pensar el «yo». Igual era de cuarenta y tres y medio o cuarenta y cuatro, los teléfonos gorjeando sus frases moduladas. La tercera persona envía a su nadie para liquidar al alguien de la primera persona.

Era algo que solía decir cuando eran pequeños. Se lo decía más de una vez. Esto es la lavadora, esto es la colada, esto es el grifo.

En el rascacielos de bronce nos servíamos de la retórica de las minorías oprimidas para evitar legislaciones que pudieran perjudicar nuestros negocios. Arthur Blessing, opinaba, nuestro director, que los sentimientos auténticos ascienden flotando desde la calle, abiertamente accesibles a su adaptación corporativa. Aprendíamos cómo protestar, cómo apropiarnos del lenguaje de las víctimas. Arthur escuchaba *gangsta rap* todas las mañanas en la radio del coche. Canciones de ira y sexo y venganza, de apropiarnos de lo que nos pertenece aun por métodos violentos, si es que ello es necesario. Opinaba que aquella era la única forma de apelación que lograba un eco en Washington. En cierta ocasión, Arthur me recitó unas letras en el avión de la compañía y nos reímos juntos con su risa chiflada, con esos ja-jas enunciados, claros y lentos y bien espaciados, como si uno se riera con palabras.

Al volver a casa me gustaba untarme de loción solar los brazos, la cara y las manos y salir corriendo por las tranquilas calles de adelfas y palmeras, junto al canal de desagüe bordeado de tierra rojiza. Corría bajo un calor denso y una luz intensa, y pensaba en el factor de protección ya cerca de los sesenta, pensaba en ello a pesar de que soy de complexión violácea, oscuro como mi viejo: de quince a treinta a sesenta, cuando hubo un tiempo en el que el factor quince era el máximo absoluto de protección científicamente posible. Corriendo junto a troncos de árboles pintados de cal bajo el sol despiadado.

Tienes que cortarlo en rebanadas gruesas. Eso es lo que dijo acerca del pan, la redonda y crujiente hogaza que él llamaba pan Campobasso por el nombre de la tienda, que a su vez había sido bautizada con el nombre de una población de montaña situada en la columna vertebral de Italia. El mejor pan, si lo cortas demasiado fino, dijo, no vale para nada. Yo le miraba afeitarse y le miraba cortar el pan, sujetando la hogaza sobre el costado con una mano y el pulgar de la otra mano, la del cuchillo, rebasando el mango y situado sobre el dorso de la hoja para guiar el corte, a través de la corteza y hasta la parte blanda del centro.

Cuando Lainie tuvo su bebé, su niña, sentí que se instalaba en mi pecho un suave gozo. O un consuelo, quizá, el alivio de un perenne asimiento o agarrón, un sarcasmo de la masculinidad. Todas esas mujeres, desde mi madre en su habitación verde pálida a esta recién llegada que sacudía las piernas con agitación mortal, todas reunidas cerca de la chimenea. Era una bendición que el bebé fuera niña. Experimenté una tranquilidad expansiva, el alivio de un nudo dentro de mi cuerpo. La contemplaba desnuda en brazos de su madre, nadando en un lazo de luz.

Los martes eran los únicos días en que nos dedicábamos al plástico, salvo en lo referido a las tapas y los tapones. La palabra inglesa *waste* —«desperdicio», «deshecho»— es una palabra interesante a la que podemos seguir la pista a través del inglés antiguo y el noruego antiguo hasta llegar al latín, con derivados tales como vacío, vacuo, desvanecer y devastar.

Los residentes de Phoenix se llaman fenicios.

Hablaban de las cosas de las que yo no hablaba, aunque a ella le hablé del coche robado, y nos dijimos el uno al otro, Marian y yo, dijimos que si la gente viera alguna vez a nuestro hijo durante la perpetración de un crimen no sabrían describirle salvo por lo que se refiere al color de su piel y el adhesivo chistoso que lleva pegado al parachoques trasero de su Honda, y eso si es que su Honda se incluía entre los elementos del crimen, el adhesivo para el parachoques que alguien le regaló: *Voy deprisa a ninguna parte*.

Marian y yo contemplábamos los productos como basura, incluso cuando reposaban relucientes en los estantes de la tienda, aún no comprados. No decíamos, ¿qué clase de estofado saldrá con eso? Decíamos, ¿qué clase de basura saldrá con eso? ¿Seguro, limpio, atractivo, fácil de eliminar? ¿Puede el paquete reciclarse y regresar convertido en un sobre rojizo difícil de pegar con la lengua? Primero veíamos la basura, luego veíamos el producto como alimento o bombillas o champú contra la caspa. ¿Qué categoría adquirirá como desecho?, nos preguntábamos. Nos preguntábamos si es responsable consumir un artículo si el envase que contiene dicho artículo ha de vivir un millón de años.

Según la leyenda que circulaba por las calles, jamás había escrito un número en un trozo de papel.

Noche tras noche nos sentábamos bajo el rancio resplandor, mi madre y yo, y veíamos reposiciones de *Luna de miel*. Ralph Kramden aullando su dolor insoportable. Acaso mi madre se identificaba con su esposa Alice. El delantal y el abrigo de paño y el piso mal amueblado y los olores a comida del pasillo. Pero Alice tenía un marido conductor de autobús que no hacía más que entrar por la puerta en lugar de salir. Conducía un vehículo autorizado por la sociedad. Y Ralph y Alice no tenían niños que les preocuparan y atormentaran. Tú tenías los niños sin el marido. Ni siquiera un cuerpo devuelto por las algas y descubierto a flote por dos tipos por la mañana temprano de un domingo desde una barca de remos alquilada con una jaula para capturar cangrejos: el cuerpo mordisqueado de Jimmy Costanza, edad la que sea.

Regresé a las tierras bajas costeras de Texas y realicé una entrevista con la BBC ataviado con un sombrero rígido y una lámpara de minero, en un corredor salino situado a seiscientos metros bajo la superficie. La productora, fuera de campo, me hacía preguntas, y yo saboreaba el polvo de sal que levantaban las carretillas elevadoras y me esforzaba por diseñar respuestas que le agradaran.

Tú tenías el hombre que realizaba el trabajo no autorizado por la sociedad. En los pasillos y las calles oías las pisadas por la noche y debías de preguntarte si no se trataría de Jimmy regresando a casa. De entre los muertos, o de las tinieblas o acaso simplemente de Nueva Jersey. Y eras tú la que se vestía rápidamente con las primeras luces de la mañana, antes de que el calor ascendiera silbando por las tuberías: la misa temprana entre los italianos vestidos de luto. Tenías a los niños, con sus nervios crispados, el pequeño y maravilloso cascarrabias, tan difícil de amar como los posos del café. Yendo a misa sola aquellas frías mañanas. Y el hijo mayor con su distancia y sus modales introvertidos y su furia extrovertida, subido al tejado y fumándose un cigarrillo bajo el aguanieve de la tarde.

Contemplo el logotipo de Lucky Strike y pienso en una diana.

Observaba a hombres con trajes espaciales que enterraban desechos nucleares y pensaba en las rocas vivientes de allá abajo, en el proceso subterráneo, la cuasi vida, los átomos que se descomponen hasta la mitad de su número original. El isótopo de uranio más común se bombardea con neutrones para producir plutonio, que se fisiona, si es que podemos generar un verbo de la energía de dividir los átomos. El número de masa del isótopo es dos tres ocho. Suma los dígitos y obtienes trece.

Pero las bombas no se lanzaron. Recuerdo a Klara Sax hablando de los hombres que pilotaban los bombarderos estratégicos mientras todos escuchábamos en la larga y achaparrada estructura de cemento seccionado. Los misiles seguían en sus rampas giratorias. Los hombres volvían y las ciudades no eran destruidas.

7

Marian se recostó sobre mí y se echó a reír contemplando cómo la superficie de la tierra se expandía a nuestro alrededor. Apuntaban las primeras luces, una reverberación de aluminio sobre el borde del desierto. A los cien metros chocamos con un suave poniente y derivamos hacia el gajo que, como un párpado, formaba el sol. Pero no creíamos estar moviéndonos. Pensábamos que la tierra se deslizaba bajo nosotros, mostrando un agrupamiento de caravanas habitables, un camión sobre el asfalto en dirección sur. Y perros que alzaban la cabeza para ladrarnos; ladraban y saltaban y entrechocaban entre sí gañendo a medida que pasábamos sobre el parque de caravanas, pasando de un perro a otro, nuevos perros apareciendo en los bordes, corcoveando al saltar, perros salidos de la nada, multiplicando sus ladridos y sus gañidos, un contagio capaz de despertar el mundo conocido.

Y luego ya estábamos sobre campo abierto, de un ocre óseo sumido entre las sombras, flotando blandamente sobre el aire, mecidos por una calma incorpórea, parte de la creación esparciéndose en torno.

El piloto accionó la válvula de potencia; oímos la pulsación y el rugido de los motores y esto hizo reír de nuevo a Marian. Hablaba y reía sin cesar, feliz y atemorizada. La cesta no era grande: apenas bastaba para nosotros tres más los tanques, las válvulas, los cables, los instrumentos y los rollos de cuerda. Cada golpe de propano lanzaba una llama del tamaño de un hombre hacia la garganta abierta del nailon que se henchía sobre nosotros.

Jerry, el piloto, dijo:

—Necesitamos que el viento se mantenga como está. Si es así, lo lograremos sin problemas, creo. Pero para eso hace falta muuucha suerte.

Aquello nos hizo reír a ambos. Éramos más ligeros que el aire, nos reíamos, y el globo no parecía tanto un aparato científico como una oración improvisada. Jerry espació las ráfagas sin perder de vista el pirómetro, añadiendo tan sólo el calor necesario para compensar el rutinario enfriamiento del interior del recipiente. Era como un juego, como un juguete gigantesco de mimbre en el que habíamos terminado atrapados, y nuestros ojos se abrían de par en par ante los soplidos de las llamas.

Era un globo a franjas, como las barras de caramelo, y cuando Jerry enfiló el Sur divisamos una carretera y un automóvil, el automóvil de seguimiento, una furgoneta igualmente decorada que arrastraba el pequeño remolque descubierto empleado para transportar el globo y la cesta.

El brotar del fuego, el ascenso retrasado y Marian que decía:

—El mejor regalo de cumpleaños de mi vida.

—Aún no has visto nada —dije.

Dijo:

—¿Qué te hizo pensar en ello? Esto es algo que siempre había querido hacer sin saberlo con exactitud. O lo sabía, pero no hasta el punto de decidirme a planearlo. Tienes que haberme leído el pensamiento. —Luego dijo—: No sabía qué necesitaba para salir y ver este paisaje de nuevo. Demasiado liada con el trabajo. Pero nunca soñé con hacerlo desde aquí. Cuando me dijiste que a las cuatro de la madrugada pensé de qué clase de cumpleaños estamos hablando.

—Ahora lo sabes —dije—. Pero sólo sabes la mitad.

Nos apretamos el uno contra el otro, mi brazo en torno a ella, los muslos en contacto, sintiéndonos sacudidos y arremolinados, pero sin girar: arremolinados en nosotros mismos, arremolinada nuestra sangre en un despertar de los sentidos. Yo tenía la mano libre asida a una barra de hierro, parte de la rígida estructura que unía la cesta a los cables de carga, y podía sentir el aliento del metal en mi puño.

Unos veinte minutos después, Jerry me tocó en el hombro y señaló al frente, y pude ver la primera salpicadura del sol sobre unas alas. El objeto comenzó a emerger de la distancia y la neblina, el rectángulo de metal ya completo, hileras de aviones que aparecían como una unidad de partes ensambladas, una forma entretejida de acero pintado en nuestro entorno monocromo.

Dijo Jerry:

—Y ahora, si la Fuerza Aérea no nos pega un tiro en el culo, podremos seguir deambulando.

Y eso hicimos, aproximándonos a una altitud de ciento veinticinco metros. Sentí a Marian que suspendía una especie de trémulo atisbo sobre el borde acolchado de la cesta. Era algo que conmovía ver, estallidos y serpentinas de color, el poder de la tierra, y ella me tiró del jersey y me miró.

Como diciendo ¿dónde estamos y qué estamos viendo y a quién se debe esto?

Los colores primarios eran menos agresivos de lo que habían parecido al principio. Los rojos aparecían humedecidos, desgastados por el tiempo o por más pintura, impregnaciones más profundas, y ello los integraba sagazmente en el conjunto de la pieza. En una sección podían verse franjas regulares sobre los fuselajes, azules y azules planos y cuasi azules magníficamente mezclados. La pieza poseía una hermosa pátina fluvial, un amplio arco de verde salvia o acaso verde mostaza con plumosas irregularidades grises, y se curvaba desde la esquina sudeste hacia arriba y hasta el extremo norte, tocando casi una tercera parte de la masa de aparatos, varios aviones completamente cubiertos por el pigmento, el fluido vital de la obra, marcando el ritmo, manteniendo unida la superficie.

Como diciendo, Dios mío, Nick, ¿cómo podía estar aquí esto sin que yo lo supiera?

La tensión de nuestros cuerpos apretados entre sí se veía reforzada por el hecho físico del color, de la luz pintada que se vertía hacia nosotros. El sol relucía en lo alto de la línea divisoria. Habíamos descendido hasta los sesenta metros, y Jerry descargó una bocanada de fuego. Cuando ya casi estábamos sobre ella, la obra se tornó más áspera y frontal. Pude ver intervalos sin pintar, franjas muertas de metal que atravesaban las alas de varios aeroplanos, blanco peróxido, escamoso y hendido, y sobre un fuselaje podía distinguirse un rastro de instrucciones de seguridad impresas. La pieza tenía un aspecto arduo. Perdía su fluidez y adquiría un grano más rugoso, espesa pintura en capas irregulares, aplicadas con aerosol. Vi el esfuerzo que había conducido a su realización, legiones de personas bajo este calor cretáceo, músculos y pulmones. Y busqué a la chica rubia con falda de volantes pintada en la parte delantera de algún fuselaje y me sentí eufórico al descubrirla, alta, alargada y sin retocar, el adorno del morro, la chica del desplegable, la vida ordinaria y el amuleto de suerte que animaban la obra.

Podía ver a Marian tratando de absorber el número. No estaba contando, pero quería saberlo, simplemente como medida de su propio asombro. Y cuando le susurré doscientos treinta según el último recuento, se concentró más profundamente, comparando la cifra con el denso despliegue, el vértigo de su efecto general. Pasamos directamente por encima. Los aviones eran enormes, por supuesto, eran objetos de tamaño voluminoso, fortalezas estratégicas, gruesas y pesadas, de alerones aplastados, alas altas sobre el fuselaje, unos cuantos postes de misiles aún intactos, algunas ruedas de estabilización suspendidas, las ruedas principales bloqueadas en todos ellos.

Y verdaderamente pensé que eran grandes cosas, pintadas para señalar el fin de una era y el comienzo de algo tan distinto que sólo una visión como aquélla podía llegar a augurarlo.

Y nos desplazamos hacia las zonas desnudas que enmarcaban el aparato y vimos cómo el diseño iba perdiendo vigor en los bordes, cediendo, fundiéndose deliberadamente con el desierto.

Marian dijo:

—Nunca podré volver a contemplar un cuadro del mismo modo.

—Yo no puedo contemplar los aviones.

—O un avión —dijo ella.

Y me pregunté si la pieza sería visible desde el espacio, como el arte terrestre de ciertos pueblos andinos extinguidos.

La brisa nos hizo pasar de largo, y el piloto pulsó la palanca del gas para proporcionarnos un débil remonte final. Hacia el Este, vimos un muro de nubes que se alzaba a muchas millas de distancia, y halcones que flotaban con ese movimiento relajado que te hace pensar que llevan ahí arriba, esas mismas dos aves, desde los tiempos bíblicos. Había piedras diseminadas por un campo, grandes rocas broncíneas de flancos tallados. Sentí a mi mujer junto a mí. Vimos el polvo que soplaba desde las oscuras colinas y un par de coches abandonados, yaciendo pesadamente sobre hierba de forraje, descapotables de techos raídos. Todo cuanto veíamos resultaba ominoso y resplandeciente, tenso por la belleza de las cosas que normalmente no se ven, incluso los coches abandonados a la descomposición y al óxido. El piloto señaló un objeto situado a algunas millas de distancia y comprobamos que se trataba del automóvil de seguimiento, una gotita que avanzaba por una larga carretera hacia el lugar en la tierra en el que aterrizaríamos.

Aquella noche vinieron amigos a cenar y la charla, ágil y divertida, voló de un costado a otro de la mesa hasta bien pasada la medianoche, y cuando se marcharon, pero también mientras estaban allí... aún estaban allí cuando sentí la distancia y la inmovilidad de aquel amanecer extendido como un cielo interminable que despertara en mi interior, resplandeciente frente a la risa.

Cuando se hubieron marchado nos tendimos en la cama. Dormíamos en una habitación tapizada de libros con estantes cremosos y espesas alfombras y una iluminación dotada de una intensidad semitonal, cálida y parecida al whisky. Marian miraba una revista, volviendo las páginas con una crispación que podría haber pasado por malhumor para alguien que no conociera sus costumbres.

—Un largo día.

—Un largo camino. Conducir todo ese camino ha sido, ay chico —dije—, mortal.

—¿Es éste el día más largo de mi vida?

—El trayecto ha sido delirante. Odio esos camiones, tío.

—Aún noto el camino. Pero todo él fue maravilloso.

—No fue nada maravilloso. Fue maravilloso porque te dormiste.

Volvió una página.

—¿Observaste cómo se rematan las frases unos a otros?

—Yo conduje, tú dormiste.

—Ella dice, Da, da, da. Y él dice, bla, bla, bla.

—No es el peor destino posible. Quiero decir que incluso gente que no se conoce lo hace. Todo el mundo se lo hace a alguien.

—Y no me dormí. Descendí un nivel durante diez minutos.

—Es el único modo de concluir ciertas frases.

—Se comieron el maíz con salsa picante.

—Por supuesto que se comieron el maíz con salsa picante. El maíz con salsa picante estaba delicioso. Y hablando de mapas. Me gustaría conseguir unos cuantos mapas antiguos. Odio nuestros mapas.

—Fíjate en esto. La Segunda Venida se aproxima. Es el veintiocho de octubre. Dan la fecha exacta.

—Ya vi eso.

—La marca de la bestia. ¿Has visto eso? Está en el código universal de productos. En todos los productos.

—Exacto. En todos los paquetes de gelatina que pasan por delante de los escáneres.

—Estoy teniendo una de esas noches —dijo.

—¿Qué?

—Una de esas nochecitas.

—¿Qué?

—Estoy notando eso que me dice que no podré dormirme. Lo malo es saberlo. No el cansancio. Porque en realidad estoy muy cansada.

—Inquieta.

—No es una especie de cansancio pero sin sueño. Seis seis seis. De modo que el supermercado es un sitio raro.

—Siempre supimos que lo era.

Apagué mi luz y contemplé el techo, de color crema oscuro, con las manos detrás de la cabeza.

—Conserva un cuerpo estupendo con ¿cuántos niños? Alison. ¿Cuatro niños? —dije.

—Lo que significa que yo soy el doble de buena o la mitad de buena, pero mejor dejar el tema. Vino ese Terry-como-se-llame. El corpulento.

—Hace años que no miro un mapa de verdad. Uno al estilo Robert Louis Stevenson. Tenemos mapas de autopistas y moteles. Nuestros mapas tienen puntos de descanso y símbolos de sillas de ruedas.

—Tan sólo dime cómo se llama.

—¿El qué, el grifo?

—Anteayer, o ayer. Hoy ha sido un día tan largo que ya no me entero. No, la alcachofa de la ducha.

—¿Qué demonios pasa con la alcachofa de la ducha? Nuestros mapas tienen restaurantes de tortitas.

—Como-se-llame, el de la camioneta naranja.

—¿De qué ducha estamos hablando?

—Terry, ¿verdad?

Volvió una página. Utilizaba un almohadón para libros cuando leía en la cama. Se lo había encargado yo, a través de un catálogo, en tela color piedra preciosa, un cojín con forma de cuña que se acopla al regazo y te sostiene el libro o la revista en el ángulo apropiado, con borlas para marcar las páginas y una ranura en la parte posterior para las gafas de lectura.

—Me marcho el martes. ¿Te lo había dicho?

—¿Adónde, a Moscú? O a Boston. Es demasiado pronto para Moscú. ¿Quién es el corpulento? Los tengo todos.

—Necesito ponerles suelas nuevas a estos zapatos antes de irme. Recuérdame mañana que lo haga.

—Tengo no sé qué en la pierna.

—No es Boston —dije.

—No es Boston.

—Es Portland.

—Es Portland.

—¿Qué tienes? —dije.

—En la cara interior del muslo.

—Llama a Williamson.

—Podría tratarse de una irritación.

—Llama a Williamson. ¿Cuándo te vino?

—No lo sé. Creo que va y viene.

Pasó una página.

—Lainie ha empapelado hoy.

—Ya era hora.

—Esa que llamó era ella.

—Espero que no se lo dijeras.

—Claro que no se lo dije. ¿Qué iba a decirle? Tesoro, pasamos justo al lado pero no nos paramos.

—Cualquiera se para.

—Les vimos cuándo. Hace poco hace poco hace poco. No tan poco, en realidad.

—Lo bastante. Más vale no pasarse.

—Empapeladores. Uno era una mujer, dijo.

—Aún no he superado por completo este resfriado de los cojones. ¿Por qué será? —dije.

Volvió una página.

—¿Por qué será? —dije.

143

—Tómate uno de esos antihistamínicos que tomas tú. Son difíciles de comprar.

—Las tabletas.

—Las cápsulas.

—Estás revolucionada. Percibo la energía.

—No estoy revolucionada. Estoy cansada. Tengo la mente en esa clase de estado. Ya puedes olvidarte de dormir, me dice.

Había seleccionado la tela color piedra preciosa con preferencia sobre el marfil porque el tejido hacía juego con nuestras alfombras.

—Le vi en ese camión naranja que conduce. El corpulento. La última vez lo instalé yo misma, pero esta vez no encajaba nada.

—Porque el universo se expande. Se expande cuando hace calor. Recuérdame que necesitamos unas cuantas bombillas de sesenta vatios.

—Me detuve junto a él y me dijo que podía estar aquí en una hora y se presentó exactamente en punto e instaló la cosa en diez minutos exactamente y eso fue todo.

Volvió una página y luego otra. Tenía la capacidad de mostrarse adusta cuando en realidad quería mostrar satisfacción, compleción: la consecución de una tarea o el relato de una historia con moraleja.

—¿Les dijiste que emplastecieran?

—Hicieron el cuarto de los niños primero.

—Porque esto no es algo que a Dex vaya a ocurrírsele solito. Tan sólo espero que emplastecieran.

—Tómate los antihistamínicos de doce horas. Los de cuatro te amodorran.

—¿Qué mal hay en estar amodorrado? Recuérdame que necesitamos bombillas para la despensa.

—Dime simplemente su nombre. El chico corpulento es ese cuyo padre, ¿verdad?

—Y tuvieron que reducirle entre cuatro o cinco polis.

—Corpulento.

—¿Acaso no puedes llamarle gordo? Llámale gordo. Es tremendamente gordo —dije.

—Tiene michelines. Es cierto.

—Igual es que la bombilla está suelta. Recuérdame que apriete la bombilla. Es demasiado pronto para Moscú.

Pasó una página.

—¿Es un bulto? —dije.

—¿Qué? No, yo no emplearía esa palabra. No, es una irritación.

—A lo mejor son los estrógenos.

—No no no no no.

—Llama a Williamson —dije.

Me tumbé sobre el costado y oí un avión que se disponía a aterrizar, un vuelo tardío procedente de algún lugar.

—Ocho horas durmiendo sin parar. Eso es lo que necesito.

—La verdad es que es cierto. Tienes un par de zapatos buenos y necesitan reparación.

—Estuve a punto de comprarme zapatos en Italia. Estuve a punto de comprarme zapatos en Italia.

Pasó una página.

—¿Cómo se llama ese potingue que quería decirle a tu madre que utilizara?

—Espera un segundo. Lo sé.

—Lo tengo en la punta de la lengua —dijo.

—Espera un segundo. Lo sé.

—Ya sabes a qué potingue me refiero.

—¿El somnífero o lo de la indigestión?

—Lo tengo en la punta de la lengua.

—Espera un segundo. Espera un segundo. Lo sé.

Unas tres horas después me hallaba sentado en la butaca, en uno de los rincones de la habitación, sintiéndome húmedo y frío, con un sudor helado que me empapaba la espalda, la nuca y las axilas. Acababa de salir de un sueño respirando profundamente y notándome pegajoso, respirando veloz y estruendosamente: de un modo tan curioso, precipitado y sonoro que me despertó, o algo lo hizo.

Tenía la pelota de béisbol en la mano. Por lo general, guardaba la pelota en los estantes, oculta en un rincón situado entre los libros verticales y los libros inclinados, a cubierto bajo los libros, sin ceremonia alguna. Pero ahora la tenía en la mano. Hay que conocer la sensación de tener una pelota de béisbol en la mano, remontarse un poco, relacionar numerosas cosas entre sí, antes de comprender por qué un hombre querría quedarse sentado en una butaca a las cuatro de la madrugada sosteniendo un objeto seme-

145

jante, aferrándolo: el modo tan tranquilizador en que se acopla a la palma, el centro taponado convirtiéndola en algo optimista en la mano, y las zonas ásperas de una pelota vieja, con la piel marcada, cómo el pulgar ocioso gusta de rascar el desgastado cuero de caballo. Aprietas una pelota de béisbol. Como si quisieras exprimirle el zumo u ordeñarla. La resistencia del material acumulado despierta en ti el deseo de apretarla con más fuerza. Se produce un equilibrio, una agradable tensión animal entre el duro cuero del objeto y la mano convertida en garra, con las venas que se hinchan por el esfuerzo. Y el tacto de las costuras sobre las yemas de los dedos, contornos de tejido que son como baches de carretera bajo las articulaciones de los nudillos, el modo en que el algodón arrollado puede contemplarse como una huella amplificada del pulgar, una ampliación de las crestas espirales de la huella de tu pulgar. La pelota era de un profundo tono sepia, barnizada de barro y tierra y sudor generacional: estaba vieja, sobada, aplastada y manchada de tabaco y de procesos naturales y de las vidas que había tras ellos, ajada por la intemperie y, como una casa junto a la playa, con un carácter propio. Y estaba tiznada de verde cerca del logotipo de Spalding, aún conservaba una pequeña magulladura verde allí donde había chocado con un pilar según la leyenda que la acompañaba: restos de pintura de una columna fijada en las gradas de la izquierda del campo que se habían incrustado en la superficie de la pelota.

Treinta y cuatro mil quinientos dólares.

El modo en que la mano recobra recuerdos de la pelota que no tienen nada que ver con los juegos más habituales.

Mala suerte, la suerte de Branca. De él a mí. El instante que transforma la vida.

Marian me sorprendió en una ocasión contemplando la pelota. Yo estaba junto a las estanterías con la pelota en la mano, y ella pensó que era como Hamlet escrutando la calavera de Yorick, o quizá como Aristóteles, mejor incluso dijo, contemplando el busto de Homero. Eso estaba bien, pensamos. El Homero de Rembrandt y el Homero de Thomson. Nos hizo sonreír.

Pensé en la antigua voz radiofónica, en Russ Hodges, que ya llevaba muerto veinte años o más, incredulidad y emoción, la fuerza de una única voz humana brotando de una caja.

No preguntó si se trataba de Portland, Maine o de Portland,

Oregón, cuando le dije que no era Boston, que era Portland, y yo había percibido la llegada de la pregunta, extendida sobre la superficie de nuestra conversación, esperando para asomar, pero uno de los dos se durmió antes de que pudiera preguntar qué Portland dicho sea de paso con esas palabras exactas, creo que me dormí yo primero pero quizá no: la luz estaba apagada, la última luz estaba apagada.

Y entonces desperté de un sueño y me dirigí a tientas hasta la butaca, respirando de un modo peculiar, y encendí la pequeña lámpara de lectura.

Y el ruido de la multitud tras la voz, el barullo y la tensión incesantes, la densidad, esa especie de agitación y barullo que se hacían más profundos con algunos lances del juego: un sonido tan espeso que podría haber poseído un punto de inflamación, un calor que hiciera estallar la radio.

Oí cómo se levantaba mi madre en la habitación contigua para ir al cuarto de baño. La oí salir del cuarto. Esperé y escuché, casi sin aliento. Esperé a oír el roce de las zapatillas por el pasillo, el ritmo, la secuencia y la cadencia tan familiares de aquel roce, y luego esperé a oír el sonido de la cadena: completamente atento, escuchando con una inmovilidad concentrada absolutamente feroz hasta que hubo regresado a salvo a su cama.

Balanceé el arma y la apunté y divisé una sonrisa interesada en su rostro, la mueca hipócrita del que prepara una faena.

Quizá era ése el sueño... no estaba seguro.

Entonces tomé la pelota de la estantería y me senté en la butaca y contemplé el techo de color crema al whisky.

Aquel día no escuché la estación de los Dodgers. En su lugar, escuché a Russ Hodges, intentando desarrollar una especie de suerte inversa. En ningún momento se me ocurrió entonces —de hecho, no pensé en ello hasta que me vi sentado en la butaca estrujando la pelota—, pero Russell Hodges, si cuentas las letras, si eres lo bastante peculiar como para hacer algo como eso, desenredar el nombre completo y contar los caracteres, puedes divertirte al descubrir al viejo número trece.

Me sentía ya más calmado. Me sentía bien. Mi brazo colgaba sobre la butaca, y estrujé la pelota mientras escuchaba la respiración dormida de Marian; la estrujé con fuerza, las venas uniformes sobre el dorso de la mano, completamente aplastadas.

Es posible que nos durmiéramos simultáneamente. Luego caminé a tientas hasta la butaca y encendí la lámpara. Allí de pie, estiré la chaqueta del pijama para apartarla de mi cuerpo, al que se adhería mediante el sudor. Entonces me acerqué a la estantería y cogí la pelota.

Se hallaba incorporada. No exactamente incorporada, más bien apoyada, y me di cuenta de que estaba despierta, apoyada sobre un hombro y mirándome mientras se frotaba la sien con la mano derecha.

—¿Nick?

—Estoy aquí.

—¿Estás bien?

—Sí. Voy en un minuto.

—Vuelve a la cama.

—Estoy bien. Duérmete.

—Ha sido un cumpleaños estupendo, ¿verdad?

—¿Quieres que apague esta luz?

—No. Simplemente, ven a la cama.

—Estaré ahí en un minuto.

—Te quiero junto a mí.

Me subí a la azotea, con la radio sobre la repisa; a veces, me agachaba tras la repisa y cogía la radio, como rodeándola, extrayendo esperanza de ella, sufriendo los deslizamientos y virajes del juego, hincha hasta la médula: una Emerson, marrón, que llevaba conmigo a todos sitios. Pero al ponerme en pie lo hice en dirección sudoeste, dirigiendo la mirada más allá del hospital de incurables y las vías elevadas de la Tercera Avenida, mirando hacia el río que divide los distritos. Allí es donde se extendía el estadio de Polo Grounds, de Oeste a Sudoeste, e imaginé el campo y los jugadores, los vigorosos azules y los verdes elíseos de aquel gran día de cielos sombríos: grandioso y terrible, un día ya derivado al blanco y negro a medida que se desvanecía la película de la memoria.

En ese momento se acuerda de sus libros y regresa escaleras abajo, porque no puedes volver a casa del colegio sin los libros, idiota. Logra introducirse la pelota de béisbol en el bolsillo, se inclina sobre el oscuro triángulo que el primer tramo de escalones forma sobre el suelo, hace un montón con los tres libros que dejó allí por la mañana, los arrastra al exterior junto con un cuaderno de redacción de tapas veteadas y sopla sobre todos ellos para despejarlos de polvo, de hollín y de amargura.

Por la puerta trasera entra el portero, procedente del patio, el nuevo portero, que cojea tanto que ni siquiera sabes si sentir lástima de él: quizá te preguntas por qué anda caminando por ahí para empezar.

—¿Qué es eso?

—Una cosa que se me ha caído —dice Cotter.

—Tengo que hablar con tu padre.

—Cuando le vea.

—Se lo dices —dice el hombre.

Cotter no consigue imaginar cómo puede el tipo saber quién es él. El antiguo portero se marchó apresuradamente, y el nuevo acaba de llegar y tiene cuatro edificios y una cojera que duele contemplar y ya sabe qué hijo pertenece a cada padre, y probablemente no se trata de un error. La gente siempre está queriendo hablar con su padre. Su padre se pasa varias horas al día huyendo de tales conversaciones.

Sube hasta el cuarto y entra. Su hermana está allí, Rosie, enfrascada en sus deberes frente a la mesa de la cocina. Rosie tiene dieciséis años y siempre está pegada a sus libros, y además tiene otros dos hermanos mayores, uno en Corea, en infantería, y el otro destinado en Georgia con la aviación. Estamos en el estado de los melocotones. Pero Cotter piensa que si tuviera que elegir entre uno y otro empleo, preferiría enfrentarse a un enemigo armado en la nieve y el barro que salir por una puerta al fragante aire de la tarde con un trozo de seda arrebujada colgando de la espalda.

—¿Qué llevará en el bolsillo? No salgo de mi asombro —dice Rosie—. Yo diría que es una manzana. A lo mejor ha pasado su día libre en una huerta.

—¿Qué día libre?

—O se ha marchado en autobús al norte del Estado para recoger manzanas. Aquí, desde luego, también tenemos manzanas. Pero son para después del colegio. Si no hay colegio, no hay manzanas. ¿Será por eso por lo que se ha buscado su propia manzana?

—Y si no he ido al colegio, ¿adónde he ido?

—No lo sé, pero cuando te vi llegar por la ventana no llevabas ningún libro, y ahora entras por la puerta y, ¡sorpresa!

—En ese caso sabes que lo que llevo en el bolsillo no es una manzana.

Saca la pelota del bolsillo y hace su juego de manos, haciéndola rodar sobre el dorso de la mano y la muñeca para luego atraparla con una especie de movimiento de cambio de marchas, con el codo del revés. Aquello hace sonreír a Rosie, quien devuelve la mirada al libro, y con ello Cotter sabe que ha obtenido una pequeña victoria, porque el único modo de identificar que esta chica te respeta es cuando se calla.

Ya en su habitación, la habitación que solía compartir con sus hermanos y que ahora mira tú por donde es la suya, mira por la ventana y luego arroja la pelota sobre la manta de la litera inferior, de color caqui, un recio sayal verde oliva que constituye el único toque militar, y echa mano de un jersey que cuelga del respaldo de la silla. Se enfunda el jersey por la cabeza y mira de nuevo por la ventana, contemplando a la gente que se desplaza bajo la luz de las farolas para sumergirse en una relativa oscuridad. Oscurece demasiado pronto. Permanece inmóvil, mirando, uno más en una ventana, y entonces oye a su madre entrando por la puerta.

Vuelve a la realidad, pensando en qué tendrá que decir si alguien le pregunta por qué ha faltado al colegio. Pero sabe que Rosie no se chivará. Cree que lo sabe. Se siente más o menos seguro de ello. Cree percibir su lealtad a través de las paredes, y entra en

152

la cocina, donde su madre está guardando los comestibles, y deposita una mano sobre el hombro de Rosie y se detiene junto a la mesa con la mirada fija en los llamativos envases y latas que su madre coloca sobre los estantes.

—¿Cuántas veces? —dice su madre.

—¿Qué?

—Hay que decírtelo. Que no te pongas ese jersey. Tengo que lavar ese jersey.

—Mételo en algo fuerte —dice Rosie.

—Ese jersey está repugnante.

—Llévalo al tinte y te lo devolverán —dije Rosie—. Rechazado.

Ya veis, el mundo está lleno de cosas que se supone que no debes hacer y que no te debes poner. Pero quizá le gusta que se unan en su contra, es diferente de lo que sucedía con sus hermanos, que eran un poco marimandones y le hacían rabiar de vez en cuando pero sin mostrar este interés remilgado, esta interminable inquietud entrometida. Su hermana con la cabeza inclinada hacia delante para mejor estudiar la peculiar prominencia de su estupidez. Le gusta deslizar los dedos sobre el borde del frutero, sobre el barniz moteado, con los libros de Rosie diseminados sobre la mesa y la fruta en el recipiente y su madre haciendo cosas en el horno o en la alacena, el modo en que su madre le habla sin mirar nunca en su dirección pero sabiendo dónde está, midiendo su voz a medida que él se desliza de una ubicación a otra, de habitación en habitación. Quizá desea que los demás le comprendan para que así puedan hacerle partícipe del secreto.

—Ese jersey tiene bolas —dice Rosie. Parece gustarle la palabra, y aplica a su voz un provocador desenfado—. Está lleno de bolas con pinchos de algún huerto de manzanos en el que habrá estado quién sabe cuándo.

Él desliza los dedos a lo largo del borde interior del cuenco, reconociendo las salpicaduras de la materia arremolinada, las diminutas burbujas verrugosas. Su madre le dice que se lave las manos. No le está mirando, pero puede determinar el estado de sus manos según la posición del sol y de la luna. Debe de ser una costra andante. El cochino andante y parlante del planeta Costra.

Durante la cena guardan silencio. Ello se debe a que su padre no está allí y podría entrar en cualquier momento o también podría no entrar, lo que los sitúa en un estado de involuntaria expectación. Tiene gracia el modo en que su madre se abre camino a través de la puerta, empujándola con el hombro sin soltar las bolsas y los paquetes y el bolso que cuelga de una larga correa que rodea su cuello y su cuerpo, arrastrando quizá una bolsa de asas o apartándola del pasillo con un movimiento como de pata de palo y produciendo seis sonidos distintos incluso cuando no está acarreando nada, arrastrando las calles consigo al interior, los metros, los autobuses y las calles, todo el estrépito y el esfuerzo de desplazarse al centro o a las afueras, así es su madre, mientras que su padre a menudo se desliza por la puerta sin previo aviso, se detiene y les mira con ojos llameantes, pegado a la pared como si se hubiera equivocado de puerta y necesitara dilucidar los detalles de su propio error.

Su madre es alta y fuerte y levemente asimétrica. Él lo sabe porque ha levantado los pesos que ella levanta, ha ascendido cuatro pisos con las mismas cosas que suele cargar ella con cara de póquer: le lleva medio minuto dibujar una sonrisa en esos músculos poco utilizados.

—He visto a ese hombre que predica en la calle —dice—. Siempre está en el mismo sitio.

—Yo también —dice Cotter.

—Me dije a mí misma este hombre tiene una vida aunque a nosotros nos resulte imposible imaginárnosla. Este hombre regresa luego a un hogar, esté donde esté. Pero ¿adónde va? ¿Cómo vive? Intento imaginar qué es lo que hace cuando no anda predicando por ahí.

—Yo veo a esta gente por todos sitios —dice Rosie.

—Pero este hombre es fijo. El mismo sitio. Creo que no le importa que le escuchen o no. Es capaz de predicar a los coches que pasan.

—¿Qué estaba predicando?

—Que nadie conoce el día ni la hora. Parece que los rusos han hecho estallar una bomba atómica. Así que nadie sabe ni el día ni la hora. Lo anunciaron en las noticias.

—No me produce mucha emoción —dice Rosie.

—A mí me la producía hasta que empecé a subir las escaleras con esas bolsas. Creí que se me iba a salir el brazo de la articulación.

154

—Vuelta a la normalidad —dice Rosie.

—Pero me quedé allí y le escuché. Lo confieso. Era la primera vez que oía a aquel hombre.

—Siempre está ahí —dice Cotter.

—La primera vez que le escuchaba. Nadie conoce ni el día ni la hora. Creo que eso es de Mateo veinticuatro.

—No me produce mucha emoción —dice Rosie.

—Pero ese hombre tiene una vida, y para mí es un misterio cómo la vive.

—La gente se pasa el día predicando —dice Rosie.

—Esa ropa que lleva. A mí me parece terrible. Y no es ningún chiflado. Conoce bien las escrituras.

—Qué más da que se conozca bien las escrituras —dice Cotter—. Hay muchas personas que se conocen bien las escrituras y están como un cencerro.

—Amén —dice su hermana.

Después de cenar, se encuentra de regreso en su habitación, mirando por la ventana. Se supone que debe estar en su habitación haciendo los deberes y, efectivamente, está en su habitación, pero ignora cuáles son sus deberes. Adelanta la lectura de unas cuantas páginas de su libro de Historia Universal. En aquellos tiempos, escribían la historia al minuto. A cada frase se menciona una nueva guerra o la caída de un imperio. Memoriza las fechas. La caída del Imperio y la aparición de los detergentes. En su clase hay un chaval que come páginas de su libro de historia casi todos los días. Lo hace del modo siguiente: coloca el libro abierto bajo la mesa, sobre el regazo, y arruga furtivamente una página, arrancándola del lomo con el menor ruido posible. Luego, emplea la estrategia de aguardar un rato antes de acercarse el puño a la boca, con una especie de tos ahogada y la página dentro de la mano, parecen cositas blancas. A continuación se introduce la página con sus diminutos caracteres impresos en tinta y sus fechas memorizadas, engulléndola silenciosamente. Espera un poco más. Deja reposar la página en la boca. Luego la masca lenta y cuidadosamente pero no por completo, asegurándose de que sus dientes no entran en contacto para así amortiguar el sonido, y Cotter intenta imaginarse cómo sabrán todos aquellos puntos y bordes de papel empapados de saliva, transformándose en blandos y lacios y borrosos hasta que se pueden tragar sin esfuerzo. Pero tragarlos sí le cuesta cierto esfuerzo. Se ve claramente que la nuez le brinca como si hubiera hecho aterrizar un aeroplano en una playa distante.

Guerras y datos, limpiad bien los platos.

Rosie está ahora en la ducha. Él se sienta en su litera y oye el ruido del agua al otro lado de la pared y piensa en el partido. Recuerda cosas que no era consciente de haber visto u oído, gente en la rampa de salida: ve colores de camisas y oye voces que regresan a él. Un policía a caballo, el lustre de las botas y el calor animal, y oye el agua golpeando las paredes galvanizadas de la ducha, las vibrantes paredes manchadas de la ducha que alguien añadió al cuarto de baño años atrás.

Cuando entra su padre, no cabe duda de su entrada, el quejido de los goznes al abrirse la puerta lentamente, el modo en que no transporta consigo ningún sonido desde el umbral: no se distingue el rumor de sus ropas ni el pesado aliento de haber subido las escaleras. Aunque tampoco es que no se le oiga en absoluto. Mantiene una presencia cerca de la puerta, un algo audible, acaso tan sólo la tensión de un hombre que reposa sobre un suelo de linóleo o un tono que despide su cuerpo, una tensión que anuncia que ha llegado.

Cotter, sentado en la litera inferior, espera. Su padre atraviesa la cocina y aparece en el umbral, Manx Martin. Es un trabajador, operario de mudanzas cuando tiene empleo y consumidor de whisky cuando no lo tiene. Mira a Cotter y asiente sin motivo aparente. Permanece allí, asintiendo, un gesto que carece de significado, que parece querer decir *Ah sí, eres tú*, si es que quiere decir algo. A continuación penetra en la estancia y se sienta en la cama que no se utiliza, en el catre. Escuchan el agua que golpea las paredes de la ducha.

—¿Has cenado ya?

—Redondo de ternera.

—¿Has dejado algo para mí?

—No lo sé.

—No lo sabes. ¿Por qué? ¿Te levantaste de la mesa antes de tiempo? ¿Tenías alguna cita en el centro?

Advierte que el hombre está bromeando. Los ojos de su padre se estrechan, y muestra su sonrisa afilada. Es un hombre de pómulos altos, con el hueco de las mejillas levemente marcado por

156

la viruela, de rasgos duros, y con un bigote delgado que se recorta a buena distancia del labio, pulcro y distinguido. Pasea la mirada por la habitación. Estudia las cosas. Parece opinar que es el momento adecuado para ver en qué clase de entorno se han criado sus hijos. Es de corpulencia media, con el pecho algo más desarrollado y las piernas ligeramente combadas, y Cotter nunca hubiera pensado que tuviera la musculatura necesaria para subir y bajar grandes piezas de mobiliario por las escaleras. Pero ha visto a su padre acarrear y levantar en compañía de hombres mucho más grandes.

—¿Quién está ahí dentro?

—Rosie.

—Lavándose a conciencia.

—Igual que cuando hace los deberes: hasta el último detalle.

—Le gusta acabar lo que empieza, a esa chica.

En cierto modo soterrado, a Cotter le incomoda estar ahí sentado con su padre hablando de Rosie mientras la oyen ducharse. En ese momento, se detiene el agua.

—Lo digo porque tengo que mear, ¿sabes?

—El portero quiere hablar contigo.

—Menudo sabueso. No le hagas ni caso.

—¿Cómo es que nos conoce, si acaba de llegar?

—A lo mejor es que somos famosos, tú y yo. Dos hombres de los que alguien habrá dicho: esos dos son superduros.

Cotter se relaja ligeramente. Piensa que quizá la situación se resuelva bien. El tío, como suele decirse, está tan contento y hay algo que puede conseguir de su padre que no puede conseguir de su madre.

Manx alza la voz:

—Rosie, tesoro. Tu papi necesita utilizar el re-treee-tee.

Perciben una o dos palabras ahogadas y luego Rosie atraviesa el pasillo descalza y Manx se pone en pie, se ajusta los pantalones, chasquea la lengua y sale de la habitación.

Cotter piensa sin saber que lo hace, sin preparar su reflexión: ve a Bill Waterson en la Octava Avenida con la chaqueta hecha una bola en la mano. Toma la pelota de béisbol, la mira y vuelve a dejarla donde estaba. Su padre está soltando una meada imperial. Por lo general ahí dentro no se oye otra cosa que la ducha y los ruidos de las tuberías, pero su padre está echando una meada verdaderamente monumental. Están adquiriendo un carácter humorístico por momentos, el espacio de tiempo consumido y la potencia del chorro, y Cotter desea que sus hermanos pudieran estar allí para poder compartir todos la misma estupefacción.

Regresa y vuelve a sentarse. Aún lleva puesta su chaqueta, una cazadora de pana que antes pertenecía a Randall, ahora que hablamos de hermanos.

—Eso es otra cosa. Me siento mucho mejor.

—¿Querrías escribirme una carta? La necesito para el colegio —dice Cotter.

—¿Ah, sí? ¿Diciendo qué?

—Diciendo que he perdido un día porque he estado enfermo.

—Querido fulano de tal.

—Exacto. Así.

—Le ruego que disculpe a mi hijo.

—Así la querría.

—Porque ha estado enfermo.

—Diles que tenía fiebre.

—¿Cuánta fiebre habrías tenido?

—Treinta y siete ocho debería bastar.

—No conviene que nos mostremos demasiado modestos. Si es que vamos a hacer esto.

—De acuerdo. Di que tenía treinta y nueve.

—Claro está que por lo que veo estás perfectamente.

—Recuperándome sin problemas, gracias.

—Con excepción de eso que hay en tu jersey. ¿Qué es?

—No lo sé. Bolas.

—Bolas. Estamos en Harlem. ¿Qué clase de bolas?

—No lo sé. Supongo que de andar por ahí.

—¿Y dónde es «por ahí» para que hayas perdido un día de colegio?

—Me fui al partido.

—Al partido.

—El de los Polo Grounds. Hoy.

—¿Estuviste en ese partido? —dice Manx—. ¿En el que ha armado ese revuelo en las calles?

—No ha sido para tanto. Yo he estado y no ha sido para tanto. He alcanzado la pelota que golpeó.

—Tú qué vas a haber alcanzado. ¿Qué pelota?

—El *home run* que ganó el título —dice Cotter suavemente, con cierta reticencia, porque es una manifestación asombrosa y, por primera vez, le sobrecoge realizarla.

—Tú qué vas a haber alcanzado.

—La perseguí y la atrapé.

—Me estás mintiendo a la cara —dice Manx.

—No miento. Atrapé la pelota. La tengo aquí.

—¿Sabes lo que eres tú? —dice Manx.

Cotter alarga la mano hacia la pelota.

—Tú eres de esas flautas que suenan por casualidad.

Cotter le mira. Permanece sentado en la litera inferior de espaldas a la pared, contemplando al hombre que ocupa la cama opuesta. A continuación, coge la pelota, la rescata de la manta caqui en la que reposaba junto a su muslo. Alarga el brazo y la hace girar con las yemas de los dedos. La sostiene con la mano derecha y se sirve de la otra mano para hacerla girar. Le da igual todo. La enseña y presume de ella. Nota que la ira y la fanfarronería acuden a su rostro.

—¿Estás siendo sincero conmigo?

Cotter hace un poco el payaso, agitando la pelota en la mano como si su magia le impidiera sostenerla firmemente: la pelota le está paralizando y haciendo que los ojos se le salgan de las órbitas. Lo está haciendo a conciencia y sin descanso, sosteniendo un duelo de miradas con su viejo.

—Eh. ¿Estás siendo sincero con tu padre?

—¿Por qué iba a mentir?

—De acuerdo. ¿Por qué ibas a hacerlo? No mentirías.

—No hay motivo para hacerlo.

—De acuerdo. No hay motivo. Lo acepto. ¿A quién más se lo has dicho?

—A nadie.

—¿No se lo has dicho a tu madre?

—Me diría que la devolviera.

Manx se echa a reír. Pone ambas manos sobre las rodillas, escudriña a Cotter y se inclina hacia atrás movido por la risa.

—Demonios, ya lo creo. Te escoltaría hasta el estadio para que la devolvieras.

Cotter no quiere llevar todo esto demasiado lejos. Sabe que

aliarse con su padre frente a su madre es la peor trampa del mundo. Tiene que tener mucho cuidado en todos los sentidos, pero sobre todo tiene que tener cuidado de mantenerse del lado de su madre. De otro modo, está perdido.

—De acuerdo. ¿Qué vamos a hacer, pues? Podemos ir al estadio por la mañana y enseñarles la pelota. Llevamos tu resguardo de la entrada para que al menos comprueben que asististe al partido y que estabas sentado en la zona correcta. Pero ¿por quién preguntamos? ¿A qué puerta llamamos? Igual se presentan diecisiete personas diciendo ésta es la pelota; no, la pelota es ésta, la tengo yo, la tengo yo, la tengo yo.

Cotter escucha sus palabras.

—¿Quién va a prestarnos atención? Ven a dos negros procedentes de quién sabe dónde. ¿Van a creerse que un chaval negro le ha arrebatado la pelota a las legiones que formaban aquella multitud? —aquí Manx hace una pausa, acaso aguardando a escuchar el desarrollo de una idea en la mente—. Creo que tenemos que escribir una carta. Sí. Voy a escribirte una carta para el colegio y luego vamos a escribir otra y se la vamos a enviar al club.

Cotter escucha. Observa a su padre mientras éste se sume en cavilaciones íntimas, en inquietudes y planes.

—¿Qué vamos a decir en esa carta?

—La enviamos certificada. Sí, para darle un toque especial. La enviamos con el resguardo de tu entrada.

—¿Qué decimos?

—Ofrecemos la pelota en venta. ¿Qué otra cosa podríamos decir?

Cotter quiere levantarse a mirar por la ventana. Se siente encerrado y quiere estar a solas sin hacer otra cosa que contemplar la calle desde la ventana.

—No quiero venderla. Quiero quedármela.

Manx ladea la cabeza para estudiar al muchacho. Se trata de una idea a la que tiene que ajustarse: guardar la pelota en casa para que acumule polvo y desarrolle carácter.

Dice quedamente:

—¿Guardarla, para qué? La vendemos, te compramos un jersey de lana y tiramos esa camisa de ermitaño que llevas. Al verla, da la sensación de que vives subido a un árbol. Compramos algo para tu madre y tu hermana. Es una estupidez dejar que la pelota se quede aquí sin hacer nada ni proporcionarnos nada.

Habla con voz razonable y persuasiva, definiendo las cosas para enseñanza de su hijo: nos debemos a nuestra familia, y no a la vanidad de amuletos y recuerdos.

—Le compramos a tu madre un abrigo de invierno. Se acerca el invierno y necesita un buen abrigo.

Llegado este punto, Cotter quiere aparecer como un hombre, estar a la altura de la situación.

—¿Cuánto nos dan?

—No lo sé. Sencillamente, no lo sé. Pero quieren esta pelota. La exhibirán en algún sitio. Creo que lo que hacemos es enviarles una carta por correo certificado. Y adjuntamos tu resguardo. O como se llame, tu contraseña.

—No tengo resguardo.

Su padre adopta esa mirada, esa mirada de sorpresa herida, herida en lo más profundo.

—¿A qué estás jugando conmigo?

—No me dieron resguardo.

—¿Por qué no?

—No compré ninguna entrada. Me colé.

—¿A qué pretendes jugar conmigo, hijo?

—No tenía dinero para la entrada. Así que me colé. De haber tenido dinero, hubiera comprado la entrada —y añade, impotente—: No hay dinero, no hay entrada.

Los ojos de su padre adquieren esa expresión distraída. Cotter advierte la presencia creciente de una especie de pánico, de una culpabilidad íntima que él mismo ha destapado al mencionar el dinero, el viejo tema de la penuria económica. Su padre se bate en retirada, los ojos hundidos, huyendo del lugar que acababa de edificar para ambos, el mundo de las responsabilidades. Es un momento terrible, una de esas ocasiones en las que Cotter se da cuenta de que ha vencido una escaramuza que ignoraba que estuviera teniendo lugar. Ha forzado a su padre a la rendición, a la retreta más espantosa.

—Y, en cualquier caso —dice—, el resguardo no indica en qué zona has estado sentado a no ser que se trate de un asiento reservado o de tribuna. Conque la entrada no sirve para nada. Hay gente que las recoge por la calle.

—Lo consultamos con la almohada —dice su padre, poniéndose en pie y apretando las mandíbulas—. ¿Qué te parece? Esta noche no podemos hacer nada, así que vamos a dormir un poco.

Cotter no menciona la carta que debería escribir su padre, la excusa por su ausencia del colegio. Quizá por la mañana se haya arreglado todo. Y quizá cambie de idea sobre la venta de la pelota. O se olvide del asunto. Cotter sabe que si consigue retrasar los acontecimientos durante un día o día y medio su padre lo olvidará por completo. Ésa es una de las cosas con las que en esta casa todo el mundo cuenta tácitamente: se sientan y esperan a que se le olvide.

Se sitúa junto a la ventana y observa la calle. En el colegio, a veces, le dicen que a ver si deja de mirar por la ventana. Este o aquel profesor. Las respuestas no están ahí fuera, le dicen. Y él siempre desea replicar que ahí fuera es precisamente donde están. Hay personas que miran por la ventana y hay personas que se comen los libros.

Se desnuda y se mete en la cama. Duerme con los calzoncillos y la camisa polo. Su madre entra a darle las buenas noches. Vale, que le dé las buenas noches, siempre y cuando no pretenda enterarse de qué han estado hablando su padre y él. He ahí una nueva trampa que se abre ante él de modo imprevisto. Su madre le dice que tiene que levantarse más temprano que de costumbre para ir a trabajar, tiene que realizar un largo recorrido en metro hasta la calle Veintiuno, trabaja de costurera en una ruidosa nave aireada por altos ventiladores: él mismo trabajó allí cuatro horas por semana el último verano barriendo borra del suelo y haciendo rodar aquellos barriles de cartón adentro y afuera con todos los demás, cuarenta o cincuenta hombres y mujeres, gastándole bromas y diciéndole cosas muy directas.

—Rosie se encargará de despertarte.

—No necesito ninguna ayuda —dice él.

—Si alguien en este *mundo* necesita ayuda para despertarse, eres tú.

—Me tira cosas.

—Pues atrápalas y tíraselas tú a ella.

—En ese caso, nunca terminaría de vestirme. Porque me tira la ropa.

Su madre se inclina hacia la litera y le besa, algo que no había hecho en mucho tiempo, y a continuación le acaricia enérgicamente la cabeza, casi como con los nudillos, y le pellizca las mejillas hasta hacerle daño, retorciendo una considerable cantidad de piel, y él oye pasar a su padre camino de la cocina y confía en que no haya sido testigo de ese maldito beso.

En la oscuridad, piensa en el partido. El partido le asalta como una gran oleada cálida de agradable sopor. Tenían el partido perdido y lo ganaron. Era un partido que no podía ganarse pero lo ganaron y ganado está para los restos. Eso es lo que nunca podrán arrebatarle. Es en lo primero en que pensará por la mañana, y parte de él ya ha alcanzado ese momento incluso mientras se rinde al sueño: el momento en que se despertará pensando en el partido.

Manx Martin se detiene ante el refrigerador. Contempla el redondo de ternera. Su mujer le ha guardado un poco de redondo que aguarda en el plato como si se tratara de la última colación del Prisionero X. Lo saca y se sienta a la mesa, comiendo lentamente. Su mente se encuentra sumida en las angustias de esto o lo otro. Ve la comida en el plato y tiene que recordarse a sí mismo para qué está ahí.

Cuando termina, deposita el plato en la pila y en ese momento decide fregarlo y secarlo, cosa que hace a conciencia, junto con los cubiertos. Sabe que debería reparar el goteo del grifo, pero eso es algo que podemos dejar para algún día en que nos quede un rato libre. Devuelve el plato a la alacena con toda suavidad.

Ivie entra, sin mirarle. Tiene un modo de evitar su mirada que merecería un estudio científico. Hasta tal punto se le da bien que pasea la vista por toda la estancia pero en ningún momento repara en su presencia: algo que la ciencia debería estudiar para posibles aplicaciones militares.

—Has estado hablando con él —dice ella.

—¿Acaso es asunto de alguien?

—¿Con qué motivo? —dice ella.

—No necesito motivos.

—Y hablando un rato bien largo —dice ella.

—Se trata de mi hijo. ¿Acaso es asunto de alguien?

—Déjale en paz. Es asunto mío —dice ella—. Es lo único que quiere. Que le dejen crecer en paz sin tus consejos. Lo que pasa es que él no te lo dice.

—Déjale que me lo diga.

—Te lo estoy diciendo yo —dice ella.

Se desplaza de un lado a otro de la cocina, haciendo cosas.

—Tengo que marcharme por la mañana temprano —dice ella—. Tienen un pedido urgente y lo pagan a salario y medio.

Él alcanza a oír débilmente la radio encendida en su dormitorio.

—Así que el que avisa no es traidor: va a sonar el despertador bastante antes de las seis.

—Antes de las seis —dice él, y consulta el reloj, que no funciona, y qué importancia tiene en cualquier caso, y pronuncia las palabras con un tono de voz desconectado de los hechos.

Ella lleva puestas la bata y las zapatillas y se mueve por la cocina como una sonámbula que encima hablara en sueños, sin dirigirle la más mínima mirada. Pero sin duda se mantiene conectada a los hechos. Él, no. Él navega a la deriva, alejándose de todo ese maldito asunto, del frío de la mañana, de la esposa que trabaja, de la áspera alarma que ya entonces, mientras aquello sucede, se prepara para poblar su exiguo sueño.

Ella encuentra por fin las píldoras que buscaba y enfila el pasillo de regreso. Él permanece en pie, aguardando. Apaga la luz del techo y sigue allí, iluminado por el débil resplandor de la lámpara del rincón.

Permanece allí quince minutos. Toda una vida cuando se trata de pensar en una sola cosa, intentando dilucidar todas sus implicaciones mentales.

De acuerdo. Echa a andar y se detiene en el umbral de la habitación de Cotter. Escruta el interior, acostumbrándose a la oscuridad. El chaval está profundamente dormido. Manx penetra en la estancia y distingue la pelota casi de inmediato. Está a la vista, sobre la cama libre. Eso es lo que siempre le asombra. Que la gente obtenga algo valioso y ni siquiera se moleste en ocultarlo. ¿Cuántas veces se lo ha dicho? Proteged lo que es vuestro. Y es que, tal y como van las cosas, uno tiene que estar a la defensiva.

Intenta recordar cuál de sus hijos dormía en qué cama cuando Cotter era un chavalín y ocupaba la litera de arriba. A qué velocidad iban y venían los condenados.

Aguarda en la oscuridad del dormitorio. Está argumentando consigo mismo si debería hacerlo o no. Y entonces lo hace. Coge la pelota. Lo hace sin dar tiempo a que finalice la discusión. Lo hace para concluir la discusión. Coge la pelota y atraviesa quedamente la puerta en dirección a la cocina. La pelota cabe holgadamente y sin dificultad en el bolsillo de su cazadora, la cazadora de su hijo mayor. Abre la puerta, crispando el rostro para ahuyentar el sonido. Habrá que engrasar los goznes cuando tengamos la mente despejada y algo de tiempo libre a nuestra disposición. Cierra despacio la puerta y desciende las escaleras hasta el portal, preguntándose cómo es que no son ellos los que llevan su cazadora heredada: es él quien lleva la suya.

Mira a izquierda y derecha porque siempre mira a izquierda y derecha. A continuación, desciende los escalones hasta la calle.

PARTE 2

ELEGÍA PARA LA MANO IZQUIERDA

MEDIADOS DE LOS OCHENTA -
COMIENZOS DE LOS NOVENTA

1

Muestra a un hombre conduciendo un coche. Es la forma más simple de vídeo familiar. Ves a un hombre al volante de un Dodge de tamaño medio.

No es más que una chiquilla que apunta su cámara a través de la ventanilla trasera del automóvil familiar hacia el parabrisas del coche que les sigue.

Ya saben lo que pasa con las familias y sus videocámaras. Ya saben cómo les gusta intervenir a los críos, cómo la cámara les muestra que todo objeto se halla potencialmente cargado, millones de cosas que nunca ven con el ojo desnudo. Investigan el significado de cosas inertes y de animales de compañía y meten las narices en la intimidad familiar. Aprenden a ver las cosas dos veces.

Lo que aquí se protege es la intimidad de la propia niña. Tiene doce años y su nombre se mantiene en secreto, por más que no sea ni la víctima ni la autora de un crimen sino tan sólo el medio de grabarlo.

Muestra a un hombre con camisa deportiva al volante de su coche. No puede verse nada más. El vehículo se aproxima brevemente y a continuación pierde terreno.

Ya saben cómo los chiquillos con cámaras aprenden a trabajar esos momentos delicados que definen el grupo familiar. Quiebran toda confianza, espían el espacio no defendido, captan a mamá saliendo del baño con su grueso albornoz y su toalla a modo de turbante, con aspecto exangüe y desplumado. No es broma. Son capaces de filmarte en el retrete si consiguen un puesto de observación adecuado.

La cinta posee esa especie de banalidad a sacudidas que caracteriza al producto familiar. Claro está que en este caso el hombre no es un miembro de la familia sino un extraño en su coche, una figura al azar, alguien que ha aparecido de repente en el carril derecho.

Muestra a un hombre de cuarenta y tantos años que viste una camisa pálida abierta a la altura de la garganta, y su imagen se baña de reflejos y destellos solares, con numerosos instantes agitados.

No es simplemente un vídeo más de homicidios. Es un homicidio grabado por una niña que pensó que estaba haciendo algo sencillo y acaso medio ingenioso, grabando una cinta de un hombre en su coche.

El hombre ve a la niña y saluda brevemente, agitando una mano sin separarla del volante: una reacción discreta que resulta atractiva.

Es una grabación ininterrumpida que prosigue sin detenerse. Posee una determinación ciega, una persistencia que deja aparte el tema. Estás contemplando la esencia del vídeo casero. Es inocente, carece de objetivo, es decidida, es real.

Es calvo por la parte superior de la cabeza; cuarentón de aspecto agradable cuya vida parece abrirse por entero a esa cámara sostenida al hombro.

Pero existe también un elemento de suspense. Sigues mirando no porque sepas que algo va a ocurrir —claro está que sabes que algo va a ocurrir, y buscas ese motivo, pero también seguirías mirando si fuera la primera vez que ves la cinta sin conocer la parte final. Opera aquí un poder desnudo. Sigues mirando porque las cosas se combinan para mantenerte atento: cierto sentido del azar, de lo amateur, de lo accidental, de lo inminente. No piensas en la cinta como algo aburrido o interesante. Es cruda, es descarnada, es inevitable. Es la parte agitada de tu mente, la película que se desarrolla en tu cerebro de hotel bajo todos los pensamientos que sabes que estás concibiendo.

El mundo acecha en la cámara, ya enmarcado, esperando al niño o a la niña que venga a coger el artefacto, a aprenderse el instrumento, para filmar al abuelo durante el desayuno, apopléjico hasta el punto de que se le abren los orificios de la nariz, la cuchara de cereales asida en su pálido puño como lo haría un niño.

Muestra a un hombre que viaja solo en un Dodge de tamaño medio. Parece no terminar nunca.

Hay algo en la naturaleza de la cinta, el grano de la imagen, los balbucientes tonos de blanco y negro, la desnudez, que te hace pensar que es más auténtica, que se corresponde más con la realidad, que el resto de las cosas que te rodean. Las cosas que te rodean tienen un aspecto ensayado y estratificado y cosmético. La cinta es hiperrealista, o acaso es hiporrealista como preferirías definirla. Es lo que subyace bajo el fondo raspado de todas las capas que has añadido. Y ése es otro motivo por el que sigues mirando. La cinta posee un realismo abrasador.

Le muestra saludando con un gesto abreviado, la palma rígida, como una bandera de señales en una vía muerta.

Ya saben los juegos que se inventan las familias. Esto no es más que otro juego en el que la niña va inventándose las reglas a medida que lo practica. Le gusta la idea de grabar en vídeo a un hombre que va en su coche. Probablemente, nunca lo ha hecho antes, y no ve motivo para modificar el formato o concluir demasiado pronto o realizar un barrido hacia otro coche. Éste es su juego, y está aprendiéndolo y practicándolo al mismo tiempo. Se siente medio ingeniosa y ocurrente y acaso algo indiscreta también, con una especie de descaro que proporciona chispa a cualquier juego.

Y sigues mirando. Miras porque así es la naturaleza de la cinta: abrir un sendero delimitado a través del tiempo, para proporcionar a las cosas una forma y un destino.

Claro está que si hubiera realizado un barrido hacia otro coche, el coche adecuado en el momento preciso, habría captado al pistolero en el momento de disparar.

La azarosa cualidad del encuentro. La víctima, el asesino y una niña con una cámara. Energías casuales que se aproximan a un punto común. Hay algo en ello que te interpela directamente, diciendo cosas terribles en relación con fuerzas situadas fuera de tu control, líneas de intersección que atraviesan la historia y la lógica y toda capa razonable de expectación humana.

Irrumpió en él sin darse cuenta. La niña se perdió e irrumpió con los ojos abiertos en el horror. Esto es un cuento infantil sobre el peligro de alejarse demasiado de casa. Pero no es el coche familiar el instrumento de la curiosidad infantil, de su tendencia a la exploración. Es la cámara lo que la sitúa en el cuento.

Ya saben cómo son las vacaciones y las conmemoraciones familiares y cómo aparece alguien con una grabadora de mano y los parientes circulan alrededor y apenas reaccionan porque están entumecidamente habituados al proceso de ser grabados y archivados y exhibidos a través del vídeo con el café y la tarta.

Resulta alcanzado poco después. Cuando has visto la cinta varias veces sabes por el movimiento de la mano el momento exacto en que será alcanzado. Es algo, naturalmente, que esperas. Le dices a tu mujer, si estás en casa y ella también está allí, Y ahora es cuando le disparan. Dices, Janet, date prisa, aquí es donde ocurre.

Y aquí es donde le disparan. Le ves sobresaltado, como por una descarga eléctrica... entonces, se agarrota y cae hacia la puerta o acaso se recuesta o se desliza sobre la puerta sería el modo de decirlo. Resulta terrible y anodino al mismo tiempo. El coche se mantiene en el carril derecho. Se aproxima brevemente y luego pierde velocidad.

Normalmente no llamas a tu mujer para que acuda junto al televisor. Ella tiene sus programas, y tú los tuyos. Pero aquí existe una cierta urgencia. Quieres que contemple lo que ocurre. La cinta lleva funcionando una eternidad y ahora, por fin, va a ocurrir y quieres que ella esté allí cuando le disparan.

Aquí está, en efecto. Le disparan, a la cabeza, y la cámara reacciona, la niña reacciona: se produce un movimiento sobresaltado, pero sigue filmando, se produce una reacción simpática, una reacción nerviosa, su corazón late más deprisa, pero mantiene la cámara apuntada hacia el personaje mientras éste se desliza sobre la puerta e incluso mientras le ves morir estás pensando en la niña. La niña tiene que estar presente ahí a algún nivel, contemplando lo que tú contemplas, desprevenida: la niña está viendo aquello en frío, y no puedes por menos de maravillarte ante el hecho de que siga rodando.

Muestra algo espantoso y desprovisto de acompañamiento. Quieres que tu mujer lo vea porque esta vez es real, no la violencia de diseño de las películas: es la realidad bajo las capas de percepción cosmética. Date prisa, Janet, aquí viene. Muere tan rápido. No hay acompañamiento de ningún tipo. Resulta sumamente descarnado. Querrías decirle que es más real que lo real pero entonces ella te preguntaría qué significa eso.

El modo en que la cámara reacciona ante el disparo: una reacción sobresaltada que arroja compasión y terror sobre la imagen, la impresión de la propia niña, la identificación de la niña con la víctima.

No ves la sangre, que probablemente manará en un hilo tras su oreja para deslizarse por la nuca. El modo en que su cabeza se tuerce apartándose de la puerta, ese giro de la cabeza tan sólo te proporciona un perfil parcial y además por el costado que no es, no es el costado en el que le han dado.

Y a lo mejor te estás mostrando ahora un poco agresivo, forzando prácticamente a tu mujer para que mire. ¿Por qué? ¿Qué le estás diciendo? ¿Estás manifestando una modesta afirmación? Como: voy a echarte a perder el día por mala uva normal y corriente. ¿O una gran afirmación? Como: he aquí los riesgos de existir. De un modo u otro, le estás restregando la cinta por la cara y no sabes por qué.

Muestra el coche desviándose hacia la mediana y entonces vemos una agitada impresión de los otros dos carriles y de parte de otro automóvil, una borrosa fracción de segundo y la cinta concluye ahí, bien porque la niña dejó de rodar, bien porque alguna autoridad general, la policía o el fiscal del distrito o la estación de televisión han decidido que ya no hay más que ver.

Éste es el décimo o undécimo homicidio cometido por el Asesino de la Autopista de Texas. La cifra no es segura debido a que la policía piensa que una de las muertes pudo deberse a un imitador.

¿Y hay algo especial en los vídeos, verdad, y en esta clase en particular de crímenes en serie? Se trata de un crimen diseñado para ser grabado al azar y visto de inmediato. Te quedas ahí sentado preguntándote si esta clase de crímenes no se hicieron más factibles cuando los medios necesarios para grabar un acontecimiento y reproducirlo de inmediato, sin un intervalo neutral, sin un espacio y un tiempo equilibradores, se convirtieron en algo ampliamente disponible. La grabación y la reproducción intensifican y comprimen el suceso. Te tientan con la necesidad de hacerlo de nuevo. Te quedas ahí sentado pensando que el asesino en serie ha hallado su medio o viceversa: un acto de tecnología sombría, de tiempo comprimido e imágenes repetidas, desnudas y deslumbrantes e intrascendentes.

Al final, lo cierto es que muestra muy poco. Es un asesinato célebre porque está grabado y porque el asesino lo ha hecho muchas veces y porque el crimen fue grabado por una criatura. Con lo que la niña se ve envuelta, la Videoniña como la llaman de vez en cuando porque tienen que llamarla de alguna manera. La cinta es famosa y ella también. Es famosa en ese sentido moderno de ciertas personas cuyos nombres se mantienen estratégicamente en secreto. Son famosos sin nombres ni rostros, criminales menores de edad, que andan por ahí, en algún lugar situado en los límites de la percepción.

Ver a alguien en el momento de su muerte, de una muerte inesperada. Es suficiente motivo como para mantenerse pegado a la pantalla. Resulta instructivo, contemplar cómo matan a tiros a un hombre mientras conduce bajo un día soleado. Demuestra una verdad elemental: que cada inspiración que realizas tiene dos conclusiones posibles. Y eso es otra cosa. Aquí se encierra un chiste, una nota cruel de garrote de marionetas que estás dispuesto a disfrutar por más que te haga sentir ligeramente culpable. Quizá la víctima es un idiota, una especie de bobalicón de cine mudo, el típico tipo con mala suerte. En cierto modo se lo estaba buscando por dejarse filmar con una cámara. Porque una vez que la cinta comienza a avanzar, sólo puede acabar de un modo. Es lo que requiere el contexto.

No quieres que Janet te venga con monsergas de que está puesta constantemente, que la emiten un millón de veces al día. La emiten porque existe, porque tienen que emitirla, porque ése es el motivo por el que andan por ahí, para asegurar nuestro entretenimiento.

Cuanto más ves la cinta, más muerta y más fría y más inexorable se vuelve. La cinta extrae el aire de tus pulmones, pero no dejas de verla.

2

Marian Shay subió al coche y condujo hasta Prescott por motivos de trabajo, permitiéndose para las dos horas de viaje un cigarrillo que se las arregló para no fumar hasta que se encontraba a quince kilómetros de la población, donde las caravanas habitadas comienzan a agruparse y donde relucen las comidas rápidas, y ello le hizo sentir bien, controlada y disciplinada y limpia hasta lo más profundo.

Algo ocurría en la plaza del Juzgado. Aparcó a una manzana de distancia y regresó caminando hasta la plaza y era uno de esos días típicos de los grandes pinares en los que el sol y la dulce brisa penetran hasta en tu ropa interior. Había coches ordenadamente estacionados a la entrada de una calle cortada, cuatro hileras de vehículos de crianza que se extendían a lo largo de dos manzanas por el borde de la plaza, y en el parque los altavoces vomitaban música de guateque y *rock-and-roll*.

Aún le sobraba un cuarto de hora, y paseó entre los coches, muchos de los cuales tenían abierto el capó para disfrute de los entendidos. Era temprano, no habían dado las once, y apenas una docena de personas vagaban por las inmediaciones. Vio a un hombre pelirrojo que le resultaba vagamente familiar y le observó inclinarse bajo un capó y luego incorporarse para admirar un Buick personalizado y equipado con chasis lacado en negro.

Permanecía allí, con aire doctoral, el codo doblado y la mano ahuecada, y al cabo de un momento ella se dio cuenta de que trabajaba con Nick en Control de Desechos y que su nombre, que tardó otro instante en recordar, era Brian Glassic, que en inglés rima con clásico, palabra que serviría para describir aquellos coches.

La vio y sonrió al reconocerla. A continuación, inició unos breves pasos de danza desde media manzana de distancia, al estilo de los más lentos *fox-trots* amarrados de los cincuenta.

Unas dos horas después se reunieron para almorzar en el co-

medor de un viejo hotel situado calle arriba. La estancia era recogida y cálida, y ella alzó el vaso de agua con hielo y lo sostuvo
contra su rostro.

Dijo él:

—¿Estás aquí por...?

—Para una entrevista de trabajo. Hay aquí una pequeña compañía de diseño que se dedica a renovar viejas estructuras. Quieren abrir una oficina en Phoenix. Me encargaría yo.

—¿Qué tal ha ido?

—Bien, creo.

—¿Has hecho ya esta clase de trabajo anteriormente?

—No exactamente. Antes de tener a los niños, colaboré en
una pequeña operación de inmobiliaria. Desde que los tuve, he
hecho de vez en cuando algunas cosas a tiempo parcial.

—Una oficina propia. Es una fantasía que tengo. Entrar en
ella justo antes de la hora de comer. Como un detective privado.
Con resaca, mal afeitado. Hurgar a través del correo. Tirarlo sobre
la mesa.

—¿Te crece la barba? —dijo.

—Acaba por crecerme. ¿Por qué lo preguntas?

—No sé. Pensé que los que teníais una complexión más suave
y rubia...

—También nos afeitamos —dijo.

—No creo que mi oficina se parezca a la de un detective privado.

—Quieres tener luz y aire.

—Grandes y gruesas propuestas dentro de robustas carpetas.

—Quieres maquetas a escala, con árboles.

—Quizá.

—Y unos cuantos transeúntes anónimos en la acera.

—Multirracialmente anónimos.

—Brava. ¿Te apetece una copa?

—¿Por qué no? —dijo.

Brian pidió las bebidas a un tipo ya viejo probablemente
multiempleado también como portero.

Dijo ella:

—¿Y tú estás aquí por...?

—Por los coches. Anoche leí lo de la exposición y experimenté una especie de capricho infantil.

—Ni siquiera pudiste esperar al fin de semana.

—Demasiada gente. Y, de todos modos, me merezco un día libre.

—Has tenido que esperar para comer. Lo siento. Pensé que tenías una cita de negocios.

—No he terminado con los coches. Merece la pena echarles otra ojeada. ¿Y qué podría ser más agradable que estar aquí sentado esperando a que alguien nos traiga las copas y arregle el aire acondicionado y se ocupe de hacer algo con respecto al relleno de los bancos?

—¿Es eso lo que huele? —dijo.

Fumaba, por supuesto. Tan pronto como pidió su copa, supo que la fachada se vendría abajo. Costó muy poco trabajo que se viniera abajo. Se fumaba todo lo que encontraba y luego buscaba más. Él consiguió hacerla reír unas cuantas veces y resultó gracioso incluso cuando no intentaba serlo. Ella pensó que de pequeño debía de haber tenido un conejo a modo de mascota, pero no estaba segura de por qué aquello se le antojaba razonable.

—Eres muy alta, ¿verdad?

Preguntó aquello con tono suspicaz, como si ella hubiera estado disimulándolo.

—No más alta que tú.

—Mi esposa es bajita. ¿Has llegado a conocerla?

—No estoy segura.

—Quiere que la lleve a Nueva York el mes que viene. Tengo que consultar con unos ingenieros de los vertederos Fresh Kill, que es algo así como el King Kong de los basureros norteamericanos.

—¿Le gusta a Nick esa clase de trabajo?

—¿Me lo preguntas?

—Sí, te lo pregunto.

—Creo que le gusta más que a mí. Creo que lo contempla desde una perspectiva más pura. Conceptos y principios. Porque estamos hablando de Nick: la tecnología, la lógica, la estética. Mientras que yo, con mi pequeña mentalidad gringa...

—Os estáis mudando a nuevas instalaciones. Quizá eso contribuya a vuestra autoimagen.

—Sí, a un enorme rascacielos de bronce. Como cualquier firma de inversiones o gigante de los medios de comunicación. La estructura, por supuesto, es como una mierda geométrica, pero por ello mismo resulta adecuada, ¿no crees?

El tipo les trajo las copas y estudiaron los menús en la estancia medio vacía; luego, hablaron y se miraron, sin mirarse realmente: mirándose y olvidando. Marian experimentaba la placentera mordedura de la ginebra y se preguntaba qué tendría Brian que hacía tan fácil hablar con él. Pensó que andaba asustado la mayor parte del tiempo pero que no intentaba ocultárselo a las mujeres, al menos a algunas mujeres, quizá a la típica mujer inusual que conoce a cien kilómetros de casa y por la que se deshace de honradez y de perspicaz automordacidad, cosas que normalmente no descubre a sus amigos.

En reciprocidad, acaso. No sabía por qué otro motivo había de contarle la historia del perro si no para alardear de sus propias habilidades confesionales. Pidieron otra copa y encargaron la comida.

—El perro no paraba de ladrar y de gemir, *Dukey*, pero los niños eran pequeños y adoraban a su perro, y él ladraba, chillaba, se hacía todo en la casa, se metía con los otros niños y los vecinos protestaban, y yo intenté regalarlo en secreto, pero nadie quería quedárselo y, al final, sin pensarlo... pero esto es espantoso, ¿por qué te estoy contando esto?

—Porque es una historia que te persigue. Porque detectas compasión en mis ojos.

—Sí, fue un arranque frenético. Me convencí a mí misma de que el perro era un animal enfermo y desdichado y que padecía algo irreversible y enfilé la 85, creo que es, más allá de no sé qué presa, hasta un desierto pedregoso y desnudo, mucho más lejos de lo necesario, y seguí conduciendo y conduciendo hasta que finalmente abrí la puerta y deposité a *Dukey* en el suelo y regresé a casa y le dije a Lainie, Tesoro, el perro se ha escapado y no sabes cuánto lo siento. Pero no dejé que quedara ahí la cosa. Perdí el control. Comencé a pasearles en coche por las calles, a los dos, día tras día, llamando por las ventanas al perro, *Dukey, Dukey*, y me persigue, sí, como algo que hubiera simplemente soñado y que me aliviara pensar que no ha sucedido en realidad.

—Hasta que te diste cuenta de que sí había sucedido.

Brian estaba disfrutando intensamente con aquella historia, y ella, en consecuencia, comenzó a disfrutarla también, que era de lo que se trataba, pensó.

—Conduciendo por esas calles muertas en pleno verano durante largas tardes. Me parece oír sus voces, *Dukey, Dukey.* Tenían cinco y tres años, creo. Llamando a su perro desde las ventanillas.

Estaba a punto de reír y llorar, contemplando la jarra de Brian iluminada de placer y sintiendo la miseria y la vergüenza de su acción y fumando en mitad de una comida en un comedor vacío en el que no funciona el aire acondicionado.

Dijo él:

—*Dukey, Dukey.*

—En realidad, era *Duchino.* El pequeño duque. El nombre se le ocurrió a Nick. ¿Sabías que es medio italiano?

—¿Nuestro Nick? ¿Cuándo ocurrió esto?

—¿No se lo notas en la cara?

—Se lo noto en esa voz que pone.

—¿Qué voz?

—La de gángster amenazador.

—¿Qué gángster?

—Es una voz que pone. Experta, estereotipada, bastante graciosa.

—Hablando de antecedentes —dijo—. Y si esto es demasiado personal, tampoco tienes que responderme. Pero ¿alguna vez has tenido un conejo como mascota?

Estaban pasándoselo estupendamente. Cuando él hablaba, ella se sorprendía escogiendo las respuestas, preparándolas, una detrás de otra, y a veces le interrumpía sin poder resistirlo y veía iluminársele el semblante. Le contó que jugaba al hockey en el colegio y que lo echaba de menos. Echaba de menos beber de las mangueras del jardín. Echaba de menos a su madre y a su padre más que nunca, y llevaban muertos nueve y seis años, respectivamente, y se habían convertido en unas fuerzas más poderosas, tan presentes en su vida que podía comprender perfectamente cómo la gente podía ver fantasmas y sostener conversaciones con los muertos. Tenía una manguera en su jardín, pero no bebía de ella ni permitía a sus hijos que lo hicieran, y ahí estaba la diferencia, no tanto en las cosas perdidas como en la certeza de tornarse suspicaz y alerta. Le contó que echaba de menos el tabaco a pesar de que no había conseguido dejar de fumar.

Cuando acabaron, ascendieron por unas escaleras hasta el

vestíbulo, y ella, en su mente, seguía ascendiendo hasta una habitación en penumbra situada al final de un largo y desierto pasillo y se veía doblando el embozo de la colcha y encaramándose a las frías sábanas a la espera de que llamaran a la puerta. Entonces oyeron unos falsetes implorantes procedentes de los altavoces del jardín de los juzgados y descendieron hasta los coches bajo el confortable calor.

Brian pareció alcanzar un estado físico de trance ante un Chevrolet color sorbete de lima, un descapotable Bel Air del 57 con tapicería blanca. Se tendió sobre el capó y fingió lamer el cálido material. Marian pensó que eso era lo que les pasaba a los hombres, en lugar de acumulaciones de grasa en torno a los muslos. Pero tuvo que admirar el coche, un vehículo desenfadado y veloz e incluso fantástico en cierto sentido, su silueta cromada y esa música graciosa y conmovedora que desnudaba su inocencia.

Brian se despegó del capó.

—¿Llegaste a poseer uno?

—Demasiado joven —dijo él—. Mi hermano mayor tuvo uno durante un tiempo. El Bel Air de Brendan. Aún hablamos de él con voz sobrecogida. Fue el punto culminante de su vida. Significaba todo para él. Las chicas, el amor, la personalidad, el poder. Representaba el momento. Todos aquellos automóviles tenían lo que se llamaba perspectiva adelantada. Esbeltos como cazas. Pero resultó que adelantado no equivalía a futuro. Significaba hazlo ahora, diviértete, porque llegan los sesenta, uau, uau, bang, bang. El motor producía un rugido rasposo. En aquel momento no podíamos saberlo, pero Brendan ha ido en declive desde entonces.

Caminaban bajo los olmos del fondo de la plaza. Él tenía el coche aparcado junto a la vieja cárcel, que ahora era la Cámara de Comercio. Intercambiaron despedidas extrañamente corteses. Ella pensó que acaso se sentían culpables de algo y necesitaban preparar sus rostros para el viaje de regreso a casa, desembarazar sus organismos del ruido. Avanzó por la calle hasta su coche sintiendo el pulso líquido del sol a cada paso.

3

Brian enfiló la carretera hacia el Norte, buscando una señal que le condujera al puente. Una gabarra de cieno avanzaba río abajo, hedionda y semihundida. Notó la antigua inquietud. No era algo ampliamente conocido, era algo poco conocido que experimentaba cosas terribles cada vez que atravesaba un puente. Cuanto más alto y más largo, más profunda era su sensación de falta de aliento ante el abismo. Y éste era un puente importante que salvaba un ancho e histórico brazo de agua. Lo cierto de los puentes es que le hacían sentir como si estuviera realizando un giro moebiusiano, adquiriendo un único costado, perdiendo todo control de nombres, lugares, sabores y fines de semana con los suegros: como si se viera suspendido antes de su nacimiento en medio de un espacio genérico.

Entonces lo vio en la distancia, con sus vigas y sus cables de acero, extendiéndose hasta la orilla vallada. Siguió las indicaciones, realizó los giros y enfiló el puente, escogiendo el nivel superior debido a que el alargado Lincoln gris que le precedía prefirió ese camino. Lincoln y Washington, guardadme. La radio despedía un estruendo de voces llamantes, que braman, que escupen perdigones, jergas de chavales y rap callejero, e imaginó una larga cola de almas *underground* aguardando para entrar en la banda de emisión y anunciar las noticias de incógnito. Escuchó con gratitud solemne. Era un clamor tan potente que equivalía a una fuerza vital, trasladando a aquel muchacho de Ohio a través de su ansiedad desnuda al otro lado, a la orilla de Jersey.

Buscaba la 46 Oeste. Había escrito las indicaciones que el hombre le había recitado por teléfono. El hombre había recitado las rutas y las calles de un modo tan automático que Brian comprendió que numerosos peregrinos habían atravesado ya el río.

Había escrito las indicaciones en una cuartilla con la cabecera del hotel, y llevaba la página junto a él, en el asiento del acompañante, donde podía dirigirle un vistazo cada diez segundos. Tras recorrer una milla en la 46 Oeste divisó la estación de servicio Exxon y maniobró para tomar la 63 Sur, acelerando durante el trecho de tres millas que le separaba del restaurante Point Diner. A continuación, giró en redondo hacia la izquierda para escapar del aullido de un tráfico altamente motivado, penetró en las calles residenciales y comenzó a relajarse por fin a medida que se aproximaba al círculo de Kennedy Drive, otro presidente muerto.

Bajó por una calle secundaria hasta una vieja casa de madera. Abrió la puerta Marvin Lundy, un sujeto encorvado que caminaba arrastrando los pies con elegancia, próximo a los setenta, con un cigarrillo consumido en la mano. Brian pensó que le recordaba a algún cómico de variedades retirado incapaz de sobrevivir más allá de la última conversación que había monopolizado. Siguió al hombre a través de dos habitaciones impregnadas de una lobreguez de acuario. Luego, descendieron al sótano, una amplia estancia decorada en la que Marvin Lundy conservaba su colección de recuerdos de béisbol.

—Mi difunta mujer nos habría servido té con buñuelos frescos que hacía ella misma, en todos sitios pasa igual.

La habitación estaba llena de objetos dispuestos con gusto. Jerséis de franela que alfombraban las paredes, gorras con insignias de recuerdo prendidas en los visores, hojas de periódico enmarcadas y colgadas. Brian llevó a cabo un recorrido completo con aire reverente, examinando bates autografiados que se alineaban en soportes murales fabricados a medida, bates de juego exquisitamente abollados, algunos de los cuales mostraban trazas de alquitrán sobre el mango. Había asientos de estadio etiquetados como si fueran raros especímenes botánicos: Ebbets Field, Shibe Park, Griffith Stadium. Casi tocó un viejo guante de béisbol dispuesto sobre un pedestal, un objeto amarillento y rajado, salpicado de mellas y ahumado por el sol y patriarcal, pero se las arregló para contenerse. Contempló pelotas autografiadas protegidas por globos de plexiglás. Se inclinó sobre vitrinas en las que se conservaban tarjetas de cigarrillos, resguardos de entradas, contratos firmados por jugadores famosos, juegos de béisbol de mesa del siglo XIX, envoltorios de chicle que mostraban los semblantes rosáceos propios de la juventud de Brian, sus nombres una especie de poesía que flotara a lo largo de las décadas.

—Habríamos puesto una compota de fresas en los buñuelos que, créame, toda la vida transcurrida desde el Renacimiento palidece en comparación.

Nada de todo aquello despertaba asombro. Resultaba interesante, incluso conmovedor en cierto modo, pero no grandioso ni memorable. El toque magnífico, el capricho extravagante e incomparable, era la enorme construcción que ocupaba la pared del fondo, una réplica del antiguo marcador y de la fachada de los vestuarios del estadio Polo Grounds. Cubría una zona de unos seis metros y medio de longitud por tres y medio de altura, desde el suelo al techo, e incluía el logotipo y el eslogan de Chesterfield, el reloj de Longines, un remedo de las ventanas de los vestuarios y, por fin, una tabla de puntuación realizada a mano en la que aparecían anotadas una por una todas las entradas del célebre partido de la final de 1951.

—Había que comerlos calientes. Tenía por norma no andar perdiendo el tiempo, Eleanor, porque si están tibios pierdes por completo la experiencia.

Brian, junto al marcador, miró a Marvin como si esperara su permiso para tocarlo.

—Conté con un delineante, un carpintero, un electricista y un pintor de anuncios, no un pintor casero, muy temperamentales. Les mostré fotografías y ellos tomaron medidas e hicieron esbozos para respetar las proporciones e imitar los colores. La señal de golpe válido y la E se encienden, pero es una equivocación. ¿Dónde vive?

—En Phoenix.

—Nunca he estado allí.

A la potente luz de allí abajo podía ver que la cabellera de Marvin Lundy era un retazo de pelo sintético borroso, marrón ceniciento, peinado cuidadosamente hacia delante, que hizo pensar a Brian en Las Vegas, en anillos para el meñique y en cáncer de próstata.

Dijo a Marvin:

—Crecí en el Medio Oeste. Los Indians de Cleveland, ése era mi equipo. Y anoche, venía en el avión en viaje de negocios y vi un artículo en la revista de a bordo, la reseña sobre usted y su colección, y experimenté un poderoso impulso de ponerme en contacto con usted y ver estas cosas.

Él acarició con los dedos la sedosa solapa del esmoquin de Babe Ruth.

—Mi hija me convenció para aceptar la entrevista —dijo Marvin—. Cree que estoy convirtiéndome en un cómo-se-dice.

—En un anacoreta.

—En un viejo anacoreta con medio estómago. Así que ahora mi foto está en veinte mil bolsas de asiento. Ésa es su idea de salir y conocer gente. Colocarme ahí dentro, con las bolsas para el mareo.

Brian dijo:

—Fui a una exposición de coches que tuvo cierto efecto en mí.

—¿Qué le hizo?

—Coches de los años cincuenta. No lo sé.

—Siente uno lástima de sí mismo. Cree que se está perdiendo algo y no sabe lo que es. Te sientes solitario en la vida. Tienes un empleo, y una familia, y un testamento legitimado, ya, a tu edad, porque de lo que se trata es de morirse preparado, de morirse legalmente, con todos los papeles firmados. Una muerte líquida, capaz de ser transformada en metálico. Solías tener las mismas dimensiones que el universo observable. Ahora, eres una mota perdida. Contemplas coches antiguos y recuerdas un objetivo, un destino.

—Es ridículo, ¿verdad? Pero probablemente también es inofensivo.

—Nada es inofensivo —dijo Marvin—. Estás preocupado y asustado. Ves la guerra fría disipándose, y eso hace que te cueste trabajo respirar.

Brian atravesó la verja de entrada de un viejo estadio. Crujió casi amorosamente.

Dijo:

—¿Guerra fría? Yo no veo que la guerra fría se disipe. Y si la viera, mejor. Me alegraría.

—Déjeme explicarle algo que quizá nunca ha observado.

Marvin estaba sentado en una butaca junto a un viejo baúl de equipos en el que podía leerse la inscripción *Boston Red Stockings*. Señaló la butaca del otro lado del baúl y Brian se aproximó a ella y tomó asiento.

—Se necesitan los líderes de ambos bandos para que la guerra fría continúe. Es lo único constante. Algo honesto, fiable. Porque cuando la tensión y la rivalidad concluyen, entonces es cuando dan comienzo tus peores pesadillas. Todo el poder y la intimidación del Estado fluyen de tu propio torrente sanguíneo. Ya nunca serás el principal... ¿qué es lo que quiero decir?

—No estoy seguro.

—Punto de referencia. Porque irrumpirán otras fuerzas, exigiendo y desafiando. La guerra fría es tu amiga. La necesitas para mantenerte en una posición superior.

—¿Superior a qué?

—¿No sabe a qué? ¿Ignora que todo se encuentra dirigido a tu dominio del mundo? Ya ve lo que tienen en Inglaterra. Cuarenta mil mujeres dando vueltas en torno a una base aérea para protestar por las bombas y los misiles. Algunas de ellas son hombres travestidos. Tienen budistas que golpean tambores.

Brian ignoraba cómo responder a aquellas observaciones. Quería hablar de antiguos jugadores, de las dimensiones de los estadios, de los motes y de las poblaciones con equipos de segunda división. Para eso estaba allí, para rendirse al anhelo, para escuchar a su anfitrión recitando textos anecdóticos, todas las historias transmitidas verbalmente en torno a jugadas estúpidas y torbellinos de gente peleándose, duelos de lanzamiento que se prolongaron hasta el crepúsculo, historias que Marvin llevaba medio siglo coleccionando: ese profundo eros del recuerdo que separa al béisbol de otros deportes.

Marvin permaneció allí sentado, contemplando el marcador, el cigarro levemente deshilachado por el extremo encendido.

—Pensé que íbamos a hablar de béisbol.

—Estamos hablando de béisbol. Esto es béisbol. ¿Ve ese reloj? —dijo Marvin—. Está parado a las tres cincuenta y ocho. ¿Por qué? ¿Porque a esa hora fue cuando Thomson logró el *home run* contra Branca?

Lo pronunciaba Branker.

—¿O porque ese día fue cuando descubrimos que los rusos habían hecho estallar una bomba atómica? ¿Sabe una cosa de ese partido?

—¿Qué? —dijo Brian.

—Había veinte mil asientos libres. ¿Sabe por qué?

—¿Por qué?

—Se reirá usted en mis narices.

—No, no lo haré.

—Da igual. Es usted mi invitado. Quiero que se sienta como en su casa.

—¿Por qué tantas localidades libres en el partido más importante del año?

—En muchos años —dijo Marvin.

—En muchos años.

—Porque ciertos acontecimientos poseen una cualidad de temor inconsciente. Creo profundamente que la gente percibió una especie de catástrofe en el aire. No acerca de quién ganaría o perdería el partido. Alguna fuerza espantosa que devastaría... ¿cómo es la palabra?

—Devastaría.

—Devastaría. Que devastaría el juego en su conjunto. Tiene que tener en cuenta que durante los años cincuenta la gente se quedaba en su casa. Sólo salíamos para conducir. Los parques públicos no estaban llenos de gente como ha ocurrido luego. Un museo era una colección de habitaciones vacías con guerreros de armadura y con un vigilante muerto de sueño por cada siete siglos.

—En otras palabras.

—En otras palabras, que existía una mentalidad subyacente de quedarse en casa. Porque flotaba una amenaza suspendida en el aire.

—Y afirma usted que la gente tenía una intuición especial sobre aquel día en particular.

—Es como si lo supieran de antemano. Percibían que había una conexión entre aquel partido y algún suceso estremecedor que pudiera tener lugar al otro extremo del mundo.

—En aquel partido en particular.

—No el día anterior ni el día después. Porque se trataba de un partido a todo o nada entre los dos rivales que más se odiaban de la ciudad. La gente tenía la premonición de que aquel partido se hallaba vinculado a algo mucho mayor. Desarrollaban el proceso mental de quiero salir de casa y meterme en un lugar enorme y lleno de gente, que es el peor sitio para estar si sucede algo espantoso, o debería quedarme en casa con mi familia y mi flamante televisor nuevo, algo a lo que el sentido común dice sí, en su armarito chapado de madera de arce.

Para su sorpresa, Brian no rechazó aquella teoría. No la creía necesariamente, pero tampoco la descartaba. La creía provisionalmente allí, en aquella habitación situada bajo tierra de una casa de madera, una tarde de fin de semana, en Cliffside Park, Nueva Jersey. Resultaba líricamente cierta a medida que emergía de los labios de Marvin Lundy y alcanzaba el oído medio de Brian, indemostrablemente cierta, remota e inadmisiblemente cierta pero no completamente antihistórica, no carente de cierto matiz de auténtica narrativa interior.

Marvin dijo:

—Y la cosa es interesante, porque cuando fabrican una bomba atómica, escuche bien esto, hacen el núcleo radiactivo exactamente del mismo tamaño que una pelota de béisbol.

—Siempre pensé que era como un pomelo.

—Una pelota de béisbol oficial de liga de no menos de nueve pulgadas de circunferencia, según el reglamento.

Cruzó las piernas, se introdujo un dedo en el oído y lo sacudió para aliviar un picor. Marvin tenía unas orejas enormes. Por primera vez, Brian reparó en la música que surgía de algún lugar de la casa. Quizá llevaba oyéndola todo el rato al borde de la asimilación, música fundida con el tono de la habitación, aeroplanos descendiendo hacia Newark, el leve lamento del tráfico disparado por las autopistas de ahí fuera: una moderada melancolía, un estudio para piano dotado de la textura de algo viejo y mimado, como una rosa prensada entre las páginas de un libro.

—La gente percibe cosas que son invisibles. Pero cuando tienes algo delante de la cara, entonces es cuando te pasa completamente desapercibido.

—¿A qué se refiere? —dijo Brian.

—Este Gorbachov que anda por ahí con esa cosa en la cabeza. ¿Es una marca de nacimiento, lo que tiene?

—Sí, eso creo.

—Es grande. ¿Está de acuerdo conmigo?

—Sí, es bastante grande.

—Llamativa. Uno no puede por menos de advertir su presencia. ¿Tengo razón?

—Sí, la tiene.

—¿Y está también de acuerdo conmigo en que millones de personas ven esa cosa todos los días en los periódicos?

—Así es.

—Abren el periódico y ahí está la cabeza del tipo con esa marca impresionante en toda la cúpula. ¿Cierto?

—Sí, claro.

—¿Qué significa? —dijo Marvin.

—¿Por qué tiene que significar algo?

—Póngase en lo evidente.

—Así es la cara del tipo —dijo Brian—. Es su cabeza. Una señal, una marca de nacimiento.

—Eso no es lo que yo veo.

—¿Qué ve usted?

—Me lo ha preguntado, así que se lo diré.

Marvin veía el primer indicio de un total derrumbamiento del sistema soviético. Impreso sobre la cabeza de aquel hombre. El mapa de Letonia.

Dijo aquello sin torcer el gesto, cómo Gorbachov estaba básicamente transmitiendo la noticia de que la URSS se enfrentaba a desórdenes en sus repúblicas.

—¿Eso piensa de una marca de nacimiento? Aguarde un minuto.

—Perdone, pero si hacemos girar el mapa de Letonia noventa grados de tal modo que la frontera occidental quede mirando hacia arriba, ésa es exactamente la forma que hay en la cabeza de Gorbachov. En otras palabras, cuando está tumbado en la cama por la noche y se acerca su mujer para darle un vaso de agua y una aspirina, lo que ella contempla es Letonia.

Brian intentó conjurar la forma de la mancha de vino en la cabeza de Gorbachov. Quería compararla con algún recuerdo de exámenes de geografía en suaves atardeceres, sus extremidades ligeramente doloridas por tensiones biológicas y la dulzura del final del colegio. La vieja estrofa melódica regresó a él como una canción de cuna, Estonia, Letonia, Lituania. Pero la forma del mapa se le escapaba en ese instante, las siluetas precisas de aquellas anatomías anidadas.

Marvin contemplaba de nuevo el marcador.

—La gente colecciona, colecciona, siempre están coleccionando. Hay personas que persiguen cualquier cosa procedente de la Alemania de la guerra. Naziana. Hablo de coleccionistas importantes en busca de la gran historia. ¿Significa eso que los objetos de esta habitación sean chucherías sin importancia? ¿Qué palabra estoy buscando que suena como si te estuvieran inyectando una vacuna en las partes blandas del brazo?

—Inocuo.

—Inocuo. ¿Qué soy yo, inocuo? Esto es historia, desde las primeras páginas. De principio a fin. Feliz, trágica, desesperada —Marvin desvió la mirada—. En este baúl que hay aquí tengo la única cosa que toda mi vida, durante los últimos veintidós años, he intentado conseguir.

Brian creyó intuir qué.

—Investigué, busqué y finalmente la encontré y la compré, hace dieciocho meses, y ni siquiera la tengo expuesta. La guardo en el baúl, oculta.

Ahora era Brian quien estudiaba el marcador.

Marvin dijo con tono malhumorado:

—Es la pelota del *home run* de Bobby Thomson, que logré localizar comenzando por los rumores que corrían en el mundillo. Ni siquiera era un mundillo por entonces, tan sólo unos cuantos aficionados que tenían el teléfono o el nombre de pila de alguien, una pista de lo más débil que yo perseguí furiosamente.

Se detuvo a encender el puro. Era viejo y rancio, y su aspecto era el de una salchicha de soja procedente de la cafetería de la facultad. Pero Brian comprendió que el puro era un requerimiento tribal, aunque el humo le picara en los ojos.

Durante las tres horas siguientes, Marvin habló de su búsqueda de la pelota. Olvidó algunos nombres y mutiló otros. Perdía ciudades enteras, situándolas en zonas horarias equivocadas. Describió cómo había seguido pistas falsas hasta lugares remotos. Subiendo tramos de escaleras hasta buhardillas con techo de vigas para mirar en viejos baúles entre las sábanas de la abuela y las fotografías de los muertos.

—Me lo decía a mí mismo miles de veces. ¿Por qué quiero esto? ¿Qué significado posee? ¿Quién lo tiene?

A lo largo de la narración, de aquella épica errante, recortada aquí, exagerada allá, Brian confiaba en que el hombre era descuidado únicamente en la narrativa. La búsqueda propiamente dicha había sido dura, feroz, meticulosa y agotadora.

En cierto momento, Marvin contrató a un hombre que trabajaba en un laboratorio fotográfico y tenía acceso a equipos especiales. Juntos estudiaron fotografías de prensa de las gradas de la izquierda de los Polo Grounds, tomadas justo después de que la pelota cayera sobre ellas. Contemplaron imágenes ampliadas y realzadas. Acudieron a agencias de fotografías y bucearon en sus archivos. Marvin buscó personas que pudieran procurarle acceso clandestino a los depósitos de los periódicos, en los agencias telegráficas y en las principales revistas.

—Estudié un millón de fotografías porque de eso se trata la teoría de la realidad según los puntos: de que toda información resulta disponible si uno analiza los puntos.

Su voz emitía un leve crujido que sonaba como el ruido de fondo que producen las interferencias de la señal en las radios.

Compró películas originales. Se hizo con equipos de laboratorio. Comía con una lupa atada en torno al cuello. La casa estaba llena de hojas de contacto, copias en brillo, ampliaciones colgadas de las cuerdas de tender la ropa que atravesaban varias habitaciones. Su mujer y su hijo volaron a Inglaterra para visitar a sus parientes, porque Marvin, de algún modo, se había casado con una inglesa.

Contrató a un detective privado que sufría hemorragias nasales intermitentes. Publicaron anuncios en la sección de contactos personales de revistas de deporte, tratando de localizar a personas que hubieran estado sentadas en la sección 35, allí donde cayó la pelota.

Estaba la minuciosa manipulación fotográfica, el enfoque de las imágenes, el como-se-llame que las descompone en unidades más pequeñas.

—Resolución —dijo Brian.

Y luego estuvieron el largo viaje, arrastrándose con las maletas a través de estaciones de ferrocarril desiertas, los agrios vuelos invernales con hielo en las alas, el fatigoso tránsito, una palabra que ya no ha vuelto a oír, la irrupción en las casas y en las vidas de otras personas: la cosa física en sí, no fotografiada, de manos con manchas de vejez y barbillas con hoyuelos y esa sensación esparcida de lo que recuerdan y lo que olvidan.

1. La viuda de Long Island removiendo la taza con la cuchara.

2. La cantante evangelista llamada Prestigious Booker que guardaba una pelota de béisbol en la urna que contenía las cenizas de su amante.

3. El buque del muelle de San Francisco... ni siquiera lo menciones.

4. El hombre del automóvil, en el condado de Deaf Smith, Texas, el quinto pino original.

5. Toda una generación de rostros de Jesús. Por todas partes jóvenes con barba y sandalias, con barba y descalzos: diminutas lentes escrutadoras con montura de alambre.

6. La sensación de Marvin de hallarse perdido en Norteamérica, vagando por ciudades carentes de barrio céntrico.

7. La mujer de Long Island, como-se-llame, cuyo marido se encontraba presente en el partido: servía café instantáneo en tazas en un museo de muñecas.

8. La familia copta de Detroit... da igual, es demasiado complicado, revueltas e incendios a lo lejos, carros de combate por las calles.

9. La detallada confusión de la narrativa de Marvin, recuerdos de otras gentes mezclados con los suyos, adaptados a las deformaciones del tiempo.

10. Un tornado tocando tierra, rozando las copas de los árboles en un entramado malévolo, el cielo inmundo de escombros voladores.

11. ¿Qué marido era el de la película que analizó Marvin, peleándose por la pelota? Y todo lo que tenía la señora en casa era café instantáneo.

12. Ascendiendo por el costado de un edificio en un ascensor que es transparente.

13. El barco del muelle... por favor, ahora no.

14. Qué misterio todo a su alrededor, cada calle profundamente inmersa en un asombro radiante.

Brian escuchó todo aquello y escuchó cómo acababa la música y cómo volvía a empezar, la misma pieza para piano, y no era la segunda vez que la oía sino quizá la octava o la novena, y escuchó de Marvin su teoría de la realidad según los puntos y percibió una fuerza subyacente en aquella cuestión de la incansable búsqueda fotográfica, algún prototipo que no conseguía definir estrechamente.

—Lo dije mil veces. ¿Cuánto tiempo tengo que buscar? ¿Por qué lo busco? ¿Dónde está?

Puso anuncios para buscar películas de aficionado filmadas durante el partido y compró unos pocos minutos de violenta acción en los que se veía una mancha borrosa, masiva y pulsante, sobre el muro de la izquierda del campo, algo grabado por un tipo desde las gradas. Consiguió un impresor óptico. Refotografió la filmación. Amplió, reubicó, analizó. Recorrió la grabación fotograma a fotograma para ralentizarla, para combinar varios segundos de película en una sola imagen. Examinó las zonas de película próximas a los dientes en busca de una mota de información, un mínimo de imágenes ausentes. Era una labor de refinamiento talmúdico, aproximándose y alejándose, tratando de proporcionar definición al semblante de un hombre, de leer el nombre que una mujer llevaba grabado en la pulsera que portaba en el tobillo.

A Brian le avergonzaban las obsesiones ajenas. Ponían de manifiesto su propia mediocridad, la voz que oía, débil y lejana, que le decía que no se molestara.

La mujer y el hijo de Marvin regresaron a casa y volvieron a marcharse. La casa se había convertido en una trampa-cepo de imágenes amenazantes. La mueca aislada, el pelo que brota de la verruga en la barbilla del viejo. Todas las imágenes un hervidero de puntos cristalizados. Una fotografía es un universo de puntos. El grano, el halo, esas pequeñas cosas plateadas agrupadas en la emulsión. Cuando penetras en un punto, obtienes acceso a información oculta, te deslizas hacia el interior del acontecimiento más nimio.

Esto es lo que consigue la tecnología. Arranca las sombras y redime el pasado aturdido e incomprensible. Da vida a la realidad.

Marvin Lundy abrió el baúl.

La pelota de béisbol estaba envuelta en papel cebolla en el interior de un viejo estuche Spalding de color rojo y blanco. Había gruesas pilas de fotografías y de correspondencia, así como otros materiales relacionados con la búsqueda. Certificados de nacimiento, pasaportes, actas, testamentos ológrafos, detalladas listas de las posesiones de la gente, había prendas manchadas de sangre en bolsas de Ziploc.

Extrajo unas cuantas diapositivas de un sobre marrón y se las mostró a Brian.

Se trataba de una secuencia en torno a la lucha por la pelota, gente arracimada, dijo Marvin, arañando y aferrando, y un hombre en la última fotografía, solitario y llamativo, con camisa blanca, observando la rampa de salida, observándola intensamente, dirigiéndole una mirada encendida a alguien, probablemente a la persona que se había hecho con la pelota, pero Marvin, a pesar de su maestría en el tratamiento de los puntos, no conseguía imaginar el modo de rotar las cabezas de la gente de la rampa para poder contemplar el rostro del individuo en cuestión.

—Pero identificó usted al hombre de la camisa blanca.

—A base de procesar la imagen de la contraportada de revistas en las que se anuncian camas de agua y anuncios guarros.

—Y fue a ver a su mujer.

—Esto ocurre muchos años después del partido. Ocurrió que se había muerto. La viuda está sentada en una casa fría removiendo una tacita con la cuchara. Intento averiguar lo que pudiera haberle contado acerca del partido, de la pelota, de lo que fuera. Qué partido, dice ella. Intento explicarle las atenuaciones del caso. Pero han pasado más de veinte años. ¿Qué partido? ¿Qué pelota?

Una mujer descendió por las escaleras con una bandeja de café y pastel de queso. Parecía surgida de la historia de Marvin, una figura recordada que hubiera adoptado forma material. Marvin cerró el baúl para que pudiera depositar la bandeja sobre su tapa. Era su hija, Clarice, decidida a cuidar de papá cualesquiera que fueran sus objeciones.

—No te he oído entrar. Entra como si fuera una china, con los pies vendados.

—Estabas hablando. Podrían estar atracándonos a mano armada y no oirías lo más mínimo.

Andaba por las postrimerías de la veintena, y era rubiácea, con un cuerpo esculpido en el gimnasio. Reveló a Brian que vivía a diez minutos en coche y que trabajaba como taquígrafa en el juzgado. Él pensó que no le resultaría difícil enamorarse del acento de culebrón de su voz y de las curvas de sus muslos bajo la falda de lino.

—Ya casi hemos terminado aquí, Clarice.

—Sí, dentro de otras cien horas agotadoras. Puede que tu invitado tenga otras cosas que hacer.

—¿Qué iba a tener?

—Oscurecerá pronto.

—Oscuridad, luz. Sólo palabras.

La caja de la pelota descansaba sobre un costado entre fotografías diseminadas por el suelo, y la pelota había resbalado al exterior, aún envuelta en su papel. Clarice arrimó una silla y ella y Marvin concluyeron la historia, más o menos, a través de sendos bocados de pastel de queso.

—¿Durante cuántos años, Clarice, he estado buscando a un hombre que se llamaba Jackson o Judson?

—Ve al grano —dijo ella.

—Porque había pistas solapadas que le señalaban como alguien que podría interesarme. Y para entonces la pelota cuenta con una historia que he recorrido paso a paso, una historia en la que algunas cosas encajan y se unen entre sí. Pero no logro localizar al hombre, ni siquiera... ¿qué?

—Determinar —dijo Brian.

—Su nombre correcto. Para entonces, olvídate de las películas: me sirvo de rumores y de sueños. Existe una percepción extrasensorial de la pelota, un no sé qué clandestino, una consciencia, y lo oigo en sueños.

—Más rápido, papá, más rápido.

—Entretanto está esta mujer. Estoy intentando localizar a Judson Jackson Johnson y está esta mujer que había conseguido mi nombre del mercado de recuerdos y que llevaba días poniéndome conferencias a cobro revertido. Me dice que solía ser la dueña de lo que estoy buscando. Misteriosamente desaparecida durante años, dice, de la cajita cerrada con llave en la que acostumbraba a guardarla.

—Genevieve Rauch.

—Un nombre que nunca he podido...

—Genevieve Rauch —dijo su hija—. Y entre los dos intentan establecer básicamente las... ya sabe.

—Indicaciones —dijo Brian.

—Que convertirían su pelota al menos en una remota posibilidad.

—Las marcas y los arañazos —dijo Marvin—. La marca, si es la correcta. La firma del presidente de liga que había entonces en ejercicio. Su memoria es confusa. Le doy un poco de margen y ella se pone a hablar de otra cosa. Esa mujer tiene un cromosoma de más a la hora de cambiar de conversación. Me siento tentado de colgar más de mil veces.

—Y entonces ocurre —dijo Clarice.

—Un hombre en su coche.

—Un hombre pasa conduciendo su coche y alguien le pega un tiro y le mata. La víctima resulta ser el primer marido, largamente desaparecido, de Genevieve Rauch. Ocurre, además, que se llama Juddy Rauch, Judson Rauch. Con lo que ambos ríos se encuentran. Hizo falta un homicidio para descubrir la conexión.

Marvin inclinó la cabeza sobre la tapa del baúl para dar un sorbo a su café, y Brian escrutó la maraña de su bisoñé lamentable.

—Cuando tenía bien el estómago solía comer pasteles de éstos hasta no poder más.

Clarice explicó cómo se había trasladado al condado de Deaf Smith, Texas, donde contrató a un abogado local en nombre de Genevieve Rauch hasta localizar finalmente la pelota en una bolsa de plástico sellada, archivada y numerada y almacenada en la sección de objetos personales. Retirada por la policía junto con el cuerpo, el coche, todos los objetos que había en el coche, uno de los cuales era éste, todo amontonado en una caja de cartón llena de trastos y cachivaches.

Marvin dio una chupada a su puro.

—Voy hasta el Bronx a comprar este pastel. Una panadería *kosher* que no encontrarías ni aunque te diera un mapa, una guía y uno de esos como se llamen que hablan cinco idiomas.

—Un intérprete.

—Un intérprete —dijo Marvin.

El pastel era suave y cremoso, dotado de la personalidad de un tío cálido y rico que se sabe un centenar de chistes verdes y que morirá de desgaste sexual en brazos de su amante.

—Conque, finalmente —dijo Brian—, compró usted la pelota.

—Y le seguí la pista hasta remontarme al cuatro de octubre, el día posterior al partido, mil novecientos cincuenta y uno.

—¿Y cómo financió esta operación durante tantos años? Los viajes, los aspectos técnicos, todo.

—Tenía una cadena de tiendas, de tintorerías, que vendí a la muerte de mi mujer porque no la necesitaba más, esa pesadez.

—Marvin el Rey de la Ropa —dijo su hija con un leve afecto, una leve melancolía, algo de ironía, cierto orgullo, un toque de humor pesaroso, etcétera.

Habló a su padre de una cita médica que tenía a la mañana siguiente y él la escuchó como quien escucha las noticias de la televisión, con la mirada perdida en la India. Tomó la bandeja y se encaminó escaleras arriba. Brian se imaginó siguiéndola con el coche y deteniéndose junto a ella, intercambiando una mirada y luego acelerando con estrépito y conduciéndola a un albergue de carretera en el que piden una habitación y se desnudan mutuamente con los dientes y la lengua sin decir en ningún momento una sola palabra.

Escuchó la música que flotaba por la casa, aquel lamento del teclado, hasta identificar finalmente la presencia acechante en la búsqueda de Marvin, la peculiar cualidad desgastada de toda aquella meticulosa labor, el retocado, las mejoras: era una mágica recreación de las investigaciones de los asesinatos políticos de los años sesenta. Un intento por volver a encajar un momento crucial en el tiempo a partir de retazos y bosquejos: Marvin en su cuarto oscuro plagiando un tema poderoso y empleándolo para localizar un pequeño e inocente objeto blanco que rebota por un estadio.

Brian dijo:

—De modo que conocemos el linaje del objeto a lo largo de sus últimas etapas. De Rauch a Rauch a Lundy. Pero ¿cómo empezó todo?

—Tú me preguntas y yo te respondo. Con un hombre llamado Charles, déjame pensar, Wainwright. Un ejecutivo publicitario. Tengo la secuencia completa hasta él. La línea de posesión.

—Pero no hasta el partido propiamente dicho.

—No tengo el último eslabón que retrocedería desde la pelota de Wainwright hasta la pelota que entra en contacto con el bate de Bobby Thomson. —Miró con expresión amarga en dirección al reloj del marcador—. Me quedan cierto número de horas sueltas que aún tengo que descubrir. Y cuando te enfrentas con algo que ha ocurrido tantos años atrás tienes que tener en cuenta el índice de mortalidad. Wainwright falleció y su hijo Charles Junior tiene ahora cuarenta y dos años y se ha quedado con el nombre de Chuckie, y llevo mucho tiempo intentando hablar con él. La última vez que le vieron trabajaba como ingeniero en un carguero que surcaba... ¿le gusta esa palabra?

—Surcaba.

—El mar Báltico —dijo Marvin—. A propósito de lo cual.

—¿Sí?

—Debería vigilar la marca de la cabeza del Gorbachov este, para ver si cambia de forma.

—¿Si cambia de forma? Siempre ha estado ahí.

—¿Lo sabe con seguridad?

—¿Por qué? ¿Acaso piensa que ha aparecido recientemente?

—¿Está seguro? ¿De que siempre ha estado ahí?

—Es una marca de nacimiento —dijo Brian.

—Perdone, pero eso es lo que dice la biografía oficial. Le diré lo que pienso. Pienso que si ocupara un puesto gubernamental delicado me dedicaría a fotografiar a Gorbachov desde el espacio cada minuto del día que le viera sin sombrero para comprobar si cambia la forma de la marca de nacimiento. Porque ahora es Letonia. Pero por la mañana podría ser Siberia, donde están vaciando las cárceles.

Contempló su cigarro.

—La realidad no surge hasta que uno analiza los puntos.

Y entonces, se puso en pie con cierto esfuerzo.

—Y cuando la guerra fría acabe, no seremos capaces de mirar a una mujer por la calle y de tener una fantasía de ésas como-se-llamen que tenemos hoy.

—Eróticas. Pero ¿dónde está la relación?

—¿No sabe dónde está la relación? ¿Acaso ignora que cada privilegio que disfruta en su vida y cada pensamiento de su mente dependen de la capacidad de las dos grandes potencias de mantener una amenaza suspendida sobre el planeta?

—Es asombroso que diga eso.

—¿Y no sabe que una vez que esa amenaza comience a desvanecerse?

—¿Qué?

—¿Será el hombre perdido de la historia?

La visita parecía terminada. Pero primero el anfitrión condujo a su huésped a una alcoba cubierta de estantes y próxima a la escalera. Allí era donde conservaba su colección de partidos grabados de la radio y la televisión, cientos de casetes dispuestos en sus ranuras que se remontaban a las primeras emisiones.

—Las personas que conservamos estos bates y estas pelotas y que preservamos las viejas historias mediante la palabra hablada y que conocemos los motes de miles de jugadores estamos aquí, en nuestros sótanos, con una historia tremenda en nuestros muros. Y le diré una cosa, verá que tengo razón. Habrá hombres en años venideros que pagarán fortunas por estos objetos. Pagarán ni se sabe. Porque ésta es la voz de la desesperación.

Brian deseó que el hombre fuera más ligero y más dulce. Dirigió una última mirada al marcador. Pensó finalmente que se trataba de un objeto impresionante pero quizá algo fúnebre. Poseía esa cualidad compacta de la conservación y unas proporciones exactas y una historia respetable capaz de producir una lúgubre atmósfera de mausoleo.

Subieron las escaleras y atravesaron las umbrosas habitaciones hasta la puerta principal. Marvin se detuvo con su cigarro apagado.

—Hasta aquí vienen hombres para ver mi colección.

—Sí.

—Vienen y no quieren marcharse. Suena el teléfono y es la familia: ¿dónde está? Ésta es la hermandad de los desaparecidos.

—Comprendo.

—¿Cómo se llama usted?

—Brian Glassic.

—Encantado de conocerle —dijo Marvin.

Brian preguntó por un camino de regreso a Manhattan que excluyera el puente de George Washington. Había un túnel aquí y otro túnel allá, y Marvin le describió ambas direcciones adjuntando una serie de consideraciones a cada una. Brian el necio aguzó la mirada y asintió aunque sabía que no retendría nada de todo aquello cuando estuviera en su coche.

Condujo sorteando peajes y pasos elevados, viendo Manhattan aproximarse y alejarse bajo un crepúsculo de Valium, dorado y humeante. El coche se estremecía bajo el impacto de los camiones lanzados a toda velocidad, con sus conductores encaramados a las elevadas cabinas equipadas con comida, bebida, drogas y pornografía, y los remolques parecían impulsar al cochecillo hacia delante con su viento colosal. Pasó junto a enormes depósitos de combustible, blancos cilindros achatados dispuestos a lo largo de la ciénaga, y divisó las blancas cúpulas en pequeños agrupamientos y largas hileras de camiones cisterna rodando por las pistas. Pasó junto a torres de alta tensión, con sus delgaduchos brazos extendidos. Se internó en el humo que vomitaban varias hectáreas de neumáticos incendiados, y los aviones descendían y las grúas se alineaban en la terminal marítima y vio anuncios de carretera de Hertz y Avis y Chevy Blazer, de Marlboro, Continental y Goodyear, y advirtió que todas las cosas que le rodeaban, los aviones que despegaban y aterrizaban, los coches derrapando, los neumáticos de los coches, los cigarrillos que los automovilistas apagaban en sus ceniceros, estaban en los anuncios que veía, vinculados sistemáticamente en una relación autorreferente que poseía una especie de estrechez neurótica, una inevitabilidad, como si los anuncios generaran la realidad, y por supuesto pensó en Marvin.

Al pasar junto al aeropuerto de Newark se dio cuenta de que había dejado atrás todas las desviaciones y las opciones que aparejaban. Buscó una salida atractiva, rural y desprovista de camiones, y se sorprendió a sí mismo poco después en una carretera de dos carriles que iba ensortijándose con incertidumbre a través de lodazales y cañaverales. Percibió un mordiente asomo de salmuera en el aire y la carretera se curvó y finalizó entre gravas y hierbajos.

Salió del automóvil y ascendió por un desmonte de tierra. El viento soplaba con fuerza suficiente como para empañarle los ojos, y dirigió la mirada sobre un estrecho brazo de agua, hacia una elevación en terraza situada en el extremo opuesto. Era de color marrón rojizo, lisa por la parte superior, monumental, abrasada su superficie por el crepúsculo, y Brian pensó que alucinaba viendo una meseta de Arizona. Pero era real y era algo construido por el hombre, barrido por las gaviotas que giraban, y supo que sólo podía ser una cosa: el vertedero de Fresh Kills, en Staten Island.

Aquél era el motivo de su viaje a Nueva York, y tenía allí una cita con topógrafos e ingenieros a la mañana siguiente. Mil quinientas hectáreas de basura amontonada, rodeada y apuntalada, con excavadoras que empujaban oleadas de desperdicios sobre las paredes activas. Brian se sintió fortalecido contemplando aquella escena. Barcazas descargando, arrastreros abriéndose paso a través de los distintos tramos para recoger restos perdidos. Vio a un equipo de mantenimiento cuyos miembros se afanaban en elevadas tuberías de desagüe abiertas sobre el ángulo de los canales, diseñados para controlar el paso del agua de lluvia. Otras figuras provistas de máscaras y de trajes de butileno se agrupaban en la base de la estructura para inspeccionar materiales aislados en busca de contenidos tóxicos. Era ciencia ficción y prehistoria, basura llegando veinticuatro horas al día, cientos de trabajadores, vehículos con rodillos de metal para compactar los residuos, perforadoras excavando respiraderos para el gas metano, las gaviotas precipitándose y chillando, una fila de camiones de largo hocico recogiendo desperdicios sueltos.

Imaginó estar contemplando la construcción de la Gran Pirámide de Gizeh, sólo que aquello era veinticinco veces mayor, con camiones cisterna rociando las carreteras circundantes de agua perfumada. Halló el espectáculo edificante. Todo aquel ingenio y trabajo, aquel delicado esfuerzo por adaptar la mayor cantidad posible de basura en un espacio cada vez más reducido. Las torres del World Trade Center resultaban visibles en la distancia, y percibió un equilibrio poético entre aquella idea y ésta. Puentes, túneles, chalanas, remolcadores, diques de carena, buques contenedores, todas las grandes obras del transporte, el comercio y la comunicación se hallaban finalmente encaminadas a aquella estructura culminante. Y era una cosa orgánica, creciente y cambiante sin cesar, su forma diseñada día a día y hora a hora por ordenador. En pocos años aquello sería la montaña más alta de la costa atlántica entre Boston y Miami. Brian notó una punzada reveladora. Contempló toda aquella basura prominente y supo por primera vez qué sentido tenía su trabajo. No era la ingeniería, ni el transporte, ni la reducción a las fuentes. Él trabajaba con la naturaleza humana, con los hábitos e impulsos de la gente, con sus necesidades incontrolables y sus deseos inocentes, acaso con sus pasiones, sin duda con sus excesos e indulgencias, pero también con sus bondades y su generosidad, y la cuestión era cómo evitar que aquel metabolismo en masa nos desbordara.

El vertedero le mostró de golpe cómo finalizaba el río de detritos, dónde acababan fluyendo todos los apetitos y anhelos, los empapados cambios de opinión, las cosas que primero ansiabas ardientemente y luego no. Había visto cientos de vertederos, pero ninguno tan vasto como aquél. Sí, impresionante y desconsolador. Sabía que el hedor debía cabalgar a lomos del viento hasta alcanzar todos los comedores de varios kilómetros a la redonda. Cuando la gente oía un ruido por la noche, ¿pensarían que la montaña se derrumbaba en torno a ellos, deslizándose hacia sus casas, como una omnívora película de terror que inundara sus puertas y ventanas?

El viento transportaba el hedor a través de la ciénaga.

Brian aspiró profundamente, hinchó los pulmones. Aquél era el desafío que ansiaba, para sacudir su autocomplacencia y su vago sentimiento de vergüenza. Comprender todo aquello. Penetrar aquel secreto.

La montaña estaba aquí, al descubierto, pero nadie la veía ni pensaba en ella, nadie conocía su existencia salvo los ingenieros y los camioneros y los residentes locales, un depósito cultural único, cincuenta millones de toneladas el día que lo completen, tallado y modelado, y nadie hablaba de él excepto los hombres y mujeres que habían intentado dirigirlo, y se vio por primera vez a sí mismo como miembro de una orden esotérica en la que había adeptos y visionarios, esculpiendo el futuro, los proyectistas urbanos, los gestores de la basura, los técnicos del compost, los paisajistas que llevarían allí jardines colgantes, que un día edificarían un parque sobre toda clase de objetos de deseo ya usados, perdidos y erosionados.

Los mayores secretos son los que descansan abiertos frente a nosotros. Era Marvin Lundy quien hablaba, llenando la cabeza de Brian con aquella voz seca y distorsionada que parecía proceder de una oquedad quirúrgica en la garganta.

El viento transportaba el hedor de la montaña de desolación.

Manchas y destellos, jirones de color, aparecían sobre la masa estratificada de aquella alfombra de tierra, retazos de tejido de la fábrica textil, agitados por el viento, o quizá esa cosa de tela es un bikini que perteneció a una secretaria de Queens, y Brian se descubrió capaz de crear un enamoramiento fugaz, tiene los ojos oscuros y lee la prensa sensacionalista y se pinta las uñas y come en moldes de plástico, y él le da regalos y ella le da condones, y todo acaba en qué, en papel de periódico, limas de uñas, lencería *sexy*, elevados hasta un profundo alivio por las rugientes excavadoras; piensa en sus multitudinarios espermatozoides, con sus antecedentes familiares de frente elevada, abandonado en una bolsa funeraria de Ramsés y confortablemente vendado en el acogedor fondo de los profundos desperdicios.

Observó numerosas gaviotas virando en sus proximidades y distinguió a otro centenar distribuidas sobre una ladera, todas mirando en la misma dirección, inmóviles, atentas, unidas en su consciencia, en hermosa y ornitológica vacuidad, aguardando la señal de vuelo.

4

Marvin, ya fuera de su sótano, tenía que guiñar los ojos contra la luz. Conducía con ademán tenaz, escogiendo un carril y adhiriéndose a él. Llevaba una cazadora marrón de forro escocés porque era lo que siempre se ponía cuando las hojas comenzaban a amarillear. Era un fiel cambio de atavío, un ajustamiento al cosmos que prestaba a su vida una apariencia de regularidad. Llevaba aquella chaqueta a través de las décadas, regalando las viejas al Ejército de Salvación y comprando otra igual, el marrón neutro que siempre alcanzaba a divisar en las perchas de los almacenes desde una distancia de cincuenta metros, en una de esas vastas zonas amortiguadas justo antes de la hora del cierre, junto a hileras de trajes dispuestos como ejecutivos en el infierno.

Llevaba también un par de guantes de látex, una precaución que siempre tomaba cuando iba a la ciudad.

Al llegar al Lower East Side condujo durante un rato a través de las calles hasta encontrar un hueco que le agradó, un lugar en el que no se lo llevaría la grúa ni le robarían, y tras cerrar el coche retrocedió un paso y estudió el resultado de su maniobra y la calle en general, viejos muebles en oferta y un aparcamiento para camiones en el que cada centímetro de cada camión aparecía cubierto de pintadas. Los humanos pasaban caminando con aspecto susceptible y desamado. Vio dos hombres en sillas de ruedas que se acercaban a los coches detenidos en el semáforo para gorronear algo de suelto.

Marvin echó a andar con su zancada deslizante, su especie de arrastramiento de pies explicativo, como un comentario sobre ese estilo de caminar en cuestión. Descendió por la calle Orchard observando la ropa de las ventanas y de los puestos, kilómetros de mercerías. Se detuvo para leer las inscripciones de una colección de cómo-se-llamen, camisetas, una antipática observación en prácticamente todas las prendas, palabras impublicables por la historia vestidas con camiseta en un escaparate. Junto a él había un joven flaco y tatuado, con un bigote a medio terminar, observándole airadamente. Él percibió la mirada, una mirada afilada y dirigida de plano a un costado de su cabeza.

Marvin lanzó un vistazo.

—¿Qué? Estoy mirando el escaparate.

—¿Que mire yo significa que tienes que mirar tú?

—¿Es que no puedo mirar? ¿Qué pasa? Es un escaparate.

—Me has visto mirar a mí. ¿Significa eso que tienes que mirar tú?

—¿Y qué? ¿Es que no puedo mirar acaso?

—Estoy mirando yo.

—Es un escaparate público —dijo Marvin.

—¿Quieres escaparate? Yo te daré escaparate.

—¿A qué viene esto de repente?

—¿Crees que quieres mirar? Yo te daré mirada.

Marvin se alejó porque qué otra cosa podía hacer, flexionando los dedos en el interior de los guantes de látex. Vivir era imposible. No podías ir por la calle poniendo un pie detrás de otro. Porque, ¿qué pasaba? Te mataban. Aparecen por una puerta y te apuñalan porque les miras. Es la última palabra en muerte y amenaza. Les miras y te matan. Una mirada que se cruce con la de ellos ya les da el derecho de acabar con tu vida.

Más tarde cruzó la calle Essex y encontró la panadería. Lo que le gusta es ver el trabajo de trastienda en primer plano, los hornos y mesas de mezcla donde fabrican *bialys* frente a tus ojos, un hombre con camisa blanca y delantal blanco con harina tamizada en sus manos y en sus brazos, y Marvin se sintió impresionado por la potencia de aquel instante, un sencillo drama de escaparate, la blancura del pan y del trabajo. Pensó que podría quedarse allí todo el día de pie observando cómo el panadero daba forma a la masa pastosa. Compró para después, para su hija, panecillos planos, salpicados de cebolla, que eran algo que te comes y también una ciudad y una religión y una guerra.

Caminó calle abajo notando el calor de la bolsa de la panadería contra las costillas. Pasó junto a un parque de recreo, con críos agachados y veloces corriendo por el campo de pelota mano, y media manzana más abajo todo se había vuelto chino.

Cuando aún tenía bien el estómago solía venir aquí con Eleanor.

Era el antiguo misterio de las cosas chinas, alimentos sobre mesas de vapor, vegetales que no era capaz de identificar, las mentes secretas de la gente. Se detuvo a mirar los peces vivos que se agitaban en acuarios de fabricación casera. Compró un rollito frito y le dio un bocado, más por el gesto que por el sabor, porque su sentido del gusto ya no era el de antaño. Era como el recuerdo de la comida, el fantasma del jengibre y de las cebolletas picadas.

Regresó al coche sin dejar de arrastrar los pies. Vio a los mendigos de las sillas de ruedas con sus barbas ralas, echando carreras en dirección a los coches detenidos, abriéndose paso, las manos animadas y gesticulantes. Era una competición de brazos giratorios, los ojos atisbando a través del vidrio polvoriento en busca de alguna señal de contacto desde el interior. Pero los conductores desviaban la mirada. Los conductores cerraban las ventanillas a los limpiaparabrisas, a los vendedores de flores, a los ladrones de coches, a los medio locos que piden conversación.

Les miras, te matan.

Condujo de regreso a casa, tensamente apoyado sobre el volante. Una inglesita de Somerset, imposible inventárselo. Tocaba la elegía para piano, la música favorita de Eleanor, más o menos una vez al mes, oprimiendo el botón de repetición para que continuara sonando sin parar. Era su voz la que oía en esta época del año, recordándole que sacara la cazadora marrón. Ya es hora de ponerse el viejo McGregor, Marv. En esa sencilla frasecita, palabra por palabra a través de los años, residía todo el qué, la profunda dependencia de dos personas que se habían conocido durante la guerra, que se intercambiaban cartas, que finalmente se habían casado, habían tenido un niño al cabo de algún tiempo, les costó trabajo, dos corazones unidos por el hábito de los días. Tintorería. Limpiaba toneladas de McGregors.

Cuando atravesó el umbral, el teléfono estaba sonando. Entró en la cocina, depositó la bolsa de la panadería sobre la mesa, se quitó la chaqueta, sonaba el teléfono, abrió el refrigerador, sacó la tónica de apio y echó un trago de la botella, ahora podía hacer eso, también había compensaciones. Se quitó los guantes, tan prietos que se resistían a la separación, pelándolos hasta alcanzar la parte más ancha de la mano y luego despegando cada dedo pegado, un proceso que le hacía sentirse medio artificial. A continuación atravesó la estancia en dirección al teléfono, un modelo blanco de pared junto al que había una fotografía que mostraba al presidente Reagan en el Salón Oval entre Bobby Thomson y Ralph Branca, la única referencia al béisbol que había en toda la casa por encima del sótano, los tres delante de una bandera con borlas. Porque podía resultar un coñazo, Eleanor, en el tema de beber de la botella.

Sonaba el teléfono. Lo miró y descolgó el auricular, ahora lo llaman receptor. Por fin se había decidido a vender la casa para irse a vivir al edificio de apartamentos de Clarice, la hija y el yerno arriba, en el cuarto, el padre abajo, en el tercero, en un piso manejable con plátanos enmoheciéndose en el alféizar de la ventana. Se ducharía sentado y mientras tanto, en el piso de arriba, Clarice y Carl correrían en su máquina de correr, se entrenaban para vivir eternamente.

—Llamo desde Phoenix —dijo la voz.

—¿La ciudad o el ave?

—Hace unos meses alguien que conozco. Hace diez u once meses. Fue a visitarle.

—No me acuerdo.

—Se llamaba Brian Glassic.

—No me acordaría ni bajo tortura. Hay gente que ha venido aquí media docena de veces. Los veo por la calle y podrían ser bolsas de ropa camino del aeropuerto. Funciono en el interior de mi mente.

—Sea como fuere, mencionó recientemente la visita. Me pregunto qué podría decirme usted acerca de la pelota del baúl.

Llamaban a su puerta para ver si estaba bien. Él asomaba la cabeza por la cortina de la ducha. No pasa nada, estoy bien, no pasa nada.

—Eres un hincha fiel, retirado en Arizona con una válvula cardíaca que implantaron con tiras de dacrón y cada vez te resultan más dulces los viejos tiempos. Has dedicado tu carrera a fusiones y, qué, a adquisiciones. Has ganado millones pero continúas insatisfecho. Anhelas una última adquisición que sea algo personal surgido del corazón.

—Brian ya me dijo que podría resultar en algo así.

—Quieres hablar de la pelota, y empiezas por aproximarte. El hecho es que estoy dispuesto a vender. La gente lo sabe. Recibo llamadas de tipos con voces granulosas. Con las encías rellenas de polímeros. Tienen aberturas que han taladrado en sus costados para desviar los desechos humanos. Regresan a casa del hospital con eco-Doppler. Me llegan noticias de hombres con *bypass* cuádruples, con nitroglicerina en el torrente sanguíneo con la que fabricarías dinamita.

—Ya he dejado de ser un hincha. Ya no sigo a los equipos.

—Personalmente, me encuentro en la categoría de someterme a análisis. Significa que tengo cánceres recurrentes en tantas partes del cuerpo que el médico me los puntúa por grupos. No se preocupe, no pretendo que se ría. Intento que se sienta mal.

—Usted es fan de los Dodgers, ¿verdad?

—Desde antes de nacer.

—¿Criado en Brooklyn?

—Criado en Brooklyn, compro las tartas de queso en el Bronx, me traslado al Lower East Side para unas cosas y otras.

—Un fan de los Dodgers. Pero ha reproducido el marcador de los Polo Grounds en su sótano.

—Para recordarme —dijo Marvin—. O prepararme. Ya he olvidado para qué.

—Yo no me he jubilado. Ni he ganado millones. Y no sé exactamente por qué quiero comprar la pelota.

Aquello estaba bien. A Marvin le gustaba aquello. Estaba bien oír a alguien que no palpitaba mentalmente por los viejos Giants o la vieja Nueva York. Tienen taburetes que puedes comprar en las ortopedias y que colocas en la ducha para poder sentarte y lavarte las partes más remotas de tu cuerpo sin caerte y romperte la cadera, lo había visto un día en el canal de caderas artificiales, con asientos anatómicos y patas antideslizantes. Tienen canales para todas las partes del cuerpo.

—Me llama usted de quién sabe dónde —dijo Marvin—. Y quiere cerrar un trato. Pero no sabe por qué.

—Exacto —dijo la voz.

Perfecto. Porque ésa había sido la situación de Marvin durante mucho tiempo. Era su situación exacta. Durante años, había ignorado el motivo por el que perseguía objetos exhaustos. Toda aquella pasión frenética por una pelota de béisbol y por fin entendía que era Eleanor lo que tenía en mente, era un cierto terror en las profundidades de la piel lo que le hacía recoger cosas, amasar posesiones y efectos frente a la oscura forma de alguna pérdida insoportable. Fetiches. Lo que recordaba, lo que aún vivía en el viejo y ahumado cuero del guante de béisbol en el sótano, era el toque de su Eleanor, eran los ojos de su mujer en las fotografías ovaladas de hombres con mostachos. La situación de pérdida, el carácter ficticio de su longitud solitaria. He ahí una palabra que nunca pensó que tuviera que emplear, pero aquí estaba, agazapada durante años en su mente aislada, saliendo para alargar la pérdida.

—Tengo un tumor en forma de hongo.

—Sí.

—El médico lo denomina masa fungosa.

—Desconozco tal término.

—Yo tampoco lo conocía. No viene en el diccionario, porque he mirado en dos. Cuando recurren a términos ajenos al diccionario significa que se están despidiendo de uno.

Iban a Chinatown. Iban a la costa de Jersey y comían pez espada cazado con arpón, que sabe mejor que cuando el animal ha muerto estrangulado por una red, con aceite de oliva y alcaparras, el último gran plato de pescado del planeta.

—Quiero decírselo desde el principio. No tengo el cómo se llame completamente establecido.

—El linaje.

—El linaje. No tengo el linaje completo.

Reveló a su interlocutor algunas cosas sobre la pelota. Le dijo que era una larga historia pero que la abreviaría. No la abrevió. ¿Por qué iba a hacerlo? Le estaba dando conversación. Y lo vio venir incluso mientras iba recitando los comentarios acostumbrados, mientras pronunciaba sus frases reconfortantes. Clarice tendría que alquilar una cama de hospital para el apartamento, con los costados elevados para que no pudiera caerse al suelo. Vendrían forasteros a lavarle los genitales, inmigrantes procedentes de países del corredor de turismo, con vidas propias de las que no alcanzaba a imaginar ni un solo minuto. Olvidaría cómo comer, cómo decir simples palabras. Su cuerpo permanecería allí tendido, intentando recabar los elementos necesarios para aspirar aire de nuevo. Un tubo de oxígeno en la nariz y unos plátanos en el alféizar de la ventana, los odia cuando están pasados y llenos de manchas. Clarice hablando quedamente, aplicándole un paño fresco sobre la cabeza desnuda. No pasa nada, estoy bien, no pasa nada. Carl en sus blancos pantalones cortos bien planchados y sus calcetines de tenis, un agente de bolsa disfrazado de muchacho.

—¿Queremos hablar de precio? —dijo la voz.

Al agua se le llama agua, pero él no sería capaz de decirlo. El cuerpo olvida las cosas más básicas. Siguió hablando por teléfono con Phoenix y dirigió la mirada hacia su cazadora, colgada de una silla.

Habían viajado a la costa de Jersey. Habían hecho el amor, habían hecho ensaladas. Aquello había sido cuando los términos seguían en el diccionario.

Aquella noche cenó medio melón previamente relleno de uvas en la zona vaciada. Así lo vendían en el supermercado, envuelto en plástico adhesivo.

5

Cuando la gente cuenta historias de ratas, la rata es siempre tremenda. Es una panzuda rata del tamaño de una gata porque se produce ahí una rima satisfactoria. Cuando Nick Shay era niño, existían bastantes crónicas de ratas en estas calles. Tampoco es que solieran verse ratas con frecuencia. Se las oía en el interior de los muros y en los jardines, como semificciones indelebles, corriendo por los tejados bajo la luna. Ratas enormes de pelaje marrón rata. Había ratas en las alcantarillas y en los edificios en demolición y en las carboneras, un rumor entre la basura arrojada a los solares.

Bajó de un taxi cerca del edificio en el que vivía su madre. El edificio no había estado allí treinta, cuarenta años atrás, una enorme estructura marrón, alta y ancha y definida por una sensación de fortificación: vallas y rampas, cámaras que observaban en ángulo desde las paredes de ladrillo.

Aquello solía ser una hilera de edificios de cinco pisos, apartamentos de alquiler, y ahí es donde vio la rata, empapada y muerta, tendida junto a una pila de carbón sobre la acera. A la sazón tenía nueve o diez años, y el incidente retornó a él, mientras el taxi se separaba del bordillo, con detallada inmediatez. Tan sólo una rata muerta, pero él la vio claramente, experimentando una especie de duplicidad, una transparencia modelada, nítidamente recortada, que parecía encajar con el momento. Recordó cómo había estudiado el cuerpo inerte, notando la macabra emoción de estar tan cerca de él, capaz de discernir una débil línea rosácea a lo largo de la parte inferior de la cola, y la rata era marrón y gris y rosada y blanca todo a la vez y por separado, pero se sintió decepcionado por su tamaño, tendría que exagerar la rata, incorporar algo de envergadura y longitud a su historia, algo de babeo y de ojo vidrioso.

Había un hombre en una cabina de plexiglás. Nick firmó en un registro y un zumbido le abrió paso al vestíbulo, ocupado por chiquillos, pequeños y aún más pequeños, jugando, arremolinándose, sus voces chillonas en el espacio desnudo. Subió en ascensor hasta el doce. La otra rata fue más tarde, cuando ya había cumplido los veinte, también de tamaño normal, de un color marrón noruego normal, pero normal ya es bastante tamaño cuando uno habla de ratas.

Matt abrió la puerta, su hermano Matty, aún con aspecto algo infantil, bajo y rechoncho, con el pelo resbaladizo, con gruesos lentes y los cabellos recién cortados, y algo de gris, quizá, en la parte superior, que parecía ajeno a él. A mediados de los cuarenta, andaría. No se habían visto en unos cuantos años, y lo que los reunía hoy no era sino un accidente en el tiempo.

Se estrecharon la mano e intercambiaron la forzada sonrisa de los adversarios que se ven imposibilitados de machacarse mutuamente por algún contratiempo de contexto.

Nick dijo:

—¿Dónde está?

Hablaron de su madre, de medicaciones, de citas con el médico, nada de cuestiones inusuales, pero había en las preguntas del hermano mayor un rigor, una particularidad de interés y preocupación que venía a constituir una forma de desafío.

Matt dijo finalmente:

—Está perfecta, está bien, come y duerme normalmente. Si quieres saber cómo andan sus funciones corporales, tendrás que preguntárselo tú mismo.

—¿Estás quedándote a dormir?

—Dos noches. Has olvidado totalmente cómo es, Nick. Una noche en el Bronx.

Pero hacía tiempo que Matty había rellenado el fugaz torso de chiquillo, que había desarrollado cierta masa en la mitad superior de su cuerpo, cierta robustez en su porte.

Nick dijo:

—Tengo que ir a Jersey por la mañana; si no, la llevaría al médico yo mismo.

—¿Qué hay en Jersey? ¿Desechos químicos royendo las casas de la gente?

—Asuntos personales.

—¿Cómo está Marian?

—Bien, están todos bien.

Bebieron soda y se turnaron para mirar por la ventana. Había una ventana panorámica con amplias vistas al Oeste. El Bronx. En el tejado de un motel cercano había gente sentada en tumbonas de jardín. Nick podía adivinar que se trataba de hombres y mujeres locales que habían obtenido acceso al tejado desde un edificio contiguo, llevando consigo sus sillas y sus periódicos. Sabía que ello evidenciaba una ágil improvisación, gente que extrae placer de las calles rencorosas, pero le ponía nervioso, constituía un allanamiento, otra abertura, otro signo local de inestabilidad y riesgo.

—La llevé al zoológico —dijo Matt—. Tiene el zoológico al otro lado de la calle, pero es la primera vez en veinte años que consigo llevarla. Tuve que forzarla prácticamente a salir por la puerta.

—Te lo has planteado como una misión.

—Dice que ve en televisión más animales de los que necesita. No consigo que entienda el sentido de contemplar criaturas vivientes que respiran.

—Voy a sacarla de aquí —dijo Nick.

—¿No me digas?

—A Phoenix. Eso es. Ya no hay motivos para que se quede.

—Tiene amigos aquí, y lo sabes.

—¿Lo sé? ¿Cuántos amigos? ¿Qué amigos?

—A Phoenix —dijo Matt.

—¿Cuántos amigos?

—Hace tiempo que no hacemos un recuento de cabezas. Pero si quisiera irse, estaríamos encantados de llevárnosla con nosotros.

—No tenéis sitio.

—Tenemos sitio —dijo Matt.

—Escúchame. No tenéis sitio. Nosotros tenemos sitio. Y también tenemos un buen clima.

—Clima.

—A su edad, es importante.

—Janet es enfermera. ¿Qué quieres montar aquí, un concurso? Janet es enfermera.

—Esto es una estupidez.

—Ya lo creo que es una estupidez. Por eso estamos haciéndolo —dijo Matt.

Nick había regresado junto a la ventana.

—¿A quién se le ocurriría poner un motel en un lugar como éste?

—No lo sé.

—Es un reclamo, este motel, para el sexo y las drogas. Porque, ¿para qué otra cosa está aquí? O para los «sin techo». Un refugio para gente sin hogar. Hoy en día, los meten en moteles.

—A ella le gusta esto, Nick. Es su vida, es a lo que está acostumbrada. Están su iglesia, sus tiendas, todas las cosas que le resultan familiares. Y están los amigos que aún viven. Pídele una lista.

—Tú no lo sabes. Yo sí lo sé. Es un reclamo, este motel, para lo que hace esa gente.

Nick entró en la cocina y empezó a abrir armarios. Inspeccionó el área situada bajo el fregadero. En el pasillo, los niños montaban en triciclo. Se sirvió otra soda y se dirigió al salón. Podían oírse los timbres provenientes del pasillo.

—¿Qué tal está Janet? ¿Janet está bien?

—Le han quitado un bulto de debajo del brazo.

—¿Me habías contado eso?

—Está bien. Se está recuperando bien. Los críos están bien.

—Esos bultos andan por todas partes. Todo el mundo anda buscando bultos.

—Algo leí en el periódico no hace mucho. Me acordé de ti —dijo Matt—. ¿Recuerdas esas máquinas que tenían en las zapaterías? Unas consolas altas, como las de las radios antiguas, pero con una ranura cerca de la parte inferior.

—Dios mío, sí. No me acordaba de eso.

—El dependiente calza los zapatos en los pies del niño, y el niño se va a la máquina y mete los pies en la ranura.

—No me acordaba de eso desde que tenía, yo qué sé. Dejaron de fabricarlas.

—Y el dependiente se aproxima a un objetivo situado sobre el instrumento y puede ver los pies dentro de los zapatos.

—Para comprobar la horma —dijo Nick.

—Para comprobar la horma. En fin, la máquina era un fluoroscopio, y lo que hacía era transmitir rayos X a través del zapato y hasta el pie, se llama transmisión diferencial y produce una imagen de sombras verdosas. Apenas lo recuerdo. Jimmy te está comprando un par de zapatos y luego me levanta en brazos para que pueda mirar en la máquina y ver tus pies en el interior de tus zapatos y los huesos que hay dentro de tus pies.

—La cuestión es, ¿dónde están esos zapatos ahora?

—No, la cuestión es si uno hacía aquello con la suficiente frecuencia como para sufrir lesiones óseas, porque básicamente lo que la máquina hacía era rociarte los pies con radiación.

Oyeron la llave en la cerradura.

—Yo tengo los pies sanos —dijo Nick.

—Qué peso me quitas de encima.

—Pero gracias por el susto. Algún día haré lo mismo por ti.

Rosemary Shay entró por la puerta con una bolsa de la compra en cada mano, el cuerpo ladeado en dirección a la más pesada. Vio que Nick estaba allí. Se incorporó y le miró con ojos vivos e inquisitivos. Siempre estaba estudiándole en busca de algo, de alguna señal, de algún cambio. Él se aproximó a ella para ayudarle con las bolsas, y vio que su rostro tenía arrugas casi en todas partes, pliegues y frunces, pequeños plisados de pergamino sobre la boca. Sus manos eran viejas, eran largas y trabajadas, con venas de un azul lechoso que lamían los ajados nudillos.

Le recogieron las bolsas, protestando porque no les permitiera ayudarla lo bastante. La previnieron contra los dolores de espalda y contra los excesos de calor. Ella les dijo que cerraran el pico mientras intentaba arrebatarles los paquetes y los artículos pasaban de mano en mano. Nick la abrazó, riendo, y ella se sintió imposible de persuadir en sus brazos.

Comieron y charlaron, repitiendo de los platos, maíz en mazorca, enormes tomates que el tendero guardaba en la trastienda para sus clientes especiales, cultivados en su jardín de City Island: el viejo y profundo sabor a tomate, veraniego, como sangre mantecosa, voluptuoso.

—Cuéntale lo del trabajo —dijo Rosemary.

—Mejor que no se entere.

—Es tu hermano. Cuéntaselo.

—¿Otro cambio de empleo? —dijo Nick.

—Sí. Un instituto de investigación.

—En ese caso no es un cambio de empleo.

—Es otro distinto. Sin ánimo de lucro. Realizamos estudios para ayudar a los países del Tercer Mundo a desarrollar servicios de salud e instalaciones bancarias.

—Buenas obras, buenas obras.

—Sí —dijo Matt alegremente—. Producimos papel. Fumamos en pipa, los que fumamos.

—Comités de reflexión —dijo Rosemary.

Dejaron revolotear aquel término sobre la ensalada. Año tras año, empleo tras empleo, Matt iba separándose de la ciencia en la que había trabajado en los setenta, una labor cuya naturaleza precisa se le escapaba a Nick, tareas gubernamentales en las que intervenían proyectos secretos y emplazamientos remotos. Tampoco es que Nick se muriera por comprenderle. Era extraño, eso es todo, que el hermano pequeño se convirtiera en el de los labios sellados para variar, que se mostrara reacio a responder a las preguntas.

—Mi chico está aprendiendo el juego, Jeffrey.

—¿Qué juego? —dijo Matt.

—Qué juego. ¿A qué juego podría estar refiriéndome? Tu juego.

—Mi juego.

—Juega contra el ordenador. Su ordenador tiene un programa de ajedrez con opción de «Deshacer» para que pueda anular las jugadas más tontas.

Matt no dijo nada.

Los gatos salieron de sus escondrijos. Se enroscaron en torno a las patas de las sillas, encorvaron el lomo, frotándose contra las piernas de las personas, ondulantes en el espacio laberíntico de allí abajo, y se marcharon balanceando el dorso y bostezando, con el trasero empinado.

—Tenemos sitio para ti —dijo Nick a su madre.

—¿A qué viene esto?

—Siempre ha estado ahí. Lo sabes. Hemos estado esperando a que dijeras que estabas lista.

—Bien, pues no lo estoy. Hay postre. ¿Quién quiere un café? —dijo—. Tengo descafeinado. Sé que Matty lo toma.

A continuación les contó una historia acerca de Jimmy en el centro. La contó durante el café, y ellos la escucharon con una intensidad compartida que ningún otro tema podría haber provocado ni remotamente. Era lo que les convertía en una familia, aún, después de todos los silencios y las distancias: el padre en su gloria perdida, tomando apuestas.

—Fue algo gracioso, gracioso en el sentido de curioso, pero las primeras apuestas que tramitó en su día fueron de polis. Era ayudante de fontanero en el hotel New Yorker. Luego le trasladaron a las oficinas de seguridad, que yo visité varias veces, por entonces nos veíamos, una oficina enorme y ruidosa, en la zona de descarga de mercancías, y el jefe de seguridad había reservado un espacio para que el corredor local acudiera todas las mañanas a hacer sus cuentas. Le cobraba alquiler, muy razonable, no me cabe duda. El corredor no tarda en emplear a Jimmy de recadero. A Jimmy le encantaba aquello. Pagaba a los ganadores, cobraba a los perdedores. Hacía la ronda todos los días, por todo el distrito de ropa y confección. Se movía con rapidez, esquivando a los tipos que llevaban las cuentas. Comenzó a buscar nuevos negocios, negocios para sí mismo, a eso se llamaba aparcar las apuestas: las seleccionaba cuidadosamente, una apuesta aquí y otra allá. Y a menudo era con los policías con quienes trataba. De modo que tenemos a los tipos de seguridad y a la policía, ¿a quién le sorprende? Luego, una vez al mes, a un detective, éste es el correo, acudía al concesionario de coches de Solomon Brothers y recogía el dinero de protección para distribuirlo en la comisaría. De modo que el dinero va y viene y todo el mundo está contento. Los hermanos Solomon llevaban la operación de apuestas de toda la zona, Arthur y no recuerdo el otro Solomon, Arthur y Bernie, y Arthur y Bernie vestían unos trajes espléndidos y tenían un palco en los Polo Grounds y conocían a jugadores y a artistas del espectáculo, y finalmente Jimmy terminó por hacerse con su pequeña parte del negocio, progresando, los Solomon le pagaban ochenta dólares a la semana, esto después de que nacieras tú —le dijo a Nick— y después de que ya me hubiera abandonado una vez, más un *bonus* cada vez que un mes se les daba bien.

Matt dijo:

—Pero ¿quién impedía al resto de los intereses del negocio de las apuestas a que se metieran de por medio? Un par de vendedores de coches no podían hacer eso, ¿no? Debieron de importar auténticos gángsteres.

—No tenían necesidad. El dinero que pagaban a la policía era una protección doble. Pagaban a la policía para que les permitiera operar. Y también les pagaban para neutralizar a la competencia. Cuando aparecían los de la competencia, los detectives del barrio o los detectives del distrito descendían sobre ellos como una maldición bíblica.

—Revientabandas —dijo Matt.

—Como revientabandas. Que es la historia que había empezado a contar antes de perderme en detalles. Las detenciones de la policía. Tuvieron que arrestar incluso a los corredores que les estaban pagando. Se vieron sometidos a presión cuando la gente comenzó a protestar, ciudadanos preeminentes, ya sabes, o directamente instalados en el Ayuntamiento. Los bautizaron como arrestos de conveniencia. El sargento te pedía disculpas, te llevaba detenido a la comisaría del Distrito Treinta y luego te llevaban a Centre Street, donde aguardaba el abogado de los Solomon, y tú decías, Culpable señor juez, y pagabas una multa de veinticinco dólares y volvías al trabajo. Y el día que naciste —le dijo a Matt— a tu padre le detuvieron dos veces. Reinaba la confusión en la comisaría. Le arrestaron por la mañana y cuando por fin le soltaron él tomó el metro hasta el Bronx, donde estaba yo en el hospital, lista para dar a luz, era uno de esos días húmedos y pegajosos y él entró en la habitación y me enjugó la frente y me abanicó con el impreso de apuestas y dijo, ¿Lo has tenido ya? y al cabo de un rato me dice que tiene que ver a un hombre, que es algo muy importante, que volvería enseguida, y se fue al centro, donde le arrestaron otra vez, por un poli diferente, con el mismo sargento de guardia, no sé si el mismo juez, y cuando volvió al hospital, de tanta carrera y tanto calor y tanto metro tenía peor aspecto que yo, pero créeme, no me daba ninguna pena.

Matt dijo:

—Un día interesante.

—Era una comedia asombrosa pero no teníamos a nadie con quien compartirla, porque una cosa era aceptar apuestas y otra, no tan aceptable, dejar que te detuvieran por ello, y nunca había contado esta historia hasta ahora.

Nick la observó cuidadosamente, absorbiendo cada gesto y cada expresión. Una profundidad en sus ojos que desafiaba a sus hijos a interpretar: la desazón, el doloroso rencor que se asienta

bajo el plácido relato. Y la voz, con su tono objetivo, las vocales
ligeramente extendidas y combadas, un sonido procedente de las
viejas calles, la antigua canción popular ya trasladada a los suburbios próximos, y un leve acento irlandés que alentaba la pieza desde algún profundo lugar de la niñez.

Se oyó un ruido en la calle, un altavoz de automóvil fabricado
a medida bombardeando la noche con música, un coche que era
todo sonido, una bomba sonora móvil, y Nick dirigió una afilada
mirada a su hermano, que se encogió de hombros y sonrió.

—Quiere tenerte sentada en su patio, mamá. Bajo estrellas
brillantes. Con la silueta de los cactus bajo la luz de la luna.

—Imaginadme a mí con los cactus.

—Sin ruidos en las calles. Allí detienen a la gente por hacer
ruido. Si tu jardín delantero no está limpio y cuidado los hijos de
tus vecinos no dirigen la palabra a los tuyos.

Nick aguardó a que hablara de nuevo. Se abrió a todo cuanto
había en ella, al pasado que nunca cesa de transcurrir, y al minuto
que pasa, y a lo que siente ella cuando se rasca el dorso de la mano,
estirando la piel y luego rascándola. Intentaba oír el rumor de su
vida, la mosca que zumba en la habitación de la mujer que vive
sola.

Uno de los gatos se frotó contra su tobillo, el macho anaranjado que su madre había encontrado en la calle. Lo apartó con el
pie y sirvió café en todas las tazas.

Sentados a la mesa, hablaban en voz baja.

Rosemary estaba en el dormitorio, y ellos charlaban entre los
platos y las tazas y la gotita de leche derramada.

—¿Dónde duermes?

—Me preparo el sofá —dijo Matt—. ¿Dónde duermes tú?

—En Park Avenue Sur. El Doral. ¿Has venido conduciendo?

—He tomado el tren. Dímelo con toda seriedad. ¿Realmente
quieres llevártela allí?

—Más que nunca.

—Tienes que tener en cuenta que esta mujer no está asustada.
Lleva una existencia libre. La gente la conoce. La respetan. El vecindario sigue siendo algo vivo.

—Baja la voz.

—Bajo la voz.

220

—¿Viste los pasillos? —dijo Nick.

—Los pasillos. ¿Estos pasillos? ¿Qué pasillos?

Matt apiló unos cuantos platos y los llevó a la cocina.

—Escúchame. Ponte en el ascensor. Mira a la izquierda. Luego, mira a la derecha. ¿Qué ves?

—No lo sé. ¿Qué veo?

—Ves lo más largo, lo más triste, lo más espantoso, lo más deprimente... esa sensación, ¿sabes?

—Es un pasillo —dijo Matt.

—Es esa sensación. Una pesadilla sacada de algo estalinista o... bueno, estoy exagerando.

—Es un pasillo. Dicho sea de paso, lleno de niños pequeños la mayor parte del tiempo.

—Baja la voz.

—Mira, forma parte lógica de tu experiencia inventar una fantasía de sucesos tal y como piensas que se traslucieron o se están transluciendo. No es algo desacostumbrado en ti.

Nick no era capaz de mirar a su hermano sin experimentar el deseo de propinarle un puñetazo en la boca. El mismo motivo de siempre: el padre, no la madre. La profunda discordancia, la vieja lucha de voluntades, esa cosa egoísta del concepto de hermanos.

—No vino nadie a por él, Nicky. Nadie le cogió y se lo llevó. Se marchó, básicamente, por nosotros. No quería ser un padre. Ser un marido ya era lo bastante malo, menudo lastre, ya sabes, repleto de obligaciones y de situaciones a las que no era capaz de enfrentarse. Era un solitario, por emplear el término romántico, sólo que peor que eso, era clínicamente egocéntrico, no por vanidad o estupidez, sino por algún temor, alguna perspectiva congénita, una proximidad de perspectiva que equivalía al miedo. Le impedía ver a los demás de otra forma que no fuera la de obstáculos, pequeñas formas borrosas que estorbaban su soledad, la dureza de su carácter. Debió haberse unido a la Legión Extranjera francesa cuando tenía veinte años. Y no es que quiera renunciar a mi propia existencia. Pero hablando de un modo honesto y realista. Eso es lo que debería haber hecho.

—Sabes muchas cosas. ¿Cómo sabes tanto?

—Ella me cuenta cosas. Me cuenta cosas que nunca te dijo a ti.

—Te estoy mirando mientras dices eso.

—Me estás mirando.

—Eso es.

—Me estás echando una de tus miradas.

—En efecto, eso estoy haciendo.

Matt se había acercado a la pila y fregaba los platos, con el grifo a medio abrir para que pudieran oírse mutuamente, y no se volvió a comprobar la mirada de su hermano.

—Tuvo algunos problemas. Algún aficionado especialmente avispado le encargó una apuesta absurda. Una apuesta gorda con pocas probabilidades de éxito. Para entonces, Jimmy ya funcionaba por su cuenta, independientemente de los Solomon. Conozco incluso el nombre del caballo.

—Sabes muchas cosas. ¿Por qué será que no me siento impresionado?

—Fue el agobio final, la presión final, y le echaron.

—Escúchame un momento. Estoy confundido. Échame una mano. Primero, se marcha a causa de nosotros. Luego se marcha porque alguien acierta una apuesta absurda y se ve imposibilitado para pagarla.

—Terra Firma. Jimmy no había trasladado la apuesta a corredores capaces de manejar aquellas sumas. A lo mejor se trataba de una apuesta de última hora y no le dio tiempo a ofrecerla por ahí.

—¿Tú sabes esto y yo no?

—Te está protegiendo.

—No me impresiona una mierda. ¿A qué se debe?

—No fue uno de esos dramas en que te obligan a subir a un coche y salen corriendo. Debía dinero y no podía pagarlo. Era un corredor de poca monta. Pagaba diez dólares a la semana a un fabricante de botones para que le ayudara a hacer las cuentas. Trabajaba con cifras pequeñas.

—Escúchame. ¿No es eso una invitación a la violencia? ¿Cuando debes dinero a alguien y no puedes pagar? ¿En esa clase de entorno?

—¿Qué entorno? Ya la has oído. No necesitaban matones.

—No, tenían policías. Pero no para esa clase de situaciones.

—Se marchó antes de que pudiera crearse ninguna situación. Se había pasado años con un pie dentro y otro fuera. Ya la oíste. La había dejado en otra ocasión. Estaba buscando una excusa para convertirlo en permanente.

—Tú sabes todas estas cosas. Y yo no. Y, sin embargo, es notable lo poco que me impresiona. Échame un cable. Explícamelo.

Matt cerró el grifo y miró a su hermano, sentado e inclinado sobre la mesa.

—Cometió el crimen más inconcebible de los italianos. Abandonó a su familia. Ni siquiera tienen nombre para eso.

—No se marchó. Vinieron y se lo llevaron.

—Sigue creyéndotelo —dijo Matt.

Abrió el grifo para pasarle la esponja a los platos y aclararlos. Regresó el mismo coche, la caja de graves tamaño automóvil, produciendo una borrosa tormenta de sonido ahí fuera. Nick se inclinó pesadamente sobre la mesa, con cansancio en los ojos, las cejas hundidas y los labios apenas entreabiertos en una rendija que era una sonrisa inerte. Parecía un hombre que hubiera comenzado a beber unas horas atrás decidido a alcanzar un grado especial de abandono.

Nadie hablaba. Matt lavó y secó un plato y, a continuación, intentó encontrar el lugar del armario en el que debía guardarse. El coche se alejó finalmente. Entonces, Nick se levantó. Recogió el resto de los objetos esparcidos por la mesa y los llevó a la zona de la cocina. No caminaba: se movía. Era un movimiento pesado, perezoso y pensativo.

—Tiene su iglesia —dijo Matt.

—¿Qué?

—Tiene su iglesia. Su sacerdote.

—Le buscaremos una nueva iglesia.

—No será lo mismo.

—No queremos que sea lo mismo. Queremos que sea diferente. De eso se trata.

Matt le alargó un vaso para que lo secara. Trabajaron en silencio durante un rato, fregando los platos y guardándolos, encontrando el lugar adecuado para cada artículo.

—¿Qué tal la industria de los desechos?

—Viento en popa. La industria de los desechos. Creciendo por minutos.

—No me choca.

—No nos da tiempo de construir suficientes vertederos, ni de cavar suficientes cuevas de enormes fauces.

—¿Te metes en esos sitios? ¿Acudes a ver el material de cerca?

—A veces paso con el coche. Los inspecciono de lejos.

—¿Te apesta la peste?

—Me ha ocurrido, sí.

—¿Llegas a ver las ratas? Debe de ser el Planeta de las Ratas.

Nick descubrió el lugar reservado en el armario para los platos de postre.

—¿Alguna vez te conté lo de la rata que vi en el centro?

—Creo que no —dijo Matt.

—Estaba pensando en eso mientras venía para acá. Tenía una cita con una chica, para ir a un sitio de jazz, fuimos a ver a Charlie Mingus, estoy intentando recordar. Creo que por entonces vivía en Palo Alto, trabajando en libros de texto. Volví para una conferencia. Tendría a lo mejor veintiséis años. Y mi pareja era una mujer alemana, una estudiante de filosofía, sí, y ahora que lo pienso también una especie de futura ejemplar del tipo terrorista, y nos fuimos a ver a Charlie Mingus en Hudson Street, no recuerdo dónde, y allí estaba Mingus, tocando su bajo y dirigiendo miradas encendidas a la caja registradora cada vez que ésta sonaba. Mingus era un tipo grande y ancho. Le veías y era como ver a tres tíos en el mismo traje. Luego la acompañé a casa, fuimos atravesando la ciudad a pie y llegamos al centro y a su casa, un apartamento a nivel de sótano en un viejo edificio, y entramos por la puerta. Nada más entrar por la puerta, enciende la luz. Y aparece una rata. Yo estaba ahí, de pie, pensando en lo que estuviera pensando. Pensamientos a los que el sexo no es ajeno. Y aparece una rata. Veo a la rata subir derechita por la pared. Corre pared arriba, una rata tremenda, y produce un sonido que aún soy capaz de oír, como el silbido de un cadáver. Y mi pareja. Mi pareja dice algo en alemán y alcanza no sé qué de una mesa y sale detrás de la rata. Yo me quedo ahí, quieto como un muerto. Inmovilizado de deseo congelado. El deseo se ha congelado en las piernas. Y mi pareja corriendo por el cuarto en persecución de la rata.

Matt depositó una taza húmeda sobre el trapo de cocina que Nick sostenía en la mano. Nick podía adivinar el placer del hermano pequeño que se ve invitado a participar en la acción, que obtiene detalles privilegiados relativos a un suceso infame. Tanto más dimensionales, más raros y más dulces en tanto que el narrador se permite aplicar un elemento de comicidad a su sobria persona, alguna tribulación o alguna vergüenza difícil de identificar. Tanto más íntimos y apetecibles.

—Y la rata baja por la pared opuesta y se cuela en el cuarto de baño como un juguete de cuerda, sólo que mil veces más rápida. Una rata formidable, grande y veloz, y mi pareja sale corriendo detrás de ella, blandiendo lo que fuera que estaba blandiendo y que en ningún momento llegué a identificar. Enciende la luz del baño y entra sin dudarlo. Yo, francamente, comienzo a sentirme un poco dado de lado. Pero qué más da. Me quedo donde estoy. Pienso. ¿Qué le está pasando a mi pareja de jazz? Se está desintegrando en beneficio de la caza de la rata. Y en ese momento, asoma la cabeza por detrás de la puerta.

Matt estudió el semblante de su hermano, moviendo perceptiblemente los labios al ritmo de su relato, anticipándose a una palabra, cambiando de expresión a la vez que Nick.

—Yo me he quedado tan lejos de la puerta del baño como he podido sin que se pueda decir que he salido del apartamento. Mantengo abierta la puerta de entrada. Mi pareja está en el cuarto de baño, en plena batalla con la rata, y alcanzo a oír ese silbido siniestro del bicho. Y mi pareja asoma la cabeza por la puerta del baño y dice, ¡no me puedo creer esto! ¡Es la segunda vez que tengo que matar a esta puta rata! ¡Raticida con calaveras! ¡Y ahora va y vuelve! Y regresa al interior para proseguir la cacería. Yo me siento completamente despreciable. ¿Acostarme con ella? No tengo derecho ni a estar en la misma ciudad. Me es posible oír a la rata corriendo por la bañera. Créeme, tío. Impresionante.

Matt estaba medio sofocado de placer. Produjo un sonido gutural, un temblor involuntario. Nick concluyó la historia: la rata escabulléndose pulcramente por un hueco de ventilación de la pared, la velada completamente echada a perder. Se tomaron otra taza de café y luego su hermano encontró la guía de teléfonos y llamó a un taxi. Nick permaneció junto a la ventana del salón. Buscaba con la mirada la presencia de prostitutas con medias elásticas en el tejado del motel.

Los italianos. Se sentaban en los escalones de entrada con abanicos de papel y naranjadas. Se fabricaban su propio mundo. Decían, ¿Quién hay mejor que yo? Ella nunca había podido decir eso. Ellos sabían sentarse ahí y decir eso y ser felices. Remontándose mentalmente a lo largo de las décadas. Vio a una mujer abanicándose con una revista y le pareció como una enciclopedia de brisas, el libro de todas las brisas que habían soplado jamás. La ciudad drogada de calor. Caballos sucumbiendo por las calles. ¿Quién hay mejor que yo?

Les oía hablar ahí fuera.

Quiere llevarme al zoológico porque los animales son de verdad. Le he dicho que eran animales de zoológico. Animales que viven en el Bronx. En la televisión puedo ver animales que viven en la selva o en el desierto. Conque cuáles son falsos y cuáles de verdad, y eso le hizo reír.

Hubiera sido más sencillo creer que lo merecía. Él se marchó porque ella era una mujer despiadada, estúpida y colérica, una mala ama de casa, una mala madre, una mujer fría. Pero no lograba inventar un argumento fiable para ninguna de aquellas excusas.

Pero no había intimidad más dulce, sus historias susurradas de jugadores y policías, los dos tumbados en la cama, sus días con los jefazos del tejido y los ordenanzas. La hacía reír, contándole aquellas historias a altas horas de la noche, noches de amor, susurrándole cosas luego, tendidos uno junto al otro en la cama, e incluso cuando estaba sin un céntimo le contaba chistes verdes por la noche.

Ahora comenzaba a vencerle el sueño, y rezó un Avemaría porque era lo que siempre hacía antes de dormir. Sólo que ya nunca estaba segura de si la última Avemaría que rezaba era un Avemaría de la noche anterior o de dos minutos atrás y rezó aquella oración y rezó aquella oración porque se le confundían las horas y no quería dormirse sin estar segura.

Poseía más cosas materiales que la mayoría de la gente que conocía, gracias a unos hijos que la ayudaban. Contaba con muebles más bonitos, con un edificio más seguro y con médicos a izquierda y derecha. La hacían ir a un ginecólogo, y venía Janet y venía Marian, dos mujeres de mundo, hurra. Pero aún no podía decir, ¿Quién hay mejor que yo?

Le había tocado el italiano, pero sin la familia, el muchacho que sencillamente se había presentado, como una sombra saliendo de la pared. Al principio no le importó. Le gustaba. No quería un montón de parientes viniendo de visita con blancas cajas de pastas. Le gustaba su delgadez, su falta de ligaduras. Pero entonces comenzó a ver lo que aquello significaba. Lo único que el oscuro cuerpo de aquel hombre preservaba era un chiquillo en un espacio vacío, el taimado muchacho a punto de agotar su suerte.

Entonces se durmió, y luego le despertó la música del coche. Volvió a oír sus voces, y las puertas del armario al cerrarse.

No demostraba su afecto. Lo demostraba pero no lo bastante. No era algo que se le diera bien. Pero en parte era culpa de él. Cuanto más le amaba ella, más se asustaba él. El miedo le asomaba a los ojos, contando chistes en la noche.

Les oyó abrir y cerrar las puertas del armario de la cocina. Nunca se habían aprendido dónde iba cada cosa. ¿Por qué iban a saberlo ahora? Gilipollas. Se rascó el dorso de la mano con fiereza y rezó otra Avemaría por si acaso la última había sido la de la noche anterior.

Así la habían criado. Ve a misa, cuida de tus padres, cásate con ese chaval tan trabajador, un chaval corriente, a lo huevos con beicon, solían decir. Y las monjas solían decirle, Eres una hija de María, y no tienes que besarle. Pero él no era un chico corriente, y ella le besaba.

No podía soportar la idea de que Nick estuviera en lo cierto. Alguien había venido y se lo había llevado. Aquello convertiría a su Jimmy en inocente. Algo que Nick pensaba desde pequeño. Pero acaso lo otro fuera peor, acaso la verdad fuera peor. No había ocurrido con violencia.

Se durmió y luego se despertó. Escuchó y supo que Nick se había marchado y que Matty se había acostado, y aguzó el oído para distinguir los sonidos de la calle y pensó en los animales en sus jaulas y sus hábitats, leones al lado de Boston Road, tosiendo por las noches.

Estaban poniendo el vídeo de nuevo, pero Nick no lo miraba. Permanecía junto a la ventana de su hotel, contemplando los automóviles que se movían en silencio por la avenida, el escaso tráfico bajo el fulgor de sodio de las farolas.

Estaba esperando a que el servicio de habitaciones le subiera su brandy.

Durante el recorrido hasta allí, el taxista había conducido con la mano izquierda todo el camino, un dominicano con camisa calada, el brazo derecho extendido encima del respaldo del asiento. Le habló a Nick de los asesinatos de taxistas gitanos, últimamente un suceso regular, un juego de azar al que tenías que jugar todas las noches.

A Nick no le gustaban los gatos. Cuando consiguiera de ella el sí, habría que jubilar a los gatos.

O bien te roban y te matan, o bien te roban y te dejan vivir, o les llevas a algún sitio con toda eficacia, dijo el hombre, y o te pagan o no te pagan.

Vivo una vida tranquila en una casa sin pretensiones de un suburbio de Phoenix.

Cuando consiguiera de ella el sí, no tendrían límites de tiempo para pasarlo recordando juntos.

Le había dado una buena propina al hombre. ¿Qué propina le das a un tipo que arriesga la vida cada vez que responde a una llamada? Nick confiaba en haberle dado una buena propina, generosa, pero no hasta el punto del ridículo, no hasta el punto de haber revelado con ello que era un forastero.

Contempló la pantalla del televisor, donde la cinta se aproximaba al punto en el que el conductor saluda con la mano, el gesto decidido desde la parte superior del volante, y aguardó a que el servicio de habitaciones llamara a su puerta.

6

Matty era muy pequeño, y su hermano solía sentarse en el orinal para leerle tebeos a un auditorio minúsculo, algunos niños de la vecindad, de edades comprendidas entre los cuatro y los cinco años, supuestamente vigilados por algún adulto próximo, con Matty en el umbral, listo para gritar *cuidado*, que era la llamada de aviso, y Nick en el orinal leyéndoles historias del Capitán Centella o de los Vengadores, los pantalones colgando flácidamente de las rodillas y él con su animado discurso, declamando y gesticulando, llegaba a diferenciar la voz de los villanos y de las damas, y un sibilante y punzante chirrido para los coches de los gángsteres que atraviesan la noche doblando precariamente las esquinas, llegando al punto de asustar a veces a los chiquillos con la intensidad de sus ademanes y luego deteniéndose para liberar un chorizo que caía con un chapoteo, levantando agua, el sonido más divertido de la naturaleza, un sonido que despertaba una dichosa expresión de asombro entre los oyentes: el más espeluznante placer que existe, mejor que cualquier cosa que pudiera leerles de aquellas viñetas.

Matt caminaba por el vecindario con la intención de ver el viejo edificio, el número 611, preguntándose ociosamente quién viviría en su apartamento del tercer piso, qué idioma hablarían, cuántas vidas en curso, pero fundamentalmente pensaba en Nicky, a sus nueve años, en cuclillas sobre el trono. ¿Qué otro les leería los tebeos, les escenificaría aquellos vibrantes dramas de villanos criminales e intrépidos héroes?

Fue a ver a Bronzini, su antiguo mentor ajedrecístico, un hombre de naturaleza afable a la par que instructor a regañadientes. Ahora vivía en un triste edificio con un portal señalado por especímenes de restos urbanos: pintura de aerosol, orina, saliva y motas de alguna materia oscura, probablemente sangre. El ascensor no funcionaba, y Matt subió cinco pisos andando. En el rellano, una sandalia de niño. Llamó con los nudillos y esperó. Sintió la presencia de un ojo al otro lado de la mirilla y pensó en su propia calle y en su casa y en la vida de los barrios de alta tecnología, esos enclaves agazapados tras la autopista, situados adrede para no invitar a la entrada, y en la tienda de la esquina, que vende once clases de cruasán y veintisiete cafés distintos que, por algún motivo, nunca son suficientes, y en la vida que llevaba antes de aquello, las armas que había estudiado y ayudado a perfeccionar, la experiencia del desierto, tan completamente desconectada de las raíces de la realidad, en comparación con aquel hombre, pensó, al otro lado de la mirilla, que contempla los escombros acumulándose en el planeta en el que había nacido.

La sonrisa del hombre estaba en sus ojos, una cálida efervescencia que transmitía avidez, deseos de saber. Aquello era lo que quedaba: su curiosidad. Su aspecto era demasiado viejo, demasiado delgado, su rostro una silueta difusa, un vago calco del parecido original, el descarnado y deslustrado Bronzini. Un par de días de barba gris rodeaban su mal recortado bigote, y Matt pensó que el tipo se había arrojado a la vejez, abrazándola con una especie de asentimiento temerario.

—Nada de «señor», por favor. Ahora soy Albert. Y tienes buen aspecto. Robusto... me sorprende. Recuerdo un palillo. Un palillo con una cabeza llameante.

Evidentemente, el hombre había olvidado otros encuentros más recientes. Se sentaron a una mesa próxima a la ventana y bebieron té. Bronzini vivía ahora con su hermana, que nunca se había casado y que, dijo, se sentaba en su cuarto hablando mediante cánticos de reducido ámbito informativo. Qué compresión. Pero una vez que aprendió a ser paciente con sus repeticiones y atenuaciones comenzó a hallar en su presencia la fuente de un enorme bienestar. Un descanso, dijo, de sus propios desvaríos internos.

Dijo:

—A veces tomo el tren para ir al centro. Hay un club de ajedrez que es también cafetería, en el Village, y siempre juego una partida o dos. Pierdo, pero nunca me sonrojo. O juego ahí abajo, en el parque, con un vecino. Compartimos un banco. Y nos dejan en paz, los chiquillos.

—Yo no juego —dijo Matt con voz desprovista de cualquier matiz.

—Solía preguntarme acerca de tu padre. Te enseñó los movimientos, pero solía preguntarme si era un jugador serio. No le conocía lo bastante bien como para sacar el tema, ningún tema. No era un hombre que estimulara, por así decirlo, las pesquisas.

Los ojos le burbujeaban como agua carbonatada.

—Me enseñó bastante. Practicábamos las aperturas y jugábamos muchas partidas. Jugábamos al ajedrez rápido para divertirnos. Él lo llamaba tránsito rápido.

Cuando su padre salió a por cigarrillos, Matty estaba acabando el primer curso. Descubrió un libro de problemas de ajedrez que Jimmy había guardado en un buró. Se trataba de un descubrimiento de altura, y se abrió paso a través del libro, sentado frente al tablero, escaques y piezas, desplazando piezas de madera. Su hermano solía entrar en la habitación y derribar las piezas del tablero y abandonar la estancia sin una palabra. Matty recogía las piezas y las colocaba sobre el tablero exactamente en la misma posición en la que habían estado. Estudiaba la defensa de las negras. Su hermano entraba en la habitación, tiraba las piezas otra vez y volvía a salir.

—Tu madre acudió a interceder por ti. Pero eras un problema —dijo Bronzini—. Necesité ayuda para hacerme contigo.

—Difícil de manejar.

—Volátil, sí, y muy rápido haciendo caso omiso de mis consejos. Cierto es que veías cosas que yo no veía. Poseías una perspicacia y unas habilidades notables. Algo que producía en mí euforia pero también humillación. Carecía del profundo sentimiento del jugador maestro.

—Como equipo éramos quizá un poco inestables. Pero conseguimos durar unos cuantos años. Saboreamos cierta gloria, Albert. Puedo decirte que no me gusta ese niño. No me gusta pensar en él.

—Estudio la teoría de vez en cuando. Leo un poco de la historia del juego. La personalidad del juego. Se trata de un juego de enorme hostilidad.

—Llegué a detestar el vocabulario —dijo Matt—. Aplastas a tu oponente. No se trata de ganar o perder. Le aplastas. Le aniquilas. Le despojas de dignidad, virilidad, feminidad, le destruyes, le expones públicamente como un ser inferior. Y a continuación, te refocilas en sus narices. Comencé a odiar todas las cosas que me proporcionaban un placer tan descarnado.

—Porque comenzaste a perder —dijo Albert.

Era cierto, claro está, y Matt se echó a reír. Todo aquel poder concentrado, la implosiva vida del tablero, negro y blanco, la autocrática belleza de la victoria, qué bocanada de inocultable orgullo: derrotaba a hombres, a niños, a los viejos y a los sabios, a los vigorosos y a los rápidos, a los poetas del café bohemio, simpáticos y apestosos. Pero luego, a los diez u once años, vio cómo comenzaba a difuminarse su ventaja y sufrió algunas derrotas, sufrió constantes reveses que le dejaron enfermo y renqueante.

—La competición cambió. Encontramos mejores oponentes a los que enfrentarte.

—Y yo perdí fuerza.

—Tu desarrollo chocó contra un muro. Un muro no. Pero ya no siguió creciendo de un modo exponencial.

Matt contempló el parque, sorprendido ante su desolación, el campo de baloncesto vacío y lleno de agujeros, con un único tablero en pie. Directamente bajo su mirada, el viejo campo de petanca lleno de hierbajos. Todo vacío. Arriba, en el segundo nivel, el campo de *softball* desierto y abrasador de alquitrán, con una pesada indolencia sofocante, su negra superficie destellando de cristales rotos y dos o tres hombres, ahora los ve, de pie cerca de la verja del campo izquierdo, como con una actitud de aspecto mortífero similar a la de las figuras de los *spaghetti-westerns*, esbeltos, anónimos, sin afeitar: no creyó que estuvieran familiarizados con el lenguaje de la esperanza de vida.

Dijo:

—He andado por ahí. Resulta complicado. Me descubro a mí mismo intentando resistirme a la respuesta estándar.

—No quieres conmocionarte. Te resistes a culpar a nadie. Pero acudiste a las viejas calles.

—Sí.

—Viste tu edificio. La miseria que lo rodea. El solar vacío con el alambre de espino.

—Sí.

—Los hombres. ¿Quiénes son, ahí de pie, sin hacer nada? Pobre gente. Son muy chocantes.

—Sí, lo son —dijo Matt.

—Y éstas eran tus calles. Se trata de un curioso rito de promoción, ¿no te parece? Visitar los antiguos lugares. Primero te preguntas cómo pudiste vivir tan conforme en condiciones tan agobiantes. Las calles son más estrechas, los edificios más pequeños de lo que nunca habías recordado. Es como regresar a Liliput. Y piensa en las habitaciones. Piensa en el diminuto cuarto de baño, compartido por la familia, por los abuelos, por el tío que ya está ligeramente chiflado. Pero ¿qué otras cosas ves? Esta gente a la que apenas diriges una ojeada. ¿Cómo puedes verles claramente? No puedes.

—No, no puedo.

—Y quieres preguntarme por qué estoy aún aquí. Veo a tu madre en el mercado y hablamos de esto. No queremos saber nada de este asunto de añorar las viejas calles. Hemos tomado nuestra elección. Protestamos, pero no añoramos, no nos dolemos. Hay cosas aquí, personas que muestran las más altas cualidades humanas, completamente desapercibidas porque, ¿quién viene a mirar aquí? Y estoy demasiado enraizado para marcharme. Hablando sólo por lo que a mí respecta, me siento demasiado enraizado, demasiado limitado. Mi mente está abierta a todo, absolutamente, pero no así mi vida: no quiero adaptarme. Soy un viejo romano estoico. Aunque también es verdad que siempre fui demasiado viejo, demasiado limitado. Klara solía meterse conmigo en este sentido. No meterse conmigo. Animarme, alentarme a ver las cosas de un modo distinto.

—¿Hablas con ella alguna vez?

—No. Ve a la avenida Arthur, Matty. Observa las tiendas y la gente que va de tiendas y la gente que pesa los pescados y corta las carnes. Te levantará el ánimo. El otro día me llevé a tu madre a la choricería para enseñarle los techos. Cientos de salamis colgantes, qué abundancia y qué riqueza, un lugar hirviente de aromas y texturas, el techo completamente cubierto. Dije, mira Rosemary. El cerdo convertido en catedral gótica.

Se estrecharon la mano en el umbral.

—Solías llevar gafas, Albert.

—No las necesitaba de un modo inexcusable. Las necesitaba un poquito. Formaban parte de mi parafernalia docente. De mi equipo. Utiliza el ascensor.

—No funciona.

—No funciona. En ese caso, me imagino que tendrás que bajar andando. Pero ve ligero —dijo Bronzini, los ojos relucientes—. El bosque está lleno de peligros.

Matt fue a comprar la cena y luego retrocedió en dirección al edificio de su madre, encaminándose directamente al costado oeste del zoológico. Sobre los árboles distinguió el residuo de la estela de un reactor, el vapor que iba perdiendo la forma y comenzaba a esparcirse y dividirse, y pensó en el desierto, claro, en el campo de tiro y las rutas de vuelo y el hecho de que la condensación en el cielo fuera el único signo que alcanzaban sus ojos que revelara la presencia de una empresa humana, un chiquillo de ciudad que se ha ido de acampada, que se ha llevado su alma atormentada al campo, mientras los estampidos del *mach-2* descendían sobre él como palmadas celestes y el vapor dejaba un rastro de hielo en el firmamento.

Estaban mostrando el vídeo de nuevo. El televisor estaba encendido en la habitación vacía y tenían el vídeo puesto, tenían a la víctima sentada al volante, el hombre neutro en su Dodge de serie media, vivo una vez más bajo la luz del sol... estaban mostrándolo otra vez.

Matt entró, sorprendido de ver el televisor encendido, y se sentó sobre un escabel, cerca de la pantalla. Cuando estaba puesto no era capaz de apartar la vista de él. Luego, se ponía a la cola del supermercado y ahí estaba otra vez, en los monitores que habían instalado para mantener a los clientes distraídos en las cajas: nueve monitores, diez monitores, todos mostrando la cinta.

Pero esta vez algo era diferente. Había una voz superpuesta, apenas audible, y miró a su alrededor en busca del control remoto. Oprimió el botón un par de veces y la voz surgió, trasluciendo algo que se correspondía con la cinta. Era una voz desnuda del mismo modo que la cinta era desnuda. Una voz de hombre, plana y descarnada, diciendo algo acerca del tiempo.

Apareció un conjunto de palabras, superpuestas sobre la parte inferior de la cinta.

Grabación en vivo de la voz del Asesino de la Autopista de Texas.

La voz estaba preguntando por el estado del tiempo en Atlanta. Cortaban del vídeo a una grabación en vivo de un rostro sobre una mesa de trabajo, una mujer pelirroja con unos ojos verdes asombrosos. La presentadora. La presentadora estaba informando al hombre que llamaba de que los informes de meteorología indicaban lluvia.

Luego dijo: «Y, claramente, lo que estamos oyendo no es una voz telefónica real. Se trata de una voz manipulada, de una voz alterada.»

Y la voz dijo: «Bueno, consiste en un artefacto que disfraza el sonido. Un artefacto que mide poco más de siete centímetros por cinco y que, al acoplarlo al micrófono, hace que resulte difícil distinguir la voz de un individuo en particular.»

Dijo luego la mujer: «Sólo para resumir: estamos recibiendo una llamada de una persona que se identifica como el Asesino de la Autopista de Texas. Nos ha proporcionado información que sólo conocen el verdadero asesino y las autoridades, y hemos comprobado dicha información con estas últimas para verificar sus credenciales.»

Luego le preguntó algo al comunicante acerca de los motivos de su llamada.

Matt la contemplaba, medio absorto. Aquellos ojos eran increíbles, como el verde de las aguas costeras contempladas desde un aeroplano.

La voz dijo:

—Llamo para poner las cosas en su sitio. La gente escribe cosas y dice cosas en antena que, desde el principio, no he sabido nunca de dónde provenían. Siento que mi situación se ha entremezclado con los perfiles de otro centenar de personas que aparecen en los ordenadores de criminología. No hago más que oír hablar de mi baja autoestima. No hacen más que insistir sobre esto. Juzgue usted por sí misma, Sue Ann. ¿Cómo es posible que una persona que ha demostrado esta precisión, que es capaz de acertar sobre blancos móviles cuando está conduciendo con una mano y disparando una pistola con la otra, no sea consciente de sus habilidades personales?

La presentadora miraba a la cámara. No tenía elección, por supuesto. La cámara la enfocaba a ella, no al comunicante. Ella era un cuerpo vivo, y él tan sólo era una voz, o ni siquiera una voz. Aquel extraño sonido, aquel despojamiento de la voz, en el que se acentuaban el contorno y la modulación. Electrónicamente afinado pero no desprovisto de su cualidad humana, pensó Matt, como una especie de entonación campesina. El esfuerzo por hablar, los entresijos desnudos de la más simple manifestación.

La presentadora escuchaba.

—No hago más que oír historias acerca de un trauma craneal por culpa del cual un individuo, ya sabe, no es capaz de controlar su comportamiento.

Un nuevo corte, esta vez de regreso a la cinta. Mostraba al hombre sentado al volante de su Dodge.

—Pongamos las cosas en su sitio. Yo no he crecido con ningún trauma craneal. Disfruté de una niñez sana y básicamente típica.

El automóvil se aproxima brevemente y luego comienza a quedarse atrás.

—¿Por qué hace esto?

—¿Perdón?

—¿Por qué comete estos asesinatos?

—Digamos simplemente que aquí, donde estoy, hace un agradable día de entretiempo, con nubes dispersas, y si eso sirve de pista para mi situación, que sea una pista; y si todo esto es un juego, pues tómeselo como un juego.

En la pantalla, el hombre al volante realiza su pequeño saludo con la mano, el gesto amigable e incompleto hacia la cámara y el futuro y todo el mundo que le contempla, su mano oscilando con rigidez desde la parte superior del volante.

—¿A buen seguro es usted consciente de que se dice que uno de estos crímenes es obra de un imitador? ¿Puede decirnos algo al respecto?

Y aquí es donde le disparan. Matt era incapaz de mirar la cinta sin sentir el impulso de llamar a Janet. Date prisa, Janet, aquí viene. Irritándola. Irritándola con la cinta e irritándola con él. Daaaaate prisa, aquí vieeene. Una broma ansiosa, una broma dicha con la voz de otra persona, sin pretensiones de resultar graciosa. Janet soltó un taco y dijo basta. Pero no bastaba. Nunca bastaba.

—Digamos, vale, que la policía tiene su trabajo y yo tengo el mío.

La sensación irreal de ese coche que continúa siguiéndote después de que el conductor haya recibido un disparo. Se aproxima brevemente y luego pierde terreno.

—Además de que, en cualquier caso, el término correcto para esto no es el de francotirador. Aquí no se trata de una persona que trabaja con un rifle que trabaje a mayor o menor distancia. Aquí estás en marcha, estás moviéndote, quieres aproximarte a la situación todo lo humanamente posible sin que los dos vehículos colisionen, lo que podría resultar en una marca de pintura.

Para entonces, el coche se desvía hacia el guardarraíl. El extraño sonido de la voz del comunicante, uniforme, con leves temblores en los bordes, curiosas tormentillas electrónicas, como alguien que intentara producir una manifestación humana a partir de datos archivados.

Cortan al rostro que planea sobre la mesa. La presentadora en vivo. Ahora, sus codos reposan sobre la mesa, las manos entrelazadas bajo la barbilla. Matt se preguntó qué significaría aquello. Cada cambio de postura implicaba una modificación del estado de las noticias. Los ojos verdes le escrutaban desde la pantalla. Y la voz alterada prosiguió, asumiendo su acento de gráfico plano, ahora la verdad es que estaba charlando, confiada, haciéndose al medio, al formato, y la presentadora escuchaba porque no tenía otra elección y porque todo el mundo la observaba mientras lo hacía. Estaban observándola en Murmansk, bajo la niebla.

La voz dijo:

—Confío en que esta charla habrá contribuido a comprender mejor la situación. El hecho de que haya solicitado hablar exclusivamente con Ann Corcoran, mano a mano, ha sido para mí algo intencionado. Vi la entrevista en la que decía que le gustaría conservar su carrera, ya sabe, en marcha mientras con suerte construye su familia, y siento que esto es algo en lo que la cadena vía satélite tiene la responsabilidad de mantener el puesto abierto, ¿de acuerdo?, porque un individuo no debería verse penalizado por las opciones de estilo de vida que elige.

Comenzaron a reproducir la cinta de nuevo. Mostraba al hombre al volante del Dodge de serie media.

Cuando su madre entró estaba frotando una sartén con un cepillo de mango corto. Se detuvo allí y le miró.

—Lo desgastarás —dijo.

—Hacía esto en el Ejército. Me gustaba hacerlo. Era lo mejor del Ejército.

—Eso fue hace mucho tiempo. Y, además, la sartén ya está limpia. No sé qué piensas que estás haciendo, pero no vas a conseguir que esa sartén esté más limpia.

—La televisión estaba encendida. Cuando entré —dijo—. ¿Dejas la televisión encendida normalmente?

—Normalmente, no. Pero si tú dices que estaba encendida, me imagino que estaría encendida. Anormalmente.

—Siempre había pensado que eras cuidadosa.

—Soy bastante cuidadosa. Tampoco soy una fanática —dijo ella—. Estás desgastando el acero. Acabarás traspasándolo con el cepillo.

Se encargó él de cocinar para los dos, y conservaron puesto uno de los ventiladores debido a que el aire acondicionado parecía funcionar a medio gas.

—Hoy fui hasta allí andando. Han desaparecido bastantes edificios. Nada sigue en su sitio. Estacionamientos sin coches. Resulta muy curioso ver todo esto. De repente, las siluetas de los edificios forman un dibujo.

—Yo no voy por allí.

—Muy bien. No lo hagas.

—No me gusta ir.

—Estuve viendo el 611.

—Yo no quiero verlo.

—No debes verlo. Cómete los espárragos —dijo él.

Oyó un trueno procedente del Oeste, la promesa de la lluvia en noches sofocantes, uno de sus recuerdos primitivos.

—Pillé a Nick justo antes de que saliera del hotel. Le dije que según el médico estabas en plena forma.

—No te emociones.

—Van a enviarme copias impresas de todas las pruebas.

—¿Alguna vez te cuenta algo?

—¿Nick?

—¿Cuenta algo alguna vez?

—No.

—A mí tampoco.

—Lo ha borrado —dijo Matt.

—Supongo que qué otra cosa podía hacer.

—¿Qué otra cosa podía hacer?

—No lo sé —dijo ella.

Durante un rato comieron en silencio. Dos de los gatos salieron del dormitorio. Se deslizaron junto a las sillas como pieles líquidas.

—Fui a ver al señor Bronzini.

—Albert. Es como la última rosa del verano. Se lo dije la última vez que le vi. Vete al peluquero. Sale a la calle en zapatillas. Se lo dije.

—Ha perdido peso.

—¿Qué te estoy diciendo? Está usted convirtiéndose en un viejo excéntrico.

Terminaron de comer y Matt se dirigió a la cocina en busca de la fruta que había comprado, gruesas uvas del color de rubíes que aún conservaban las pepitas y melocotones de frondoso tallo.

—¿A qué hora quieres que te levante?

—No te preocupes —dijo él.

—¿A qué hora es tu avión?

—A la hora que llegue.

—¿Tienes el billete preparado?

—Voy en el puente aéreo.

—El puente aéreo.

—No necesito billete.

—¿Qué es el puente aéreo?

—Voy al aeropuerto, me subo a un avión y nos vamos a Boston. A no ser que me equivoque de avión. En ese caso, iríamos a Washington.

—¿Dónde andaba yo cuando dejaron de utilizar billetes?

—Pago en el avión.

—¿Y qué pasa si todos los asientos están ocupados?

—Tomo el siguiente. Es el puente aéreo. Cada vez que sale un avión, hay otro esperando.

—¿Dónde andaba yo cuando inventaron esto? El puente aéreo. Todo el mundo lo conoce menos yo.

Matt aguardó a que dijera algo acerca de las enormes uvas recogidas en el cuenco de cerámica, o a que comiera una, recién lavada y reluciente.

—¿Qué pasa con Arizona?

—¿Qué quieres que pase? —dijo ella.

—No sé. ¿Qué pasa con eso?

Del dormitorio salió el último de los gatos, el tímido de color blanco, y Matt lo asió y se lo colocó en el regazo.

—Fregando cazos y sartenes.

—Aquello era lo mejor de la instrucción —dijo él—. Era el aspecto más civil.

—No sé cuántas noches me pasaría sin dormir cuando te mandaron fuera.

—¿Cuántas cartas te escribí diciendo que ni siquiera estaba cerca de la zona de combate?

—Estabas en ese país. Solamente eso ya era demasiado cerca para mí.

—No es un país tan pequeño. Si disparaban un tiro en Khe Sanh, no era fácil que me acertaran a mí, cómodamente sentado puertas adentro, trabajando como un esclavo.

—Tuviste más suerte que muchos otros.

—¿Estás segura de que no quieres ir?

—Yo me quedo aquí —dijo ella.

Permanecieron allí sentados, separados por la fruta. Matt oyó la lluvia repicando en la ventana con un sonido fresco y limpio, y miró a su madre, quien no veía los melocotones de frondoso tallo como una obra de arte.

—Voy a misa a primera hora.

—Saluda a Dios de mi parte. Tendré el café preparado para cuando vuelvas.

—Lo borró —dijo ella—. ¿Qué otra cosa podía hacer?

Le dio las buenas noches y se retiró. Los gatos se esfumaron mientras él preparaba el sofá. Al final, el tema era siempre Nick. Cualquier tema, debidamente molido y colado, arrojaba como resultado algo de Nick, bien una versión del adulto distante, bien el bruto adolescente a la caza de alguien a quien golpear. Tales eran los términos de su relación. Tendido en la oscuridad, escuchó la lluvia. Se sentía pequeño. Se sentía diminuto y perdido. Su mujer era pequeña. Tenía unos hijos pequeños. No hacían nada en este mundo digno de admiración. Eran inocentes. Existía una maldición de inocencia que arrastraba consigo. Frente a su hermano, frente la categoría del peligro y de la cólera, él sólo podía aportar la realidad de su mediocridad, de su tímida liberación de culpa.

Oyó un sonido cerca de la puerta. Permaneció inmóvil un instante. Aguardó allí tendido. La lluvia caía ahora con fuerza, chapoteando, haciendo estremecer la ventana. Oyó el ruido de nuevo y se levantó. Se puso las gafas y observó a través de la mirilla. Lentamente, abrió la puerta, una rendija. Paseó la mirada por el pasillo, alargado e iluminado como el de una prisión, a izquierda y derecha, hileras de puertas cerradas, todas desnudas e inmóviles: un adulto en casa de su madre, temeroso de los ruidos procedentes del pasillo.

7

¿Cuán profundo es el tiempo? ¿Hasta qué punto habremos de internarnos en la vida de la materia para comprender qué es el tiempo?

Mi viejo profesor de Ciencias, Bronzini, avanzaba a través de la nieve con pereza, arrastrando alegremente los pies, la cabeza baja, su caja de puros sujeta bajo el brazo: las tijeras, los peines, la maquinilla eléctrica para repasarle el cuello a Eddie.

Nos abalanzamos hacia el espacio, desafiamos al espacio, definimos la ventana de lanzamiento y despegamos, rodeamos el planeta en un abrir y cerrar de ojos. Pero el tiempo nos ata al envejecimiento de la carne. Tampoco es que le importara envejecer. Pero a modo de argumento, a nivel simplemente teórico, se preguntaba qué aprenderíamos al profundizar en estructuras subyacentes al modelo estándar, inferiores al quántum, mil millones de millones de veces más pequeñas que el viejo átomo de los griegos.

Caía la nieve, enormes copos con puntas de estrella, plumosamente húmedos sobre sus pestañas, adheridos y esfumados, y alzó la mirada para contemplar los coches estacionados, encogidos y estupefactos, sin nada que se moviera en las calles, nieve sobre el dorso de su mano... que toca la piel y desaparece.

Ascendió las escaleras hasta el apartamento de Eddie y llamó al timbre. No oyó una campanada ni un zumbido, ni un gemido de sierra mecánica. Golpeó con los nudillos la plancha de metal que cubría la puerta y oyó aproximarse a Mercedes por el golpeteo de sus zapatos.

Abrió la puerta, llamando a Eddie:

—En la vida te imaginarías quién es.

Bronzini le alargó la caja de puros, García y Vega, puros finos desde 1882. Se quitó la gorra a cuadros y se la dio. Se desembarazó del viejo abrigo con cinturón que había comprado a tan buen precio en decomisos, adonde va uno para beneficiarse de los descuentos de fábrica, para comprar trajes y vestidos ilegalmente importados, jerséis confiscados por error: pensaban que se trataba de cigarrillos. Le entregó el abrigo. Agitó los dedos para mostrar la ausencia de guantes. Luego, se inclinó para desabrocharse los chanclos y se los quitó, algo mareado por el cambio de postura.

—Mira, Eddie: lleva zapatillas debajo de las botas. Este hombre es increíble.

Besó a la mujer y al abrigo y se internó en la sala de estar frotándose las manos como un hombre que atravesara una alfombra persa en dirección a una hoguera de ramas de abedul y a una copa de costoso brandy. Eddie le aguardaba allí, sentado, el auténtico Eddie Robles que habitaba dentro del impostor, dentro de ese parecido hechizado, artrítico, enfisematoso, con venas ulcerosas en las piernas, más o menos jubilado de todo.

—Me desperté esta mañana y lo supe —dijo Bronzini.

—Lo supiste.

—Es hora de cortarle el pelo a Eddie.

—En medio de una ventisca. Te levantaste pero no miraste por la ventana.

—Es una nevada suave. A la antigua. Deberías salir a dar un paseo.

—Un paseo —dijo Eddie—. ¿Tienes idea de lo que estás diciendo? Siéntate, me estás poniendo nervioso.

—No puedo cortarte el pelo si estoy sentado. ¿Dónde están mis trastos de matar?

—Debería cortártelo yo a ti. Tú eres quien necesita un corte de pelo. Deberías ir por ahí con un violín, Albert.

—Ya nunca quieres jugar al ajedrez conmigo. No queda nadie en el mundo a quien pueda ganar al ajedrez, a quien pueda darle una paliza de las que te doy a ti. Así que tienes que acoplarte a los movimientos del peluquero. Es una nevada maravillosa, de las de antaño. Por cierto, Mercedes. ¿Dónde está Mercedes? No os funciona el timbre.

Bebieron chocolate caliente, allí sentados. Lo que Albert deseaba era un trago de matarratas de una botella de importación. Imaginó la cálida y picante punzada de un sorbo de escocés. Durable, eso era lo bueno que tenía. Te pegaba y duraba. El presidente, bajo los efectos del escocés, te revelaba los rumores de una absorción. La cuña que clavas tras una rueda para que un vehículo no salga rodando. Eso es un escocés. Y lo mismo es una línea trazada en el suelo, como en la rayuela, pensó.

—El timbre. ¿Sólo el timbre? —dijo Mercedes.

—Y el ascensor, por supuesto. Pero lo del ascensor ya lo sabemos.

—¿Sabes lo de la escayola? —dijo ella—. Tengo que meter papeles de periódico entre las grietas. Algún día descubrirán este lugar y sabrán exactamente cuándo empezaron los problemas: por los periódicos.

—Dale un respiro al pobre hombre —dijo Eddie—. Habla de otra cosa.

—Mi propio ascensor, eso sí que es un problema —dijo Bronzini—. Se rompe cada dos por tres.

—¿Cuatro pisos?

—Cinco pisos.

—Dale un respiro al pobre hombre —dijo Eddie.

—¿Cinco pisos con ese corazón?

—Habla de otra cosa.

Mercedes era gruesa, amiga de ademanes, oscilante en su silla, gesticulante, pero sabía cuidar al débil Eddie, el impostor, el hombre dolorido y anquilosado y jadeante. El viejo Eddie de los túneles era un hombre robusto que vendía fichas en una cabina bajo esa luz cinematográficamente mortecina de aire viciado y trenes traqueteantes, inmune al infernal estruendo del expreso, y ella le cuidaba ahora con un afecto experto, con sabiduría y autoridad, y cuando se enfadaba por algo Albert experimentaba deseos de ocultarse, porque era un cobarde ante la emoción desnuda, ante las cosas enfrentadas directamente y cara a cara.

—Han puesto las alambradas para protegernos de los traficantes. Pero ¿qué hay del agua cuando llueve? Entra por todas partes. No quiero que se acabe el invierno. Prefiero pasar frío. Prefiero meter periódicos por las rendijas. Porque cuando se derrita la nieve...

—El hombre está feliz. Dale un respiro —dijo Eddie.

La mujer fue a buscar una silla de la cocina para que se sentara Eddie. Cogió la caja de puros, la puso sobre la mesa y la abrió. Se marchó y volvió con una toalla de baño que extendió sobre el torso de su esposo hasta las rodillas. Le ató las dos esquinas superiores en torno al cuello, sin apretar mucho, y a continuación miró a Albert, quien compartía su satisfacción ante todas las cuestiones colaterales, ante la agitación de los preparativos, cruciales para el asunto del corte de pelo.

Albert sacó los instrumentos de la caja de puros. Los dispuso sobre la mesa, separados unos centímetros entre sí. El pequeño peine negro de goma, gradualmente estrechado para las patillas. El peine de carey con mango y tres dientes rotos, conocido como peine de rastrillo. Las preciosas tijeras, fabricadas en Italia, una posesión familiar que se remontaba a generaciones, una de esas cosas que aparecen entre los efectos personales de los muertos y que de repente nos parecen nuevas, como un tesoro cotidiano, con un peciolo de filigrana y una espuela en uno de los orificios y una prolongación curvada para sostener el dedo medio. Introduces el índice en el orificio y apoyas el medio sobre el apéndice diseñado al efecto. ¿Qué más? La brocha de afeitar, innecesaria. Las tijeras para la nariz, que se arregle él la nariz. La maquinilla eléctrica, negra y pesada, Elk Grove, Illinois, la cuchilla aún ligeramente salpicada de pelillos de Eddie, cortados seis semanas antes. ¿Qué más? Un tubo de aceite lubricante para la maquinilla. Un cepillo barato de cerdas finas.

No tenía ni idea de cortar el pelo. Se lo había cortado a Eddie ya unas cuantas veces, pero aún no había establecido un método. Se detenía a menudo para estudiar el resultado, cortando un poquito, dando un paso atrás. Mercedes no se quedaba a mirar. Trabajaba lentamente, cortando poco a poco. La idea consistía en trasladar el pelo del individuo desde la cabeza al suelo. Mercedes no parecía pensar que aquello fuera algo que ella tuviera que contemplar.

—Tienen una cosa nueva, no sé si te has enterado —dijo Eddie—. Lo llaman sepulturas espaciales.

—Con oírlo ya me gusta.

—Mandan tus cenizas al espacio.

—Apúntame —dijo Bronzini.

—Tienen varias órbitas entre las que puedes elegir. Hay una que gira en torno al ecuador. Ésa es una. La tierra gira y tú giras. No tú, sino tus cenizas.

—¿Tienen lista de espera?

—Tienen lista de espera. Lo vi en las noticias. Más la prima de lanzamiento. Eso está muy lejos.

—En las profundidades del espacio.

—Muy, muy lejos. Tú y las estrellas.

—Pero no subes solo.

—Subes con algo así como otras setecientas cenizas en el mismo lanzamiento. Seres humanos y sus animales. Si llamas a la compañía, te ponen en la lista.

—¿Y si ya estás muerto?

—Llaman tus hijos. Llama tu abogado. Lo importante es cuánto pesan tus cenizas. Porque esto te cuesta... adivina.

—No sabría adivinarlo.

—Adivina —dijo Eddie.

—Tendrás que decírmelo tú.

—Diez mil dólares por libra.

Eddie pronunció aquella frase con una irrevocabilidad en la que se adivinaba cierto placer torvo.

—Una libra. ¿Cuánto pesamos, en cenizas, cuando nos morimos? —dijo Albert—. Creo que suena razonable.

—Crees que suena razonable. Pues me echas a perder la historia.

—Una libra de cenizas, Eddie. Eso podría ser toda una familia. Por una sepultura espacial. Conservados para siempre.

—Me echas a perder la historia —dijo él.

Albert recurrió al peine de rastrillo para trabajar la parte superior de la cabeza de su amigo. Peinaba con movimientos alargados, dejando que el cabello se aposentara y peinándolo de nuevo. Le encantaba aquella labor. Allí arriba casi no empleaba las tijeras, porque un error podría notarse. Movía el peine suavemente a través de los ralos cabellos de Eddie. Levantaba el pelo y lo dejaba caer de nuevo. Mercedes escuchaba la radio en la cocina, preparando la cena o quizá la comida. Albert, últimamente, se mostraba impreciso al referirse al tiempo. Un latido, un pulso, el golpeteo de un pie. Eso era el tiempo discernible. Alzó el cabello y lo dejó caer.

—Echas de menos la taquilla, Eddie.

—Me gustaba mi trabajo.

—Sé que te gustaba.

—Todos esos años y ni una sola vez.

—Nunca te robaron.

—Ni siquiera lo intentaron —dijo.

He ahí el genio de Nueva York. Eddie Robles con un tablero de ajedrez en miniatura practicando movimientos a las dos de la madrugada en su taquilla, y no crean que no había personas que pegaban la nariz a la ranura y le desafiaban a una partida, y no piensen que no se la disputaba, porque lo hacía, desde detrás de cinco capas de vidrio antibalas, con los trenes desfilando en medio de la noche.

—Nunca pensé hoy es el día en que me van a atracar. Nunca tuve ese pensamiento. Y nunca ocurrió. Una vez me vomitó una mujer en la ranura. El peor incidente que he tenido personalmente. Nunca pensé en qué haría si intentaban robarme. Tenía la psicología de que si te preparas, te ocurre. Puso las manos en la repisa y ahí lo soltó todo.

—¿En mitad de la noche?

—Ella y yo solos. Si tienes que vomitar, ¿por qué no lo haces sobre las vías? Ella y yo solos en la estación, y me lo suelta justo encima como si la ranura de las monedas estuviera ahí puesta para eso.

Enchufó la maquinilla y atacó la nuca de Eddie. Se internó por debajo de la toalla y del cuello de la camisa y le cortó los cabellos que surgían desde los hombros. Le despejó la nuca por completo y luego le pasó el cepillo y le pidió a Mercedes que trajera polvos de talco, lo único que no llevaba en la caja de puros, mientras anotaba mentalmente proveerse de ellos en el futuro.

Sepultura espacial. Pensó en las estelas de aquel día azul sobre el océano, dos años atrás si es que era entonces cuando había ocurrido: cómo los motores se desprendieron para colgar aquella terrible Y en el aire inmóvil. El vapor se mantuvo intacto durante algún tiempo, con los astronautas precipitándose al mar pero también todavía allá arriba, enterrados en un humo congelado, y permaneció tendido en la noche viendo el profundo firmamento del Atlántico y pensando que aquella muerte era vertiginosa y limpia, algo exaltado, una transmutación del cuerpo atribulado en vapor y llamas, allá arriba, sobre el mundo, como un monograma, la Y de *young*, de morir joven.

No estaba seguro de que la gente quisiera ver eso. De que quisiera ver cómo fallan los sistemas o el sufrimiento humano. Pero la belleza, la elevada fe del espacio, ¿cómo podían tales cualidades estar vinculadas con la muerte? Siete hombres y mujeres. Su belleza y la nuestra, reveladas en una misión fracasada que no habíamos visto a lo largo de un centenar de triunfos. La apoteosis. Sí, eran como dioses, transformados por aquellas estelas de pluma de cisne en la única clase de dioses que estaba dispuesto a reconocer, poéticos y efímeros. Halló aquella experiencia aún más profunda que la del primer paseo lunar. Aquello había sido emocionante pero también un poco *walkie-talkie*, con movimientos fantasmales, que parecían computarizados, y nunca había sido capaz de liberarse de las sospechas de la elite paranoica, de los viejos y encanecidos *gurkas* del cuerpo, de que el asunto había sido un montaje escenificado en un rancho cerca de Las Vegas.

Al llegar la primavera, aún estaban allí, Albert y Laura. ¿Cómo era posible que su hermana no hubiera caído presa de alguna enfermedad calamitosa? Te quedas ahí sentado, dejas que tu cuerpo se debilite y se relaje, no caminas, no ves gente, no te relacionas, ni percibes el flujo sanguíneo de un interés inquisitivo.

Pero agradecía su presencia. Siempre había habido una mujer próxima a él, al menos una, una mujer o una muchacha, compartiendo el cuarto de baño, la cocina, la cama hacía ya mucho tiempo. Le hacía falta esa compañía. Las mujeres y su enorgullecimiento del tiempo, su vigoroso sentido del futuro. Se casó con una judía y la amó, pero en el futuro de Klara no estaba incluido él. Él había cuidado de su propia madre, una católica de antigua elocuencia que portaba un escapulario y que se santiguaba y se llevaba el nudillo del pulgar a los labios, y la había amado y visto morir. Educó a su hija para que decidiera su propio destino, para que fuera una persona digna libre de la atadura de los ritos religiosos, y la amaba, ahora vive gran parte del tiempo en Vermont. Y su hermana, entrando y saliendo del pasado pero siempre conociéndole de un modo misterioso, siempre capaz de vislumbrar su corazón desnudo, y la amaba por todos esos motivos tartamudeantes por los que amas a una hermana y porque ella misma había ceñido su vida a unas cuantas observaciones que él encontraba conmovedoras.

Tenía un fonógrafo portátil que en otro tiempo había parecido estilizado y de avanzado diseño. Ahora resultaba feo y achatado, pero seguía reproduciendo música después de todos aquellos años. Encontró el disco que buscaba y bruñó el vinilo con un paño especial y lo depositó sobre el vástago como si fuera una hostia consagrada. Las obras para piano de Saint-Saëns, amables y reflexivas, un cambio de ritmo después del magnífico tormento de las óperas de Bronzini, de esa sensación espectacular que te destroza el juego de té. Se volvió para asegurarse de que Laura estaba allí, carente de forma, en la butaca, la nuca apoyada sobre el reposacabezas hecho a mano, el rostro alzado hacia los acordes. Oprimió el botón y observó cómo se alzaba el brazo y cómo descendía el disco, deslizándose a trompicones hasta el plato. A continuación, el brazo osciló lateralmente y el disco comenzó a girar, y aquella serie de acciones laboriosamente encadenadas, con sus ruidos y sus pausas y sus balanceos, sus absurdas vacilaciones, parecieron situarle en una era mecánica olvidada, en compañía del reloj de péndulo y de los automóviles de arranque manual.

La aguja arrastró unas cuantas notas, pero ya estaba acostumbrado a eso. Permaneció sentado al borde del cuarto, donde podía sentir el sol de la cocina y contemplar el rostro de Laura. La música les unió por el flanco. Pensó que podría penetrar en su ensueño. Podía conocerla, casi conocerla, percibir su inocencia a través de la música, conocer a la muchacha de nuevo, a aquella solterona de doce años que caminaba tras sus padres en la calle, podía reconocerla en el rostro de la sombría hermana mayor, casi estaba allí, la muchacha, en las bolsas y en las verrugas y en el cabello ceniciento. Había un breve instante en una de las piezas, tras un pasaje de tierna rememoración, en el que parecía intervenir algo oscuro, la mano izquierda del solista apremiando el *tempo*, algo que hizo que ella levantara el brazo, lentamente, en un gesto de semiasombro, pensativo y cargado: había percibido en los bajos un presentimiento que la había sobresaltado. Y esto era la otra cosa que compartían, la tristeza y claridad de la muerte, el tiempo llorado por la música: el modo en que el sonido, las vibraciones conformadas por el golpe de los martillos sobre las cuerdas de alambre les hacía experimentar una peculiar amargura no por cosas particulares sino por el tiempo en sí, por la sensación material de un año o de una era, por las texturas de tiempos no medidos que habían perdido, y la mujer volvió la cabeza, dirigiendo la vista más allá de su mano suspendida en el aire para depositarla sobre algo transparente que él pensó que cabría denominar su vida.

—Tienes que decírmelo, Albert, cuando vayas a salir. Para que pueda saberlo.

—Te lo dije.

—Nunca me lo dices.

—Sí te lo digo.

—No sé si es que te olvidas o cuál es el motivo.

—Te lo diré.

—Si me lo dices, me entero.

—Te lo diré. Me aseguraré de decírtelo.

—Pero a mí se me olvida, ¿verdad?

—A veces, sí.

—Me lo dices y yo me olvido.

—A veces. No tiene importancia.

—Pero tienes que decírmelo.

—Lo haré. Te lo diré.

—Para que pueda saberlo —dijo ella.

Por las mañanas, tomaba el café solo con un chorrito de whisky, un dedo, una lágrima, y con anís en la sobremesa o al caer la tarde, un trago, un chorro de savia de regaliz, y acaso un poquito de whisky antes de retirarse, sin café esta vez, claro está que prohibido por el médico, pero apenas un chispazo, una gota bien medida, la copa más breve de toda la historia del alcoholismo con remordimientos.

—Tienes que decírmelo. Para que lo sepa.

—Te lo diré. Prometido.

—Así puedo saberlo.

—Así puedes saberlo.

—Si me lo dices, me entero.

—Eso es.

—Eso es, ¿verdad?

—Sí, eso es.

—Pero tienes que decírmelo. Es la única manera de saberlo.

Limpió el alféizar de la ventana de polvo, cabellos, cabezas de mosca, trocitos de escayola... diminutas astillas pétreas.

Cuando preparaban la cena juntos, ella golpeaba a Albert en la mano, un cachete jurisdiccional sobre el dorso, cada vez que se interponía en su camino.

Él colocó sus tres pastillas sobre la mesa, junto al plato, bien alineadas para su consumo. Su píldora para el corazón, su píldora para la aerofagia y su píldora para el hígado.

Pasaba más tiempo dentro de casa cuando había gente en los pasillos. Había visto una jeringuilla hipodérmica en el rellano del segundo piso y ahora había gente en los pasillos, gente afanosa e inerte al mismo tiempo, afanosos en la mirada pero también físicamente muertos, apenas capaces de arrastrar una mano por el aire. Cuando deje de llover, pensó, se irán al parque o a los solares vacíos. Y el ascensor estaba atascado entre dos pisos, de modo que más le valía no abandonar el apartamento en cualquier caso, ya que no era una buena idea ponerse a subir escaleras.

Le retiró las gafas del rostro, las limpió con una servilleta de papel y volvió a colocárselas.

Y cuando salió estaban en el escalón de acceso, mascullando algo que sonaba como Wall Street, hasta que Albert dedujo finalmente que debía de tratarse de alguna variedad de heroína a la sazón en venta, Wall Street, Wall Street, y podía oírles en los pasillos, extraños en su edificio, aspirando y espirando.

Le dijo que iba a ponerle una conferencia a su hija Teresa. Anunciaba todas sus llamadas, incluidas las que hacía para enterarse de la hora y del estado del tiempo, para mantener a Laura implicada y porque le gustaba anunciar las cosas.

Su hija dirigía un centro para el cuidado infantil en una población pequeña y tenía gastos y dos niños propios y un marido fracasado que intentaba comenzar una nueva carrera, y Albert le enviaba algo de dinero de cuando en cuando, de su pensión de maestro.

Una conferencia telefónica era un acto de planificación anticipada que le ocupaba un espacio mental mucho más amplio que la duración de la llamada. Planeó toda una tarde dedicada a ello, esperando primero a que llegara la hora del cambio de tarifa para luego situar la silla junto al teléfono y marcar los números cuidadosamente, el rostro hundido en el dial.

Los oía respirar en los pasillos, a sabiendas de que tenía comida para dos días sin problemas, y que cuando la leche se agriara podría abrir una lata de melocotones, y verter la fruta y el acaramelado zumo sobre los cereales del desayuno. La pavía, con la carne pegada al hueso, a la semilla, como con los melocotones. Les oía a altas horas de la noche, sabiendo que podía racionarse la carne picada, darle cuerpo a la sopa de tomate con fideos y que no vivían en el edificio y acabarían encontrando otro lugar.

Cuando su hija se puso al teléfono dirigió la mirada al otro lado de la habitación y asintió en dirección a Laura: contacto establecido, el siglo del progreso continúa avanzando.

Manzanas y queso, tenían manzanas y queso, ya de por sí una comida completa.

Iba a devolver un libro a la biblioteca, era de nuevo primavera o comienzos del verano, un día tibio, cuando vio una figura familiar atravesando la calle y dirigiéndose al convento que formaba parte de la escuela católica primaria. Antiguamente familiar, una figura procedente del reino del pasado. Ignoraba que aún viviera, la hermana Edgar, qué increíble, el mismo rostro afilado y las mismas manos huesudas, apresurada, una flaca esquemática a la que proporcionaban forma sus susurrantes vestiduras. Vestía el hábito tradicional con un largo velo negro y la camisola blanca y la toca almidonada sobre la cabeza y los hombros, con un crucifijo colgando de la cintura: parecía un detalle aislado de un cuadro de algún maestro del siglo XVI.

La vio abrir la puerta del convento y desaparecer en su interior. Era aquella una monja que había sido célebre por el terror que solía infundir entre los niños de quinto o de sexto, golpes, vituperaciones, castigos consistentes en quedarse después de clase, o en salir a sacudir los borradores en mitad de una tormenta. Jamás había intercambiado una palabra con la hermana Edgar, pero sintió un amago de impulso de llamar a la puerta del convento y hablar con ella ahora, descubrir quién era después de todos estos años. Se había sentido orgulloso de enseñar en una escuela pública, a paseo la falta de disciplina. Trabajaba junto a colegas de talante humano y había oído contar historias sobre aquella monja y sus crueles costumbres.

Ahora caminaba con la ayuda de un bastón, lo que le proporcionaba cierta aura de profesor emérito. En la biblioteca local, bautizada con el nombre de Enrico Fermi, había una fotografía en la pared que mostraba al científico con uno de los modelos iniciales de la primera bomba atómica. Años atrás, Albert solía acariciar la idea de que existían ciertas afinidades entre él y el gran Fermi. Enfermedades durante la niñez, matrimonio con una mujer judía, la propia ciencia por supuesto, el legado cultural: la comprensible satisfacción de su orgullo italiano, aunque no tan manifiesto en este caso, que conllevaba tal destrucción. Por entonces, la biblioteca era una sala de cine que los chicos del barrio conocían como la Cloaca por sus agrios aromas y sus suelos sin barrer. No olvidemos hasta qué punto mejoran algunas cosas, pensó. Ahora, libros, el silencio de los anaqueles clasificados.

Caminó hasta el club social donde en ocasiones jugaba a las cartas —menos de lo que antiguamente solía— o se tomaba una copa de vino. Unas cuantas fotografías en las paredes, de los viejos tiempos, pescaderos con delantales y gorras, camareros cuidadosamente peinados con la raya en medio a la puerta de un restaurante, dignificados por el tiempo. Oyó la campana de la iglesia de Mount Carmel, a media manzana de distancia, y se sirvió una copa de tinto. Sentado solo a una mesa de formica, estudió los hilos del vino, las agitadas líneas de líquido que discurren en el interior del vaso y te revelan su grado de cuerpo. Aquel vino tenía cuerpo. Era todo cuerpo. Tenía el cuerpo de un luchador de sumo.

En el televisor de la esquina habían puesto un vídeo. Había visto la cinta una única vez anteriormente, también allí, y supo que seguirían poniéndola hasta que todos los habitantes del planeta la hubieran visto. Y cuando volvían a ponerla después de un cierto período sin hacerlo, sabía que ello significaba que el asesino había disparado contra otra persona, contra alguien nuevo, y que como no había película del nuevo ataque tenían que mostrar la antigua, la única, y que seguirían mostrándola hasta el fin de los tiempos.

Se acercó Steve, Silvera, uno de los hermanos Silvera. Vestía traje y conducía un coche fúnebre. Albert siempre preguntaba, ¿quién se ha muerto?

—¿Te estás *bebiendo* ese vino?

—He intentado charlar con él pero no parecía dar resultado —dijo Albert—. Siéntate conmigo.

—Tengo un funeral.

—¿Quién se ha muerto?

—Como se llame, el del mercado de pescado.

—¿Le entierran o le incineran?

—Hoy en día los meten en un nicho. Lo hace mucha gente.

—Encriptados —dijo Albert con tono satisfecho.

Cuando la campana de la iglesia volvió a sonar, Steve salió apresuradamente. Inclinándose un poco, Albert alcanzó a ver cómo el resto de los conductores y portadores del féretro apagaban sus cigarrillos y ascendían la escalinata. Para ellos ya era casi hora de sacar el ataúd. Otro pescadero, otra fotografía que dentro de algunas décadas parecerá un emblema de cierta inocencia majestuosa, de alguna antigua época perdida y de dulce recuerdo. Cómo conspira la memoria con los objetos fabricados por el hombre, aplastando el tiempo, despertando tiernas reminiscencias.

Más tarde penetró en la iglesia vacía y se sentó en la última fila para pasar un instante a solas con Eddie Robles. Una paloma atravesó volando el transepto y aterrizó sobre el borde de una ventana giratoria cerca de un conjunto de cirios. Admiraba aquella vieja iglesia. Columnas corintias y santos en sus nichos. Velas encendidas en hornacinas de cristal rosado.

El vecindario cambia, pero la iglesia permanece igual. Durante los días que siguieron a la misa de Eddie comenzó a advertir una vez más cómo la pérdida de un amigo, cómo cualquier pérdida, constituía un aspecto de la partida de Klara y recreaba el mismo impacto, la misma devastación.

La paloma había emprendido nuevamente el vuelo y revoloteaba cerca de la cúpula. Creyó recordar que el Espíritu Santo adoptaba la forma de una paloma, ¿no era así? Todos los espíritus son santos, supuso, pero tendréis que señalármelos para que me arrodille ante ellos. Con todo, le gustaba sentarse allí, solo, para pensar y llorar a los muertos entre aquellos detalles arquitectónicos, la fe de la piedra y de la madera, los pigmentos mezclados en el vidrio.

Cuando Klara le dejó, algo despertó en su interior, una perorata, una voz sin palabras que incitaba sentimientos tan variados y confusos y compartidos, tan resistentes a la separación y al escrutinio, que se sintió indefenso ante su acometida. Era un obstáculo para la vida. Le hacía desconfiar del hombre que se suponía que debía ser, de hablar educado y elegante, suavemente reflexivo. Oh, esa zorra, y qué indigno de él pensar en ella de ese modo. Había sido finalmente su hermana quien le había salvado de la desesperación, otra clase de voz, una mujer aislada en la introversión, apenas extrañamente afectuosa.

Necesitaba caminar, desentumecer los músculos, y salió a la calle. Sí, gente hablando, comiendo, fieles parroquianos que acudían de otros barrios, de otros condados, los coches estacionados en doble fila, aún palpable la pulsación cardíaca de las calles inmediatas. Enfiló el Oeste, atravesando Arthur Avenue, y luego torció fatigosamente hacia el Norte, siguiendo una vieja ruta a la que había renunciado largo tiempo atrás, en dirección al instituto en el que había enseñado durante treinta años.

Eddie muerto, Mercedes ahora en Puerto Rico. Dejas de caminar y mueres.

Al internarse en una calle situada tras el instituto se sorprendió de ver que estaba cortada al tráfico. Era una calle destinada a juegos, el pavimento marcado con entramados pintados, con las casillas numeradas del tejo y la rayuela, con las bases para el *slapball*. A Albert le encantó. Había pensado que la antigua costumbre de cerrar calles para que jugaran los críos había desaparecido hacía tiempo, décadas atrás, como la reliquia mental de una vida aún no completamente dominada por los automóviles y los camiones. Se detuvo y contempló el juego de los niños, sosteniendo su bastón en posición horizontal frente a la cintura como si se tratara de la barandilla de un estadio. Niños pequeños, delgados y veloces, con cadencias jamaicanas en algunas de sus voces y una niña de piel manchada que acaso sería malaya o del sur de la India, había que adivinarlo, saltando por las casillas de la rayuela con calculada habilidad, girando en el aire con tal economía de movimientos que apenas se despeinaba: una piel broncínea que se tornaba alternativamente más clara y oscura, con matices oliváceos bajo los ojos. Deseó detenerla en mitad de un salto, detener todo durante medio segundo, relojes atómicos, relojes corporales, el micromundo en el que los físicos buscan el tiempo... y luego reproducirlo marcha atrás, desaltar a la muchacha, rebobinar la vida, proporcionarnos a todos la ocasión de recomenzar. Recordó la palabra para recomenzar, una palabra que los críos suelen gritar cuando sus juegos se interrumpen a causa de un automóvil que pasa o una señora que cruza la calle con un cochecito. *In-do*, gritaba alguien. *In-do* o hindú, no estaba del todo seguro. La muchacha india con zapatillas y vaqueros.

El que la sigue la consigue. Eso es lo que dijo el chiquillo cuando tuvo una segunda ocasión para hacer de nuevo lo que había hecho antes de la interrupción. Consigues un *home run*, le das la patada a la lata, aciertas con la canica a través del polvo de la acera. El que la sigue la consigue.

Vio a un vendedor que ofrecía caña de azúcar desde una furgoneta abierta por el costado, mangos en cajas de madera y altas cañas atadas en manojos con cordel. Algunas cosas mejoran, pensó Albert. Una biblioteca, una calle para que jueguen los niños, estímulos para su optimismo bloque tras bloque.

Pero ¿qué significa recomenzar? No quería vender su alma por culpa de sus compromisos, esas segundas oportunidades que le ponían enfermo. Y, de todos modos, al final no dependemos del tiempo. Existe un equilibrio, una especie de punto muerto entre el *continuum* del tiempo y el ser humano, nuestra frágil amalgama de cuerpo y psique. Terminamos por sucumbir al tiempo, cierto, pero el tiempo depende de nosotros. Lo llevamos en nuestros músculos y en nuestros genes, lo transmitimos a la siguiente generación de criaturas fabricantes de tiempo, a nuestras hijas de ojos castaños y a nuestros hijos con orejas de soplillo, cómo podría marchar el mundo si no. Olvidaos de los teóricos del tiempo, de los artilugios de cesio capaces de medir la vida y la muerte de la más mínima y plateada trillonésima de segundo. Pensaba él que éramos los únicos relojes cruciales, nuestras mentes y nuestros cuerpos, apeaderos para la distribución del tiempo. Piensa en eso Einstein; piensa en eso, amigo Albert.

Dio un rodeo hasta la entrada del instituto. Se sintió tentado de ascender los escalones hasta el pórtico y charlar con los chicos y chicas que andaban por allí... pero no: no le conocían y no les interesaría. ¿Para qué había ido allí, entonces? Aquella vieja y chata pila de granito y ladrillos acogía su corpus docente, un millón de palabras lanzadas al aire tibio, y no había motivo para prever que pudiera serle necesario pasar por allí de nuevo. Un vistazo documental para congelar la escena. Terminó de rodear el bloque y se encaminó a casa.

En una de las calles desnudas se cruzó con un perro callejero de gran tamaño que parecía enfermo, todo él una masa de costillas y restos de baba, y se apartó de su camino. En una cultura de perros de guarda siempre hay unos pocos que caen en desgracia y terminan vagando por las calles. El truco estriba en evitar al animal sin dejar traslucir tu miedo. *Festina lente.* Apresúrate despacio.

Limpió los alféizares de las ventanas con un trapo húmedo, patas de mosca, partes de mosca, los caparazones aplastados de vidriosos escarabajos verdes.

Contaba con su pensión de maestro y con una pequeña renta libre de impuestos y una vieja libreta de depósitos con los intereses anotados en caracteres acogedoramente irregulares.

Las estaciones transcurrían simultáneamente, los años eran como un remolino vertiginoso. Como el tiempo en los libros. En los libros, el tiempo transcurre en el curso de una frase, muchos meses y años. Escribe una palabra y adelántate una década. Aquí, a su edad, en aquel mundo sin márgenes, tampoco era tan distinto.

Puso un disco en el plato; Laura, sentada en la butaca, parecía ver la música más que oírla.

El pan era una constante, tomaba pan casi con todas las comidas, pan fresco de los hornos de ladrillo. Guardaba los libros de la biblioteca junto a la panera para no olvidarse de devolverlos en la fecha debida.

—¿Vamos a mudarnos, Albert?

—No. No vamos a ningún sitio.

—Alguien me dijo, no recuerdo, que nos mudábamos.

—A lo mejor vamos a ver a Teresa otra vez. Iremos en autocar. Es un viaje precioso. Eso es todo cuanto vamos a movernos.

—¿Me dijiste tú que te ibas?

—Te gustará el viaje. Vermont. Iremos cuando amarilleen las hojas. Te gustará entonces.

—Albert.

—¿Qué?

—Si me lo dices, me entero.

Estaciones y años. Laura leía una guía de culebrones para seguirles la pista a los personajes televisivos, aunque hacía tanto tiempo que el televisor se había estropeado que ya era como otra vida.

La harina de avena cocía sobre el fogón.

Se acercó a ella, se quitó las gafas y se las limpió con un pañuelo de papel. Luego, volvió a ponérselas.

8

La anciana monja despertó al alba. Le dolían todas las articulaciones. Llevaba levantándose al amanecer desde sus días de postulanta, y se arrodillaba en los duros suelos de madera para rezar. Lo primero que hizo fue levantar la persiana. Ahí fuera se extiende la creación, manzanitas verdes y enfermedades infecciosas. A continuación, se arrodilló sobre los pliegues del blanco camisón de dormir, aquel tejido interminablemente lavado, golpeado con jabón, tieso y cartilaginoso. La hermana Alma Edgar. Y el cuerpo que contenía, esa cosa larguirucha que acarreaba por el mundo, en su mayor parte blanco como la tiza, con manos manchadas y gruesas venas, y finos cabellos recortados de color ceniciento, y ojos de un azul acerado: muchos chicos y chicas de antaño veían aquellos ojillos en sus sueños.

Se persignó, murmurando las palabras adecuadas. *Amén*, un viejo término que se remontaba al griego o al hebreo, *en verdad*: la parte más familiar de las oraciones diarias, y aun así bendecido por tres años de indulgencias, siete si te humedeces la mano con agua bendita antes de señalar tu cuerpo.

La oración constituye una actividad estratégica, la obtención de una ventaja temporal en los mercados capitales del Pecado y la Remisión.

Recitó una ofrenda matutina y se puso en pie. En el lavabo, se frotó las manos repetidamente con un áspero trozo de jabón oscuro. ¿Cómo pueden estar limpias las manos si no lo está el jabón? Se trataba de una pregunta insistente en su vida. Pero si limpias el jabón con lejía, ¿con qué limpias la botella de lejía? Si empleas detergente para la botella de lejía, ¿cómo limpias el paquete de Ajax? Los gérmenes tienen personalidades distintas. Los distintos objetos abrigan amenazas de diversas e insidiosas clases. Y las preguntas se enquistan para siempre.

Una hora más tarde, se encontraba ataviada con su velo y su hábito, sentada en el asiento del pasajero de una furgoneta negra que se alejaba en dirección sur del distrito de la escuela, pasando junto a la monumental autopista de cemento en su camino hacia las calles perdidas, un basurero de edificios quemados y almas sin dueño. Al volante iba Grace Fahey, una joven monja con traje seglar. Todas las monjas del convento vestían blusas y faldas lisas menos la hermana Edgar, quien contaba con permiso de la sede de la orden para ataviarse con cosas viejas de nombres arcanos, el griñón, el cinto y el camisolín. Sabía que se contaban historias acerca de su pasado, de cómo solía manipular las gruesas cuentas del rosario y golpear a los alumnos en la boca con el crucifijo de hierro. Entonces, las cosas eran más fáciles. La ropa se disponía en capas; la vida, no. Pero Edgar había dejado de pegar a los niños años atrás, antes incluso de ser ya demasiado vieja para enseñar, cuando el barrio había cambiado y los rostros de sus alumnos se habían ensombrecido. La justa indignación había desaparecido de su alma. ¿Cómo podía pegar a un niño que no era como ella?

—Esta vieja jaca necesita una puesta a punto —dijo Gracie—. ¿Oye usted ese ruido?

—Pídale a Ismael que le eche una ojeada.

—Ku-ku-ku-ku.

—El experto es él.

—Puedo hacerlo yo misma. Tan sólo necesito las herramientas adecuadas.

—No oigo nada —dijo Edgar.

—Ku-ku-ku-ku. ¿No oye eso?

—A lo mejor me estoy quedando sorda.

—Antes que usted, hermana, me quedaré sorda yo.

—Mire, otro ángel sobre la pared.

Las dos mujeres pasearon la mirada por un paisaje de solares llenos de años de desechos estratificados: la era de la basura, la era de los escombros de construcción y los coches desguazados, la era de las cosas enmohecidas del hampa. Entre los objetos abandonados crecían hierbajos y árboles. Había jaurías de perros, se veían halcones y búhos. Periódicamente acudían obreros para excavar el lugar y se situaban cautelosamente junto a las grandes máquinas, las palas y excavadoras embadurnadas de lodo anaranjado, como soldados al abrigo de los tanques en movimiento. Pero no tardaban en marcharse, siempre se marchaban dejando agujeros a medio excavar, abandonando piezas de maquinaria, tazas de cartón, pizzas de salchichón. Todo aquello contemplaban las monjas. Había sistemas de galerías fabricados por las ratas, cráteres atestados de piezas de fontanería y enfoscado. Había altozanos de neumáticos rajados entre los que fructificaban los sarmientos. Al anochecer, podía oírse el canto de los disparos procedentes de los achatados muros de edificios derruidos. Las monjas, sentadas en la furgoneta, observaban. Al fondo se erigía una estructura solitaria y aún en pie, un edificio en ruinas que mostraba un costado desnudo allí donde en otro tiempo había lindado con el vecino. Aquel muro era el lugar escogido por Ismael Muñoz y su equipo de grafiteros para pintar con aerosol un ángel fúnebre cada vez que moría un chico del barrio. Prácticamente la mitad de la corpulenta estructura se hallaba cubierta de ángeles azules y rosados. Bajo cada ángel, aparecían impresos el nombre y la edad de cada muchacho, y a veces se indicaban la causa de la muerte y algún comentario personal de la familia. A medida que la furgoneta se acercaba, Edgar pudo distinguir esquelas debidas a tuberculosis, sida, palizas, tiroteos, sarampión, asma, abandono al nacer: en un contenedor, olvidado en un coche, envuelto en una bolsa de plástico cualquier noche de tormenta.

La zona se conocía como el Muro, en parte por las pinturas de la fachada y en parte por la sensación general de exclusión: un trozo de tierra a la deriva, aislado del orden social.

—Ojalá dejaran de pintar esos ángeles —dijo Gracie—. Son de un gusto espantoso. A una iglesia del siglo XIV, ahí es adonde uno tiene que ir si quiere ángeles. Esa pared es el reflejo de todo lo que intentamos cambiar. Ismael debería buscar cosas positivas que enfatizar. Las residencias, los jardines comunales que siembra la gente. Doblas la esquina y ves gente corriente camino de su trabajo, camino de la escuela. Tiendas e iglesias.

—La Iglesia Baptista del Poder Titánico.

—¿Qué más da? Es una iglesia. La zona está llena de iglesias. De gente decente y trabajadora. Si Ismael quiere pintar un muro, ésas son las personas de las que debiera dar testimonio. Hay que ser positivos.

Edgar rió para sus adentros. El drama de los ángeles era precisamente lo que le hacía sentirse allí como en casa. La terrible muerte que aquellos ángeles representaban. El peligro al que se enfrentaban los artistas a la hora de producir sus grafitos. El Muro carecía de ventanas y de escaleras contra incendios, y los pintores tenían que descolgarse desde el tejado con cuerdas de asas o balancearse sobre andamios rudimentarios cada vez que diseñaban un ángel sobre los pisos inferiores. Ismael, luciendo su desgastada sonrisa, proponía un muro gemelo para los grafiteros muertos.

—Y emplea el rosa para las niñas y el azul para los niños. Eso sí que me da grima —dijo Gracie.

Se detuvieron en el convento para recoger provisiones que luego distribuirían entre los necesitados. El convento era un viejo edificio de ladrillo encajado entre edificios de alquiler. Tres monjes vestidos con hábitos grises y sogas a modo de cinto trabajaban en un vestíbulo disponiendo el cargamento del día. Grace, Edgar y el hermano Mike transportaron las bolsas de plástico hasta el vehículo. Mike era un antiguo bombero con barba engominada y una coleta rala. Visto de frente y de espaldas parecía dos personas distintas. Al aparecer las monjas por primera vez, se había mostrado dispuesto para actuar a modo de guía, de presencia protectora, pero Edgar había rechazado su ofrecimiento con firmeza. Opinaba que su hábito y su velo le proporcionaban toda la protección que precisaba. Más allá de aquellas calles del sur del Bronx la gente la contemplaba acaso como algo pintoresco y propio del pasado. Pero en el fárrago de la miseria constituía un elemento tan natural como los monjes y sus hábitos. ¿Qué figuras podían resultar más oportunas y mejor ataviadas junto a las ratas y las epidemias?

A Edgar le gustaba ver a los monjes en la calle. Visitaban a los vagabundos, dirigían un hogar para los «sin techo» y recogían alimentos para los hambrientos. Y eran los hombres de un lugar en el que pocos hombres quedaban. Adolescentes en grupos, traficantes de drogas armados: tales eran los hombres de las calles adyacentes. Ignoraba adónde habían ido los demás, los padres, si a vivir con segundas o terceras familias, a ocultarse en pensiones o a dormir debajo de las autopistas en cajas de refrigerador, sepultados en el cementerio de indigentes de Hart Island.

—Estoy haciendo un recuento de especies botánicas —dijo el hermano Mike—. Tengo un libro que me llevo a los solares.

Gracie dijo:

—Te limitas a la periferia, ¿verdad?

—En los solares me conocen.

—¿Quién te conoce? ¿Los perros te conocen? Son perros rabiosos, Mike.

—Soy franciscano, ¿vale? Los pájaros se posan sobre mi dedo índice.

—Limítate a la periferia —le dijo ella.

—Hay una niña a la que veo con frecuencia, de unos doce años quizá, que siempre sale corriendo cuando intento hablar con ella. Tengo la impresión de que habita en las ruinas. Preguntad por ahí.

—Así lo haremos —dijo Gracie.

Cuando la furgoneta estuvo cargada, regresaron al Muro para concluir sus asuntos con Ismael y recoger a algunos de su equipo que les ayudarían a distribuir los alimentos. Ismael contaba con grupos de buscadores de coches que se desplazaban por los barrios, concentrándose en las desoladas calles que discurrían bajo puentes y viaductos. Las monjas representaban su sucursal del norte del Bronx. Le entregaban listas en las que se detallaba la ubicación de coches abandonados a lo largo del río Bronx, uno de los principales vertederos para vehículos robados, birlados para una carrera, semidesguazados, desprovistos de gasolina y abandonados como perros. Ismael enviaba a su equipo para recuperar los chasis y aquellas partes que aún pudieran estar intactas. Se servían de un pequeño camión dotado de una plataforma, una grúa poco fiable y un dibujo de almas en el infierno pintado sobre la cabina, la carrocería y los guardabarros. Los chasis se llevaban a los solares para su inspección y tasación por parte de Ismael, y luego se transportaban a un desguace situado en la parte más alejada de Brooklyn. A veces podían verse cuarenta o cincuenta vehículos rapiñados en los solares, coches dignos de un museo, formando un parque escultórico de chatarra: coches aplastados y acribillados, sin capó, sin puertas, ulcerosos de óxido, coches abrasados, volcados, coches con cadáveres envueltos en cortinas de baño, con ratas que hozan en las guanteras.

El dinero que le pagaba a las monjas por su labor de reconocimiento iba a parar al convento para la compra de alimentos.

Cuando el vehículo se aproximaba al edificio, Edgar echó mano a la cintura en busca de los guantes de goma que llevaba sujetos al cinto.

Gracie aparcó la furgoneta, el único vehículo en funcionamiento que podía verse en las inmediaciones. Enganchó al volante el aro de acero recubierto de plástico y encajó la barra en la cerradura. Al mismo tiempo, Edgar se enfundó los estrechos guantes en ambas manos y percibió la ambivalencia, el conflicto. A salvo, sí, científicamente protegida de amenazas orgánicas. Pero también pecaminosamente cómplice de cierto proceso que apenas comprendía a medias, de la fuerza del mundo, de una disposición de sistemas que desplaza la fe religiosa con su paranoia. En la suavidad lechosa de aquellos guantes sintéticos anidaban el miedo, la desconfianza y la falta de razón. Y también se sentía masculinizada, preservatizada una y otra vez: a salvo, sí, y acaso algo confusa. Pero allí el látex era necesario. Una protección contra salpicaduras de sangre o pus y contra los entes víricos en ellas encerrados, parásitos submicroscópicos envueltos por su capa de proteína socialista soviética.

Las monjas descendieron de la furgoneta y se aproximaron al edificio.

Cierto número de plantas albergaban ocupas. A Edgar no le hacía falta verlos para saber quiénes eran. Eran una sociedad de indigentes que subsistían sin calefacción, luz o electricidad. Eran familias nucleares, con sus juguetes y sus mascotas, drogotas que merodeaban por las noches calzados con los Reeboks de otros ya muertos. Sabía quiénes eran por asimilación, por la ingestión de los mensajes que atestaban las calles. Eran cazadores y recolectores, recicladores de latas, gentes que atravesaban los vagones de metro a trompicones con tazas de cartón. Y busconas que tomaban el sol en los terrados cuando hacía buen tiempo y hombres con órdenes vigentes de busca y captura por imprudencia temeraria y omisión del deber de socorro. Y había voceadores del Espíritu, lo sabía a ciencia cierta: una banda de carismáticos que sollozaban y brincaban en el piso de arriba, mascullando palabras y palabros, curando puñaladas con oraciones.

Ismael tenía su cuartel general en el tercer piso, y las monjas se apresuraron escaleras arriba. Gracie tenía la tendencia de volver innecesariamente la mirada hacia la monja de más edad, a quien le dolían sus partes móviles pero sin que por ello se retrasara, arrastrando el susurro de sus hábitos a través de la escalera.

—Agujas en el rellano —previno Gracie.

Atenta a las agujas, sortea las agujas, esos diestros instrumentos de autodesprecio. Gracie no lograba entender por qué los adictos no se aseguraban de utilizar una aguja limpia. Aquella costumbre hacía que se le inflamaran los carrillos de ira. Pero Edgar pensaba en la seducción del riesgo crítico, el mordisqueo afectuoso de esa daga fina como una libélula. Si sabes que no vales nada, tan sólo el coqueteo con la muerte es capaz de satisfacer tu vanidad.

Gracie llamó a la puerta con los nudillos.

—No te acerques demasiado a él —dijo Edgar.

—¿A quién?

—A Ismael.

—¿Por qué?

—Está enfermo.

—Le vi hace tres días. Estuve aquí. Usted no, hermana. ¿Cómo sabe que está enfermo?

—Lo percibo.

—Está bien. Está perfectamente —dijo Gracie.

—Llevo percibiéndolo hace ya algún tiempo.

—¿Qué percibe?

—Sida —dijo Edgar.

Gracie estudió a la anciana Edgar. Posó la mirada en los guantes de látex. Contempló el rostro de la monja, de rasgos enfáticos, de ojos brillantes como los de un pájaro. La miró, pensó y no dijo nada.

Uno de los chicos abrió la puerta: pestillos, cerrojos, barras.

Ismael aguardaba descalzo sobre la tarima polvorienta vestido con unos viejos chinos arrollados a la altura de las pantorrillas y una camisa de loros por fuera del cinturón. Fumaba un cigarro colosal y parecía un isleño feliz chapoteando despreocupadamente en la playa.

—¿Qué tenéis para mí, hermanas?

Edgar pensó que era bastante joven a pesar de su aire veterano, acaso anduviera a mediados de la treintena: una barba rala y una sonrisa dulce complicada por unos dientes estropeados. Los miembros de su equipo yacían por la habitación sentados en sofás robados, sillas improvisadas, fumando y hojeando tebeos. Demasiado jóvenes para lo primero, demasiado viejos para lo segundo. Supo en el fondo de su corazón que tenía sida.

Gracie le alargó una lista de coches que habían avistado a lo largo de los últimos dos días. Detallaba la hora y el lugar, el tipo de vehículo, el estado del mismo.

Dijo él:

—Hacéis un buen trabajo. Si el resto de mi gente se lo hiciera así, a estas alturas seríamos ya los amos del planeta.

Edgar se mantenía a distancia, por supuesto. Contemplaba a los presentes, siete chiquillos, cuatro muchachas. Pintadas, analfabetismo, hurtos de poca monta. Hablaban en un inglés incompleto, suave y amortiguado, falto de sufijos, y sintió el deseo de encajar alguna que otra «g» bien sonora al final de sus gerundios.

—No os pago hoy, ¿vale? Estoy haciendo unas cosas para las que necesito capital.

—¿Qué cosas? —dijo Gracie.

Retrovirus en el torrente sanguíneo, acrónimos que flotaban en el aire. Edgar conocía el significado de todas las siglas. AZido-Thymidine. Virus de Inmunodeficiencia Humana. Síndrome de InmunoDeficiencia Adquirida. Komitet Gosudarstvennoi Bezopasnosti. Sí, el KGB formaba parte de la creciente plaga, del estallido celular de realidad que hay que destilar y definir con iniciales para que pueda ser visto.

—Estoy proyectando traer luz y electricidad. Y un cable pirata para ver a los Knicks.

Allí, en el Muro, mucha gente creía que el gobierno estaba esparciendo el virus, nuestro Gobierno. Pero a Edgar no la engañaban. Tras aquella operación de falsa propaganda estaba el KGB. Y el KGB era el responsable de la enfermedad misma, un producto de la guerra bacteriológica: fabricándola, diseminándola a través de redes de agentes a sueldo.

Edgar había dejado de hablar de aquellas cosas con Gracie, que solía hacer girar los ojos en las órbitas con tal fuerza que parecía un personaje de ciencia ficción.

Edgar miró por una ventana y vio a alguien que se movía entre los álamos y ailantos en la parte más frondosa de los solares de escombros. Una muchacha vestida con un jersey demasiado grande para ella y unos pantalones a rayas que hurgaba entre la maleza, acaso en busca de algo que comer o que ponerse. Edgar la observó; era una chavala flacucha dotada de una suerte de inteligencia feral, de seguridad en sus ademanes y sus pasos: su aspecto era de no haber dormido, pero se mostraba alerta; no parecía haberse lavado pero su apariencia era de hallarse curiosamente limpia, con una limpieza terrosa, hambrienta y veloz. Algo había en ella que fascinaba a la religiosa, un cierto encanto, una sensación de algo delicioso y nutritivo.

Hizo un gesto a Gracie. Pero, justo en ese momento, la muchacha se deslizó al interior de un laberinto de coches abandonados, y para cuando Gracie alcanzó la ventana apenas era un indicio, perdida entre las últimas ruinas de un viejo parque de bomberos.

—¿Quién es esa chica —dijo Gracie— que vagabundea por los solares evitando a la gente?

Ismael paseó la mirada por su equipo, y uno de ellos habló, un chaval canijo vestido con vaqueros decorados con aerosol, de piel oscura, sin camisa.

—Esmeralda. Nadie sabe dónde está su madre.

Gracie dijo:

—¿Podéis encontrarla y luego informar al hermano Mike?

—Esa piba es muy rápida.

Un murmullo de asentimiento.

—Será una chiflada que se ha escapado, esa chica.

Las cabezas asentían por encima de los tebeos.

—¿Por qué se marchó su madre?

—Sería una adicta. Ya sabe cómo son, imprevisibles.

Curtidos por la calle, aquellos chicos. Ni casa, ni escuela. Edgar hubiera querido meterles en una habitación con una pizarra y a continuación llenarles la cabeza de ortografía y puntuación. Adiestrarles en las enseñanzas del Catecismo de Baltimore. Verdadero o falso, sí o no, rellenad los espacios en blanco.

Ismael dijo:

—Igual vuelve la madre. Porque le remuerde la conciencia. Pero lo cierto es que hay chavales que están mejor sin sus padres y sin sus madres. Porque sus padres y sus madres ponen en peligro su seguridad.

—Atrapadla y no la dejéis marchar —dijo Gracie, dirigiéndose a todo el equipo—. Es demasiado joven para andar por ahí sola. Según el hermano Mike, tiene doce años.

—Doce años no es tan joven —dijo Ismael—. Uno de mis mejores escritores, uno que se dedica al estilo libre, tiene once o doce años, Juano. Suelo enviarle colgado de una cuerda a hacer las letras más complicadas.

Edgar había oído hablar de la carrera inicial de Ismael como maestro del grafito, como leyenda de la pintura en aerosol. Casi veinte años atrás, había sido él el odiado Moonman 157, y luego había contado a las monjas cómo había pintado vagones de metro por toda la ciudad, señalando todas las líneas con su firma. Edgar opinaba que era entonces cuando debía de haber comenzado a practicar el sexo con varones, en su adolescencia, en los túneles. Lo detectaba en los espacios de su voz.

—¿Cuándo nos darás nuestro dinero? —dijo Gracie.

Ismael seguía allí, tosiendo, y Edgar retrocedió hasta la pared del fondo. Sabía que hubiera debido mostrar más caridad hacia aquel hombre. Pero no pensaba ponerse sentimental con enfermedades mortales de por medio. La muerte no era sino una versión extendida del Miércoles de Ceniza. Tenía la intención de llegar a su propio fin con los sentidos intactos, para captarlo, para finalmente conocerlo, para abrirse al misterio que otros confunden con algo grotesco e inefable.

En el Muro, la gente solía decir: Cuando el infierno esté lleno, los muertos caminarán por las calles.

Estaba sucediendo algo más pronto de lo previsto.

—La próxima vez tendré algo de dinero —dijo Ismael—. Apenas saco nada de esos coches. Mis márgenes son absolutamente mínimos. Estoy pensando en expandirme fuera del país. Que nadie se sorprenda si mi chatarra acaba llegando al Norte, ya sabes, de Corea.

Gracie solía bromear al respecto. Pero no se trataba de algo que Edgar pudiera tomar a la ligera. Edgar era una monja de la guerra fría que en cierta ocasión había llegado a forrar las paredes de su celda con papel de plata como protección contra la lluvia radiactiva. La invasión furtiva, profunda y sigilosa. Lo que no le impedía pensar que una guerra hubiera sido emocionante. A menudo imaginaba la explosión, incluso ahora que la URSS se había desmoronado alfabéticamente, sus masivas iniciales derribadas como estatuas cirílicas.

Bajaron hasta la furgoneta, las monjas y cinco chavales, y se dispusieron a distribuir la comida empezando por los casos más graves de los barrios adyacentes al Muro.

Montaron en los ascensores y recorrieron los largos pasillos. Vidas anónimas en todas aquellas habitaciones prefabricadas. La hermana Grace opinaba que la prueba de la existencia de Dios emanaba del hecho de que no era posible concebir ni remotamente la vida de su más humilde desheredado.

Hablaron con dos mujeres ciegas que vivían juntas y compartían un perro lazarillo.

Vieron a un hombre epiléptico.

Vieron niños con botellas de oxígeno junto a las camas.

Vieron a una mujer en una silla de ruedas que llevaba una camiseta en la que podía leerse A la Mierda Nueva York. Gracie dijo que posteriormente cambiaría los alimentos que le llevaban por heroína, por la más repugnante mierda callejera disponible. Los miembros del equipo contemplaban todo aquello, irritados. Gracie apretó la mandíbula, aguzó sus pálidos ojos y alargó las provisiones. Comenzaron a discutir al respecto, la hermana Grace contra todos los demás. Ni siquiera la mujer de la silla de ruedas opinaba que se mereciera aquella comida.

Hablaron con un canceroso que intentó besar las manos de látex de la hermana Edgar, quien retrocedió velozmente hacia la puerta.

Vieron cinco niños de corta edad al cuidado de una chiquilla de diez años, todos ellos arremolinados sobre una cama junto a la que había una cuna con dos bebés.

Avanzaron por los pasillos en fila india, con una monja abriendo la marcha y otra cerrándola, y Edgar pensó en todos los niños del limbo, sin bautizar, bebés que flotaban en la frontera del infierno, bebés frustrados por el aborto, una nube cósmica de fetos apenas esbozados que flotaban en los anillos de Saturno, y en los niños nacidos sin mecanismos inmunológicos, niños burbuja criados por ordenador, niños que ya nacían adictos: los veía constantemente, recién nacidos de kilo y medio adictos al *crack* que parecían algo sacado del folklore rural.

Mientras distribuían la comida, Edgar casi no hablaba. Gracie hablaba. Gracie aconsejaba. Edgar no era otra cosa que una presencia, un aura uniformada con los colores oficiales, blanco y negro.

Recorrieron los pasillos, tres chicos y dos chicas que formaban un todo con las monjas, una única figura ondulante dotada de numerosas partes móviles, y concluyeron sus entregas en el sótano de un edificio del interior del Muro, un lugar en el que la gente pagaba alquiler por cubículos de contrachapado peores que los calabozos de una prisión.

Vieron a una prostituta cuyos pechos de silicona habían comenzado a perder y se habían desgarrado hasta que por fin, un día, habían estallado regando el rostro del hombre tendido sobre ella con una ducha de polímero. Ahora estaba en paro, viviendo en una habitación del tamaño de una despensa.

Vieron a un hombre que se había arrancado un ojo con un cuchillo porque contenía un símbolo satánico, una estrella de cinco puntas, y Edgar habló con él. Se había arrancado el ojo de la órbita y luego había seccionado los tendones que lo conectaban con un cuchillo. Ella le habló en inglés y comprendió lo que el hombre le decía, aunque él hablaba una lengua, un dialecto, que ninguna de ellas había oído anteriormente... al final, había tirado el ojo por el retrete comunitario situado junto a su cubículo.

Gracie devolvió al equipo a su edificio en el instante en que se detenía un autobús. ¿Qué es esto? ¿Puedes creértelo? Un autocar de turismo pintado con colores de carnaval y un cartel en la ranura situada sobre el parabrisas en el que podía leerse *El surrealismo del sur del Bronx*. La respiración de Gracie se hizo más intensa. Unos treinta europeos, cámara en ristre, descendieron tímidamente a la acera frente a las tiendas precintadas y las fábricas cerradas para contemplar, al otro lado de la calle, el edificio semiderruido que se alzaba a media distancia.

Gracie casi enloqueció de furia. Sacó la cabeza de la furgoneta para gritar: «No es surrealismo. Es realismo, es realismo. Vuestro autocar sí que es surrealista. Vosotros sois surrealistas.»

Pasó un monje, montado en una bicicleta destartalada. Los turistas le observaron mientras pedaleaba calle arriba. Escucharon los gritos que les dirigía Gracie. Vieron a un hombre que se acercaba, cargado con los molinillos a pilas que vendía, paletas de colores brillantes sujetas a un palo: un sujeto negro de edad avanzada tocado con un birrete amarillo. Contemplaron la jungla de ailantos, y el ruinoso montículo de coches destrozados, y los seis pisos de la fachada con sus ángeles pintados y las serpentinas que ondeaban sobre sus cabezas nimbadas.

Gracie gritaba: «Bruselas es surrealista. Milán es surrealista. Esto es real. El Bronx es real.»

Un turista compró un molinillo y retornó al autocar. Gracie arrancó, aún mascullando entre dientes. En Europa, las monjas llevan sombreros de teja que recuerdan los voladizos de un chalé de playa. Eso sí que es surrealista, pensó. No lejos del Muro iba organizándose un atasco de tráfico. Las dos mujeres se dispusieron a esperar. Observaron a los niños que regresaban a sus casas desde el colegio, comiendo helados de coco. Sobre la acera, dos mesas: en una de ellas, condones gratuitos; en la otra, jeringuillas gratuitas.

—Admito que sea gay. Pero eso no significa que tenga sida.

La hermana Edgar no dijo nada.

—De acuerdo, esta zona es un desastre en lo que se refiere al sida. Pero Ismael es un tipo listo, previsor, cuidadoso.

La hermana Edgar desvió la mirada por la ventanilla.

Un clamor elevándose en torno a ellas, bocinazos fatigados y sirenas de policía y el gran rugido sáurico de las sirenas de los coches de bomberos.

—Hermana, a veces me pregunto por qué aguanta usted todo esto —dijo Gracie—. Se ha ganado el derecho a disfrutar de un poco de paz y tranquilidad. Podría vivir usted en el campo y realizar labores de desarrollo para la orden. Cómo me gustaría a mí sentarme en la rosaleda con una novela de misterio y el viejo *Pepper* enroscado a mis pies.

El viejo *Pepper* era el gato de la casa principal, lejos de la ciudad. «Podría bajar al estanque a merendar.»

Edgar mantenía una amarga sonrisa interior que flotaba en algún lugar próximo a su paladar. No ansiaba vivir en el campo. Allí residía la realidad de este mundo, allí mismo; aquello era el hogar de su alma, de su propio ser: se veía a sí misma, como una chiquilla cagueta obligada a enfrentarse a los auténticos horrores de la calle para curar la destrucción latente que anidaba en su interior. ¿Dónde podía llevar a cabo su labor sino bajo el intrépido y enloquecido muro de Ismael Muñoz?

De repente, Gracie bajó de la furgoneta. Se quitó el cinturón, salió de la furgoneta y echó a correr calle abajo. La portezuela quedó abierta. Edgar lo comprendió de inmediato. Se volvió y vio a la muchacha, Esmeralda, media manzana por delante de Gracie, corriendo en dirección al Muro. Gracie avanzaba entre los coches con sus toscos zapatos y su falda anacrónica. Siguió a la chiquilla hasta doblar una esquina junto a la que se había detenido el autocar, inmovilizado por el tráfico. Los turistas contemplaban a las figuras que corrían. Edgar podía distinguir sus cabezas volviéndose al unísono, los molinillos que giraban tras las ventanillas.

Todos los sonidos se fundían bajo el cielo mortecino.

Creyó entender a los turistas. Viajas a algún lugar no en busca de museos o puestas de sol, sino de ruinas, de terrenos bombardeados, del recuerdo, ya cubierto por el musgo, de torturas y guerras. A eso de una manzana y media de distancia se agrupaban vehículos de emergencia. Vio obreros que abrían las tapas de alcantarilla que daban acceso a los túneles del metro, rodeados por columnas de humo pálido, y supo que debía pronunciar una oración rápida, realizar un acto de esperanza, tres años de indulgencia, pero se limitó a observar y a esperar. Entonces, comenzaron a emerger cabezas y torsos indistintamente, gente que salía al aire con las mandíbulas desencajadas por jadeos frenéticos.

Un cortocircuito, un incendio en el metro.

Por el espejo retrovisor alcanzó a ver a los turistas bajando del autocar y avanzando a lo largo de la calle, listos para tomar fotografías. Y a los escolares que pasaban por allí, apenas interesados en la escena: todas las noches oían constantes tiroteos junto a sus ventanas, muertes intercambiables entre la televisión y la calle. ¿Qué sabía ella, una anciana que aún comía pescado los viernes, que allí ya comenzaba a sentirse inútil, infinitamente menos valiosa que la hermana Grace? Gracie era un soldado, un guerrero defensor de los valores humanos. Edgar era básicamente un hombre de Harrelson novato que protegía un conjunto de leyes y prohibiciones.

Tenía el corazón de un cuervo, pequeño y obstinado.

Escuchó el ulular de los coches de policía, latiendo en el tráfico inmóvil, y vio a un centenar de pasajeros del metro que salían de los túneles acompañados por obreros protegidos por chaquetones ignífugos, y vio a los turistas sacando sus fotos, y pensó en el viaje que había realizado a Roma muchos años atrás, un viaje de estudio y de renovación espiritual en el que su cuerpo había oscilado bajo las grandes bóvedas y durante el que había recorrido las catacumbas y los sótanos de las iglesias. En eso pensó mientras los pasajeros salían a la calle, en la vez que había estado en una capilla subterránea de cierta iglesia capuchina sin poder apartar la vista

272

de los esqueletos allí apilados, imaginando a los monjes cuya carne había decorado en su día aquellos metatarsos y fémures y cráneos, incontables cráneos amontonados en celdas y hornacinas, y recordó haber pensado con un sentimiento de venganza que aquéllos eran los muertos que habrían de salir de las entrañas de la tierra para azotar y atormentar a los vivos, para castigar los pecados de los vivos... la muerte, sí, triunfante.

Pero ¿acaso quiere seguir creyendo eso?

Al cabo de un rato, Gracie se introdujo en el asiento del conductor, desengañada y con el rostro enrojecido.

—He estado a punto de atraparla. Nos metimos en la zona más enrevesada de los solares y en ese momento me distraje, me asusté horriblemente, la verdad, por una bandada de murciélagos, no podía creerlo, de murciélagos auténticos, ya sabe, los únicos mamíferos voladores que existen en la tierra...

Agitó los dedos con un irónico movimiento de aleteo.

—Salieron en torbellino de un cráter lleno de bolsas de basura de color rojo. Desechos de hospital, desechos de laboratorio.

—Prefiero no oírlo.

—Cientos de ratones blancos muertos, con los cuerpos rígidos y aplastados. Hubieran podido barajarse como si fueran naipes.

—Los coches comienzan a avanzar —dijo la hermana Edgar.

—¿Alguna vez se ha preguntado qué pasa con las extremidades amputadas después de que las corte el cirujano? Acaban en el Muro. Abandonadas en un solar o quemadas en el incinerador de basuras.

—Conduzca.

—Y Esmeralda vaya usted a saber dónde está, entre todos esos hierbajos y esos coches desguazados. Me apuesto lo que sea a que está viviendo en un coche —dijo Gracie.

—Estará perfectamente.

—No, no estará perfectamente.

—Puede cuidar de sí misma.

—Más pronto o más tarde —dijo Gracie.

—Es rápida. Está bien dotada. Estará perfectamente.

Gracie la miró, siguió conduciendo y volvió a mirarla, escuchando el traqueteo del motor, sin decir nada. Edgar era célebre por no adoptar nunca posturas optimistas. Quizá aquello la preocupaba un poco.

Y aquella noche, bajo la primera y picante oleada de sueño, Edgar volvió a ver a los pasajeros del metro, varones adultos, mujeres en edad fértil, rescatados todos ellos de los túneles humeantes, a tientas por las pasarelas, ascendiendo por escaleras empotradas hasta la calle... padres y madres, progenitores perdidos y luego hallados y reunidos, aferrados e izados por la camisa, guiados hasta la superficie por pequeñas figuras sin rostro equipadas con alas fosforescentes.

Semanas después, Edgar recogió un ejemplar de *Time* cuando salía del refectorio y la vio ahí, una enorme fotografía en color de una mujer canosa sentada en una butaca de director bajo las viejas y ajadas alas de un bombardero de la Fuerza Aérea. Y reconoció el nombre, Klara Sax, porque reconocía todo, porque la gente le susurraba nombres, porque percibía rumores de información en los polvorientos pasillos del convento o en el almacén del colegio, olorosos a viruta de lapicero y a cuadernos de composición, porque experimentaba una oscura sabiduría en el humo del oscilante incensario del sacerdote, porque las cosas se le definían mediante el crujido de viejas tarimas y el olor de la ropa, de un húmedo abrigo para caballero fabricado con piel de camello, porque se impregnaba de las Noticias, los Rumores y las Catástrofes a través de los inmaculados poros de algodón de su hábito y su velo.

Todos los contactos intactos. La mujer que en otro tiempo se había casado con un vecino de la localidad. El hombre que era tutor de ajedrez y que había enseñado a uno de los antiguos alumnos de la propia Edgar. El muchacho que llevaba la corbata invariablemente torcida, Matthew Aloysius Shay, las uñas mordidas hasta la raíz, uno de sus chavales más listos, de padre desaparecido.

Sabía cosas, sí, ajedrez, todos esos sedimentos de astucia eslava, continuas añagazas y estrategias. Sabía que Bobby Fischer se había hecho retirar todos los empastes de las muelas cuando jugó contra Boris Spassky en 1972 —y a sus ojos era perfectamente lógico— de tal modo que el KGB no pudiera controlarle mediante el envío de señales a la pasta que rellenaba sus molares.

Depositó la revista en su armario junto con las viejas publicaciones para *fans* que había dejado de leer hacía ya décadas, cuando perdió la confianza en las estrellas de cine.

La fe de la sospecha y la irrealidad. La fe que sustituye a Dios por radiactividad, el poder de las partículas alfa y los infalibles sistemas que las modelan, los interminables eslabones encajados entre sí.

Aquella noche, inclinada sobre la palangana de su habitación, limpió un estropajo de níquel con desinfectante. Luego, lo utilizó para frotar un cepillo de metal, cerda por cerda. Pero no había purificado el desinfectante original con nada más poderoso que el propio desinfectante. No lo había hecho porque la regresión hubiera sido infinita. Y la regresión hubiera sido infinita porque así se llama: regresión infinita. Uno alcanza a ver cómo el miedo rebasa las molestas extrusiones de la materia para alcanzar esos espacios elevados en los que las palabras juegan consigo mismas.

Limpió y rezó.

Pronunciaba sencillas oraciones mientras trabajaba, simples plegarias piadosas llamadas jaculatorias que conllevaban indulgencias integradas más por días que por años.

Rezó y pensó.

Se acostó y, allí tendida, despierta, pensó en Esmeralda. La habían visto ya unas cuantas veces, pero no habían sido capaces de atraparla. Ni Gracie, ni los monjes, ni los rápidos escritores del equipo de Ismael. Y la sensación de seguridad que Edgar experimentaba al pensar en ella iba tornándose menos convencida.

Agradecía cada hálito de información que recibía, y más aún si albergaba un contenido inquietante, pero esta vez la aprensión la sacudía poderosamente. Percibía algo allí fuera, en el Muro, un peligro confuso y cambiante que acechaba a la chiquilla en su ágil tránsito a través de chasis de automóviles y extremidades humanas desechadas y hectáreas de basura sin recoger.

Madre de Misericordia, ora por nosotros. Trescientos días.

9

Nick intentaba encontrar la revista que había estado conservando para llevársela a Houston. Guardaba ciertos tipos de lectura para los viajes de negocios, cosas que nunca encontraba tiempo para hojear en otro momento, revistas que iban apilándose y estorbando hasta terminar sobre la acera en un día designado. Había un ruido, un zumbido global, que se iniciaba y que empezabas a oír cuando abandonabas tu casa enmoquetada camino del aeropuerto. Quería algo amable para leer a lo largo de ese ronroneo uniforme y sostenido que señala cada kilómetro del día de un viajero de negocios.

La revista era *Time*, y llevaba un mes perdida. La encontró finalmente en el cuarto de baño, apilada en una cesta que Marian mantenía llena en su mayor parte de llamativos libros de moda: cada sombra difuminada hasta lograr un brillo anatómico, silueteada contra la decadencia y el desgaste. El material idóneo para hojear cuando tienes el cuerpo en cuclillas y los pantalones bajados. Aquel número de *Time* tenía un artículo sobre Klara Sax que quería leer, no el primero en su género que había visto a lo largo de los años pero sí, quizá, más interesante que la mayoría, acerca de cierto proyecto que había iniciado en el desierto, rebosante de ambición.

Sobre su cama estaba la maleta, lo bastante pequeña para caber en el portaequipajes superior del asiento y, tras introducir la revista en un bolsillo exterior y cerrar la cremallera, terminó de preparar el equipaje. Entró Marian, que llevaba puestas sus gafas de sol de mujer-gato. Formaban parte de su puesto. Por entonces trabajaba para la comisión de arte de la ciudad, y buscaba un aspecto más estilizado.

—¿No tendrías que ir dándote prisa?

—Aún no ha llegado el coche. Me fío del coche —dijo él.

—El coche es fiable.

—El coche sabe cosas que nosotros ignoramos.

—El coche nunca llega tarde.

—El coche y el avión se encuentran en contacto permanente.

Marian siempre mostraba un aspecto espléndido cuando él salía por la puerta. Por qué será, pensó. Cierta suave cualidad corporal, cierto carácter que medio insistía en ser percibido pero que era al mismo tiempo un tímido secreto, temeroso de alterar el aire que los separaba.

Le empujó contra la pared y depositó las manos sobre sus muslos, besándole y mordisqueándole los labios y el cuello. Ella dijo algo que no alcanzó a entender del todo. Situó una mano entre sus nalgas y la pared y la oprimió contra sí. La falda se deslizó sobre sus piernas separadas, el tejido estirándose y elevándose, con ese susurro extensible de fricción con cuya compañía contaba para recorrer la vida. Retrocedió levemente y la miró.

—¿Y eso por qué? —dijo.

—¿De qué estamos hablando?

—¿Y por qué cuando regreso todo se ha desvanecido, se ha perdido y se ha olvidado?

—¿El qué?

Le quitó las gafas de sol y se las alargó. Cuando, pocos segundos después, salió por la puerta, el coche de la compañía le estaba esperando.

Pocas horas más tarde, Marian estaba en una pequeña estancia de un edificio de dos pisos de ladrillo claro próximo a un restaurante Jack in the Box y a un taller Brake-O. Bajo un cobertizo ladeado del patio trasero había coches aparcados, y en una de las plazas vacías había un zapato masculino abandonado. Estaba desnuda, junto al borde de la ventana. Avanzó hasta el largo espejo y arrimó la cadera a la superficie del vidrio, sintiendo cierto frescor agazapado entre el cuerpo y el objeto. Tenía buen aspecto. Todo ese ejercicio, la dieta, la dieta, el ejercicio. Todas las flexiones para las nalgas, el laborioso tedio que soportaba en aras de mantenerse en forma. No era la mujer perfecta y algo alterada que solía ser anteriormente, pero aún estaba en forma. Te jodes, mantente en forma. Se situó frente al espejo. No podía hacerse nada con aquella nariz de aguja, pero el resto no estaba mal. En casa nunca se miraba tan detenidamente al espejo. Era más fácil verse a sí misma allí, entre paredes ajenas. Dejó que sus pezones acariciaran el cristal, y al retirarse observó que habían dejado a su paso cierta humedad, un par de besos apretados como el aliento invernal.

Cuando llegó Brian llevaba puesto un albornoz que había encontrado en el armario.

—No debería estar aquí —dijo él.

—Ni yo tampoco. De eso se trata, ¿no?

Brian se sentó en el borde de la cama para quitarse los zapatos; recordaba ligeramente a los lloricas de la clase cuando se desnudan para gimnasia.

—¿De quién es esta casa?

—De mi asistente.

—¿Hablas en serio?

—¿Por qué no? Necesitamos un sitio seguro —dijo ella.

—Pero ¿tu secretaria?

—Mi asistente. Y es mejor que un hotel.

—No debería estar aquí.

Paseó descalzo por la estancia, desabotonándose la camisa. Tenía pies de payaso, alargados y con juanetes, y no se aflojó el nudo de la corbata hasta que no hubo sacado los faldones de la cintura.

—¿Es una mujer joven?

—¿Cómo sabes que es una mujer?

—Hablo en serio. ¿Es joven?

—Sí —dijo ella.

Él siguió caminando, tocando cosas, deteniéndose a observar fotografías y cajetillas de cerillas.

—¿Guapa?

—¿Te apetece investigar su ropa interior? Escucha, este albornoz es suyo. Fóllame fóllame fóllame —dijo secamente.

—¿Acaso no puede permitirse un sitio mejor?

—Andamos cortos de presupuesto.

—Es un estudio.

—Pequeño pero intenso —dijo Marian.

Tenía la espalda apoyada en la pared, con los brazos cruzados, y el hombre se aproximó a ella. Marian liberó ambas manos y atacó su cremallera. Le gustaba el sexo con Brian porque sabía controlarle, manejarle, adaptarle a su estado de ánimo, excitarle fácilmente o hacerle hablar, hablar... cosas vergonzosas, sinceras, ácidas, amargamente divertidas.

—Creo que lo sabe —dijo ella.

—¿Cómo?

—Creo que lo sabe.

—No lo sabe.

—Creo que lo sabe.

Tenía la mano dentro de los pantalones y una sonrisa en los labios. Él le entreabrió el albornoz, frotándolo, oprimiéndolo contra su hombro y su pecho antes de quitárselo, casi del todo, sacándole el brazo de la manga y dejando colgar la prenda.

Se deslizaron hasta la cama. Ella quiso despojarse del resto del albornoz, pero él no se lo permitió. Quería una mujer con el albornoz a medio poner. Sonó el teléfono y ambos se detuvieron a escuchar. Cada vez que sonaba el teléfono en un apartamento prestado, se detenían y pensaban en lo que estaban haciendo y, quizá, a cierto nivel, acerca de la persona cuyo apartamento estaban utilizando. Les hacía experimentar, pensaba ella, una forma equivocada de allanamiento. La cama. El misterio de la vida, del armario de las medicinas, de la cama de la otra persona. Era una de las cosas que no le gustaba de aquello, una entre muchas, y era incapaz de hacer el amor con un teléfono sonando.

Alargó la mano en busca del bolso, que yacía en una silla junto a la cama. El timbre dejó de sonar. Brian se levantó de la cama y terminó de desnudarse.

—¿Te fías de ella, de que no diga nada?

—Nunca dice nada de otras cosas.

—Esto no son otras cosas.

Marian encontró sus cigarrillos y encendió uno; él le alargó un cenicero.

—Pensaba que lo habías dejado.

—He bajado a cinco diarios.

—Pensaba que llevabas parche.

—No —dijo ella.

Se tendió de costado junto a ella. El timbre del teléfono les había llevado prematuramente a un perezoso estado de pequeñas caricias, suaves recodos de conversación y volutas de humo.

Dijo él:

—Y este trabajo tuyo, ¿es de verdad o de mentira?

—Trabajo con ingenieros estructurales, con diseñadores urbanos. Me paso la vida peleándome con asociaciones ciudadanas. Pero hago bastantes cosas.

—El otro día asistí a un almuerzo sumido en una bruma artificial. En un centro comercial de no sé dónde.

—No trabajamos con centros comerciales. Trabajamos con grandes avenidas.

—¿Qué le hacéis a las avenidas?

—Hacerlas habitables, soportables. Contar pequeñas historias. Esculturas en las medianas. Pilares con formas animales.

—¿Cómo se llama tu secretaria? —dijo él.

Marian descargó una porción de ceniza sobre su vello púbico.

—Horarios interminables, devoción obsesiva. Aferrados a esa manía japonesa —dijo él—. La muerte por sobrecarga de trabajo.

—Desapareces en la compañía y mueres. Sólo que yo no lo hago para desaparecer. Lo hago para resultar visible y audible. Y no estoy segura de a qué te refieres cuando dices de verdad o de mentira.

Él recogió las cenizas de su regazo y las dispersó con un soplido.

—La mayor parte de los trabajos son de mentira —dijo.

Habían empezado tarde, y nunca habían llegado a establecer un ritmo fiable. Tan sólo tres o cuatro apartamentos en todo aquel tiempo, y nunca habían utilizado ninguno de ellos más allá de una vez o dos. Marian había aprendido a hacer caso omiso de su propio fastidio. Aquél era uno de los aspectos que entrañaba el ser artificialmente perfecta. Pero la resistencia de Brian resultaba bastante exasperante. Tenía que organizar la cuestión de los apartamentos, asegurarse de todo, calcular los horarios, para luego preguntarse si él acudiría o no. Hablan por ahí de amantes diabólicos. Ella tenía un marido diabólico. Su amante era un tipo desgarbado de frente pecosa y pelo hirsuto. Pero era un riesgo que tenía que correr, un camino de acceso a cierto rasgo esencial de la propia identidad, cierta posibilidad que resultaba por otra parte sosa, escasa y rancia. Aquellos ratos, por breves e infrecuentes que fueran, eran suyos. Le gustaba hacerle rabiar y asustarle, pero no quería pensar en renunciar a él.

—Échame el humo —dijo él—. Quiero disfrutar de todos los aromas. Tabaco, sábanas, mujeres.

Con Brian era ella misma, independientemente de lo que tal cosa pudiera significar. Sabía qué significaba. Menos inmersa en los esquemas de otro, en su inconsciente modelado de otra vida.

—Y no dejes que me olvide de que tengo una reunión a las tres —dijo él.

—Me molesta un poco que aún no te hayas, ya sabes —como dejando las palabras en suspenso—, enamorado de mí, Brian.

—Tú tienes mi misma edad y mi misma estatura. Yo me enamoro de mujeres menudas y nerviosas que veo a lo lejos.

—Y tienen que ser jóvenes.

—Tienen que ser jóvenes. Tú y yo somos colegas. Y me siento demasiado culpable para enamorarme de ti. Me siento muy culpable. Culpable de cojones.

—¿En ese caso por qué lo haces?

—Por lo mucho que lo deseas —dijo él.

Ella aplastó el cigarrillo contra el cenicero.

—¿Tan acomodadizo eres? ¿Porque yo lo deseo? ¿Por eso estás dispuesto?

—Yo también lo deseo. Pero para ti es una cuestión de vida o muerte.

No le gustaba cuando se ponía serio. Contravenía las reglas. Le permitió ladear la cabeza hacia ella, hablando en un susurro.

—Es estúpido y es imprudente, y no deberíamos volver a hacerlo. Porque si se entera... —murmuró.

—¿Y qué pasa si se entera tu mujer? Será ella quien te corte los huevos.

—Nick se limitará a matarme.

—Y él ya no tiene que enterarse. Ya lo sabe.

—No lo sabe.

—Creo que lo sabe.

Susurró él:

—Que sea éste nuestro último y feliz polvo de despedida.

Ella comenzó a decirle algo, pero luego pensó que no. Se desplomaron juntos, entrelazados el uno con el otro, y ella se tendió, arqueándose, apoyando la espalda sobre sus propios brazos, dejándole imprimir su propio ritmo al proceso. En un momento determinado, abrió los ojos y vio que él la contemplaba, midiendo su avance, con un aspecto algo aislado y marchito; le obligó a bajar la cabeza y saboreó el gusto salado de su lengua y escuchó el sonido clásico del chasquido de los pechos, el chapoteo de los torsos y el traqueteo de la cama. A partir de entonces, todo dependía de una estrecha concentración. Aguzó el oído en busca de algo inherente al torrente sanguíneo, hizo girar sus caderas, experimentó una sensación eléctrica y desesperada y finalmente libre, y contempló sus ojos apretados y sus labios, tan tensos que parecían curvarse en los extremos, el labio superior blanquecino contra los dientes, y notó una especie de orgasmo del ahorcado cuando él llegó al fin, el sobresalto del cuerpo y la rigidez de las extremidades, y deslizó la mano entre sus cabellos: sería mejor si lo hiciéramos más a menudo.

Aguardó a que su respiración se regularizara para desasirse y recuperar su bolso de la silla.

Él se dirigió a la cocina y bebió un vaso de agua.

Era un bolso bastante grande, de bandolera, y Marian sacó de él una bobina de papel de aluminio, la desenrolló y la extendió sobre la cama. Brian la contemplaba desde la puerta de la cocina. A continuación, extrajo un pequeño paquete transparente. Su aspecto era el del envoltorio de un emparedado, pero más pequeño, y llevaba una etiqueta que rezaba *Death Trip n.º 1*.

—Ven aquí —dijo.

Abrió el paquete y vertió el contenido, la mitad del contenido, sobre el papel de aluminio. Era una sustancia resinosa, apelmazada, dividida en trozos. Le dijo a Brian que se sentara en la cama y que sostuviera la lámina, que la sostuviera por las esquinas, de tal modo que la sustancia, aquellos trozos alquitranados, no se derramaran por el borde.

—¿Qué demonios es esto? ¿Y cómo va a derramarse si es sólido?

Ella rebuscó nuevamente en el abrigo y extrajo una especie de pajita arrollada, una paja de aluminio de unos pocos centímetros de longitud.

—Eh, Marian, ¿de qué va todo esto?

Ella cogió las cerillas, encendió una y la sostuvo bajo la lámina de aluminio que sostenía Brian, calentando la sustancia que soportaba.

—Es heroína —dijo, mientras contemplaba cómo el alquitrán iba licuándose lentamente.

—Es heroína —dijo él—. ¿Y qué se supone que debo responder a eso?

Cuando el alquitrán comenzó a evaporarse y a humear, Marian apagó la cerilla, se llevó la paja de aluminio a los labios y comenzó a perseguir las volutas de humo, aspirándolas y manteniéndolas deliberadamente en los pulmones.

—De acuerdo. ¿De dónde la has sacado?

Ella contemplaba cómo se derretía, se deslizaba y se evaporaba el alquitrán, persiguiendo el humo que brotaba del aluminio estirado y aspirándolo a través de la pajita.

—Mary Catherine.

—¿Quién?

—Mi asistente.

—Pero ¿de quién es esta cama? ¿Tu secretaria es tu camello? ¿Cuándo empezaste a hacer esto?

—La verdad es que nunca pensé así en ella.

Siguió el curso del humo que emanaba de la lámina, sumergió la cabeza en él y lo sorbió con la pajita.

—Nunca pensé en ella como mi camello, pero supongo que en efecto es mi camella y que yo soy su lo que sea.

—¿Y esto es algo nuevo?

—Bastante nuevo, sí. Toma, dale una calada.

—No, gracias.

Persiguió el humo por el aire.

—Soy, no sé si lo sabes, completamente prudente. Lo uso muy, muy, muy pocas veces. No me levanto con los ojos hinchados, ni con dolores o náuseas. Dale una calada.

Aspiró el humo.

—¿Nick sabe esto? No puede saber esto.

—¿Estás loco? Me mataría. Dale una calada.

—Vete a la mierda.

—Quiero atraparte más profundamente. Dale una calada. Quiero atraparte hasta el punto de que dejes de comer y de dormir. Te quedarás tumbado en la cama pensando en nosotros. Haciendo nuestras cosas en un cuarto prestado. No podrás pensar en otra cosa. Ése es el programa que te tengo preparado, Brian.

—Mary Catherine. Me gusta el nombre —dijo él—. *Sexy*.

Sentados en la cama, el uno junto al otro, escucharon el rumor del tráfico que pasaba por Thomas Road. Cuando hubo acabado, recogieron los utensilios, sacudieron la cama y se tendieron a charlar.

—Creo que lo sabe —dijo ella.

—¿Dónde está?

—De camino a Houston, o a lo mejor ya ha llegado allí. Luego tiene que ir en coche a ese depósito de desechos nucleares, vete a saber dónde.

—La cúpula de sal.

—A merced del Asesino de la Autopista de Texas.

—No lo sabe —dijo Brian—. Pero deberíamos pensar en dejarlo. Deberíamos acabarlo hoy.

—No me apetece todavía. Así que cállate. Estás consiguiendo que me sienta como una vieja bruja agonizante.

—No eres una bruja. Eres una celestina.

—Sé cariñoso conmigo —dijo ella.

El día se había convertido en un latido soñoliento situado en algún lugar próximo a sus ojos. Al estirarse podía notar la corteza de esperma desgranándose y crujiendo levemente en su vello púbico.

Susurró él:

—Echemos un último polvo civilizado y salgamos de esto vivos.

Ella escuchó el tráfico, preguntándose qué diría en la versión cinematográfica.

Susurró él:

—Echemos un polvo sayonara y vistámonos.

Ella sonrió débilmente. Notaba en el aire una atmósfera propicia. Se sentía vagamente losangelesiana y rodó sobre Brian y le habló mientras lo hacían, a intervalos, dulzura, ternura, exhalando las palabras, sintiendo una atmósfera invisible de cosas absolutamente propicias.

Cuando estuvieron tendidos uno al lado del otro, él se incorporó sobre un codo y la miró.

—Tus ojos tienen esa mirada desafiante de plomo derretido.

—Limítate a no hablar de dejarlo. No eres quién para dejarlo.

Él se echó a reír. Cuando se reía, Brian se volvía semitransparente. Podía distinguirse la sangre fluyendo bajo su piel, como una corriente rosácea. Se puso en pie y comenzó a vestirse. Tomó una revista de modas y la abrió por una enorme fotografía de un bisexual distraídamente musculoso, quizá un blanco, quizá no, y la agitó sobre la cama como queriendo indicar hasta qué punto se hallaba comprometido con su propia vida, con su propio cuerpo, el propio Brian, un hombre desprovisto de un vídeo de ejercicios gimnásticos que introducir en la ranura oblonga.

—La ropa interior. De repente, todo se reduce a la ropa interior —dijo—. Explícame qué significa.

Miró la hora y le acometió un leve ataque de pánico. Ella intentó ayudarle, alargándole prendas a través de la cama mientras él manipulaba las cosas con una torpeza intencionada, poniéndose un calcetín del revés y atándose los cordones de los zapatos entre sí para dirigirse correteando y saltando hacia la puerta. Cuanto más tarde se hacía, más cabriolas ejecutaba. Era Brian en plena forma.

—¿Y qué pasará si lo sabe?

—No lo sabe —dijo ella.

Tenía un marido diabólico, si es que diabólico significa una especie de fuerza, un espíritu esclavo de disciplina y autocontrol, el pequeño matiz de distancia que él había conseguido perfeccionar, similar a la desconexión de un aparato de radio. Ella sabía lo de la desaparición de su padre, pero había algo más, algo áspero y distante. Eso era lo primero que la había atraído, lo arriesgado y erótico de la propuesta.

Brian contemplaba las fotografías que colgaban en la pared, junto a la puerta.

—¿Quién es ella?

—Vete de aquí —dijo Marian.

Hizo la cama, guardó la droga y devolvió el albornoz al armario. Lavó el vaso que había utilizado Brian, desnuda en la diminuta cocina, y todo ello le pareció completamente razonable y natural, algo ganado, necesitado, desnudado, y se dio una ducha y se vistió.

Se sentía muy bien. Perezosilla, ya saben. Ya saben, cuando algo te ha estado dando la lata, sin que puedas quitártelo de la cabeza, hasta que de repente parece como si se solucionara.

Sentía como si todas las cosas buenas no pudieran por menos de dar con ella, algo que habitualmente no ocurría. Las reconocería tan pronto las viera con sus ojos al estilo de Los Ángeles.

Se detuvo frente al espejo para ajustarse las gafas de sol. Porque si careciera de aquello, para planearlo, manipularlo y anticiparlo, de aquel Brian demasiado infrecuente con creces, y esto era algo que a punto había estado de decirle anteriormente, se convertiría en una persona solitaria y nerviosa, asida al volante a lo largo de la avenida decorada bajo el cielo abrasador, y quizá algo neutra.

Se sentía apreciada. Le gustaba la persona que era aquel día. Se sentía ligeramente perezosa de espíritu. Pensó que cualquier cosa típica de Los Ángeles parecería positiva aquel día. Hubiera llegado al punto de decir que se sentía más o menos eufórica, aunque tampoco estaba dispuesta a suscribirlo del todo.

Antes de marcharse inspeccionó la habitación por última vez. Éstas eran las cosas que abrían el mundo a los acuerdos secretos, el piso prestado y el número de teléfono memorizado y la anotación codificada sobre el calendario. Pueriles juegos de espías que verdaderamente le hacían sentirse más culpable que el propio sexo, con una avergonzada especie de autorreproche. Ahuecó una almohada para eliminar la huella. Quería que las cosas mostraran un aspecto intacto, para que a Mary Catherine no le importara cuando volviera a pedirle prestado el piso.

10

Extendió la mayonesa. Extendió mayonesa sobre el pan. A continuación, añadió la carne. Nunca extendía la mayonesa sobre la carne. La extendía sobre el pan. A continuación, añadió la carne y observó la mayonesa que rebosaba por los bordes.

Se llevó el emparedado a la habitación contigua. Su padre miraba la televisión, agazapado como frente a un periscopio propio, con la espalda encorvada, como si fuera a desplomarse sobre la alfombra de un momento a otro. Su padre padecía achaques aún carentes de nombre específico. Cosas que había que equilibrar entre sí. Las medicinas precisas para una de ellas hacían empeorar otra. Había contraindicaciones y efectos secundarios, todo un programa de medicación que Richard y su madre intentaban controlar, con sus peculiaridades cotidianas de medias dosis y etiquetas de aviso y dependiendo de tal cosa y no te olvides de tal otra.

Richard se comió algo así como medio emparedado y dejó el resto sobre el reposabrazos de la butaca. De regreso a la cocina, llamó a su amigo Bud Walling, que vivía perdido a más de sesenta kilómetros de distancia y que tampoco era realmente su amigo.

Cogió el coche y se dirigió a casa de Bud a través de viejos campos adjudicados para urbanización, con sus míseros trapos colgados de estrechos postes y apelmazados por el viento. Allí, el viento era una fuerza que atenazaba la mente. Había que dejar quinientos metros atrás el instituto y, aún oyendo el chasquido de la enorme bandera y la driza golpeando náuticamente el poste, acelerabas contra el viento y veías el polvo barriendo la carretera y enfilabas la dirección de aquel cielo blanco sintiéndote inútil y estúpido.

La casa de Bud parecía algo que el viento hubiera traído volando de las colinas. Su aspecto era el de algo allí depositado por un proceso natural, con el alabeado maderamen del jardín y las puertas abiertas y un porche a medio terminar sujeto por sillares, uno de esos porches tan bajos que la casa parece hundida en la arena. Bud tenía una mascota, parte coyote y parte chucho callejero, que vivía atado a una cadena en un cobertizo destartalado de la parte trasera. Según Richard, aquel perro era menos peligroso de lo que afirmaba la leyenda. Pensaba Richard que Bud conservaba aquel perro básicamente por el placer juvenil de poseer una bestia salvaje que pudiera alimentar o matar de hambre a voluntad.

Se dio cuenta de que, a pesar del notorio aviso inscrito sobre el frasco, había olvidado darle a su padre dos vasos de agua para tomarse la cápsula azul y amarilla. Aquellos pequeños fallos socavaban su confianza, aun cuando sabía que era culpa de su padre por no saber controlar su propio consumo o de su madre, por no estar presente cuando hacía falta. Constantemente se producían pequeñas guerras en torno a de quién es la culpa y de acuerdo lo siento y ojalá se muriera y acabáramos de una vez, guerras todas ellas libradas en el interior de la mente de Richard.

Hizo la estúpida broma de llamar con los nudillos a la puerta de Bud y decir: «Departamento de Alcohol, Tabaco y Armas de Fuego.»

No ocurrió nada. Entró y vio a Bud en una espaciosa sala, cortando una viga que había apoyado previamente sobre caballetes de distinta altura. La casa seguía siendo poco más que una estructura, a pesar de que Bud llevaba varios meses trabajando con un aplicado esfuerzo que según Richard tenía menos que ver con el vaciado y remodelación de una casa que con la destrucción de quién sabe qué temido espectro, acaso la vieja drogadicción de Bud, de una vez por todas.

—Tienes el teléfono estropeado —dijo Richard—. Se me ha ocurrido coger el coche y venir para ver, ya sabes, si todo andaba bien.

—¿Por qué no iba a andar bien?

—He informado a la compañía de teléfonos.

—Mi única sensación con respecto al teléfono.

—A veces arreglan el problema desde sus oficinas.

—Es que te da más disgustos que alegrías.

Bud alzó finalmente la mirada para reconocer su presencia visual.

—Introduce en tu vida voces personales a las que no estás preparado a enfrentarte.

Richard se mantenía próximo a los bordes de la habitación, deslizando las palmas de las manos sobre los lijados alféizares, examinando las grapas que mantenían los plásticos sujetos a los marcos de las ventanas. Esa clase de distracción vacua que aplaza el sufrimiento de la conversación ordinaria.

—Voy a instalar parqué —dijo—. Quizá Herringbone.

—Debería estar bien.

—Más vale que esté bien. Pero lo más probable es que nunca lo haga.

El sonido del viento sobre los plásticos encrespaba los nervios. Richard se preguntó cómo un ex adicto podía trabajar todo el día entre aquellos rumores y chasquidos. Los plásticos chasqueaban al hincharse, sacudiéndose y raspando. La cocaína de *crack* engaña a la mente, haciéndole pensar que la droga le sienta bien.

Pensó en algo que decir.

—Ya ves, Bud. La semana que viene cumplo cuarenta y dos años. Al otro miércoles.

—Así es la vida.

—Y aún me siento en gran medida como si tuviera la mitad de años.

—Resulta obvio por qué, viviendo como vives.

—¿A qué te refieres?

—Con tus padres —dijo Bud.

—No pueden apañárselas por sí solos.

—¿Y quién puede? Es lo que yo pregunto.

Bud arrojó la mitad de la madera cortada a un rincón. Estudió la otra mitad como si alguien acabara de alargársela en mitad de la calle.

—¿Qué?

—¿No te parece que huelen?

—¿Qué?

—Los viejos. Como la leche pasada.

Richard escuchó el restallido de los plásticos.

—No que yo haya notado.

—No que tú hayas notado. Bien. Quieres sentir la edad que tienes. Búscate una mujer y cásate. Ya verás como lo consigues. Es horrible, pero cierto. Una esposa es lo único capaz de salvar a tipos como nosotros. Pero no te hacen sentir precisamente joven.

Richard seguía enredando alegremente en su rincón. Le agradaba la idea de verse incluido en el programa femenino de salvación de hombres descarriados.

—¿Dónde está ella? —dijo.

—Ahora hace el turno de tarde.

La mujer de Bud trabajaba en la cadena de montaje de Texas Instruments, montando microchips sobre placas de circuitos, decía Bud, para la autopista de información. Richard creía estar medio enamorado de la mujer de Bud. Era una sensación que iba y venía, algo secreto y como semipatético, como si su corazón estuviera hecho de algún producto algodonoso. ¿Qué pensaría Aetna si en algún momento llegara a intuir sus sentimientos? El temor que tal pregunta conllevaba le hacía experimentar auténticos síntomas físicos: calor, ardor en la parte superior de la espalda y sofoco en la garganta.

Pensó en alguna otra cosa que decir.

—Los zurdos, lo he leído el otro día —y aquí se detuvo, intentando recordar las frases exactas de aquella estrecha columna impresa—, los zurdos, y yo no lo soy, viven por lo general menos que los diestros. Los diestros viven diez años más que los zurdos. ¿Puedes creerlo?

—Hablamos de esperanza media de vida.

—Los zurdos mueren por lo general, creo, a los sesenta y cinco.

—Porque se la cascan mirando al polo norte —dijo Bud, una observación en la que Richard, al analizarla, no logró descubrir el más mínimo contenido.

Contempló a Bud, que arrancaba clavos de las viejas tablas, y se ofreció a ayudarle mientras paseaba la mirada a su alrededor en busca de un martillo.

—Así pues, Richard.

—¿Qué?

—Has conducido ochenta kilómetros para decirme que no me funciona el teléfono.

Richard ignoraba si aquello era una emboscada previa a alguna observación mordaz típica de Bud Walling o simplemente una forma de manifestar su agradecimiento.

—Sesenta y cinco kilómetros, Bud.

—Bueno, eso es un alivio. Te ofrecería una cerveza, pero.

—No pasa nada.

—Quizá sea Aetna la que se hace ochenta kilómetros. No recuerdo exactamente.

No era inimaginable, dentro de las posibilidades de Bud, que dijera algo personal acerca de su esposa, quizá sobre sus preferencias sexuales o sus problemas digestivos y, cada vez que mencionaba su nombre, Richard contenía el aliento, esperando y temiendo que se avecinara algo íntimo; y, aunque sabía que Bud lo hacía para perturbarle y repelerle, Richard absorbía cada palabra, cada imagen y cada descripción odorífera sin perder de vista el rostro de Bud, en busca de signos de burla.

—Le dará rabia no haberte visto —dijo Bud, alzando la mirada de la madera podrida y el polvo en suspensión.

No era zurdo, pero había aprendido a disparar con la izquierda. Eso era lo que Bud nunca entendería, que tenía que liberar sus sentimientos de su interior para huir de su aislamiento. Se había ejercitado en la teoría de que si estás conduciendo con la mano derecha y sentado junto a la portezuela es mejor, desde un punto de vista práctico, mantener la derecha sobre el volante y sacar la izquierda por la ventanilla, la mano del arma, para no tener que disparar por delante del cuerpo. Probablemente, podría hablar de aquello con Bud y Bud lo entendería. Pero nunca comprendería hasta qué punto Richard tenía que sacarlo todo al exterior, compartirlo con los demás, convertirse en parte de la historia de otros, porque era el único modo de escapar, de liberarse de los detalles humillantes de su propia identidad.

Bud estaba diciendo:

—De modo que dice el poli, los pies juntos, la cabeza atrás, cierre los ojos por favor. Y Aetna se echa a reír cuando oye lo de por favor. Ahora extienda bien los brazos, dice. Ahora adelante el brazo izquierdo y tóquese la nariz con el índice. Yo ahí parado, debajo del diluvio, y él dándome indicaciones desde el coche. Tóquese la nariz con el índice, me dice.

—Los zurdos que conducen tienen cinco veces más posibilidades de morir en un accidente.

—Cinco veces más que los diestros.

—Que los diestros —dijo Richard, religiosamente convencido.

Bud arrancó una tabla del suelo.

—No es problema mío.

—Ni mío.

—Me muero de estrés —dijo Bud—. Si te dijera el nivel de estrés que tengo...

Richard aguardó el resto. Solía trabajar sentado en una cabina de cristal del supermercado, ordenando cheques personales y cupones cancelados y entregando paquetes de monedas al personal de caja, pero al parecer no lo había hecho bien y le habían devuelto a los mostradores, donde tenía que pasar artículos por el escáner, marcar el precio de frutas y verduras y soportar las distraídas impertinencias de fugaces extraños que pasaban por el mundo.

—Teníamos que hacer nuestras cosas fuera porque el retrete no se encuentra apto para el consumo humano. De modo que construí una cosa que es lo único que se me ocurría hasta que funcione el retrete. Y Aetna, en fin, ya puedes imaginarte.

—Al volver del trabajo.

—El estrés se desarrolla de un modo verdaderamente personal.

—Con todo ese camino por delante —dijo Richard.

—Y tenía que ir. Y entonces se acordó. Que no tenemos un retrete que funcione. Me lanzó una mirada asesina.

Decían unas cosas increíbles, las gordas de la cola en la caja rápida, y él con sus padres enfermos en casa, o uno enfermo y el otro malhumorado, como tiene que descontarme dieciséis centavos de la pasta de tomate o eso no es una pera roja, es una pera de Anjou. Me ha cobrado una pera roja pero esto es una pera de Anjou. Se veía obligado a gritar de una caja a otra, de modo que todos los de la cola podían oír lo que decía.

—Por mí me da igual —dijo Bud—. Porque no deja de tener cierto sentido hacer ciertas cosas fuera. Cuando piensas en lo que consiste.

Charlan sobre el trauma cerebral. Comentan si sería adoptado o si habrían abusado de él. El problema reside en el espaciamiento. Si disparas por la ventanilla del lado del conductor, algo inevitable si no quieres hacerlo a través de tu propio coche y a través del espacio que separa tu coche del otro, aún te enfrentas al problema de tener que acertar a través de ese espacio que separa a ambos coches y a través del coche de al lado, porque el otro conductor está en la parte más alejada con relación a ti. No vas a dispararle al pasajero. Si disparas al pasajero, lo más probable es que el conductor realice una maniobra evasiva y apunte el número de tu matrícula y la marca de tu coche y el color de tu pelo, etcétera. De modo que vas a disparar a conductores solitarios, y vas a disparar por la ventanilla de tu propio lado empleando la mano izquierda para sostener el arma. Pero, como finalmente pensó, el hecho es que si disparas con la derecha, con la mano más natural, tu proyectil recorre aproximadamente la misma distancia a través de los mismos espacios que recorrería con el método autoaprendido de la mano izquierda. Aquello se le ocurrió después de la quinta o la sexta víctima, ha olvidado cuál, pero decidió seguir utilizando la mano izquierda aunque pareciera más lógico conducir con la izquierda y disparar con la derecha. Porque la derecha es tu mano natural de nacimiento.

—Acabo de darme cuenta de qué era lo que no conseguía averiguar —dijo Bud.

Oyeron ladrar al perro, y Richard miró a través del plástico polvoriento y vio al animal encaramándose sobre sus patas traseras y tirando de la cadena, los huevos tensos, y confió en que se tratara de Aetna llegando a casa antes de tiempo. En cierta ocasión, Aetna les había preparado una tarta que tenía la costra decorada con un enrejado. Aquello era algo que recordaba. Al ver que no era ella regresando a casa sino posiblemente alguna criatura del bosque lo que había alertado al perro, experimentó una tristeza desproporcionada. Aunque, realmente, todo resultaba desproporcionado. El golpeteo del viento sobre el plástico, haciéndolo estremecerse y restallar. Según los sucesivos estudios realizados, se supone que la cocaína de *crack* es la más adictiva de las drogodependencias.

—Llevas corbata —dijo Bud.

Richard vaciló, sin saber cómo tomar aquello, internamente vigilante ante la posibilidad de una emboscada, de una posible observación.

—Bueno, del trabajo —dijo—. Volví a casa del trabajo pero no me cambié.

—Pero ¿te pones corbata? ¿Para revisar mercancías?

—Es una norma de la compañía, prácticamente para todo el Estado.

Mantén la calma, pensó.

—Y luego está lo que dijo Aetna, y para variar tenía razón. Que pareces un tío que llevara gafas. Sólo que no las llevas. Sólo que cuando lo dijo no estábamos seguros. Dijimos, ¿las lleva o no las lleva?

—Nunca las he llevado —dijo Richard.

Al entrar en la casa sin que Bud se percatara apenas de su presencia, había sido como la naturalidad de la muerte. Como esa cosa vacía y hueca de no encontrarse allí. Un recorrido de sesenta y cinco kilómetros para volverse transparente, algo espantoso pero no inhabitual. Pero aquel escrutinio sobre lo que llevaba o dejaba de llevar... Le entró el pánico. Intentó pensar en qué decir. Quizá hubiera algo que decir sobre el perro. Intentó atisbar al perro a través del plástico. Nada se ensucia tanto como una tira de plástico, reteniendo la porquería, absorbiéndola.

—Bueno, quizá deberías hacerlo. Las gafas proporcionan prestancia a las personas. Consíguete una montura gruesa y oscura a juego con tu corbata.

Ignoraba por qué Bud querría hablarle de ese modo. Bud estaba sentado con las piernas cruzadas sobre la estrecha rendija del suelo. Mantenía el martillo sobre el hombro, en posición de descanso, y tenía la mirada fija en el rostro de Richard. Richard intentó sonreír, convertir todo aquello en algo humorístico. Percibía la estupidez de su propia expresión, como si un quiebro de los labios pudiera alterar el mundo exterior.

—Puedo pensar en ello.

—Sí, hazlo.

—Creo que debería volver ya.

—Le dará rabia no haberte visto.

—Salúdala de mi parte.

—Lo haré sin falta.

A la única persona que hablaba con el corazón en la mano era a Sue Ann. Sue Ann le hacía sentirse real al hablar con ella por teléfono. Le proporcionaba la sensación de estar adoptando una forma propia, adoptando la forma que siempre había querido adoptar, aquella de lo que realmente era. Era como obtener consistencia: ¿nunca habías notado cosas que surgían del centro de lo que eres y adoptando la forma de la persona que pretendes? Bien, pues eso era lo que Sue Ann lograba, y puedes no creerlo o no respetarlo, pero nunca era realmente quien era hasta que hablaba con ella.

Oyó a Bud arrancando más tablas mientras salía por la puerta en dirección al coche.

Con asesinos mentales vagando sobre la tierra, los cajeros con corbata.

Eso pensaba que habría podido decir Bud.

Llamó a Sue Ann desde una casa en la que había irrumpido con allanamiento. Encendió el televisor y llamó a la emisora vía satélite de Atlanta, tocando todo con un pañuelo e instalando en el micrófono el modificador de voz que había comprado por correo tras verlo anunciado en las últimas páginas de una revista pirata. No se trataba de una publicación que Richard consultara normalmente. No era un espía, ni un amante de las armas. Su pistola era la vieja 38 de su padre. No poseía una potencia extraordinaria ni traspasaba bloques de cemento ni abría agujeros del tamaño de un puño en los blancos silueteados. Sencillamente, mataba gente.

Abandonó la zona boscosa al volante de su coche, salió a cielo abierto, allí donde la carretera descendía hasta el valle, y percibió la verdadera fuerza del viento.

Hizo la llamada y encendió el televisor, o viceversa, sin sonido, la mano envuelta en un pañuelo doblado, y pensó que nunca se había sentido mejor hablando a alguien por teléfono o cara a cara o de hombre a mujer como se sentía aquel día hablando con Sue Ann. La contempló allí donde estaba, hablando con ella allí donde estaba. Vio cómo sus labios se movían en silencio en una parte de la habitación mientras sus palabras descendían, suaves y cálidas, entre los pliegues de su oído secreto. Habló con ella por teléfono y cruzó la mirada a través del televisor. Aquello representaba el despertar de la certeza de su propia realidad. Aquella mujer de ojos extraños y melena salvaje desprendía emanaciones que desconcertaban su corazón. A medida que pasaba el tiempo, fue hablando cada vez con más confianza. Volvía a encontrarse a sí mismo, con timidez pero sin vergüenza, con cierta soberbia incluso, con sinceridad e inteligencia, evasivo cuando tenía que serlo, en casa de unos extraños, cerca de una lámpara sin pantalla, y ella le escuchaba y le preguntaba, contemplándole desde la pantalla situada a tres metros de distancia. Tan radiante que podía convertirle en algo real.

Era una carretera poco transitada. Podías recorrer cincuenta kilómetros por aquella carretera sin ver otro coche. Ves torres de alta tensión que se extienden hasta más allá de donde alcanza la mirada, hundiéndose en la tierra como un ejercicio de perspectiva. Cuando amaina el viento se produce un suspense que desciende sobre la tierra y que te hace pensar en el silencio previo al Juicio.

Entonces cortaron para poner el vídeo. Le inquietaba el vídeo debido a que mostraba un punto de vista distinto al de su experiencia y no hacía más que pensar que la chica iba a mover la cámara para encuadrar su rostro. Había contemplado el vídeo una docena de veces, sentado junto a su padre dolorido, y cada vez que lo veía creía que iba a aparecer en su propia sala de estar, separado de su propio ser, atisbando con los ojos guiñados sobre el volante de su utilitario.

Después de aquello llamó a Sue Ann en dos ocasiones, pero la centralita se negaba a pasar la llamada, ya que había otros muchos intentando ponerse en contacto con ella en ese momento y la operadora era suspicaz, recelosa e incrédula. La necesitaba para no desintegrarse. Probablemente, hubiera llegado al punto de revelarle su nombre. Y ella, a lo largo de un cierto número de llamadas, de días, habría podido quebrantarle por completo mientras le contemplaba desde la pantalla. Podría haberse entregado a ella bajo un torrente de luces, Richard Henry Gilkey, conducido a lo largo de un pasillo rodeado por hombres tocados con sombreros de ala ancha y Sue Ann Corcoran junto a él.

Pasó junto al mástil que sostenía la driza al viento. El viento hacía restallar la driza contra el mástil y, de algún modo, el repetitivo significado de aquel ruido le debilitaba.

Entró en la casa y vio a su padre completamente retorcido frente al televisor. La madre estaba en la cocina, accionando la batidora en el interior de un cuenco de color blanco.

—Mira lo que aparece por la puerta.

—Me he acercado a casa de Bud.

—¿Acaso tenemos tiempo para que te acerques a casa de Bud?

—Hay que darle a papá el Nitrospan.

—Muy bien, pues ve y dáselo.

—No sé, ¿no deberíamos llamar para preguntar la nueva dosis?

—Yo no he llamado. ¿Has llamado tú? —dijo ella.

La campana de vidrio tenía un agujero por el que hablar. Pero le enviaron al acceso y le obligaron a gritar a través de la galería.

—Llamaré —dijo ella—. Pero no estará allí.

—Te responderá el servicio de contestador.

—Me responderá el servicio de contestador y me dirán que no está allí.

—Iba a llamar —dijo él.

—Ya llamaré yo —dijo ella—. Tú prepara la pomada.

Después de cenar, aplicó la pomada sobre el pecho de su padre. Su padre permanecía tendido en la cama con el aspecto desaseado de un viejo que va convirtiéndose en un náufrago, en un desecho de las islas, con excepción de los ojos: eran húmedos y profundos, y suplicaban tiempo. Richard extendió la pomada y abotonó la chaqueta del pijama de su padre y pensó en el día, ya de un momento a otro, en que tendría que limpiarle el trasero.

A la espera de noticias de los parientes más próximos.

Revivía en ellos. Vivía en sus historias, en las fotografías de los periódicos, sobrevivía en los recuerdos de la familia, vivía con las víctimas, seguía viviendo, mezclándose, duplicándose, cuadruplicándose, extendiéndose a números de dos cifras.

Desde la puerta de la cocina, la contempló mientras removía una solución que habría de ser lo primero que su padre ingiriera al día siguiente.

—Venga, pues, que tengas buenas noches.

—Que duermas bien —dijo ella.

Se dirigió a su habitación y se sentó en una silla para descalzarse. Todo el sentido de una vida cualquiera se localizaba en el acto de inclinarte para desanudarte los zapatos y de dejarlos en un lugar fijo a la espera del comienzo del día siguiente.

Pensó en la otra persona.

Cuando estaba en la cabina de cristal había contado con aquel agujero por el que hablar. Pero cuando le devolvieron a la caja había tenido que hablar en espacios abiertos en los que cualquiera podía escucharle.

Mantenía la pistola oculta en el coche, y pensó en aquello mientras se aproximaba al sueño, y pensó en la otra persona que había disparado contra un conductor en una de las autopistas en las que él había disparado contra un conductor, tan sólo un día después. Crímenes de imitación, los llaman. No le gustaba pensar en aquello, pero últimamente descubría que era una presencia cada vez más burlona en su mente.

Era madrugador. Oyó el tren por el tejado y se vistió y desayunó un bollo de pie, con la taza bajo la barbilla para recoger las migajas. Tenía tres horas y media por delante antes de acudir al trabajo. Oyó la lluvia goteando desde los canalones y golpeando el molde de estaño en el que solía dejarle comida al gato callejero cuando se acordaba.

Sé quién soy. ¿Quién es él?

Se abrochó la cremallera de la chaqueta. Luego, se enfundó el guante de la mano izquierda, un guante blanco de mujer, y salió a la calle vacía en la que aguardaba su automóvil bajo el cielo plomizo.

PARTE 3

LA NUBE DEL DESCONOCIMIENTO

PRIMAVERA DE 1978

1

Siempre he sido un mundo aparte. Mi maquillaje guarda una cierta distancia, una separación tan calculada como la de mi viejo, supongo, que a veces me he esforzado en reducir, o he pensado en esforzarme, o lo he mandado a la mierda.

Me gusta contarle cosas a mi mujer. Hablo con mi mujer. Le digo que no me deje por imposible. Le digo que hay una palabra italiana, o una palabra latina, que lo explica todo. Luego, le digo la palabra.

Ella dice, ¿qué explica eso? Y responde, nada.

En este caso, la palabra que no explica nada es *lontananza*. Algo distante o remoto, por supuesto. Pero, tal y como yo uso la palabra, tal y como la interpreto, con sus asperezas y sus sutilezas, constituye la distancia perfeccionada del gángster, del mafioso sindicalista, del capo. Cuando eres un capo, ya no necesitas el constante influjo viviente de las fuentes exteriores. Eres un ser íntegro. Estás hecho. Hecho a mano. Eres como una robusta pared romana.

Estaba en Los Ángeles pensando en aquellas cosas. La gente dice que L.A. está donde está pero sólo a medias, y acaso ése era el motivo por el que estaba pensando en mi padre. Y también por mi hermano Matt: era una premisa interminable de Matt, su cantar de los cantares, que nuestro viejo Jimmy estaba viviendo en el sur de California bajo su habitual nombre falso.

Le dije que Jimmy había muerto bajo su nombre verdadero. Éramos nosotros los que teníamos nombres falsos.

Pero lo más curioso, la contradicción, es que me veía en medio de un recinto vallado, en un suburbio de bungalós, contemplando las agujas del enorme y peculiar complejo arquitectónico conocido como las Torres Watt, una idiosincrasia nacida de las inocentes perspectivas anarquistas de alguien, y cuanto más las

301

miraba, más pensaba en Jimmy. Las torres y los baños para pájaros y las fuentes y los postes decorados y los relucientes adornos y los colores caseros, el verde de las botellas de Seven-Up y el azul de la leche de magnesia, aquellas vívidas baldosas encastradas en cemento, todo el complejo de estructuras y verjas y paneles que habían sido construidos, manufacturados, por un hombre, por un hombre solo, un inmigrante procedente de algún lugar próximo a Nápoles, probablemente analfabeto, que dejó a su esposa y a su familia, o acaso le dejaron a él, no estaba seguro, un hombre cuya narrativa consiste fundamentalmente en espacios vacíos, de incierta fecha de nacimiento, hasta que termina pasándose treinta y tres años en la construcción de esta cosa a base de varillas de acero y porcelana rota y guijarros y conchas marinas y botellas de soda con entramado de alambre, el cemento hecho a mano, tres mil sacos de arena y de cemento, y que se pasa todos estos años con granos de arena incrustados en las manos y en los brazos y polvo de vidrio en los ojos, colgado de la punta de las torres por un cinturón de limpiacristales, vestido con un mono harapiento y un sombrero polvoriento, el rostro quemado, con lámparas atadas a los peldaños radiales para poder trabajar de noche, vete a saber si a treinta metros de altura, con Caruso sonando en el gramófono desde abajo.

Jimmy era un hombre siempre al límite, un quiromántico que infería el futuro a partir de los pliegues de su propia carne, pero según mi hermano pequeño un día se miró la palma y la tenía en blanco. ¿Se había convertido entonces —podía yo imaginarle así— en un fugitivo excéntrico? En cierto modo, sí, el del hombre que no se lava ni se cambia de ropa, de aspecto vagabundo, que habla solo en medio de la calle, y también de otro modo, quizá, podía imaginarle elevándose hasta este punto, superándose a sí mismo para producir un arte divagador y desprovisto de categoría con cemento y alambre.

Ésa era la contradicción. El futuro de Jimmy se cerró definitivamente la noche en que salió a buscar cigarrillos. ¿Por qué iba yo a imaginarle siquiera como una realidad alternativa, viniendo hasta aquí, o casi hasta aquí, escapando hacia la luz de Los Ángeles, en pos del clima mediterráneo?

Paseé entre las torres abiertas, tres de ellas altas, cuatro más bajas, y vi las cerámicas de Delft que había pegado bajo una marquesina y el vidrio de madreperla fundido que había aplicado sobre las superficies de adobe. Independientemente de la naturaleza desechada de aquellos materiales, de su aparente improvisación, y fuera cual fuese el grado de intuición pura, el tipo era sin duda un maestro constructor. El lugar poseía una unidad estructural, una cualidad de temas repetidos y una hábil ingeniería. Y sus iniciales aquí y allá, SR, Sabato Rodia, si tal era de hecho su verdadero nombre: SR tallado en los arcos como las pintadas que dibujan las pandillas en las calles.

Traté de comprender la fuerza de la presencia de Jimmy allí. Le veía desaliñado y farfullando, pero también libre, sin nada ni nadie a quien rendir cuentas, en un cuchitril vete a saber dónde, cortando una pera con una navaja. Jimmy vivo. Y entonces pensé en algo que había ocurrido cuando yo tenía unos ocho años: un recuerdo que clarificaba los vínculos. Veía a mi padre al otro lado de la calle, contemplando a dos jóvenes, a dos novatos que intentaban cimentar unos ladrillos para construir un par de postes destinados a una verja frente a la modesta casa de un vecino. Primero les observó, luego les aconsejó, gesticulando, dirigiéndose a ellos en un inglés precario y estudiado que los dos jóvenes fueran capaces de captar, y finalmente se aproximó con aire decidido, le alargó la chaqueta a alguien, reubicó el trozo de cordel, cogió la llana y dispuso los ladrillos en hileras mientras alisaba la lechada; trabajaba velozmente, pero yo ignoraba que supiera realizar esa clase de trabajos, y no creo que mi madre lo supiera tampoco. Crucé la calle y experimenté una tímida sensación de orgullo, rodeado de hombres de mediana y avanzada edad, inspectores al aire fresco les llamaban, pues nunca se había visto gente tan satisfecha como aquellos hombres con chaqueta blanca y corbata realizando una diestra construcción de ladrillo.

Cuando concluyó las torres, Sabato Rodia regaló el terreno y todo el arte que contenía. Abandonó Watts y se marchó, dijo, a morir. La obra que realizó es una especie de ruido vertiginoso que libera el alma, una catedral jazzística, y la potencia de aquello, para mí, su profunda sensación de inquietud, provenía de que el fantasma de mi propio padre habitaba en aquellos muros.

La camarera trajo un tenedor helado para mi ensalada Alegría de Vivir. Big Sims estaba devorando una hamburguesa con queso que incluía tres clases distintas de *cheddar*, todas ellas detalladamente descritas en el menú. La pared presentaba una grieta como consecuencia del temblor del día anterior, y cuando Sims se rió pude ver su boca salpicada de brillantes filamentos de queso.

Oímos el estruendo de los vuelos de prueba que salían de Edwards. Sims decía que tenían aviones que sobrepasaban la frontera del espacio y luego regresaban renacidos.

Estábamos en Mojave Springs, un centro de conferencias situado a cierta distancia de Los Ángeles. Me había incorporado recientemente a Contención de Desechos, conocida en la industria como la Compañía Mágica o Whiz Co., y había acudido allí con el espíritu de un novato en busca de orientación, para ajustarme al lenguaje y a los usos, y mi supervisor oficioso era Simeon Biggs, un ingeniero especializado en técnicas de nivelación de terrenos que llevaba ya cuatro o cinco años en la empresa. En Springs estaban representadas cierto número de compañías de tratamiento de desechos, y todos compartíamos el tiempo de los seminarios con otro grupo más pequeño y dedicado, compuesto por cuarenta parejas casadas que habían ido a intercambiar parejas sexuales y a hablar de sus sentimientos. Nosotros éramos los gestores del desecho, ellos los intercambiadores, y su presencia nos resultaba incómoda.

Dijo Sims:

—El barco ha estado por ahí, navegando de puerto a puerto, hace ya casi dos años.

—¿Y qué pasa? ¿No aceptan el cargamento?

—Un país detrás de otro.

—¿Hasta qué punto es tóxico?

—Me han llegado rumores —dijo—. No es mi especialidad, por supuesto. Se gestiona en algún despacho secundario de nuestras oficinas de Nueva York. Se ha convertido en una leyenda popular acerca de un buque fantasma. El Liberiano Errante.

—Pensaba que en los PBD se vertían sustancias terribles de modo rutinario.

Acababa de enterarme de que, en el lenguaje de los bancos y de otras entidades globales, los PDB eran países de bajo desarrollo.

—Esos pequeños países de piel morena. Sí, se trata de un feo asunto que cada vez va a más. Hay países que aceptan unos honorarios equivalentes a cuatro veces su producto interior bruto para admitir la entrega de un cargamento de desechos tóxicos. ¿Qué ocurre después de eso? Mejor no saberlo.

—De acuerdo, pero ¿por qué resulta éste inaceptable? ¿Y por qué no sabemos en qué consiste la mercancía exactamente?

—Quizá estamos intentando ahorrarnos una situación embarazosa —dijo Sims.

El temblor había tenido lugar a la hora del aperitivo, en un momento en que me encontraba en la suite de bienvenida con unos cuantos colegas que atisbaron por encima de sus copas la lenta inclinación del planeta. La habitación se había llenado de silbidos y gemidos. Yo me había esforzado por controlar la expresión de mi rostro, a la espera de que la situación se definiera. Me enteré luego de que había llegado hasta poco más del cinco, al cinco coma cuatro, y sentí justificada mi sensación de emergencia potencial al ver la grieta en la pared del restaurante cuando nos sentamos.

—¿Tú qué piensas, que es un cargamento de drogas? ¿Disfrazadas como desechos tóxicos? Porque también a mí me han llegado rumores.

—Cuéntame —dijo Sims.

Se sentó al otro extremo de la mesa, el rostro carnoso y el cuerpo ancho, el labio inferior prominente, las curiosas orejillas sin lóbulo, redondas y perfectamente moldeadas, las diminutas orejas artificiales de los elfos.

—Estoy ansioso por escuchar tu versión —dijo, con un leve rastro de dulce condescendencia en la voz.

—Primera posibilidad, que se trate de un cargamento de heroína, lo que carece de sentido. Segunda, que sean cenizas de un incinerador de la zona de Nueva York. En gran parte de índole industrial. Diez mil toneladas. Arsénico, cobre, plomo, mercurio.

—Dioxinas —dijo Sims con tono plácido mientras atacaba el centro de su solomillo a las hierbas mexicanas.

Cuatro parejas se sentaron a una mesa próxima de forma redonda y Sims y yo hicimos una pausa. Queríamos divertirnos y burlarnos un poco. Se trataba de intercambiadores, claro está, todos asertivamente ataviados, en tercera persona, y fueron reclinándose uno a uno a medida que el camarero les servía el agua.

—Se toman tiempo para comer. Algo que respeto —dijo Sims.

—He oído cosas acerca del barco.

—El barco no hace más que cambiar de nombre. ¿Habías oído eso?

—No, no lo sabía.

—Salió de uno de los muelles del río Hudson con un nombre; no recuerdo cuál era, pero se cambió tres meses después frente a las costas de África occidental. Luego, volvieron a cambiarlo. Esta vez, en algún lugar de Filipinas.

—Enormes cantidades de heroína, según dicen. Pero ¿por qué iban a querer embarcar heroína de los Estados Unidos al Extremo Oriente? No tiene sentido.

—No tiene sentido —dijo Sims—. Si no fuera porque encaja con otro rumor. ¿Lo conoces?

—Creo que no.

—Que pertenezca a la mafia.

Le gustaba decir aquello, silabeando las palabras, los ojos ligeramente saltones.

—¿Qué quieres decir con que pertenezca a la mafia?

—La compañía que ostenta la propiedad de los buques que alquilamos. La mafia está muy metida en el transporte de desechos. ¿Por qué no iban a estarlo en la manipulación, el embarque, todo?

—Hay una palabra en italiano —dije.

—Quizá no se trate únicamente de la naviera. Quizá se trate de nuestra compañía. Pertenecemos a la mafia. Ellos no son más que convidados de piedra. O sencillamente les pertenecemos.

Decir aquello le gustaba aún más. Tampoco es que lo creyera. No lo creía en lo más mínimo, pero quería que yo lo creyera, o que reflexionara sobre ello, para poder ponerme en ridículo. Mostraba una dura sonrisa que ridiculizaba cualquier sentimiento fácil que uno pudiera sentirse tentado de albergar en nombre de su credo de conspiración personal.

—Hay una palabra en italiano. *Dietrologia.* Se refiere a la ciencia que subyace bajo algo. A cualquier acontecimiento sospechoso. La ciencia de lo que hay detrás de un suceso.

—Ellos sí necesitan esa ciencia. Yo, no.

—Yo tampoco. Me limito a contártelo.

—Soy norteamericano. Voy al béisbol —dijo.

—La ciencia de las fuerzas ocultas. Evidentemente, opinan

que se trata de una ciencia lo bastante legítima como para precisar un nombre.

—A los que necesitan esta ciencia, yo me esforzaría por decirles que disponemos de ciencias reales, de ciencias auténticas, que no necesitamos otras imaginarias.

—Me limito a decirte la palabra. Estoy de acuerdo contigo, Sims. Pero la palabra existe.

—Siempre hay una palabra. Y un museo también, probablemente. El Museo de las Fuerzas Ocultas. Cuentan con diez mil fotografías desvaídas. ¿O lo habrá volado ya la mafia?

En ese momento fue cuando Sims se echó a reír, mostrando la boca entrelazada de *cheddar*.

Eché un vistazo a la mesa redonda. Dos de las mujeres fumaban. Dos de las mujeres vestían chaquetas occidentales con tachuelas. Una era miope y tenía la cabeza hundida en el menú, y otra tenía un acento que me resultaba imposible localizar. Todas llevaban adornos, cadenas, pulseras y alfileres, aros en las orejas, pendientes de cuentas, piezas de joyería de aspecto rústico, trabajado, y una masticaba un trozo de zanahoria y hablaba de sus niños.

—¿Hablas italiano? —dijo él.

—Estudié latín durante un tiempo. En el colegio, luego por mi cuenta, con bastante ahínco. Y me interesé por el alemán y el italiano.

—Mi mujer es alemana —dijo él—. La conocí cuando me destinaron aquí.

—Un soldado que caminaba moviendo las caderas.

—Eso la definiría bastante bien. Sólo que yo estaba en la Fuerza Aérea.

—¿Habla alemán en casa?

—Un poco. Sí. Bastante.

—¿Y tú lo entiendes?

—Por la cuenta que me tiene —dijo.

Los hombres vestían camisas estampadas de cuello ancho desabotonadas hasta el pecho. Los hombres eran una mata de pelo. No el pelo contestatario de los sesenta, claro está. Vello pectoral, bigotes, espesas patillas, magníficas cabezas de pelo a lo Hollywood: pelo real que te recordaba los tupés de mal gusto, alfombras de pelo otorgador de deseos, como engominadas y espesamente onduladas.

Big Sims pidió la cuenta.

—Pero nos gusta nuestro trabajo, ¿no es cierto, Nick? Sea quien fuere el dueño de los barcos que utilizamos.

—Me gusta mi trabajo.

—Me gusta mi trabajo.

Su abrigo *sport* estaba colgado del respaldo de la silla. Era demasiado ancho para encajar en los adornos que remataban el travesaño superior. Llevaba una camisa blanca de manga corta con una corbata oscura y un alfiler de corbata en forma de cimitarra.

Me miró fijamente.

—¿Te apetece ir a un partido de los Dodgers?

—No —dije yo.

Todas aquellas historias de buques fantasma, por más que no fueran otra cosa que rumores elusivos, no parecían demasiado sorprendentes, pues nos habían dicho la noche anterior que los desechos constituyen el secreto mejor guardado del mundo. Eso había dicho Jesse Detwiler, el arqueólogo de la basura que se había dirigido a los miembros congregados una hora aproximadamente después del temblor, un discurso que no había encajado bien con los pichones asados y los brotes de verduras zen.

Poco antes, a la hora del cóctel, nuestros rostros habían mostrado una avidez prístina cuando la estancia se estremeció a nuestro alrededor. Una mirada que arrastraba cierta consciencia en su estela, una humilde sensación de nuestros propios miedos intuidos, de habernos visto pillados por sorpresa justo antes de hacernos con el control: ése era el rostro que viajaba por la suite sobre los vodkas con tónica, creando un irónico vínculo entre los directores bajo la borrasca interior.

Después de pagar la cuenta, vimos a Detwiler en el vestíbulo. Sims se acercó y le cogió por el cuello, literalmente, le sujetó con una llave a la vez que fingía golpear su cráneo afeitado. Al parecer, eran conocidos, y los tres acordamos reunirnos más adelante para visitar un vertedero diseñado por Sims, un proyecto colosal aún en desarrollo.

Un hombre y una mujer atravesaron el vestíbulo, y yo me fijé detenidamente en ella. Quizá era el elástico movimiento de caderas con que se desplazaba, el desafiante porte del trasero, reluciente, atenta a las superficies, como uno de esos personajes de película de serie B, empapados en alcohol y pensiones alimentarias. Me acerqué a examinar el programa de acontecimientos que descansaba sobre un caballete cerca de las puertas giratorias, inscripción y café, leyes de registro, almacenamiento de combustibles usados, los temas y los conferenciantes escritos con letras adhesivas de color blanco, de diez a doce y de dos a cinco y así hasta la noche, y pensé en los intercambiadores y en sus apaños.

Whiz Co. era una firma dotada de una ruta interna hacia el futuro. El Futuro de los Desechos. Así habíamos bautizado nuestra conferencia en el desierto. La ocasión se había diseñado a nivel industrial, pero nosotros representábamos la compañía que proporcionaba la fuerza motora, éramos los chicos del frente, los conseguidores, los tipos que mejor podían comprender la auténtica dimensión del tema.

Yo tenía entonces cuarenta y pocos años; me habían rescatado de un empleo anodino como redactor de discursos corporativo y ayudante de relaciones públicas, y me sentía ansioso de acometer algo nuevo, de abrazar una nueva fe.

Las corporaciones son entes enormes y sobrecogedores. Te atrapan y te modelan en un abrir y cerrar de ojos, te tornean y te cambian. Y lo hacen sin una franca persuasión, lo hacen entre sonrisas y gestos de asentimiento, como una inflexión de voz colectiva. Te sitúas al comienzo de un pasillo, y para cuando alcanzas el extremo opuesto ya has adoptado la filosofía global de la empresa, la *Weltanschauung*. Empleo esta palabra, solemne y estratificada, porque en algún lugar de sus profundidades subyace un susurro de contemplación mística que me resulta absolutamente adecuado para el tema de los desechos.

Me fui a correr con Big Sims. Corrimos a lo largo de senderos utilizados por senderistas, mochileros de botas desgastadas, y corrimos por caminos de herradura que se internaban en las colinas. Llevábamos gafas de sol y gorras con visera, y corríamos sobre terrenos pedregosos y arenas rojizas, y Sims no paraba de hablar, hablaba y corría por la maleza del desierto mientras yo me esforzaba por mantenerme a su altura.

—¿Sabes? Tiene gracia. Acepté este empleo hace cuatro años y es un buen empleo, con un buen sueldo y con buenas ventajas, que mantendrá a mi viuda cuando me muera por exceso de trabajo, pero me he dado cuenta de que... ¿te pasa a ti lo mismo, Nick? Desde el primer día me he dado cuenta de que lo único que veo es basura. Yo estudié ingeniería. No estudié basuras. Pensé en la posibilidad de marcharme a Túnez a construir carreteras. Tenía la imagen romántica, ya sabes, de andar vestido con una cazadora sahariana pavimentando el mundo. Y resulta que no me va mal. Estoy realizando una labor real, una labor importante. Los vertederos son importantes. El problema es que el trabajo me persigue. El tema me persigue. La semana pasada visité un restaurante nuevo, un lugar agradable y reciente, ya sabes, y de repente me veo contemplando los restos de comida de los platos de los demás. Las sobras. Me fijo en las colillas de los ceniceros. Y cuando salimos...

—La ves por todos sitios porque está por todos sitios.

—Pero antes no la veía.

—Ahora has visto la luz. Da gracias —dije.

Nuestras zapatillas eran demasiado finas para el suelo de pizarra y toba. Corríamos por veredas regadas de boñigas de paja procedentes de los caballos de alquiler y corríamos jadeando y tosiendo, jadeando al hablar, y el sudor corría por el rostro de Sims formando arroyos entrecruzados. Yo no me quedaba atrás. Era necesario aguantar, seguir corriendo, demostrar que eres capaz de hablar mientras corres, demostrar que puedes correr, que sabes aguantar. El sudor fluía por nuestros cuerpos y nos pegaba las camisetas a la espalda.

—Salimos y nos disponemos a esperar a que el tío nos traiga el coche. Entretanto, echo un vistazo al callejón. Y veo algo curioso. Un depósito, un depósito vallado que recorre el muro. Básicamente, se trata de una jaula. Tres costados y la tapa. Barras de hierro fundido y un candado enorme —habla y se detiene, las palabras le brotan rítmicamente del pecho—. Y no puedo evitar internarme un poco en el callejón. Sin haber comprobado exactamente de qué se trata. Y lo huelo antes de verlo. La jaula está llena de bolsas de basura. De restos de comida en bolsas de plástico. Un día y una noche de basuras de restaurante.

Me miraba mientras corría.

—¿Por qué las enjaulaban? —dije.

Me miró.

—Hay pordioseros que salen del parque para comérselas.

Regresamos en dirección al complejo de edificios de estuco

rosado que llameaban bajo la luz. No era fácil seguir a Sims. Tenía la fuerza impulsora de un ex boxeador rollizo que aún cuenta con profundas reservas de resistencia, reservas de grasa, combustible fósil: tenía calorías que quemar, sudor en abundancia que expulsar.

—¿Por qué el restaurante no les permite aprovechar la basura?

—Porque le pertenece —dijo.

Pasaron cinco reactores de caza en estrecha formación, a baja altura, con un rugido maldito extendiéndose sobre el valle, y Sims alzó el pulgar en dirección al cielo como si quisiera señalar algo de lo que yo no me hubiera dado cuenta.

No hacía más que recordar mi rostro de la tarde anterior, cuando el temblor sacudió la estancia, la labor que supuso reconciliar las fuerzas en combate.

Seguimos corriendo hasta dejar atrás el campo de golf y las cabañas de los invitados, un mundo desmochado de gente ataviada en suaves tonos pastel, reunidos en grupos, en regulares partidas de cuatro, y me sentí aliviado de que la carrera ya casi hubiera concluido.

—Pregúntame por el barco —dijo.

—¿Está registrado en Liberia?

—Lo estaba cuando zarpó. He oído decir que ahora está registrado en Panamá.

—¿Se puede hacer eso? ¿Cambiar el registro a mitad del viaje?

—Lo ignoro. No es mi especialidad —dijo Sims—. Pero los rumores en torno al barco no sólo se refieren a lo que transporta en sus bodegas. Ni a quién es el dueño. Ni a qué destino se encamina.

—De acuerdo. ¿Qué más queda?

—¿Se trata de un mercante ordinario? ¿O acaso reina cierta confusión al respecto?

—¿Qué clase de barco sería el que transporta mercancía pero no es un mercante?

—Recuérdame que te dé una lección de lodos residuales un día de éstos.

Se echó a reír y siguió corriendo, haciendo alguna cabriola, imitando el paso del *be-bop*, sacando los codos y chasqueando los dedos, adelantándome. Experimenté un arranque de competitividad, una tensión espiritual que te previene de la vergüenza de perder, y me apresuré a alcanzarle.

Y resulta interesante que, más tarde, aquel asunto del aprovechamiento de basuras, de viejos vagabundos y chiquillos fugitivos capaces de meterse en un callejón para conseguir mendrugos de pan y venosas briznas de buey, resurgiera con Detwiler de modo diferente, con un toque del teatro renegado de los sesenta.

Fuimos los tres al vertedero antes de que anocheciera, media hora en coche en dirección este, por carreteras restringidas en ciertos casos a uso militar. Sims contaba con un permiso que le autorizaba el acceso en períodos horarios determinados mediante un acuerdo alcanzado entre Whiz Co. y cierta agencia semioculta del Pentágono, lo que nos ahorró tener que tomar el camino más largo.

El equipo de construcción ya había concluido su jornada y se había marchado. Nos encontrábamos frente a un agujero excavado en el suelo, un cráter de ingeniería de ciento cincuenta metros de profundidad y acaso kilómetro y medio de anchura, salpicado de achatadas máquinas que decoraban los caminos labrados en la pared y que cubrían gran parte del fondo inclinado con una inmensa película reluciente, una piel de polietileno de color azul plateado que reflejaba el movimiento de las nubes y avanzaba impulsada por el viento. Aquello me pilló por sorpresa. El espectáculo de aquello, de aquel enorme cuenco vacío delimitado por pintorescos plásticos, constituía el primer signo material que veía de hallarme ante una actividad de cierta solemnidad drástica; de cierta grandeza, quizá: los cernícalos de cola roja transparentes bajo el sol poniente y los primaverales brotes de la yuca como varitas mágicas, y aquella membrana de alta densidad que resultaba curiosa e igualmente hermosa en cierto modo, como un ingenio profiláctico, o un sistema de control de gas, tu basura y la mía, destinadas a una sepultura desértica. Escuché a Sims mientras recitaba las cifras, la cantidad de metano que recobraríamos, el número de casas que podrían alumbrarse con él, y me asaltó una euforia extraña, una sensación de lealtad hacia la compañía y hacia la causa.

Sims se dirigía a nosotros dos, pero principalmente a Jesse Detwiler porque Jesse era el visionario de nuestro entorno, el teórico de las basuras cuyas provocaciones habían atemorizado a la industria. Y Sims se mostraba elocuente, le encantaba el tema y lo realzaba con amplios ademanes, remedando con sus manos las capas de plástico y tierra, la destrucción de los neumáticos, la mezcla de productos químicos con polvo de hornos. Personalmente, aún no había visto aquellas cosas, pero resultaba fácil percibir lo que significaban para Sims, una labor de tierra, íntimamente gratificante por su carácter combinado de tecnología y trabajo duro y útil a la antigua usanza, de polvo en la boca frente a un muro de olores que te empapan.

Detwiler, junto al borde del cráter, contemplaba su interior.

—¿Y los materiales peligrosos?

—Los metemos en barriles y los separamos. Pero no nos olvidamos de ellos. Quedarán reflejados sobre informes computarizados en tres dimensiones. En caso necesario, podemos dar con ellos.

—¿Qué tenéis pensado para los desechos de las bombas?

—Los desechos de las bombas. Para eso contratamos a Nick.

Observé el brillo de los ojos de Simeon y dije rápidamente:

—Antes, me dedicaba a relaciones públicas.

Detwiler alzó la barbilla, señalando el leve humorismo que podría detectar en aquella observación. Poseía la cauta determinación del disidente industrial, del advenedizo que intenta despertar el nerviosismo en su entorno, sacudiendo las más complacientes normas de fe. Y mostraba un aspecto remodelado, rehabilitado, con su cabeza afeitada y su espeso bigote, el aspecto de un tipo firme en el control que cuenta con un entrenador deportivo y una amplia línea de crédito, vestido con su jersey negro de cuello vuelto y sus vaqueros de diseño. Se me ocurrió que, salvo en lo que se refería a la ausencia de pelo, podría haber sido un intercambiador.

—Te diré lo que veo aquí, Sims. El paisaje del futuro. El último paisaje que quedará al final. Cuanto más tóxicos sean los desechos, mayores serán el esfuerzo y el gasto que los turistas estarán dispuestos a tolerar para visitar el lugar. Sólo que no creo que debierais aislar estos emplazamientos. Que aisléis los desechos más tóxicos, de acuerdo. Lo convertirá en algo más grandioso, más ominoso, más mágico. Pero las basuras domésticas corrientes deberían conservarse en las ciudades que las producen. Debería sacarse la basura a la luz. Para que la gente la viera y la respetara. No ocultéis vuestras instalaciones de desperdicios. Construid una arquitectura de los desechos. Diseñad edificios magníficos para reciclarlos e invitad a la gente a que recoja su propia basura y la traiga a las prensas y a las cintas transportadoras. Aprended a conocer vuestra basura. Y los desechos peligrosos, los restos químicos, los restos nucleares, que se conviertan en un remoto paisaje de nostalgia. Habrá recorridos turísticos en autocar y se imprimirán postales, os lo garantizo.

Sims no estaba seguro de hasta qué punto le agradaba todo aquello.

—¿Qué clase de nostalgia?

—No subestiméis nuestra capacidad para elaborar complicados anhelos. Nostalgia de los materiales prohibidos de la civilización, de la fuerza bruta de las viejas industrias y los viejos conflictos.

Durante los años sesenta, Detwiler había sido un personaje marginal, un guerrillero de las basuras que robaba y analizaba las basuras domésticas de cierto número de personajes célebres. Redactaba sobre sus contenidos burlones manifiestos a lo Komintern rematados con comentarios personales, y la prensa alternativa se apresuraba a imprimirlos. Sus actividades alcanzaron un ardiente clímax cuando le arrestaron por robar las basuras de J. Edgar Hoover de la parte trasera de la residencia del director al noroeste de Washington. Eso era lo que recordaba la gente, lo que había recordado yo la primera vez que volví a oír el nombre de Jesse Detwiler. Había obtenido una breve y febril fama en las crónicas de su tiempo, cuando formaba parte de la errante banda de chicas de pandereta, fabricantes de bombas, levitadores, lisérgicos y niños perdidos.

Un pájaro atravesó volando toda la anchura del cráter, un pinzón o un reyezuelo, moviéndose con nerviosa rapidez, con la urgencia del ocaso.

Detwiler decía que las ciudades se edificaban sobre la basura, centímetro a centímetro, ganando altura a lo largo de las décadas a medida que crecen los desperdicios sepultados. Tanto en las habitaciones como en los paisajes, la basura siempre se enterraba o se empujaba hacia los rincones. Pero poseía un impulso propio. Regresaba. Se internaba en todos los espacios disponibles, estableciendo normas de construcción y alterando sistemas de ritual. Y producía ratas y paranoia. La gente se veía obligada a desarrollar una respuesta organizada. Ello significaba que tenían que idear métodos útiles de eliminación y construir una estructura social que los llevara a cabo: obreros, capataces, transportistas, buitres. La civilización se construye, la historia se impone...

Hablaba con su estilo de *showman*, concentrado, experto, genéricamente íntimo. Era un chapero de la basura, a la búsqueda de derechos literarios y de películas documentales, y no creo que le importara tener dos oyentes o medio millón.

—Lo entendemos todo al revés, ¿comprendes? —dijo.

La civilización no había surgido y florecido mientras los hombres tallaban escenas de caza en verjas de bronce o susurraban filosofía bajo las estrellas, con la basura como una ramificación fétida que barres y olvidas. No, la basura había florecido en primer lugar, incitando a la gente a construir una civilización como respuesta, como autodefensa. Teníamos que encontrar modos de eliminar nuestros desechos, de utilizar lo que no podíamos eliminar, de reprocesar lo que no podíamos aprovechar. La basura se defendía. Se acumulaba y se extendía. Y nos forzaba a desarrollar la lógica y el rigor que nos conduciría a sistemáticas investigaciones de la realidad, a la ciencia, el arte, la música y las matemáticas.

El sol se puso.

—¿Realmente crees eso? —dije.

—No te jode si lo creo. Enseño en la Universidad de Los Ángeles. Llevo a mis alumnos a vertederos de basura para hacerles comprender la civilización en la que viven. O consumes o mueres. Tal es el mandato de la cultura. Y todo acaba en el estercolero. Acumulamos cantidades formidables de basura, y luego reaccionamos ante su presencia, no sólo desde el punto de vista tecnológico sino también en nuestras mentes y en nuestros corazones. Dejamos que nos moldee. Dejamos que controle nuestro pensamiento. La basura va en primer lugar, luego construimos un sistema capaz de procesarla.

Las nubes de contorno adoptaron un ribete cromado. El color del firmamento seguía siendo azul mediodía. Pero la excavación se oscureció rápidamente, el vasto recubrimiento de plástico agitado por el viento y resonante con una música irreal, externo a los pliegues de la naturaleza, y la superficie aparecía ahora de color índigo, aún con débiles franjas reflejadas del cielo, recorrida por diversos grados de sombra y movimiento. Permanecimos allí un momento, observando, y regresamos al coche. Detwiler se acomodó en el centro del asiento trasero, pinchándonos por verter nuestras basuras en terreno indio sagrado. Y también por lo referente a la posición de vanguardia de Whiz Co. Opinaba que la empresa mostraba los apetitos fundamentales de cualquier compañía tradicional.

Condujimos por una carretera desierta.

—¿Estás al tanto de los rumores, Sims? Acerca de ese barco que tenéis.

—No es mi departamento.

—Navegando por los océanos del mundo en su intento por desembarazarse de vete a saber qué sustancia diabólica.

—Prefiero no enterarme —dijo Sims.

—Pues entérate. Por lo que dicen, viene otra de regreso a los Estados Unidos.

—Tú estás más enterado que nosotros —Sims odiaba tener que decir eso—. ¿Qué sabemos, Nick?

—Nosotros no somos de los sesenta. Somos de los cuarenta o los cincuenta.

—Tenemos nuestras limitaciones —dijo Sims.

—No estamos demasiado enterados de nada.

—Oíamos la radio —dijo Sims—. Conocemos al Llanero Solitario y a Toro.

—Del pasado —dije yo.

—Las pisadas atronadoras de los cascos del caballo *Silver*.

—Un fogoso caballo veloz como el viento.

—Eso es lo que sabemos, Jesse.

—Una nube de polvo.

—Y un alegre, arre *Silver*.

Modulando nuestras voces al grave tono baritonal de los antiguos programas de radio.

—Os creeréis muy graciosos, tíos —dijo Detwiler—. Apuesto a que no os sabéis el nombre del caballo de Toro. Vamos, Sims. Te acuerdas del caballo del hombre blanco. ¿Por qué no te sabes el nombre del caballo del indio?

Creo que no me gustaba Detwiler, pero sí me gustaba escu-

charle. A Sims, no. Sims quería inmovilizarle con otra llave al cuello, aunque esta vez no tan fraternal. No, no se acordaba del caballo del indio, lo que acaso le fastidiaba ligeramente.

Jesse seguía hablando.

—Cuanto más peligrosos son los desechos, más heroicos se
tornarán. Terrenos irradiados. Teniendo en cuenta el grado de ve-
neración que muestran hoy los indios hacia este terreno, el siglo
que viene lo consideraremos sagrado. El Parque Nacional del Plutonio. Los últimos dominios de los dioses blancos. Turistas vestidos con máscaras y trajes protectores.

Dije:

—¿Cómo se llamaba el caballo del indio?

—*Pinto*, ¿vale? Y me siento sorprendido y ofendido. Se trata
de un profundo fallo cultural, tíos. El caballo de Toro. Tendríais
que saberlo.

Se inclinó hacia nosotros, pinchándonos.

—Un buque que transporta miles de barriles de desechos industriales. ¿O se tratará de heroína de la CIA? Personalmente, no
me extrañaría. ¿Y sabéis por qué? Porque es fácil de creer. Seríamos idiotas si no lo creyéramos. Sabiendo lo que sabemos.

—¿Qué sabemos? —dijo Sims.

Helicópteros en formación, diez o doce, avanzando hacia nosotros sobre la carretera, grandes máquinas de asalto iluminadas
como ángeles vengadores que pasaron sobre nuestras cabezas con
un estruendo rítmico que aspiró el aire del interior del automóvil
y nos dejó exhaustos y agazapados.

—Que todo está relacionado —dijo Jesse.

Tampoco es que detestara mi anterior trabajo. Escribía discursos, casi siempre para presidentes de compañías, hombres rubi-
cundos y canosos con narices enormes y devastadas, patriarcas de
tal o cual industria. Tendían a ser tipos con aficiones deportivas
que viajaban en aviones de empresa a remotos lagos canadienses
para pescar en las últimas aguas vírgenes del continente. En uno de
aquellos viajes acompañé a un presidente llamado McHenry, un
hombre en realidad amable y honesto que poseía cierto número de
compañías de *software* que tenían contratos con el Gobierno.

Sus nietos estaban en el lago, un par de muchachos de semblante blanquecino vestidos con chaquetas guateadas y ansiosos

de deportes de sangre. Una vez allí, me quedé contemplando la vieja casa lacustre, con sus postes de cedro y sus altas chimeneas, y el destartalado y astillado mobiliario de porche de todo refugio boscoso. Contemplé la casa sin comprenderla en cierta dimensión peculiar. Podía haberse tratado de un objeto de mi propio pasado, de algún augurio invertido, elegantemente rústica y de techos altos, con las habitaciones no utilizadas llenas de bolas de naftalina, con mantas gruesas y ásperas en las camas para invitados, repleta de emblemas universitarios: la promesa de cosas que nunca había tenido pero que, de algún modo, parecía conocer, colectivamente, desde las lindes del recuerdo. Y el modo en que los chavales manejaban sus escopetas, nacidos para ellas, ya me entienden... ellos eran unos chiquillos y yo era un hombre, pero creo que aprendí algo de ellos, de Johno y Todd, y eso que no me unía a sus acechos cinegéticos. La mayor parte del tiempo, me sentaba en el porche y trabajaba en discursos para McHenry, pero capté en los muchachos cómo debía de ser crecer en aquella clase de mundo, cuán proporcionado a nuestras expectativas de qué es lo que se nos debe: el mundo que crea el dinero, un mundo de porte enhiesto y vocalización nítida y emblemas universitarios sobre las camas y un sentido de derechos de nacimiento y de historia aprovechable. Durante la cena, hablábamos de cosas, de sus facultades y sus deportes, y yo me complacía ante aquella juventud desenfadada, ante aquella juventud grosera en su mejor sentido, robusta y vigorosa e inconclusa. Me complacía de un modo secundario, sintiéndome caminar con sus zancadas angulosas, sintiendo lo que supone lanzar un sedal al sol sin obtener a cambio nada del mundo salvo el roce de la áspera madera del barco y el primer calor del sol en los brazos, e incluso cuando percibía algo que surgía de lo más profundo de mí, alguna forma acerada, me era posible expulsarlo de la conversación de sobremesa y perderlo en los palpitantes fuegos que ardían en la gran chimenea de piedra.

Tomé notas y me familiaricé con el entorno, paseando por aquel par de hectáreas atestadas: grúas y rezones, unidades hidráulicas para achicadores pesados, y equipos de arrastre, los camiones de basura que parecían juguetes a pesar de su volumen, tan inocentes bajo su brillante capa de pintura, mal preparados para la fea tarea que les esperaba.

Me encontraba junto a un modelo de destructora de papel llamada Watergate, hablando con un representante de ventas sobre cierta cuestión técnica, aprendiendo, tomando notas mientras hablábamos, y entonces fue cuando vi a la mujer junto a una hilera de nuevos productos informáticos. Vestía unos ceñidos vaqueros y de su hombro colgaba una bolsa decorada con una figura de satén. No era una de los nuestros.

Cuando alzó la cabeza para mirar en mi dirección, supe de quién se trataba. La había visto atravesar el vestíbulo del hotel en compañía de su marido un día antes, o dos, o cuando fuera, caminando con paso enhiesto sobre los talones, destacando por su cámara entre el líquido deambular de desocupados y botones; y allí estaba ahora, contemplándome con fijeza y secretamente divertida por algo.

Tomamos café junto al agua. Eran las diez de la mañana, y los jardineros y los encargados de la piscina se deslizaban por los bordes de la conversación.

—Entre maquinarias de desechos. Extraño modo de pasar la mañana, Donna. —Nos habíamos presentado mutuamente sólo con el nombre de pila.

—Un cambio de ritmo —dijo.

—¿De qué?

—De qué. De estar aquí a hacer lo que estamos haciendo.

Se había sentado en la parte sombreada de la mesa, y sus manos destellaban al alargarlas hacia el café, y cuando el parasol se alzaba por la brisa su rostro adquiría contornos y calidez.

—¿Comienzas a sentirte restringida?

Un leve asomo de sonrisa.

—¿Piensas que el programa tiene demasiadas limitaciones?

Era morena, y tenía un modo especial de fruncir los labios recatadamente para maldecir las observaciones que no le gustaban.

—¿Dónde está tu marido?

—Por ahí sentado, en algún sitio, con un *bloody mary*.

—¿Cómo sabemos que no se está follando a alguna de las esposas?

—O follándose a alguna de las esposas.

—Para eso es para lo que estás aquí, después de todo.

—Exacto —dijo ella.

Observó a un operario de mantenimiento que comprobaba la puerta deslizante de uno de los balcones.

—¿Por qué no estás junto a ellos mientras lo hacen? ¿Está en la cama con otra mujer y a ti no se te permite mirar? Tiene que haber algún comité de organización con el que puedas hablar.

—Hace un día muy agradable. Cállate.

—Todos los días son agradables.

—¿Cómo me has dicho que te llamabas? —dijo abruptamente, extrayendo de sí una ironía distraídamente compleja, burlándose de sí misma y de mí y de la piscina y de las palmeras de dátiles.

—Donna, me gustan tus labios.

—Es por mi prognatismo.

—*Sexy.*

—Eso me han dicho.

—¿Qué te parecería si tú y yo decidiéramos...? ¿O tienes que limitarte a los de tu clase?

—Barry se fijó ayer en ti cuando me mirabas. Yo no te vi, pero él sí. Y anoche, durante la cena, te señaló.

—¿Cree que tú y yo?

—Decidimos que sabemos quién eres. Eres el hombre Aqua Velva azul.

—¿Y quién eres tú?

—Somos dos clubes de intercambio reunidos.

—No, tú. La boca y los ojos.

Ella observó al encargado de mantenimiento mientras éste corría y descorría la puerta.

—Cuando me haces preguntas, soy una persona. ¿Quieres saber quién soy? Soy una persona, y si te muestras demasiado inquisitivo me desinтереso de ti por completo.

Su mirada seguía fija en el vacío.

—Una persona privada que folla con desconocidos.

—¿Dónde ves la contradicción? —dijo, sonriendo cálidamente por encima de la espuma de su *cappuccino*, sin mirarme—. En realidad, podría decirse que nos odias, ¿no es cierto?

—No es cierto.

—Y sé por qué. Porque lo hacemos público.

—Se trata de negocios. ¿Por qué no iba a hacerse público? —dije—. Aquí somos todos negociantes que hemos venido a establecer contactos, a ampliar el ámbito de las posibilidades.

—Sí, es cierto, nos odias.

Aquello eran escenas cinematográficas, de tono levemente elíptico, con los planos acaso un poco desenvueltos, difuminados por sucesos incidentales. Primero, aquel momento mudo en la zona de exposición en el que los personajes intercambian miradas entre los camiones. Luego, la conversación junto a la piscina, con pausas y primeros planos, los personajes algo despegados de su propio diálogo, y una permanente sensación de languidez matutina en el clásico canto de los pájaros, en el rítmico movimiento de hombres con tijeras de podar y el fulgor de un turquesa perfecto como telón de fondo.

El teleobjetivo insinúa una cierta compresión, una ansiedad semiacechante acorde no sólo con el momento, sino también con el día, la semana y la época.

Y ahora la escena en la habitación, mi habitación, en la que se despojó de los vaqueros, principalmente porque le venían demasiado estrechos, y se sentó en la cama ataviada únicamente con la camiseta y la ropa interior, las piernas estiradas en dirección al escabel.

Yo cogí una silla y me senté junto a ella, en posición de consulta, una mano enroscada en torno a su tobillo. A plena luz no resultaba tan guapa, con aquella amarga sombra bajo los ojos y un cardenal desdibujado en la parte superior del muslo, como una berenjena caída del tejado. Pero me gustaba el modo en que me miraba, con curiosidad, con cierto asomo de desafío. Me hacía sentir ambicioso, aquella mirada, ávido de descondicionar el episodio, de convertirlo en algo íntimo y real.

—Odias el hecho de que sea público. No soportas que vengamos aquí y lo digamos en voz alta y lo hagamos y lo representemos. Ya hablamos de esto en la cena.

—Barry y tú.

—Tenemos un juego.

—Los dos. Barry y tú.

—Consiste en estudiar a la gente en los restaurantes. Y se le da muy bien. Hablamos de sus costumbres y de sus secretos y de sus cosas favoritas, lo que sea, hasta de su ropa interior.

—¿Quieres adivinar qué llevo yo?

—De hecho, lo jugamos contigo.

—No llegasteis tan lejos.

—No. Porque descubrimos que había cosas más importantes. Como, por ejemplo, por qué nos odiabas.

Yo la observaba y la escuchaba, intentando localizar su voz y su actitud, situarla quizá en alguna pequeña ciudad industrial, una jovencita católica que crece junto a una ribera monótona, en una casa de aspecto similar al de un borracho a punto de caerse.

—¿Sabes lo que me gusta de ti? Logras que me vuelva agresivo, y algo alocado —dije—. Estoy recayendo sólo por estar aquí sentado, estoy volviendo atrás a ojos vistas.

—¿Qué se supone que quieres decir con eso?

—Significa que todas las cosas interesantes de mi vida ocurrieron cuando era joven.

—Si me follas, será un polvo de odio. ¿Es eso lo que quieres? ¿Es eso a lo que te refieres con «agresivo»?

—No. Pero ¿qué quieres? Estás en mi habitación, medio desnuda.

—Quizá esto es lo que quiere Barry.

—¿Meterte en la cama con un hombre que te odia?

—Hemos venido aquí a estirarnos.

—De modo que esto es por él.

—Quizá.

—Para cumplir una orden.

—No, para compartir una fantasía, para experimentar una fantasía.

—¿Y qué hace Barry por ti?

—Eso no es asunto tuyo, colega —dice, con cierto deje de bar rural.

No quería comprenderla demasiado deprisa. Era posible que no estuviera allí en absoluto por el sexo sino simplemente en busca de cuestiones de fondo, de esa clase de material suplementario que compone una experiencia. Hablaríamos de follar pero no lo haríamos, y ella regresaría tan feliz a su congreso intercambiador. Observé la contusión de su muslo. Resultaba deprimente pensar que pudiera estar haciendo las veces de agente de la voluntad de su marido, que hubiera venido para hacerlo y así luego contárselo a él, y el viejo Barry sería un guionista cualquiera, probablemente, de esos que se ganan la vida al teléfono, vendiendo terrenos a los jubilados. Cuando me incliné hacia delante para besarla, ella se volvió con un encogimiento de hombros experimentado, mínimo, impersonal, que pareció situarme en el umbral exterior de lo perceptible.

—Cabe la posibilidad de que no estés completamente equivocada con respecto a mí, Donna. Es posible que tenga una teoría acerca del daño que causa la gente cuando saca ciertas cosas a la luz.

—Adelante. Siempre nos interesa la crítica constructiva.

—Pero no creo que debas oírlo. Es demasiado personal.

—Claro que me interesa.

—Lo más probable es que me ponga en evidencia.

—Ay, sí, ponte. Quiero que lo hagas.

Se quitó el reloj y lo dejó caer sobre la cama, junto a ella. Sentí el impulso de follarla entonces y arriesgarme al malestar del sexo desapacible y barato que acaso podría penetrar la estancia procedente del nido de placer de los intercambiadores. Porque ignoraba hasta qué punto mis palabras me harían quedar como un estúpido, o como un escolar con ganas de quedar bien, o a qué estaría renunciando exactamente con aquella digresión que se internaba en nuestras historias personales.

—Adelante. Ilumínanos —dijo ella.

Intenté otro beso y esta vez no se apartó, sino que me devolvió cierto sorbo tibio, una sugerencia de distancias que aún teníamos que salvar.

—Hace mucho tiempo, hace años, leí un libro titulado *La nube del desconocimiento*. Estaba escrito por un místico anónimo, no estoy seguro, acaso del siglo XIV, cuando fuera que tuvo lugar la Peste Negra: era alguien que escribía en la época de la Peste Negra. Aquel libro me lo dio un sacerdote. Me insistió para que lo leyera. Y a lo largo de los años he olvidado su contenido casi por completo. Pero sé que me hizo pensar en Dios como una fuerza que se mantiene alejada de nosotros porque en ello radica su poder. Recuerdo una frase.

—Bonito título.

—Recuerdo el título y recuerdo una frase.

Llegado a ese punto, me detuve para dejar que las palabras cobraran su propia forma y secuencia, la mano aún aferrada al tobillo de Donna, y percibí cierta receptividad, algo cuya incongruencia tenía que combatir. Qué demonios, pensé. Arriésgate.

—La frase aparece cerca del principio del libro, y me hizo

sentir como si me interpelara directamente el autor, quienquiera que fuese, quizá un poeta, o un sacerdote poeta, suelo imaginar. «Detente un instante, miserable piltrafa, y repasa lo que ha sido tu vida.» Ése era yo, ¿entiendes?, incisivamente identificado, viviendo en un estado de pausa y de inventario, con veinte años de edad y más estúpido que mis compañeros, y ansioso por descubrir un lugar propio. Y leí aquel libro y empecé a pensar en Dios como un secreto, como un largo y oscuro túnel, cada vez más. Tal fue mi patético intento por comprender nuestra simpleza frente a la enormidad del rostro de Dios. Aquello era lo que respetaba de Dios. Que guarda su secreto. E intenté aproximarme a Dios a través de su secreto, de su incognoscibilidad. Quizá podamos conocer a Dios a través del amor o de la oración, o a través de visiones o gracias al LSD, pero no podemos conocerle a través del intelecto. *La nube* nos lo revela. Y así, aprendí a respetar el poder de los secretos. Nos aproximamos a Dios a través de su carácter no creado. Nos hacen, nos crean. Dios no está hecho. ¿Cómo podemos pretender el conocimiento de un ser semejante? No le conocemos. No le afirmamos. Por el contrario, veneramos su negación. Miserables piltrafas que somos, entiendes. E intentamos desarrollar una pretensión desnuda que nos liga a la idea de Dios. *La nube* nos recomienda desarrollar esta pretensión en torno a una única palabra. O, incluso mejor, en torno a una única palabra de una sola sílaba. Aquello me atraía considerablemente. Comencé a interesarme por la búsqueda de aquella palabra, de aquella única sílaba. Me resultaba romántico. El misterio de Dios era romántico. Con aquella palabra podría eliminar cualquier distracción y aproximarme algo más a la inaprensible identidad de Dios.

—¿Qué clase de palabra?

—La buscaba. Pensaba en ello. Me lo tomaba en serio. Era joven.

—«Amor» sería una palabra. Pero no para ti. Muy sentimentaloide —dijo.

—«Ayuda»[1] sería una palabra. Pero algo patética, incluso para alguien indefenso. Y pensé que el problema era el lenguaje, necesito cambiar de lenguaje, encontrar una palabra que sea una palabra pura, no lastrada por toda una vida de connotaciones y

---

1. En inglés, *love* «amor» y *help* «ayuda». (N. del T.)

matices. Y pensé en la palabra italiana que designa «ayuda» porque era lo que solía decir mi padre cuando le fastidiábamos mi hermano y yo: entrelazaba las manos, alzaba los ojos al cielo y decía, *Aiuto*. Del mismo modo que probablemente hacían su padre o su abuelo. Una palabra eficaz para penetrar las tinieblas. *Aiuto*.

—Demasiadas sílabas.

—Demasiadas sílabas y demasiado cómica. Porque básicamente lo decía para hacernos reír, para distraernos mediante la risa. Mi padre conocía acaso veinte palabras en italiano, lo ignoro, había nacido aquí, o igual hablaba el idioma bastante bien, realmente no lo sé. Pero decía aquella palabra. Tal y como la decía, aquella palabra era como una comedia en tres actos, arrastrándola, gimiendo como un duque envenenado. Aii-uu-too. Y nosotros nos reíamos, porque a cierto nivel se estaba burlando de aquel viejo país y de aquellos viejos usos. Una palabra admirable y profunda, pero yo no podía utilizarla.

Curiosamente, en ese momento alargó la mano, tomó la mía, la desplazó por el interior de su muslo y la depositó sobre su sexo formando una especie de acogedora concavidad, ajustando al mismo tiempo la postura para lograr una comodidad absoluta, como los niños a la hora de contarles un cuento.

—¿Dónde está ahora tu padre?

—Muerto.

—¿Dónde está tu hermano?

—No lo sé.

Esperó a que continuara.

—Pero sabía que estaba en lo cierto al abandonar el inglés. Y, finalmente, encontré una frase que parecía rebosante de intencionalidad descarnada. Rebosante de algo que sabía y sentía por propia experiencia. Una hermosa oración espontánea. Cinco sílabas pero y qué. Tres palabras y cinco sílabas, pero supe que había encontrado la frase. Provenía de otro místico, de un español, Juan de la Cruz, y durante aquel invierno la frase fue mi límite desnudo, mi deslizamiento hacia la oscuridad, hacia el secreto de Dios. Y la repetía, la repetía, la repetía. *Todo y nada*.

—*Todo y nada*.

—Sí. ¿Qué te recuerda? ¿Con qué se relaciona de tu propia vida? ¿Qué te describe?

—El sexo —dijo ella de inmediato—. El mejor sexo. *Todo y nada.*

—Sí, exacto.

—¿Adónde vas a parar, pues?

—No digo que el sexo sea nuestra divinidad. Por favor. Tan sólo que el sexo es el único secreto que poseemos y que compartimos que se aproxima a un estado de exaltación y que dos personas comparten más o menos sin palabras y más o menos en iguales condiciones, y ello lo convierte en algo potente y misterioso y digno de ser preservado.

—No lo saquemos a la luz, es lo que quieres decir. Pero ello se debe a que, probablemente, sigues siendo esa misma persona romántica que eras a los veinte. El sexo ya ha dejado de ser un secreto. El secreto ha salido a la luz. ¿Sabes qué significa el sexo para la mayoría de las personas?

Depositó su mano sobre la mía y movió ligeramente la pelvis, acomodándola al interior de mi palma.

—El sexo es lo que puedes conseguir. Para algunas personas, la mayoría, es lo más importante que pueden conseguir sin haber nacido ricos o listos o ladrones. Es lo que la vida puede darte igual o incluso mejor que a los demás, algo para lo que no tienes que pasarte seis años en la universidad. Y no es una religión, ni es una ciencia, pero puedes explorarlo y aprender con ello cosas sobre ti mismo.

Hizo una pausa y era verdad, allí se mostraba algo carente de tono, lejos de la danzante luz de la piscina, su rostro desprovisto de aquellas inquietas sombras, la animación reluciente que proporcionaba a sus huesos una silueta y un borde. Tanto más interesante, pensé. Tanto más grave, más poderosa. Quería disfrutar de un tiempo real y de una lectura sincera de aquella mujer.

—Y, en cualquier caso, existen mil formas de sexo público —dijo—. Los escritores que están salidos escriben escenas sexuales.

—Cuando están solos. Las escriben cuando están solos. Y uno las lee cuando está solo.

—¿Cómo nos reunimos con aquéllos que tienen intereses similares a los nuestros?

—No lo sé. En secreto, clandestinamente.

—Como si fuéramos criminales. Pero no somos criminales.

Nos gusta celebrar nuestras propias conferencias, con canapés y servilletitas. ¿Que en Norteamérica hay demasiada soledad? ¿Que hay demasiados secretos? Revelémoslos, descubrámoslos. Y no me mires tan fijamente. Me miras demasiado fijamente.

—¿De qué otro modo puedo llegar a conocerte?

—No tienes que conocerme. No necesitas conocerme. Estamos en mitad del desierto.

—Hay otra frase de *La nube*. Pero sólo me acuerdo de una parte. Acerca del afilado dardo del amor anhelante.

—Suena a porno.

—Tú eres porno, y tus amigos son porno. Tenéis vuestra propia revista, ¿no es cierto? Como cualquier otra industria. Como la industria de rocas y gravillas, o como las funerarias. Sólo que mostráis vello púbico. Y enviáis películas caseras por correo.

La cabeza enhiesta, los labios fruncidos con gesto ofendido.

—No estamos hablando de porquerías, ¿sabes? Lo creas o no, no soy ninguna cochina —dejó escapar una risa levemente histérica, con la voz quebrada—, aquí sentada con la mano de un extraño en el chocho.

Hizo oscilar las caderas y gimió suavemente bajo la fricción: un gemido fingido pero también real.

—Yo no soy la mano de un extraño.

—No me mires.

—¿A quién quieres que mire?

—No he venido a este sitio perdido de la mano de Dios para que me analicen.

—Eres mi reincidencia. No la primera, pero sí la primera después de largo tiempo. Por eso no me siento seguro contigo.

—¿Qué te hace sentir inseguro?

—Soy tu excepción ante el sexo indiscriminado.

—¿Te crees discriminado? ¿Qué te hace discriminado? Ni siquiera recuerdo cómo te llamas.

Le dije mi nombre y mi apellido, y ella dijo que sonaban falsos.

—Más. Necesito más —dijo—. Ahí estabas. Débil y angustiado.

—Sí.

—Leyendo libros sobre Dios.

—Sí.

—Hablando con curas.

—Sí.

—¿Y cuál era tu pecado? ¿Cuál era tu secreto? ¿Cuál era el motivo de tu angustia?

Su mirada había recuperado aquel desafío original, pero sin la certeza divertida y ligeramente inquisitiva; no era desdén, sino rechazo ante la posibilidad de una sorpresa. Aquello había desaparecido, y su curiosidad era menos patente y directa.

Retiré mi mano de su cuerpo, me recliné y crucé los brazos sobre el pecho, ladeando la cabeza a modo de gesto de resignación, de impotencia ante un secreto, como un joven despojado de categoría y fundamentos.

—Había estado en rehabilitación.

—En rehabilitación.

—Así lo llamábamos. Un centro de rehabilitación juvenil. Me habían enviado allí una temporada y cuando salí me marché a una pequeña delegación jesuita del norte de Minnesota, especializada en jóvenes conflictivos o con cualidades poco corrientes.

—¿Y te habían enviado a rehabilitación por...?

—Por disparar contra un hombre. Disparé a un hombre.

—¿Le mataste?

—Le maté. Cuando ocurrió, yo tenía diecisiete años, y aun hoy ignoro si fue con intención expresa o implícita o como sea que la define la ley. ¿O si todo no fue otra cosa que un accidente desesperado?

—¿Y has pensado mucho en ello?

—Lo he intentado, a ratos. Conservo el momento. He intentado fragmentarlo, contemplarlo claramente en cada uno de sus componentes. Pero todo es un torbellino de motivos y de posibilidades soterradas y de por qué y de por qué no.

—¿Qué significa eso?

—Bueno, en cierto punto, cuando mi dedo estaba ya accionando el gatillo, en algún microinstante de la acción de la mente y la acción del dedo y la acción del propio gatillo, pudiera ser que dijera básicamente, Bien, y qué. No estoy seguro. O, Por qué no hacerlo, a ver qué pasa.

—¿Quién era el hombre?

—Quién era el hombre. No era un enemigo, ni un rival. Era, en todo caso, una especie de amigo. Un individuo que me ayudaba de vez en cuando, un tipo mayor, nadie que me influyera en ningún sentido, no creo, salvo en el sentido de que tenía una escopeta.

En ese momento, sin pensarlo, tuve una inspiración alocada y adopté mi voz de matón.

—En otras palabras, que le di boleto.

Una voz que mi mujer nunca había oído y una historia que nunca le había contado, y qué extraño era todo aquello y cuán culpable me hacía sentir. Pero no de entrada. La culpabilidad vendría más tarde, en Phoenix: ahórrate la culpa para las paredes cubiertas de libros y los kílim turcos y las revistas de moda en la cesta del baño.

Donna estaba resfriada. Había estado nadando por la noche y había cogido frío, y durante un rato no hablamos de otra cosa. Hablamos de la noche y de lo mucho que refrescaba el aire y de la comida del restaurante.

Luego, se quitó las bragas y me las alargó. Yo las arrojé sobre la cama y me desnudé.

Percibí un soplo de alejamiento en la habitación y pensé que quizá no era otra cosa que una *voyeur* de sus propias experiencias, alguien que vivía con un desfase del momento pero que lo registraba con cierta perspectiva de futuro. Pero entonces me atrajo hacia sí, aferró un mechón de mis cabellos y me forzó a besarla, y noté en ella un calor, una pulsación ávida que se asemejaba a una ráfaga de existencia. Estábamos adheridos el uno al otro, luchando y manoteando, nos faltaban manos para agarrarnos, nos faltaba cuerpo con el que oprimir al otro, necesitábamos más asideros y más apoyo, como un contacto cartografiado, cuerpos que se unen punto a punto, y me incorporé y vi cuán pequeña resultaba, desnuda y acostada, cuán diferente de aquella mujer que había visto en el vestíbulo rodeada de un aura cinematográfica. Ahora estaba más próxima al auténtico mundo, a su íntimo ser desnudo frente a una sexualidad febril, y me sentí próximo a ella y pensé que finalmente la conocía incluso cuando ella cerró los ojos para ocultarse.

Pronuncié su nombre.

Cuando terminó, nos quedamos vacíos como una guayaba consumida. Nos dolían las piernas, yo sentía una sed desértica y se nos había pasado la mañana. Me levanté, oriné y observé el fluido que salpicaba de ámbar la taza bañada por el sol. Qué bienestar el de mear descalzo después de un fatigoso polvo como es debido. Ella, desde la habitación, sorbió ligeramente. Su voz sonaba ronca y metálica, y la tapé con una manta. Ella aparentó quedarse dormida, un sueño de los de déjame-en-paz, pero yo me tendí sobre la manta y me apoyé sobre ella, respirando el suave calor de su entrecejo y saboreando con la punta de la lengua diminutas gotitas de fiebre. Oí el parloteo de las doncellas en el pasillo y supe que habíamos desaparecido mutuamente de nuestras vidas, ya y para siempre. Pero aún quedaba algún resto que nos mantenía inmóviles, que nos impulsaba a permanecer así tendidos durante un rato, a Donna y a mí, en el todo-y-nada de nuestro amor.

Uno oculta las cosas más profundas a aquellos que tiene más cerca y luego se explaya con un extraño en una habitación numerada. ¿De qué sirve preguntar por qué? Dejaría la culpabilidad para más tarde, para Phoenix, donde podría evitar las preguntas embarazosas dentro de la rutina cotidiana del trabajo.

Yo era el más joven de todos, el de la sonrisa permanente. Reinaba una atmósfera de generosa bienvenida, la atmósfera de uno-de-los-nuestros y de cuántos-hijos-tienes y de comamos-juntos. Quería sentirme ligado a la compañía. Me sentía cómplice de cierta función no explícita de la corporación. Me quedaba hasta tarde y trabajaba los fines de semana. Corregí mis andares para dejar de arrastrar los pies. Oía mi propia voz y veía mi sonrisa y acabé ganándome un despacho al final del pasillo, al que acudía vestido con un inmaculado traje gris y en el que iba haciéndome más fuerte día a día.

El último día de la conferencia fue una larga carrera a través de terreno angosto, y nos disputábamos el espacio, Sims y yo, ya comenzando a olvidarnos del temblor de los dedos y del modo en que nos interpelaba la estancia, y pensé ahora es cuando nos olvidamos del susto y nos enfrentamos al espanto.

La primera parte de la prueba consistía en un monólogo que Sims pronunció con el entusiasmo de un hábil veterano, deteniéndose tan sólo para aspirar profundamente o para enjugarse el sudor del labio superior.

—El secreto del alcantarillado —dijo— consiste en mimarlo.

Hay que conducirlo a través de rejas filtrantes, a gran profundidad. Y luego bombearlo a depósitos de sedimentación y de aireación. Más tarde, se separa, se filtra y se alimenta con bacterias.

Detalló el proceso con todo lujo de detalles, acariciando ciertas palabras, silabeándolas lentamente, untuosas, húmedas, semisólidas, espesas, resbaladizas, cenagosas.

—Porque ahora éste es vuestro medio. Una substancia alquitranada con aroma a caquita.

Qué entusiasmo lograba rescatar de nuestra agotadora carrera, los ojos muy abiertos y la voz potente: hacía que sonara como un ataque personal.

—Y luego esperáis al carguero que vendrá a transportarla. En el Nordeste los llaman cubos de miel. El barco descarga los lodos en el océano. Como quien defeca en su propia casa. Legalmente, a ciento seis millas de la costa de Jersey. Ilegalmente, algo más cerca.

—Interesante.

—Interesante —dijo él—. ¿No es cierto?

—Sí.

—Nunca habías pensado en ello, ¿verdad?

—Había pensado en ello fugazmente.

—Nunca habías pensado en ello. Dilo.

—Quizá había pensado en ello vagamente.

—Quizá vagamente. Entiendo. No queda mal expresado. Realmente, es perfecto.

Un ala delta empujó al sol y se desvaneció en el nebuloso ozono, ascendiendo con aire soñador.

—Pero ¿por qué es mi medio? —dije yo.

Corrimos a lo largo del barranco, sobre la superficie rocosa.

—Esto es a lo que tú y yo. Y todos nosotros. Nos enfrentamos básicamente. Por encima de todo. O por debajo de todo. Nuestros deberes establecidos.

—Tú hablas de desperdicios.

—De eso hablo.

Todo desperdicio se remite a la mierda. Todo desperdicio aspira a la condición de mierda.

Nos empujábamos y apartábamos con el codo, trotando en busca de ventaja, y Sims se limpió la humedad del labio superior.

—¿Qué tal marchan las cosas en casa? ¿Todo bien en casa?

—Todo bien. Las cosas en casa van bien. Te agradezco la pregunta.

—¿Quieres a tu mujer? —dijo.

—Quiero a mi mujer.

—Más vale que la quieras. Ella te quiere.

Aceleramos un poco. Él se quitó la gorra, me golpeó con ella y volvió a ponérsela.

—Pero todo esto del barco —dije.

—Eso del barco es un rumor estúpido que va creciendo por sí mismo.

—El barco es el chiste de moda.

—No hacen más que cambiar la tripulación. ¿Lo sabías? —dijo—. Cambian de tripulación con más frecuencia de lo que cambian el nombre del barco.

Se echó a reír y me golpeó con la gorra.

—Cada vez que se marcha una tripulación tienen que buscar otra como sea.

Me adelantó y yo le alcancé. Dejamos atrás el campo de golf, corriendo con fuerza bajo aquel limpio calor reluciente.

Más tarde, regresamos juntos en coche y nos dirigimos directamente al campus, a nuestro cuartel general de Los Ángeles, una serie de edificios conectados por puentes, con fachadas de espejo, que dominaban la autopista. Mentalmente, imaginé todo aquello hecho añicos.

Un camino adoquinado nos condujo a lo largo de estanques, junto a una rubia escultura, a lo largo de senderos de entrenamiento de color canela.

—¿Te imaginas estos edificios desintegrándose y desplomándose?

Me miró.

—¿No pensarás que es eso lo que se supone que debemos ver cuando contemplamos estos edificios?

No quería saber nada de la idea.

—¿No te parece que es una nueva forma de ver?

Recorrimos laberintos de pasillos equipados con puertas electrónicas que Sims abría insertando una tarjeta en la cerradura. Aquél era el elegante y nuevo mundo de los microprocesadores capaces de leer llaves codificadas. Me gustaba el zumbido y el chasquido de las tarjetas en las cerraduras. Implicaban conexión.

Me gustaba la sensación de la existencia de cierta fuente de energía a la que podíamos acceder mediante nuestras llaves codificadas. En el ascensor pronunció su nombre frente a un aparato de reconocimiento de voz, Simeon Branson Biggs, con voz adecuadamente sonora, y el aparato ascendió de inmediato hasta el tercer piso.

Nos sentamos en su despacho.

—Aquí no se muere nadie. Puedo obtener lecturas de mi presión sanguínea al fondo del pasillo. Tenemos gimnasios. Me miden la grasa corporal y me dicen qué debo comer en gramos y en onzas.

Encendió un puro y me contempló a través de una escéptica nube de humo.

—La gente viene a trabajar con sus zapatillas de tenis y sus rubias barbas. Juegan al tenis y al balonvolea. Todas las noches me voy a dormir negro y vuelvo a trabajar por la mañana blanco.

Calzaba unos zapatos que los demás llamábamos zapatones, unas cosas enormes y pesadas con la punta cuadrada.

—¿Crees en Dios? —dijo.

—Diría que sí.

—Alguna vez tenemos que ir juntos a un partido.

Sims tenía cartas que leer y llamadas que hacer. Yo me entretuve durante un rato con otras personas y luego cogí un taxi hasta mi hotel: aún estaría allí un par de días. Y el taxista dijo algo curioso. Estábamos en marcha. Yo ignoraba dónde nos encontrábamos. Llegas a una ciudad y vas a donde el conductor te lleva: te fías. Y dijo algo, no sé si a mí o a sí mismo. Era un tipo ya mayor, de manos nerviosas y voz dificultosa, un jadeo similar al de un empalme eléctrico estropeado.

Dijo:

—Enciende un Lucky. Es hora de fumarse un cigarrillo.

Ninguno de nosotros tenía un cigarrillo en la mano ni había mostrado signos de extraer uno. Quizá tan sólo estaba recordando el viejo eslogan y lo recitaba perezosamente tan sólo porque le había venido a la memoria, porque le había surgido de algún lugar recóndito de la mente, pero resultaba peculiar e inquietante. Llegas a una ciudad, oyes una cosa así y no sabes qué pensar. Le miré. Me recliné hacia un costado, contemplé su perfil e intenté imaginar qué habría querido decir.

2

Estaba esperando a Chuckie Wainwright. Los frenéticos trabajos de los muelles se extendían a su alrededor, una sensación de inmensos tonelajes y de maquinarias gigantescas, de tráilers industriales que se refugiaban en estacionamientos numerados y de contenedores de mercancías apilados sobre la cubierta de buques inmensos, casi no te creerías lo grandes que eran, y los cómo-se-llamen, los aguilones de las grúas de puerto moviendo cargamentos a través de la neblina. Y fuera, en la bahía, un portaaviones deslizándose hacia el Golden Gate, custodiado por una variopinta flota de pequeñas embarcaciones y de tres barcos contraincendios que expulsaban grandes arcos de agua como si de una despedida con champaña se tratara.

Marvin consultó el reloj por décima vez en lo que iba de hora. Se encontraba próximo a un cobertizo de tránsito, a salvo de la bulla. Parecía un gentil perdido en la niebla, vestido con una gorra deportiva de ante y una gabardina de anchas solapas adornada con hombreras, cintas y mangas raglán, conoce esos términos de sus años en el negocio de la tintorería, bolsillos de corte ancho, presillas, muñequeras y tal cantidad de botones que se sentía vestido de arriba abajo.

Portaba un paraguas extensible protegido por una funda que pertenecía a otro paraguas distinto, verde irlandés dentro de azul celeste, algo que a nadie importaba salvo a su mujer.

Eleanor estaba con él. Era la primera vez que le acompañaba en uno de sus viajes en busca de la pelota de béisbol. Aquello era San Francisco, no nos olvidemos, no estaba dispuesta a morirse sin ver esa ciudad.

Y aquello era el puente de la bahía, sobre su hombro derecho, transportando un millón de coches por minuto que nunca habían oído hablar de Marvin Lundy ni de su obsesión por el béisbol.

Consultó una vez más el reloj y escrutó la bahía.

Chuckie Wainwright era el jefe de tripulación de un mercante independiente que hacía la ruta de cabotaje desde Alaska. Marvin se había puesto en contacto con navieras, con prácticos de puerto y hasta con capitanes para discutir cuestiones relativas a la situación del barco y a la lista de la tripulación, realizando llamadas telefónicas y enviando radiogramas. Y se le había confirmado más de una vez, se había determinado y documentado que Charles Wainwright Jr., conocido como Chuckie, se encontraba a bordo del *Lucky Argus* que había partido de Anchorage con un cargamento de arena y de roca pulverizada.

Chuckie representaba su llave de acceso a la cadena de poseedores. Marvin había ido reuniendo miles de fragmentos de información que relacionaban la pelota con antiguos dueños y finalmente, cómo es esa palabra que se utiliza para designar lo que no es definitivo pero casi definitivo, finalmente el nombre de Wainwright había aparecido en escena.

Aguardó media hora y luego se dirigió al edificio del ferry para preguntar por el *Lucky Argus*, para saber si debía inquietarse o no, y le dijeron que amarraría en el muelle número 7 en eso de hora y media.

Al salir, captó cierto aroma en el aire, una especie de débil perfume a alcantarilla, apenas discernible pero peculiar por su fuerza emocional. Luego se desvaneció, disipado por la brisa, y a sus oídos llegó el acuoso rumor del tráfico del puente y vio acercarse a su Eleanor, iluminada por su sonrisa de fresa, bajo un paraguas azul celeste.

—Pensé que te encontraría aquí. Vine a contemplar este encantador edificio antiguo.

Marvin volvió la mirada, intentando imaginar qué podía tener de encantador que a él se le hubiera escapado.

—¿Sabías que este edificio sobrevivió al gran terremoto pero que su reloj se paró y se mantuvo así durante un año entero?

—Siempre hay en algún sitio un reloj parado —dijo Marvin hoscamente.

—Como un recordatorio para todos los que se aproximan lo suficiente como para verlo.

—¿Un recordatorio de qué?

Ella agitó la guía turística en el aire.

—A veces, la mala suerte aparece en forma clara y visible.

—¿A qué te refieres?

—El reloj se detuvo a las cinco y diecisiete minutos de la madrugada. Las cinco uno siete, querido. Suma los dígitos y obtendrás trece.

Era posible que la brisa estuviera cambiando de dirección. Percibió nuevamente el olor y descubrió que le conmovía de algún modo extraño, uno de esos olores que se remontan a lo largo de nuestros recuerdos, mohoso y terroso en este caso, y experimentó el impulso irrefrenable de perseguirlo hasta sus fuentes.

—¿Dónde está tu mister Wainwright?

—El barco viene con retraso —dijo él.

—No seas tan pesimista.

—¿Quién es pesimista? Estoy aquí, charlando.

—Se te ve abatido y hundido.

—Siempre estoy abatido y hundido. Soy así de fábrica.

—Cuando el tema es la pelota siempre estás más abatido de lo habitual.

Eleanor no se equivocaba. ¿Se equivocaba Eleanor alguna vez? Él protestaba a veces, pero ambos sabían que casi siempre tenía razón. Ella y su acento inglés; los buñuelos que cocinaba, y cuya inminencia detectaba él ya desde el día anterior; su meticulosa pulcritud en el vestir, algo que él llegaba a veces a considerar como una enfermedad, pues la había sorprendido conversando con su armario en un par de ocasiones, pero siempre correcta, una palabra que le gusta, combinando elegantemente esto y aquello. Poseía una severa determinación que administraba con suavidad, pero siempre asegurándose de que él captara el mensaje. Y ahora que su hija vivía sola, con un buen empleo y un apartamento en una calle segura, Eleanor montaba una constante guardia sobre las obsesiones de Marvin y su melancolía salpicada de chistes.

Habían comenzado a andar, dando un paseo en dirección al Embarcadero, y Marvin advirtió que los números de los muelles iban ascendiendo a medida que avanzaban: cifras pares y elevadas, lo que significaba que se alejaban del muelle número 7. Pero allí era adonde parecía conducirle el olor, aquel retazo fétido que el viento transportaba de modo intermitente.

—¿Y necesitas a este tal Wainwright para que te diga qué?

—Cómo adquirió su padre la pelota, quién ya está muerto y enterrado.

—¿Y de este modo habrás completado qué cosa?

—La como-se-llame.

—La estirpe.

—La estirpe —dijo Marvin.

1. La ex mujer de Chuckie Wainwright, Susan algo... los detalles son lo de menos.

2. El octavo de indio, Marvin ya ha olvidado de qué tribu, que le condujo hasta la primera mujer.

3. El impacto de las vidas de los demás. La certeza de otra vida, la impresión, la conmoción.

4. Chuckie en las Fuerzas Aéreas, en Groenlandia, en Vietnam, luego huido, AWOL, ausente sin permiso, cómo se llama eso, un acrónimo, marchándose lejos y dejándose crecer la barba y teniendo una hija a la que llamó Dakota.

5. Que es donde Marvin encontró a la ex mujer, por cierto, en Rapid City, ayudando a enfermos a atravesar una piscina con metro y medio de agua.

6. El impacto, la potencia de una vida corriente. Algo imposible de inventar en una habitación libre de polvo y llena de computadoras.

—Marvin, sabes muy bien lo que voy a decir.

—Hay tres horas de diferencia. No sé si podré esperar.

—Levanta los pies cuando camines. Eres un hombre saludable que se esfuerza por parecer enfermo.

—Esto es como los parloteos que oye uno en la televisión pública.

Ella no se andaba con críticas o sutilezas, le hablaba con dulzura, no se merecía lo buena que era, escribiéndole postales cuando volvía a su casa de visita: ¿te imaginas, recibir postales de tu esposa?

Y entonces se detuvo súbitamente y su cuerpo se tensó bajo la brillante gabardina.

—¿Qué es ese olor? —dijo.

Marvin comenzó a comprender por qué el olor resultaba tan seductor. En cierto modo, era como si procediera de él. Recordó el viaje que habían realizado por Europa seis años después de la guerra, Eleanor y él, recién casados, una muchacha de ascendencia modesta que disfrutaba de su luna de miel gastando lo menos posible, trenes lentos y hoteles viejos despojados de cualquier comodidad, pero embarcados al mismo tiempo en una misión que era importante para la familia de Marvin. Intentaba localizar a su hermanastro, Avram Lubarsky, que había servido en el Ejército Rojo, que había resultado herido en Leningrado y herido en Stalingrado, que en Grodno se había pegado un tiro en el pie, que había cruzado remando el Volga bajo un demoledor ataque de Stukas, que había sido hecho prisionero por los alemanes y luego había escapado, que había huido al Sur calzado con periódicos y se había casado con una gitana de los Cárpatos, que comía pescado blanco del mar Negro y que había desaparecido en algún lugar de los Urales.

Todo tan ruso, y aquí estaba Marvin hoy, buscando una pelota de béisbol. Pero no estaba dispuesto a tomarse su inquietud a la ligera. Poseía su propio carácter épico, su historia de memorias y de dulces recuerdos y de excursiones familiares y de tardes plagadas de insectos en el porche trasero y de esperanzas que se alimentan y se abandonan y del canto de la pérdida que nadie anota en las crónicas.

—Demos media vuelta, ¿quieres? Creo que no me apetece acercarme más a ese olor.

Pronunció la palabra con una mueca de recelo, la reacción que uno reserva para ciertos olores, arrugando los labios y la nariz, aguzando los ojos frente al espectáculo del cuerpo del delito que alberga en su origen.

—Probablemente no sea otra cosa que una alcantarilla en obras. Viene y va. Avancemos un poco más.

—Estoy de vacaciones —dijo ella.

—¿Y por eso te muestras tan escrupulosa? Hay gente que come carne de camello con sus propias manos y al día siguiente vuelven al trabajo.

—Te propongo un trato. Llegaremos hasta esa obra en construcción que hay algo más adelante. Luego volveremos.

—¿Qué importancia tiene un olorcillo? —dijo él.

Pero ya no era un olorcillo. Iba haciéndose más potente y atrayéndole con más fuerza, y recordó aquellos viejos hoteles y sus retretes, retretes situados por fortuna al fondo del pasillo, y pensó en los retretes públicos de las estaciones de ferrocarril, la cabina contigua ocupada por algún extraño dotado de su propio historial de alimentos de otros países y de olores personales, a través de Inglaterra, Francia e Italia, pero no eran los olores de los demás los que ya comenzaban a sobrecogerle: sólo los suyos.

Los procesos digestivos de Marvin parecían cambiar, gradualmente, en implacables etapas, a medida que él y Eleanor se desplazaban por Europa. El olor se hacía peor, más profundo, y adquiría una suerte de densidad, como si madurara y se avejentara, y comenzó a temer ese momento cotidiano, posterior al desayuno, en el que llegaba el momento de acudir al cuarto de baño.

¿Cómo es esa palabra? ¿Innoble?

Marvin denominaba a sus procesos digestivos PD, expresión que en cierta ocasión había oído murmurar a un médico militar. Sus PD estaban rebelándose contra él, tornándose en cierto modo violentos. Eleanor y él atravesaron los Dolomitas y Austria, internándose brevemente en la esquina noroeste de Hungría, y aquello seguía saliendo de su cuerpo, ruidosa y notablemente negro. Pero fundamentalmente era el olor lo que le molestaba. Tenía miedo de que Eleanor lo notara. Era consciente de que aquello, probablemente, era parte normal de cualquier matrimonio reciente, el hecho de oler el olor del otro, superándolo cuanto antes para poder proseguir con tu vida, tener niños, comprar una casita, recordar el cumpleaños de todo el mundo, salir en coche a pasear por Blue Ridge Parkway, enfermar y morir. Pero en este caso, el marido tiene que adoptar unas precauciones extremas, porque el olor era vergonzoso, era intenso y profundamente personal, y parecía revelar algo espantoso acerca de su dueño.

Su olor era un secreto que tenía que ocultar a su mujer.

Entraron en Checoslovaquia, donde los retretes expulsaban tan poca cantidad de agua que se veía obligado a tirar de la cadena y a volver a tirar después; tenía que abrir ventanas y agitar toallas, sintiéndose culpable y atrapado. En las calles reinaba algo frío y duro, una tensión respirable, arrestos numerosos, gente llevada ante el juez. Los recién casados discutieron con un obrero de la siderurgia en un café: el hombre se sentía orgulloso del humo y la porquería que permanecían suspendidos sobre el paisaje, eso era progreso, eso era poder y empuje industrial; cuanto más oscuros los cielos y más terratenientes en prisión, más esperanzador sería el futuro del Estado socialista.

¿Quiénes son, pensó Marvin, para que me vuelva loco abstenerme de no convencerles de que están equivocados?

Sus PD se tornaron más humeantes a medida que ascendían por el este de Polonia. Discutieron con obreros en la barra de un bar, hombres ocupados en consumir sus jarras matutinas de cerveza, discutieron con una mujer que calculaba el precio de los billetes en un ábaco. Marvin regresó a un retrete en busca de un periódico que había olvidado, había estado buscando inútilmente resultados de béisbol en un diario de Varsovia, y le sorprendió el calor que reinaba en el cuartucho, la humeante aura que había establecido en su interior, algo pesado y húmedo, una masa aérea de abrasante hedor: toda esa energía radiante procedente de un único PD.

Tenía suerte de que Eleanor fuera la primera en visitar el cuarto de baño todos los días. Porque así no tendría que enfrentarse a aquello, una muchacha inglesa de cabellos casi rubios. Se aseguró de que nunca utilizara un cuarto de baño que él acabara de visitar.

—Hasta aquí pienso llegar —dijo ella entonces.

—No estamos en las obras.

—Moriré asfixiada si tengo que dar otro paso.

Cien metros más adelante se extendía una zona de obras de asfaltado interrumpidas, excavadoras sin dueño y camiones de escombros, el pavimento removido y apilado, sin un alma a la vista a excepción de una figura solitaria que dormía en una saca de correo, uno de esos hombres desaliñados que Marvin ve últimamente por todas partes: ¿dónde habían permanecido escondidos todo este tiempo?

—Voy a avanzar tan sólo diez o veinte metros —le dijo—. Únicamente para comprobar cuál es el origen de esto. Probablemente, una tubería rota; sólo por curiosidad.

Tenía que ocultarle el recuerdo del mismo modo que en otro tiempo le había ocultado el olor. Y cada vez le costaba más esfuerzo evacuar, tenían sus pasaportes, tenían sus visados, fueron a Pinsk, fueron a Minsk, y él gruñía en aquel asiento hasta que brotaban todos los elementos: tierra, aire, fuego y agua.

Cuanto más penetraban en territorio comunista, más pestilentes eran sus PD.

Iban permanentemente acompañados en todas sus visitas por

un guía de Intourist. Un guía les dejaba en el hotel, otro guía les recogía, alguien lanzaba un vistazo a su equipaje, un guía se aseguraba de que no miraran de reojo ciertos edificios peligrosos, ni vías fluviales con presas situadas ciento cincuenta kilómetros río arriba, ni carreteras que condujeran a instalaciones militares emplazadas a mil seiscientos kilómetros de distancia. Era como compartir cada aliento con tu policía personal. Incluso el estado del tiempo era un secreto, algo que no publicaban los periódicos y que nunca se mencionaba salvo en susurros.

Contaba con nombres y direcciones, y habló con algunas personas y siguió una ruta que conducía a Gorki, donde un primo muy, muy lejano le indicó que fuera a una calle de edificios sin terminar y allí encontraron a Avram, la primera vez que Marvin y él se veían, está viviendo en un piso diminuto con su segunda mujer y su segundo, tercer y cuarto hijos. Se abrazaron y sollozaron, quizá de veras, quizá en parte por hacer el paripé, hablando retazos de ruso, inglés y yidis, y al cabo de poco rato estaban discutiendo fatigosamente. Avram era un comunista convencido de cejas prominentes y escupía pequeños fragmentos de palabras despreciativas contra los Estados Unidos, el sistema está corrupto, os vamos a comer con patatas, sois una cultura de ésas como-se-llame, una cultura de pacotilla, y aquella noche Marvin tuvo que realizar una visita de emergencia al retrete del hotel, donde descargó un ardiente muro de desechos químicos. El olor que le rodeó estaba impregnado de eso, de geopolítica, y agitó una toalla durante cinco minutos, y abrió la ventana, que no hacía más que cerrarse, con un ejemplar enrollado del *Pravda*, seguía buscando resultados de béisbol, y por fin regresó a su habitación y permaneció de pie, contemplando a Eleanor mientras dormía: Eleanor procedía de un plácido entorno rural y podría perecer fácilmente bajo su peste.

Avanzó hasta el borde de la zona en construcción y comprobó que no era aquélla la fuente del olor. El olor seguía siendo claramente perceptible, completamente evocador de su experiencia soviética, aunque menos nauseabundo que su producción personal, algo más apagado, y no provenía de la rotura de una alcantarilla ni de un retrete comunal para los sin techo.

Y entonces vio el barco. Estaba amarrado en un remoto muelle situado más adelante, entre cierto número de embarcaderos

vacíos y una amplia cuenca, y parecía abandonado, con el puente
y la cubierta desiertos, manchas de óxido en los costados y las
chimeneas adornadas por pintadas en alfabetos ignotos e idiomas
que no supo reconocer.

Se volvió y miró a Eleanor. Tenía una costumbre a la que recurría para mostrar su impaciencia: hundía el cuerpo, ladeaba la
cabeza y adoptaba un aspecto semiflácido mientras su boca sugería un bostezante oh.

El nombre del barco, cubierto de óxido y pintadas, resultaba
ilegible. Qué cosa tan patética, un buque oceánico cargado con el
hedor propio de los retretes públicos de un estadio.

Marvin y Avram se pasaron tres días discutiendo. Consumían
sus comidas en aquel pequeño apartamento sin calefacción en el
que tenías que desenroscar el grifo de la pila de la cocina y trans-
portarlo pasillo abajo hasta el cuarto de baño cuando te querías
bañar debido a que la construcción de aquellos bloques concluía
en una fecha determinada, estuvieran concluidos o no. Ambos
hombres intercambiaron numerosas historias familiares, pero
siempre con una reserva subyacente alternada por intervalos de
insultos abiertos, Nosotros y Ellos, y a Marvin le irritaba oír aquellas cosas de un hombre tan seguro de sí mismo que al fin y al
cabo era un completo don nadie, un tipejo que se estiraba hacia
arriba al hablar, con dos dientes postizos de acero inoxidable que
le hacían parecer el electrodoméstico más reluciente que había a
la vista. El piso venía sin ventanas. Avram había tenido que insta-
larlas él mismo, procedentes de la fábrica de lunas de vidrio en la
que trabajaba, un vidrio tan delgado que tenías que apartarte de la
ventana para hablar. Una palabra con demasiadas consonantes
podía quebrarlo.

Dijo a Marvin: «Estamos fabricando bombas más grandes de
lo que los occidentales podréis soñar jamás. Por eso se rompen las
ventanas con tanta facilidad.»

Sí, a Marvin le fastidiaba pensar que un hombre pudiera vivir
en aquellas condiciones, teniendo que llevar el grifo del fregadero
de un lado a otro, el caño y las dos válvulas, aunque sólo sale agua
de la fría, la familia subiéndose por las paredes por falta de sitio, y
el tipo tan chulo y tan sofocado, era la típica cosa que le sacaba de
sus casillas, cómo es posible que el tío siga adelante sin las yo qué
sé más básicas, Eleanor sabe a qué palabra me refiero, las cosas

342

que contribuyen al confort material: ella siempre lo dice de un modo tan refinado.

Le llamaba en ese instante: «Déjalo ya.»

Y durante el viaje de regreso a Europa occidental, su organismo fue retornando poco a poco a un estado normal de PD con fibra, suaves y saludables.

Estaban en un tren, en Suiza, un lugar normal y neutral, atravesando túneles y desfilando junto a lagos iluminados por la luna, y Marvin distinguió una voz familiar algo más adelante, ruidos de interferencias de un transistor, y siguió el ruido hasta la parte delantera del coche, donde dos soldados se acurrucaban sobre una radio diminuta con la antena mutilada, escuchando a Russ Hodges en la emisora de las Fuerzas Armadas, su crónica del partido interrumpida cada vez que el tren penetraba en un túnel, y ahí era donde había estado Marvin cuando Thomson logró el *home run*, recorriendo una montaña en medio de los Alpes.

Eleanor acababa de salir de la ducha cuando entró Marvin, echando abajo la estancia con su estado de humor. Eleanor, envuelta en una toalla, las uñas de los pies pintadas de rosa, le miró.

—Ha llegado el barco. El *Lucky Argus*. Muelle número 7. Justo en el momento en que dijeron que lo haría. Al minuto.

—Pero Wainwright —dijo ella.

—No está a bordo.

—Ponte derecho.

—Abandonó el barco en Vancouver.

—¿Saben a dónde se dirigía?

—Se enroló en otro barco. En uno que iba al Norte, no sé adónde. Al tal Chuckie le gustan los ambientes fríos.

—Ya lo encontrarás.

—Da lo mismo.

—La verdad es que no da lo mismo. Solía pensar que estabas loco. Pero ahora lo comprendo. Sí, estás loco, pero tras todo ello subyace un cierto razonamiento. Un pequeño asomo de lógica infantiloide. Un cuentecito de buenas noches. Necesitas acabar tu historia. Querido Marvin. Sin ese último eslabón que conduce a la pelota de béisbol, no hay modo de estar seguro del final de la historia. ¿De qué sirve una historia carente de final? Aunque supongo que en este caso lo que necesitamos no es un final, sino un principio.

Le gustaba verla envuelta en una toalla. Se habían conocido al final de la guerra, hola y adiós; pero habían seguido escribiéndose. Ella trabajaba como centinela antiaérea con linterna, así lo llamaban, y él pertenecía al Servicio de Intendencia y se dedicaba a repartir preservativos para el día D, en que las tropas los emplearían para cubrir los cañones de sus rifles y evitar que penetraran el agua y la arena. Aún hoy, después de veintisiete años de casados, le gustaba verla con una toalla o una combinación.

Se sentó en calzoncillos sobre el borde de la cama y se quitó los calcetines acanalados. Harían como los turistas de los anuncios: disfrutar del sexo matrimonial en un hotel agradable. Desde su habitación podía admirarse la vista de una vista. Desde sus ventanas podían otear a través del patio en dirección a los edificios de oficinas y a las nubes reflejadas en el escaparate del restaurante del hotel.

—¿Piensas ponértelo, Marvin?

Se refería a su bisoñé.

—Lo necesito para verme como me veo.

También lo necesitaba porque disimulaba el tamaño de sus orejas y de su triste nariz de Marvin. Quería estar atractivo para ella aunque ella misma no lo considerara importante. Aquella noche se pondría su mejor camisa, rematada por unos puños tan franceses que le entraban ganas de tararear la cómo-se-llame.

—Mi hombre eres tú, con él o sin él.

Algo que decía con un medio temblor en los labios que hacía que él se sintiera el dueño del mundo.

Ella dejó caer la toalla y depositó una rodilla sobre los pies de la cama. Aún eran recién casados, tímidos pero ávidos, y Marvin, tan de Brooklyn, con esa religión de respuestas escépticas, comenzaba por fin a comprender ahora cuán difícil era persistir después de tantos años en el mito sentimental de su disimilitud, algo que se había inventado él basándose en el acento y la complexión de ella. Atisbaba a su Eleanor certeza a certeza, viéndola capaz de emular su apetito, viendo que sus ambiciones profesionales eran mayores que las suyas, que su aspiración fundamental era América, algo que él se las había arreglado para no darse cuenta: las cosas, los lugares, el reluciente zumbido de los productos sobre los estantes, el brillo solar del favor de la fortuna.

Allí estaban, en una cama desconocida de California, qué

vueltas da la vida, qué difícil es prever lo que ocurrirá, una chica inglesa en sus brazos, rosada e inocente por más que no lo sea, y el bisoñé de polímero de Marvin bien encajado sobre su cabeza.

A ella le apetecía japonés, pero con eso no bastaba. Tenían que ir a algún lugar en el que la guía mencionara el tatami.

Marvin pensaba que aunque hubiera vivido cien años antes de conocer a Eleanor, habría hecho las mismas tres o cuatro cosas cada día, y en el mismo orden, y que tan pronto como hubiera conocido a Eleanor a los ciento un años de edad se hubiera sentado en el suelo a comer algas.

Se miraron el uno al otro a través de aquella mesa baja, calzados únicamente con calcetines.

—¿Qué palabra es la que define algo que no es definitivo pero casi definitivo?

—Antedefinitivo.

—Antedefinitivo. ¿Ves? Eso es lo que me pasa con Chuckie Wainwright.

—Siéntate derecho —dijo ella.

—Groenlandia. Siempre he tenido mis sospechas acerca del lugar.

—¿Qué quieres decir?

—Allí es donde estuvo destinado con la Fuerza Aérea, si es que realmente estuvo allí.

—¿Por qué no iba a haber estado allí?

—¿Acaso conoces tú personalmente a alguien que haya estado?

—No —dijo Eleanor.

—Déjame que te diga. Yo tampoco. Ni tampoco nadie con quien haya hablado últimamente.

—Creo que tienen una ciudad importante.

—Crees que tienen una ciudad importante. ¿Y conoces el nombre?

—No, lo ignoro.

—¿Alguna vez has mirado Groenlandia en el mapa?

—Supongo que sí; una o dos veces, quizá.

—¿No has notado que no hay dos mapas en los que presente el mismo tamaño? El tamaño de Groenlandia varía de un mapa a otro. Y cambia también año tras año.

—Es grande —dijo ella.

—Es muy grande. Es enorme. Pero a veces es algo menos enorme, dependiendo del mapa que estés consultando.

—Creo que es la isla más grande del mundo.

—La isla más grande del mundo —dijo Marvin—. Pero no conoces a nadie que haya estado allí. Y el tamaño no deja de cambiar. Y lo que es más, no te pierdas esto, es que su emplazamiento también cambia. Porque si observas detenidamente un mapa y luego otro verás que Groenlandia parece estar moviéndose. Se encuentra en una parte ligeramente distinta del océano. Y ahí reside el intríngulis de mi argumento.

—¿En qué consiste tu argumento?

—Tú me lo preguntas y yo te lo digo. Que tenemos los mayores secretos delante de las narices y seguimos sin ver ni torta.

—¿Y cuál es el secreto de Groenlandia?

—En primer lugar, ¿existe acaso? Segundo, ¿por qué no hace más que cambiar de tamaño y de ubicación? Tercero, ¿por qué no logramos saber de nadie que haya estado personalmente allí? Cuarto, ¿acaso no se estrelló un B-52 hace algo así como diez años en un accidente que luego mantuvieron tan en secreto que aún no sabemos si había o no armas nucleares a bordo?

Pronunciaba *nuculares*.

—Piensas que Groenlandia tiene una función secreta y un significado secreto. Pero también es cierto que piensas que todo tiene una función secreta y un significado secreto —dijo ella.

—Cuanto más grande es el objeto, más fácil resulta ocultarlo. ¿Cómo se llega a Groenlandia? ¿Qué barco hay que tomar? ¿Dónde hay un aeropuerto desde el que salgan vuelos a esa ciudad importante cuyo nombre nadie conoce y que nadie ha visitado? Y hablamos de una ciudad importante. ¿Qué me dices de las zonas circundantes? Toda esa isla enorme es una inmensa zona circundante. ¿De qué color es? ¿Es verde? Islandia es verde. Islandia sale por televisión. Puedes ver las casas y la campiña. Si Islandia es verde, ¿es Groenlandia blanca? Tan sólo lo pregunto porque nadie más lo pregunta. A mí no me va ni me viene nada en ese lugar. Pero veo el canal de naturaleza y veo tribus de Nueva Guinea que se embadurnan el cuerpo de barro, y veo a esas cosas salvajes copulando en vete a saber qué valle africano.

—Bestias salvajes —dijo Eleanor.

—Pero de Groenlandia nunca oigo ni mu.

La camarera trajo sake para ella y cerveza para él. Llamaba bebidas a las copas, y Marvin creyó estar a bordo de un avión. Tantos viajes como había hecho relacionados con el béisbol, tantas vidas patas arriba, tantas frases y palabras.

Señor Lundy pasajero en lista de espera preséntese por favor en el podio.

1. La madre de mellizos en la ciudad esa, cómo-se-llame.

2. El hombre que vivía en una comunidad de gente sensible a los productos químicos, los que vestían blancos trajes de algodón y colgaban el correo en las cuerdas de tender la ropa.

3. Esa mujer llamada Bliss, de cuando era más joven, Marvin se entiende, y que acaso, con unos ojos tan bonitos como los suyos, podría haber sido algo en Indianola, quizá Miss.

4. El impacto de otras vidas que no son como la tuya. Felices, saludables, solitarias, perdidas. El octavo de indio. Vidas ásperas e inesperadas incluso cuando son corrientes.

5. Alguien que conocía a una Susan algo y que hablaba de una pelota de béisbol famosa por su pasado. Marvin ha olvidado el nombre de la tribu.

6. El estómago fastidiándole de nuevo.

7. El hombre sensible a los productos químicos, el que experimentaba una vibración por todo el cuerpo cada vez que alguien disparaba una cámara fotográfica a dos kilómetros y medio de distancia.

8. Y Chuckie Wainwright, que se había hecho a la mar dejando una esposa y un niño, un grupo de cristianos *hippies*, descalzos y adornados con collares de cuentas, y Marvin persiguiéndole de un barco a otro.

9. Y ese crío de Utah, con cáncer de huesos, el que la madre le echaba la culpa al Gobierno.

10. Marvin perdiéndose a menudo, saliendo un día en dirección a Melbourne, Florida, y terminando casi ahogado.

11. Y la mujer del diente partido: una historia demasiado larga, mejor no preguntéis.

12. Y los productos químicos en el núcleo de la bola que permiten que el hombre funcione todos los días después del desayuno.

—Dime qué piensas hacer después de cenar.

—¿Me preguntas a mí?

—Tú has estado antes en esta ciudad. Yo no —dijo ella.

—¿Qué quieres que haga? Bastante si consigo levantarme. Tengo un nudo en la pierna que se le atragantaría hasta a un caníbal.

—Vamos. Hazme pasar un buen rato.

—Ahora le apetece andar retozando por ahí.

—Como si fuera nuestra ciudad, Marv.

Era curioso el modo en que estaba compilando una relación de los recientes movimientos del objeto y, al mismo tiempo, siguiéndole la pista hacia su pasado más distante. A veces creía estar viendo la pelota como si pasara volando junto a él. Quería encontrar a Chuckie y determinar el último eslabón, el primer eslabón, la conexión con el propio estadio de Polo Grounds, pero aunque no lograra encontrar al tipo compraría probablemente la pelota de todos modos, la famosa pelota, tan pronto como la localizara, y luego seguiría buscando a Chuckie hasta el día de su muerte.

—Quiero que me enseñes los sitios oscuros e innombrables —dijo Eleanor.

La pelota no le traía suerte, ni buena ni mala. Era un objeto transitorio. Pero a la gente le servía de inspiración para contarle cosas, para confiarle secretos familiares e historias personales inconfesables, para descargar conmovedores sollozos sobre su hombro. Porque sabían que él era su ¿qué? Su vía de descarga. Sus historias parecían exaltadas, absorbidas por algo más grande, por la larga parábola descrita por la pelota misma y su propia marcha bizqueante a través de las décadas.

De acuerdo. Marvin no era un animal nocturno, pero conocía un lugar al que podía llevarla, una calle en realidad, eso es todo lo que era, llamada The Float (El Carnaval), cercana al viejo distrito hippy, con tiendas que aparecían y desaparecían de un día para otro, viviendas sin número de edificio y una zona en la que podían satisfacerse todos esos deseos secretos que cambian con las fases de la luna.

Se levantó de la estera paso a paso, articulación por articulación, llamaron a un taxi y salieron.

Veinte minutos después, caminaban a lo largo de la calle, con los paraguas abiertos, llovía ligeramente, unos cuantos mendigos aquí y allá, una mujer adornada con una cresta mohawk y con maquillaje blanco introduciendo un panfleto apocalíptico bajo el cinturón de la gabardina de Marvin. Se avecina la paz - estad preparados. La mayor parte de las tiendas estaban abiertas a pesar de la hora o debido a la hora y casi todas estaban situadas por debajo del nivel de calle, por lo que tenías que atisbar por encima de una barandilla para ver qué vendían, Accesorios de Caucho para Invertir los Papeles, o Modas en Peligro: chaquetas fabricadas con la piel de especies en extinción.

Entraron en un sitio que era como un agujero en la pared, con montones de escayola desconchada y zócalos sucios de cucarachas y colecciones de grabaciones raras. Pero aquí no estamos hablando de viejos discos de jazz de 45 revoluciones. Aquí podías comprar conversaciones intervenidas mediante teléfonos pinchados o micrófonos ocultos, grabaciones de personajes del crimen organizado mientras charlaban de sus novias o de sus abogados, ése no es más que un salido con un portafolios, estamos hablando de tipos que salen en las noticias de las once, que visten abrigos de pura lana fabricados con tela suficiente como para vestir a la Liga Juvenil de Taiwan. Y grabaciones de hombres y mujeres corrientes, aún más adictivas por lo repelente, acaso tu vecino de al lado, y Marvin comprendió cómo semejante compra podía desembocar en horas y horas de escucha estupefacta, cómo podía dominar la vida de una persona, tanto más cuanto que las grabaciones no podían ser más aburridas, y cómo podían proporcionar el atractivo de cualquier adicción, que consiste en rendirte al tiempo.

The Float tenía algo de amenazador, como un relámpago de medianoche.

Entraron brevemente en tiendas que vendían fotos de autopsias, que vendían basura de los cubos de las estrellas de cine, aunque conservaban el material congelado en sus almacenes: tenías que mirar en el catálogo y realizar tu pedido.

Eleanor se mostraba encantada con el ambiente, palabra que pronunciaba *ambiance*, con cierto acento francés. Suelos desnudos de tarima y paredes sucias. Asió a Marvin por el brazo y avanzaron calle abajo, viendo el cartel que aparecía colgado del balcón de un primer piso, Crucero de los Puertos Españoles para Fetichistas del Pie.

Flotantes zonas de deseo. Era el qué, la disgregación del deseo en un millar de subespecialidades, en productos derivados y estrechamientos, susurros oblicuos de uno mismo. Había un tugurio con una trastienda donde proyectaban películas pornográficas con gente mutilada. Celebraban noches homo y noches hetero. Si te mostrabas abierto a sugerencias, podías flotar por la zona, descubriéndote a ti mismo mediante tus intereses, poco a poco, saboreando las especialidades de la calle. Aparecías definido por tus fijaciones.

Junto a ellos pasó un chiquillo vestido con ropas tan harapientas que parecía un desfile de serpentinas.

Había un lugar llamado el Café de la Teoría de la Conspiración. Estantes llenos de libros, bobinas de película, cintas magnetofónicas, informes oficiales del Gobierno encuadernados con tapas azules. A Eleanor le apetecía tomarse un café y curiosear, pero Marvin descartó el lugar gesticulando con la mano: una serie de ejercicios inútiles. Opinaba que los manantiales eran más profundos y menos detectables, más profundos y más superficiales a la vez, hay que contemplar los tablones de anuncios y las cajas de cerillas, los nombres de los productos, las marcas de nacimiento de los cuerpos, el comportamiento de tus animales domésticos.

Algo que te contempla directamente a los ojos.

La mayor de las tiendas se encontraba a nivel de calle, y a su alrededor una docena de hombres con impermeables que estudiaban ejemplares de *National Geographic* con aire furtivo. Eran revistas usadas, usadas y manoseadas, vividas, y aún conservaban las etiquetas con la dirección, estampadas mecánicamente, manchadas de tinta y grasientas de dedos, e impresas en las etiquetas podían verse los nombres y direcciones de personas reales que vivían ahí fuera, en la América de las revistas, y los hombres del impermeable permanecen junto a sus mesas y sus papeleras, leyendo las etiquetas y hojeando las revistas, sin alzar jamás la cabeza.

Un hombre compró una revista y se marchó a toda prisa, deslizándola bajo el abrigo.

Marvin no pensaba que a aquellos tipos les interesaran fotografías de manadas de lobos paseando por la tundra al anochecer. Lo que buscaban era otra cosa, un murmullo humano olvidado, quizá, una sensación de familias que habitan pequeñas casas en el corazón de la comarca con un spaniel de largas orejas tendido sobre la alfombra, una sensación de acogedora inocencia y del mundo exterior sin descubrir, la vasta geografía. Una pornografía de la nostalgia, a lo mejor, ¿o acaso se trataba de algo totalmente distinto?

Y había una trastienda, porque acaso no hay siempre una trastienda, otra salpicadura de deseo, algo más refinado y personalizado, y no estarían en la trastienda las revistas forradas con fundas de plástico, tal vez números poco corrientes o publicaciones poco corrientes, o quizá los fetiches fueran las propias fundas, barnizadas de polvo, manoseadas, algunas ya casi opacas, de un plástico desgastado dotado de un cierto aroma y del tacto propio de un preservativo, como condones literarios, y a lo mejor hay otra estancia a la que hay que acceder susurrando una contraseña, una habitación en la que tan sólo hay fundas, fundas vacías, mil veces manipuladas, y a Eleanor el lugar no podía darle más grima, era mucho más de lo que esperaba, hombres con gabardina que hojean furtivamente las etiquetas de los *National Geographic*.

Al otro lado de la calle vieron la tienda de una mujer de elevada estatura; se llamaba Long Tall Sally, pero no era de vestidos ni de abrigos. Adornos de Fantasía, decía el cartel. Libros, películas, adminículos: sólo para mujeres altas.

Una noche lluviosa, en vete a saber qué callejuela secundaria, ves algunas cosas curiosas y te preguntas por qué parecen tan significativas. Marvin pensó que allí había algo que podría constituir la señal previa de alguna gran fuerza que comenzaba a desperezarse, no sabía exactamente qué, no sabía si para bien o para mal, no sabía en qué lugar del mundo: un estremecimiento de la tierra capaz de alterar el planeta.

—De acuerdo, Marv. Estoy listo para irme a la cama.

Otro sitio más. Realmente, el único lugar de la calle en el que ya había estado anteriormente. Lo llevaba un conocido, podía llamársele un colega, Tommy Chan, acaso el primer iconista de béisbol del país, si es que existe la palabra iconista.

Descendieron por un sórdido tramo de escaleras hasta llegar a un oscuro cubículo atestado de tablas de puntuación y viejos libros de canciones y un millar de otras rarezas relacionadas con el deporte: auténticas montañas de informes y documentos apilados en columnas tambaleantes.

El pecho de Eleanor se agitó con un suspiro, como una perdiz herida.

Ahí estaba Tommy, encaramado a su taburete, sobre una plataforma que sostenía tanto el taburete como la caja registradora, erigiéndose sobre aquella masa de papel que los procesos químicos iban tornando marrón. A Marvin le hizo pensar en todas las películas de partidos que había visto durante su búsqueda, en los hinchas del Polo Grounds cuando arrojaban tarjetas de puntuación y periódicos al campo a medida que el día iba consumiéndose y los Dodgers se aproximaban al momento de la catástrofe. En toda aquella basura crepuscular. Quizá parte de ella reposaba allí hoy, conservada por los barrenderos del estadio para terminar añadida al mundillo del recuerdo y del coleccionismo, la tarjeta de algún crío convertida en avión de papel, unas cuantas hojas de papel higiénico arrojadas jubilosamente desde la grada superior, quizá delicadamente autografiadas por un jugador, los restos de un partido que reposaban años después al otro lado de un continente.

—Te presento a mi mujer.

—Por aquí no vemos a muchas mujeres —dijo Tommy, con tono cortés y sabio, como un monje budista en algún refugio campestre.

—Me extraña que veáis a nadie. Porque, francamente, ¿quién iba a venir aquí? —dijo Marvin—. Tendrías que proporcionarle a este lugar un aspecto medio presentable.

—«Presentable.» Bonita palabra. Piensa, Marvin: ¿qué vendo yo aquí? Esto no es una tienda de menaje del hogar en unas galerías comerciales.

Era un tipo listo, al que podía llegar a apreciarse, pero su rostro carecía de edad, lo que desconcertaba a Marvin, ya que a uno le apetece saber la edad del hombre con el que está hablando.

—¿Qué has vendido hoy?

—Sois los primeros que entran en la tienda.

—No parezcas tan satisfecho.

—Llevo aquí desde mediodía. Todos esos mercaderes no abren hasta tarde.

—Desde mediodía. Y nadie.

—Qué interesante, ver por aquí a una mujer —dijo Tommy.

Eleanor permanecía inmóvil, tal vez paralizada por lo exótico de su condición.

Dijo:

—¿No hay que proporcionarle a la gente un incentivo para que compre? No es que sea asunto mío.

—«Un incentivo.» Qué idea tan moderna. El incentivo es algo intrínseco, diría yo. Estos materiales no poseen ningún interés estético. Están descoloridos y medio deshechos. En realidad, no es más que papel viejo. Mis clientes acuden aquí en gran medida por el desorden y el caos. Es una historia de la que sienten que forman parte.

Marvin dijo a Eleanor:

—Siempre pensé que las personas que guardan estos trastos viejos, estas cosas de béisbol, siempre pensé que vivían en el Este. Pensé que aquí era donde venían a retomar sus recuerdos. Tommy es el primer coleccionista que conocí al oeste de Pittsburgh.

Tommy mostraba una sonrisa tan leve y fugaz que tan sólo podría haber sido fotografiada con alguna película desarrollada por la NASA. Su pequeño rostro anodino flotaba en la penumbra, y Marvin experimentó un ansia infantil por alzar la mano y tocarlo, tan sólo para comprobar si el tacto era similar al del suyo, esa áspera y rugosa superficie que se lavaba y afeitaba todos los días.

—¿Encontraste a tu hombre? —dijo Marvin.

—Encontré el barco. Del hombre, olvídate.

—Tienes que rendirte.

—Mira quién habló.

—No puedes localizar el pasado con exactitud, Marvin. Ríndete. Retírate. Por tu propio bien.

—Mira quién habló.

—Libérate —dijo Tommy.

—Aquí sentado, inhalando polvo como vete a saber qué clase de estatua.

—Ecuestre —dijo Eleanor.

—Como una estatua ecuestre en medio de un parque.

—Cierto. Mi situación es aún más irreal que la tuya. Tú, al menos, te mueves por ahí. Yo sigo aquí sentado con estos papeles que se desintegran. Hay una cierta venganza poética en todo ello.

—¿Qué clase de venganza?

A través de los labios de Tommy flotó una sonrisa delicada como el hálito de un colibrí.

—La venganza de la cultura popular contra quienes se la toman demasiado en serio.

Aquella observación me llamó la atención. Marvin sentía en el pecho algo parecido a lo que experimenta un coreano en pijama cuando aplasta un ladrillo de un golpe con la superficie de la mano. Pero pensó entonces: ¿Cómo no voy a tomármelo en serio? ¿Qué es lo que no debería tomarme en serio? ¿Qué podría tomarme más en serio que esto? ¿Y de qué sirve levantarse por las mañanas si no intentas compensar la enormidad de las fuerzas universales conocidas con algo poderoso de tu propia existencia?

Sabía que Eleanor quería marcharse. Sabía que Eleanor estaba pensando, Por lo menos Marvin mantiene el sótano bien ordenado.

Antes, había algo que quería comprar. Una pequeña caja vacía medio olvidada en un rincón en la que podía leerse Liga Nacional Oficial Spalding número 1: en otro tiempo, muchos años atrás, había contenido una pelota de béisbol nueva. La conservaría para el día en que la vieja y maltrecha pelota llegara a su poder, cuando llegara y si es que llegara.

Extendió la mano para pagar al hombre. De la pared colgaba una fotografía del presidente Carter y de su hija, como-se-llame, de pie en la rosaleda con Bobby Thomson y Ralph Branca, sus rostros contraídos por sendas sonrisas forzadas.

Salieron a la calle. Una mujer harapienta empujaba sus posesiones apiladas en un carrito de ruedas, aparentemente decidida a alcanzar algún destino específico. ¿Tendría una familia que la esperaba? ¿Se trataría de una viajera del futuro? ¿Habría gentes que vivían ocultas a nosotros en los recovecos de qué, de la infraestructura, en lo más profundo de los túneles y bajo las rampas de acceso de los puentes?

—Tommy tiene un aspecto tan satisfecho... ¿Cómo es posible, viviendo en esa oscuridad?

—No arrastres los pies, Marv. Eres una persona sana, no un enfermo.

—Todo el día solo en esa mazmorra.

—¿Tiene mujer e hijos?

—No lo sé. ¿Quién iba a preguntárselo? No es la clase de pregunta que hacemos en el mundo del coleccionismo.

—¿Dirías tú que disfruta de los entretenimientos de nuestro modo de vida básico?

—Qué bien pronuncias esa palabra.

—¿Tiene un jardincito trasero en el que cultiva tomates de Jersey durante los veranos?

—Cuando le veo, no veo un tomate devolviéndome la mirada.

—¿Se lleva a su novia cuando hace viajes de negocios?

Eleanor sabía cómo hacer que se sintiera afortunado. Y tenía razón, casi siempre tenía razón, los tomates, la cuestión de la limpieza, la casa con el espacioso sótano, la hija que no les había ofendido seriamente haciendo algo clandestino fuera del matrimonio. Pensad en Tommy, cenando comida camboyana a domicilio en su tienda, a medianoche. Pensad en Avram, en Gorki, recorriéndose el pasillo con el grifo en la mano cada vez que quería tomar un baño.

Descubrieron un taxi al ralentí frente a un viejo hotelucho.

Pero en realidad, seamos sinceros, era Marvin el que arrastraba los pies, Marvin era el auténtico cenizo, convencido de su propia mala suerte, Marvin el hincha de los Dodgers, condenado en aspectos que prefería no mencionar.

Junto a ellos pasó un coche de policía con la sirena en marcha, un ruido giratorio y succionante, sonaba como la trituradora de su cocina: Eleanor solía preparar compulsivamente zumos de frutas que ambos se sentían moralmente obligados a consumir.

Era hora de pensar en irse a la cama. Pero primero la llevó a bailar al salón del piso superior del hotel, una estancia íntima equipada con una orquesta, ya bien pasada la medianoche.

Se deslizaban sobre el suelo, oscilando y arqueándose, no contoneándose realmente sino más bien vacilando, mostrando una declaración formal de que en un sitio así podía tener lugar lo que denominamos un bailongo. Les gustaba bailar, se complementaban bien, en el pasado habían ido a bailar con frecuencia pero olvidaron la costumbre, dejaron que se les escapara con el transcurso de los años del mismo modo que llegas a olvidar alimentos que solías devorar, como las *charlottes russes* cuando estuvieron de moda.

Ella deslizó la mano por sus cabellos incombustibles.

Y Marvin la estrechó firmemente y experimentó la vieja incredulidad de haber descubierto una vida juntos, dos personas tan intrínsecamente distintas aunque no lo fueran, y supo que la fuerza de aquella incredulidad era exactamente lo mismo, de haber podido medirse, que la conmoción de enamorarse.

Pero en el fondo, en la marvinidad de sus profundidades sin nombre, subyacía aún un algo tenebroso que despertaba su inquietud.

Y cuando se aproximaron a la ventana contempló las luces del puente de la bahía a través de la neblina y distinguió el viejo petrolero olvidado, confortablemente amarrado en su muelle, acre y proscrito, y contó hasta el muelle número 7 para descubrir que el *Lucky Argus* ya estaba descargado y había partido, a lomos de la marea, como una forma oscura viajando a qué, a la velocidad reglamentaria, por el inmenso y profundo peligro de la noche.

3

El club no estaba en su mejor momento que digamos. Había siete parroquianos, Sims y yo incluidos, y la banda se componía de cuatro tipos: un saxo con perilla y sus encorvados compañeros.

Ignoraba dónde nos encontrábamos. Podía ser Long Beach o Santa Mónica o cualquier difuso suburbio de cualquier parte. Era el tercer club en el que entrábamos, y mi precario sentido de la orientación yacía hecho pedazos. Big Sims no estaba hablador aquella noche: se trasladaba a través del paisaje con sombría determinación, media copa y a la calle, como un hombre al que le hubieran encomendado una tarea en un poema épico.

—Oye, Sims, vete a casa, ¿quieres? No estás disfrutando de la música. No quiero que pienses.

—La música está bien. Es música.

—Pero no pienses que tienes que hacerme de guía. Vete a casa. Yo me quedaré un rato y luego cogeré un taxi.

—Que me vaya a casa.

—Vete a casa. Eso es. Pero primero dime con quién estás enfadado.

—No estoy enfadado. Si piensas que esto es estar enfadado... —dijo.

Un tipo de edad madura nos trajo las copas, un individuo que llevaba un trozo de algodón en uno de los orificios de la nariz. Vestía una camiseta en la que podía leerse Fútbol los Lunes por la Noche en Solomillos y Chuletas Roy Earley. Ni era lunes, ni estábamos allí.

Dije:

—¿Qué ha ocurrido?

—Qué ha ocurrido. ¿Qué ocurre en casa de uno?

—Te has peleado con Greta.

—Olvídalo —dijo—. Bébete la copa.

—Estos tíos no tocan mal.

—Es música. Bébete la copa —dijo.

—Tienes el estómago encogido.

—El hecho es que nunca nos peleamos.

—Nunca os peleáis. Marian y yo nunca nos peleamos. Así que cuando ocurre...

—Te lo guardas dentro.

—Notas como un nudo, como un peso.

—Nunca peleamos, coño.

—Marian y yo nunca nos peleamos. Vete a casa y reconcíliate. Yo pediré un taxi. ¿Se puede pedir un taxi desde aquí?

—Estás encaneciendo un poco —dijo él.

—Y tú te estás quedando un poco calvo.

—Me estoy quedando muy calvo. Pero tú estás encaneciendo un poco.

El tenor había empezado a acometer notas cubistas. Nos habíamos tomado ya unas cuantas medias copas y el batería estaba chasqueando los bordes de la caja o lo que sea que hacen los baterías, y bajo el ruido del local y la extensa confusión de un paisaje nocturno que no me era familiar, intenté comprender las palabras de Sims.

—En serio, vete a casa. Estoy bien. Me gustan estos tíos. Es tela marinera.

—Es música racial —dijo él.

—Es un jazz loco, desatado.

—Es música racial. Te gusta por lo que te gusta. A mí me gustará por lo que me guste. Un día te enseñaré una foto que tengo en casa. Una foto estupenda, tomada, no sé, en los años cincuenta. Charlie Parker vestido con un traje blanco en un club de no sé dónde. Una foto estupenda, estupenda, estupenda.

—Un club de Nueva York.

Me miró con rostro inexpresivo.

—¿La conoces?

—Una foto estupenda —dije yo.

—Espera. ¿La conoces? ¿La del club de Nueva York?

—Lleva un traje blanco y esos zapatos que nunca recuerdo cómo se llaman.

Sin motivo, pensé en cuánto cambiaban nuestros rostros, en

cómo me esforzaba por detectar en la mirada de otro hombre cualquier signo que me indicara si debía preocuparme y en cómo, al mismo tiempo, evitaba el contacto visual hasta que conseguía dominar un poco la situación, y en cómo parecíamos coincidir, entre los silbidos y gemidos de la habitación, en cuanto al hecho de que si todos tuviéramos el mismo rostro estaríamos a salvo de cualquier peligro.

—¿Se puede llamar a un taxi desde aquí? Vete a casa. Reconcíliate con ella. No sometas este episodio a diez horas de escrutinio neurótico.

—Que me vaya a casa.

—Vete a casa. ¿Cómo se llaman esos zapatos en los que estoy pensando? Dile que lo sientes. No permitas que la cosa se estanque. Zapatos bicolores, pasados de moda.

Él me miró, sopesando mis palabras.

—Un día de éstos tenemos que ir a un partido. Vuelves dentro de unos meses, ¿no es así? Iremos a un partido.

—No quiero ir a ningún partido.

—Iremos a un partido —dijo él.

Nos acabamos las copas y nos marchamos. No habían transcurrido quince minutos cuando ya estábamos en otro club, escuchando cómo los trompetistas acribillaban los muros, cuatro tipos ataviados con fez y caftán que producían un sonido físico y contaban con un batería que básicamente producía sonidos vocales, aullidos y gemidos desafinados.

Pedimos unas copas, escuchamos durante un rato y, por fin, Sims se inclinó hacia mí.

—Me ha pasado en dos ocasiones desde que estoy aquí. Sacan las pistolas. Mi vida dependiendo del dedo índice que un poli tiene en el gatillo porque me parezco a un sospechoso o porque tengo fundidas las luces de posición. Sale del coche. Me saca del coche. Dice, tiene usted que salir del coche ahora mismo. Y yo salgo del coche. Y dice, ponga las manos encima del techo y separe bien las piernas. Pero yo me limito a mirarle. Y él también me mira. Nos miramos mutuamente con unas ansias asesinas que por una parte resultan completamente desconcertantes y por otra completamente naturales.

Yo asiento y espero. Él, Sims, permanece sentado frente a su copa, muy serio.

—Si quieres ser mi amigo tienes que escuchar esto —dijo.

Las paredes estaban decoradas con viejas fundas de álbumes de Pacific Jazz, y al volver la cabeza hacia el escenario percibimos la fuerza de la música, un jazz sofisticado que poseía la textura de un argumento a vida o muerte.

Le dije:

—Sí. —Dije—. Sí, estoy empezando a encanecer un poco. Pero no comprendo por qué tiene que ser peor que quedarse completamente calvo, algo que, en tus propias palabras, es tu destino reconocido.

—De eso se trata.

—¿Se trata de qué? Unas cuantas canas no es lo más terrible que puede sucederle a un hombre.

—Vámonos, ¿quieres?

—¿Por qué?

—Conozco un sitio.

—A mí me está gustando éste.

—Quiero enseñarte algunas cosas, ¿vale? Tienes que aceptarlo —dijo—; yo estoy aquí, y tú no.

—De acuerdo, pero deberías irte a casa. Decirle que lo sientes.

—Quiero que sepas algo acerca de nosotros.

—¿Qué?

—Nunca reñimos.

—Nosotros tampoco reñimos nunca. Riñen nuestros amigos.

—Por eso me siento retorcido por dentro.

—Te escucho.

—Vámonos, pues —dijo.

El siguiente local estaba en el centro de Los Ángeles. El centro de Los Ángeles: la expresión poseía un aliento secreto que no me sentía capaz de descifrar con claridad. El grupo era un telonero, y en la sala flotaba suspendida una nube de humo de diez años de antigüedad.

—Yo tocaba la trompeta. ¿Lo sabías?

—¿Sigues tocándola?

—Una vieja trompeta rescatada de una casa de empeños. Terminé por tirarla.

—Pero aún la conservas.

—La tiré —dijo.

360

—¿No la conservaste?

—¿Para qué? Sonaba a demonios.

—Es algo estupendo para tener. ¿Una vieja trompeta? Y no se llaman mocasines, por cierto. Cuando hablo de zapatos bicolores no me refiero a esa clase de zapatos.

—Aquello sonaba como la muerte y los funerales de la música.

—Idiota. Debiste haberla conservado.

—Un momento. ¿Me has llamado idiota?

—Una cosa estupenda para tener. Hay que conservar esa clase de cosas. ¿Una trompeta de segunda mano? Magnífico.

—Espera un momento.

—Craso error, Sims.

—¿Me has llamado idiota?

El pianista hizo su aparición en primer lugar; luego, el bajo. El batería llevaba el pelo sujeto por una cinta y unas gafas oscuras.

—El barco ha vuelto —dijo—. ¿Lo sabías?

—No.

—Está costa arriba, en San Francisco.

—¿Quién te cuenta esas cosas?

—Ya sabes cómo funcionan los rumores. Nadie te dice las cosas. Sencillamente, las oyes.

—¿Qué has oído contar de la carga?

—Eso es otra cuestión completamente distinta —dijo Sims, adoptando la voz forzada de los vendedores de coches de segunda mano, y encima con acento del Sur, lo que me hizo soltar la carcajada—. Eso sí que es interesante. Ésa es la mejor parte de todo este puñado de rumores.

Por fin, apareció el trompeta, un tipo bien plantado con los dientes separados; iba adornado con una cadena de oro y vestía ropa playera y sandalias.

—Decían que era heroína. Decían que era un transporte de heroína realizado por la CIA para financiar una operación secreta. Pero tú y yo no nos creímos aquello.

—Porque somos personas responsables.

—Y estábamos en lo cierto —dijo Sims—. Porque no se trata de heroína. No son productos químicos venenosos, no son cenizas industriales y no es heroína.

—¿Qué es?

—Es una confusión ocasionada por una palabra. Eso es lo que es.

—¿Qué palabra?

—Ya sabes cómo llaman a la heroína. La llaman polvo, la llaman caballo, la llaman H, la llaman jaco, la llaman esto y lo otro. ¿Y qué otra cosa la llaman, Nick?

—La llaman mierda.

—¿Entiendes ahora? No es un cargamento de heroína. Es un cargamento de mierda.

Nos sentimos momentáneamente alerta, ajenos a rodeos. Se estaba produciendo uno de esos episodios de claridad definida que tienen lugar durante una noche de copas y charla.

—En un momento dado, corrígeme si me equivoco, los rumores sugerían que no se trataba de un cargamento marítimo corriente.

—Un transporte de lodos. Y resulta que el rumor era cierto.

—Transporta excrementos humanos previamente tratados.

—De puerto a puerto, casi dos años —dijo.

Escuchamos la música, la caja registradora que tintineaba al extremo de la barra y las trazas de una voz de radio o televisión procedentes de un cuarto trasero invisible.

—Dile que lo sientes. Vete a casa, Sims.

—Quizá debiera decírmelo ella.

—Díselo tú primero.

—A lo mejor no soy yo el que tiene la culpa. ¿Has pensado en eso? El instigador.

—Qué más da, so idiota.

—Con ésa van dos —dijo, mostrándome dos dedos.

Salimos de allí y nos dirigimos a otro local, decorado con paredes de cebra y mesas pequeñas, una sala bastante concurrida en la que reinaba un zumbido corporal, gente ataviada con gafas de aviador y camisas plateadas.

—Lleva un traje blanco.

—Sí.

—Está tocando el saxofón alto.

—Sí.

—Y mira al exterior de la imagen, fuera de los bordes.

—Y lleva zapatos marrones y blancos. Zapatos bicolores. Pero no son mocasines.

—No te he preguntado qué clase de zapatos eran. Me dan igual sus zapatos.

—Lo mencionaba, simplemente.

—No me interesan sus zapatos.

—Tienen un nombre del que intento acordarme.

—Acuérdate en otro lugar.

—En un club de Nueva York —dije.

—¿Sabes eso? ¿Y yo no lo sé? ¿A pesar de que se trate de mi fotografía? ¿De la que tengo en casa, dices?

El camarero nos trajo unas copas.

—Escucha. Vete a casa, dile que lo sientes, date un baño y métete en la cama.

Él me miró, extendiendo hacia fuera el labio inferior.

—Pasa otra cosa.

—¿Qué? —dije yo.

—Un juez dictó una sentencia, una orden que prohibía verter aquellos lodos debido a que hay un cuerpo enterrado en ellos —dijo Sims, dando un sorbo al vaso y extrayendo un puro del bolsillo.

—¿El cuerpo de quién?

—El cuerpo de quién. ¿Qué cuerpo preferirías que fuera? Ese cuerpo es. Por lo que me dicen, de algún mafioso. Ejecutado con un disparo en la cabeza.

Un trío con una cantante. Una muchacha de cabellos rojizos y veteados y piel cobriza que sostenía el micro junto a su muslo de lentejuelas mientras el resto de la banda coreaba el siguiente estribillo.

—Nunca nos peleamos. Nuestros amigos se pelean —dije.

Cuando acabó el espectáculo nos asaltó una sensación de fatiga, de ranciedad. Sims sopló una bocanada de humo por encima de mi hombro. Yo golpeé uno de los cubitos de hielo que flotaban en mi vaso; lo empujé con el dedo y observé como se hundía y volvía a salir a la superficie.

—Una vez vi a un tipo. No le conocía, sólo le vi una vez. Yo entonces era joven —dijo—. Se acercó por los billares.

—¿Con qué se relaciona esto que me estás contando?

—Con el cuerpo sumergido.

—Un mafioso. ¿Quién era?

—Yo era joven. En edad de instituto. Sólo hablé con él aquella vez. Pero mi padre le había conocido años atrás, y me lo contó. Me lo contó Badalato, no mi padre. No eran amigos, eran conocidos. A veces coincidían en algunos sitios.

—¿Es Mario de quien estás hablando, Badalato? Le vi una vez en televisión —dije—, en una secuencia en la que le meten en un coche camuflado para llevarle al juzgado y uno de los detectives le pone la mano en la cabeza para que no se golpee contra el marco de la portezuela y yo, ahí sentado, pensaba, ¿por qué será que los policías se preocupan siempre tanto de que los criminales no se golpeen la cabeza? Últimamente parece que no piensan en otra cosa, los policías, más que en protegerles la cabeza con la mano.

—De repente te has vuelto muy locuaz.

—Siempre le están fotografiando en las escalinatas de los juzgados. Es el rey de las escalinatas.

—Tienes razón. Vámonos —dije.

—Tu padre le conocía. Eso significa... ¿qué?

—Significa que le conocía.

—En otras palabras, que debo ser respetuoso. Debo mostrarme reverente al pronunciar su nombre. El nombre de un tipo que dirige una red de narcóticos, extorsión, qué sé yo. Asesinatos, intentos de asesinatos, qué sé yo.

—Transporte de desechos —dije.

—Tal vez. ¿Por qué no? Y tengo que respetarle. Porque se mostró amable con tu padre.

—Tienes razón. Vámonos —dije.

—No he dicho que quisiera marcharme. No quiero marcharme.

—Dile que lo sientes y date un baño —le dije.

Media hora después estábamos en el último club de la noche, una sala de blues en la que reinaba una atmósfera de desesperación, con un camarero que se parecía al viejo de dos o tres sitios atrás, se parecía en las facciones: vestía un uniforme corriente de camarero pero se parecía un montón, pensé, al otro tipo, al de la camiseta de fútbol, el de tres o cuatro locales antes, o cuando fuera, el de la camiseta y el tapón de algodón en la nariz.

—Este sitio me recuerda... ¿Sabes eso que te dicen siempre? ¿Dónde estabas tú cuando pasó tal cosa o tal otra? ¿Dónde estabas tú cuando lo de Kennedy? Bueno, pues ¿recuerdas aquella vez que se fue la luz? Este sitio me lo recuerda. El gran apagón del Nordeste.

—¿Y se supone que yo tengo que preguntarte a ti dónde estabas? —dijo él.

—Afectó a treinta millones de personas.

—Yo estaba en Alemania. Nunca me enteré de cuál había sido el motivo. ¿Cuál fue el motivo?

—Nadie lo recuerda. Treinta millones de personas. Ni uno solo de nosotros lo recuerda.

—Pero recuerdas dónde estabas.

—Pregúntame dónde estaba. Estaba en un bar que se parecía un poco a este lugar —dije—. Almas deprimidas, jazz triste. Palmeras pintadas en la pared.

—Aquí no hay palmeras en las paredes.

—Mejor aún, así se parece más. Y las luces se apagaron.

—Hicieron una película. Yo estaba en Alemania —dijo.

—Quizá en aquel otro sitio no había jazz. Quizá solían tenerlo pero lo dejaron. Con respecto al jazz, reinaba la política de no tocar jazz, lo que viene a ser lo mismo si te fijas detenidamente.

No se parecía al viejo de tres o cuatro locales antes. No era ni mucho menos a él a quien se parecía. Se parecía al taxista que me había llevado aquel mismo día, o el día anterior, al tipo que había dicho: «Enciende un Lucky. Es hora de fumarse un cigarrillo.»

Me metieron en el coche patrulla, o igual entonces lo llamaban coche de radio, en cualquier caso se trataba de un automóvil verde y amarillo, y el poli que conducía iba fumando, lo que no debía hacer, un policía de uniforme no debe fumar cuando está de servicio, y me sorprendió verlo, recuerdo, un agente fumando a escondidas entre las rodillas, porque acababa de matar a un hombre de un disparo, y pensé que me introducirían en un sistema en el que las normas eran lógicas y estrictas, y la otra cosa que recuerdo es que nadie me puso la mano en la cabeza al introducirme en el coche ya que, evidentemente, no es algo que soliera hacerse entonces, es algo que han desarrollado posteriormente, lo de impedir que el criminal se golpee la cabeza al entrar en el coche.

Aquello, claro está, sucedió en el Este. He oído el término muchas veces desde que llegué a esta parte del país. Pero nunca pienso en él como un término geográfico. Para mí es una referencia, una manifestación temporal que concierne a las densidades del ser y de la experiencia, es el tiempo disfrazado, es momento para un cigarrillo, un tiempo humeante y cambiante desviado por una especie de falso punto de equilibrio. Cuando la gente emplea ese término están hablando de cómo solían ser las cosas antes de venir aquí, de cómo era el mundo, y no sólo Nueva Jersey o el sur de Filadelfia, o antes de que se mudaran sus padres, o sus abuelos, y sobre cómo las cosas aún existen según nuestra teoría privada de la relatividad, en alguna dimensión humeante y cambiante, o antes de que los otros hombres y mujeres vinieran hasta aquí, los de los carromatos Conestoga, otro término que aprendimos en la escuela secundaria, un término propio del Este, surgido del lugar en el que se fabricaban aquellos carromatos.

La sala estaba casi vacía, y estaban tocando blues.

—Sé amable con ella —dije—. Vete a casa, habla con ella, sé bueno. ¿Conoces la expresión? Sé bueno. ¿Usaban esa frase cuando eras un niño negro en San Luis, Sims?

—Venían a censarnos.

—Sí, ¿y qué?

—Y mi madre me decía que me escondiera.

—¿Para qué?

—Para qué. De eso se trata. No sabía para qué. Ella pensaba, qué sé yo lo que pensaba. Yo iba y me escondía, ¿entiendes? Dos personas allí en la puerta, con sus carpetas. Y ella decía, Métete dentro, no te asomes.

—No te asomes.

—Me decía, No te asomes. Ignoro qué pensaba yo e ignoro qué pensaba ella.

—No era más que el censo.

—No digas que sólo era el censo.

—Tú me dices que estoy encaneciendo un poco. Y se supone que tengo que comprender por qué eso es peor que quedarse completamente calvo.

—Porque está en mi historia, está en mi familia —dijo él—. Yo tengo que quedarme calvo. Es algo que se espera de mí. No te asomes, decía.

—No te asomes.

—¿Tú crees en el censo, Nick?

Estaba allí sentado, con la corbata aflojada y la chaqueta arrugada, reencendiendo el puro cuando se apagaba, con una rosada línea de atardecer visible sobre el prominente labio inferior.

—¿Qué quieres que te diga? Sí, creo en él. No, no creo en él.

—Quiero que me digas lo que crees.

—Porque percibo que estamos a punto de entrar en terrenos delicados.

—¿Qué crees? —dijo.

—Creo en el censo. ¿Por qué no iba a creer en él?

Me dirigió una mirada inexpresiva, agradablemente tensa.

—Crees en él.

—¿Por qué no iba a creer en él?

—Crees en las cifras. Crees que tan sólo hay veinticinco millones, pongamos por caso, de negros en América.

—¿Por qué no iba a creerlo?

—Así pues, lo crees.

—Si ésa es la cifra, ésa es la cifra.

—Y no se te ocurre que puedan estar ocultando la verdadera cifra.

—Espera un momento.

—No se te ocurre.

—Espera espera espera espera espera espera.

—Piénsalo —dijo.

Tiró de su camisa, hizo una cosa que hacen los adultos, tiró de su camisa con las dos manos para apartarla del pecho y la agitó con cierta delicadeza para permitir que respirara el torso.

—Sims, tú y yo.

—Tan sólo piénsalo.

—No somos, recuerda, no tenemos una palabra, tú y yo, para designar la ciencia de las fuerzas ocultas. Para lo que subyace bajo un acontecimiento. No aceptamos la validez de esa palabra o de esa ciencia. ¿Recuerdas aquella conversación?

—Ésta es una conversación diferente. Y en esta conversación te digo, Piénsalo.

—Pero tú y yo. Tú y yo vamos contracorriente, Sims. Seguir la corriente es muy sencillo, es irresponsable. Tú y yo somos hombres responsables. Hemos llegado a esa conclusión. No creemos en fuerzas secretas que socaven nuestras vidas.

—Treinta millones de personas afectadas por ese apagón local. Pero sólo veinticinco millones, dicen, de negros en este enorme país.

—Si es la cifra, es la cifra.

—Y eso es cuanto se te ocurre decir. Tenemos aquí un tema que está pidiendo a gritos, realmente, un escrutinio, por emplear una de tus palabras.

—Adelante, escrútalo.

—Tú estás dispuesto a aceptar la cifra.

—Veinticinco millones. Sí, ¿por qué no?

—No te parece que sea una cifra considerablemente baja.

—Veinticinco millones no es tan baja. Son veinticinco millones —dije.

—No te parece que sea una cifra completamente disfrazada.

—¿Por qué dices que escrutinio es una palabra mía?

—Porque la has utilizado.

—¿Y por eso tiene que ser mía?

—Yo no la utilicé. La utilizaste tú.

—Me creo la cifra. Para mí, es una cifra verosímil.

—¿No crees que alguien tenga miedo de que si informan de la cifra real los blancos puedan mearse en los pantalones y los negros se animen y digan, Oye, tendríamos que tener más de esto y más de lo otro y más de lo de más allá.

—Tú y yo —dije.

—No crees que se trate de una cifra rebajada, digamos, en un cuarenta por ciento.

—Tú y yo no perdemos el tiempo con delirios facilones y baratos, Sims.

—Facilones y baratos.

—¿Tengo razón? Tú y yo. Tú y yo no creemos que lo que hay tras un acontecimiento sea algo tan organizado y tan siniestro que haya que inventarse una ciencia para estudiarlo.

—No crees que los blancos vayan a sentirse deprimidos, que vayan a sentirse, odio decir esto, amenazados por la cifra real.

No odiaba decir aquello en absoluto.

—Y tú piensas que esta oficina del censo está ocultando a diez millones de personas —dije.

—No ocultando a las personas. Ocultando los números. Es algo muy sencillo de ocultar.

—Pero una cifra tan grande. Qué manipulación tan tremenda. Y está teniendo lugar ante nuestros propios ojos. Quizá se deba a las madres —dije yo—. Diez millones de madres diciéndoles a sus hijos que no se asomen. No te asomes —dije.

Una breve sonrisa de Big Sims, una sonrisa refleja carente del correspondiente brillo en los ojos.

—Enfréntate con la cuestión.

—¿Cuál es la cuestión?

—Tenemos derecho a saber cuántos somos.

—Y lo sabéis.

—No lo sabemos. Porque es una cifra demasiado peligrosa. ¿Acaso no te sientes amenazado por la cifra real? Estoy hablando contigo. Piénsalo bien.

—De acuerdo, estoy pensando.

—Dime si de corazón crees que no hay nada real en lo que estoy diciendo.

—Hay una paranoia real. Es lo único real que distingo.

Aquello pareció agradarle. Se reclinó y desvió la mirada a un lado, amargamente dichoso, examinando qué podría haber en la naturaleza de las relaciones humanas que hiciera a las personas tan suavemente previsibles.

Yo escuchaba los blues del trompeta, un tipo joven con un traje desgastado, de una negrura africana, de esa negrura saturada que existe en ciertas franjas del continente, un nómada pleno de la gracia y de las formas del más profundo desierto, pero en sus gestos y en su ademán, observé, en el modo en que se limpiaba la saliva con la lengua entre una cadencia y otra, unos movimientos corporales propios de la zona: no era más que otro trompeta intentando salir adelante y procedente de quién sabe qué gueto del centro.

—Charlie Parker vestido con un traje blanco en un club de Nueva York —dije.

—¿Puede saberse cuántas veces te he oído mencionar Nueva York en lo que va de noche?

—Y sé qué clase de zapatos lleva.

—No me importa la clase de zapatos que lleve.

—Zapatos *spectator*.

—No me importa la clase de zapatos que lleve.

—No son mocasines. Se llaman zapatos *spectator*.

—No me importa cómo se llamen.

—Escucha. Esto es lo que tienes que hacer —le dije—. Te vas a casa, dices que lo sientes, echas en el baño algún producto efervescente, te das un baño y te metes en la cama.

Diez minutos después estábamos delante del club, a la espera de que alguien trajera el coche. Sims depositó una mano sobre mi hombro y me propinó un leve topetazo con la cabeza.

No sabía cómo interpretar aquello.

Me dirigió una sonrisa apretada y volvió a golpearme en la frente. Yo ignoraba si se trataba de un gesto impulsivo como resultado de una larga noche, cuando ya estás mareado de alcohol y ronco de tanta charla y tanto humo, la clase de cosa que da la velada formalmente por concluida, o de algo un poco más deliberado.

Me desasí de sus brazos y le golpeé yo a él. Puse ambas manos sobre sus hombros y le golpeé con la frente, y él me observó con interés y volvió a hacerlo de nuevo.

Me dolió, claro, me desencadenó como un latido, era algo monosilábico, un tope, un toque, una impresión impulsora y descendente que enviaba un espasmo eléctrico a lo largo de la nuca, hasta el cuello y los hombros.

Y venía de cerca, cara a cara, un terreno de combate carente de espacio para maniobrar o para sutilezas, una cierta cantidad de rencor acumulado que llenaba el campo visual, una mueca o una expresión airada, o una mirada disimulada, como algo asesino y soterrado, disimulado y obtuso.

Yo era más alto que Sims, pero no tan corpulento y sólido como él, y nunca había empleado la cabeza como instrumento de asalto medieval.

Le golpeé justo encima de la nariz, con un impulso descendente, y le dolió, pude percibirlo, le envió un mensaje que retumbó en el interior de su cráneo.

Él me dio con fuerza. Me golpeó con tanta fuerza que retrocedí, medio tambaleándome, a la vez que mis hombros se desasían de sus brazos. El chófer apareció con el coche y se detuvo a mirarnos.

Era un dolor eléctrico y compacto que reducía todo a su propio entumecimiento, haciendo que más allá de los límites de mi cabeza el mundo pareciera pequeño y confuso.

Eso hicimos, redujimos nuestro campo de observación, aislándonos de todo menos de los golpes, las miradas y el dolor.

Cuando intentó golpearme de nuevo, moví la cabeza, retrocedí medio centímetro, intentando atenuar un poco el golpe, y él sacó la barbilla y me lanzó una mirada encendida.

El dolor no es sino otra modalidad de información.

Entrechocamos las cabezas de nuevo, una vez cada uno, mientras el chófer permanecía allí con las llaves del coche, mirándonos.

Al llegar a la habitación del hotel, me miré al espejo del lavabo. Apoyé ambas manos sobre la pared, me incliné hacia el espejo y pude distinguir contusiones y verdugones, zonas profundamente descoloridas y una mancha de sangre seca rodeada de un matiz vinoso. Me limpié las heridas con agua fría y me metí en la cama. Pero tan pronto como mi cabeza tocó la almohada sentí que me mareaba y tuve que sentarme en una silla durante una hora hasta que desapareció la sensación.

No dejaba de volverme lo mismo a la mente, e intenté penetrarlo, penetrar la vibración, nuestros rostros como con un doble enmarcado sobre los cubitos de hielo de las bebidas, desenfocándose, enfocándose: no para detallar mis propios sentimientos, sino tan sólo para comprender los desencadenantes ocultos de la experiencia, los minúsculos giros y escarbaduras que conforman un estado del ser.

Corrimos a través de depresiones inmersas en la niebla, dejando atrás casas construidas sobre profundos desfiladeros y apuntaladas con zancos, y penetramos en zonas boscosas con un aire a yesca, una calma seca, blanquecina y polvorienta, una sensación de límite de combustión, aunque quizá no... quizá eran imaginaciones mías.

—¿Qué más has oído acerca del cuerpo sepultado en el lodo?

—No encontrarán ningún cuerpo. El cuerpo no es más que otro adorno —dijo—. Lo principal es el propio barco.

—¿Qué pasa con el barco?

—Un barco que se pasa dos años en alta mar cambiando de nombres y de tripulaciones: eso tampoco es más que otra historia cualquiera. El barco realizó un viaje recientemente, de la costa este a la costa oeste. Transportaba lodos a California, para una planta de abonos. Un cargamento normal y corriente.

Corríamos por las calles de la ciudad, avenidas ajardinadas y envueltas por una cierta aura de decadencia, una cualidad de desubicación temporal que resultaba deslumbrante por su abierto remordimiento.

—Escucha, Sims, esto es lo que pasa.

—Corramos —dijo él.

—No sé. Me siento un poco... y no debería decir esto, lo sé, no a alguien como tú.

—Quieres a tus hijos, ¿verdad?

—Sí, claro.

—Pues entonces, corre —dijo.

—Lo cerca que estoy, en algunos momentos, pienso a veces, a pesar de lo mucho que los quiero, de sentirme como un impostor. Porque, joder, no ha sido nunca algo con lo que me haya sentido cómodo.

Estábamos en la Cocina del Infierno, desgastada por kilómetros de colinas y de ardiente pavimento, temerosos de movernos por miedo a gotear sudor sobre algo, dos hombres en pantalón corto, y Greta nos dio sendos vasos de agua, una mujer morena con manos alargadas y una delgadez semiescondida, una especie de analogía esbelta y angular, una Greta de rayos X que probablemente se revelaba a sí misma en las discusiones o bajo el estrés.

—¿Te gusta este lugar? —dije.

—Me siento en el fin del mundo. Llevamos aquí cuatro años y todas las mañanas me despierto e intento recordar dónde estoy. Tan alejado de todo.

—Estamos arrinconados —dijo Sims— contra un océano inmenso.

Y el hijo, de cinco años, sentado a la mesa con su cuenco de cereales y su cuchara demasiado grande, Loyal Branson Biggs, un muchacho tan suavemente apuesto, tan distraídamente bendecido con una belleza expresiva que no podía dejar de mirarle, le miraba mientras hablaba con sus padres y ellos le miraban también, y le miraban porque yo estaba mirando: yo les recordaba la necesidad de renovar su sensación de asombro ante el niño.

—¿Qué te ha pasado en la cara? —me dijo Greta.

Observé a Loyal mientras batía la grumosa leche con su cuchara.

—Bueno, la verdad es que es una buena pregunta.

—¿Y cuál es la respuesta? —dijo ella.

—Bueno, tuve una pequeña reyerta en el ascensor. ¿Tanto se nota? En el hotel. No sabía que aún me quedaban señales. Dos borrachos. Un blanco y un negro.

Pude notar que Sims estaba disfrutando con aquello, enfundado en sus ardientes Reeboks.

—Nick inició la pelea —le dijo a su mujer.

—¿Es cierto eso?

Me lo dijo a mí, pero miraba al niño que consumía su desayuno. Mirábamos todos a Loyal.

—Le dijeron que estaba encaneciendo un poco y perdió los estribos —dijo Sims.

Greta tenía que llevar al niño al colegio y luego tenía que acudir a su propio colegio, donde enseñaba química tres días por semana con el océano a sus espaldas.

Sims y yo permanecíamos en nuestro sitio, bebiendo agua.

—¿Aún estáis enfadados? —dije.

—Ella sigue enfadada. A mí se me ha pasado.

—Tengo que tomar un avión —le dije.

Él se duchó, se vistió y me llevó al hotel. Yo me duché apresuradamente, me vestí, así mi maleta, regresé al interior del coche y vi a un hombre que había en la autopista, sobre el desmonte lateral, un hombre que llevaba el ritmo con la cabeza mientras escuchaba la radio, sentado en la hierba con un objeto sobre las rodillas, y Sims dijo que era un rifle y yo dije que era una muleta, una de esas muletas de metal que tienen un soporte para el antebrazo, y tardé unos segundos en darme cuenta de que Sims bromeaba: todo esto no era más que el lenguaje de la autopista.

Encontré el sur de California demasiado interesante. Los aviones experimentales, los sistemas de fallas, el infierno de coches y contaminación, las mujeres sin lugar de origen, incluso las bandas callejeras que a la sazón iban adquiriendo notoriedad, con sus colores universitarios. Realizaba viajes de negocios, pero después del primero procuré hacerlos breves e intermitentes. Aquel lugar tenía esa cualidad de límite universal que se desliza en observaciones inofensivas para convertirse en la vanguardia de toda sensación de aislamiento.

Cuando disparé sobre George Manza comencé a comprender

la naturaleza de aquella clase de sensación. Me metieron en un coche patrulla con un policía que fumaba y terminaron enviándome a una institución neoyorquina situada en el norte del Estado, un lugar dotado de una de las peculiaridades del sistema penal. Era como un campo de minigolf, con nueve agujeros, torreones y molinos de viento que parecían de tebeo: éramos delincuentes juveniles, claro, y tal vez los asistentes y consejeros pensaron que nos resultarían confortablemente tranquilizadoras aquellas formas de guardería y aquellos colores brillantes, o acaso el elemento anal de las pelotas y los agujeros. Lo ignoro. Lo ignoraba entonces y sigo sin saberlo. Pero mis compañeros y yo, los que tenían delitos por imprudencia, los que tenían delitos de tercera categoría, los cascacalaveras, los ladrones nocturnos, un grupo tan mezclado como cabe imaginar, con sus razas, sus credos y sus alaridos en la oscuridad, solíamos pasear junto a las ventanas del salón para contemplar el paisaje, con sus curvas y sus túneles y sus charcos a modo de lagos, con su césped de oropel, eso que llamábamos California.

Para mí, Phoenix fue mejor negocio. Necesitaba de una vida privada. ¿Cómo podías disfrutar de una vida privada en un lugar en el que todas tus sensaciones aisladas están al aire, en el que la tensión de tu corazón, eso que has intentado restringir a los espacios pequeños, se encuentra expuesto por doquier a la luz blanquecina y se ha vuelto tan grande y tan sólidamente anclado que no eres capaz de separarlo del paisaje ni del cielo?

Entré por la puerta y Marian dijo:
—¿Qué te ha pasado en la cara?
Entro por la puerta y eso es lo que oigo, niños jugando, la radio sonando, las noticias, el tráfico, el teléfono que suena, la lavadora realizando un nuevo ciclo.
Sonreí y la besé, y ella descolgó el teléfono. Los niños hacían ruido en la parte trasera, nuestros niños y los niños de los vecinos, con un juego que se había inventado Lainie: lo supe por las características de sus chillidos. Lainie se inventaba juegos diabólicos, ingeniosos espectáculos estridentes de tortura y humillación.
—¿Qué te has hecho en el pelo?
—Me lo he cortado. ¿Te gusta? —dijo ella, aún al teléfono con alguien—. ¿Qué te ha pasado en la cara?

Entro por la puerta y veo cómo la luz golpea las frías paredes y resalta el color de la moqueta, los melocotones y los burdeos, los increíbles dorados topacio.

La noche siguiente, le cuento a Marian lo que he hecho, o dos noches después, lo de Donna en Mojave Springs. Pensé que tenía que contárselo. Se lo debía. Se lo conté por nosotros, por el bien de nuestro matrimonio. Cuando se lo conté estaba en la cama, leyendo. Me había angustiado intentando escoger el momento adecuado para decírselo y al final se lo dije de repente sin pensarlo antes. No le conté lo que le había dicho a Donna, ni por qué Donna estaba en el hotel, y ella no me lo preguntó. Me quedé cerca de la butaca con la camisa en la mano, y pensé que se lo había tomado bien. Comprendió que se había tratado de un hecho aislado con una extraña en un hotel, un episodio breve que había terminado para siempre. Le dije que me sentía forzado a hablar. Le dije que era difícil hablar del tema, pero no tan difícil como ocultar la verdad, y cuando dije aquello ella asintió. Pensé que se lo tomaba bastante bien. No me pidió que le contara más que aquello que le había contado. Reinaba en la habitación una atmósfera de tacto, de sensibilidad ante los sentimientos. Me quedé junto a la butaca y esperé a que pasara la página para poder desnudarme y meterme en la cama.

Y el primer sábado que pude, el primer sábado que no tenía que ir a la oficina, tomamos el coche y nos fuimos al Sur con los niños para ver unas antiguas ruinas.

Llevábamos crema solar y sombreros y botellas de agua, idea de Marian el agua, porque era una zona desértica y reinaba un calor intenso.

Lainie se puso de pie tras el asiento delantero. A veces se abría paso con los codos para situarse entre Marian y yo, inclinándose hacia el parabrisas, siempre dispuesta a comentar las maniobras estúpidas que hacían otros conductores. Reaccionaba ante aquello airadamente, costumbre que aplacaba mi propia ira y también la de Marian, animándonos a inventar excusas para las maniobras estúpidas y peligrosas que ella nos señalaba.

Jeff era dos años más joven, tenía seis años y le gustaba acurrucarse en un rincón del asiento trasero, acurrucarse y contorsionarse, deslizarse hasta el suelo en una separación astral de todo cuanto le rodeaba, sirviéndose de su cuerpo para soñar despierto.

Incluso si no era un rifle, ¿qué estaba haciendo en la autopista, en el remonte de césped, allí sentado con una muleta de metal en la mano a pocos metros de aquel tráfico de locos?

Las antiguas ruinas tenían más de seiscientos años: una única estructura principal con otros restos más pequeños diseminados a su alrededor y restos de un muro por ahí. Inmóviles bajo el calor de la mañana, escuchamos las indicaciones de una guía durante unos minutos para luego ir alejándonos, uno por uno, por más que esencialmente ya no hubiera gran cosa que ver.

Leí una placa y observé a Jeff mientras acechaba a una ardilla. No llevaba puesto el sombrero, pero no le dije nada, simplemente pensé, Mala suerte chico, no digas luego que no te avisamos. Pero luego me ablandé y le llamé y le di las llaves del coche. El esfuerzo de ceder, el esfuerzo de tranquilizarme y aceptar, de amarle en su descuidada pereza, todo aquello resultaba brutalmente difícil, por pequeño que parezca, pequeño y fugaz: era sorprendentemente duro. Pero le llamé y le di las llaves del coche, sabía que le gustaría la idea, y le dije que cogiera el sombrero y que cerrara el coche y que me trajera las llaves, y él salió corriendo, más feliz de lo que le había visto nunca.

Regresé lentamente hasta la estructura principal y me situé en medio de un grupo compuesto por una docena de turistas y escuché la charla de la guía, una mujer robusta que se rascaba el codo. Nadie sabía cuál había sido el propósito de aquella estructura, nos contó, con sus tres pisos de altura y el leve rastro de algo pintado en la parte superior. Descubrí que me interesaba más el toldo protector que la antigua estructura. La guía dijo que el edificio había sido abandonado unos cien años después de su construcción, habían abandonado el edificio y el entorno sin motivo aparente, uno de esos misterios en los que desaparece todo un pueblo. Pero yo me sorprendí estudiando el toldo protector, con sus enormes columnas biseladas, de acaso veinte metros de alto, y un enrejado para sostener el techo.

Lainie se acercó y se detuvo junto a mí, como derrumbándose contra mi cadera de un modo que indicaba que se encontraba irreversiblemente aburrida.

La guía enumeró algunas de las razones por las que pudo haber desaparecido aquel pueblo, los habitantes del desierto. Mencionó las inundaciones, mencionó las sequías, mencionó las invasiones, pero aquello no eran más que suposiciones, dijo, nadie sabía con exactitud los verdaderos motivos.

Yo pensé en Jesse Detwiler, el arqueólogo de la basura, y me pregunté si él habría sugerido que aquellas gentes abandonaron sus terrenos porque se habían visto expulsados por los desechos, porque carecían de espacio para vivir y respirar, rodeados por un creciente montón de su propia basura, y de algún modo resultaba agradable pensar que hubiera sido cierto, uno de esos románticos misterios desérticos con la respuesta en nuestras narices.

Me estaba volviendo como Sims, demasiado pronto, viendo basura por todas partes o introduciéndola en cualquier situación.

Le dije a Lainie que fuera a buscar a su hermano y que comprobara qué había hecho con las llaves del coche. A continuación, emprendimos el regreso a casa como una raída banda de peregrinos que no hubieran tenido aún ocasión de ver llorar la estatua.

Llevábamos diez minutos en el coche cuando Marian se echó a llorar. Estaba al volante, y su rostro se iluminó y comenzó a llorar quedamente. Lainie retrocedió del puesto que ocupaba a nuestra espalda y se sentó junto a la ventanilla con las manos entrelazadas sobre el regazo. A Jeff comenzó a interesarle el paisaje.

Dije:

—¿Quieres que conduzca yo?

Ella negó con la cabeza.

Dije:

—Déjame conducir, yo conduciré.

Y ella dijo con un gesto que no, que prefería conducir, que eso era lo que quería.

Estábamos en una carretera secundaria, flanqueada por cactus y flores silvestres, cactus heridos, picados por los pájaros que allí habitaban, y entonces alcanzamos la interestatal y nos sumamos al vendaval del tráfico que pasaba.

Nada de apellidos, nada de cambios de opinión resonando como un eco. Son cosas que forman parte del sexo ocasional. Pero yo le había revelado mi apellido, y aquello no era algo casual, ¿verdad? He ahí el peculiar elemento dominante de la situación, que yo quería conectar con ella, asfixiar su respiración, asfixiarla, sí. Había algo en Donna que me desataba la lengua. La culpa, para después, cuando sintiera a Marian junto a mí, dormida en la oscuridad.

Cuando nos caíamos mal, por lo general después de salir por la noche, al regresar en coche a casa, sintiéndonos rutinariamente hartos de nuestros rostros y nuestras voces, captando ya hasta las entonaciones, captando hasta los más leves matices gestuales porque los has visto mil veces y te revelan demasiadas cosas a pesar de su escasez, te revelan todo, de hecho... cuando experimentábamos aquello, Marian y yo, pensábamos que se debía a que habíamos agotado nuestros significados, la fuerza que alimenta la alianza. Salir por la noche era una provocación mutua. Pero en realidad no habíamos agotado nada: había cosas aún vivas, aún no contadas, que se dejaban en el aire, y era en ellas donde Marian se sentía traicionada.

Marian en su ciudad, una de las Diez Grandes, criada en un ambiente seguro, protegida del ajetreo de la vida callejera y, por ello, sintiéndose estafada: privilegiada y a la vez estafada, algo típico de América. Todas aquellas escenas ante las que se espantaba cuando veía la televisión, los relatos de los sucesos locales, cuando vemos el cuerpo tendido en la calle, los lamentos de los parientes del muerto, el sospechoso inclinado para ocultar su rostro... Marian ni siquiera era capaz de contemplar la mano del agente sobre la cabeza del sospechoso, obligándole a inclinarse e introducirse en un coche camuflado. Todo era un cúmulo de violencia, de agresión al espíritu. Pero le gustaban mis historias, mis cosas, cuanto más feroces mejor.

Yo me mostraba egoísta frente al pasado, egoísta y celoso. No sabía cómo trasladar a Marian a aquellos años. Y creo que el silencio es la condición que aceptas como juicio a tus crímenes.

Ella decía que era por su madre, decía que ese mismo día hacía dos años que su madre había muerto, y yo lo repetí para que lo oyeran los críos y los críos se relajaron un poco. Alargué la mano hacia atrás y Lainie me pasó una barra de chicle. Hacía hoy dos años y, por supuesto, Marian lo sabía, y nosotros no, yo no, no le había seguido la pista, y me sentí aliviado al igual que los niños porque al menos existía un motivo, al menos no era una de esas veces en que los padres se comportan de un modo inexplicable y los niños tienen que aprender a mostrar un rostro inexpresivo.

Brillaba con luz propia, relucía en sus propios sollozos, sonreía, creo: una sonrisa que era una mueca crispada y a la vez una sonrisa que contenía de algún modo a su madre.

Al cabo de un rato, los críos empezaron a cantar.

Y me sentí aliviado, me alegré enormemente, porque llevaba allí un rato pensando que la culpa era mía tal vez que lo hacía constantemente porque cómo demonios puedo saber qué ocurre cuando no estoy en casa.

Y los críos cantaban: «Noventa y nueve botellas de cerveza sobre el muro, noventa y nueve botellas de cerveza, y una botella se cae, noventa y ocho botellas de cerveza sobre el muro. Noventa y ocho botellas de cerveza sobre el muro, noventa y ocho botellas de cerveza.»

Ella me miró, y miró la carretera y los críos siguieron cantando, contando hacia atrás hasta uno mientras Marian conducía: mientras lloraba y conducía al mismo tiempo.

MANX MARTIN 2

El portero se acerca renqueando en su dirección. Aún no se ha alejado cinco pasos del edificio y el portero se acerca renqueando desde uno de los edificios que hay calle abajo, moviéndose con ese contoneo suyo de cadera que le hace ocupar media acera.

—He estado buscándole —dice el hombre.

Manx Martin se detiene con los brazos cruzados, sin molestarse por el momento en ladear la cabeza: aún es algo pronto para gestos de superioridad.

—¿Ha visto esas palas?

—¿Qué palas? —dice Manx Martin.

—Porque faltan del sótano.

—Siempre hay cosas que se echan a faltar. Yo me he comprado unos calcetines nuevos y ahora me faltan de la colada.

—Dos palas de quitar nieve que esta mañana estaban apoyadas contra la pared en el cuarto de los trastos.

—¿Se espera alguna nevada? —dice Manx Martin.

Y alza la mirada al cielo. ¿Te parece a ti que vaya a nevar? A mí no me da la sensación de que vaya a nevar. ¿Ha hablado de nieve el hombre del tiempo?

—A mediodía habían salido por la puerta. Y estoy preguntando por toda la calle.

—Debería tener más cuidado de a quién pregunta. Porque hay gente susceptible con esos temas.

—Se lo estoy contando porque se dicen cosas.

El portero lleva una camisa ligera a pesar del frío. Manx alcanza a olfatear el cambio de estación, el mordisco de la humedad y el viento cortante, y el hombre está ahí de pie, arremangado, ya entrado en años, el portero, con barba de varios días moteada de algo blanco.

—Alguien me ha dicho directamente —dice a Manx—: Habla con el clepto.

—Me está diciendo eso a la cara.

—Le digo lo que me cuentan.

—¿Quién le ha contado eso?

—Y digo que esas palas valen un buen dinero. Se trata de herramientas que me hacen falta para mi trabajo. Por las hojas, ¿comprende? Intente sacar nieve con una pala de carbón.

A Manx la actitud del portero le sorprende, le desconcierta un poco. El portero parece decidido. Debería ser problema del casero. ¿A qué andar por ahí haciendo de detective? Que el casero eche mano al bolsillo para sustituirlas. Lo tiene tan profundo que se le descarnan las rodillas de tanto hacer sonar la calderilla.

Desde la esquina, alguien predica al viento.

Manx se siente igualmente sorprendido por los antebrazos del portero. Han acumulado fuerza, esos brazos, a base de cargar con cubos de basura, ya sabes, y de hacer rodar los bidones en diagonal sobre el pavimento.

—Me da la sensación de que se está liando —dice Manx—. Porque lo que vemos en este barrio son pisos robados, no palas robadas. Los ladrones entran en las casas a diestro y siniestro.

—Le digo lo que me cuentan.

—Y yo le digo que a eso es a lo que debería dedicar el tiempo. A poner seguros en las puertas para que no las apalanquen.

—Si descubro que ha sido usted el que se ha llevado esas palas se lo diré al casero y a la calle, hermano.

Muy chulo para un tullido.

—Porque me escucha cuando le hablo.

La mayor parte de los porteros del barrio son temporeros que trabajan en una zona y luego en otra, yendo y viniendo, como si alguien les persiguiera. Este tipo se ha atrincherado como si fuera de Infantería.

—Ya hemos perdido bastante tiempo, usted y yo —dice—. Preséntese en mi puerta con una pala en la mano derecha y otra en la izquierda y oiré lo que tenga que decir.

Manx ladea la cabeza y aguza la mirada fingiendo concentración. Intenta turbar al hombre con la mirada, ponerle en su sitio.

Pero el portero pasa de largo. Manx está inclinado hacia él, pero el tipo pasa de largo torpemente, cada paso una laboriosa contorsión, y Manx se siente una vez más desconcertado: estaba preparándose para realizar una declaración demoledora.

Se encamina hacia la avenida Amsterdam. Tres chiquillos pasan corriendo como centellas, y ve a Franzo Cooper de pie junto al taller de zapatería, vestido con traje y corbata.

—¿Quién se ha muerto? Te veo muy vestido, Franzo.

Volviéndose mientras habla, buscando una última imagen del portero sin saber muy bien por qué, quizá para dispararle un rayo maldito.

—¿Has visto a mi hermano? —dice Franzo.

Lleva un sombrero adornado por una pluma diminuta prendida a la banda, y sus zapatos muestran un brillo militar. Al zapato de neón no le llega corriente.

—Voy a donde Tally.

—Si le ves, dile que necesito su coche.

—¿Quién se ha muerto, Franzo?

—Tengo que ir a Jersey a ver a una dama. Si no, me muero. ¿Tú qué haces?

—No gran cosa.

—Me muero de amor, tío. Dile que se venga con esa cafetera suya. Se lo compensaré.

Están la academia de belleza, el taller de zapatería y las habitaciones amuebladas, y sobre la puerta del taller hay un neón con forma de botín, y advierte que el neón está apagado y frío, lo que le fastidia levemente, le estropea un poco el humor.

En la esquina, el tráfico se detiene y avanza, avanza internándose en la noche, y junto al restaurante de las costillas hay un hombre que predica. Tres o cuatro personas se detienen un minuto, captan la onda, se quedan aún un minuto más y reanudan su camino y otras dos o tres llegan y se detienen a escuchar y se marchan, y los coches las sobrepasan y el semáforo cambia y los coches avanzan.

—Se habla de que sólo los insectos sobreviven —dice el predicador.

Es un hombre viejo con cara de hambre, las sienes surcadas de venillas, y le asoman las manos de las mangas. Las mangas de su chaqueta han encogido hasta el punto de que es posible distinguir un buen trozo de brazo por encima de las muñecas. Unos dedos largos y planos subrayan sus palabras, y lleva pinzas de ciclista en las perneras.

Pasan corriendo tres chiquillos que huyen de la escena.

—Eso es lo que dicen, y yo les creo porque estudian la materia. De todas las criaturas que Dios ha puesto sobre la tierra, tan sólo los insectos sobreviven a la radiación. Hay científicos que estudian cada minuto de la vida de las cucarachas. Las observan mientras duermen. Salen de una rendija de la pared y se encuentran con un tipo que lleva esperándolas con la lupa en la mano desde que amaneció. Y les creo cuando afirman que los insectos seguirán aquí después de que las bombas atómicas derruyan los edificios y destruyan a la gente y maten a las aves y a los animales y emasculen a los perros y a los gatos en tal modo que no puedan engendrar sus proles. Les creo a pies juntillas y de arriba abajo. Pero también yo tengo noticias para ellos. Sabía todo esto antes que ellos. Todos aquí, en este instante, lo sabemos porque somos veteranos de un lugar muy especial. ¿Necesitamos que alguien venga a explicarnos por qué los insectos sobreviven a la explosión? ¿Acaso no lo sabemos desde el momento en que nacemos? A vosotros me dirijo. Ninguno de nosotros precisa de pruebas científicas que demuestren que los insectos serán las últimas criaturas vivientes. Bastante cerca están ya de serlo. Nosotros morimos constantemente, mientras que las cucarachas no cesan de trepar los muros y de brotar por las rendijas.

Manx vuelve la mirada para lanzar una ojeada en dirección opuesta. Le hubiera gustado echar un último vistazo al portero para alimentar su rencor.

La gente se detiene para captar la onda del predicador callejero, seis o siete personas dispuestas a soportar el embate del viento. Manx escudriña al anciano, vestido con sus pantalones pinzados, similares a un uniforme de ejércitos de juguete que algún niño hubiera inventado. Hay algo en él que sugiere un cráneo delgado: tiene una cabeza desnuda, venosa y apergaminada. Un hombre le escucha con interés. Lleva un gorro francés, una boina negra, y hay dos mujeres ataviadas con traje de monja, de hermana menganita de iglesia a pie de calle, cuánto me alegro de conocerle, con servilletas en la cabeza y rostro severo.

—Nadie conoce ni el día ni la hora.

Dos hombres trajeados con sus elegantes esposas, los hombres quieren escuchar y las mujeres dicen «No, gracias», las cucarachas no son su tema favorito de conversación.

—Los rusos hacen estallar una bomba atómica al otro extremo del mundo. ¿Habéis sintonizado la radio en la emisora de las noticias? Yo mismo os estoy contando las noticias. Se las cuento a todo el planeta. Y vosotros, ahí de pie, pensaréis a mí qué me va ni me viene. Eso es problema de los generales y de los diplomáticos. Pero en este momento, en este crítico instante, mientras yo hablo y vosotros me escucháis, hay funcionarios proyectando la construcción de refugios nucleares por toda la ciudad. La construcción de refugios nucleares capaces de albergar a veinticinco mil personas bajo las calles de esta ciudad. Y adivinad qué es lo que no oiréis en las noticias de hoy. Qué es de lo que tenéis que enteraros aquí por mí mientras aguantáis el viento. Todas y cada una de las personas que ocupen esos refugios mientras lluevan las bombas serán de raza blanca. Como lo oís. Porque en Harlem no están construyendo ni un solo refugio. Eso es. Están construyéndolos en la parte alta de la Zona Este. Los están construyendo en la parte baja de la Sexta Avenida. No cabe duda de que los están construyendo en la calle Cuarenta y dos. Y no cabe duda de que los están construyendo bien profundos y bien secos en Wall Street. Y cuando comiencen a llover las bombas atómicas, ¿qué se supondrá que debéis hacer vosotros? ¿Tomar el primer autobús que pase en dirección al centro?

En el rostro de Manx se dibuja una leve sonrisa.

Una muchacha que hay allí de pie, en compañía de su novio, dice:

—Es un agitador, vámonos.

Manx comprende la argumentación del tipo pero la percibe algo ajena. Resulta satisfactoria porque consiste en multiplicar por millones las pequeñas venturas y desventuras con las que él tiene que cargar durante todo el día.

—Es un agitador, vámonos —dice ella.

Pero son esas venturas y desventuras con las que tiene que convivir, y no con las noticias mundiales que anuncian con los graznidos de ese gallo en el cine de la esquina.

El hombre continúa hablando, de pie cuan largo es y diríase que combado como un látigo, la cabeza como un huevo recién puesto y llena de venas, y tres chiquillos pasan corriendo, y un rostro tan desnudo que a uno le da la sensación de conocerle de toda la vida, con los pantalones fuertemente pinzados y ese grupo de críos que pasan corriendo.

—¿Dónde has dejado la bicicleta, tío?

Y el tipo se ha calado la gorra hasta abajo y no se mueve del sitio, y su chica dice:

—Es un agitador, vámonos.

El hombre hace girar la cabeza para captar una mirada de alguien.

—Dejad de pagar el alquiler, dicen. Yo no os digo que dejéis de pagar el alquiler. Yo no digo que cortéis la electricidad y el gas, la corriente y la luz. Coged a los caseros y al río con ellos, dicen. Yo no os digo que al río con los caseros ni que haya que ponerlos en el paredón. Yo digo: sacad ese billete de un dólar que lleváis bien plegado en el bolsillo porque habíais estado ahorrándolo para esto o lo otro. Desdoblad ese billete de dólar y dadle la vuelta para ver el dorso, que es donde escriben sus mensajes secretos. Donde guardan sus palabras en latín y sus números romanos.

Y el hombre extrae un billete plegado del bolsillo y lo desdobla como si estuviera realizando un truco de magia y agita el dinero frente al grupo que se extiende ante él.

—¿Veis el ojo que hay suspendido sobre esta pirámide de aquí? ¿Qué pinta una pirámide en un billete norteamericano? ¿Veis el número que han extendido a lo largo de la base de la pirámide? Así es como se exhiben sus códigos masónicos unos a otros. Esto es francmasón, con sus códigos y sus saludos. Esto es de los rosacruces, con el haz de luz. Esto son entramados y sus garabatos por todo el billete, en el anverso y en el reverso, y contienen un mensaje. Aquí no se trata simplemente de una serie de galimatías y de dibujitos. Están prediciendo el día y la hora. Se están diciendo los unos a los otros cuándo llegará el momento. La respuesta no se halla en la Biblia ni en la Declaración de Derechos. Oíd lo que os digo. Os digo que la historia está escrita en el trozo de papel más corriente que lleváis en el bolsillo.

Y sostiene el billete por los bordes y enarca los codos, mostrándolo tal y como es.

—Llevo quince años estudiando este billete de dólar. Me lo llevo al baño cuando entro a lavarme. Y he descifrado esos números y esas letras en todos los modos posibles y alzo el billete a la luz y lo leo bajo el agua y cada día estoy más cerca de averiguar la clave.

Y se aproxima el billete al pecho y lo dobla cinco veces y se lo mete en el bolsillo, más pequeño que un sello de correos.

—Ése es el motivo por el que me vigilan desde ese ojo que hay en la cumbre de la pirámide. Me vigilan y me siguen sin parar.

Manx necesita una copa. Apresura el paso a lo largo de la avenida Amsterdam, dejando atrás un comercio de radio y televisión donde parpadea un televisor que media docena de personas contemplan a pesar del frío. A eso de una manzana de distancia divisa a unos cuantos tipos que corren hacia él, ya se imaginan, galopando sobre la acera, sobre las trampillas de acero que dan acceso a los sótanos de almacenamiento, haciendo resonar el metal a medida que avanzan, y advierte que andan todos medio riéndose, azorados, debe de tratarse de una partida de dados interrumpida por la policía en algún callejón, y pasan corriendo junto a él con su golpeteo de trampillas, volviendo la vista atrás, corriendo y medio riéndose y mirando para atrás.

Casi cede al impulso de dar media vuelta y echar a correr con ellos. Comprende que resultaría divertido. Se reunirán todos en algún portal a tres bloques de distancia, jadeantes y muertos de risa, intentando recobrar el aliento, sintiéndose como adultos que hacen el tonto, y encontrarían un lugar en el que proseguir con sus apuestas, la trastienda de alguna peluquería o la sala de estar de alguien cuya mujer haya salido.

Pero la mujer no ha salido.

Porque estoy casado con una mujer que no puede verme ni a quince kilómetros de distancia y que no me deja ni respirar y que lo que no dice lo piensa y que, decididamente, siempre está ahí.

Un perro asoma la cabeza por la ventana de un primer piso.

Ya. Negros corriendo por las calles. Cuando Manx se sorprendió a sí mismo corriendo durante la revuelta del cuarenta y tres probablemente tenía esa misma expresión en su rostro, consciente de haber sido sorprendido haciendo algo que no debería pero haciéndolo de todos modos, dejando atrás la tienda de Orkin's, la misma en la que Ivie se compró un abrigo de muestra, un abrigo rebajado que hasta entonces había lucido un maniquí, y aquello le estuvo dando la lata toda la noche, y ahora todos los maniquíes de Orkin's rodaban por el suelo, con los torsos tirados por el arroyo y sus cabezas sin cuerpo: maniquíes carentes de brazos, como las estatuas famosas. Lo recuerda todo ahora, los grandes escaparates rotos y maniquíes ataviados con ligueros, piernas de maniquíes enfundadas en medias y niños de esmoquin, hombres corriendo por las calles y un chaval que tendrá unos doce años tocado con una chistera y vestido con un esmoquin que ha birlado y un poli conduciéndole a un coche patrulla, en la vida ha visto nada más divertido, con esa chistera y ese esmoquin y esos pantalones que le arrastran... incluso el poli sonríe con benevolencia.

Recorre las últimas cuatro manzanas apartando el rostro del viento, del viento que sopla con fuerza desde el Hudson, y Manx avanza como un caballo con anteojeras.

Pero qué diferencia cuando entras en el bar. Ese cálido zumbido, ese ambiente tranquilo, esas posaderas cómodamente asentadas sobre los taburetes. Esa noche, en Tally's, se percibe un zumbido especial, hay más gente de lo habitual a mediados de semana, y más interferencias en el aire... y entonces se acuerda. Reina una atmósfera especial, un rumor en la estancia, y Manx acaricia el costado de su chaqueta y percibe la presencia de la pelota y comprende que están hablando del partido.

Saluda con un gesto de la mano a Phil, que está detrás de la barra y que es hermano de Tally, vestido con una camisa lisa y unos tirantes de diseño, y gesticula la pregunta *dónde* y Phil señala en dirección al fondo y allí está Antoine Cooper con una copa delante y dos largas palas apoyadas en la pared tras él.

Manx se sienta frente a Antoine, se acomoda en la silla de costado para no tener que ver las palas.

—He visto a Franzo ahí fuera, en mitad de la noche.

—Ya lo sé. Quiere mi coche. Pero no puedo dejárselo.

—¿Qué estás bebiendo?

—Anda detrás de no sé que pajarita que mejor haría en evitar. Créeme. Yo ya me la he hecho.

Manx pasea la vista por el local, se sumerge en el zumbido, escucha media frase adivinada entre un tumulto de carcajadas compartidas y decide no mencionar el tema de las palas. Lo de las palas le tiene horrorizado. Esas palas no deberían estar allí de ninguna de las maneras, de ningún modo, de ninguna forma. Pero decide no pronunciar palabra por el momento.

—¿Qué pasó en la revuelta aquella del cuarenta y tres? Intento recordar cómo empezó. Tuvieron que llenar tantos calabozos de tantas comisarías que no les quedó más remedio que abrir uno de sus arsenales.

—¿En el cuarenta y tres? Yo estaba en el Ejército, tío.

—Detuvieron a algunos heridos con el botín debajo del brazo. Los metieron en un arsenal de Park Avenue.

—También nosotros tuvimos nuestra revuelta —dice Antoine.

Manx se acerca hasta la barra y le pide un Seagram's a Phil: le gusta el whisky de centeno en vaso bajo y con un único cubito de hielo.

—¿Qué ocurre? —dice Phil.

—Me han contado que había hoy un partido.

—Joder, menuda movida.

Manx regresa a la mesa con su copa. Con una mano aferra el vaso del modo habitual, y con la palma de la otra lo sostiene por debajo como si se tratara de un reluciente ornamento eclesiástico.

El cubito de hielo sirve básicamente como adorno.

—¿Qué tal los chicos? —dice Antoine.

—Los chicos. Los chicos andan desperdigados por todos lados —dice Manx—. Randall está en el Sur, no sé dónde, de acampada, ¿sabes?, entrenándose para supervivencia. Y Vernon...

—Sé dónde está Vernon.

—Vernon está en primera línea. Ahí es donde está. Y al otro lado de la frontera tienen un cuarto de millón de enemigos. Los chinos esos.

—¿Con qué división está?

—Con qué división.

—El Segundo de Infantería está en Corea —dice Antoine.

—No sé con qué división.

—¿No sigues la guerra?

—¿Qué es eso que estás bebiendo?

—A mí me gusta seguir la guerra. Planean sus estrategias.

—Soplan cuernos y silbatos, ésa es la estrategia de los chinos esos. Atacan en oleadas.

—Esto es brandy, amigo mío. Esta noche bebo importado.

—Así visto parece un poco fuerte —dice Manx.

—Sólo en el vaso. Por el gaznate pasa con mucha suavidad.

—Atacan en oleadas, ésa es su estrategia.

—Hay que recitar una oración de vez en cuando. Eso es lo que hay que hacer.

—Desde luego, Antoine. Yo me arrodillo junto a la cama.

—Tú has tenido suerte con tus hijos.

—Desde luego, Antoine. Me cuidarán cuando sea viejo.

—¿Tienes trabajo?

—Vendrán a visitarme a la residencia. A deslizarme una botella a través de la verja.

—Pensándolo bien, has tenido suerte.

—Rosie es la mejor. Una chica estupenda. Es la única que demuestra tener respeto.

—Necesitas un trabajo. Te cambiará el carácter. Últimamente, andas pisando huevos.

—Están despidiendo. No están contratando. Están despidiendo.

—Tendrías que marcharte a algún sitio lejos.

—Me traerán una tarta por mi cumpleaños —dice Manx.

—Bien lejos, eso es lo que hace falta. En Alabama tengo un primo que vive en Birmingham. Consigue muchos encargos para transportar muebles y de todo.

—Lo tendré en cuenta.

—Busca el pan en Birmingham.

—Lo pondré en la lista de cosas en las que tengo que pensar.

—Sus verdes campiñas, su cielo y sus viñas —canturrea Antoine.

Manx decide que no puede contenerse más. Pero no mira a Antoine. Dirige la mirada al otro lado de la estancia, a uno de esos apliques de la pared, una de esas lámparas de estilo antiguo atornilladas a la pared que tienen los casquillos decorados con falsos goterones de cera.

Y dice:

—Mierda, tío, tienes esas palas ahí en plena vista.

Antoine tiene la cabeza alargada y resbaladiza y el cuello estrecho; es un hombre maquinador e ingenioso al que llamaban Serpiente cuando era más joven, y juzga necesario girar el torso hacia la pared que se alza a su espalda para identificar los objetos en cuestión. Ah sí, estos trastos, son para retirar la nieve del patio después de unas Navidades blancas.

Y se vuelve de nuevo hacia Manx hundiéndose profundamen-

te en la silla, de tal modo que le observa con expresión de complicidad por encima del borde de la copa.

—Dudo que haya un boletín del FBI circulando por estos tres
estados. ¿Tú que opinas?

—Opino que deberían estar en tu coche, que es lo que acordamos.

—El caso es que hay que apuntar a miras más altas, porque
estas cosas no dan beneficio.

—Lo habíamos acordado de antemano, Antoine.

—No merece la pena discutir. Tienes razón, y yo no. Pero
tienes que apuntar más alto.

Permanecen un rato allí sentados, bebiendo, y Manx piensa
en marcharse pero no se mueve de la silla. Piensa en coger sus
palas e irse, pero continúa allí sentado, porque una vez que se levante y coja las palas se verá obligado a recorrer todo el local con
dos enormes palas de nieve a primeros de octubre y no cuenta con
un lugar apropiado para llevarlas, y sólo pensarlo y verlo le impulsa a mantener el trasero pegado al asiento.

En su lugar, saca la pelota de béisbol y la deposita sobre la
mesa. A continuación, aguarda a que Antoine encuentre un momento de su atareada jornada para advertir su existencia.

—Mi chaval se la trajo del partido, el más pequeño, dice que
es la del *home run* que señaló la victoria del partido.

—¿Ese partido que han jugado hoy?

—Exacto —dice Manx.

—He visto a gente que iba y venía gritando por la Séptima
Avenida. Las manos clavadas en las bocinas, vociferando por las
ventanillas. Le dije a Willie Mabrey —¿conoces a Willie?—, le dije,
deben de estar abriendo las cámaras acorazadas. Los bancos deben de estar abriendo las cámaras. Tonto el último. Le dije, vamos
a por lo nuestro.

—Mi hijo pequeño. Se ha venido a casa con la pelota. Ésta es
la pelota que golpeó el tío ese como-se-llame en las gradas. La que
ganó el partido. La que ganó el trofeo.

Manx se siente incómodo, se siente ajeno a lo que está diciendo: las palabras salen de sus labios como una mentira, de ese
modo que tienen las mentiras de quedar suspendidas en el aire
independientemente de lo que está bien y lo que está mal, hacién-
dote sentir que tú no eres responsable.

Le acomete el impulso de retirar la pelota de la mesa e introducírsela de nuevo en el bolsillo.

—¿Es ésta la pelota de como-se-llame? ¿Qué pretendes decirme exactamente?

—Digo que podría tener algún valor.

—Y yo te digo que apuntes más alto. Porque se trata de algo circunstancial y no puedes probar nada. ¿Y a quién vas a vendérsela, en cualquier caso?

—Puedo vendérsela al club. La querrán como trofeo. Para exhibirla.

—Déjame ver esto. Está llena de barro.

Manx se da cuenta de que no quiere que Antoine toque la pelota. Antoine estudiará la pelota y dirá algo decepcionante, algo que a Manx le pondrá nervioso y le sacará de quicio, y de hecho ya se siente bastante nervioso y tiene el estómago revuelto.

Manx coge la pelota y se la mete en el bolsillo.

Antoine se reclina en el asiento y alza ambas manos mostrando las palmas y exhibiendo su vieja sonrisa de serpiente, fría y mezquina.

—Te diré una cosa. Puede que consigas vender eso en algún sitio. Pero dudo que puedas comprarte un sofá de Ludwig Bauman —dice—. Ni una bonita di-*nette*.

Manx se aproxima a la barra para beber en paz. Al cabo de un rato se le acerca Phil y ambos charlan un poco. Para entonces, el local está más tranquilo: quedan los buenos bebedores, hablando del partido. Phil es un tipo legal, enorme, de los que te miran a los ojos. Habla del partido y Manx le escucha atentamente, a la caza de algún dato, de algo en lo que apoyarse. Para los Dodgers, la temporada ha terminado. Están muertos y enterrados. Los Giants jugarán en el Mundial que empieza mañana, que empieza hoy, dice Phil, consultando el reloj, porque ya es más de medianoche.

—¿Contra quién juegan en el Mundial?

—Contra los Yankees. ¿Quién, si no?

—Contra todo Nueva York, en otras palabras.

—Contra toda la serie de Nueva York. Y la gente ya está haciendo cola para sacar entradas. Lo he oído por la radio. Harán cola durante toda la noche. Con sacos de dormir, ya sabes. Personalmente, me encantaría ir.

—¿Toda la noche? —dice Manx.

—Tal y como se han colado los Giants, la gente hará cualquier cosa con tal de ver esta serie.

A Manx le gusta como suena aquello. La gente hará cualquier cosa. Le dice a Phil que se sirva una copa, sabiendo que el otro la rechazará, siempre lo hace, y Manx se siente levemente serpentino, se le ha pegado de Antoine.

Regresa a la mesa arrastrando ligeramente los pies.

—Vas a dejar a tu hermano plantado en medio del frío.

—Lo sé —dice Antoine.

—Lo único que quiere es que le prestes el coche una noche.

—Estoy haciéndole un favor. Porque esa señora a la que pretende ligarse es lo más falso del mundo.

—Déjale que lo averigüe por sí mismo. Es un chaval joven en busca de marcha.

—El problema es que tú no eres un hombre celoso. Permíteme que te explique una cosa. Yo soy un hombre celoso. Y cuando digo celoso me refiero al sentido integral de la palabra. Todo el mundo es celoso —dice Antoine—, pero la palabra no significa una mierda si no le concedes su sentido integral. Necesita un adjetivo. Como celoso compulsivo o celoso fanático. De modo que cuando yo digo que soy celoso debes imaginarme con los ojos inyectados en sangre.

—Tú ya no tienes nada que ver con ella. ¿Qué más te da? Franzo es un buen chico. Déjale que aprenda.

—Quieres decir que le deje que lo descubra. Porque tampoco va a aprender nada.

Pero Antoine parece ablandarse. Se inclina hacia el mantel, con los codos separados, la barbilla casi en contacto con la copa de brandy.

—Sí, me encanta ese chaval. Franzo es un buen chico. Pero mi coche está en una situación embarazosa.

—¿Acaso lo has estrellado contra una farola?

—¿Conoces a Willie Mabrey?

—Creo que no —dice Manx.

—Willie y yo hemos estado hablando de mi coche. Del modo de ganar algún dinero rápido. No es que esté lo que se dice sin blanca. Pero a mis ingresos no les vendría mal un empujón —da un sorbo a su brandy—. Y esto que me estoy bebiendo es el primer pago, por adelantado. Entra suave, suave. *La crème de la crème.*

—¿Pago de qué?

—Willie abrió un restaurante hará unas seis semanas. No le va mal. Pero tiene un problema con la basura. El Ayuntamiento está hablando de contratar a empresas privadas para que recojan la basura. Pero hoy por hoy se encargan ellos, y hay ordenanzas que dictan a qué hora del día o de la noche pueden los restaurantes dejar la basura en la calle. No pueden tenerla fuera toda la noche.

—Huele mal.

—Huele mal y atrae a los bichos. Y si la guardas en el local, te arriesgas a tener a los clientes charlando con las ratas.

—Así que has llegado a un acuerdo con el tipo.

—Hemos llegado. Yo y mi coche.

—Lo que me recuerda —dice Manx—: ¿te importaría llevarme?

—Te llevo adonde quieras —dice Antoine.

Apuran sus copas y se ponen de pie y se sacuden, por así decirlo, se sacuden los complacientes aires y humores de la taberna, reafirmándose para enfrentarse a lo que sea que les aguarda allí fuera, en las calles ventosas y afiladas.

Antoine se pone la chaqueta y hace girar los hombros y se sube la cremallera hasta el cuello. Se abrocha los puños, por añadidura, alineándolos para mayor comodidad y simetría, situándolos en pleno centro del mundo. Manx ya lleva puesta la chaqueta, no se la había quitado en ningún momento, la lleva puesta desde que abandonó su casa por la mañana, y ha bebido con ella, ha cenado con ella y ha fregado los platos con ella, y se la abrocha hasta la garganta y se hunde en su casco, en su concha, ya un poco ligera para la época del año.

Al salir, saludan a Phil con la mano. Caminan hasta el final de la calle, donde está aparcado el coche. Manx lo rodea, se dirige a la puerta del acompañante, deposita la mano en el picaporte y se detiene a mirar.

Antoine dice:

—Entra ya, tío. Cuanto antes entres, antes nos largamos. ¿Adónde quieres ir?

Manx observa. Mira por la ventanilla del asiento trasero y advierte que está lleno de basura. Ya la había olido cuando caminaba calle abajo, pero se trata de un olor corriente y lo había tomado como algo general: basura depositada en un callejón o en un solar. Comprueba ahora que es el coche de Antoine lo que huele; el coche de Antoine, repleto de desperdicios frescos.

—Jo, tío. Mierda. No me imaginaba esto. Pensaba que...

—Entra ya, tío. Esta noche hace un frío de narices.

Hay basura en bolsas de papel y en cajas de cartón. Hay dos bidones metálicos de basura encajados entre los asientos delantero y trasero, dos bidones de limpieza urbana de tamaño reglamentario con las tapas abolladas, casi reventadas por la presión. Manx ve que hay basura apilada sobre el estante de la ventanilla trasera. Ve basura en la parte delantera, en una caja de melocotones emplazada en pleno asiento, y el olor que rezuma está tan próximo que parecería posible beberlo.

—Pensé que ibas ahora a recoger la basura del tipo ese para llevarla adonde fuera.

—Me la he traído. Ésta es la basura. Llené el maletero mientras aún estaban cenando. Luego me metí con el interior del coche, empezando por detrás y acabando por delante. Corre esa caja y entra.

Manx abre la portezuela, coloca la caja de melocotones en la alfombrilla y se sienta, intentando encontrar sitio para las piernas a ambos lados de la misma.

—¿Adónde quieres ir? —dice Antoine.

—No está lejos, pero tengo prisa. Al lado de la calle Cincuenta y cinco Uno. ¿Adónde tienes que llevar todo esto?

—Al Bronx. Debajo del puente Whitestone hay una montaña de basura, no sé dónde. Es echarla por la puerta y pisar a fondo.

—Hazme un favor y apriétalo ahora —le dice Manx—. Porque me voy a morir si seguimos aquí de charla.

—Tranquilo. Te llevo a donde vas.

Antoine pone el vehículo en marcha. Conduce con ademán firme e imperturbable, dirigiendo el coche a lo largo de Broadway como un dardo envenenado.

Manx comprende que a ello se debe que las palas no estuvieran en el coche, que era donde le había dicho a Antoine que las pusiera. No hay sitio para las palas en el coche.

Y entonces se da cuenta de que se han dejado las palas en el bar. Un lugar tan bueno como cualquier otro. Sólo que mañana ya no estarán allí. He aquí, pues, un pequeño hurto que ya pueden ir borrando de la cuenta.

Y advierte, por último, que Antoine lleva toda la noche diciéndole que apunte más alto. Y conduciendo un DeSoto lleno de basura.

—Déjame ahí, un poco más adelante.

—Voy a llevarte exactamente adonde vas.

—Con Broadway me vale —dice Manx.

La peste le está matando, arrancándole del estado de impermeabilización de un lento día de combustión en whisky.

La basura va saltando y dando botes de un lado a otro como si tuviera vida propia, como una hirviente amenaza vegetal que buscara escapar de los bidones y las cajas, ruidosa e incansable, aunque a lo mejor no son más que las ratas, agitándose por ahí, a punto de vomitar.

—Aquí me viene perfecto —dice Manx—. Justo en la esquina.

—¿No piensas decirme adónde vas?

—Te diré a dónde tienes que ir tú si quieres soltar esta basura en el puente Whitestone. Atraviesas el río, sigues por la Sesenta y uno Uno, que creo que es de doble sentido, y continúas hasta Bruckner y Boulevard, sin problema.

Antoine le mira. Manx ya ha salido del coche y se encuentra en la acera, y Antoine le mira, impávido tras el volante. Una larga y perezosa mirada de serpiente.

—También podría soltarla en plena calle.

—Eso pensaba. Eso me estaba diciendo a mí mismo.

—Mientras la ciudad duerme —dice Antoine—. Mientras los polis están comiendo el bocadillo.

Manx contempla el coche mientras arranca. La sensación de las calles vacías tras la medianoche y del viento procedente del Hudson mientras avanza en dirección este. El hormigueo en la espalda. El viento cortante que esparce la basura por las calles.

Podría tratarse de Antoine, descargando antes de tiempo.

Le gustaría ver un Alka-Seltzer, eso es lo que le gustaría ver, deshaciéndose con un siseo mientras desciende por un vaso de agua fría.

Desciende por la larga rampa, dejando el estadio a su izquierda, los Polo Grounds, y busca con la mirada grupos de personas haciendo cola o acurrucadas sobre el pavimento con mantas y comida, los serenos, hombres y muchachos ávidos de entradas, chavales a los que los reventas pagan por aguantar el frío y comprar las entradas sobre las que al día siguiente regatearán los hinchas desesperados para luego pagar precios astronómicos.

En el lugar reina una calma sepulcral. Y Manx nota una sensación ácida y rancia, esa indigestión desazonada de haber bebido demasiado con el estómago vacío, y eso que él ha comido, recuerda el plato que le dejó Ivie, conserva el sabor del redondo de ternera y de las verduras, pero siente un tirón brutal, como si algo le hubiera succionado todo el líquido del cuerpo.

Se encuentra ya en la Octava Avenida, recorriendo el perímetro del estadio, en busca de algún indicio de vida. El lugar está frío y silencioso como una tumba.

¿Qué pinta una pirámide en un billete de los Estados Unidos? He ahí una buena pregunta.

Lo único que ve es un perro de aspecto furtivo, de esos que han recibido tantas patadas que ya las identifican como caricias. Se niega a creer que Phil pudiera haberse equivocado en cuanto a esto. Phil es un tipo legal. Si Phil dice que los hinchas van a estar toda la noche haciendo cola para comprar entradas y luego llegas allí y descubres que el sitio en cuestión parece una tumba tienes que comenzar a preguntarte quién te está comiendo las neuronas.

En realidad, se trata de un sistema de transporte y almacenaje de atención nocturna. Si le llaman, trabaja; si no le llaman, no.

Ahora ve un automóvil detenido frente a un semáforo y se aproxima a él, arrastrando los pies como suele hacer cada vez que las cosas le superan. Hay un hombre sentado al volante. Ve venir a Manx y sube la ventanilla. Un hombre blanco cuyo rostro adopta una expresión que parece querer decir no estoy aún listo para morir.

Manx hace un gesto con las manos. Sacude las manos en el aire, no no no no: tan sólo quería hacerle una pregunta. Y el hombre pisa el acelerador y desaparece, da igual que el semáforo aún esté rojo, con un chirrido impresionante.

El sonido se desvanece en la calma de la noche y de nuevo reina una profunda quietud. El viejo estadio se yergue sobre la avenida y desprende su propio silencio, distinto del de la calle y el río. En verano, los chiquillos aún nadan en el río Harlem, casi en la linde de la ciudad, donde se despega del Hudson: hasta sus propios críos solían tirarse allí de una roca, con los brazos extendidos... durante un instante, los ve suspendidos en el aire.

Le invade una amargura espantosa.

Se siente un poco vacío. Se siente deprimido y molesto y francamente asqueado desde el punto de vista humano y ansía tumbarse y dormir. Se siente un poco atropellado. Quiere de algún modo, por medio de alguien, ganar algún dinero.

La posibilidad de que en el club le dejen traspasar siquiera la puerta es de una entre diez millones. Tiene que encontrar a los hinchas dispuestos a pagar. Y sólo se había acercado al coche para preguntar por su paradero. Y el rostro de la ventanilla como diciendo, por favor no me haga usted picadillo.

Dirige la mirada al otro lado de la calle Ciento cincuenta y cinco, en dirección a las casas de vecindad situadas al Sur, y ve a una mujer que permanece de pie bajo un cartel del Poder de la Oración, buscando trabajo.

Oye un sonido procedente del otro lado del río.

¿Qué otro sentido tienen los códigos secretos del dólar estadounidense que el de desconectarte de la gente que los entiende?

Oye algo. Está a punto de encaminarse en dirección a casa, no hay ningún sitio donde ir más que a casa salvo que encuentre otro bar, y sabe que tiene que entrar en el metro y esperar la llegada del tren en una estación vacía, otro fastidio, tener que aguardar allí solo en un andén interminable, acaso media hora, y oye un sonido procedente del otro lado del río, lejano pero nítido, de ese modo preciso que tienen las voces de transmitirse sobre el agua por la noche.

Se detiene junto al acceso del puente y escucha. Hombres que cantan, el sonido de numerosas voces, algunas de las cuales siguen a las otras, estridentes y desiguales, y reconoce la melodía.

Cantan, *Riding on a pony.*

Cantan, *Stuck a feather in his cap.*

Cantan, *Called it macaroni.*

Y oye risas que flotan sobre el río y finalmente empieza a comprender. No es el camarero el que se había equivocado. Phil en ningún momento dijo que la gente fuera a hacer cola en el Polo Grounds. En ningún momento mencionó el estadio. Fue Manx quien se equivocó. Porque están haciendo cola en el Yankee Stadium, al otro lado del río. Juegan los Giants contra los Yankees en el Yankee Stadium, y las voces viajan con tal precisión que es como si se las susurraran al oído.

Oye a un grupo de hinchas cantando *Say Hey Willie* y, claro está, se trata de hinchas de los Giants, cantando las alabanzas de Willie Mays.

Y oye el cántico de respuesta de los hinchas de los Yankees con esa vieja canción *Joltin' Joe DiMaggio* de antes de la guerra, cree, esa que ponían en todas las emisoras del país, *te queremos en nuestro bando*, y todo resulta movido y alegre, y su estado de humor se remonta, y propina una palmada a la pelota que lleva en el bolsillo de la chaqueta, con la redondez y la dureza perfectas de todo objeto sustancial.

Atraviesa el puente colgante y los oye en las calles y en ese momento comienza a verles. Están atravesando el parque en dirección al estadio, cruzando prados y senderos, y descienden del metro colgante, hombres y muchachos que forman largas hileras que doblan las curvas de las elevadas escaleras riendo y cantando.

Ve banderas que ondean en el tejado del estadio y estandartes de las Series Mundiales colgando de la parte superior de los muros exteriores. Ve hogueras sobre el pavimento, están encendiendo hogueras en bidones de doscientos cincuenta litros, y no deja de asombrarse un poco ante las masas de gente que han salido a esa hora de la noche para comprar entradas. Tiene la boca ligeramente abierta y los ojos como platos. Adapta su zancada al paso de la multitud, sintiéndose arrastrado, sintiéndose francamente feliz de hallarse entre aquellas personas que transportan comida y sillas, ligeras butacas de lona plegables para la playa, y que llevan sacos de dormir atados a la espalda, una docena de muchachos de instituto con el pelo rapado que se pasan unos a otros termos que despiden humo al destaparse, café bien concentrado con el que mantenerse despiertos y calientes.

Ve a padres y a hijos calentándose en torno a los fuegos, masas incontables de gente, y caballos de la policía montada respirando vaho, y experimenta una peculiar euforia, un deseo de estar-entre-ellos, y se siente arrastrado, con la boca ligeramente abierta porque es un espectáculo magnífico, mientras los demás entonan y rugen cánticos guerreros, yendo y viniendo por la calle con buen humor, todos esos hinchas del béisbol encaminándose hacia las colas de las taquillas a las dos o las tres de la madrugada, quién sabe qué hora es en realidad.

Manx lleva un reloj de pulsera que dejó de funcionar hace seis semanas. Se encuentra en una situación que ya tendrá ocasión de recordar cuando su vida retorne a un estado normal.

PARTE 4

COCKSUCKER BLUES

VERANO 1974

1

Era el verano de las azoteas, copas o cena, un jardín arrinconado con una mesa de hierro forjado cuyas patas curvadas parecen salpicadas de esporas de óxido, y acaso eso que trepa por la chimenea son rosales franceses, de un color que llaman rubor de doncella, o una larga terraza con superficie de pizarra con abedules plantados en bañeras de cobre y las risas de una docena de personas resonando leves y exquisitas en la noche, flotando sobre las sopas frías en dirección a los rascacielos y las cúpulas y los depósitos de agua, o una comida apresurada, un viejo amigo, tumbonas de playa y comida china a domicilio y el olor mantecoso de las plantas de dragón bajo el sol.

Así era el verano de Klara Sax en las azoteas. Descubrió una ciudad oculta sobre el febril entramado de las calles. Semáforo abierto pase, semáforo cerrado deténgase. Diez millones de cabezas oscilantes que navegan sobre un piélago de franjas de taxi, cada una con su propias ondas mentales aunque, sí, las calles bullen de idiosincrasia, de particularidades humanas, pero tienes que subir al nivel de las azoteas para verlo todo de un modo nítido, preservado bajo su madera y su latón. Sumergió la mirada en el cielo atestado de aires acondicionados y antenas y de repente se produce una peculiaridad, un gesto inexplicable que parece aislado del resto. Ángeles con alas de mariposa refugiados bajo una cornisa de Bleecker Street. O el misterio de una blanca cabaña de tablillas sobre el tejado de un antiguo edificio. O las curiosas cabezas *art déco*, de un estilo que recuerda a las de la Isla de Pascua, adheridas a las esquinas de una torre urbana. Encontraba aquellas cosas alentadoras, docenas y docenas que colgaban sin autor conocido, con cables de puente en la distancia y de vez en cuando truenos en el cielo, las falsas tormentas del verano.

Tenía a la sazón cincuenta y cuatro años, el número te resuena en la cabeza: cincuenta y cuatro, y acababa de terminar su último proyecto, humanamente invisible, esperando volver a trabajar, a fabricar, a moldear, a modificar y a construir.

El World Trade Center estaba en construcción, remontándose ya, con dos alturas gemelas, con grúas inclinadas en las cumbres y ascensores de obra deslizándose por sus costados. Lo veía casi desde todos los sitios a los que acudía.

Almorzaba con un vaso de vino y luego se aproximaba a la barandilla o al alféizar y por lo general allí estaba, destacando sobre el embudo que formaba el extremo de la isla, y una tarde, a primera hora, un hombre se situó junto a ella, tomando copas en el tejado de un edificio convertido en galería, de unos sesenta años, pensó, corpulento y de anchas mandíbulas, pero también en cierto modo esbelto, tranquilo y discreto, sólido, de aspecto importante, europeo.

—Yo lo concibo como un solo edificio, no dos —dijo ella—. Aunque, claramente, se compone de dos torres. ¿Se considera una única entidad, ¿no es cierto?

—Es verdaderamente terrible, pero hay que verlas, supongo.

—Sí, hay que verlas.

Durante un rato, se les acabaron las ideas, allí de pie, junto al borde, asimilando el tétrico paisaje, incómodos, pensó ella, porque los juicios estéticos resultan superficiales cuando los compartes con un extraño, hasta que finalmente percibió un rumor, una alteración en su porte que pretendía señalar un cambio de tema, abierto y decidido, y oyó que él le decía, aún contemplando las torres, que le susurraba, de hecho:

—Me gusta su trabajo, ¿sabe?

—¿Sí?

—Es muy comprensivo.

Algunas noches había tal humedad que no podías cerrar la puerta. Tenías que empujarla con el hombro. Los puentes se expandían y las aceras se resquebrajaban y había basura en las calles y tenías como que hablar con tu puerta para convencerla de que se cerrara.

Le encantaban las noches eléctricas, con esa energía estática en el aire y esos relámpagos de breve pulso, en grandes descargas informes, de los que casi es posible leer la secuencia rítmica, lentos y protoplásmicos, acaso con una sombrilla Cinzano en alguna de las terrazas superiores: no logras identificar ese sonido de disparo hasta que no vislumbras las franjas de la sombrilla y sus bordes agitados por el viento.

Klara se sentía desconfiadamente feliz, con una felicidad privada. Tenía la sensación de verse favorecida, razonablemente apreciada por sus recientes trabajos, y volvía a sentirse bien después de una temporada de insomnio y dolores de espalda, volvía a notar la mente despejada después de una breve depresión, ahorraba dinero después de una racha de gastos incontrolados, salía y veía a sus amigos y se asomaba por los pretiles, silenciosamente feliz, con mejor aspecto del que había tenido en años... todos lo decían.

Corrían los tiempos del cese de Nixon, pero ella no lo disfrutaba del mismo modo que sus amigos. Nixon le recordaba a su padre, otro hombre de mente exhausta, similar en sus mismos andares, en su ademán físico, amargo y distante a veces, con el porte encorvado de los perdedores, todo cabeza y manos.

Se asomaba por los pretiles y se preguntaba quién habría trabajado aquellas piedras, quién habría labrado aquellos detalles de delicado matiz, aquellos cabrios y rosetones, aquellas hornacinas sobre las balaustradas, los clásicos racimos de frutas, los enrevesados soportes que sostenían los balcones, y pensó que debía de haberse tratado de inmigrantes, probablemente talladores italianos, desconocidos, artistas anónimos de primeros de siglo ya enterrados en el cielo.

No estaba habituada a que la reconocieran. A veces la reconocían en ciertas situaciones, pero muy raramente, y cuando ocurría le hacía sentirse como si estuvieran tomándole las medidas en una minúscula habitación cubierta de espejos. Tendía a pasar desapercibida excepto cuando estaba entre amigos. Era básicamente invisible, humanamente invisible a la gente del mercado situado calle abajo, no sólo a los jovenzuelos que pasaban apresuradamente junto a las nebulosas formas que flanqueaban los pasillos, como desenfocados elementos medievales, sino a la gente en general —de acuerdo, a los hombres en general— que, como mucho, le proporcionaban una categoría genérica.

No era una cuestión importante. No se sentía solitaria ni poco querida. Bueno, se sentía poco querida en los más profundos sentidos de la palabra, pero aquello le daba igual, ya había disfrutado de suficiente amor en los sentidos más profundos, un amor doloroso y resonante, esa clase de matrimonios rencorosos que te hacen difícil obtener una soledad fiable. Aprender a no ser vista era tan sólo una curiosidad, una forma reconfortante de autorreconocimiento.

Miles Lightman apareció con frecuencia durante aquel verano. Miles tenía algo que le hacía pensar que venía de comerse los restos de platos ajenos, pero comenzó a acostumbrarse a él, a apreciarle mucho. Era activo e irreflexivo, esencialmente desprovisto de sentido del arte, ajeno a los mecanismos de soberbia que echan a perder tantos amores en ciernes.

Klara vestía largas faldas arrugadas, faldas vaqueras con bordes floreados.

Subió al tejado de la fábrica, un espacio preparado para aquella tarde, para que un pequeño grupo de teatro pudiera lanzar una campaña de suscripción. Cincuenta personas bebían vino tibio en vasos de plástico y decían, Necesitamos más teatro.

Estaba cerca del pretil, hablando con una mujer a la que no conocía, y en un momento dado comprendió que el edificio que tenía enfrente, a eso de diez manzanas de distancia, una torre ya vieja con una sección central abultada y un remate de mosaico, era el Edificio Fred F. French.

E intentó escuchar a la mujer, pero no logró concentrarse porque el nombre le había iluminado la mente con uno de esos profundos destellos brillantes que tienen lugar cada cuarenta años.

Fred F. French. Tenía que contarle aquella historia a Miles porque era graciosa y extravagante y quería rendirse por completo a ella, exponerla y estudiarla y acumular sus detalles. La ardiente Rochelle, el muchachito salido en el asiento trasero, y ella, que también intervenía, claro está. Klara Sachs sin la *x*, el modo en que caminaba y hablaba, el modo en que las cosas eran reales y ella misma era real en ciertos aspectos que ya había olvidado.

Desde las altas ventanas de su ático veía salidas contra incendios, angulares y escalonadas, aquello constituía su vista principal, oscuras estructuras metálicas que se entrecruzaban en relieve sobre los oscuros callejones, y se preguntó si aquellas líneas podrían revelarle algo.

Tal vez los áticos eran peligrosos, pensó, pero no en caso de incendio: espaciosos, con columnas y repletos de recuerdos, grandiosos. Tenía que vigilar que el ego no la cogiera por sorpresa. Tenía que preguntarse realizarías esta pieza de un modo más sincero si trabajaras en una buhardilla canija vete a saber dónde. Intentaba llevar a cabo su obra a escala de la figura humana, por más que no fuera figurativa. Se mostraba recelosa del ego, del héroe, de las alturas y del tamaño.

En eso consistía la elocuencia de los tejados. Admira pero no emules.

Su hija estaba en la ciudad, y juntas paseaban por el distrito de construcciones de forjado y comían en el Village y hacían alguna que otra compra, y resultaba difícil. Siempre resultaba difícil con Teresa, que acarreaba un aire de pobreza y una sencillez que parecía obstinada: pesaba demasiado, mostraba un aspecto deliberadamente poco atractivo y parecía estar diciendo siempre mi papaíto me quiere exactamente como soy, pero mi mamá no, mi mamá opina que puedo ser mejor y más lista y conocer a gente mejor y más lista.

Oyó los disparos y alzó la mirada y vio la sombrilla de Cinzano y advirtió que los bordes se agitaban por el viento procedente del río.

Teresa tenía veinticinco años, pero su aspecto era intemporal e informe, y para Klara lo más difícil de la visita era cuando se sentaban en el ático a hablar, o la espera durante los silencios, o el hecho de descubrir que su hija tomaba el té con azúcar y que ella no tenía azúcar en casa.

—Deberías ir a visitar a papá —dijo Teresa.

Lo dice como una provocación, como una forma de censura que no tiene nada que ver con el trayecto en tren hasta el Bronx.

—No sería una buena idea. Créeme.

—No me puedo creer que viváis en la misma ciudad y que ni una sola vez.

—Francamente, daría igual que viviéramos en la misma calle. No se trata de dónde vivimos, ¿comprendes? No tendría ningún provecho y él lo sabe y yo lo sé.

Deja implícita la circunstancia de que también Teresa lo sabe.

—¿Por qué hay que buscarle algún provecho? ¿A qué viene esa constante búsqueda de las ventajas?

—Ya son muchos años, Teresa. ¿De qué serviría?

Otro silencio, salpicado esta vez del tintineo de la vajilla y de los camiones que cargan y descargan en las plataformas de la calle, esos camiones de costados abollados en los que no puede verse el nombre de ninguna empresa.

—¿No tienes siquiera un poco de sacarina?

Klara miró por la ventana, en dirección a las escaleras de incendios, a las traseras de los grisáceos edificios, con su brillo de hierro pulido y su óxido y sus ladrillos cuarteados.

—¿Cómo se encuentra? —dijo.

—¿Qué? Está bien. No piensa mudarse a un edificio nuevo. Ese edificio en el que vive ahora comienza a resultar ridículo.

A donde quiera que fueran había basura apilada en bolsas negras. Hacía ya siete días que duraba la huelga, que había incluido unos cuantos incidentes violentos y un basurero particular al que casi habían matado a golpes. Teresa no decía nada de los montones de basura, hasta cincuenta bolsas en algunos sitios, porque vivía en Vermont y ¿qué iba a decir? Pero utilizaba la basura contra su madre. La basura constituía otra forma de acusación, algo que se transmitía telepáticamente entre ellas, un centenar de bolsas en un rincón y un olor tan lujurioso que parecía envolver todo tu cuerpo, oprimiéndolo como un microclima.

En el ático, Teresa dijo: «Se pasa el día escuchando ópera. Todo el verano, hasta que vuelven a empezar las clases. Quiere que la tía Laura se traslade a vivir con él. Está volviéndose, Laura, no sé, no senil, pero un poco temblorosa. Aunque creo que ella prefiere vivir sola.»

Klara podía distinguir la pereza manifiesta en la voz de su hija, esas viejas vocales vapuleadas, y pensó en lo curioso que era escuchar aquellos ruidos vecinales tan próximos y procedentes de su propia hija, quien parecía exagerar la entonación arrastrada de las palabras, el carácter holgazán del acento, formas de inflexión y de pronunciación de los que su madre y su padre se habían desembarazado —ésa es la palabra, desembarazado—, como si la joven necesitara retroceder aún una etapa, regresar a un nivel inferior de la vida callejera para dejar claro algún punto relativo a la constancia y a la fidelidad.

Llevaba años apartando el color de su obra. Durante una época, había empleado bitumen y pintura casera. Le gustaba combinar colores en las conchas de mar que se había traído de Maine doce años atrás. Pero ahora había menos colores que mezclar. Le pareció un buen momento para eliminarlos.

Caminó hasta el mercado, pasando junto a una nueva galería comercial. Seguía habiendo galerías y comercios, pero ahora sus fachadas de hierro forjado parecían a prueba de vándalos, eso era lo principal, de las viejas fábricas en las que los inmigrantes fabricaban botones y trajes, mujeres y chiquillas que trabajaban dieciocho horas al día, y compró una caja de azúcar en el mercado antes de que pudiera olvidarlo y pasaran diez meses y volviera a presentarse Teresa.

El arte en el que el momento es algo heroico, el arte americano, el hazlo ahora, el pasado que se joda... no era capaz de seguirlo. Podía contemplarlo y respetarlo, incluso envidiarlo de algún modo, pero no atacar ella misma el objeto y realizar un gesto furioso, golfo, deslumbrante, con el que manifestar la independencia.

Por teléfono le dijo a una amiga, su amiga y galerista Esther Winship, siempre dispuesta a aconsejar a un pintor o a un escultor, a imponerse al artista insustancial para que adoptara alguna estrategia útil, algún plan de acción lógico, cuando en realidad era Esther la que precisaba ayuda, Esther con su ajuar de marimandona, sus perlas y sus trajes a rayas, la que estaba quedándose sin pintores y la que tenía que soportar las presiones de su casero y la que se compadecía de sí misma, le dijo a Esther por teléfono:

—Mira, escucha. Comenzaré a trabajar de nuevo si me invitas al campo.

—Déjate de campos. Quiero que me lleves al Bronx.

—¿Qué hay en el Bronx?

—Un chaval que se dedica a hacer pintadas. Pinta trenes, vagones de metro, trenes enteros, es capaz de pintarse todos los vagones. Quiero contratarle y exponer su obra. Pero primero tengo que encontrarle.

—¿Cómo piensas exponer su obra?

—Le proporcionaré una pared —dijo ella.

Klara tuvo que admitir que le gustaba cómo sonaba aquello. Quizá no era sino la primera etapa antes de decir, Le proporcionaré un edificio, Le proporcionaré una manzana. Así era como Esther quería que sonara. Vives más años y duermes mejor cuando eres capaz de decir cosas como ésa. Le proporcionaré un tren de cien vagones.

—¿Por qué necesitas ayuda para encontrarle?

—No sé cómo se llama. Sólo sé cómo firma. Moonman 157.

—Me resulta familiar —dijo Klara.

—Lo habrás visto. Todo el mundo lo ha visto. Ese cabrón es un maestro.

Le encantaban los depósitos de agua que alcanzaba a divisar en los tejados, instalados por todas partes, fabricados de viejas maderas castañas con tapaderas como sombreros de culi. A menudo los construían a pie de obra, con el mismo sistema que se emplearía para fabricar un barril: planchas con ranuras que luego se unen mediante aros de metal, y por supuesto las torres gemelas a lo lejos, como un modelo de producción en masa monstruoso, de unidades idénticas que salen de fábrica para ir a parar a tu supermercado, con sus etiquetas, en la que figuran los precios del día.

Miles era más joven que Klara, acaso unos ocho o nueve años, y parecía aún más joven, y tan libre de responsabilidades, tan poco involucrado con cosas reales, que su estado se le antojó como el de alguien reconfortantemente etéreo, alguien que pasa por allí, alguien que casi siempre llega con retraso, pero cuyos retrasos casi nunca tienen importancia.

Por lo general, llevaba vaqueros y botas de piel de lagarto; tenía la piel fea y una hermosa nariz curva y llevaba el pelo estrechamente peinado hacia atrás. Vivía en habitación y media, en el Upper West Side, con rollos de película y otras cosas pertenecientes a su vida pasada, todo aún empaquetado en cajas: sencillamente, cosas, ya sabes, cosas que acarreas contigo y que guardas porque hacerlo constituye una especie de desorden mental con el que te sientes cómodo.

Trabajaba a tiempo parcial para una distribuidora cinematográfica y también producía documentales, o los coproducía, o telefoneaba, y todo ello conformaba un proceso dotado de la suficiente luz oblicua como para convertirlo en algo repetidamente inútil. También organizaba visionados para una sociedad cinematográfica. Y se lo veía todo, coleccionaba carteles de cine y folletos de películas y era capaz de recitarte las filmografías de los directores más oscuros, porque cuanto más oscuros, claro está, tanto más valiosa era la información. En su negocio, aquello siempre había sido un mérito.

Y aquel verano estaba intentando reunir los fondos necesarios para financiar un documental sobre una mujer que contraía las enfermedades y los síndromes que padecían las celebridades. Mediante una peculiar forma de neurohipnosis, o como se denomine el término, aquella mujer, vecina de Normal, Illinois —algo que la hacía irresistible— mostraba los síntomas de todo lo que pudieran estar sufriendo en un momento determinado Elizabeth Taylor o John Wayne o Jackie Onassis o quien prefieras, desde fatigas griposas hasta estados cancerígenos, pasando por erupciones dermatológicas o herpes simple.

Eran estigmas modernos. Y varios médicos pagados por la prensa amarilla estaban estudiando su caso. Y Miles quería titular la película, si es que llegaba a reunir el dinero, de un modo claro y sencillo: *Normal Illinois.*

Sus cabellos caían libremente a ambos lados de su rostro, más o menos despeinados, como cortados a cuchillo en la parte inferior y decididamente grises en la zona de la raya. Tenía los ojos separados y ligeramente protuberantes, y las cejas inclinadas hacia las sienes. Su aspecto era tímido... no tanto tímido como reservado, y si hubierais coincidido con ella en una azotea durante aquel verano os lo habríais pensado dos veces antes de iniciar una charla intrascendente con ella.

Aquél fue el verano de los relámpagos y del vino tinto, de aquellos profundos burdeos que recuerdan a la sangre de toro, y ella visitaba los terrados y las azoteas y se preguntaba cómo era posible que aquellas cosas hubieran estado allí durante tanto tiempo sin ella enterarse.

Le encantaba una escultura que había visto en uno de los edificios del centro: un biplano, acaso una vieja avioneta de Correos, construida a tamaño natural, con su pista de aterrizaje y sus luces.

Y le gustaban también la pirámide escalonada que había sobre uno de los edificios de Wall Street y la acerada aguja del edificio Chrysler y la fachada sur del hotel Pierre, similar a las escansiones del París de los tejados pero multiplicada varias veces, enunciada en estrofas hacia el cielo.

Se daba cuenta de lo poco corriente que resultaba ver lo que tienes delante, de hasta qué punto resulta una nueva sensación básica dentro de la azarosa vida urbana contemplar un espacio medido y no distraerse con las señales y los semáforos y los taxis y los andamios, con tu propia mente ausente, ocupada en clasificar la información, con la energía de los que caminan apresuradamente, con los grupos de gente esperando para comer y los autobuses y los mensajeros en moto, con toda esa voluntad consciente que se arroja en masa por los huecos de Manhattan hasta un punto en que resulta imposible mirar al otro lado de la calle y contemplar las baldosas color turquesa de una fachada de terracota con una bestia alada labrada sobre el dintel.

Klara desarrollaba diálogos con su propio cuerpo, y antes de levantarse de una silla, se recordaba a sí misma adónde quería ir, acaso a la cocina —en busca de una cuchara, tal vez—, y el modo exacto en que podría llegar hasta allí. En cada situación, tenía que localizar su cuerpo, decirse a sí misma dónde se encontraba, a veces mirando incluso hacia atrás, por si pudiera haberse quedado sentada en la silla.

Tenía unos labios carnosos y una boca demasiado gruesa, demasiado fruncida y también levemente torcida, diseñada para hablar por las comisuras, y su voz mostraba unos cambios tonales que resultaban interesantes, con caídas y remansos y cierta resonancia brumosa.

Yo y mi amiga Rochelle, que me enseñó a fumar.

Tomaba copas con grupos de gente en azoteas elevadas en las que habían plantado frutales y hiedras rojas, y contemplaban a una mujer haciendo *footing* sobre un edificio de oficinas, algo que les hizo sentirse felices a todos: aquella deportista, con su chándal reflectante y las torretas medievales en la distancia y, más allá, las chimeneas y, por fin, el río que discurría sedosamente junto a Brooklyn.

Klara tenía un cuello esbelto y llevaba una cadena con un amuleto procedente del norte de África, un amuleto contra la mala suerte que le había regalado su marido, Jason, cuando ya estaban divorciados.

Miles tenía un elegante mazo de cartas italianas y le enseñó un juego llamado *scopa*. Lo jugaron a última hora de la noche después de cenar por ahí y de un encuentro en su cama, bajo los elevados ventanales del ático y los escalones de las salidas de incendios, que se entrecruzaban formando una profunda perspectiva de los callejones.

Él le preguntó por el montón de planchas de madera apiladas en el rincón más alejado. Planchas de tarima, arpillera y trozos de cuerda.

Ella le dijo que contaba con un antiguo alumno que se encargaba de reunirle materiales. Había enseñado escultura durante algunos años, y uno de sus jóvenes acudía a edificios abandonados, a astilleros de yates y talleres de soplado de vidrio, exploraba las poblaciones vecinas, visitaba garajes y boleras, y un día había regresado con una docena de almohadas viejas procedentes de un hotel condenado, almohadas tiznadas de gris por nadie sabe cuántas cabezas en tránsito: qué objetos tan tristes e irreales con los que convivir.

—¿No te importa vivir y trabajar bajo un mismo techo?

—Es todo una misma cosa —dijo ella.

—Pero ¿no sientes necesidad de alejarte de ello? ¿De todos estos trastos? No hay posibilidad de huir de su presencia. Está por todas partes, es trabajo y no te queda más remedio que verlo constantemente.

—Aquí estoy, tendida junto a alguien que se lo hace en casa.

—Lo sé, pero no trabajo allí. Como mucho, hablo por teléfono. Eso es todo lo que hago relacionado con el trabajo. Estamos visionando algo que te gustaría ver. Te llamaré. La semana que viene.

—Bien. Películas.

Le encantaba nadar, iba todos los días a la Asociación Cristiana de Mujeres Jóvenes y braceaba invisible a través del agua, entregada a sus largos, a los relajantes largos de la piscina, monótonos y tonificantes, como rutinarias letanías de escuela primaria: cosas que refuerzan tu sentido de identidad.

—Lo que tiene el verano es que sientes como si tuvieras toda la ciudad para ti sola.

—Me gustaría pasar unos cuantos días en Sagaponack. Pero Esther quiere que le enseñe el Bronx antes de invitarme allí.

En un momento determinado, se fijó en el juego de naipes que estaba disputando con Miles, la partida que jugaban con aquella costosa baraja de sotas y reyes atenuados, aquellas figuras dotadas de cierto minimalismo siniestro, y comprendió gradualmente que el *scopa* era el mismo juego que había visto jugar a los niños en la entrada del edificio donde había vivido cuando estaba casada con Albert, eran alumnos de Albert, algunos de ellos, los chicos del señor Bronzini, y jugaban a aquel juego con una baraja corriente de esquinas dobladas, claro está, y lo llamaban *tute*.

—¿Qué hay en el Bronx? —dijo él.

—Hay un chaval al que está buscando. Un artista del grafito.

—Un grafitero.

—Sí, bueno, ocurre por todas partes, esta costumbre.

—Avísame cuando lo encuentres —dijo Miles.

—¿Para qué?

—He estado pensando en una película en la que habría que seguir a un chaval joven día y noche; seguirle cuando va a las tiendas de pintura, a las estaciones, a los trenes.

—Suena como algo que ya se hubiera hecho, aunque no lo haya hecho nadie.

—Nadie lo ha hecho —dijo él.

—¿Y qué me cuentas de Normal, Illinois?

—En ello estamos, intentando conseguir financiación. Pero ahora está enferma.

—Por supuesto que está enferma. A eso se dedica, ¿no?

—Quiero decir enferma por su cuenta. Independientemente de otras fuentes —dijo él.

Pero los largos resultaban más eficaces cuando estaba trabajando en algún proyecto. Cuando estaba ociosa no disfrutaba tanto ni mucho menos. Los largos eran parte añadida del trabajo riguroso, eran los intervalos que completan la octava.

Cuando Esther daba consejos y Klara los seguía, habría tenido que existir un elemento de tolerancia mutua. Porque, por lo general, Esther era dominante, y Klara un poco alocada e imprevisible. Pero, de hecho, necesitaba oír cualquier cosa que Esther pudiera decirle. Esther siempre tenía cierta cantidad de cosas inútiles que decir, pero necesitaba saber que por ahí había alguien preparando un espacio, esperándola y musitando su nombre y transmitiéndole cumplidos aislados procedentes de quién sabe qué oscura fuente.

Pero no siempre funcionaba. Cuando Klara oía alguna alabanza, siempre le sonaba falsa y titubeante, mal ensayada, y cuando se veía criticada en la prensa o en ese círculo íntimo de rumores y noticias a medias, tenía que luchar contra la sensación de que quizá estaban en lo cierto, de que su obra era insustancial y cobarde y prescindible.

—Esto es el perro-ataca-perro de Darwin —gustaba de decir Esther, lo decía de modo incesante, disfrutaba diciéndolo porque sabía que con ello asustaba a la gente como Klara.

Le encantaban las tablas apiladas en el rincón. De madera castaña veteada, de una suerte de humedad marrón oscuro, como las torres escalonadas de los terrados, los depósitos llenos de agua y, en general, desnudos frente a los elementos, pero a veces protegidos por complicadas estructuras de estilo eclesial adornadas con ojivas y grandes ornamentaciones de águilas.

La gente ya no decía, *Anda, vaya*. En su lugar, decían *Ni hablar*, y se preguntó si podría aprender algo de aquello.

Observó a su amiga Acey Greene en la televisión, una nueva amiga, joven y prometedora, entrevistada a medianoche por un canal de cable local. Tenía un aspecto estupendo: qué aspecto tan estupendo tienes, pensó Klara. Con un peinado modestamente afro, vestida con una chaqueta de esmoquin rota y una pajarita roja.

Miles llamó, y acudió a encontrarse con él en una vieja nave del centro, antiguamente utilizada para fabricar velas náuticas. El grupo cinematográfico al que pertenecía mostraba cosas poco corrientes, en su mayor parte improyectables en los cines por un motivo u otro, y los visionados se convirtieron en una aventura efímera, desarrollada allí donde Miles conseguía asegurarse un espacio.

Habían acudido cincuenta o sesenta personas para ver una película de Robert Frank, *Cocksucker Blues*, acerca de una gira norteamericana de los Rolling Stones.

Klara, sentada en la oscuridad, consumía un yogur familiar.

Se dio cuenta de que hacía ya algún tiempo que había estado viendo los labios de Mick Jagger en todos los sitios a los que acudía. Quizá constituía el logotipo corporativo del mundo occidental, la mueca y el mohín que te persigue por las calles: le gustaba verle bailar y adquirir su ritmo endiablado, pero consideraba su boca como un elemento aparte, algo que alguien hubiera añadido posteriormente en busca de efecto.

Le dijo a Acey, sentada junto a ella, le dijo:

—Creo que todo lo que se ha comido todo el mundo durante los últimos diez años ha pasado por esa boca.

Le encantaba la diluida iluminación azul de la película, una luz cuasi crepuscular, una luz de túnel que sugería una realidad insegura... de hecho, nada insegura porque no nos cuesta ningún trabajo creer en lo que vemos, sino más bien una realidad subversiva, corrompedora y ruinosa, un magnífico azul de túnel.

—Tienes que entender esa boca como si fuera la de un sátiro —dijo Acey.

Rayas de coca entre bastidores o en los túneles y gente sentada en desorden por toda una habitación o dormida en los aviones, esa sensación de fin de los tiempos, observaciones a medias, un cigarrillo que cuelga de los labios de alguien, gente aún no lista para moverse, y le gustaba el sonido repercutido, el sonido de los documentales, esa especie de películas instantáneas que rebotan en las paredes de baldosas, en las paredes de escoria de los vestuarios y de los pasillos de los estadios.

Alguien que dice, A menudo me toma desde un ángulo desfavorable.

Y advirtió que sí, que tenía una boca completamente satírica, caricaturesca, como un ano parlante de los cómics contraculturales de los sesenta, y todas las burlas y bromas que habíamos inventado, todas las medias frases que habíamos mascullado, habían surgido más o menos del mismo orificio corporal.

Acey dijo:

—Los vi en San Francisco, ésta es la misma gira, tiene que serla, aquello fue hace dos años.

Arrojando el televisor del hotel por la ventana.

Entrevistas masculladas y confusas, las preguntas más llanas, más sencillas y mejor ensayadas, olvidadas y reflexionadas y vueltas a olvidar, la gira es una serie de observaciones incompletas, y un hombre y una mujer follando en un avión, y la boca mascando alimentos, la boca que se adhiere y se retira, Mick iluminado por las luces estroboscópicas y los flases del concierto como una fémina de múltiples bocas pintada por De Kooning, chupando micrófono.

La falange de cámaras en los túneles. Gente sentada por ahí, dos personas dormidas, una encima de la otra, o drogadas, o acaso inadvertidamente muertos, el interminable y ruidoso aburrimiento de la gira: túneles y pistas de aterrizaje.

Acey dijo:

—Fui al concierto y había un guardaespaldas, igual lo veo en uno de estos planos, un tío negro vestido con una camiseta en la que pone Stones, ya sabes, de Seguridad, sólo que algo completamente diferente pero en esa línea.

Y a Klara le encantaba la luz azul del túnel y las partes en las que no pasaba nada, todo el mundo tiene cámara, y se dedican a filmar escenas en las que no pasa nada y el sonido que se pierde en las baldosas del techo.

Alguien que dice, Odio a esos hijos de puta. A esos mindundis gilipollas.

Diciendo, ¿En qué estado nos encontramos?

Dos drogotas ininteligibles en una cama, un hombre y una mujer que guiñan los ojos con atención, concentrados en la aguja que pende del brazo de ella.

Diciendo, ¿Cómo es que te apeteció filmar eso?

Diciendo, No se me había ocurrido filmar eso.

Oh, Indiana.

Sencillamente, ocurrió.

Mick de pie en una habitación, con la boca abierta. La boca gorgoteando y escupiendo, lamiendo un cucurucho de helado. Y la película del concierto virada al rojo, los cuerpos bioluminiscentes, lo que a todos nos encanta del rock, pensó Klara, el halo de una muerte superior.

La excedrina en televisión, claramente más eficaz que la aspirina corriente.

—Y está siguiéndome —dijo Acey— a lo largo de un largo túnel y está diciendo, *Brown sugar* espérame porque tengo algo aquí que decididamente quiero que veas. *Hey brown sugar*. Y yo me volví, lo que, confieso, fue completamente estúpido, ya sabéis, y no es que la tuviera fuera, pero tenía la mano puesta encima.

Dos hombres blancos en la habitación y un hombre blanco que habla con voz negra diciendo, Poned a los hermanos en contacto con su legado cultural. Y el segundo hombre blanco introduce la aguja en el brazo y el primer hombre blanco que habla con voz negra dice, La tumba del drogota desconocido, calle Ciento treinta y siete esquina a la avenida Lennox, construida de arriba abajo, dice, con jeringuillas desechadas.

Alguien que dice, Me quitaron a mi bebé porque me lo hacía de ácido.

¿Dónde está la llave de mi habitación?

Túneles y pistas de aterrizaje y una luz azul diluida y luego la salida al escenario, el estridente resplandor blanco y el rugido prehistórico.

¿Se la chupas?

No. Sólo me he hecho una foto con él.

Diciendo, Para que venga el Estado y me quite a mi bebé.

Y una mujer desnuda acariciándose en la cama de una habitación de hotel, que se frota el chocho con la mano y luego se la lame. Y Acey, que interrumpe su historia para decir: «Mmmm.»

Todo ese monótono erotikón pajero de las ondas.

Y Klara pensó que resultaba interesante que fuera la única mujer que no parecía una niña. Era interesante, pensó, hasta qué punto todas las mujeres de la película eran niñas o se convertían en niñas. Los hombres y las mujeres se dedicaban a las mismas cosas, a las drogas, al sexo, a la fotografía, pero los hombres siguen siendo hombres y las mujeres se convierten en niñas, si acaso con la excepción de la que se frota el chocho y luego se lame la mano y dice algo inaudible porque el propósito fundamental del sonido en una película como ésta es que se pierda por los rincones de la habitación.

Me da igual... no es más que San Diego.

Acey estaba relatando su historia mientras buscaba al tipo de la historia en la pantalla.

—Y me entraron ganas de decirle algo, ya sabéis, de quitarle de la cabeza cualquier idea que pudiera tener. *Hey brown sugar.* Pero estábamos solos en aquel sitio enorme y clamoroso, sobre nosotros se abate el rugido del concierto y, *Brown sugar*, es él, *Brown sugar, brown sugar.*

—¿Este concierto que estamos viendo ahora? —dijo Klara.

—Ignoro si es la misma noche, pero es el mismo concierto, la misma ciudad, la misma puta banda de gilipollas millonarios con cara de esqueleto y los mismos guardaespaldas negros.

Era un verano de azoteas y el aire estaba repleto de héroes, el cielo polvoriento que ardía bajo la luz de las tormentas. Dioses oblongos apoyados en estrechos rincones y un par de faraones sentados que flanquean un aparato de aire acondicionado. Le encantaban las columnas que, como sirenas, había visto al fondo de la Quinta Avenida, y todas las rarezas, las figuras enigmáticas que no podía situar en ningún mito en particular, fundamentalmente en el centro, sobre los bancos más antiguos, sobre los parapetos y recodos: oráculos con túnicas que se asoman a las calles, u hombres con cascos de aspecto críptico, legisladores o guerreros, no era fácil de adivinar.

Y había sido allí abajo, sobre una azotea, un domingo, cuando había vuelto a aparecer el mismo caballero, el europeo con el que había conversado anteriormente en cierta ocasión, atisbando la estructura inacabada del World Trade Center.

Sí, hola, volvemos a encontrarnos.

Y le dijo que las figuras sobre las que había estado preguntándose, con su aspecto totémico, aquellos rostros en sombras bajo los estilizados peinados, se conocían con el nombre de los Titanes de las Finanzas. Y cuán apropiadamente severas resultaban, como si quisieran establecer los efectos de la Depresión en las calles subyacentes: calculó que el edificio debía de haberse construido aproximadamente en aquella época.

—A mí me suena como a alguna especie de orden de hermandad.

—Quizá —dijo él—. Pero creo que en banca todo es secreto.

Y a ella no le costaba creerlo, con todo aquel granito y piedra, y las torres nuevas, transparentes como cortinas, de cristales reflectantes y aluminio anodizado, y los despachos desprovistos hoy de cualquier rastro humano a excepción de los sótanos, donde se procesa el papel mediante microfilmadoras, a un ritmo de mil millones de cheques por segundo.

Se llamaba Carlo Strasser. Vivía en Park Avenue y coleccionaba arte con la apasionada torpeza de un principiante; solía decir: un apartamento en Park y una vieja granja en las cercanías de Arles, a la que acudía para pensar.

Y ella, por supuesto, dijo:

—¿En qué piensas?

Y él dijo:

—En el dinero.

Ella se echó a reír.

—A veces me pregunto qué es el dinero —dijo.

—Sí, claro, exactamente. Ésa es la cuestión. Te diré lo que yo pienso. Se está convirtiendo en algo muy esotérico. Formado por ondas y por códigos. Como una especie de inteligencia superior que viaja a la velocidad de la luz.

Estaba muy bien vestido, muy elegante, tenía presencia y estilo, y la hizo sentirse ligeramente impresentable, pero no hasta el punto de notarse incómoda, con sus vaqueros y sus sandalias viejas. El hombre compartía sus aficiones, y se sintió de hecho maravillosamente a gusto charlando con él.

Oyeron sirenas de niebla en la bahía y se detuvieron a escucharlas, encontrando en el sonido una especie de cualidad formalmente sobrecogedora: avanzaba caramboleando por las estrechas calles, colisionando consigo mismo, como una pieza de órgano que inflamaba el aire y hacía salir despedidas a las palomas de las torres.

Él le preguntó por algunos pintores, y ella hizo algo que casi nunca hacía: se extendió, le proporcionó análisis detallados, algo que había tendido a evitar incluso durante su época en la enseñanza. Se oyó abordando explicaciones tan fogosas y nuevas que se dio cuenta de que había estado reprimiéndoselas a sí misma.

—Louise me dijo en cierta ocasión, Nevelson, que a veces contemplaba un lienzo o un trozo de madera y que lo veía blanco y puro y virginal, y que por mucho que lo trabajara, por muchas pinceladas y colores e imágenes que aplicara, el único objetivo era devolverlo a su estado virgen: eso era lo grandioso, lo inquietante.

Klara no lograba relacionar aquella observación con su propio trabajo, pero así y todo le gustaba repetírsela a sí mismo: le gustaba la idea de que a un artista célebre le asustara lo que hacía.

—Yo tengo un pequeño Nevelson —dijo él—. Una pieza muy pequeña. La compré hace años, y ahora me has proporcionado un modo de contemplarlo de forma diferente, cosa que haré encantado.

—Entraba en su estudio y ella me enseñaba una escultura ne-

424

gra, una escultura de madera pintada de negro y yo a lo mejor comentaba algo acerca del color o del material y ella la contemplaba y decía: «Pero es que ni es negro ni es de madera.» Opina que la realidad es algo superficial y débil y fugaz. En ese sentido somos muy distintas.

Miles apareció más tarde, y Carlo Strasser se perdió elegantemente entre los asistentes, ocho o nueve personas que rodeaban una mesa llena de quesos, frutas y vino, de esos burdeos color sangre, de esas ciruelas damascenas y esas noches negriazules, y el sonido del trueno, seco y falso.

De pie en la cocina de alguien, cortando un limón, comprendió que el cuchillo habría de resbalarse y que se cortaría, cosa que hizo.

Fue uno de esos microsegundos que resultan largos y lentos y nuclearmente cargados de información, y ella supo que iba a ocurrir y siguió cortando y entonces ocurrió, se cortó en el dedo y vio cómo la sangre rebasaba la línea del cuchillo y se deslizaba irregularmente por sus nudillos.

Observó a la gente que tomaba el sol. Lo hacían completamente, dominando la experiencia, una mujer tendida sobre un pretil con una manta y una jarra de té helado y un vaso infantil decorado con flores y una novela encuadernada en rústica cuyo título intentó Klara espiar: lo hacían sin reparar en los pretiles, ni en los tejados inclinados, ni en las asfixiadas superficies de alquitrán, era un espectáculo de aquí estoy yo y ahí está la jaula vacía de un limpiaventanas ascendiendo por el costado de una torre de piedra. Vio una fachada de ladrillo inundada por una luz de coral, más o menos incendiada de luz, y le pareció que el ladrillo se mostraba revelado de ese modo en que sólo la luz puede revelar las cosas: como arcilla cocida de una belleza más intensa de la que nunca había soñado advertir. Y ahí está esa señora mayor otra vez, sentada en su butaca de nailon con los periódicos del domingo esparcidos a su alrededor, tan familiar y tan reconfortante: sostiene un reflector bajo la barbilla y se entrega en sacrificio al sol, una cabeza en un plato que va oscureciéndose como la de una momia en las profundidades de un día de verano.

Observó la sangre que manaba del corte y reparó en las arrugas y espirales de su dedo y oyó la música procedente de la habitación contigua, es el marido de Esther poniendo uno de sus viejos discos de 45 r.p.m., esas músicas de banda con las que consigue expulsar a sus invitados a la azotea.

La basura seguía allá abajo, apilada en bolsas de plástico negro idénticas, y cuando regresó caminando a casa pasó junto a un ancho terraplén que cubría una boca de incendios y parte de una señal de autobús y advirtió cómo todo el mundo se confabulaba en no parecer notarlo.

Miles Lightman llegó tarde a una cena que se celebraba en una azotea de la parte alta de la ciudad, provisto de un paquete de esos cigarrillos negros que fumaba, tamaño grande y extrasuaves y de combustión lenta, y de una bolsita de marihuana, a la que gustaba de denominar *boo*, un término que había oído en un bar de Harlem haría acaso unos veinte años.

Estaban en la azotea de un edificio nuevo de cuarenta plantas que se erigía sobre el estanque del parque y permanecieron un rato observando a los corredores nocturnos. Los corredores rodeaban el estanque en buen número, débilmente iluminados por las farolas, y Miles pensó que parecían masas en fuga extraídas de una película japonesa de terror. Sentía una atracción especial por las masas en fuga. Quería hacer un libro de imágenes al respecto. Coleccionaba fotografías publicitarias de oscuras producciones: masas de asiáticos en fuga, todos alzando la mirada hacia algo sobrecogedor.

Allí, desde el tejado, dirigieron la mirada al otro lado del parque, en dirección a las siluetas de edificios bautizados con el nombre de buques. El *Beresford*, el *Majestic* y el *Eldorado*. El *Ansonia* y el *San Remo*.

Las masas en fuga siempre incluían una madre con su niño y una mujer de voluminosos pechos y un hombre que levantaba los brazos para protegerse de algo terrorífico procedente del cielo.

Miles contempló los corredores que giraban en torno al estanque y se le ocurrió un nombre para el edificio de cuarenta plantas que dominaba el parque, tan alto y masivo que creaba su propio microclima, con corrientes descendentes casi lo bastante poderosas como para derribar a quienes pasaban caminando junto a él.

Las torres Godzilla, pensó que debían llamarlo.

Son las mujeres, por lo general, las que se encargan de encabezar la recuperación de carreras perdidas. Cuando empiezas a oír hablar del regreso de una figura de las letras o de una firma pictórica amorosamente resucitada, suele deberse a que ha habido mujeres que han mostrado un extraordinario interés, incluso cuando el artista es un hombre. Por lo general, el artista es una mujer, pero incluso cuando es un hombre. Nos especializamos en vidas olvidadas, dijo Klara.

Estaba hablando con Acey Greene. Acey no necesitaba que la resucitaran, claro. Era joven, inteligente, ambiciosa, etcétera, e interesantemente dulce y mezquina al mismo tiempo, siempre jugando con yuxtaposiciones como forma de irónico diálogo consigo misma: un sistema destinado a ayudarle a confrontar la perspectiva de la fama.

Acey se había criado en Chicago, donde sus padres trabajaban como maestros, y comenzó a realizar esbozos en tinta, comenzó a fabricar *collages* antillanos con un estilo lo más trivial posible, todo esto según su propio relato, y tuvo una aventura sexual con un miembro de los Blackstone Rangers, una nutrida banda callejera, hasta que por fin hizo las maletas y se marchó a Los Ángeles, donde se casó con un profesor de sociología, ingresó en Cal Arts, se divorció y halló su karma en la pintura.

La primera vez que Klara vio su obra fue contándole a la gente lo buena que era, lo que llegó a oídos de Acey, que seguía en Los Ángeles. Terminó siguiendo los pasos de sus cuadros y se trasladó al Este. Por el momento, estaba viviendo en el hotel Chelsea y compartía un estudio en algún lugar de Brooklyn.

—¿Y qué me dices de ti? —dijo.

—Yo tuve que hacer una carrera antes de poder preocuparme por si la perdía. No fue fácil. No hago más que pagar y pagar.

—Una familia —dijo Acey.

—Rompí una familia, sí. Me marché, volví, me quedé con mi hija durante una temporada. Estaba mejor con su padre, y aunque lo comprendía, me consumía vernos separadas de aquel modo. Lo pasé muy mal. Claro está que todos lo pasamos mal. Ella venía a visitarme los fines de semana y en otras ocasiones. Él la acompañaba en metro y la dejaba en la puerta porque no quería ni verme.

—¿Qué iba a pasarle por verte?

—Y luego, cuando venía a recogerla, me tenía prohibido bajar las escaleras hasta el final. Me limitaba a acompañarla al primer piso. Yo entonces estaba viviendo en un edificio destartalado del centro, pero pensamos y acordamos que la bajara yo hasta el primer piso y que luego le dejara recorrer el resto del camino por sí sola, ya que de otro modo igual me tenía que poner la vista encima. ¿Que qué le hubiera pasado por verme? Algo, yo qué sé, catastrófico.

—Pero hablabais por teléfono.

—Hablábamos por teléfono. A base de monosílabos. Parecíamos espías intercambiando mensajes en clave. Fue una temporada odiosa. Pero cuando la niña creció se acabaron las llamadas telefónicas. Quedábamos ella y yo por nuestra cuenta. Albert había desaparecido para siempre.

—¿Y ella?

—Teresa no me odia. Quizá es algo peor. Creo que se odia a sí misma. De algún modo, formaba parte del fracaso. No hablemos de esto.

—Vamos a dar un paseo.

—Podemos atravesar el puente. ¿Lo has hecho alguna vez?

—No soy de esta ciudad, señorita. Se te olvida.

Las mejores obras de Acey formaban parte de una serie sobre los Blackstone Rangers. Inviernos en Chicago, jóvenes ataviados con sudaderas de capucha, deprimidos y ociosamente violentos, agazapados frente a ventanas con barrotes o sentados en un sofá roto colocado en medio de la nieve, y Klara pensaba que aquellas imágenes eran profundamente modernas tan sólo en un sentido: que los personajes parecían fotografiados, bien por posar abiertamente, bien por haberse visto sorprendidos, a veces deliberadamente despectivos, con una urbanización a sus espaldas o con este tipo que se ve aquí, los ojos cerrados y una gorra de lana y una de esas abultadas chaquetas de poliéster y una pistola con un cargador: distingues el modo en que Acey contradice la superficie fotográfica haciendo que toda la imagen flote indescriptiblemente sobre el arco del cargador.

Gente en el tejado, los invitados de Esther huyendo de la banda que suena en el tocadiscos del apartamento y el marido de Esther, que también sale, Jack, porque es de esa clase de hombres que se derriten si les dejan a solas más de veinte segundos.

Le encantaba el pequeño templo que había al otro lado de la calle, fachada de ático con una hilera de ventanas hundidas entre las columnas acanaladas, y ¿vivirá realmente alguien ahí?

Se sentía bien. Se sentía con suerte, para variar. Estaba durmiendo bien, ahorraba dinero y volvía a ver a sus amigos.

—¿Qué está leyendo? —dijo alguien, refiriéndose a la mujer del pretil, con su vaso infantil y su libro encuadernado en rústica.

—Desde aquí parece una novela de detectives —dijo Jack—. Basura moralizante. Eso es lo que lee la gente en verano.

Era un hombre alto y florido, Jack Marshall, un agente de prensa de Broadway que parecía permanentemente a punto de caerse muerto. Ya conocen a estos tipos. Fuman y beben como descosidos y nunca duermen y andan mal del corazón y cuando tosen expulsan tempestades de flema, y lo más emocionante de conocerles, pensó Klara, era intentar adivinar cuándo estirarían la pata.

Llevaba una tirita en el dedo, y esperó a que apareciera Miles con sus cigarrillos porque él era más fiable que ella.

Por el momento, le cogió uno a Jack.

Y la gente de la calle. Klara no sabía cuándo había empezado a darse cuenta de que los transeúntes hablaban consigo mismos, en voz alta, muchos de ellos y de repente, o lanzaban amenazas, o caminaban gesticulando, hasta el punto de que las calles iban adquiriendo una textura medieval tardía, lo que acaso significaba que tendríamos que aprender otra vez desde el principio a convivir con los locos.

—Tienes pupa, Klara.

—No voy a dejar que le des un beso, así que lárgate.

—No quiero besarla, quiero lamerla —dijo Jack.

—Vivirá alguien... Esa cosa, al otro lado de la calle, me produce auténtica curiosidad.

—¿El interior del templete griego? Creo que son unas oficinas.

—Me encantaría trabajar ahí.

—Importación-exportación.

—Cualquiera de las dos me sirve.

—Y a mí. Pero quiero lamerla —dijo.

Acey tenía un rostro oval y una frente elevada. Sus cabellos tenían un levísimo matiz de color canela. Si la mirabas, si la tenías sentada al otro lado del pasillo en el autobús y hurtabas una mirada en su dirección parada sí parada no, se debía probablemente a su boca. Tenía una boca dura, una boca sagaz: mostraba una leve distorsión de forma que probablemente considerarías una mueca burlona, por más que su aspecto cambiara y se moderara constantemente, proporcionando a su sonrisa cierta cualidad de feliz sorpresa, como de noticia inesperada.

—No tuve que dejar a mi marido para pintar —le dijo a Klara—. Tuve que dejarle porque ya no quería estar con él.

—¿Cuál era el problema?

—Que es un hombre —dijo Acey.

Llevaban recorrido medio puente cuando Klara reparó en el modo en que la joven observaba las acciones humanas, los ciclistas y los corredores y qué vestían y quiénes eran y esa cosa que desarrollan entre todos, como una cierta personalidad identificativa. No como en Chicago, dijo Acey, donde el ejercicio junto al lago se compone exclusivamente de esfuerzo distraído, gente que se muere por correr, por sacudirse la pátina de la oficina y del trabajo, la capa anormal de la materia. Aquí, la pátina es lo que los contiene, el barrido de la nítida silueta de los rascacielos, y Acey parecía bien preparada para ello.

—Y ahora estás aquí. Tal vez para siempre. De modo que la sensación de empezar de nuevo debe de ser doblemente poderosa.

—Probablemente, empecé de nuevo hace ya mucho tiempo. De un modo básicamente inadvertido para todos menos para mí.

—¿Te preocupan las consecuencias?

—¿De la ruptura? Tenía que ocurrir. Me preocuparía que no hubiera sucedido.

—¿Y qué hay de tu marido?

—¿Qué hay de mi marido? —dijo Acey.

—No sé. ¿Qué ha sido de él? ¿Sabe que tienes amantes femeninas?

—Las lesbianas le ponen. Se lo conté. Dije, James, ya te enviaré algunas fotografías en plena acción, tesoro.

—Eres una gángster —dijo Klara.

—La furcia de los gángsteres. La furcia de la banda. Eso me

430

llamaban en Los Ángeles. Ya sabes, los cuadros Blackstone. El grupo negro de clase media.

—Qué bien. A mí me llamaban la Señora de las Bolsas.

Riendo, cruzaron hasta el extremo de Brooklyn, donde Acey trabajaba en un viejo almacén no lejos de la embocadura del puente. No quería mostrar el trabajo que estaba haciendo con demasiada antelación, por lo que se limitaron a recorrer el espacio. En la pared había un calendario de Marilyn Monroe, el célebre cartel de los primeros tiempos conocido con el nombre de Miss Sueños Dorados, un plano elevado de su cuerpo desnudo tendido sobre una colcha de terciopelo rojo sangre.

—Esto no puede estar aquí accidentalmente, ¿verdad?

—De acuerdo, es algo que estoy mirando —dijo Acey.

—Y considerando.

—Algo que estoy trabajándome por mi cuenta. Poco a poco a poco a poco.

—Interesante. Pero tengo entendido que te dedicas a algo completamente distinto.

—¿Ah, sí? ¿Qué tienes entendido?

Y Klara extendió un brazo hacia la pared, donde podían verse lienzos apilados en un estante bajo, o sujetos sobre caballetes, algunos de ellos con tiras del papel de construcción que había visto antes: papeles adheridos a las obras sin terminar como coloridas guías para mapas.

—He oído que estás trabajando en una serie sobre los Panteras Negras.

Acey mostró su sonrisa desdeñosa, lenta y complicadamente.

—¿Ah, sí? Pues fíjate, lo mismo he oído yo.

Se suponía que vivían en una época pospictórica, pensó Klara, y aquí estaba esta joven pintando en toda regla, una mujer negra que pinta hombres negros con generosidad pero no por ello sin ejercer un cierto rigor crítico. El contoneo frontal de las bandas, una cultura de altivez casi principesca pero dotada de presentimientos, claro está, de un tinte amenazador no realzado: eso era lo que Acey examinaba quirúrgicamente, trabajando en los detalles, buscando vestigios de lo solitario, del joven aislado de su propia pose huraña.

Emprendieron el camino de regreso a través del puente.

—¿Aún te llaman eso? ¿La Señora de las Bolsas?

—Ahora ya no tanto —dijo Klara—. Entonces, éramos varios. Recogíamos basura y la guardábamos para fabricar arte. Suena más noble de lo que en realidad era. No era más que un modo de observar las cosas con más cuidado. Y aún sigo haciéndolo, sólo que acaso en mayor profundidad.

—No va conmigo. Quizá es que no me fío de la necesidad del contexto. ¿Sabes a qué me refiero?

—Supongo.

—Porque lo comprendo hasta cierto punto. Sacas tu objeto del estudio sucio y polvoriento y lo colocas en un museo de paredes blancas y cuadros clásicos y en ese contexto se convierte en algo vigoroso, en una especie de argumento. Pero ¿qué es realmente? Viejos cristales de naves industriales y trozos de arpillera. Se convierte en algo muy, no sé, filosófico.

Cuando alcanzaron el extremo opuesto Acey quería andar un poco más, pero Klara estaba casi derrotada. Se quedaron contemplando los viejos veleros amarrados frente a South Street. Intentaba disipar el leve dolor, la pequeña decepción que con retraso le había producido el distraído desprecio de Acey hacia su trabajo. Primero, retrasó su reacción; luego, intentó sofocarla.

—Yo era la niña típica —dijo Acey—. Siempre estaba impaciente por crecer. Y ahora supongo que lo he logrado, oficialmente. Esta ciudad es el reloj que señala el ritmo. Me aterroriza, pero estoy preparada.

Lo que más admiraba Klara era la aparente naturalidad de su discurso, la manera distraída pero fascinante con que Acey aplicaba la pintura. Bases saturadas y preciosos ocres de color carne, pinceladas de piel de todos los matices innombrables que se pueda imaginar y también numerosos grises, glaucos y humosos, porque en Chicago siempre es invierno, y los miembros de las pandillas pertenecen a su territorio, a los pálidos ladrillos y a las ventanas empañadas, y en este sentido podrían ser hermanos de los hombres de piel olivácea que aparecen en los tenebrosos frescos de las iglesias de Umbria: Acey poseía la mirada apacible y sobria propia del siglo XVI.

Estaba hablando por teléfono con Esther Winship.
Esther dijo:

—Pero, Dios mío, ¿por qué?

—Porque resulta más fácil y más rápido.

—Pero es que hace treinta años que no viajo en metro.

—Mejor. Quiero sentirme superior.

Tomaron la línea de Dyre Avenue. Tanto el exterior como el interior del tren estaban decorados con grafitos, chapuceros y deprimentes, pensó Klara. No le gustaba la idea de etiquetar trenes. Era el romance del ego, aquellos pobres chicos jugando con su fantasía de fama prostituida.

—Pensé que haría un calor sofocante —dijo Esther—. Pensé que me asfixiaría en mi asiento.

Dijo aquello con un susurro adusto, temerosa de que alguien pudiera oírla y ofenderse por algún motivo. En el metro, las palabras poseen una carga que no acarrean en otros sitios.

—Se llama aire acondicionado —murmuró a su vez Klara.

—Estoy completamente atónita.

A Esther le gustaba mostrarse estúpidamente anticuada: ello la aislaba en un marco de referencia más seguro.

En la segunda parada del Bronx, algunos pasajeros subieron al vagón, otro tren se detuvo en el costado de la dirección centro y Klara notó un golpe en las costillas. Era Esther, queriendo llamarle la atención sobre el hecho de que el otro tren era uno de los suyos, de los de Moonman, con todos los vagones pintados de arriba abajo con su nombre y el número de su calle. Y Klara tenía que admitir que aquel chaval en particular sabía cómo causar impacto. El tren había entrado traqueteando en la vieja estación destartalada y adornada como una jungla de prodigios. Las letras y los números parecían estallarte en pleno rostro, y mostraban una relación entre sí, tenían pliegues y nudos, con humanoides de ojos saltones como los de los tebeos, entremezclándose entre sí en una sudorosa danza cálida y apasionada: plata metalizada y azul y rojo vivo y unos cuantos verdes ácidos.

Esther susurrando por la mandíbula entreabierta.

—Es él, es él, es él.

Era su tren, desde luego, pero no lograron encontrar al chico. Recurrieron a la dirección que Esther había obtenido de un periodista que había escrito un artículo sobre artistas del grafito. Moonman no le había dicho al tipo su verdadero nombre ni su auténtica dirección, tan sólo su edad: dieciséis años. La dirección procedía de otro chaval que afirmaba pertenecer al equipo de Moonman, y las dos mujeres fueron a investigarla, atravesando un territorio de edificios calcinados, de manzanas enteras arrasadas por fuegos intencionados, con algunas edificaciones ardiendo aún a lo lejos. Se detuvieron y observaron. Tres o cuatro edificios despidiendo perezosas columnas de humo. Ni rastro de camiones de bomberos ni de inquilinos ansiosos agrupados detrás de barricadas. Tan sólo, visto desde allí, unos cuantos viandantes realizando sus actividades de rutina. Contemplaron el paisaje en silencio y se les hizo difícil calcular la distancia. No lograban situar aquello en un contexto. Era como un reportaje de alguna guerra entre facciones en una remota provincia donde los generales cocinaran los hígados de sus rivales y los guardaran en bolsas de plástico. Una cosa totalmente poseída por la sensación de algo ajeno.

Esther habló finalmente:

—¿Aquí es donde solías vivir tú?

—No. Yo vivía como a kilómetro y medio al norte de aquí.

—Así y todo, tendré que mostrarte más respeto.

—Gracias, Esther. Pero en aquella época no tenía este aspecto.

—Sea como fuere, tendré que esforzarme por ser más amable contigo.

—Me parece muy bien —dijo Klara.

Sabían que no era buena idea quedarse allí de pie indefinidamente, y cuando llegaron a la calle Ciento cincuenta y siete y buscaron la dirección del joven, descubrieron que el número que tenían no existía.

Entraron en dos bodegas y preguntaron a los encargados de la caja.

La gente decía: «¿Mooney, quién es Mooney?» Decía: «¿Qué clase de mormón? Aquí no hay mormones.»

Y las mujeres decían: «No, no, no, no. Moonman. Moonman uno cinco siete.» Y gesticulaban imitando el uso de un bote de aerosol y decían: «Grafito, grafito.»

Y Esther vestía una chaqueta de safari como las de los corresponsales de televisión que buscan rebeldes en las colinas humeantes, y quién podría reprochárselo, realmente.

—Esta noche tienes un aspecto un poco chino —dijo Miles.

—Jason solía llamarme la china.

Dijo aquello con su vocecita débil. A sus propios ojos, sonaba y parecía pequeña. La gente iba haciéndose más grande y ella iba haciéndose más pequeña, tornándose más o menos invisible. De no estar Miles allí, ¿cuánto tardaría en conseguir que la atendiera el camarero?

—Jason. ¿Conozco yo a algún Jason?

—Jason mi segundo marido. Jason Vanover.

Comían marisco en Mulberry Street, en un lugar al que Miles le gustaba ir porque en él había muerto un mafioso. Dos tiros en la cabeza disparados por un par de tipos de alguna banda rival, o acaso de su propia familia, o de alguna familia de fuera de la ciudad.

—Te pasas la vida mencionando gente a la que no conozco y de los que nunca he oído hablar, y tú les mencionas —dijo él— de un modo que me hace pensar que se supone que tengo que saber de quién estás hablando cuando lo cierto es que es imposible que lo sepa.

—Es cierto. Hago eso.

—Todas esas personas pasan frente a mis ojos como una mancha indistinguible.

—Ocurre sencillamente que si conozco a alguien, entiendo automáticamente que la persona con quien estoy hablando también debería conocer a esa otra, por medio de una cierta aritmética humana —dijo.

Miles estaba resfriado. Siempre estaba resfriado, a la gente ya le pasaba desapercibido, sufría ataques de tos y tenía los ojos levemente acuosos, algo completamente normal para quienes le conocían: formaba parte de una vida irregular, de una salud en general mala, de malcomer y viajar y dormir de un modo errático.

Miró a su alrededor en busca de alguna silueta en particular, robustos hombres trajeados con los que poder conectar.

—Solía parecer más china cuando llevaba el pelo más corto —dijo.

—¿A qué se dedicaba él?

—Era analista de mercados, alguien que arriesgaba su dinero y el de los demás, y también marino, solíamos pasarnos semanas navegando, un hombre de yates. Fue lo mejor de nuestro matrimonio. Cuando compartíamos el queche, todo cobraba sentido.

Tenía un queche al que había bautizado con el nombre de *Altas Finanzas.*

—¿Tú subida a un barco?

—Sabíamos que teníamos que cooperar. Vivir en poco espacio. Turnarnos con el timón, en la cocina, compartir las letrinas, estibar el equipo, recoger los cabos, guardar las cosas en su sitio. Sí, yo subida a un barco. Observábamos la disciplina. Respetábamos la embarcación y los elementos. Mientras estábamos a bordo disfrutábamos de un matrimonio bastante bueno.

Fueron caminando hasta el ático. En medio de la calle había un carrito de supermercado que los coches tenían que rodear, y un hombre se alzó de las sombras de una plataforma de carga murmurando plegarias a Jesús.

Compartieron un porro y vieron un avance de noticias en el que aparecía Nixon saludando con la mano.

—Acey me contó que estaba en una fiesta y que le dijo a un hombre, ¿Qué buscan por lo general los hombres en las mujeres?, y él dijo, Que se la chupen, y ella dijo, Eso pueden conseguirlo de otros hombres.

—Dentro de seis meses, Acey será demasiado famosa para vivir siquiera —dijo Miles—. La asesinarán en la puerta de alguna discoteca.

No era aún hora para ella de regresar al trabajo, pero empezaba a ser hora. Algo en su piel comenzó a brincar ansiosamente, cierta necesidad de manipular y moldear, sólo que era algo más profundo: una necesidad tan completa que podía quedarse sola, sentada en el ático, y desconfiar de ella.

—Sí, en la puerta de alguna discoteca —dijo—. Y entonces tú querrás llevarme a bailar allí.

Su madre las llevaba al centro, las llevaba a ellas y a Rochelle, su mejor amiga, y comían en el autoservicio que había junto a Times Square, con su escaparate de cristal tintado y su fuente de leche con forma de pez de bronce. Observaban al público de las sesiones matutinas de los cines y su madre hacía comentarios sobre los sombreros de las señoras. Miraban los mejores escaparates. Su madre las llevaba a elegantes hoteles y edificios de oficinas, entraba con ellas y les mostraba las molduras y los grabados de los vestíbulos, las maderas talladas de las puertas de los ascensores.

Un día se situaron frente a un rascacielos de la Quinta Avenida, corría probablemente el año 1934 y los japoneses estaban atrincherados en Manchuria, y alzaron la vista hacia el edificio y penetraron en el bruñido vestíbulo. Se trataba del edificio Fred F. French, lo que intrigó a las muchachas porque, quién demonios era Fred F. French, y la madre de Klara, que sabía cosas, que trabajaba para una agencia de servicios sociales y estudiaba psicología infantil, que se mantenía al tanto de los acontecimientos mundiales y se preocupaba por China, que planeaba sistemáticamente estas salidas, no tenía la menor idea acerca de la identidad de Fred F. French, lo que intrigó a las niñas aún más, las intrigó y las divirtió, pues tenían trece y catorce años, respectivamente, y todo las divertía. Regresaron a casa en el tren elevado de la Tercera Avenida, traqueteando Manhattan arriba y a través del Bronx, contemplando por la ventanilla del tren los apartamentos que se extendían a ambos lados, cientos de vidas fugaces que desfilaban ante sus ojos a doce metros de altura, y Rochelle veía a veces a un hombre en camisón asomándose por la ventana con el pelo alborotado y decía, Quizá sea ése el señor Fred F. French, habrá tenido una racha de mala suerte, ja ja, y allí se acababa la cosa, le contó Klara a Miles —estaban en el ático, jugando a las cartas en la cama—, hasta tres o cuatro años después, cuando las chicas abandonaron un baile de instituto con dos jóvenes que ni siquiera pertenecían al instituto en cuestión, dos intrusos del Norte, y los cuatro se deslizaron al interior del coche aparcado de algún desconocido en el extremo más oscuro de la calle y se fumaron un par de cigarrillos y charlaron y se besaron y se abrazaron y se metieron mano. Klara y uno de los chicos estaban en el asiento delantero, y Rochelle tenía al otro muchacho en el trasero, mucho más amplio; Rochelle, loca por los chicos, haciendo alarde de lengua y retorciéndose en el asiento, levantando incluso polvo de la tapicería, con un aspecto de vampiresa que llegaba a distraer a la pareja del asiento delantero, obligándoles a detenerse y mirar. Apenas había la suficiente luz como para poder mirar. Y aquello progresó hasta los últimos límites a los que está dispuesta a llegar cualquier chica, incluso una zorrita cachonda como Rochelle. Para entonces, el muchacho del asiento trasero estaba frenético, y la expresión de Rochelle traslucía una complicada traición, era seductora y letal y fría y parecía estarle diciendo a Klara que su amistad, la mejor y más profunda que podía haber, estaba a punto de atravesar una fase peculiar e inquietante, algo intrincado que se relacionaba con los hombres, el sexo y los asuntos personales. Podía verse un torbellino de manos y de rodillas, todas esas cosas propias de los asientos traseros y de las posturas corporales y de qué llevas puesto, toda la parafernalia ansiosa del sexo a oscuras. Oyó romperse el elástico de unas bragas. Creyó oír cómo el dedo del chico entraba incluso en el carnoso bolsillo situado entre las piernas de Rochelle, como la succión de una palpación marina, la humedad, la saliva de besos largos y aturdidores, de eso que tienes un pelo del chico en la boca que no logras localizar exactamente, hasta que resultó abrupta y amargamente evidente que Rochelle ya había hecho aquello antes, que había llegado hasta allí y más lejos, y qué conmoción supuso para Klara, detectar aquella experiencia en los ojos de su mejor amiga, a la que siguió observando hechizada, con mirada clínica, observando y escuchando: qué cosa tan desnuda es un secreto cuando pertenece a otra persona.

Ahora sabía a qué se refería la gente cuando hablaba de experiencia, el modo en que empleaban la palabra experiencia, y sabía que la forma que adoptaba no era el sexo sino el conocimiento, y el conocimiento no le pertenecía a ella sino a su amiga, sabía cómo le desgarraba las entrañas, haciendo que se sintiera como un cachorrito estúpido.

Oyó a Rochelle murmurar algo así como, Hora de que saques la gomita de la cartera, Bob, o a lo mejor dijo Rob, pero en lugar de una funda pálida y flexible el muchacho extrajo su miembro vivo, erecto, pulsante y ultravioleta que, de repente, ahí estaba, desabrochado y en medio del mundo, de configuración bastante similar a la que había imaginado Klara, pero tan cálido y real, tan independientemente vivo, tan liberado del yugo de su dueño, su portador, su amo, que Rochelle pareció nerviosa porque el joven no llevara un preservativo y Klara siguió preocupándose por si los japoneses invadían China.

Miles cortó el mazo de naipes mientras escuchaba.

Y en el momento crucial Rochelle Abramowicz miró por encima de los hombros del muchacho a los ojos de Klara Sachs y le dijo con acento pensativo, ¿A qué crees que corresponde la F?

Y Klara dijo, ¿Qué F?

Y Rochelle dijo, La F. de Fred F. French.

Era un buen comentario, acaso el mejor que nadie había realizado nunca, entonces o ahora, bajo tales circunstancias, y consiguió devolverles la amistad. Se deshicieron, como suele decirse, en carcajadas, desaparecieron prácticamente en sus elementos constituyentes, en átomos y moléculas, un par de chicas en el Packard de algún gángster, impulsadas hacia el futuro en el tiempo, y Klara se encaramó al tejado y se puso a beber vino tibio mientras oía a la gente decir, Necesitamos teatro, y supo que le contaría aquella historia a Miles y supo también que nunca tendría otra amiga como Rochelle ni una madre como su madre si a eso vamos, y contempló, por encima de pretiles y de barandillas, el viejo rascacielos de centro abultado y vidrieras relucientes de sol que había diez manzanas al Norte y pensó lo maravilloso que era aquello, el prodigio accidental que suponía evocar un recuerdo que flota a la altura de un mosaico tornasolado en la punta de una torre urbana: el viejo sol punzante que nos trae suerte.

2

Los poetas de las antiguas naciones de la cuenca relataban historias sobre el viento.

Matt Shay estaba sentado en su cubil de cemento, del tamaño de un campo de baloncesto, en algún lugar situado bajo las colinas de yeso del sur de Nuevo México.

La operación se conocía con el nombre de Bolsillo.

Había allí gente que no estaba segura de hasta qué punto no estaban trabajando en algo relacionado con armamento. Colaboraban con proyectos de investigación, y no estaban del todo seguros sobre el destino de sus hallazgos, sus simulaciones y los resultados de lo que descubrían o predecían. Tales situaciones forman parte de las subestructuras de las industrias de sistemas, en las que las distintas tareas se enlazan en niveles y puntos geográficos considerablemente distantes de los puestos de trabajo y de los proyectos de laboratorio de los investigadores.

Matt solía hacer análisis de consecuencias, calculando las siniestras estadísticas de un posible accidente nuclear o de un enfrentamiento limitado. Trabajaba con datos procedentes de sucesos auténticos. Estaba aquella cosa que había caído sobre la tierra en Albuquerque en 1957, una bomba termonuclear de gran tonelaje desprendida por error de un B-36 —*nadie es perfecto, ¿vale?*— que había aterrizado sobre un campo situado dentro de los límites de la ciudad. Los explosivos convencionales habían detonado, mas no así la carga nuclear. El incidente continuaba manteniéndose en secreto diecisiete años después, mientras Matty, en su cubículo se dedicaba a leer una guía de cámping.

Llevaba cinco meses en el Bolsillo y, decididamente, estaba colaborando en algo relacionado con armas, aunque de menor potencia. Algo que tenía que ver fundamentalmente con mecanismos de seguridad y que le obligaba a mantener el rostro pegado a la pantalla del ordenador. No estaba seguro de cómo se sentía al respecto. Siempre había querido trabajar en armamento, le había atraído la emoción, la identidad, la sensación de afilar su silueta, de conocerse un poco mejor: las instalaciones secretas del desierto.

Lo llamaban el Bolsillo por una criatura llamada ardilla escarbadora que habita en túneles que previamente excava frenéticamente bajo las ranuras de los surcos.

Los campos de dunas, las mesetas alcalinas, la blancura, el deslumbrante fondo marino, las nebulosas líneas del horizonte, el bebé momificado de seis mil años de antigüedad encontrado en una cueva cerca de White City, sí, y los animales que habían ido tiñéndose de blanco a lo largo de los milenios, un ratón en otro tiempo marrón que se había mimetizado con los desfiladeros de yeso para escapar a la mirada de sus depredadores.

El viento soplaba desde las montañas Organ, alcanzando velocidades de hasta ochenta kilómetros por hora, remodelando las dunas y prestando al firmamento un curioso e inquietante tono gris que más parecía un blanco enloquecido.

Y los hombres y las mujeres del Bolsillo, en su mayor parte hombres y en su mayor parte solteros, con apenas un pequeño grupo de casados y un albino —tal era el chiste habitual, chicos—, vivían en bungalós semiadosados en los límites de la zona de misiles y escuchaban el viento del que hablaban los sabios de antiguas naciones, desarrollando metáforas y filosofías y recoronando las dunas con su constante soplido de, a veces, días.

¿Trabajas con ondas sonoras? ¿Eres el encargado de calibrar los efectos de las explosiones en los propios bombarderos? ¿Realizas experimentos de física y sueñas con una chica que dejaste en Georgia, la que te ponía la mano sobre los pantalones en el cine al aire libre que hay junto a la ciénaga? Ansías contemplar una bola de fuego, una detonación real, aunque hoy en día están prohibidas, claro está, las pruebas atmosféricas, pero quisieras haber podido ser testigo de alguno de esos bombazos titánicos que vaporizaban un atolón entero hace yo qué sé cuantos años.

Almorzó en el comedor subterráneo con Eric Deming, un hombre alto y desgarbado de unos treinta y tantos, apenas dos años más joven que Matt y uno de los cerebros de la bomba.

Los hombros y las ropas de Eric mostraban una cierta flacidez. Tendía a comer con los dedos: las patatas fritas, claro, pero también la lechuga, la remolacha, el arroz hervido, los nachos, cualquier cosa susceptible de ser atrapada con dos dedos y sostenida en unidades.

—¿Cuándo viene Janet?

—Pronto. Estamos precisando los detalles —dijo Matt.

—¿Nos la enseñarás? Hace tiempo que no vemos a una mujer procedente del exterior.

—Os pasáis la vida en Alamogordo.

—Eso no es el mundo exterior. Hasta que uno sale, tiene que recorrer mil quinientos kilómetros. Lo sabes. Y de este mismo estado.

—No va a venir aquí.

—De acuerdo, pero ¿sabes qué porcentaje de personas de este Estado cuentan con pase de seguridad? ¿Acaso no es por eso por lo que lo adoramos?

—Hemos de encontrarnos al oeste de aquí, no sé dónde, y luego nos iremos de cámping. Lejos lejos lejos. Si es que logro convencerla. A Janet no le apetece demasiado todo esto.

Eric trabajaba en una zona de laboratorio a la que Matt no tenía acceso. Solía trabajar con materiales radiactivos que se guardaban en una caja hermética provista de guantes. Llevaba guantes protectores, llevaba guantes secundarios sujetos a las mangas y llevaba varias capas de prendas especialmente tratadas y equipadas con fragmentos de película y detectores radiactivos y trabajaba con los componentes de las bombas: el iniciador de neutrones, los detonadores, las piezas subcríticas, el calor visceral del interior de la cabeza nuclear.

Ahora estaba haciendo otra cosa, pero Matt ignoraba qué. Portaba una identificación con la letra Q de bordes amarillos y a veces te revelaba unos rumores increíbles.

A los cerebros les encantaba su trabajo, pero no eran necesariamente favorables a la existencia de la bomba, no eran de esos que tienen una erección cada vez que piensan en megamuertos.

Eran maniáticos del detalle. Gente sobrecogida por la música interna de la tecnología nuclear. Matt les observaba. Acudía a sus fiestas y aprendía su lenguaje. Parecía seguirles un resplandor de la incandescencia de los sesenta, una cierta ansia de entregarse compulsivamente a algo.

Pensaban que Matt estaba maniobrando para conseguir un traslado a su equipo, que estaba listo para convertirse en uno de ellos, para llevar su propia identificación codificada, el pase de grado Q que le franquearía la última puerta hasta alcanzar el túnel que conducía al departamento de diseño de bombas.

Pero Matty se dedicaba a hojear revistas del exterior, a comparar sacos de dormir y tiendas de campaña en forma de cúpula, porque necesitaba tiempo para alejarse y pensar.

Tenía dudas sobre la moralidad de su papel.

Por la ruta 70 en dirección sur, hasta el cartel del campo de tiro de misiles, un área que aparece de color blanco en el mapa: allí era donde se instalaban los manifestantes, siete u ocho hombres y mujeres, a veces tan sólo dos o tres, portando un letrero extendido entre dos palos, *Aquí comienza la Tercera Guerra Mundial*, y los miembros del personal de la base se metían con ellos, o se limitaban a sonreír, o se sentían adulados por el cartel, o compadecían a quienes lo sostenían por su aspecto poco atractivo y azotado por el viento.

A Matt le gustaba verles. En cierto modo, contaba con su presencia. Comenzó a ser importante para él el hecho de saber que estaban allí, cuatro, cinco, seis personas, por lo general más mujeres que hombres, o acaso dos figuras adustas aferradas a los palos, sin decir jamás una palabra al paso de los vehículos militares o de los camiones-plataforma cargados con objetos previamente envueltos, o los obreros civiles y los equipos de construcción, extendiendo a veces un dedo por todo saludo.

Las zonas blancas del mapa incluyen la base aérea, la base militar, el campo de tiro de misiles, la amplia franja en dirección noroeste conocida como la Jornada del Muerto y también las mesetas que se extendían entre las dunas: las mesetas eran blancas, tanto en el mapa como en la realidad, y en ellas aparecían diseminados unos cuantos edificios achaparrados, estructuras valladas con depósitos de propano destinados a alimentar de combustible la operación subterránea del Bolsillo, donde se concebían y diseñaban las armas.

Trabajaban con plazos que había que cumplir estrictamente. Siempre había plazos que cumplir. Los cerebros siempre protestaban al respecto. Eran superiores en sensibilidad, eran los que habían logrado obtener un dominio racional de sí mismos, los que no se hallaban sujetos a ambivalencias morales, a las niñerías sentimentales de las consecuencias ni a su angustia. Ellos eran los que entendían los jodidos principios del conflicto, y no les gustaba recibir presiones burocráticas de la superficie.

Pero los plazos seguían allí. Siempre había plazos. Reinaba la urgencia propia de la guerra, pero sin guerra.

Eric dijo:

—¿Te has enterado del último secreto?

Paseaban al anochecer, más allá de los bungalós, completamente solos en aquella llanura de arena, y Eric no hacía más que mirar a su alrededor —cómicamente, claro— en busca de espías, y fingía murmurar por las comisuras de los labios para así frustrar incluso a un posible intérprete de labios contratado para estudiar grabaciones de seguridad.

—Se trata de un viejo asunto, pero está saliendo ahora a la luz —dijo— en forma de levísimos rumores.

—¿Qué viejo asunto?

—Los obreros del campo de pruebas de Nevada, cuando todavía realizaban pruebas de superficie.

—¿Qué hay de ellos?

—Y la gente que vivía en zonas situadas a favor del viento. Personas que, dicho sea de paso, poseen un nombre que define por completo su existencia.

—¿Cómo las llaman?

—Tragavientos.

Fueron dejando atrás una zona de pequeños brotes de arbustos salinos mientras se aproximaban a la verja electrificada.

—¿Qué hay de ellas? —dijo Matt.

—Se supone que nadie sabe esto. Cosas que son más o menos del dominio público, pero así y todo.

—¿Qué?

—Cosas secretas. Camufladas. De las que no se habla.

—¿En qué consiste el secreto? —dijo Matt.

—Mielomas múltiples. Fallos renales. O que te levantas por la mañana y descubres que tu estatura se ha reducido siete centímetros.

—Te refieres a los que se han visto expuestos a la lluvia radiactiva.

—O bien que empiezas a vomitar y sigues vomitando todos los días durante siete u ocho semanas.

—¿Y acaso eso no es algo que cabe esperar? Ocasionales fallos de cálculo. Este trabajo es peligroso, ¿sabes?

A Eric pareció divertirle aquel comentario. No, parecía esperárselo, parecía encontrarlo estimulante. Dejaron atrás una enorme duna parabólica. Hacía tanto calor que el aire parecía un obstáculo físico.

—Pequeñas comunidades de granjeros situadas a favor del viento. Casi todos los críos llevan peluca —susurró Eric.

—¿Quimioterapia?

—Sí. Y aquí y allá, algún chaval que nace con una pierna o un brazo de menos o vete a saber qué. O una mujer saludable que decidió lavarse el pelo y se encontró con él en la mano. Una morenita despampanante, ya sabes, y al cabo de un momento, completamente calva.

—¿Dónde?

—Tengo entendido que sobre todo en el sur de Utah, que está a favor del viento. Pero también en otros lugares. Adenocarcinomas. Epidemias con enormes pústulas rojas, como en el Antiguo Testamento. Enormes manchas y eczemas. Y litros de sangre al toser. Te miras las manos y te encuentras medio litro de sangre irradiada.

Siguieron caminando a lo largo de la verja electrificada, pasando junto a una señal de aviso pintada con aerosol por un manifestante o por algún apóstata clandestinamente instalado en el Bolsillo.

—¿Crees que son verdad esas historias?

—No —dijo Eric.

—¿Entonces por qué las aireas?

—Para crear ambiente, por supuesto.

—Para crear tensión.

—Para crear tensión, emoción. Ardor existencial.

Matty tenía seis años de edad cuando su padre se marchó a comprar cigarrillos.

Ocho años después, al ver que su padre no había vuelto ni había llamado ni enviado mensaje alguno, el muchacho recogió todo el dinero suelto que pudo encontrar en el apartamento y echó a andar.

Nunca había rebasado la Tercera Avenida en aquella dirección por sí solo, pero ésa fue la ruta que escogió. Luego, cruzó la avenida en el punto en que los trenes pasan bajo tierra procedentes de los suburbios y en dirección a la Grand Central Station. Los mismos a los que Nicky arrojaría piedras algún día. Los mismos que Nicky, algún día, apedrearía mientras pasaban bajo él, a plena luz del día.

A continuación, ascendió el largo tramo de escalones hasta las calles próximas al Concourse. Había subido ya aquellas escaleras con su madre para ir al cine y comerse un helado en la heladería cercana, pero ahora las subió solo, encaminándose al Grand Concourse en el que estaba el cine, Loew's Paradise: sesenta o setenta escalones y una serie de edificios anclados en soportes de hierro, como si de repente fuera otro país.

Se ve a sí mismo desde aquella distancia sobre las arenas blancas: de pie, al otro lado de la calle, contemplando la gran fachada de estilo italiano del Paradise.

Se ve a sí mismo alzando la mirada hacia el reloj y ve también la balaustrada de la azotea y la ornamentada cúpula de piedra.

Se ve a sí mismo comprando un billete, apenas capaz de alcanzar la taquilla. Introdujo las monedas por la trampilla y vio a la taquillera oprimir un botón para escupir el billete a través de la rendija.

Penetró en el vestíbulo. Percibió un calor envolvente que se alzaba desde la gruesa moqueta, como el plácido reposo de un perro acariciado. Había peces de colores en estanques de mármol. Contempló los candelabros de cristal pintado. Observó los balcones que sobresalían, con sus cuadros de marcos dorados. Pensó que aquello resultaba más veces más sagrado que cualquier iglesia.

Sentado en su medio bungaló, cerca del campo de tiro, se ve a sí mismo subiendo por la escalinata alfombrada porque le apetecía sentarse bien arriba, cerca del techo del cine.

Vio al acomodador con la linterna enganchada al cinturón. El acomodador llevaba hombreras y una hilera oblicua de botones sobre el pecho, encendiendo y apagando velozmente la linterna por el simple placer de oír el chasquido. Matty pensó que el acomodador le diría que no podía sentarse en el palco porque estaba reservado a los mayores, para que pudieran fumar, o para los chicos y las chicas deseosos de arrullarse. Pero el acomodador encendió el chisme, permaneció inmóvil y Matty desfiló junto a él.

Subió a los asientos próximos al techo, allí donde las estrellas titilaban y se movían. El cielo entero se desplazaba a través del techo, con sus estrellas, sus constelaciones y sus desdibujadas nubes azuladas. Su madre quería que sirviera como monaguillo cuando fuera mayor, pero aquello era más impresionante que ninguna iglesia.

Vuelve a ver aquello cuando ya es un adulto que jamás ha fumado un cigarrillo, que apenas sabe conducir, que ya no juega al ajedrez y que está enamorado de una mujer que trabaja como enfermera en Boston.

Se ve a sí mismo sentado en el palco del Paradise. Las luces de la película brillaban o se apagaban según la naturaleza de la escena. Contempló la pared más cercana, y luego la opuesta, y advirtió que cuando la luz se intensificaba de un salto allí estaba todo, era tremendo, los arcos, los pórticos, las estatuas, las hornacinas y los bustos de mármol, los sarmientos entretejiéndose por las balaustradas, los pedestales con sus héroes armados de largas espadas, las columnas con forma de figuras envueltas en túnicas, ambas paredes atestadas de anatomías y estructuras superpuestas, demasiado para asimilarlo de una vez, y ángeles coronados sobre los pedimentos, y siguió allí sentado, esperando a su padre, esperando a que el fantasma o el alma de su padre se dignara a visitarle.

Se quitó las gafas, se puso las gafas. Finalmente, se las quitó, las limpió con un paño de color pálido y se sentó frente a la pantalla parpadeando ante aquel despliegue de datos pertenecientes a un sistema de armamento, aquel elemento del sistema diseñado para enviar señales que habrían de armar o asegurar o reasegurar el mecanismo de disparo. Oyó un leve estampido procedente de algún lugar del desierto, la onda de choque de las velocidades superiores al sonido, y su sonido le fascinó, le conmovió. Siempre lo hacía, por mucho que lo oyera o por muy alejado que se encontrara de la fuente. Algunas mañanas aquel sonido le despertaba cuando los aviones volaban justamente por encima de él, y a veces salía al exterior de su vivienda antes de caer la noche para contemplar los rastros paralelos de media docena de aviones en estrecha formación, cuando ya hacía tiempo que los aparatos habían desaparecido, pero lo que le fascinaba y conmovía eran las estelas y las ondas de choque, y luego el eco que resonaba en las montañas, como si hubieran rasgado una de las costuras del mundo.

Había allí gente que no sabía adónde iba a parar su trabajo ni a qué podía aplicarse. Ignoraban cómo sus diseños de cifras y símbolos podían llegar a formar parte de la naturaleza. En teoría, podía suceder todo en un instante.

Todo se conectaba en un punto oculto de la línea de sistemas, lo que daba lugar a cierta inquietud selecta.

Pero en cierto modo se trataba de un misterio espléndido, era una fuente de asombro, el modo en que una breve ecuación de prueba que introduces en tu pantalla puede alterar el curso de tantas vidas, puede acelerar el flujo sanguíneo de un hombre que viaja en tren a miles de kilómetros de distancia. ¿Cómo definir esa clase de relación?

A Matt no le gustaba conducir. Llevaba sólo seis meses conduciendo y sabía que nunca se sentiría a gusto ante el volante. Lo máximo que podía hacer era reproducir los movimientos de un conductor. Pidió prestado un vehículo de cuádruple tracción a uno de los cerebros y se puso a conducirlo con el libro de instrucciones en el regazo. Las carreteras, las señales de tráfico y los otros coches le hacían sentirse incómodo al pensar que los demás eran testigos del crimen que cometía al conducir.

Pero quería practicar para su viaje de acampada con Janet, por lo que salía a conducir en sus días libres a pesar de que había señales de pistas de frenado para camiones y de cruces peligrosos y un cartel con Jesucristo es el Señor, y las difuminadas líneas blancas en la distancia que ahora sabía identificar como arena del lecho marino, y el aviso de Prohibido el Paso con la carretera inundada y las sombras transversales de las mesetas, formadas por el entramado de líneas de alta tensión que se extendían implacablemente hasta Texas.

Un día en que regresaba de una excursión al volante vio a los manifestantes, situados, como siempre, en el lugar equivocado. Deberían haberse situado junto a la tercera verja de la base, la que estaba sin marcar, porque por ahí era por donde entraban y salían los científicos del Bolsillo, que constituían el personal más susceptible, y casi sintió ganas de decir a los manifestantes que se desplazaran carretera arriba.

Matt tenía un aspecto ligeramente judío, quizá un poco hispánico. Había levantado pesas en las últimas etapas de su adolescencia, remodelando así el cuerpo enclenque que había trabajado como adjunto al director de Univac. En el Bronx, la gente decía que parecía un poco de todo: mexicano, italiano, japonés incluso, pues sus sonrisas más cordiales podían mostrar el aspecto de una mueca ceremonial. Un esbozo policial realizado a partir de siete descripciones distintas: así era Matt. Nunca había dejado de parecerse al estudiante que había sido en el City College a finales de los cincuenta, laborioso, miope y pobre, de los que tienen que ir a clase en metro.

Eric Deming, con el que estaba sentado en el comedor, asió un manojo de espaguetis entre los dedos y los introdujo lentamente en su garganta con un movimiento que recordaba a las contracciones de las serpientes.

Matt dijo:

—De acuerdo. He aquí lo que podemos esperarnos. No seamos inocentes. Los errores forman parte del proceso. Se produce un cambio de viento inesperado y la lluvia radiactiva cae donde no debe. O la explosión y la onda expansiva resultan más potentes de lo que nadie podía prever.

—Los plácidos cincuenta. Todo el mundo se vestía y hablaba igual. No había más que cocinas, y coches y televisores. ¿Dónde has puesto el Pepsodent, mamá? Estábamos allí, de modo que lo sabemos, ¿no es cierto?

—Vosotros lo sabéis. Yo, no —dijo Matt.

—Tú estabas allí. Los dos estábamos allí.

—Tú estabas allí. Yo estaba en otra parte.

—Papá está en el garaje, lavando el coche. Y entretanto aquí andaban metiendo a las tropas en trincheras para jugar a la guerra nuclear. Con bolas de fuego rugiendo sobre sus cabezas.

—Situados demasiado cerca, quieres decir.

—Eso he oído. Te mirabas el brazo y podías ver a través de él. Básicamente, tu brazo se convierte en una radiografía de tu brazo. Puedes ver a través del uniforme y de la piel, de tan blanca como es la luz. Ves la sangre, los huesos, yo qué sé... Pero eso no es todo. Puedes ver todo eso con los ojos cerrados. No tienes que abrir los ojos. Ves claramente a través de las pestañas. ¡Ja!

—Y bien, ¿lo reconocieron oficialmente?

—Luego, unos cuantos años después, te despiertas y tienes todos los órganos soldados entre sí, formando una enorme bola de gelatina.

—Pero ¿indemnizaron a aquellos hombres?

—No lo sé —dijo Eric.

—Eso no está incluido en tus cotilleos.

Eric introdujo un dedo en las espinacas a la crema de Matty y se llevó un trozo de aspecto fibroso a la boca.

—¿De qué sirve un rumor repleto de detalles burocráticos? La cuestión es —dijo— que sucedió a la vista de todos y aún hoy es un gran secreto. Al menos, eso es lo que cuentan. Que yo, dicho sea de paso, no me lo creo. Dispararon desde elevadas torres o dejaron caer ingenios desde los aviones y ponían tropas demasiado cerca del lugar de la explosión y dejaban que la lluvia radiactiva llegara hasta Utah para que los niños nacieran con la vejiga puesta del revés.

Matt hubiera querido que Eric le cayera bien. Eric era un tipo inteligente, amigable y diríase que semicarismático en su azoramiento físico y exagerada estatura. Pero sus motivos pasaban a veces desaparecidos para los observadores en los repliegues internos de su sonrisa. Observabas las sombras en torno a sus labios y te preguntabas si no te estaría preparando algo.

—Y ya sabes lo de ese colegio, no lejos de aquí. Ahora no estoy hablando de rumores, sino de hechos. Yo he estado allí y lo he visto. La Escuela Elemental y refugio nuclear de Abo. Un lugar real excavado en el suelo.

—Igual que nosotros.

—Nosotros no somos reales —dijo Eric—. Y ellos no son más

que niños. Es una escuela primaria. Tienen aún posibilidad de convertirse en algo real. A mí me enviaron para dirigirme a ellos.

—En tu calidad de cerebro.

—En mi calidad de típico miembro joven del complejo industrial militar. Lo clásico que se comenta en los períodos de descanso.

—¿Qué les contaste?

—En la linde del pueblo hay un depósito de agua. Brillantes letreros de «Campeones estatales» recién pintados. E hileras de bonitas casas. Entonces es cuando llegas al colegio, o casi. Unas cuantas estructuras similares a remolques y un par de campos de baloncesto hasta que, al final, divisas una entrada y abres la puerta de acero y bajas por las escaleras y te encuentras con un montón de cemento, y con más acero, y una iluminación algo irreal. Las aulas, los dormitorios, los alimentos enlatados, el depósito de cadáveres. Sin ventanas que puedan romperse. Ésa es una de sus características. Porque no tiene ventanas, claro. Pero se trata de lo siguiente. ¿De qué se trata, Matty?

—No lo sé. Dímelo tú.

—¿Han hecho todo eso para proteger a los niños de las bombas soviéticas o de nuestras bombas y nuestra lluvia radiactiva?

—No lo sé. De las dos cosas. ¿Qué les dijiste a los niños?

—Me he expresado mal —dijo Eric—. Quiero decir que, piensa en ello. Me meten en una sala subterránea situada en los límites septentrionales de un desierto enorme, en unas instalaciones provistas de sistemas de filtrado para la lluvia radiactiva y de un depósito de cadáveres perfectamente equipado. Y sobre la pizarra han colgado dibujos de vacas y lechoncitos hechos con ceras. Por cierto.

—¿Qué?

—Tengo un tablero de ajedrez en mi dormitorio. ¿Qué te parece si echamos una partida?

El Bolsillo era una de esas sociedades compactas que sustituyen al mundo. Era un mundo personal y siempre interesante porque estaba formado por lo que hacías y por lo que hacían otros como tú, un lugar autosuficiente y autogestionado en el que todo lo hacías en una ubicación y en un idioma inaccesibles a otros.

Janet Urbaniak era la novia de Matt, la enfermera titulada. Salían más o menos en serio, por lo general más que menos, a menudo se impacientaban el uno con el otro pero siempre se mantenían estrechamente unidos, como esas parejas astrológicamente fundadas que han nacido para conocerse y disentir.

Él llamaba a Janet los días en que ésta libraba y ella le contaba adónde había ido, qué había visto o comprado, con quién y durante cuánto tiempo; él, mientras, escuchaba y aportaba sus comentarios y le preguntaba por los detalles.

Ahora trabajaba en una unidad de traumatología. Le había hablado de las noches que pasaba allí, pero él apenas decía nada de su propio trabajo, y ella, claro está, lo comprendía y no insistía.

Era Janet la que llamaba a su madre dos veces por semana para ver qué tal estaba, y luego llamaba a Matt para darle el informe, tras lo cual Matt llamaba a su madre para confirmar lo escuchado, para aclarar los particulares de un dolor o una molestia, disfrutando de todas aquellas llamadas, tanto de las que hacía como de las que se enteraba: le proporcionaban una forma de vida externa al Bolsillo.

Pasó junto con su *jeep* prestado junto a un manifestante solitario. Una mujer que se esforzaba por mantener la pancarta enhiesta bajo el fuerte viento seco que azotaba las mesetas. Experimentó el deseo de descender del vehículo y dirigirse a ella. De echarle una mano, de charlar un poco. Quería demostrarle la tolerancia con que admitía sus puntos de vista, dejarse convencer por algunos de sus argumentos, establecer firmemente otros propios y luego llevarla a la neutra habitación en la que viviera, en los bordes de tal o cual pueblo, con una vista parcial de las montañas, y allí disfrutar con ella de un sexo suave, quejumbroso y mutuamente tolerante en su cama medio deshecha, pero se limitó a aminorar levemente la marcha al pasar.

Más tarde alguien le dijo que los manifestantes vivían en un autobús escolar abandonado, en las montañas de Sacramento. A Matt le gustó aquello. Le gustaba la idea de personas capaces de abandonarlo todo por defender sus ideas. Pensó en la hermana Edgar hablándoles a los de sexto curso de santos del desierto, de santos encaramados a columnas, de estilitas, mientras se subía a la mesa y cruzaba las piernas bajo el hábito, un santo en posición de loto en una columna del Sinaí, dirigiéndose a la clase en retazos de latín y hebreo, y recordó que le había gustado aquello: le gustaba pensar en una banda de iluminados divinos dedicados a vagar por los campos de tiro y los silos del Oeste.

Formaba precisamente parte del motivo por el que estaba allí. Estaba por las preguntas y los desafíos. Por el autoconocimiento que acaso podría encontrar en una vida más austera, en el establecimiento voluntario de sus límites.

¿Te has especializado en energía solar? ¿Has escrito un ensayo sobre el principio de desencadenamiento de la fisión nuclear? ¿Vas al dentista cada seis meses a que te miren y te limpien? ¿Eres un físico resentido con su madre? ¿Eres un ingeniero de sistemas que se masturba en secreto mientras su mujer se dedica a ver reposiciones de *Luna de miel*? ¿Deseas con toda tu alma haber podido ver cómo pulverizaban una torre, con todos sus efectos especiales, con el sol saliendo por el lado contrario y los árboles arrojando la sombra hacia donde no es, el espectáculo de átomos liberados de sus fuerzas, la nube de condensación instantáneamente formada sobre la onda de choque, diríase que pulcramente centrada, y la onda visible que se aproxima, y el viento bíblico que arrastra arbustos de salvia, arena, sombreros, gatos, piezas de automóviles, preservativos y serpientes venenosas que pasan volando bajo la aurora del desierto?

Eric siguió persiguiéndole para jugar al ajedrez. Pero él no quería jugar al ajedrez. No hablaba de su ajedrez. Su ajedrez era una vieja historia, oscura y complicada, suprimida para siempre. La historia de un homúnculo del ajedrez. Nadie sabía nada de su ajedrez. Janet sabía un poco y sólo Janet y nadie más salvo su madre, su hermano y el señor Bronzini, entre aquellos que podrían tender a recordarlo.

—No entiendes la cuestión fundamental —dijo Eric en el jeep.

—Te dedicas a esparcir rumores que ni tú mismo te crees. Ésa es la cuestión fundamental —dijo Matt.

—Tuvieron que instalar controles de carretera porque la nube estaba desplazándose hacia áreas pobladas. Neuroblastomas. Quemaduras beta. Terneros con dos cabezas. O rebaños completos de ovejas muertas en medio del campo. O una mañana en que te levantas y los dientes empiezan a caérsete de las encías, sin dolor y sin hemorragia.

Digamos que dos o tres dientes. Suavemente expulsados con un imperceptible chasquido acuoso, dijo Eric. Los envuelves en una gasa húmeda y fría, te metes corriendo en el coche y te diriges a la consulta del dentista en la confianza de que podrá reinsertártelos, porque los médicos hacen cosas asombrosas con los miembros perdidos. O a lo mejor no te los reinserta. Quizá los enviará a un laboratorio del nuevo centro médico, donde cuentan con equipos tan avanzados que un simple vistazo les basta para saber más de ti de lo que tú mismo aprenderías si vivieras mil años.

Pero en el primer semáforo en rojo sacas la gasa y la desdoblas para echar una mirada al interior, dijo Eric, y allí no hay nada más que un pequeño montoncito de polvo porque los dientes se han desintegrado por completo. Estas sólidas estructuras, resistentes y fiables, diseñadas para morder y arrancar, para rasgar la carne. Estas cosas capaces de aguantar un millón de años en las mandíbulas de los hombres prehistóricos, en los cráneos que excavamos y estudiamos, se han pulverizado en tu bolsillo en seis jodidos minutos.

Llamó a Janet para hablar con ella. Habló y escuchó. Cuanto menos hablaba, mejor se sentía.

Se complacía en escuchar los detalles de su jornada, esas cuestiones de interés apenas pasajero que en su solitario afecto se le antojaban temas reservados a un testigo privilegiado.

A veces Janet hablaba de su trabajo, del Departamento de Traumatología a altas horas de la noche, expresándose con naturalidad sobre los cuerpos que se derrumbaban sobre el suelo recién fregado, los parientes que acudían con sus heridos por arma blanca o sus víctimas de sobredosis, el tío y la madre aferrando al tipo por la cabeza y las piernas y un grupo de críos, dos a cada lado, para sostenerle los brazos.

Describía escenas que recordaban los cuadros de maestros europeos especializados en pintar milagros y batallas.

La fuerza que demostraba en aquel terreno la embellecía ante sus ojos. Era una mujer no muy alta, ambos eran relativamente bajos, pero Janet era además menuda, y le gustaba imaginarla en traje de faena, hundiendo el puño en la cavidad abdominal de alguien para extraer una bala o un hueso de pollo. Su timidez no bastaba para ocultar la elocuencia de su valor y su arrojo. Lo había visto y oído en ella con frecuencia. Y ella se aferraba a él con persistencia cada vez que quería hacer constar un hecho.

Pensó que eran ambos demasiado formales. Querían tener una familia y querían tenerse mutuamente, pero se veían periódicamente asaltados por la complejidad de tal empresa, de los planes, las oportunidades, las ciudades, la idea del matrimonio y de los niños y de sus empleos y de lo difícil que es hacerlo todo bien, y acordaban y regateaban y discutían, planeaban y reñían.

Tenía ante sí fotografías realizadas desde un satélite uno o dos años atrás. Composiciones coloreadas artificialmente en las que podían apreciarse indicios de erosión del terreno, de fracturas geológicas y de cientos de rasgos y acontecimientos diferentes. Mostraban la presión, la deriva y la contaminación industrial, miles de millones de bits de datos convertidos en imágenes.

Podía ver cómo los sensores remotos extraían significados ocultos de la tierra. De qué modo las extensiones y manchas de intensos colores, los fucsias de ordenador o las manchas Rorschach de tonos anónimos, podían indicar un cambio en la temperatura del agua o las zonas de caza y apareamiento de los osos pardos. Contempló esqueléticos arenales de aspecto blanquecino como el de un hueso de espinilla. Descubrió ciudades de tamaño considerable pixelizadas entre los pliegues de las montañas y negros lagos en las alturas de las cordilleras, y morrenas formadas por los glaciares a la deriva. No podía dejar de mirar.

Aquellos mosaicos fotográficos parecían revelar una belleza secundaria del mundo, cosas por lo general invisibles, una fusión alucinante de exactitud y éxtasis. Cada estallido de color térmico era una emoción compleja que no podía localizar o nombrar.

Y pensó en las vidas que se desarrollaban dentro de las casas incrustadas en los datos de una determinada calle fotografiada desde el espacio.

Eso es lo próximo que detectarán los sensores, pensó. Las emociones calladas de los ocupantes de las habitaciones.

Y entonces pensó inevitablemente en Nick.

Había experimentado el impulso de llamar a su hermano en varias ocasiones. Pensó que le gustaría hablar con él del trabajo que estaba realizando allí. Podría transmitirle a Nick una idea general de las cosas, hacerle saber que el pequeño estaba llevando a cabo una labor importante que, sin embargo, le angustiaba de vez en cuando.

Un día podría descubrirse a sí mismo ensamblando un mecanismo físico, los componentes explosivos de un ingenio nuclear: metido de lleno en el territorio de los cerebros.

Matt no estaba seguro de si podría enfrentarse a aquello por sí mismo. Podría, si es que tenía que hacerlo, y Janet le ayudaría, mostraría una postura clara que él podría oponer a sus dudas, pero quería hablar con Nick.

Quería oír la voz de su hermano al otro lado del hilo del teléfono, los matices levemente modificados con su carga de toda una vida de asociaciones.

Nick poseía una gravedad que resultaba en cierto modo europea. Era un hombre modelado y hecho a sí mismo. Primero deshecho y luego reimaginado y poderosamente modelado y hecho de nuevo. Y a veces se mostraba sombrío y contenido y mezquino, pero quizá podría prestarle al chico algún consejo sobre los aspectos morales y éticos de esta clase de trabajo. Lo que Matt buscaba fundamentalmente era una muestra de interés. Para él era más importante que un consejo directo, una recomendación o un juicio, pero también buscaba eso: percibir un juicio en la voz de su hermano.

Ignoraba qué podría decir su hermano. A lo mejor decía, así es como te defines a ti mismo como una persona seria, resolviendo las preguntas difíciles y los dilemas angustiosos, y si persistes en ello terminarás siendo más fuerte. O acaso diría, Idiota, ¿qué clase de cicatriz va a dejarte esto en el alma cuando seas un padre como yo? Piensa en el remordimiento de criar a tus hijos en un mundo que has convertido en... en el que has aplicado tu talento a un propósito tan desolador. Hablando ahora en voz baja. ¿Y quién conoce la susceptible industria de las armas mejor que yo, hermano?

Pero nunca llegaría a hacer aquella última observación, ¿verdad? Y Matt no hizo la llamada. No hablaban a menudo, o hablaban de su madre, o se fastidiaban mutuamente de modo rutinario, pero igual llamaba más adelante, cuando volviera a experimentar el impulso.

El viento remodelaba las dunas al soplar desde las montañas, y si estabas en el exterior del Bolsillo, sentado en tu casa con una cerveza y un aperitivo, veías cómo la ropa tendida se ponía horizontal, sábanas, pañuelos, calzoncillos, pantalones de pijama, como personas de todas las formas y tamaños vencidas por la presión, resignadas a dejar que sus almas salieran volando hasta las colinas de yeso.

—Pero no es de eso de lo que se trata —dijo Eric—. No haces más que con con confundir el tema.

Estaba lloviendo en las montañas.

Eric tenía un tartamudeo falso que le gustaba emplear para proporcionarle textura a la conversación, algo que había ido desarrollando para burlarse de sí mismo o de su interlocutor, aunque ninguno de los dos fuera tartamudo, o quizá era que imitaba a algún cómico de *night-club* o a algún personaje bobalicón de serie televisiva: Matt no lo tenía del todo claro.

Miró por una de las ventanas del bungaló de Eric. La lluvia era un muro reluciente y brumoso que pendía sobre los riscos de caliza.

Eric estaba sentado en un sofá aún envuelto en su plástico de origen, entre un caos de publicaciones científicas, revistas de ovnis, periódicos de supermercado, media docena de *Playboy* y restos de comida olvidados.

—Aunque resultaron afectadas amplias zonas de territorio y se expuso a grandes cantidades de gente, aún hoy continúa siendo un gran secreto.

—Tan secreto que puede que no sea cierto —dijo Matt.

—¿Crees tú que es cierto?

—Creo que se cometieron errores.

Eric disfrutaba con aquello. Podía divisarse su sonrisa, como una sombra, al extremo de su cuerpo estirado. Iba y venía, como si se tratara de un diálogo interior que estuviera sosteniendo paralelamente a las palabras que pronunciaba, algo que se alejara de un modo elusivo.

—Pero la cuestión es, pura y simplemente.

—¿Cuál es la cuestión, Eric?

Él cogió una revista y la hojeó sin rumbo, hablando con un tono de cierta impaciencia pero sobre todo, ahora que por fin llegaba al fondo de la cuestión, levemente aburrido y fatigado.

—Se llevó a cabo deliberadamente —dijo—. Sabían que aquellas pruebas no eran seguras pero siguieron adelante de todos modos. Enviaban tropas al punto cero tras las detonaciones. Enviaban aviones tripulados a través de las nubes de radiación. Inyectaban plutonio a la gente para seguir su recorrido a través del cuerpo. Y hacían todo aquello deliberadamente, sin revelarle a las personas el riesgo que corrían. Exponían a las tropas al destello atómico, algunos de sus miembros con gafas protectoras y otros no. Experimentaron con niños, con chiquillos, con fetos y con locos. Nunca advirtieron a los navajos que trabajaban en las minas de uranio de los peligros que corrían. Y al final resultaron ser considerables. Irradiaban los testículos de los presos. Sencillamente, te cogían por las pelotas y te empapaban de rayos X. Eso es lo que he oído. ¿Te lo crees?

—Es tremendo, no sé.

—Por supuesto. Resulta muy difícil de creer. Por eso yo no me lo creo —dijo Eric—. Ni por una décima de segundo.

La pantalla de lluvia avanzaba arrastrándose sobre las mesetas, y el viento aumentó. Los poetas de las naciones desérticas contaban historias acerca del viento. Se encabrita, se arremolina, te voltea y te tira al suelo. Pero también habla con una voz tan suave que sólo tu espíritu interior puede oírle, y así es como corriges tu camino.

Eric dijo:

—Nunca dijeron a los sujetos de las pruebas que eran tales su, su, su, su.

—Sujetos.

—Yo no me lo creo —dijo Eric—. Pero tú igual piensas de modo diferente.

Matt no sabía qué creer. Pero no pensaba que la historia fuera del todo descabellada. Después de todo, había luchado en Vietnam, donde todo aquello que no había creído o no había alcanzado a imaginar había terminado por ser cierto.

Y entonces, un día, se detuvo a hablar con ella, con la solitaria manifestante que exhibía su pancarta de protesta. Estacionó el coche en la margen opuesta de la carretera y se acercó a ella. Uno de los postes, de dos metros y medio de altura, descansaba entre sus brazos; el otro estaba clavado en la tierra, sujeto por una pila de rocas en torno a la base, y el cartel propiamente dicho, consistente en una sábana pintada, se extendía entre ambos palos azotado por el viento.

Se detuvo frente a ella y comenzó a hablar. Le habló con voz reconfortante, desenfadada y levemente compulsiva, como un novato azorado en un bar de alterne. Advirtió que llevaba la muñeca encadenada al poste. Hasta entonces nunca había advertido aquel detalle, y le pareció un gesto, en fin, quizá un poco dramático. O fanático e irracional y ansioso de convertirse en víctima. Ella apenas le echó un vistazo mientras hablaba. Ya había concluido con las presentaciones y estaba hablando de la necesidad de estar preparados y la locura que suponía mostrarse ingenuo con respecto a las intenciones del bando opuesto.

Procuró no emplear palabras tales como norteamericano y soviético. Por algún motivo, parecían provocativas. Ni tampoco OTAN ni Europa ni Bloque del Este ni Muro de Berlín. Era demasiado pronto para mostrarse tan íntimo.

Ella tan sólo le miraba fugazmente. No era una mirada hostil, pero sí breve. Había en ella algo de erosionado, una sensación de superficies desgastadas, un rechazo a acreciones y florecimientos normales, y pensó que se hallaba señalada por las marcas propias de la pobreza rural.

Le habló de la necesidad de equiparar nuestras armas con las suyas, por absurdas que resultaran al final las cifras, dado que era el único modo aparente de prevenir un ataque por cualquiera de ambas partes.

Ella tenía la piel blanca, como grabada o impresa, y los cabellos lacios y apagados, y él la vio como algo sincero, solemne e inalcanzable.

Ocupaban un trecho de autopista llana y recta, hermosa y solitaria, y si te vas a dedicar a esta clase de labor, pensó él, ¿no es acaso necesario ser un fanático? *Aquí comienza la Tercera Guerra Mundial.* ¿No era exactamente aquello lo que esperaba de esas gentes, una especie de colección de testigos religiosos e iluminados?

Le dijo que estaba completamente dispuesto a escucharla. Pero ella se negaba a dirigirle la palabra. Permanecía encadenada a su poste, con la mirada perdida en un punto anónimo de la carretera. No podía despreciar su arrogancia porque no se mostraba arrogante. No se mostraba más aguda que él, ni más cuerda, ni menos culpable. Ellos están armados, dijo él, por lo que también nosotros debemos armarnos. Ella se aferró a su poste y contempló la carretera con sus ojos azules, intrínsecamente crispada, hasta que él regresó al coche y se alejó.

La colada de Eric danzaba sobre la cuerda. Impulsada por el viento, rígidamente estirada en el aire.

—Pienso en los días en que trabajaba con la caja de los guantes —dijo—. Cuando manipulaba aquel plutonio radiactivo. Se cometían errores incluso en los reducidos y estrechos límites a que se confinaba la caja. Podéis creerlo. A pesar de todos los procedimientos de seguridad, de las páginas de informes y de los supervisores, la gente seguía cometiendo errores inverosímiles. Yo metía la mano en los guantes e, increíblemente, pensaba en mi madre, una mujer de lo más prudente que solía ponerse guantes de goma sólo para fregar los platos de la cena en aquellos años plácidos en que nos dedicábamos a bombardear a nuestro propio pueblo.

—Me marcho mañana —dijo Matt.

—Déjame esa chaqueta cuando me vaya.

Matt vestía una chaqueta ligera de piel de ternero, de esa clase de cuero que parece desgastarse y repararse con un simple toque, y Eric había manifestado en diversas ocasiones sus deseos de poseerla, independientemente de la diferencia de talla.

—Creo que probablemente la llevaré conmigo, para las partes menos salvajes del recorrido.

—Según los que vivían a favor del viento, se trata de un sabor metálico. Abres la puerta de casa y sales a recoger el periódico que el chico de la bici ha arrojado sobre el porche, y de repente notas un sabor de arenisca metálica en el aire, como de una sal fabricada a partir de virutas metálicas. ¿Vas a venir esta noche a nuestra fiesta?

—¿Cómo iba a perdérmela? —dijo Matt.

—Te nacen los niños con los ojos completamente blancos.

Sin pupila ni iris visible. Tan sólo un enorme globo blanco. Con suerte, dos.

Eric cogió un *Playboy* del sofá y lo sostuvo de costado para que las páginas centrales se abrieran y mostraran a la chica del mes de cuerpo entero.

Dijo:

—¿Adónde vas, exactamente?

—A algún sitio remoto.

—¿Más remoto que esto?

—He estado consultando mapas.

—Sí, pero ¿más remoto que esto?

—Allí donde se terminan las carreteras asfaltadas.

—Tú eres un chico de ciudad, Matty.

—He contemplado la posibilidad de, a lo mejor, el sur de Arizona.

—El día en que te mueras, quiero esa chaqueta.

Cuando los cerebros celebraban una fiesta no podías confiar en encontrarte con el mundo que siempre habías conocido. Y el episodio de la noche anterior parecía impregnar aún el paisaje cuando Matty enfiló la interestatal 10, pasando a través de un pueblo llamado Deming (el apellido de Eric, cómo no), y pensó en cuán siniestra era la mano de las coincidencias: rostros, lugares y observaciones provocativas agolpándose en su mente.

Se había fumado algo que le había tornado inmóvil. Y no sólo inmóvil. Matt sólo fumaba porros en las fiestas, para atenerse a los rituales sociales, aspirando de pipas de caña larga con una cazoleta de arcilla rellena de una sustancia herbosa. Pero lo que había fumado la noche anterior tenía que haber sido o bien una variedad salvaje de hachís o bien la mierda de siempre aderezada con qué agente psicotomimético. Y no es que estuviera simplemente inmovilizado. Alguien sentado frente a él le hablaba con voz espesa y un ridículo acento peliculero que, evidentemente, pretendía sonar a prusiano.

—Nunca hay que subestimar la capacidad del Estado para poner en práctica sus propias y desproporcionadas fantasías.

Era Eric, por supuesto. Pero incluso si Matt comprendía aquello, no era capaz de situarlo en el jocoso contexto de las diversiones de los cerebros. Porque no sólo se sentía inmovilizado, sino que ni siquiera podía pensar a derechas. Estaba rodeado de enemigos. No exactamente de gente, sino de cifras: cosas y cifras y niveles de información que era completamente incapaz de penetrar.

—*La capatzidad del esstado.*

—*Nunca hay que subesstimarr la capatzidad del esstado.*

Eric siguió hablando con aquella voz bobalicona de series de pruebas y soluciones *minimax*, de todo el rollo de juegos de guerra que habían estudiado en el instituto, teorías de juegos y de modelos de conflicto, cara gano yo, cruz pierdes tú, y Matty allí sentado, estupefacto e inmóvil.

Estaba encadenado a su asiento, mentalmente encadenado y gravitatoriamente atrapado, consciente del estado en el que se encontraba pero incapaz de pensar en el modo de salir. Estaba aplastado por el peso de la habitación, desconfiando de todos y todo lo que contenía. Paranoico. Ahora entendía por fin el significado de aquella palabra tan fácilmente repetida y divulgada, y percibía las conexiones que se establecían a su alrededor, todos los objetos y siluetas y niveles de información: no exactamente información sino más bien malevolencia. Pero tampoco eso, sino algún significado más profundo que existía con el único propósito de impedirle saber de qué se trataba.

—*Parra ponerr en practika sus prropias y desproporrcionadas fantassías.*

Eric seguía hablando, removiendo el contenido de su vaso con el dedo, y por la mañana, mientras conducía su coche por Deming, a Matt se le ocurrió que quizá el acento no pretendía ser prusiano en absoluto, sino húngaro. Eric estaba rindiendo homenaje a los cerebros originales, a todos aquellos emigrados de Europa central, hombres de espeso entrecejo, ojos tristes y holgados pantalones con raya. Durante la guerra habían acudido a México para hacer ciencia, de la noche a la mañana, en una invasión de remolques y tiendas de campaña. Se alimentaban de la bazofia local, jugaban al póquer una vez a la semana y acudían al baile popular del sábado y trabajaban en lo innombrable, en la bomba que habría de redefinir los límites de la percepción y el terror humanos.

Sentado en la silla, estudiando el zapato de uno de los presentes.

Sabía que no se encontraba en uno de esos estados superficiales a los que las personas gustan de recurrir cuando dicen que se sienten paranoicas. Esto no era algo de segunda mano. Era algo real, profundo y verdadero. Constaba de todos esos monosílabos que revelan que no estamos de guasa. Resultaba asimismo familiar de algún modo peculiar y paleolítico que te socava, algo conservado en el cerebro ofídico de la experiencia temprana.

Estudió el zapato de alguien sentado cerca de él. Era un zapato terrenal, uno de esos artículos funcionales, agradables, asexuados, de tacón bajo y aspecto vagamente escandinavo, un calzado tímido, andrógino y contracultural, no amenazante para el entorno o la especie, y se preguntó por qué su aspecto sería tan siniestro.

Eric había empezado a tartamudear.

Ignoraba quién llevaba puesto aquel zapato. La idea de conectar el zapato con la persona que lo calzaba requería un esfuerzo tan inmenso, suponía tal carga y complicación, que tan sólo cabía inclinar la cerviz ante el peso de la estancia. Quizá el zapato le parecía siniestro debido a que todos sus significados, conexiones y siluetas escapaban a la capacidad de conocimiento de Matty.

O quizá parecía siniestro porque era un zapato izquierdo, enfundado en un pie izquierdo, y claro, eso significa precisamente siniestro: desafortunado, desfavorable, zurdo, y la palabra iba asentando sus funestas raíces, sus tubérculos y tallos comestibles, mediante el zapato de otra persona.

Eric seguía allí, hablando con una voz normal interrumpida por sus tartamudeos. Parecía hallarse en otra dimensión temporal, Eric, montado y revisado, sus palabras en formato paradamarcha y su posición frecuentemente alterada con relación al entorno, y allí estaba de nuevo en el cartel de Deming, su nombre flotando desde el suave amanecer mientras Matt enfilaba su coche hacia el Oeste, internándose cada vez más en las zonas blancas del mapa, en las que intentaría desentrañar alguna pista sobre su futuro.

3

La estatua que ocupaba el nicho de mármol tenía muslos y pantorrillas de hombre, y en los antebrazos la masa muscular propia de un hombre, pero en realidad se trataba de una Eva bíblica, de pechos duros, con una manzana en la mano y los hombros caídos de un defensa.

Y por qué no. La tarde flotaba en el aire levemente disipado de un acontecimiento de múltiples correspondencias. Klara vagaba por el grandioso vestíbulo entre el gozoso rumor de los recién llegados, en su mayoría hombres, lo que resultaba interesante. Fíjate en la esbelta y lustrosa geometría, en las superficies metálicas, en los espejos drapeados y los largos candelabros, era un palacio *art déco*, acero y cromo bruñidos, una sensación de era industrial, y de bastante buen gusto salvo por el mural.

A la muchedumbre de asistentes les encantaba el mural. Era una enorme visión mística de dieciocho metros por doce, con un motivo como de horizontes perdidos, situada sobre la escalinata y contorneada por una suave curva de tal modo que las protuberancias del cuadro aparecían capturadas por los elevados espejos, extendiendo así el efecto mágico sobre gran parte del vestíbulo. Neblinas color de ámbar, un viejo encapuchado con un bastón, un grupo de flamencos sobre el resplandor rosado de las montañas: un espectáculo tan embebido de *kitsch* que sólo comprarse la postal ya podía resultar peligroso.

Sí, aquello era Radio City Music Hall, un lugar que Klara había visitado cuando tenía probablemente unos trece años de edad, más o menos un año después de su inauguración: el escaparate de la nación. Recordaba las paredes inmensas y las escaleras alfombradas. Recordaba los lavabos, eso recordaba, en el piso de abajo, en el vestíbulo principal.

Observó a Miles Lightman abriéndose paso entre la muchedumbre, ejecutando un par de piruetas a medida que se aproximaba, contemplando todo cuanto le rodeaba, los ojos ligeramente saltones.

—¿Dónde estamos, en una imitación de Bloomingdale's?

—Estamos en 1932, ahí es donde estamos.

—Es una especie de yo-qué-sé-qué, ¿no?

—*Jazz moderne* —dijo Klara.

—¿Puedes creerte que nunca había estado aquí?

Le sorprendió comprobar que Miles se había vestido para la ocasión. Mucha gente lo había hecho, y también él, al menos en la medida en que era capaz. Llevaba sus botas de batalla y sus vaqueros, pero también una camisa de leopardo y una corbata color mostaza y una chaqueta de pana negra de estilo eduardiano.

Vieron a un hombre que bajaba por la escalinata y que se fingió horrorizado al pasar junto al mural. Miles tenía un paquete de cigarrillos para Klara. Mientras esperaban, la puso al tanto del acontecimiento.

El acontecimiento consistía en una proyección del legendario filme perdido de Eisenstein *Unterwelt*, recientemente descubierto en Alemania del Este, meticulosamente restaurado y trasladado a Nueva York bajo los auspicios de la sociedad cinematográfica a la que pertenecía Miles: una hazaña memorable para el grupo. Tras ciertos manejos, luchas y duros regateos, se las habían arreglado para alcanzar un acuerdo con varios empresarios de rock que habían aceptado copatrocinar esta única proyección con acompañamiento orquestal en una sala capaz de albergar a casi seis mil personas.

—¿Cómo te explicas el resultado? —dijo Klara—. Este vestíbulo está lleno de gays.

—Opino que deberías ver la película y responder a esa pregunta por ti misma. Me limitaré a decirte que hace poco corría el rumor de que Eisenstein realizó una película basada en un tema potente, y que el celuloide había estado escondido todas estas décadas debido a que trata a ciertos niveles de personas que viven en la sombra, por lo que el Gobierno, o los gobiernos, la RDA y los soviets, habían ocultado su existencia hasta ahora.

Había sido rodada probablemente a mediados de los años treinta, esporádicamente y en secreto, durante una época de aguda depresión para Eisenstein. A la sazón, permanecía ostensiblemente ocioso, acuciado por sus colegas soviéticos para abandonar sus teorías y convencimientos. Calificado de excéntrico, mitómano y políticamente errado, acusado de haber perdido el contacto con el pueblo. Habían comenzado a circular rumores de su ejecución.

Apareció Esther Winship agitando el bolso y diciendo:

—No necesito ver la película. Me encanta de entrada. Este lugar es magnífico. Había olvidado que existía. Miles, pareces una asamblea de rockeros y mods mezclados.

—¿Dónde está Jack? —dijo Klara.

—¿Dónde va a estar? ¿Es tu camisa o tu corbata lo que me produce vértigo?

—Gracias, Esther.

—Está ahí, a la vuelta, tomando una copa —dijo ella.

Reinaba una ambivalencia que revitalizaba a la muchedumbre. Fuera cual fuese tu preferencia sexual, estabas allí para disfrutar de las contradicciones. Hay que pensar en la relación entre la película y la clase de sala en la que se proyectaba: la obra de un renombrado maestro del cine mundial estrenada en el territorio de las Rockettes y del gran órgano Wurlitzer. Un local, sin embargo, elegantemente informe a su modo, un lugar sobrecogedor, incluso, en sus exageraciones y sus vanidades, con escalinatas de latón esmaltado en los muros exteriores y elegantes vitrinas en el vestíbulo de taquillas y barandillas de níquel y bronce de la entrada: un espacio que evocaba los salones apagados y sumergidos de un transatlántico. Y posiblemente una película —esto no se olvida fácilmente— que aparecerá plagada de amaneramientos sea cual sea su nivel de seriedad. O al menos eso espera uno. ¿Acaso tras la innegable potencia del montaje de *Iván el Terrible* no había escenas tan cómicamente exageradas que uno no podía por menos de echarse a reír y quedarse sin aliento simultáneamente?

—Hasta este momento, prácticamente nadie ha visto la película —dijo Miles—. De nuestro grupo la hemos visto cuatro, más media docena de patrocinadores y los jefazos de la sala. Más o menos se reduce a eso, al menos a este lado del Telón de Acero.

Miles se conocía la obra de Eisenstein al dedillo. Sabía más de él de lo que puede imaginarse. Se sabía la secuencia de los disparos de *Potemkin* prácticamente de memoria. La letal cadencia de las botas negras. Las blancas chaquetas de los soldados. La madre

que se sujeta débilmente el vientre. Las ruedas traseras del cochecito saliendo de campo.

Pero había cosas que nadie parecía conocer sobre aquella película. Dónde había sido rodada. Cómo había sido rodada: obviamente, carecía de patrocinio oficial. Y por qué no había empleado
sonido. Una teoría apuntaba a México. Según ella, la enorme cantidad de película que había rodado abiertamente para su épica
mexicana había servido de tapadera para un proyecto subversivo:
éste.

—La verdad es que jamás he visto una sola cosa rodada por él
—dijo Esther—. Pero me lo presentaron una vez, ¿sabéis?

Miles volvió la cabeza lentamente hacia ella.

—¿Conociste a Eisenstein?

Era una mirada de absoluta revaluación.

—Le conocí brevemente.

—¿Dónde?

—Aquí. Yo era muy joven, claro. Nueva York. Apenas tendría
veinte años, pienso. Estaba posando para un retrato, y mis padres
conocían al pintor y me llevaron a su estudio.

—Tenemos que hablar de esto —dijo Miles.

—Eso es todo, me temo. Me pidió que le llamara Serguéi.

—¿Qué más?

—Bebía mucha leche. Decía que era su desayuno.

—¿Qué más? —dijo Miles.

—La verdad es que se presentó con la botella de leche en la
mano. Fui a buscarle un vaso y me dio las gracias.

—¿Qué más? —dijo Miles.

Otra cosa que nadie sabía era de dónde procedía el título. Eisenstein hablaba alemán, y pudo haber tenido sus motivos para
escoger un título en ese idioma. Pero era más probable que la película lo hubiera adquirido durante su prolongado reposo en alguna cámara subterránea de Berlín Este.

—Si no recuerdo mal, era pequeñito, como un gnomo.

—¿Qué más?

—Tenía la cabeza grande. La frente elevada. En aquella época,
la leche se vendía en botellas, ¿os acordáis?

Se convirtió en la película que había que ver. Comenzó a extenderse una apacible histeria; se vendían entradas a precios increíbles, se falsificaban otras, y la gente volvía a la carrera de Mar-

tha's Vineyard y de los Pines y de Cape para conseguir una localidad.

Sólo era una película por Dios bendito, y encima una película muda, una película de la que probablemente nadie había oído hablar hasta que el *Times* le dedicó un artículo en sus páginas de los domingos. Pero así es como las aberraciones del comportamiento llegan a esparcir el pánico una vez desatadas.

—Pero ¿creéis que realmente seremos capaces de aguantarla hasta el final? —dijo Esther—. ¿O es una de esas cosas en las que hay que mostrarse reverente porque estás en presencia de la grandeza cuando todo el mundo ha decidido ya ser el primero en salir para encontrar un taxi?

—Estás pensando en teatro —dijo Miles—. Esto es cine.

Jack Marshall hizo acto de presencia con aliento a cacahuetes, el marido de Esther, y entraron a la sala.

Klara la recordó entonces, súbitamente tan familiar, esa sensación acogedora, maternal y aterciopelada. Era como tener a su madre revoloteando en torno, un espacio tranquilizadoramente curvado y uterizado, con el arco del proscenio extendiéndose en un abanico de rayos hacia el techo, de ocho pisos en su zona más alta, y los aterciopelados asientos, despuntando como púas, y las escalinatas del coro que suavizaban los muros, y esa exagerada vastedad que parecía aceptable, la única indulgencia de este tipo que uno se permite, encogiendo a todos los presentes al tamaño de niños, las cabezas girando y alzándose, con una sorpresa y un deleite redescubiertos flotando sobre la muchedumbre, ni mucho menos el último placer que había de disfrutar aquella noche.

Resultó que la película poseía un ritmo y un tema propios: comenzaba con el sonido de una música de persecución fuera de escena, un piano hojalatero que reproducía esa clase de *ragtime* que solía acompañar a las películas mudas. Luego, las luces de la sala se apagaron, el enorme telón motorizado se alzó y apareció la orquesta en su conjunto. Un rumor procedente del auditorio. Instantes después de que los músicos comenzaran a tocar, la orquesta comenzó a desplazarse, deslizándose suavemente hasta la parte frontal del escenario. Cuán increíblemente curioso y divertido. La música se tornó expectante, con una serie de acordes disminuyentes, tal vez sugiriendo la llegada de un momento de pavor hasta que, cómo no, la orquesta alcanzó el proscenio y descendió de forma espectacular al foso hasta desaparecer de nuestra vista, como una colección de fantoches de esmoquin bajando en ascensor, en una maniobra de cierta osadía grotesca que el público saludó con vítores.

No podíamos verla, pero sí oírla. Ahora tocaban música patriótica, una mezcla de marchas familiares con tambores y helicones, y el telón descendió hasta la mitad, redecorado como una bandera y adornado de barras y estrellas por proyectores coloreados, hasta que justo cuando el público comenzaba a preguntarse de qué iba todo aquello, aparecieron las Rockettes, qué sorpresa tan agradable, ¿alguien sabía que el espectáculo incluía un número escénico?

Vestidas con uniformes grises de West Point, aparecieron todas saludando, treinta y seis mujeres reconstruidas como partes intercambiables en cuanto a su altura, forma, raza y tipo, con sombreros de plumas y tetitas con flecos y rostros embadurnados de un rosa navideño, aunque no dejaba de ser curioso que llevaran collares sadomaso, saludando y pataleando maquinalmente, al unísono, y Klara pensó que eran como maravillosas, al igual que el resto de los presentes. Reorganizándose en estrecha formación, bailando claqué en un despliegue de arcos iridiscentes, todo simetría y precisión militar, para luego extenderse en grupos caleidoscópicos, y Klara preguntó a Miles, situado al otro lado del pasillo, sentado al otro extremo del cuarteto.

—¿Cómo sabemos que se trata realmente de las Rockettes, y no de una *troupe* de imitadoras?

Una idea curiosa que parecía extenderse entre los presentes, ya que no resultaba lógico que las auténticas Rockettes pudieran aparecer ataviadas con collares de esclavas ejecutando numeritos de tan poderoso contenido sexual. Aunque, de hecho, no es en absoluto improbable, sino muy posiblemente lo que hacen día tras día. ¿No lo sabéis con seguridad, verdad? Y si se trata de las auténticas Rockettes, lo que estáis viendo son tres docenas de mujeres en rigurosa formación de revista, o mujeres vestidas de hombres y no al contrario, aunque, sea como fuere, se trata de un número de travestismo.

Klara advirtió que el telón-bandera había desaparecido. Y cuando una de las cámaras colgantes comenzó a rodar un plano de las bailarinas para proyectarlo sobre un fondo general, comprendió, comprendieron todos, cómo puede reconfigurarse una multitud, cómo puede organizarse en meticulosa geometría, con sus nudos corredizos y sus serpentinas. Y no dejaba de resultar gracioso, claro está, ya que los números parecían tan cuidados y tan serios, tan de los años treinta en sus alineaciones dinámicas, ¿y acaso no era en los años treinta cuando se había rodado la película?

Las bailarinas se extendieron por todo el escenario y, con un súbito gesto ensayado, como quien desenfunda una pistola, se despojaron de los pantalones y acometieron un vertiginoso pataleo final, lo que fue obsequiado con sucesivas salvas de aplausos. Finalmente, rompieron filas y formaron una estrella claramente definida por el enfoque elevado sobre la pantalla extendida tras ellas, mientras los focos las inundaban de un rojo vivo. Comenzaron luego a desfilar a medida que la orquesta, en el foso, comenzaba a tocar, qué, algo ruso, pensó Klara. Qué extraño resultaba contemplar allí una cosa como aquélla, una estrella roja de tanto contenido político y militar, el huraño símbolo de la Unión Soviética, en un *music hall*, nada menos, en el mismo sitio donde se realizan los espectáculos de Pascua y se proyectan las películas de *Lassie*.

Para entonces, las bailarinas, iluminadas de blanco, habían retornado a la parte frontal, transfiguradas por los haces de luz procedentes de enormes focos situados en la parte trasera de la sala. Comenzó a caer el telón, cubriendo primero la imagen de las bailarinas y luego a las propias bailarinas. La música se tornó sollozante y amanerada y el telón volvió a alzarse para mostrar la vasta pantalla inundada por una sola palabra, *Unterwelt*, hasta que finalmente los bordes curvados de la misma se adaptaron para encajar la pequeña proyección cuadrada del antiguo filme y la sala de proyección empezó a emitir imágenes parcheadas y moteadas por el tiempo.

La película, por supuesto, resultaba extraña al principio, elusiva en sus referencias y plagada de apariciones barrocas a las que resultaba difícil adaptarse: quién hubiera esperado otra cosa.

Recargados primeros planos, gesticulaciones exageradas, actores que arrastraban sus inmensas sombras curvadas, y algo digno de estudiarse en cada fotograma, el emplazamiento de la cámara, las formas y los planos y luego los planos superpuestos, ese sentido de contradicción rítmica, todo eran volúmenes y espacios, *tempo*, masa y tensión.

En Eisenstein, uno percibe que el ángulo de la cámara es una forma de dialéctica. Se sugieren y aseveran argumentos, por la pantalla se deslizan teorías que no tardan en verse destrozadas: reinan en alto grado la oposición y el conflicto.

Tienes la sensación de estar viendo una película que trata de un científico loco. Se pasea por la imagen, bien definido en sus numerosas capas de vestimenta blanca y negra, sosteniendo en la mano una pistola de rayos atómicos. Diversas figuras se pasean por habitaciones desnudas dentro de un espacio subterráneo anónimo. Son víctimas o prisioneros, o acaso sujetos destinados a experimentación. Atisbamos el rostro de un prisionero y advertimos que está terriblemente deformado, pero nos resulta más divertido que chocante. Tiene la cabeza en declive, una mandíbula estrecha y los gruesos labios de una lombriz: pero una lombriz dotada de un *pathos* humano.

En una escena extravagante y a la vez absurda, descompensada y técnicamente impresionante, todo al mismo tiempo, el científico dispara su pistola de rayos contra una víctima que comienza a brillar en la oscuridad, agitándose y brincando para luego depositar una mirada lívida sobre su brazo, que comienza a fundirse.

Más tarde aparecían otras víctimas con los huesos y los músculos remodelados, con ojos como rendijas, arrastrándose sobre piernas como muñones.

Klara pensó en los monstruos radiactivos de las películas japonesas de ciencia ficción y desvió la mirada hacia Miles, el erudito de aquellas formas.

¿Existía en Eisenstein una presciencia acerca de la amenaza nuclear o del cine japonés?

Pensó en los reptiles prehistóricos y mutantes que surgían del cieno, y en los insectos de cromosomas dañados que asomaban por el desierto en las proximidades de los polígonos de pruebas, hormigas del tamaño de bibliobuses, películas para los cines en coche de los años cincuenta, el chico y la chica tirando mutuamente de las hebillas y los corchetes mientras se suceden las escenas de explosiones y las sanguijuelas y los escorpiones gigantes aparecen en el horizonte, empapados de radiactividad y ansiosos de venganza, y las muchedumbres que huyen, por supuesto, porque al final resulta que aquellas criaturas no sólo han sido originadas por la bomba sino que la sustituyen, y los ejércitos se movilizan y las multitudes corren y las sirenas aúllan como sirenas.

Las criaturas de Eisenstein eran completamente humanas, lo que complicaba la diversión. Se arrastraban agachadas por las sombras, con sus jorobas y sus manos a rastras, y siempre puedes convencerte de que no pasa nada por reírse de los inválidos y los mutantes si todos los demás también se ríen, es un modo de distraer la aversión, y no se trata únicamente de los rostros contorsionados y los gestos crispados y ese curioso efecto de labios brillantes que uno percibe en los rostros de los actores de las películas mudas, sino también de la música, igualmente llamativa: secciones de cuerda de apasionados melodramas.

De vez en cuando, un subtítulo en ruso, sin traducir, aunque eso da igual, de hecho contribuye a una especie de confuso mareo total.

Jack dijo:

—¿No os entra claustrofobia?

Y era cierto, la película se hallaba tan profundamente impregnada del punto de vista de los prisioneros que Klara había comenzado a rebullir en el asiento.

Jack dijo:

—Apuesto a que pagaríais cien dólares por salir ahora a fumaros un cigarrillo bajo la lluvia.

—¿Está lloviendo?

—¿Qué más da?

El argumento era difícil de seguir. No había argumento. Únicamente soledad, desnudez, hombres capturados y atacados con pistolas de rayos, todo ello en alguna cueva subterránea. Nada de la habitual solidaridad entre clases propia de la tradición soviética. Nada de escenas multitudinarias ni de un sentido de motivación social —las masas heroicas, los movimientos de muchedumbres, los colosales desplazamientos minuciosamente organizados y enfocados—, lo que para Klara resultaba frustrante. Le encantaba la arquitectura marcial de los grandes cuerpos en movimiento, los ejércitos y los gentíos de otras películas de Eisenstein, y sentía como si se hallara en un paisaje ambiguo a medio camino entre el modelo soviético y los abovedados paraísos de Hollywood, llenos de amor, sexo, crimen y heroísmo individual, decorados, lujo y espléndidos cuartos de baño.

Sólo tienes que acordarte del otro *Underworld*, una película de gángsteres de 1927 que arrasó en las taquillas.

Esther dijo: «Exijo que se me recompense por esta odisea.»

Admítelo, te aburres. Klara intentaba hallar aliento en Miles. Miles estaba sumido en un estado de fascinación eufórica, en esa entrega pura en la que sabe sumirse, capaz de perderse en la forma y el fondo del filme, completamente sumergido y encantado: encantado a cierto nivel incluso cuando no le gusta lo que ve. Pero Klara sabía que a él le gustaba aquello. Era algo remoto y fragmentado, una película barata y supuestamente personal, pero poseía una especie de suspense a medida que avanzaba.

¿Cuándo y cómo se revelaría?

Se preguntó por qué la película sería muda. Quizá había sido filmada antes de lo que suponían los expertos. Pero pensó que era más probable que Eisenstein hubiera aceptado que le sería más fácil rodarla en secreto si no recurría al sonido. Y quizá el silencio resultaba apropiado para el desarrollo de sus temas.

¿Y la política? Pensó que aquella película podía constituir una protesta contra el realismo socialista, contra el mandato partidista que impulsaba a producir un arte capaz de hacer progresar la causa soviética. ¿Constituía una forma de secreta rebelión? Según Miles, ya había sido censurado por anteriores trabajos, y había parecido capitular. Pero ¿qué significaba esta película lóbrega, esta peculiar y sombría secuencia de oscuras imágenes sino una declaración de ultraje e independencia?

Aún mejor. ¿No anticipa acaso esta película el estado de terror establecido contra los artistas rusos a finales de los años treinta? La policía secreta. Las detenciones, las torturas, las desapariciones, las ejecuciones.

El científico loco apunta con su pistola.

Una figura aguarda junto al muro, palideciendo.

El científico sonríe con los labios apretados.

La víctima aparece transfigurada, atormentada, babeando por el labio inferior, mientras sobre su cuello crece un bulto, un radiante melanoma que ya ha sobrepasado su tiempo de incubación.

El científico se aproxima al hombre y deposita la mano tiernamente sobre su mejilla.

La pantalla se oscureció abruptamente. El intermedio se agradecía, y Klara decidió llevarse a Esther de gira por los lavabos, había varios, pensó, en diferentes pisos, y todos dignos de admirarse: murales, esculturas, mobiliario, cosas que había visto a través de los ojos de su madre y que ahora aparecían libres en el espacio, independientes de los recuerdos.

Miles subió a una sala de proyección privada situada en la planta tercera para consultar con sus colegas. Las dos mujeres dejaron a Jack en una butaca del salón principal, en una zona alfombrada del piso inferior que medía unos sesenta metros de longitud, y entraron en los lavabos más próximos.

—Tengo una pregunta —dijo Esther.

Klara encendió un cigarrillo. Esther, que había dejado de fumar, le cogió uno, lo encendió a su vez, aspiró y a continuación desvió la mirada para proteger la sensación, para hurtarla a toda distracción.

Oyeron un rumor sordo. Percibieron algo que vibraba bajo sus pies y Klara estudió el blanco papel de la pared mientras escuchaba atentamente.

A continuación, dio otra calada y dijo:

—No pasa nada, chica. No es más que el metro. La Línea Independiente que pasa bajo la Sexta Avenida con su carga de seres humanos.

Subieron a los pisos superiores, se asomaron a los salones de caballeros, decorados de madera de castaño y piel de cerdo y Klara dijo:

—Bien, ¿cuál es tu pregunta?

—¿Tenemos que quedarnos hasta el final?

—A Miles le ha costado cierto trabajo. Y, además, quiero saber qué va a pasar.

—¿Qué podría pasar?

—Lo ignoro. Pero es una película interesante para verla de cuando en cuando.

—Hay algo en el tono —dijo Esther—. En la fotografía. En las miradas que se cruzan. Todo tremendamente disimulado, por supuesto. Y el modo en que el científico...

—Tocaba a la víctima.

—¿Qué sabes de Eisenstein?

—Era tu amigo, no el mío —dijo Klara.

Siguieron recorriendo los cuartos de baño y regresaron abajo para reunirse con Jack en la planta de acceso. Le encontraron sentado sobre un nuevo temblor de tierra.

El tren era uno de los suyos, uno de los de Moonman, tenía doce unidades recorriendo el sistema metropolitano, piezas completas, del techo a las ruedas, y casualmente viajaba a bordo de una de ellas aquella noche, bajo las tuberías de agua y las alcantarillas, bajo las líneas de electricidad y de gas, entre los desagües y los cables telefónicos, y en cada estación se cambiaba de vagón y estudiaba a los viajeros que entraban con sus rostros retráctiles de metro, mientras las puertas hacían ding-dong antes de cerrarse.

Ismael Muñoz, pequeño y sombrío, contemplando a la gente que entra. Ismael, con su barba rala, leyendo los labios y los rostros, en la confianza de escuchar algún comentario elogioso. Este tío nos alegra la línea. Era su pieza más reciente y aquí estaba, en el tren de Washington Heights, cada vagón etiquetado con su propio zoom de neón, con primeros planos y letras tridimensionales superpuestas, con ese estilo salvaje que empleas para convertir tu nombre y el número de tu calle en una especie de alfabeto urbano en el que los colores encajan y sangran y las letras se conectan entre sí y todo es muy danzarín, todo salta y vocifera: hasta los goterones son premeditados, pintados con precisión para expresar el sudor de las letras, el modo en que viven y respiran y comen y duermen, y bailan y tocan el saxo.

Aquello no era una pieza de compromiso. Era un tren entero con las ventanillas cubiertas y cada letra y cada número más grandes que una persona.

Moonman 157.

Ismael tenía dieciséis años, ni demasiado viejo ni demasiado joven, y estaba decidido a cargarse a todos los artistas de metro de la ciudad.

Nadie iba a ensombrecerle.

Ahí sentado, con su chaqueta color caqui y los ojos en continuo movimiento, aguardando a que alguien dijera algo que le alegrara el día.

Sabía que estaba haciéndose famoso. Ahora ya tenía imitadores, una pareja de mariconcetes que se esforzaban por destronarle en su propio territorio. Uno de ellos había caído en manos de la patrulla antivandalismo y había sido sentenciado a limpiar las pintadas de las paredes del metro con un líquido que contenía zumo de naranja, porque el zumo posee un ácido que devora la pintura.

Le está bien empleado al muy *chulo*[1] por copiarme el estilo.

Siguió allí sentado, con sus facciones alargadas y sus dientes torcidos, parecía la cabeza de un anciano atribulado, examinando a los ocupantes del andén en todas las paradas. Parecían asombrarse ante el tren, y agitaban la cabeza con expresión de asombro. Y alguna que otra mirada sobrecogida, tienen ante sí un infierno sobre ruedas, pero la mayoría de los ojos asienten, y los rostros se distienden. Y observaba a los viajeros mientras entraban en el vagón, cargados con paraguas, algunos, y armas escondidas, otros, y envoltorios de chicle y números de teléfono y *kleenex* arrugados y pañuelos bajo los que descansan las llaves de casa, todo amontonado sobre sus cuerpos de mulato porque es en el metro donde se mezclan las razas.

Aquello le hacía verse como un héroe desconocido de la línea, a bordo de un tren que había señalado al máximo. Revelado bajo un halo de tebeo. Anda, mira, está Moonman entre nosotros.

En una ocasión, un hombre se detuvo en el andén y tomó una fotografía de los murales de Moonman, un extranjero a juzgar por el aspecto, e Ismael se deslizó hasta la puerta para aparecer también en la fotografía sin que el hombre lo supiera. El hombre estaba fotografiando el trabajo y también al autor, completamente inconsciente de ello, parecía de Suecia o de algún sitio así.

Básicamente, el sentido de las pintadas de Moonman se basaba en expresar cómo las letras y los números pueden contar historias de la calle.

En Columbus Circle hizo transbordo a un tren de Broadway porque tenía cosas que hacer al final de la línea. Se subió a un vagón pintado de arriba a abajo por Skaty 8, un chaval de trece años que se dedicaba frenéticamente a pintar coches de policía, coches fúnebres y camiones de la basura, que entraba en los túneles con sus colores satinados y pintaba los muros y las pasarelas, los andenes, los escalones, los torniquetes de acceso y los bancos, capaz de pintar a tu hermana pequeña si se cruza con ella. No era un maes-

1. En español en el original. *(N. del T.)*

tro de estilo, pero sí una leyenda entre el gremio por la energía que desplegaba, logrando que su obra fuera vista por millones hasta que, dos semanas atrás —Ismael experimentó una profunda tristeza al recordar el momento en que se lo habían contado, sus hombros se hundieron y su cuerpo se abatió de nuevo, impregnado de una amargura propia de la camaradería—, Skaty 8 había muerto arrollado por un tren mientras caminaba por las vías bajo el centro de Brooklyn.

Los viajeros se desplazaban a lo largo del vagón, se arrastraban hasta un asiento y contemplaban los anuncios situados sobre sus cabezas, todo ello sin realizar un solo movimiento ocular susceptible de ser detectado por los más delicados mecanismos.

Ismael solía caminar por las vías cuando le asaltaba la autocompasión. Pero aquello había sido en otros tiempos. Abría alguna de las salidas de emergencia de la acera y se internaba en los túneles para, como quien dice, dar un paseo, para sentirse solo allí abajo, sin perder de vista el tercer raíl y con el oído atento al tren, aprendiendo a conocer a la gente que vivía en los cuartos de máquinas y en las pasarelas, y allí era donde había visto una pintada garabateada, quién sabe si cinco años atrás, bajo la Octava Avenida. *Bird vive*. Aquello le hizo reflexionar sobre el grafito, sobre quién se habría molestado en arriesgarse a caminar por aquellos túneles para hacer una pintada en la pared, y cuántos años habrían pasado desde entonces, y quién sería Bird, y por qué viviría.

Y ese tipo que iba de un lado a otro diciendo perdón, si hace el favor.

Recorrió las estribaciones de Manhattan, en dirección al Bronx. No había arte en pintar los andenes y las paredes. Había que pintar los trenes. Cuando avanzan rugiendo por las ratoneras, todos los trenes son iguales, hasta que pintas uno y entonces es tuyo, lo ven en todo el sistema de ferrocarril, y penetras en las cabezas de las personas asolando sus ojos.

Las puertas hacían ding-dong antes de cerrarse con un portazo.

Vio a un negro joven y delgado al fondo del vagón, con expresión de desinterés, nos está escenificando cómo nació el temperamento flemático, e Ismael pensó que se trataba de un poli de paisano, lo que le impulsó a disimular bajo su maquillaje mental, esforzándose por pasar desapercibido en su asiento, porque se temía que andaban próximos a atraparle. El Ayuntamiento se había propuesto seriamente erradicar el grafito de una vez por todas, y pescar a esas tribus de gueto y a los blancos de clase media que seguían sus pasos, por lo que los artistas procuraban tener cuidado y no arriesgarse.

No temía que le detuvieran, sino las complicaciones resultantes. La detención contribuiría a su notoriedad. Incluso podría proporcionarle un artículo en el *Post*. Pero la cuestión de la familia comienza a tener su importancia. No es que no quisiera ser padre. Le gustaba la idea de ser padre y de tener una familia. Pero había tantas cosas entremedias.

Cuando recorría los túneles de niño solía preguntar acerca de Bird, hasta que descubrió que se trataba de Charlie Parker. Un gigante del jazz. Solía hablar con los hombres que vivían en las pasarelas y en el túnel de carga abandonado bajo el distrito oeste. Tenían camas y sillas y carritos de la compra, tenían zapatillas que se ponían por las tardes, eran por lo general tipos corrientes que fregaban los platos y sacaban la basura, y le hablaban de *bop*, *bebop*, y de Bird, que había muerto con treinta y cuatro años. Y un día, Ismael, que tendría entonces trece años, estaba orinando contra un muro y sale un tipo y se pone detrás de él, alarga la mano y, créanlo o no, dice usted perdone y le sujeta el pito a Ismael mientras mea.

Muerto con treinta y cuatro años, ése era Bird, lo que en los túneles es una edad provecta.

Sabía que estaba haciéndose famoso en primer lugar porque le salían imitadores, y también porque los otros artistas respetaban sus obras y no pintaban sobre ellas, aunque alguno sí lo hacía, y porque al Bronx habían acudido dos mujeres en su busca.

Pero, ya ves, así era como razonaba entonces su mente. Mantente absolutamente discreto y no te dejes ver. Que tu nombre y tu rostro no aparezcan en los periódicos. No te metas en líos con la policía de tránsito. Porque tenía una mujer con la que solía vivir y que estaba embarazada de la cabeza a los pies. Solían vivir con su madre y con el novio temporal de su madre, y tampoco es que Ismael Muñoz no quiera ser padre. Sencillamente, es que no es el momento de involucrarse en nada personalmente.

Según le habían dicho, habían visitado los supermercados,

aquellas dos mujeres de las galerías. Habían acudido a las bodegas, a la iglesia, al parque de bomberos, y se las imaginó llegando al parque de bomberos y preguntando por grafitos a veinte tipos calzados con botas de goma y ocupados en devorar pizzas de encargo.

Sentado en el tren de Broadway, escuchaba los razonamientos de su mente.

Por todo el Bronx había gente de las galerías en busca de Moonman, de Momzo Tops, de Snak-Bar, de Rimester y de todo el equipo de Voodoo.

Pero olvídalo, tío. No le costaba mucho trabajo imaginar un escenario en el que todo ese asunto de las galerías no es más que una trampa de la policía para desenmascarar a los artistas de los túneles y de los depósitos ferroviarios, sacarlos a la luz e identificarlos por sus rostros y sus nombres.

El tipo le sujetó el pito y al final se lo chupó, no recuerda cuándo sucedió aquello, un par de días después, o de semanas, eso fue lo que hizo. Y a partir de entonces Ismael, asaltado por la autocompasión, siguió bajando allí con cierta regularidad, atravesando una de las verjas próximas a la autopista del East End, introduciéndose por una de las salidas de emergencia y bajando los angostos escalones hasta el túnel de servicio, donde algunos tienen estanterías con libros y adornos de Navidad, y utilizan nombres abreviados y nombres en clave, apodos como los que inventan los artistas, y lo cierto es que sigue acudiendo allí en busca de sexo porque algunos hábitos los dejas, pero otros llegas a depender de ellos.

El tren dejó atrás City College y torció en dirección este.

Lo hacían en la oscuridad, rápidamente, como los conejos. O acudían a un almacén de cables y lo hacían con sábanas y toallas. Allí abajo la gente tenía animales de compañía y cuerdas de tender la ropa extendidas a través de los túneles. Y robaban electricidad de las acometidas oficiales.

Bop, bebop. Y Bird muerto con treinta y cuatro años.

Siguió allí sentado, en su atuendo caqui, la mirada fija entre ambos pies, observando los pies de los de enfrente, aquellos zapatos ajados y picados que no parecían tanto cosas que la gente pudiera comprar y ponerse como partes permanentes, partes del cuerpo, inseparables de los hombres y mujeres allí sentados, porque el metro te marca de un modo indeleble sobre la piedra del momento.

El tren se internó en el Bronx y él se bajó cuatro paradas después, al final de la línea, donde su equipo le esperaba fielmente.

Eran tres, de doce, once y doce años, respectivamente, y se habían pasado el día robando pintura de las droguerías, lo que no constituye sino un pasatiempo, el hurto de poca monta, ya largamente superado por Ismael.

Ascendieron la empinada colina de la calle Doscientos cuarenta y dos.

—¿Qué pasa con la lluvia? —dijo Ismael.

—No pasa nada —dijeron ellos.

—Llevo todo el día oyéndolo por la radio. Pensé que no podríamos trabajar esta noche. Pensé que las posibilidades de hacerlo eran de diez contra uno.

—No ha pasado nada —dijeron ellos—. Dos o tres gotas.

Transportaban los botes de pintura en tres bolsas de deportes. Llevaban los esbozos de Ismael en un portafolios de color manila. Llevaban melocotones y uvas en una bolsa de papel metida dentro de una bolsa de plástico. Llevaban el agua mineral francesa que a él le gustaba beber mientras trabajaba, obtenida igualmente de su pequeña excursión delictiva, Perrier, envasada en bonitas botellas de color verde. Le gustaba permitirse lujos siempre que podía. Llevaban boquillas para los botes de aerosol. Llevaban llaves maestras para abrir los vagones en caso de que le apeteciera trabajarlos desde el interior, lo que no era el caso.

Su equipo, claro está, se componía de esperanzas. De los profesionales del futuro. Rapiñaban para el maestro. Vigilaban mientras él pintaba. Entrecruzaban los brazos para soportar su peso cada vez que necesitaba alcanzar la parte superior de algún vagón.

A lo largo de la calle se extendía una valla de tela metálica rematada por alambre de espino. El equipo se detuvo cerca del extremo oeste de la valla, en el que había una sección de alambre cortada y disimulada por la hierba. Sujetaron la tela metálica e Ismael se deslizó por el boquete y alcanzó de un salto el tejado adyacente. Había una serie de cobertizos de herramientas con tejados de bordes de sierra. Se dirigieron al último de ellos y descendieron por los canalones de desagüe hasta la tarima de madera que se extendía al nivel de las vías, algo que para entonces hubieran podido hacer dormidos, y comenzaron a buscar un tren apropiado para trabajar.

De antemano sabían con bastante certeza que nadie les molestaría. Había demasiados trenes, demasiados artistas. El Ayuntamiento no podía permitirse el número de guardas que harían falta para patrullar todos los depósitos y vías muertas durante la noche.

Cerca de un poste de alta tensión vieron a Rimester, uno de los artistas veteranos, un tipo negro tocado con un *kufi*, una gorra aplastada, que pintaba unos bajos delirantes e increíbles, Ismael no tenía más remedio que admitirlo, y que decoraba las letras con poemas de amor y sentimientos nostálgicos.

Se saludaron con respeto y ceremonia, con precisas y detalladas florituras en el lenguaje y en el apretón de manos, y charlaron de unas cosas y otras, y Rimester describió cómo había visto seis de sus vagones sometidos a un baño de ácido en el depósito grande que había a eso de dos kilómetros de distancia en dirección sur. Hacían pasar los vagones bajo unos aspersores situados sobre las vías. Toda su frenética labor de aerosol, una labor no pagada y realizada a las dos de la madrugada, viniéndose abajo en cuestión de minutos. Olvídate del zumo de naranja, tío. Había llegado un nuevo martillo de grafitos, alguna mierda química inventada por la CIA.

Es como si derribas una fotografía de un estante y alguien muere. Sólo que esta vez el de la foto eres tú.

Así se sentían algunos artistas respecto de sus obras.

En el depósito había unas doce vías. Ismael y su equipo se dirigieron al extremo más alejado, hasta la última vía, desde donde se dominaba el campo en el que los irlandeses jugaban al fútbol irlandés. Escogieron un liso —un vagón ya viejo de superficie pintable—, siempre infinitamente mejor que los ondulados que comenzaban a salir al mercado.

El equipo alineó los colores e Ismael se puso a trabajar. Tenía un amarillo Rustoleum que había empezado a usar, un tono canario chillón, y el equipo acopló las diferentes boquillas sobre los botes de tal modo que pudiera variar la anchura y la masa de las pinceladas.

—Hemos visto a Lourdes —le dijeron.

Lourdes era la mujer con la que solía vivir, dos años mayor

que Ismael, más o menos, y para entonces acaso diez kilos más gorda.

—¿Acaso alguien os ha preguntado a quién habíais visto?

—Dijo que quería hablar contigo.

—¿Quién te ha preguntado nada, *maricón*?[1] ¿Te he preguntado algo yo?

Ismael rara vez se enfadaba. No era un tipo iracundo. Poseía la mente reflexiva de los adultos del barrio que juegan al dominó bajo una sombrilla mientras los camiones de bomberos aguardan calle arriba al ralentí, pero si los del equipo querían rellenar el dibujo después de que él decidiera el estilo y difuminara los colores, harían bien en aprenderse los modales del depósito.

—¿Dónde está mi Perrier, vale? Si queréis trabajar con Ismael Muñoz más vale que me deis mi Perrier y os olvidéis de los mensajes, sean de quien sean.

Trabajaron durante la noche sin más charla innecesaria. Ellos le alargaban los botes de pintura. Antes de dárselos, los agitaban, y el chasquido de la bola de aerosol constituía básicamente el único ruido que podía oírse en el depósito salvo por el aerosol mismo, el siseante baño de pintura que iba cubriendo los viejos flancos de hierro del tren.

El hombre que había alargado la mano diciendo usted perdone.

Moonman 157. Suma los dígitos y obtienes trece. Pero ésa es la calle en la que vive, o solía vivir, ahora vive en muchos sitios, de modo que constituye formalmente parte de su obra, es el nombre por el que le conocen, y la mala suerte es una mala pasada del ego con la que más vale contar, pero piensa en los vagones al abandonar los túneles y deslizarse al aire libre por los pasos elevados: piensa en tu obra a plena luz del día, pasando sobre los solares abrasados en los que naciste y te criaste.

Los miembros del equipo sacudían los botes, y las bolas restallaban.

Se subió al borde de una de las puertas, se inclinó hacia el vagón estacionado frente a él y comenzó a pintarlo de las ventanillas para arriba.

Luego descendió por la escalerilla, que crujió bajo su peso,

1. En español en el original. (*N. del T.*)

sujetándose con la mano a la oxidada tubería que hacía las veces de barandilla, tratando de determinar el ambiente del túnel en aquel día preciso. Podía ser un día de coca, pero Ismael no tomaba drogas, o un día de *speed* que viaja por el túnel, de alguien que ha pillado una dosis y quiere compartirla, o un día de locura, lo que sucedía a menudo. Y siempre eran días de ratas, porque las ratas recorrían los túneles en manada y eran una inagotable fuente de historias, el tamaño de las ratas, su actitud de desafío, el modo en que devoraban los cuerpos de aquellos que morían en los túneles, cómo eran devoradas a su vez por el ratonero que vivía en el nivel seis, debajo de la estación Grand Central, el que mataba y cocinaba una rata cada semana: los conejos de las vías, así las llamaban.

En otras palabras, para decorar un tren completo necesitas una noche entera y parte de la siguiente y nada de conversaciones estúpidas.

Y saber cuál es tu estado de humor día a día, algo que no compartía con nadie de los de la calle, y luego irte a dormir por la noche a la cama de algún primo o al almacén de alguna bodega en la que conocen a Ismael Muñoz y le proporcionan un lugar decente, y oír las puertas al abrirse, ding-dong, y ver a ese hombre de Estocolmo, Suecia, que está fotografiando su pieza.

Le gustaba contemplar los ojos de los viajeros en el andén para comprobar cómo reaccionaban ante su trabajo.

Sus letras y sus números hablaban de los edificios de apartamentos de alquiler, buenos y malos, pero en su mayoría buenos. Las verticales de la letra *N* podían ser dos camellos vigilando un enorme alijo protegido por celofán o podían ser colegialas en el patio de recreo o una pareja de jugadores en un solar con un bate inclinado entre ambos.

Nadie podía destronarle. Era superior a todos los artistas de la ciudad.

Tenían docenas de botes preparados según lo previamente establecido, y cuando él pedía un color ellos agitaban el bote correspondiente y la bola chasqueaba.

—¿Dónde está mi Perrier? —dijo.

Pero tienes que estar en el andén y verlo llegar si quieres saber lo que experimenta el artista al ver cómo se acerca el tren número 5, rugiendo por las ratoneras, irrumpiendo por la boca del túnel, traqueteando por las vías elevadas hasta que, de repente, ahí está, Moonman volando por el cielo en pleno corazón del Bronx, por encima de aquel paraje quemado y herrumbroso; he ahí el arte del lenguaje de los callejones, desde los tiempos de Bird, y ya no podéis decir que *no* nos veis, ni podéis decir que *no* sabéis quiénes somos, ahora gozamos de una celebridad completa, Momzo Tops y Rimester y yo, estamos cobrando fama, no nos avergonzamos, y el tren pasa traqueteando sobre las calles llenas de basura y junto a las ventanas ciegas de todos esos apartamentos vacíos en los que hay gente viviendo aunque tú no los veas, pero no puedes por menos de ver nuestras obras y nuestros dibujos y nuestros brillantes poemas rimados, porque éste es un arte que no sabe estarse quieto, un arte que inunda tus órbitas noche y día, es el arte inquieto y destellante de los barrios bajos y de los vertederos, asaltándote el rostro con sus colores: como diciendo yo soy tu película, cabrón.

Entraron uno tras otro procedentes del vestíbulo, avanzando por los pasillos hasta encontrar sus asientos, con la expectación de la tarde ya en gran medida agotada, se acomodaron rápidamente, sin perder tiempo, y comenzó la segunda parte de la película.

Klara miró a su alrededor en busca de Miles. Pero Miles no estaba. Evidentemente, había percibido la impaciencia de sus invitados y había decidido reunirse con los cineastas en la cabina privada del piso superior.

—¿Significa esto que no somos dignos de él? —dijo Esther.

Son testigos de lo que parece una fuga. Figuras que se desplazan, ascendiendo por túneles cerrados en dirección a una noche lluviosa y oscura. Una larga escena de siluetas y de vez en cuando algún primer plano de ojos que atisban en la oscuridad.

En ese momento, un foco recorrió el foso de la orquesta y fue a detenerse sobre un telón lateral de la pared norte que colgaba ligeramente más alto que el propio escenario y a unos cuantos metros de distancia. Y sabías lo que ibas a ver medio segundo antes de verlo: una auténtica inyección de ánimo para el ambiente. El telón se abrió y la consola en forma de herradura del último gran órgano teatral de Nueva York, el todopoderoso Wurlitzer, hizo su aparición, enmarcada y reluciente, frente a la oscura sala.

El organista era un hombre menudo de cabellos blancos que

parecía revolotear en su nicho, de espaldas al público. Su aspecto era mágico de puro pequeño, y oprimió el pedal grave en el preciso instante en que una de las figuras de la pantalla retrocedía asustada por algún peligro inminente: una carcajada recorrió la sala.

Los prisioneros prosiguieron su ascenso, desplazándose en torva proximidad unos con otros.

El organista interpretó una serie de notas que resultaban curiosamente familiares. Como esa clase de cosas que te persiguen para devolverte a la radio de tu mesilla de noche y a los olores de tu cocina y al modo en que solía resquebrajarse el linóleo junto a la nevera. Se trataba de una marcha, briosa es la palabra, que actuaba a modo de irónico contrapunto a las siluetas que aparecían en primer plano, las figuras que seguían ascendiendo rutinaria y voluntariamente, y Klara percibió la música sobre su piel y casi pudo saborearla en la lengua, pero no era capaz de identificar la obra ni el compositor.

Propinó al viejo Jack un golpecito en el brazo.

—¿Qué está tocando?

—Prokófiev.

—Prokófiev. Claro que sí. Prokófiev compuso partituras para Eisenstein. Lo sabía. Pero ¿qué marcha es ésta?

—Ésa de las Tres Naranjas, o como se llame. La has oído un millón de veces.

—Sí, claro. Pero ¿por qué la he oído un millón de veces?

—Porque era la sintonía de un antiguo programa de radio. Para usted, por gentileza de detergentes Lava. ¿Te acuerdas del detergente Lava?

—Sí, sí, claro.

Y Jack canturreó en sacramental sincronía con el órgano.

—Ele-a-uve-a. Ele-a-uve-a.

—Claro que sí. Ahora lo veo completamente claro. Pero no recuerdo el programa —dijo ella.

Y Jack siguió cantando porque se lo estaba pasando de miedo con aquello, al igual que la audiencia, los ojos desplazándose de la pantalla al órgano y las mentes atrapadas por el recuerdo radiofónico, los que teníais la edad suficiente, y en algún lugar entre bastidores, en una docena de naves superiores, los enormes tubos del órgano emitían los tonos: tubos, registros, apagadores y amplificadores recreando aquel tema añejo, tomado de una ópera rusa, para traérnoslo a casa procedente del pasado.

Y Jack dejó de cantar para adoptar la voz bárdica de un anunciador veterano al presentar el saludo del programa.

—El FBI en *Guerra y Paz* —dijo con tono melodioso.

Daba gusto tener amigos. Klara lo recordó entonces. Los hijos de los vecinos solían escuchar fielmente el programa, ya en las postrimerías de la guerra, y a ella casi le parecía oír la voz del actor que interpretaba el agente del FBI.

El telón cayó sobre el organista en el momento en que salía el sol, y Esther dijo, «Por fin».

Sí, la película ha salido a la superficie, a un paisaje inundado de luz, penetrante y sobreexpuesto. Los prisioneros huidos se desplazan sobre terreno llano, algunos de ellos con capuchas, los más desfigurados, y se divisan hogueras en la distancia, una línea de horizonte que palpita de humo y cenizas.

Te preguntas si rodaría aquellas escenas en México o si sería en el Kazajstán, adonde había acudido posteriormente, durante la guerra, para rodar *Iván el Terrible*.

Numerosos planos largos de cielos y llanuras, entremezclados con figuras en primer plano, las cabezas y los torsos desplazando al paisaje, precisamente la clase de exceso formalista que tantos problemas le había causado al director con el aparato del Partido.

La orquesta permanecía oculta en algún lugar del foso, tocando suavemente al principio, con un suave acento que contrastaba con las poderosas imágenes. Estudias los rostros de las víctimas a medida que se despojan de sus capuchas. Un cíclope. Un hombre con la mandíbula torcida. Un hombre lagarto. Una mujer con un colgajo de piel a modo de nariz y boca.

Una serie de elocuentes pasajes lentos llenan la sala.

El público estaba fascinado. Ahora, veías las cosas de un modo diferente. Si existía una política de montaje, aquí resultaba más íntima: no eran los temas de la radiación atómica ni de la ciencia irresponsable ni tampoco del terror del Estado, sino del artista independiente que se ha visto disciplinado y sovietizado.

Aquellos rostros deformes eran personas que existían ajenas a cualquier nacionalidad o estricto contexto histórico. El método de caracterización inmediata de Eisenstein, llamado tipaje, parecía allí autoparodiado y deliberadamente destrozado. Porque los rasgos externos de los hombres y mujeres no te revelaban nada sobre su clase o su misión social. Eran personas perseguidas y alteradas, ésa era su tipología: constituían un molesto secreto de la sociedad que les rodeaba.

Ahora vemos a un pelotón de búsqueda al acecho, hombres a caballo dispersos por la llanura. Capturan de nuevo a algunos de los fugitivos, los encadenan y avanzan con ellos a paso sombrío, en fatigadas y mecánicas versiones de representación escénica, y Klara lo vio en retrospectiva, cómo las Rockettes habían previsto aquello, sólo que ya no resultaba gracioso, y descubren los rostros de todos aquellos que aún permanecen encapuchados, y los planos comienzan a adaptarse a un ritmo, plano largo y primer plano, paisaje y rostro, oleadas de repeticiones hipnóticas, mientras la música describe una especie de destino, un destino brutal que resuena como un tambor a lo largo de las décadas.

Klara se sintió conmovida por la belleza y la crudeza de las escenas. Podías notar una cualidad de carácter que brotaba de cada brusco desencapuchamiento, una vida en el interior de aquellos ojos, un rugoso conjunto de experiencias, y una sensación de comprensión parecía viajar a través del público, transportada fila por fila mediante esa misteriosa telemetría de las multitudes. O acaso no tan misteriosa.

Ésta es una película acerca de Ellos y Nosotros, ¿no es cierto?

Ellos pueden decir quiénes son, tú tienes que mentir. Ellos controlan el lenguaje, tú tienes que improvisar y analizar. Ellos establecen los límites de tu existencia. Y los elementos más *camp* del programa, la coreografía y parte de la música, ahora tendían a recordar soterrados ataques sobre la cultura dominante.

Intentas imaginarte a Eisenstein en la clandestinidad del Berlín bisexual de cuarenta y cinco años atrás, con su cabeza calva y sus extremidades levemente atrofiadas, los cabellos que brotan de su cuero cabelludo en mechones de payaso, un hombre con escrúpulos burgueses y el don de la sublimación, y aquí está, en el Kit Kat o en el Bow Wow, sórdidas bodegas con calefacción que en Moscú serían impensables, revelando cotilleos de Hollywood a los travestidos.

Me gusta muchísimo Judy Garland, había comentado en cierta ocasión.

Pero tampoco quieres mostrarte demasiado elegantemente al día, ¿no es cierto? Era una máquina de ideas y de ambiciosos proyectos, pero no está claro que contara con el ímpetu sexual necesario para alcanzar un auténtico contacto con hombres o mujeres.

Fíjate en esas figuras que aparecen en el plano general de la aplastada y humeante línea del horizonte al fondo de la llanura.

Al final, lo único que Eisenstein quiere que veas son las contradicciones del ser. Contemplas los rostros de la pantalla y observas el anhelo mutilado, las divisiones internas de personas y sistemas, y el modo en que las fuerzas se estrellan y se enganchan, forzando esa alteración de la uniformidad que es capaz de señalar algo de modo indeleble.

Observas que la orquesta lleva ya un rato en silencio. Todas las capuchas han sido retiradas, y los miembros de la expedición avanzan interminablemente guardando el paso, escoltados por malhumorados perros de ojos lagrimeantes. Entonces, oyes de nuevo la melodía, una vez más, la conocida marcha de Prokófiev, pero no en la voz burlonamente heroica del órgano sino a gran orquesta, y el tono es muy distinto, olvídate aquí de aquel divertido guiño radiofónico, es todo vigilancia y supresión, el FBI en guerra y paz y día y noche, tu propia cohorte de funcionarios de la ley.

La marcha apenas duró un minuto y medio, mas cuán potente y tenebrosa era, qué sentido del destino en los metales, y luego un prolongado silencio y una pantalla en blanco y, finalmente, un rostro que se transfigura en una serie de planos múltiples, perdidos ya los bocios y las nudosidades, un ojo entrecerrado que se abre, y resultaba de lo más sensiblero, de acuerdo, pero también magnífico, una secuencia ajena a la acción propiamente dicha, un deseo inequívoco y visible que te conecta directamente con la mente tras el filme, y el hombre se despoja de sus marcas y de sus cicatrices y parece rejuvenecer y empalidecer hasta que su rostro se funde finalmente con el paisaje.

La orquesta comenzó a elevarse en el foso, y ahora la música era de Shostakóvich, no te cabe duda, tan espaciosa y celestial, alzándose líricamente, remontándose como el vuelo de un ave sobre las amplias llanuras.

Y entonces concluyó. No llegó a su fin, sencillamente se detuvo de pronto. Un paisaje de perros en primer plano y de figuras distantes que se inclinan al andar. Klara permaneció en su asiento, todos lo hicisteis, y experimentó una curiosa sensación de pérdida, lo mismo que solías notar de pequeño cuando salías del cine en mitad del día y las calles estaban repletas de agitación y de un resplandor agresivo, las superficies intensas e hirientes, gentes vestidas con ropas chillonas que no les sentaban bien.

Miles compareció y todos se marcharon a un bar que conocía Jack. Jack conocía todos los bares del centro, conocía las parrillas y los lugares donde servían la mejor tarta de queso o te ofrecían una sopa de cebolla que te hacía creer que estabas en Les Halles, y contaba divertidas historias sobre sus primeros días en el distrito del espectáculo, anunciando espectáculos arriba y abajo de la calle, pero Klara no le escuchaba.

Llevaba la película grabada en la mente en una serie de imágenes rápidas. Se sentía como si en vez de una falda y una blusa llevara puesta la película. Oyó la risa de Esther y le sonó como si procediera de alguien situado tres habitaciones más allá. Miles contó una historia que exigía su participación, pero no conseguía recordar correctamente los detalles. Sonrió y bebió un sorbo de su copa de vino. La conversación seguía desarrollándose ahí cerca, en algún lugar. No hacía más que ver fragmentos aislados. Veía los rostros deformes en el inmenso paisaje. Se sentía envuelta por la película, sentada en un bar entre blancos muros de neón que palpitaban bajo el calor de Broadway.

4

En las ciudades desarrollas un lenguaje de circunspección y tacto, un millón de pequeñas imitaciones, ese matiz que posee el brillo del bronce lustrado. Luego, sales al desierto y te desintegras, te hundes entre balbuceos, comes sombrerillos de hongos que implosionan tu mente, que te tornan sobrenaturalmente profético y temeroso, que te convierten en un pájaro azteca.

Matt Shay, sentado en la terminal del aeropuerto de Tucson, escuchaba los avisos de megafonía que rebotaban entre las paredes.

Estaba pensando en su episodio paranoide durante la fiesta de cerebros de la noche anterior. Sentía que había sido fugaz testigo de algún horrible sistema de conexiones en el que no eres capaz de determinar la diferencia entre una cosa y otra, entre una lata de sopa y una bomba lapa porque ambas han sido construidas del mismo modo por las mismas personas y, en definitiva, vienen a referirse a lo mismo.

Había huelga de basureros en Nueva York.

Buscaban por megafonía a un hombre conocido únicamente como Jack.

Una mujer que hablaba con fuerte acento le dijo a alguien sentado junto a ella, «Me enamoré, por así decirlo, de él el día en que me pintó las paredes».

Había un hombre en una silla de ruedas, comiéndose un burrito.

Permaneció allí sentado, aguardando a que anunciaran el vuelo de Janet. Se preguntó si no sería un buen momento para llamar a su hermano. Nick vivía entonces en Phoenix, realizando vagas labores de consultoría y enseñando latín una vez a la semana en un instituto.

Cuando Nick muera, un equipo de metafísicos examinará su caja negra, la grabadora personal de vuelo diseñada para revelarles cómo funcionaba su mente y por qué hacía lo que hacía y qué pensaba de todo ello, pero no existen garantías de que vayan a poder encontrar el menor indicio.

Recitando epigramas latinos a ejecutivos en un lugar llamado Paradise Valley.

Matt se quitó las gafas y sopló sobre las lentes, los labios fruncidos en una elipse susurrante, y luego frotó con el pañuelo la empañada superficie y alzó las gafas a la luz.

Cada vez que los megáfonos solicitaban que alguien acudiera al teléfono público de color blanco, una niña pequeña formaba un puño con los dedos y hablaba en su interior.

Se puso las gafas. Janet apareció por la puerta de salida y él se echó a reír al verla. Se rió con auténtico y saludable gozo, aliviado de tenerla por fin allí y también con expectación física, y se rió del desastre en que iba a resultar aquella excursión que se disponían a realizar y terminó riéndose porque no podía evitarlo. Estaba aturdido después de un largo día al volante y carecía de las fuerzas necesarias para dejar de reírse.

Janet caminaba enérgicamente hacia él mostrando una sonrisa levemente torcida, la clase de sonrisa que denotaba que no estaba del todo segura de qué estaba haciendo allí.

—Según el comandante, tenéis una temperatura de cuarenta grados.

—¿Te parece que debería llamar a Nick?

—¿Para qué? En Boston hacía veintidós grados.

—Vive aquí al lado. Parece absurdo no llamarle.

—En Nueva York hay huelga de basureros —dijo ella.

Seguía aturdido de tanto conducir, y ella se notaba entumecida por el confinamiento y el ruido de los motores. Salieron a la zona de aparcamiento y metieron su equipaje en el jeep. Estaba lleno a rebosar, como una caricatura consumista de tebeo desbordante de equipos, ropa, maletas y libros.

—Cuéntame otra vez adónde vamos —dijo ella.

Pasaron la noche en la linde de una reserva india, en una vieja posada de adobe en la que una adolescente comía palomitas tras el mostrador de recepción y desde la que podían ver la blanca cúpula de un observatorio a través de la ventana de su dormitorio.

Era una agradable habitación con vigas en el techo, equipada con siniestros muebles suburbanos, y ambos se mostraban tímidos, porque no se habían visto ni tocado en largo tiempo y Janet tenía que acostumbrarse a aquello. Tan sólo habían dormido juntos varias veces, siempre planeándolo con antelación. No contaban con un lenguaje de entendimiento mutuo, de ritmos y miradas, del protocolo mudo de deseos y sugerencias, de cuerpos que se rozan levemente en el ascensor. Allí no había ascensores. Y Janet se sentía un poco insegura de sí misma en una habitación extraña. No era realmente ella, ¿verdad?

Otra mujer podría haberse dejado llevar por el atractivo del anonimato. Encontrarse con un hombre en una habitación que antes ha pertenecido a otros mil hombres y mujeres. Abandonar el pasado personal con esa suerte de abandono sin rostro propio de los moteles. Pero aquello no era un motel, y por lo menos cabía dar gracias por eso.

Estaba nerviosa, sin moverse de la ventana en vaqueros y sujetador. Tan sólo habían llegado al sujetador. Fue entonces cuando ella se detuvo para hablar, para hacerle saber cómo se encontraba. No se sentía sexualmente ansiosa. Se sentía sexualmente ansiosa, sí, pero fundamentalmente insegura de un modo general, dijo, porque la situación no parecía del todo confortable, encontrarse con un hombre en un escenario dotado de expectativas predeterminadas: una cama ajena en medio de la nada. Tenía la habilidad de contemplarse a sí misma, cierto recelo acerca de las cosas que no parecían del todo correctas. Para empezar, el lugar no estaba demasiado limpio. Y luego estaba la chica de recepción, bizca o miope, lo que fuera. Le habló sinceramente, con su voz tenue, levemente chillona, y él permaneció tendido en la cama, escuchándola, esperando a que se acostumbrara a la idea de una escapada a campo traviesa que concluye en una especie de habitación neutra que le hace sentirse aislada de todo cuanto le resulta familiar.

La escuchó y aguardó, hasta comprender finalmente que algunas de las cosas que decía de sí misma también podían aplicarse a él. Lo comprendió del mismo modo que sorprendes cosas que, de algún modo, siempre habías sabido.

Ella siguió junto a la ventana. Sobre su hombro alcanzaba a

ver en la cima de la montaña la cúpula del observatorio bañada por la última luz.

Había habido hombres que recorrieron aquellos desiertos cien años atrás, los penitentes, cantando y ayunando, azotándose con sogas de cáñamo o látigos fabricados con fibras de yuca entrelazadas, o con cuerdas, con *la cuerda*, una pequeña fusta de lana fuertemente trenzada.

Janet no sabía mirar el desierto. Parecía guardarle rencor de algún modo oscuro y personal. Era demasiado grande, estaba demasiado vacío, tenía la audacia de ser real.

Conducían y charlaban.

—Cuéntame otra vez por qué vamos allí.

—Es una reserva natural y un polígono de tiro.

—De modo que si no nos matan unos, nos matarán otros.

Él alargó la mano y la depositó sobre su pierna.

—Queremos estar solos —dijo.

—Podíamos haber estado solos en Boston.

—En Boston no tienen muflones. Queremos ver muflones en estado salvaje.

—¿Qué haremos cuando los veamos?

—Alegrarnos. Es raro que nadie llegue a verlos. Y el sitio al que vamos es muy remoto. Nos alegraremos y nos sentiremos felices. Son unos animales hermosos que nadie ve nunca.

Ella se aproximó a él. No le gustaban las muestras de afecto en público, y aunque estaban solos en la carretera, aquello no era su apartamento, ¿verdad que no? y ni siquiera era una habitación de una posada con una puerta cerrada y las cortinas echadas, cuando por fin se había decidido a echar las cortinas, pero a pesar de todo se aproximó un poco más a él y le dijo que de haber sabido que iba a acariciarle el muslo no se hubiera puesto aquellos gruesos y ásperos vaqueros, ¿no es cierto?

Matt no creía haberse sentido nunca tan feliz. Se sentía feliz cuando ella se recostaba sobre él y acaso aún más feliz cuando le leía en voz alta alguno de los libros de la pequeña biblioteca que había reunido durante la preparación del viaje.

Vieron halcones encaramados sobre los postes y ella consultó el libro de ornitología y dijo que eran cernícalos, no halcones, lo que le hizo sentirse aún más feliz.

El paisaje le hacía sentirse feliz. Constituía un desafío a su larga vida urbana pero, más que eso, la realización de una visión medio soñada: la diferencia del Oeste, esa cosa extraña y grandiosa que tenía que ver con la nación y con el espacio, con el valor y con la historia y con quién eres y lo que crees y las películas que viste de niño.

Al cabo de un rato le dijo que dejara de mirar el libro y que contemplara el paisaje, pero el paisaje estaba formado de espacios vacíos y de carreteras solitarias, algo que la ponía sumamente nerviosa.

Cuando Nick regresó de Minnesota, Matty dio en llamarle el Jesuita.

Para entonces, los años de catecismo de Nick habían quedado muy atrás, sus días de fe ciega, y le gustaba burlarse de la cohibida corrección de su hermano, de sus intentos por alcanzar una perspectiva analítica. Fuera cual fuese su experiencia en el terreno de la corrección y por muy hábilmente que los jesuitas le hubieran moldeado con su típica diligencia del Norte, acuñando el intelecto y la reluciente alma, un hermano aún conservaba el derecho de mofarse y chinchar.

Su madre también le llamaba el Jesuita, pero sólo cuando Nick no podía oírla.

Llenaron el depósito y compraron carbón, alimentos y agua embotellada. Encontraron el despacho del director de la reserva al final del pueblo, y Matt entró para recoger el permiso y firmar el certificado de exención de responsabilidad, un impreso que básicamente señalaba que si resultaban muertos y/o heridos a causa de prácticas con fuego real mientras se encontraran en la reserva, constituiría una delirante ilusión infantil para cualquiera de ellos y/o para sus familiares pensar siquiera por un segundo en una posible indemnización.

De acuerdo. Se les permitía acceder a la reserva pero bajo el aviso de que se habían proyectado unos ejercicios aire-aire que comenzarían tres días después. De fuego amigo. Aquello proporcionaba algo de emoción a su programa.

Le comunicó todo aquello a Janet concienzudamente. Le dijo que no se les permitía manipular ni conservar cualesquiera artículos de uso militar que pudieran encontrar en la zona, tales como bidones de gasolina, vainas de bengala, objetivos rodantes o proyectiles equipados con munición real o de fogueo. Le dijo que no había seres humanos habitando en la reserva. Le dijo que allí no había gas, ni comida, ni refugios ni ninguna otra clase de comodidades. Tenía derecho a saberlo. Le dijo que no había carreteras asfaltadas ni agua corriente. Pero no le dijo por qué aquello le excitaba. De eso no dijo nada porque no lo comprendía, ni ese desnudo estremecimiento, ni la sinceridad, ni la sensación de saber que se dirigía a una remota zona desértica de Sonora, en la que la interacción del terreno con las armas constituía una especie de proceso neuronal redibujado en el mundo, una especie de anhelo vacío extraído del tronco del cerebro o de donde fuera y posteriormente pintado con palabras y cielo y desierto diamantino.

Janet dijo:
—De acuerdo. Vamos vamos vamos vamos.
—Así me gusta.
—Si vamos a hacerlo, hagámoslo ya.
—Eso mismo quería oír.

Condujeron en dirección sur atravesando una de las zonas blancas del mapa, hacia la entrada de la reserva, y él recordó algo que Eric Deming le había contado sobre aquella parte de Arizona, un rumor, una especie de historia de miedo acerca de personas conocidas como los ultrasensibles, hombres y mujeres que poseían dones místicos: telépatas, clarividentes, gente capaz de doblar el metal.

Cerca de la frontera con México había unas instalaciones secretas en las que los ultrasensibles eran sometidos a pruebas y a experimentos. La idea consistía en formar comandos de parapsicólogos capaces de desbaratar las redes informáticas y los sistemas de armamento del enemigo, acaso incluso de leer las intenciones de su ministro de Defensa mientras viajaba por el centro de Moscú en su coche con chófer.

De hecho, se suponía que los rusos nos llevaban considerable ventaja en tal proyecto, había dicho Eric, quizá por su carácter sensible y místico, y estábamos desesperados por ponernos al día.

Janet dijo:
—Habrá otras cosas, claro está.

—¿A qué te refieres?

—Aparte de las ovejas. No estaremos recorriendo toda esta distancia sólo para ver ovejas.

—Muflones. Queremos estar solos. Sin distracciones. Para poder hablar. Un tiempo prolongado. Para poder determinar qué hacemos.

—¿Qué hacemos de qué?

—Ya sabes a qué cosas me refiero.

—¿Qué cosas?

—¿Nos casamos? ¿Tenemos niños, descendencia? ¿Esperamos un poco?¿Vivimos aquí o allí o en algún lugar de entremedias?

—¿Qué más? —dijo ella—. Porque sé que hay algo más.

Matt podía creerse perfectamente la historia de aquella base sellada en la que los ultrasensibles se dedicaban a refinar sus dotes paranormales. Transferencia de pensamiento y visiones remotas. ¿Por qué no iba a creerlo? Él mismo, cuando tenía diez años, había leído la mente de muchos adversarios mientras empujaba unas piezas de madera a través del tablero. Aquello no era sino la faceta sobrenatural de la carrera armamentística. Milagros y visiones. El arma definitiva más soñada es una señora de mediana edad que vive en Decatur y que es capaz de señalar la posición de los submarinos soviéticos que navegan frente a la Costa Este.

Irreal. Aquello era lo que le incomodaba. Era una de las cosas de las que quería hablar con Janet.

Había riscos similares a buques, grandes rocas con forma de embarcación y la proa apuntando hacia arriba, y colinas que parecían montones de escombros. El terreno parecía hallarse en formación, era áspero y surcado de grietas, y casi era posible detectar la presencia de erupciones y convergencias. Parecía el país de los dinosaurios. Veían montañas de color blanco y montañas de color carne, y formaciones de escoria de una materia vidriosa que resultaban ser montañas al acercarse.

Se tardaba largo tiempo en llegar a cualquier sitio. Sólo había una carretera, un camino. En algunas secciones había arena profunda; en otras, barrancos y hondonadas. El sol se abatía con la densidad de una plaga. Pasaron por zonas inundadas en las que se veían obligados a abandonar el camino para maniobrar cuidadosamente el jeep en torno a los arbustos de palo verde y los cactus de cholla.

Él seguía consultando las palabras. Consultaba constante-mente los libros. Conducía con un libro o dos en el regazo o le pedía a Janet que buscara las palabras o le pedía que condujera ella para poder leer él.

El polvo había cubierto el capó y el parabrisas, y el sol parecía estar al alcance de la mano, desprendiendo un calor tan vasto y tan uniforme que le entraban ganas de reírse de puro miedo.

—Ya sé que no puedes hablarme de tu trabajo.

—Puedo contarte algunas cosas. Trabajo con mecanismos de seguridad, o así los llaman. Temporizadores, baterías, conmuta-dores, detonadores. Cierres electromecánicos. Realizo intermina-bles comprobaciones por ordenador. Bebo café instantáneo y ob-servo en pantalla secciones y proyecciones de enormes armas equipadas con alerones. Luego, un puñado de tipos de California o Nevada sacan un cohete y lo disparan sobre un objetivo reforza-do a dos mil quinientos kilómetros por hora.

—Para comprobar tus cálculos.

—Exacto. No sólo los míos, por supuesto. Pero, sí, ésa es la idea.

—Haces que las armas sean más seguras. De manipular y de utilizar.

—Eso es.

—¿Cuál es el problema, pues? No se trata precisamente de una actividad criminal.

—No, pero es un trabajo armamentístico. Es lo que quería. Quería esto y más. Pero ahora ya no estoy tan seguro al respecto.

—Es un trabajo importante, Matthew. Se precisan los mejo-res para hacerlo.

Habían acampado a pocos metros del camino. Encendió una hoguera de carbón y vació unas latas de cerdo y de judías en el interior de un cazo. Se pusieron los jerséis y se sentaron sobre una manta.

Dijo ella:

—¿Qué harías si lo dejaras?

—No estoy seguro. Doctorarme en algo, supongo. Conozco algunas personas que trabajan en gabinetes estratégicos. Hablaría con ellos. Para sondearlos.

Ella le dirigió una mirada agria. El término le disgustaba

—gabinete estratégico— y él no podía reprochárselo. Era una mujer pasiva, apacible, de mediana edad, encerrada en su torre de marfil. Gente manejando papeles en reductos de estrategia social. Informes de situación, políticas alternativas, encuestas estadísticas.

Cogió la linterna y la acompañó a un lugar adecuado para orinar. La luna estaba casi llena. Aguardó mientras ella se bajaba los pantalones y se agachaba, más o menos en un solo movimiento, y ella le miró y sonrió, con una sonrisa pícara de niña con la cara embadurnada y las bragas sucias: ¿no hemos hecho esto mismo anteriormente, en otra vida? Él paseó la luz a su alrededor mientras iba anunciando quedamente los nombres de los arbustos y las plantas bajo los húmedos sonidos de Janet. Ella se echó a reír, orinando a trompicones. Creyeron oír un coyote y Janet se subió los pantalones sin dejar de reír.

Montaron la tienda y se introdujeron en sus sacos de dormir con forma de momia, cálidamente forrados de franela, y observaron que el coyote no era otro que Wolfman Jack hablando por la radio, un *disc jockey* aullador lanzado al desierto desde alguna emisora pirata situada más allá de la frontera.

No me pongas mala cara esta noche, baby, *vamos a bailar el* rock. *Papá Wolfman te envía a Little Richard desde los días de gloria de las permanentes y los trajes brillantes. Richard no necesita tintorerías. Tiene su Windex.*

Los sacos de dormir tenían unas correas extensibles que te permitían tenderte de costado, si así lo preferías, y cuando Little Richard comenzó a doblar las notas con su falsete ancestral, Matty creyó estar en su cama del Bronx cuando era un chiquillo de quince años, capaz de intercambiar el viejo guante de béisbol de su hermano por tres o cuatro *singles* de *rock-and-roll* en mal estado que luego escuchaba cuando su madre no estaba presente.

Janet le llamaba Matthew. Era su modo de separarle de la historia familiar, de esa densa costumbre de interpelarle como Matty, del hermano pequeño, el hijo abandonado, el niño prodigio del tablero y demás ingredientes de aquella sopa casera.

Él le había contado a Janet la historia de cómo Nick pensaba que su padre había sido conducido a los pantanos y allí muerto a tiros, y de qué modo aquello se había convertido en el único complot, la única conspiración, en la que el hermano mayor se mostraba dispuesto a creer. Nick no podía permitirse sucumbir a la desconfianza general. Tenía que proteger su convicción acerca del destino de Jimmy. El asesinato de Jimmy era algo aislado y puro, no corrompido por otras alianzas secretas y actos criminales, por otras sospechas. Que la cultura se ocupara de elaborar todas aquellas teorías baratas en torno a conspiraciones. Nick contaba con el resistente tejido de la narrativa, que no precisa verse adornado por especulaciones o rumores.

Matt, claro está, opinaba que su hermano era culpable de delirios emocionales. Pero cuando Janet se mostró demasiado dispuesta a coincidir con él y a cuestionar la versión de Nick, la interrumpió sin dudarlo. Defendió a Nick. Le contó cómo él mismo había pensado originalmente que su padre estaba muerto. Que no era un fugitivo, un inadaptado, uno de esos hombres despreciablemente débiles que se dejan estropear, sino que estaba muerto en algún lugar, en un espacio no traducido. E incluso si a la sazón él no era más que un niño pequeño. Incluso si acostumbraba a poner en práctica aquella loca costumbre medio triste medio divertida de acudir al Loew's Paradise para ver el alma de su amado padre fallecido flotando sobre el cielo estrellado. Incluso si era incapaz de emitir un juicio razonado, le dijo, considera el episodio en sí, el trayecto que había realizado hasta aquel cine, atravesando barrios desconocidos, él solo, a los seis años de edad. El poder de un acontecimiento puede manar de su corazón irresoluble, de todos esos crueles y elusivos elementos que no encajan entre sí, y ello te obliga a realizar cosas extrañas y a contarte historias a ti mismo, y a construir mundos verosímiles.

¿Quién demonios era Janet para ridiculizar a su hermano?

A lo lejos podían divisarse cicatrices, profundos arroyos, y grupos de altos saguaros sobre las laderas meridionales de las montañas.

El camino era de polvo blanco, y luego de tierra roja, de arena de playa cuarteada, seca y achicharrada, y luego se convertía súbitamente en un verdoso polvo mineral para terminar volviendo a ser de arena y, por fin, de materia pedregosa.

A Janet le gustaba conducir agresivamente, fuera cual fuese la superficie. El jeep saltaba y se encabritaba, inclinándose peligrosamente en ocasiones, y cuando el camino se estrechaba entre el espesor de los matorrales Janet tenía que decirle que devolviera al interior del coche el brazo que llevaba colgando por la ventanilla para evitar cortarse con las espinosas acacias.

—Creo que no deberías abandonar tu empleo por motivos de conciencia. La conciencia es un arma de doble filo —dijo—. Tienes deberes y obligaciones. Si no estás dispuesto a realizar esta labor, la persona que te sustituya podría hallarse menos cualificada para él.

—¿Cuánto calor dirías tú que hace?

—Da igual el calor que haga. Demasiado para estar aquí. Tú has tenido un entrenamiento especial y posees ciertas habilidades.

—Llegará un momento en que tendremos que decidir si damos la vuelta y regresamos por donde hemos venido.

—¿O bien?

—O bien continuamos internándonos en el territorio de los muflones y salimos de la reserva por alguna parte del sector noroeste antes de que den comienzo las prácticas.

Diez minutos después de decir aquello, vieron objetos en la distancia y Matt los enfocó con los prismáticos. Parecía tratarse de tanques y jeeps, junto con algunos camiones, pero de algún modo parecían endebles, livianos y chapuceros, con contornos rectos y un brillo barato: objetivos tácticos simulados.

—Quiero que estemos juntos —dijo ella—. Sabes lo mucho que deseo tener un hogar y una familia. Quiero tener un hijo. Siempre he querido estas cosas. Quiero sentirme segura, Matthew.

Él extendió la mano y acarició los mechones de pelo suelto que pendían de su nuca.

—Quieres sentirte segura. Y eso lo dice la mujer que se pasa media noche atendiendo heridos —dijo él—. Cuerpos traumatizados. Una emergencia detrás de otra.

—No hay nada inseguro en eso. Para mí, eso es algo completamente seguro. Es lo que mejor sé hacer y quiero seguir haciéndolo. Y tú deberías hacer lo que mejor sabes hacer. A eso se refiere la palabra seguro.

—¿Cómo viviremos juntos si conservo este trabajo?

—Lo haremos. Lo solucionaremos —dijo ella.

El aire se tensó, la luz adoptó un matiz de cloro y, de pronto, comenzó a llover con fuerza. No podían ver nada, y se detuvieron sobre un altozano. La tormenta parecía originarse a tres metros por encima de sus cabezas. Permanecieron allí sentados, esperando y charlando.

Matt habría podido contarle cualquier cosa. Con ella resultaba completamente fácil. Le conocía desde antes de nacer. Era capaz de completar un pensamiento que él apenas hubiera logrado iniciar. En ella no había espacios oscuros, no se producían ninguno de los silencios ni de los disfraces que, de acuerdo, pueden resultar fascinantes, aunque no para un hombre como él, pensó.

Oyeron el canto de pájaros onomatopéyicos, tales como el cuco y el pitoitoy. Tras la lluvia, el calor comenzó a soplar de nuevo, y él recorrió el paraje con los prismáticos en busca de aves de presa. Aparecían suspendidas en el aire abrasador, altas y grandiosas, con las plumas en abanico, y salió corriendo en busca del libro al divisar un enorme pájaro oscuro anidado en el codo de un elevado saguaro.

Era un águila dorada, aún inmadura, y le entregó los prismáticos a Janet y luego se los arrebató, incapaz de dejar de hablar. Hablaba y reía y consultaba los libros. Hablaba menos con Janet que con el ave. Examinó el libro cierto número de veces para asegurarse, en beneficio del animal, de que efectivamente se trataba de un águila dorada, de un aguilucho, con un destello de color en las alas y un dorado baño de color miel en torno a la nuca.

Janet no se dejaba fascinar por aquello. Al mirarla, descubrió en sus ojos una compleja súplica. Le estaba pidiendo algo, pero no estaba seguro de qué. Enfocó de nuevo al ave. Para ella, el ave equivalía a girar el dial. Enciendes el televisor en la sala de enfermeras y ves cabezas de jirafas oscilando sobre la sabana. Aquélla era su reserva natural: una habitación atestada, amueblada con un par de sofás y de sillas en la que se sentaba a charlar con el personal del turno de noche sobre los precios del café, la inseguridad callejera y el olor indescriptible de ese quemado: representaba un asidero, un refugio que precisaba para vivir.

Pero aquella mirada no tenía que ver con sus necesidades ni con dónde prefería estar. Quería hacerle entender algo acerca de sí mismo.

Cada derrota era como una muerte que albergaba en el pecho, en su diminuto tórax pajaril. Básicamente muerto con once años, ése era él. Adiós a las torrecitas de madera, y hasta nunca. ¿Cuántos años había tardado en superar aquel juego?

Había sido el duelo entre Fischer y Spassky lo que le había impulsado a volver, brevemente, dos años atrás, en Islandia, a mitad de camino entre Washington y Moscú, donde habían disputado veintiuna partidas, Bobby y Boris, como en un vibrante espectáculo veraniego en blanco y negro.

Matt consultaba los periódicos y veía la televisión. Él iba con Bobby, aquel chiquillo infantiloide y desgarbado que ya iba para treinta. Se identificaba con sus rabietas en público, con sus groseras exigencias, con esos ataques enfermizos que constantemente sufría Bobby, con los mal disimulados despliegues de amargura cada vez que perdía.

Si la victoria final del norteamericano no sirvió para redimir la sombría juventud de Matt, al menos sí separó el juego de su migraña privada de introversiones anormales para adaptarlo a la mezcolanza del exterior, a la lucha cotidiana de estados enfrentados y fuerzas materiales.

Haría falta una palabra artesanal para describir el proceso. Desegocentrarle. Eso fue lo que logró el juego con Matt. Anda y que proteste Bobby. No hacía sino demostrar lo que siempre está ahí, bajo la estética espacial y el rigor formativo del juego bajo reveladores arranques proféticos: un mundo propio de dolor y de pérdida.

Habló a Janet de montañas excavadas en Nuevo México. De puntos de almacenamiento para armas nucleares. Le habló de aquella montaña hueca en Colorado cuyas enormes pantallas murales podían mostrar la trayectoria de vuelo de un misil lanzado desde una base siberiana. Sabía unas cuantas cosas de Obyekt, la Instalación, edificada por esclavos en una remota zona de la URSS, y le habló de ella: era un centro de diseño de bombas.

La gente acudía de buena gana a aquellos lugares, científicos ansiosos por satisfacer alguna necesidad elemental. ¿O se trataba simplemente de un deber patriótico o del desafío habitual de realizar una labor importante en el campo de la física o las matemáticas? Él creía que acudían en busca de algo, por impulso, casi temerariamente, queriendo alcanzar una condición superior.

—Haces que suene como si se tratara de Dios —dijo ella.

Le contó lo que pudo acerca del Bolsillo. El Bolsillo no era más que una acogedora cafetería inmersa en un vasto sistema oculto. Un sistema basado en la muerte procedente de los cielos. Le habló de las redes de emergencia, refugios subterráneos labrados en el interior de las montañas de Virginia y de Maryland, en los que los líderes podían mantener el funcionamiento del Gobierno durante cualquier conflicto bélico de importancia. Le habló de los accidentes en la Unión Soviética, de los rumores acerca de incendios y explosiones en plantas nucleares, y de la emoción que él mismo sentía, el morbo de la devastación en los yermos enemigos, y de su consiguiente sentimiento de vergüenza.

Haces que suene como si se tratara de Dios. O de alguna variación aún más descarnada del mismo. Vete al desierto o a la tundra y aguarda el destello visionario de luz, la masa crítica que convocará a los cielos hindúes, a Kali, a Shiva y a todos los dioses menores, sus rostros desdibujados en sendas muecas.

—Quizá he pasado demasiado tiempo siendo católico. Debería haberlo abandonado cuando tenía diez años.

Pensó en los ultrasensibles, preparándose para la guerra psíquica, y pensó en los penitentes, hombres con capuchas negras que arrastraban pesadas cruces de madera por el desierto cien años atrás, o cincuenta, azotándose con cáñamos y yucas, todo ese rollo propio de la hermana Edgar, y expresándose con palabras prefabricadas: divagaciones de hombres santos y errabundos.

—No sé a qué te refieres con seguir siendo católico. Ya te he dicho lo que pienso de la conciencia —dijo ella.

—Se trata de eso, pero sólo en parte. Fundamentalmente, siento que formo parte de algo irreal. Cuando alguien alucina, el sentido de la alucinación es que obtienes una falsa percepción de algo que crees real. Aquí sucede lo contrario. Esto *es* real. El trabajo, las armas, los misiles despegando de los campos de alfalfa. Todo. Pero cada vez más, se me antoja como una distorsión completa. Es un sueño que alguien está soñando y en el que yo me veo incluido.

Es posible que aquello irritara levemente a Janet. Que lo considerara autoindulgente o poco convincente o algo que no venía al caso.

—No hace mucho me contaron una historia —dijo él—. En

los años cincuenta realizaron una prueba nuclear para la que vistieron a un centenar de cerdos con uniformes militares reglamentarios y los situaron a intervalos regulares desde el punto de impacto. Ciento once, para ser exactos, ciento once cerdos, según me dijeron. A continuación, hicieron estallar el artefacto y examinaron los uniformes de los cerdos abrasados para determinar las cualidades térmicas del tejido. Porque tal era el objetivo de la prueba.

Janet no respondió, porque fuera cual fuese el objetivo de la prueba, o el sentido de aquella historia, le estaba poniendo de mal humor.

—Imagínatelos. Cerdos blancos de Chester. Una raza de animales gordos y corpulentos de orejas caídas. Vestidos con uniformes caqui provistos de cremalleras, costuras, todo, y con los cordones atados porque así lo ordena el reglamento. Y una voz que habla por megafonía y que va contando: «Diez, nueve, ocho, siete.»

Ella le dijo que metiera el brazo en el coche.

—¿Fue entonces cuando la historia se convirtió en ficción? —dijo él.

Ella le miró brevemente.

—No es eso lo que me estás preguntando —dijo.

—¿Qué te estoy preguntando?

—Creo que no me estás preguntando eso. Ésa es una pregunta amplia, y yo creo que estás haciendo una pregunta más modesta que no tiene nada que ver con cerdos uniformados. Estás hablando de algo completamente distinto.

Él no la miró.

—¿De qué estoy hablando, Janet?

—Dímelo tú —dijo ella.

Él mantuvo la mirada fija sobre el agrietado sendero, sin decir palabra. Las acacias azotaban y arañaban el parabrisas y las portezuelas. Ambos se concentraron en observar el camino.

A eso de doscientos metros de distancia se erigía una estructura de cemento, similar a un búnker, salpicada de arena, con claraboyas alargadas y arbustos espinosos trepando por los muros.

Faltaba poco para anochecer, y decidieron acampar en las inmediaciones. El edificio tenía algo irresistible, por supuesto, incluso una ruina recalcitrante como aquélla, con su aspecto sellado y aislado. Se erigía allí sola, frente a las montañas, con la quebrada lírica de un objeto fuera de lugar, como un cine al aire libre de las praderas que llevara años cerrado, con todos sus auriculares colgando torcidos y la enorme pantalla contemplando los maizales con su mudo rostro en blanco. La clase de desecho humano que profundiza el paisaje, haciéndolo más triste y más solitario, y que añade a tu reacción una vaga y amarga nostalgia subjetiva, o no tanto nostalgia como un sentido de la propia estética del tiempo: cuán hermoso e inmóvil y extraño puede resultar un mazacote de cemento fugazmente habitado y luego abandonado, esa alma del desierto en el que han dejado su firma los hombres y mujeres que han pasado por ella.

—Preferiría dormir dentro —dijo Janet— que volver a montar la tienda.

Había dos puertas sólidamente selladas, y las ventanas eran elevadas y estrechas, pero rodearon la construcción y encontraron una abertura a media distancia del suelo por la que penetraron en el interior. Tras las agitadas horas que habían pasado, zigzagueando con el jeep en torno a los obstáculos y la arena, el lugar resultaba aceptablemente acogedor. Una mesa, unas pocas sillas, algunos calendarios con chicas desnudas en las paredes y un par de estantes equipados con comida enlatada, utensilios varios, fósforos de seguridad y revistas viejas.

Matt pensó que el búnker debía de haberse construido para albergar a los observadores durante las maniobras, quizá un par de oficiales de artillería a los que transportarían hasta allí en helicóptero para comprobar la puntería, recuperar los blancos y acaso señalar la ubicación de cohetes y bombas que hubieran podido caer sin explotar.

Salió de nuevo, encendió una hoguera de carbón y ambos comieron rápidamente y en silencio para, seguidamente, guardar las sobras y los restos de los preparativos en una bolsa de plástico que guardaron en el jeep porque no sabían qué otra cosa podían hacer con ella.

Transportaron sus sacos de dormir hasta el búnker y se desnudaron a la luz de la luna.

Janet se sentó sobre la funda de nailon, con una pierna estirada y la otra doblada, y se recostó como quien se reclina a la hora de comer sobre los escalones de una biblioteca después de tomar el sol. Él se aproximó, se inclinó hacia ella y se impregnó del sol en su cuerpo, de ese profundo residuo de calor que se transmitía a sus manos y a su boca, y del modo en que sus cuerpos intercambiaban la conciencia del día y del territorio, sus alientos impregnados del calor y del viento del aire nuevamente saboreados, acariciados, percibidos y olfateados.

Pero el acto resultó melancólico y levemente extraño, apacible y dulce y afectuoso, pero también extraño y ligeramente resignado, y una vez concluido ambos permanecieron largo rato tendidos sin hablar.

—Creo que deberíamos volver por la mañana.

—¿Por qué? —dijo ella—. Ahora que hemos llegado hasta aquí.

—Creo que ya hemos visto prácticamente todo lo que hay que ver aquí.

—No has visto los muflones.

—No necesito ver los muflones. Ni los rebecos, tampoco. Ahí fuera hay rebecos, antílopes.

—Apenas has visto el águila.

—He visto el águila.

—Apenas la has visto, y ha sido a distancia, en el nido —dijo ella.

—El águila era magnífica. El águila satisfizo todas mis expectativas.

Janet durmió. Él, no.

Finalmente, se confesó a sí mismo la verdad, que quería que ella le hubiera convencido para abandonar el trabajo. Ésa era la pregunta que llevaba formulando desde el principio. ¿Es que no piensas decirme que no quieres que haga esta clase de trabajo, que lo deje por ti y por el niño que hemos de tener, y por la casa que poseeremos algún día?

Pero Janet se negaba a cooperar.

Terminó por comprenderlo: quería que ella pensara que tenía que hacer el sacrificio de abandonar el Bolsillo por su mujer y su hijo. Quería que le dijera, Vente a Boston y cásate conmigo.

Pero Janet no lo dijo.

No estaba hecho para aquella clase de trabajo. Quería dejarlo, pero no quería dejarlo por sí mismo. Quería que fuera ella quien lo hiciera por él.

Pero Janet no lo hizo. Porque siempre había sabido lo que anidaba en su corazón. Y porque carecía de paciencia para escuchar sus arias sobre lo irreal. Sea lo que fuere que estamos haciendo en secreto, le habría dicho, ellos están haciendo algo peor.

De vez en cuando, soplaba el viento del Este, y pudo escuchar la presencia de un animal próximo al jeep, en busca de la basura.

No, no era un hombre de armas. Pero eso era lo de menos. Hubiera querido que ella se sintiera responsable, y culpable, por obligarle a cambiar de vida. Qué ventaja no le daría aquello en los años venideros.

En la Escuela de Inteligencia del Ejército había trabajado dobles turnos asistiendo a clases, rodeado invariablemente por analistas de combate, expertos en lenguaje, tipos del servicio de contraespinonaje encargados de husmear cualquier posible uso de drogas, aprendices de agente en misiones simuladas, espías para cada una de sus funciones corporales.

Le enviaron a Vietnam, a Phu Bai, y lo primero que vio cuando entró en el campamento fue una florida pintada de grafito sobre la pared de un cobertizo de intendencia. *Om mani padme hum.* Matt sabía que aquello era una especie de mantra, una de esas cosas que los hippies cantaban en Central Park, pero ¿podía también ser el lema de la 131 Compañía de Aviación?

A partir de aquel momento, tuvo problemas con la información.

Trabajaba en una cabaña prefabricada, revisando carretes de película sobre un visionador. Procedían de las misiones de espionaje aéreo, una interminable serie de imágenes absorbidas por las cámaras inferiores de los aviones de reconocimiento. Todo consistía en información perdida, en cómo recuperar la más diminuta colección de datos hasta identificarlos como un camión conducido por un hombre que fumaba un cigarrillo francés mientras recorría la ruta de Ho Chi Minh.

Arrojó un platillo volador a un perro vietnamita y observó cómo el animal saltaba y se retorcía para alcanzarlo.

Corrían rumores acerca de una guerra secreta, sobre innumerables toneladas de bombas lanzadas desde los B-52. Laos, Caos, Camboya. Sólo que las toneladas no eran innumerables sino que habían sido concienzudamente contadas, pues así es como uno se gana los galones: cuantificando el producto.

Matt era de grado 5, con el mismo nivel de paga que un sargento pero con menos autoridad de mando. Poco le importaba.

Más le importaban los ataques con cohetes, o los disparos de mortero que se abalanzaban sobre ellos describiendo un arco bajo la lluvia.

Llegaban las lluvias y las sirenas sonaban y él se dirigía al atrincheramiento más próximo, un refugio construido con sacos de arena y escombros de construcción por cuyo centro discurría una alcantarilla descubierta.

Llegaban el calor y la heroína y de vez en cuando se encontraban con algún que otro cuerpo tendido boca abajo en la embarrada calle de la compañía, otra víctima de sobredosis.

Alguien había colgado en la cabaña prefabricada una fotografía de Nixon, flanqueado por dos hombres que resultaban en cierto modo familiares pero imposibles de localizar, y corrían rumores en torno a una sustancia almacenada en ciertos bidones de color negro almacenados cerca del perímetro del campamento.

En la versión cinematográfica, uno congelaba la imagen del perro en el momento de saltar, casi a punto de atrapar el platillo. Un parque, un día veraniego en algún lugar de Norteamérica: eso sería lo más irónico del plano, con un solo de guitarra emitiendo el ácido chirrido de fondo.

Esto es lo que ocurre cuando parte de la producción de un sistema se devuelve a su línea de abastecimiento.

Sí, alguien había clavado aquella fotografía con chinchetas y Matt no era capaz de identificar a los dos hombres que flanqueaban al presidente, pero no se trataba de políticos ni de presidentes de corporaciones. Un hombre de pelo rizado, atractivo y sonriente. Y un tipo de ojos tristes con una narizota enorme y el aspecto plomizo de un inmigrante vestido con un traje prestado.

Desenrollaba carretes sobre el visionador. Cada vez que encontraba un punto en la película intentaba determinar su significado. Un camión, o la entrada de un túnel, o un nido de ametralladoras o una familia que preparaba hamburguesas en mitad de una excursión.

Reinaban el calor y la monotonía, y los aviones iban y venían continuamente: aparatos de combate, transportes, bombarderos de mediano tamaño, fortalezas de abastecimiento, cazas, reactores privados, un pequeño Piper de color rosa en el que viajaban un instructor y un alumno y, finalmente, cargueros modificados que rociaban la jungla con un herbicida almacenado en bidones de color negro que se identificaban por medio de unas franjas de color naranja.

Corrían rumores acerca de guerras totalmente distintas, un poco más al Este, ¿o era al Oeste?

Los bidones parecían latas de zumo de naranja que hubieran crecido desproporcionadamente como resultado de alguna mutación enloquecida del ADN. Y la sustancia conservada en los bidones contenía —o eso afirmaban los rumores— un agente cancerígeno.

A sus oídos llegaban los rumores y los morteros, mientras padecía el calor del monzón y oía el eslogan universal de la guerra.

Siempre colgado, tío.

Él mismo había querido ir a Vietnam. Había estado dándole vueltas a la cabeza sobre el tema de la guerra, pero pensaba que era algo que tenía que hacer, una forma de autorreconocimiento: obra como es debido, sé valiente, responde a la llamada de tu país. Pero había también algo más: esa fuerza más antigua nacida de la sangre que denominamos «familia».

No podía escapar a su sentido de la responsabilidad. Era algo que tenía delante y a lo que se veía obligado a enfrentarse. No quería escabullirse, escaparse, echarse atrás, esquivar, desertar, resistir, acojonarse, dar media vuelta, marcharse a Canadá, Suecia o San Francisco, como había hecho su viejo.

Cuando encontraba un punto en la película lo traducía a letras, números, coordinadas, cuadrículas y complejos sistemas de conocimiento.

Om mani padme hum.

De hecho, el perro no saltaba en absoluto, sino que se limitaba a ver cómo pasaba volando el platillo, con aire más o menos desdeñoso.

Un punto era un mantra visual, un objeto carente de otras propiedades que no fueran las de su emplazamiento.

La joya en el corazón del loto.

Seguía en el saco de dormir, pero no estaba dormido. Le apetecía tener compañía, y despertó a Janet. Sacó un brazo del saco, lo alargó hacia ella y la sacudió para despertarla.

—Quiero las mismas cosas que quieres tú.

—De acuerdo, Matthew.

—Quiero que vivamos rodeados de cosas que nos resulten familiares. Me excita pensarlo. Quiero empezar enseguida.

—Deberías esperar. Quedarte donde estás. Conservar este empleo durante un año más. Ver qué pasa —dijo ella.

—Quiero idear apodos para nuestros niños. ¿Sabes a qué me refiero? Quiero que vivamos rodeados. Quiero fotografías, cuberterías de plata, cosas que algún día legaremos a los demás. Quiero decidir qué va haber para cenar. ¿Te gustan las almejas asadas? Apenas hemos hablado de comida, tú y yo.

—Quédate donde estás —dijo ella—. No hagas nada apresuradamente.

—Me excita todo esto. Quisiera que no hiciera falta tanto tiempo para salir de aquí. Básicamente, me gustaría ponerme al volante ahora mismo.

—Duérmete —le dijo ella.

—Hay tantas cosas de las que hablar.

Antes de un minuto, había vuelto a quedarse dormida. Matt permaneció allí tendido, incapaz de detener el curso acelerado de sus pensamientos. Finalmente, comprendió que no sería capaz de dormir y decidió contemplar el amanecer en el desierto.

Se puso los pantalones y un suéter, salió del búnker, avanzó unos cincuenta metros y apagó la linterna.

A continuación, se sentó en el suelo y esperó.

Recordaba cómo se había sentido, sentado en una silla en la fiesta de los cerebros, atrapado por un campo gravitatorio, la cabeza zumbándole de sospechas.

Pensó en la fotografía de Nixon y se preguntó si el Estado se había contagiado de la paranoia de los individuos o si habría sucedido al revés.

Recordó cómo se había sentido desenrollando carretes sobre el visionador y preguntándose cómo se relacionarían entre sí los puntos.

Porque, al final, todo está relacionado, o tan sólo lo parece, o parece estarlo porque lo está.

Frente al visionador no era más que una parodia de la figura tradicional de los sótanos, del inventor chiflado inclinado sobre su mesa de trabajo, encajando entre sí los pasadores, los muelles y los cables de quién sabe qué artilugio descabellado, de qué idea luminosa que habría de cambiar el mundo.

Y la voz con acento húngaro, Eric Deming hablándole cara a cara en aquella habitación llena de gente.

Los puntos de la película podían haber sido camiones recorriendo la ruta de suministro o automóviles de último modelo saliendo de la cadena de montaje o condones similares a dedos enfundados en un guante de látex.

Y alguien de la cabaña prefabricada había tenido que decirle quiénes eran. Nixon flanqueado por un par de jugadores de béisbol, de antiguos compañeros, de la típica pareja de ganador y perdedor, unidos de por vida a la altura de la cadera.

Sentado en el polvo con los ojos cerrados, olfateó la húmeda resina de un arbusto de creosota y comenzó a percibir la inminente aparición de la luz sin saber por dónde asomaría.

La gente se refugia en los sótanos. Se precipitan a los búnkers y los túneles mientras las armas, indistinguibles unas de otras, salen rodando de la cadena y comienzan a iluminar el cielo.

¿Y cómo precisar la diferencia entre el zumo de naranja y el agente naranja cuando existe un mismo y colosal sistema que los conecta entre sí a niveles que escapan a tu comprensión?

¿Y cómo determinar si ello es cierto cuando ya formas parte de ese sistema, cuando estás listo para medio creerte cualquier cosa porque ésa es la única respuesta inteligente?

La gente se oculta en lugares lóbregos y oscuros en los que crecen rápidamente los hongos.

Los puntos que señalaba con su lapicero graso se transformaban en bits de ordenador en Da Nang, en desayunos de trabajo en Saigón y en planes para misiones sobre Tailandia, suponía, o Guam.

Cuando alteras un único componente de menor importancia, el sistema se adapta de inmediato.

Alguien tuvo que proporcionarle los nombres. El presidente flanqueado por Thomson y Branca, Bobby y Ralph, el binomio héroe-comparsa, inseparables hasta el final.

Un hongo con un sombrerillo carnoso que podría ser venenoso o mágico. En algunos lugares de Siberia los chamanes consumían el sombrerillo y volvían a nacer. ¿Qué veían durante su estado de trance? ¿Acaso una nube con forma de hongo?

Ya entonces estaba en el Bolsillo, desenrollando carretes durante toda la noche, aguardando a que comenzara la lluvia de disparos de mortero. Hacían un ruido similar al de los chavales cuando mastican cereales frente al televisor.

¿Y cómo saber la diferencia entre jeringuillas y misiles cuando te has vuelto tan complaciente que te encuentras dispuesto a medio creerte todo y a no depositar tus convicciones en nada?

¿Y cómo saber si la imagen existía antes de que inventaran la bomba? Pudo haber existido entonces un submundo de imágenes conocido únicamente por los sacerdotes tribales, médiums entre la realidad visible y el mundo de los espíritus, gente que devoraba hongos abrasadores y que veía una nube de fuego anterior a las películas de instrucción militar de los Estados Unidos.

Desde una distancia prudencial, dice el narrador, esa explosión es uno de los espectáculos más hermosos que jamás haya visto el hombre.

En cierto modo, incluso ya entonces estaba en el Bolsillo, pero su pensamiento no seguía las líneas del sistema hasta la culminación de sus tediosos trabajitos. Las bombas de tonelada y media que caían de la panza de los B-52 como bolas de excremento con alerones, deshaciendo la selva en cráteres.

Pero eran sus enemigos, qué demonios.

Y aún lo son, o alguien lo es, y al abrir los ojos vio que el cielo se tornaba de un curioso y disparatado color gris abuelita.

Las ideas solían proceder de abajo. Ahora están siempre por encima de ti, conectando universalmente las cosas y las redes entre sí.

El binomio blanco-negro sí-no cero-uno héroe-comparsa.

Y los dos hombres que flanquean al presidente en la fotografía que alguien ha clavado con chinchetas en la pared de la cabaña prefabricada. Podían tratarse tranquilamente de Oppenheimer y Teller, sus cuerpos embadurnados de crema solar mientras se citan versículos hindúes mutuamente.

En inglés, bomba se dice *bomb*, pero no rima con *om*. Tan sólo lo parece.

Muerte y magia, eso es el hongo. O muerte y vida inmortal. La psilocibina es un compuesto que se obtiene de un hongo mexicano. Según los estudiosos del fenómeno, puede convertir tu alma en material de fisión.

Están por todos sitios y al mismo tiempo, interminablemente conectados, y te medio crees las cosas más inverosímiles porque sería una estupidez no hacerlo.

Todas las tecnologías tienen que ver con la bomba.

Sentado en el polvo, con los ojos abiertos, advirtió que el sol se alzaba a sus espaldas y se preguntó qué significado podría tener aquello.

Significaba que desde el principio había estado sentado en dirección equivocada.

Matt conducía el jeep con Janet junto a él, medio dormida. Se amodorraba un rato, despertaba con algún bache y volvía a dormirse.

Matt se sentía bien, con la mente despejada. Conducía y pensaba, veía cuanto sucedía a su alrededor, identificando las plantas sin necesidad del libro.

El sol aún estaba bajo y, durante un rato, el camino les conduciría derechos hacia él antes de torcer gradualmente en dirección norte.

Vio cómo las piedras iban convirtiéndose en arena.

Vio los sedimentos de caliza de los lechos fluviales desecados que corrían paralelos al camino.

Escuchó el rumor de las alas de las palomas que se arrullaban al salir de la floresta.

En una extensión llana de desierto vislumbró un remolino de polvo que describía espirales a cámara lenta.

Se produjo un instante de pausa cargado de una extraña intensidad.

Y entonces se abatió sobre ellos el rugido, tan próximo que le heló la sangre en las venas, y Janet le aferró por un brazo. No, primero se desplomó sobre él, impulsada por la fuerza del ruido, un estampido brutal y quebrado, y fue luego cuando intentó cogerle el brazo, pero falló y volvió a intentarlo. Él permaneció allí sentado, con la cabeza clavada entre los hombros. El jeep se salió del camino, pero él se desasió de Janet y corrigió el rumbo. Advirtió que tenía el otro brazo alzado por encima de la cabeza a modo de protección.

El ruido retumbó sobre ellos y siguió su camino, casi arrastrándoles con él. Janet le miraba, sus labios curvados formando un suave óvalo solitario.

Matt estaba concentrado en asimilar el acontecimiento. Analizándolo. Estaba contemplando las montañas, dispuesto a sentirse feliz. Luego vio el doble destello justo antes de que desaparecieran, una pareja de Phantoms F-4 de plateada piel que alcanzaban el apogeo de su arco antes de enderezar el vuelo: hace una mañana tranquila, ¿qué te parece si peinamos un poco el desierto?

Se sintió feliz al oír el eco que resonaba en las cordilleras, los coletazos de un trueno que se interpelaba a sí mismo desde las montañas Ajo a las Growler, desde las Granites hasta las Mohawk para terminar internándose en las poblaciones y las gasolineras. Sí, le entusiasmaba el modo en que el poder se alza de su clandestinidad autoprotegida para convertirse en un rugido del firmamento. Imaginaba las ondas sonoras deslizándose sobre el terreno y superponiéndose en el tiempo, a lo largo de las semanas y los meses, a campo traviesa, hasta convertirse en la más dulce de las nanas en una pequeña habitación en la que una madre da el pecho a su hijo y un hombre permanece de pie con un brazo alzado sobre la cabeza, un investigador, no por temor a los cristales y el yeso que puedan desprenderse sino para bajar la persiana: el cielo se oscurece, y un intenso aroma penetra flotando desde la cocina, y puede oírse música en la casa.

Pero era más bien la sacudida de esteroides que acababa de experimentar, la carne de gallina, la chispeante emoción que recorría su cuerpo mientras ambos permanecían temblando en el pequeño jeep. Aún no se sentían preparados para hablarse. Necesitaban un instante para recobrarse, mudos aún bajo la estela de una fuerza y un empuje arrebatados de la grandiosidad de la naturaleza misma, o cómo los hombres adaptan el cielo a sus propios métodos.

5

Al principio había una habitación vacía. Más tarde, aparecía alguien que comenzaba a depositar cosas sobre una mesa, a cambiar de sitio revistas y libros de imágenes, a sacar cuencos y platos y flores cortadas, y luego a devolver a su lugar algunos de los libros, pero sólo aquellos que merecían la categoría de cierta suntuosidad. A continuación llegaban algunas personas y se producían conversaciones esporádicas, a veces un poco embarazosas porque no todos conocen a todos. El cuarto iba llenándose y la charla se distendía y los rostros iban perdiendo sus máscaras. Klara hablaba con alguien en un rincón, semiconsciente de que el lugar iba impregnándose del espíritu de mostrarse amigable, divertido e interesante, una de esas cosas que uno nunca piensa pero que nos resultarían increíbles si lo hiciéramos: el modo en que todos los detalles del contacto —los movimientos oculares y los gestos de la mano, las sonrisas de saludo, esa actualización de las vidas ajenas que sirve para impulsar inicialmente la conversación— se convierte en una energía que circula entre los invitados como un ángel visitador, inspirando historias, rumores, coqueteos y observaciones mal entendidas, básicamente los fundamentos de la historia humana, por más que la gente ya no bebe como solía hacerlo, por lo que no cabe atribuir a la ginebra el hecho de que se muestren contentos y naturales. Obedece, sobre todo, al estímulo de los demás.

Corría el verano de las azoteas, el verano de los grandes relámpagos. Contempló los truenos, iluminados de blanco por los relámpagos. Amenaza de lluvia, decían los partes meteorológicos, pero rara vez llovía. Klara aguardaba la llegada de Miles con sus cigarrillos y pensó que estar viva nunca le había parecido tan afortunado, aunque comenzaba a ponerse nerviosa con respecto a su trabajo porque, sencillamente, no le venía.

En un rincón de la estancia, charlaba con un hombre que se quejaba de la gente que mantiene perros grandes en apartamentos pequeños, y cuando los invitados comenzaron a marcharse subió en ascensor hasta la azotea y una joven dijo, «Medio he perdido la cabeza» —Medio he perdido la cabeza—, y había un hombre, un pintor conocido de Klara, con una corbata magnífica, y pensó que mantener perros grandes en apartamentos pequeños era una de esas cosas de las que nadie habla pero que todo el mundo hace, abruptamente, como algo que escapa flotando por las puertas y las ventanas, ¿debería o no debería?, para finalmente detenerte un día con una especie de brusquedad despiadada, dejando el tema de los perros sin comentar, exóticas razas siberianas en estudios de dos habitaciones.

Observó al tipo que hacía *footing* sobre un edificio de oficinas, una mujer vestida con un chándal brillante, al anochecer, con las chimeneas alzándose en la distancia. Tres o cuatro personas descansaban con sus copas sobre el pretil, mirando a su alrededor con expresión complacida, y el deportista seguía recorriendo su pista, él solo, a treinta pisos de altura, y era maravilloso ver todo aquello, las ágiles zancadas de la mujer y aquel día apagado y grandioso que se refleja abrasadoramente sobre las placas de vidrio, y las chimeneas de la central eléctrica allá abajo, junto al río, escupiendo sus magníficos venenos.

Atravesaba Times Square en compañía de Miles, y éste le hizo detenerse para admirar un coche de chulo aparcado en zona de grúa frente a un bar *top-less* de maquinitas tragaperras. El coche estaba pintado de rosa y de malva, con las ventanillas de los costados protegidas por tela metálica: el tipo posee un sentido del humor urbano. Los turistas sacaban fotos, posando alternativamente frente al automóvil, turnándose para tomarlas y para salir en ellas, y había rapados del Krishna con sus crótalos, jóvenes y pálidos en sus túnicas de tonos ocre y sus zapatillas de deporte, saltando devotamente de un lado a otro.

Acey Greene tenía una imitación de abuela que solía realizar, algo fundamentalmente vocal, en la que se refería a Klara como si se tratara de una niña. Con severidad. Vamos, niña, por favor, no seas tan atolondrada.

Estaban en un bar del SoHo.

—Es imposible —dijo Klara—. A una mujer ni se le ocurriría siquiera casarse con alguien como Miles.

—Con quien tú no querrías casarte, tanto si te lo pensaras como si no.

—Dame un voto de confianza.

—Eso mismo le doy a él —dijo Acey.

—No, Miles es estupendo. Pero habría que estar loca para pensar con él en algo permanente o siquiera semicomprometido. No puede hacerse, ni desde tu punto de vista ni desde el suyo.

—Ya sólo la palabra cohabitación...

—Exacto —rió Klara—. Ya sólo esa palabra...

—Es un poco evasivo, sería lo que yo, en general, ya sabes...

—Está poco preparado —dijo Klara, que sentía más afecto por el hombre cuanto más se refería a su irresponsabilidad—. Siempre hay en él un potencial —dijo, echándose a reír de nuevo—. Ve venir las cosas y se refugia, se pone a la defensiva. Pero no representa un problema. Entre él y yo no hay problemas. Nos llevamos de maravilla.

Las cosas parecían desaparecerle entre las manos. A lo mejor, la taza del café salía volando de entre sus dedos por encima del mostrador de la cocina. No lograba encontrar las chuletas de ternera que acababa de comprar. Y luego empezaba a buscar la llave de repuesto para la puerta del piso de abajo. La llave podía estar en uno de dos sitios, no había ningún otro lugar posible en el planeta, pero no estaba aquí y no estaba allí, y ella se quedaba inmóvil en un extremo del ático contemplando las alargadas ventanas de la fachada de enfrente, preguntándose si las escaleras contra incendios, aquellas líneas oscuras que se entrecruzaban profundamente a lo largo de las callejuelas traseras, podían revelarle algo acerca de su vida.

—Tú deliras, chica —dijo Acey en el bar.

Durante una temporada empleó pintura casera, pintura para radiadores. Le gustaban las superficies ásperas, la pintura descascarillada sobre el metal, le gustaban los marcos de la ventana retocados con masilla, todas esas texturas de escayola, las pegajosas tizas y las linazas que hay que mezclar y extender, que conviene embadurnar sobre un ajado trozo de madera. Y tardó años en comprender de qué modo aquello estaba conectado con su vida, con el grano de la clase obrera, con los boquetes de las aceras, compuestas de hecho por magníficas baldosas azules resquebrajadas y desgastadas por las esquinas, y los tejados de alquitrán, y las escaleras contra incendios, claro está, pintadas de verde y luego de negro, y cómo las gotas y churretes resultantes se convertían en elementos de la memoria, y la pintura de aluminio sobre los silbantes radiadores, y la pintura que su padre llevaba a casa para repintar las sillas de la cocina, poniendo una silla de pie sobre una página de periódico, y las salpicaduras, como patas de araña, de la pintura blanca sobre la hoja entintada, y la página salpicada sobre el viejo linóleo.

Estaba en casa de Esther y de Jack. Sostenía una copa de vino y escuchaba a Jack mientras éste hablaba con su voz áspera y cordial. Le gustaba su voz y le gustaban sus chistes. El viejo Jack, rubicundo y canoso, aún vivo quién sabe cómo, agitando el cigarrillo y siempre a punto de olvidar cómo te llamas. Jack era sumamente aficionado a esos chistes atrevidos que Esther odiaba y Klara en cierto modo disfrutaba, la clase de chiste que acaba gustándote a pesar de ti misma, historias pasadas de moda y protagonizadas por estereotipos estúpidos y variados dialectos, pero arteras por el modo en que aprovechan la complicidad del oyente: Jack contaba chistes en los que jamás cambiaba nada.

Llegó cierto punto en el que se dio cuenta de que estaba aplicando pintura para luego retirarla, para rasparla con algún utensilio de cocina: le gustaba el dibujo venoso que formaban los residuos.

Y su ámbito de experimentación, su tímida ambición, lo que contemplaba como un entorpecimiento de su trabajo, una cosa familiar, deliberadamente modesta. Hasta entonces no había comenzado a preguntarse si quería asegurarse una vida sin laureles, como la de su padre.

Albert, con su tono levemente didáctico, solía decirle que los italianos que había conocido, los que había conocido criándose en Harlem y el Bronx, los que constituían su legado calabrés, tendían a desconfiar de ciertas formas de éxito en tanto que inmigrantes, gentes que necesitaban protección frente a la gélida mano de la cultura, que necesitaban de sus hijos y de sus hijas y de otros porque de quién más podían fiarse con su inglés vacilante, sus diez mil historias tradicionales, y un día regresó a casa, el hijo de trece años, y vio a sus padres acurrucados en el sofá en uno de esos dolorosos estados meridionales tan suyos, los ojos de su madre rodeados de ojeras, exhaustos de traición, y su padre indefenso y encorvado, un hombre de cuarenta años que podía tener el doble de edad, en un abrir y cerrar de ojos, hacerse miembro de alguna cooperativa de la amargura, y estaban contemplando el informe de las calificaciones de Albert, recién llegado por correo del colegio, y él pensaba que lo habría suspendido todo, que habría cateado, que le expulsarían, aprobados como mucho, y el resto F de fúnebre, pero había sucedido justamente lo contrario, ¿verdad?, una hilera de Aes con pequeñas estrellitas doradas pegadas al borde de las páginas, y el joven Bronzini comprendió finalmente la naturaleza de su angustia, comprendió que no querían perderle, el tendero y su mujer, que no querían verle desaparecer en aquel mundo reluciente e inmenso que comenzaba en algún punto flotante situado a apenas unas manzanas de distancia.

Klara no se había visto ni remotamente a sí misma compartiendo aquel estado mental hasta entonces, allí sola, sentada en el ático, consciente de cuán reservada era acerca de ciertos éxitos, no de los demás sino suyos, cuán desconfiada y levemente vergonzosa. Necesitaba mantenerse fiel al pasado, incluso si ello suponía, o especialmente si ello suponía hacer suyas las frustraciones de su padre, relacionarse con todos aquellos pequeños fracasos que él había ido amasando como recuerdos desvaídos. Pensó en sus imágenes estereoscópicas del Gran Cañón y del Salvaje Oeste, los espacios inalcanzables que había fotografiado con su estereoscopio, y evocó con claridad la imagen del explorador Hopi encaramado sobre el borde de un risco y el resto de las cosas que se veían en aquella imagen en tres dimensiones, el Desierto Pintado o Zion Park, y cómo su propia pequeñez, su capacidad de pasar desapercibida constituía el destino que había señalado para sí misma.

Acey bebía tequila, y Klara pidió su habitual y rutinaria ración de vino blanco, porque le gustaba tomarlo blanco por las tardes aquellos días en que se tomaba un vaso antes de las seis o así, y luego tinto con la cena, y una tarde aburrida en un oscuro bar tampoco era el peor destino posible.

—¿Qué estás haciendo ahora que yo debiera saber? Me refiero al trabajo —dijo Acey.

—Voy a ir a Sagaponack, a esconderme.

—A esconderte. Allí no se esconde uno. Uno se esconde aquí.

—Depende de aquello de lo que te estés escondiendo.

—Ponte a trabajar. Sencillamente, ponte a trabajar. ¿Qué pintas aquí sentada? —dijo Acey—. No vas a pasar a la historia a base de mirarme a mí.

La humedad era tan intensa que había que empujar la puerta con el hombro para que se cerrara. Klara oyó los disparos procedente de una terraza de los alrededores y entonces vio el toldo a franjas, Cinzano, y supo que el sonido no era otro que el de la lona sacudida por el viento.

Klara habló de sus primeros días, cuando empezó a pintar, a intentar pintar, explicando cómo en diversos aspectos aquello había sido un infierno en pequeña escala pero ahora comenzaba a parecerle de un bohemio tardío y como ribeteado de tonos pastel hasta que se forzó a sí misma a recordar más rigurosamente.

—Los hombres nos trataban, los pintores, seamos francos, los grandes nombres, como si fuéramos estúpidas aprendices de pintorcillas. Estudiantes permanentes, ya sabéis, para siempre con los calcetinitos por las rodillas. Eso, en el mejor de los casos —dijo—. Y a propósito de trabajo.

—¿Qué?

—El otro día te alabé en público. Estuve hablando con una mujer que anda escribiendo un artículo sobre jóvenes artistas. Le dije a quién convenía no perder de vista. Y a cambio.

—No es la primera vez, además, y quiero que sepas que significa mucho para mí.

—Cállate. A cambio —dijo Klara—, te exigiré que me concedas un adelanto verbal, porque si tengo que seguir aquí sentada envidiando a alguien que sí tiene trabajo, lo menos que puedes hacer es decirme qué estás haciendo.

Los labios de Acey se torcieron con su habitual mueca irónica. Miró a Klara, apuró su copa y dejó escapar una especie de suspiro abrasador.

—Muy bien. Recuerdas el calendario de Marilyn Monroe que viste en mi estudio.

—Desde luego.

—Y ya sabes cómo es cuando estás empezando un proyecto,

que hay veces que tienes que comenzar con una serie de malentendidos.

—Yo siempre empiezo así.

—Pensé, y trabajé, y esbocé y pinté óleos reducidos y grandes dibujos a carboncillo hasta que por fin me di cuenta. Lo que yo busco no es Marilyn sino una falsa Marilyn. Buscaba un aspecto enlatado. No buscaba a Monroe, buscaba a Mansfield. Toda ella gruesos labios y tetas inmensas. Quiero decir, que era tan obvio y, sin embargo, me llevó una eternidad.

—¿He visto yo alguna película de Jayne Mansfield?

—Nadie lo ha hecho. Da lo mismo. En pantalla resultaba incontenible —dijo Acey—. Y luego estaban todas las otras Marilyns. Por una parte, nunca puede haber demasiadas Marilyns; por otra, en cuanto Marilyn murió todo el resto de los símbolos sexuales murieron con ella. Fue como si vieran filosóficamente prohibida su existencia. Jayne sobrevivió tan sólo cinco años a Marilyn, y durante aproximadamente cuatro y medio tuvo que soportar a un marido, yo qué sé qué número haría, que la sacudía, la maltrataba y la pegaba, hasta que ya no le quedó nada más que películas de compromiso y empaparse de alcohol.

—Te estás pasando. Mujeres blancas —dijo Klara.

—Jayne era una ballena blanca. Y yo he tenido que sacudirme un montón de mierda intelectualoide para llegar a donde me encuentro con mi trabajo. Aparte, estoy utilizando el color en otras cosas sobre las que me gustaría saber tu opinión.

—Cuando quieras.

—Porque eres tú de quien me fío.

—Decir piropos falsos cuesta mucho trabajo —dijo Klara—. Por eso yo nunca lo hago.

Era el verano de Nixon saludando con la mano por televisión, aferrando la muñeca de Ike en los documentales de los cincuenta, o el gesto brusco sobre la cabeza, súbito y neurológicamente extraño, o el saludo final desde el helicóptero sobre el jardín, los brazos extendidos, los dedos estirados formando un par de uves patéticas, o las películas de finales de los sesenta que le mostraban con los brazos extravagantemente abiertos en un alado gesto de victoria, de resentido y angustiado triunfo: aquí estoy, hijos de puta, vivito y coleando.

Miles intentó convencerla de que le acompañara a Bloomingdale's para comprar un regalo para su madre, porque se sentiría encantada y levemente avergonzada, su madre, dichosamente inundada de decepción, allí en Toledo, al poseer algo procedente de Bloomingdale's. Recorrieron una vasta zona de superficies reflectantes y diminutos frascos cerrados con pomos y el aroma de cientos de esencias hormigueantes, hasta que por fin Klara encontró algo, una blusa *Batik* y una especie de babuchas persas, y cuando salían a través de la sección de ropa de caballero, con sus toques de decoración otoñal y sus numerosas mesas y vitrinas, sus hileras de gabanes militares y de jerséis de punto, Miles dijo: «Espera.»

Qué será, se preguntó ella, y él depositó una mano sobre su brazo: espera, mira, no digas nada. Entonces vio a qué se refería. Ocho o nueve chiquillos, chavales negros, avanzando entre los trajes y los jerséis de punto, acaso una docena ya, en su mayoría adolescentes pero algunos de ellos no mayores de diez años. Entonces vio a un guardia de seguridad que se acercaba procedente del perímetro, reclamado por medio del *walkie-talkie*, mientras los más jóvenes intentaban pasar desapercibidos entre las superficies reflectantes, de un modo que resultaba levemente cómico, los ojos inspeccionando subrepticiamente cuanto se hallaba a su alrededor, y para entonces ya debían de haber notado la presión, el peso de estar siendo observados. Uno de ellos agarró una chaqueta, apresuró a medias el paso, y otro dijo algo y todos comenzaron a moverse para coincidir frente a un mismo mostrador. Echaban mano de las cosas y corrían, las chaquetas volando de las perchas y las perchas rebotando sobre el suelo, mientras ellos se hacían con lo que podían, dos o tres chaquetas, algunos de ellos, o sólo una, o dos chiquillos tirando de la misma prenda, y huyendo todos en dirección a diferentes salidas. Dos guardias se acercaban rápidamente, mientras otro se mantenía semiagachado junto a la puerta principal. Los clientes se mantenían inmóviles y alerta, congelados en sus zonas neutras, y uno de los guardias inmovilizó a un chico, y Klara percibió a media docena de otros corriendo por el local, caracoleando y esquivando, las mangas de las chaquetas al viento.

Y Miles dijo, «Cuero», con un tono de voz impregnado de un inmenso gozo.

Dijo: «Toman el metro hasta la calle Cincuenta y nueve, salen por las escaleras directo a la tienda, inundan una zona, pillan lo que pueden y salen pitando, tío, en doce direcciones distintas.»

Dijo: «Los de seguridad atrapan a dos, como mucho a tres chavales.»

Dijo: «Si te das cuenta, no se han llevado las grandes parkas forradas, no se han llevado las prendas de abrigo, ni las que tienen capucha ni las chaquetas guateadas. Sólo cuero. Se han llevado el cuero», y en su voz resonaba la admiración.

Acey se inclinó sobre su vaso vacío.

—¿Qué edad tenía?

—No lo sé. Diecisiete, dieciocho. Creo que no me apetecía saberlo.

—Con diecisiete ya se es un hombre.

—Me dedicaba a enseñar a los críos a dibujar, a tiempo parcial. Y tenía un niño de dos o tres años, lo que ya era bastante de por sí, y encima a la madre de mi marido postrada en cama, aunque por entonces igual ya se había muerto, y mi marido también, claro está.

—Y este delicuente juvenil con su... ¿qué vestía, pantalones de golf? Te ha saltado por encima.

—No sé quién ha saltado por encima de quién. Lo único que sé es que estábamos en la habitación de invitados contigua al cuarto en el que falleció mi suegra.

Acey abrió los ojos con expresión humorística, abriendo mucho la boca.

—Quizá tengas razón. Con diecisiete se es un hombre —dijo Klara—. Porque hay algo que aquello no fue. No fue un caso de iniciación sexual. Fue de lo menos tierno. Y no necesitó demasiadas indicaciones. Y también tienes razón en cuanto a lo de delincuente juvenil. Sólo que el término no le hace justicia a lo que, finalmente, terminó por hacer.

Observó la hilera de cornisas desde Park Avenue hasta el New York Central Building, con sus arcos abiertos a la circulación y su enorme reloj y su pináculo iluminado y últimamente no estaba durmiendo bien y había alguien junto a ella mirando lo mismo y entró de nuevo para ver a Nixon saludando con la mano.

El apartamento de Esther Winship era lujosamente discreto: beis, blancos sucios, grandes sofás de líneas severas que no cedían al sentarse en ellos y amplias extensiones de moqueta pardusca de varias capas, y casi ningún cuadro, y los pocos cuadros que había decidido colgar Esther eran humildes al punto de qué más da, y el lugar tenía tanta personalidad, todo él tensión y energía, que Jack parecía en gran medida perdido en él.

Esther dijo:

—No me he rendido, ¿sabes? He enviado agentes a explorar.

—¿En busca de qué?

—De Moonman.

—Pensé que ya nos habíamos olvidado de todo eso. Y además, ¿acaso no organizó alguien una exposición de grafito?

—Él no estaba incluido.

—En mi opinión, es casi mejor que no le encuentres.

—¿Y eso por qué, tesoro?

—Porque te quedarías con él y me mandarías a paseo a mí.

A Esther le gustó aquello. Su risa tenía dos mil años de antigüedad, salada y ronca. Y a Klara le resultaba antinatural sentir lo que sentía hacia los artistas de grafito. Tendría que haber sido Esther la que despreciara los trenes pintados: desfigurados, feos, como contenedores de basura móviles. Esther con sus trajes impecables y sus polvos de maquillaje y el leve tintineo de sus joyas. Esther, pensó, y no por primera vez, su galerista y amiga y enemiga.

—Eso, por supuesto, es de lo más absurdo.

—Dime tan sólo cuándo iremos —dijo Klara.

—¿A mi casa?

—Para que no me envíen más correo.

—Estás invitada, ¿lo sabías? Vamos a ir todos. Es oficial. La semana del viernes.

—Me encanta interrumpir el correo.

Y debía haber sido ella quien defendiera a los grafiteros, a esos demonios intrépidos que llenaban de color y de arrojo el borrón sísmico de la hora punta de los lunes.

Posibilidades de lluvia, dijeron en el boletín meteorológico, pero no llovía. La basura seguía allí abajo, en bolsas negras e idénticas, rezumando, abriéndose paso a través del plástico, y ella miró y no miró en busca de ratas mientras pasaba junto al montón, camino de la YMCA, la Asociación de Jóvenes Cristianos. Nadaba casi todos los días en la YMCA, y luego con menos frecuencia, y luego tan sólo una vez a la semana, porque el objetivo de la natación era desdramatizar el trabajo, devolverla a los ritmos compensatorios, a la agradable y blanda monotonía de lo que queda de ti después de una larga etapa de trabajo y aislamiento.

Era el verano de las ciruelas damascenas, jugosas y azuladas, y le encantaban los depósitos de agua que flotaban bajo el crepúsculo, elevados sobre columnas y pilotes, como rarezas de la ciudad carpintera, los elementos menos susceptibles de sobrevivir, clavijas y barrotes, la vieja madera veteada enarcada en su delicado corpachón.

Una pequeña azotea ajardinada, con una copia barata de un mármol de la Acrópolis, una figura masculina a la que le faltaban los brazos, la cabeza y gran parte de una pierna, con el pene destrozado y mierda de paloma en el pecho izquierdo, ¿por qué resultará tan *sexy*?, pensaba Klara. Allí fue donde vio al hombre por tercera vez en aproximadamente siete semanas, Carlo Strasser, el coleccionista de arte aficionado y quién sabe qué más, con sus espléndidos zapatos italianos, y con una granja, recordó, cerca de Arles.

Resultó que el anfitrión llevaba siglos queriendo invitarles a cenar. Y resultó que Carlo trabajaba en electrónica, visitaba Hong Kong y Taiwan por motivos de negocios y había volado en cierta ocasión a la ciudad de México para ver un partido de fútbol.

—De hecho, se supone que hoy tendría que estar en Dus-sel-dorf —pronunció cómicamente—, pero pensé, ya sabes, la vida es demasiado corta y últimamente me subo a demasiados aviones y aparte...

—Aparte puedes coger el teléfono.

—Puedo coger el teléfono, desde luego. Siempre hay alguien al otro extremo.

A su alrededor, sobre los terrados de piedra, se veían claraboyas y altas chimeneas con tapaderas en forma de espiral y nuevas vallas de metal que se extendían hasta más allá del borde del tejado para desanimar a los ladrones que entraban por los tejados.

Y ya entrada la noche se despertó en el ático y pensó que estaba en otra casa, no en otra casa sino en una casa que no era suya, ya que incluso después de tantos años allí no lograba despertarse sin sentir que se encontraba aún en un espacio extraño, en un espacio onírico. La altura y la anchura de la vivienda, los pilares y las altas ventanas, parecían surgidos de un sueño primigenio que no llegaba a ser de pesadilla, como el de una niña en el borde de una habitación, una niña que soñara la habitación pero sin estar en ella: una habitación surrealistamente abierta por un costado, donde aguarda la niña o comienza el sueño, una habitación en la que las cosas, los objetos, se denominan sillas y cortinas y camas pero son también completamente distintos, sin el respaldo de las garantías habituales, y cambió de postura en la cama y despertó a Miles.

Fueron al mercado de pescado de Fulton y Miles sacó fotografías, eran las cuatro de la madrugada, de un enorme pez espada arrojado sobre el suelo, toda una épica de desemplazamiento, esas grandiosas criaturas marinas varadas en una calle de Nueva York, y por fin descubrieron un restaurante abierto las veinticuatro horas y pidieron huevos con beicon y un café.

Miles quería hablar de Acey Greene.

—Esas cosas que está haciendo. Sabes lo que está haciendo ahora, ¿verdad? Un grupo de pinturas sobre los Panteras Negras. Más mierda que tienen que soportar los varones negros.

Ella le dejó hablar.

—La sobreestimas como en un doscientos por ciento. Sus cosas no son más que fachada. Apenas distinguibles de la mierda total. Tienes que contemplarlas con otros ojos. Es todo superficie. Es una alcahueta bien mandada, al servicio de las ideas blancas sobre esos negros tan sobrecogedores.

Klara comprendió que al alabar la obra de Acey había estado esperando desde el principio a que alguien disintiera de ella. Allí estaba, por fin. El instante se aposentó en su estómago formando un bulto con la yema del huevo y el pan de centeno.

—Ya sabes cómo funciona esto. Obtuvo lo que quería de ti. Aprobación, publicidad, lo que sea. Y ahora está engrasando otros mecanismos.

Klara permanecía allí sentada, inmersa en un peculiar y pensativo silencio. Deseaba que siguiera hablando. Que lo dijera todo, tanto si era verdad como si no. Se sentía de lo menos generosa, pero opinó que quizá no andaba del todo errado al hablar de la obra de Acey. Poseía valiosas intuiciones artísticas. Ésa era una de las cosas que los unían, por supuesto, su capacidad de plantarse frente a una de las piezas de Klara y demostrarle con pocas y sabias palabras, así como con su entrega general al objeto, que sabía lo que ella estaba haciendo.

—Le encantan las zapatillas —dijo.

—Le encantan las zapatillas. ¿De qué estamos hablando? Ah, de tu madre.

—Le encantan las zapatillas.

—Le encantan las zapatillas. Muy bien. Me alegro mucho.

O tal vez pudiera expresarse así la situación. Estaba completamente equivocado con respecto a Acey, pero tal vez era ella la que quería que tuviera razón.

En Sagaponack dejó caer la bolsa en la habitación de invitados y se marchó a visitar pintores por todo el mapa local. Pintaban en cobertizos, en blancos estudios, en graneros de patatas reformados, y solía ir sola, tomando prestado el coche de Esther, porque Esther estaba colgada al teléfono con abogados y caseros.

Durante la cena Jack se mareó y se tendió en el sofá, y la velada transcurrió poco menos que en torno a él.

De pie sobre la arena, contempló cómo las olas tomaban forma y se abatían confortablemente sobre la playa.

Llamó a Miles, que se marchaba al día siguiente a Normal, Illinois.

Conoció a un escultor con el rostro lleno de capilares reventados, un inglés cuya mujer estaba muriéndose, y mantuvo una larga charla con él, una conversación profundamente intensa acerca del modo en que sus obras, capa por capa, les revelaban como fracasados, y se consolaron mutuamente, comprendiendo cómo tales cosas pueden compartirse por singulares que parezcan. Y se abrazaron al marcharse ella.

Esther dijo:

—Últimamente estás muy sexy, ¿lo sabías?

—¿Quién lo dice?

—El viejo Jack.

Klara solía hartarse del viejo Jack para luego ponerse de su lado, justificándole, dándole la razón, encontrándole divertido y luego nuevamente aburrido, incluso patético a veces, pero adoraba tiernamente a Esther, lo mencionaba abiertamente sin importarle quién pudiera oírlo, contándole a los camareros y a los recepcionistas lo buena que era en la cama, y Esther sabía que no había manera de pararle ni probablemente hubiera querido hacerlo tampoco. Ambos necesitaban del dramatismo de las confesiones públicas porque si no, ¿cómo podía sobrevivir su fulgor?

Las cosas se le escapaban volando de las manos. A lo mejor estaba en la cubierta de alguien y le ocurría con un vaso. Sola en el coche de Esther, iba diciendo en voz alta dobla a la izquierda o dobla a la derecha, recitando la dirección en voz alta, ordenándose a sí misma detenerse en los semáforos rojos.

Decía Miles por teléfono: «La gente no considera que sea, ya sabes, completamente increíble que una mujer pueda ponerse enferma cada vez que Henry Kissinger se pone enfermo a dos mil kilómetros de distancia. Los mediocres tenemos que sacar nuestros males de donde podemos.»

Comenzó a soplar un viento que se negaba a amainar, impregnado de un leve aroma de final de verano, y dijo Esther: «Es como la tramontana», y Klara pensó curiosamente en Albert, o no tan curiosamente: le encantaban las palabras italianas para denominar las distintas clases de viento que soplaban desde los Alpes, al Norte, o desde el litoral africano al Sur.

Y en realidad, si hay que ser sinceros, no le gustaban las obras del escultor inglés por muchas afinidades que pudieran mostrar en cuanto a sus ominosas dudas.

—No, en serio, tienes un aspecto estupendo —dijo Esther.

Aquellas noches tan frescas y limpias. Sombras, susurros, la silueta de la barbilla de un hombre, su cabello, el modo en que sostiene una copa de vino.

Dijo Esther:

—Jack es un chiquillo, por supuesto. Por eso se quedó en el sofá la otra noche, cuando se sentía revuelto.

—Quería estar con gente.

—Nunca he conocido a nadie que sea tan crío, pero como un día se me muera me vendré abajo en una décima de segundo.

Les quería a los dos. Se lo dijo al marcharse, con la sinceridad con la que uno se expresa después de cuatro ventosos días con sus noches, buena comida, buena conversación y patatales que se extienden hasta las dunas bajo el alto y veloz firmamento.

Qué enorme fortuna es vivir, pensó, y tomó el tren de regreso, humanamente invisible en su amplio asiento, en el que fumó un cigarrillo, deseosa de volver y estar sola en casa, rodeada por todas esas cosas y esas texturas que te convierten una vez más en alguien familiar para ti mismo.

Su padre solía decir, Lo mejor de un viaje siempre es volver a casa.

Pero ¿cuándo salían ellos? Muy rara vez, y por poco tiempo, a un bungaló alquilado junto a un lago, con otra familia, porque Dios no permita que no estemos como sardinas en lata, decía su madre, y volvamos corriendo antes de que alguien se lleve la nota que hemos dejado para el lechero.

Cuando la madre de Klara descubrió una tarjeta de visita de él en su bolsillo —había llevado su traje al tinte y descubrió una tarjeta en la que figuraba su nombre pero no el de la compañía, y el nombre se escribía así, Sax—, le preguntó, claro está, al respecto.

Él le dijo que la llevaba por si hacía algún viaje. Quería contar con una tarjeta que pudiera darle a alguien que conociera en un tren.

Su madre dijo, No es eso lo que te he preguntado. Qué más me dan a mí esos viajes, es sencillamente que no quiero decir qué es.

¿Por qué preguntas, entonces?

A lo que me refiero es al modo de escribirlo. Dijo su madre: Sachs no es un apellido tan difícil.

Dijo él, No se trata de si es fácil o difícil.

Dijo su madre, ¿Qué es s-a-x? ¿Qué es eso? ¿Que vas a cambiar de carrera, significa? ¿Que ahora tenemos un músico de jazz en casa?

Dijo él, Es una bobada, no tiene importancia.

Dijo su madre, Tiene más de la que piensas.

Dijo él, Los dos apellidos se pronuncian igual. Es una tontería. Tan sólo le cambié el modo de escribirlo para que le resulte fácil de pronunciar a alguien en un tren que esté acostumbrado a los apellidos fáciles. Y la mayor parte de los apellidos que aparecen en las tarjetas son fáciles, si te das cuenta.

Sachs es un apellido fácil. Dijo su madre, No es un apellido difícil a no ser que ese tren al que te refieres esté lleno de gente un poco tocada, por así decirlo, del ala.

El nombre de soltera de su madre era Soloveichik.

Dijo él, no se trata de si es fácil o difícil. Se trata de lo que ponen las letras. Del rollo de la *c-h*.

Dijo su madre, ¿Qué rollo?

Y su padre emitió un sonido que Klara nunca olvidaría. Pensó en él muchas veces durante los años siguientes. Emitió un sonido áspero y gutural articulado con la parte posterior de la garganta, chirriante y metálico, impregnado de rencor, y ella al principio pensó que había hecho imprimir la tarjeta porque no quería que la gente cayera en la equivocación de pensar que era alemán, y luego pensó que había hecho imprimir la tarjeta porque no quería que la gente supiera que era judío.

Gente en los trenes. Hombres de negocios, con sus tarjetas y sus neceseres de viaje y sus compartimientos privados en los trenes más importantes que salen de Grand Central Station.

Y qué curioso, la distancia que intentaba recorrer desde el sonido rasposo de aquella *c-h*, con su amplitud de referencia, su historia y cultura guturales, esos pesados aromas y acentos de los pasillos: de aquello a la *x* desconocida, la marca de don anónimo.

Y el cambio provocó la lealtad de Klara precisamente porque no tenía sentido práctico, porque revelaba las espirales mentales de cierta clase de tormento.

Su padre era empleado de caja en unos grandes almacenes. Luego trabajó como agente de seguros a comisión en los rincones más temibles del Bronx. Le daban los barrios negros y las lavanderías chinas y los inmigrantes de todos sitios, recién salidos del barco. Durante una temporada, pintó letreros, nombres de compañía sobre puertas de cristal traslúcido, aplicando pan de oro con un pincel de marta, algo que se le daba bien pero que odiaba.

No es más que una tarjeta de visita, dijo. Tampoco es como si me hubiera ido al juzgado para cambiarme el nombre. Cuando me muera puedes grabarme el nombre en la lápida como te parezca.

Dijo su madre, ¿Cómo es que nunca he sabido que tocabas un instrumento?

Y cuando el divorcio de Klara y Albert resultó por fin definitivo, se cambió el nombre de Bronzini para volver a llamarse Sachs, pero insistió en escribirlo con una *x*, aunque sólo fuera públicamente, de cara a su emergente identidad como artista: así firmaba sus obras.

—Sí, bueno, quizá sea cierto. A los diecisiete ya se es un hombre —dijo Klara—. Y he estado preguntándome a mí misma si la cuestión no sería más importante de lo que yo misma estaba dispuesta a admitir.

—En otras palabras, ¿te mostró una vía de salida?

—¿Si me señaló una vía de salida?

—En la que no hubieras querido pensar en aquel momento.

Acey no quería beber más y a Klara aún le quedaba medio vaso de vino, y se pasaron la tarde charlando, uno de esos días muertos de verano en un bar oscuro y desierto.

—Y tampoco él pareció darle mucha importancia. Mostró, pensé, una notable ausencia de confusión y desequilibro, fue mi impresión. Mi segundo marido navegaba en barco, pero no era tan equilibrado, y no sé a cuento de qué digo esto.

Se echó a reír y dio un sorbo de su vaso.

—Bebía martinis de Tanqueray, Jason. Se llevaba una botella de Tanqueray cada vez que iba a Maine, o un par de botellas, supongo. Nos estaba permitido olvidarnos del martini, pero no de la ginebra, pero tampoco nos olvidábamos del martini, y me encantaba subir allí, pero a veces me preguntaba como con despego.

—Cómo había ocurrido.

—Cómo había ocurrido que me hubiera casado con un hombre que dice lo que dice y piensa lo que este hombre piensa.

—Y que bebe martinis —dijo Acey.

Charlaron de otras cosas. Hablaron de trabajo.

—Marilyn odiaba ser Marilyn, ¿entiendes? Pero a Jayne le encantaba —dijo Acey—. Había nacido para ser Marilyn. Vivía en un palacio de color rosa con un zoológico considerable. Y así pasan las cosas: la reina de la belleza de las rebajas va haciéndose famosa y famosa y famosa hasta que acaba convirtiéndose en la mujer más fotografiada del mundo.

—¿Y cómo murió?

Acey hundió la barbilla sobre el pecho, engolando la voz para imitar el acento de un *sheriff* sureño.

—Un terrible accidente de coche. Como Jimmah Dean.

—¿Vas a pintar los restos?

—No, la Jayne que yo quiero tiene que ser una presencia viva y amenazadora. Ésta no es más que una grasienta rubia oxigenada. Secreciones constantes por todas partes. Una mujer de reglas abundantes. Jayne la Atómica.

—Enséñanosla cuando quieras —dijo Klara.

El sol había dejado atrás un edificio cercano y lucía sobre la calle.

—Te preocupas demasiado —dijo Acey—. Te preocupa el trabajo que no estás haciendo porque te sientes profundamente obligada a justificarte. Creo que siempre estás justificándote mentalmente. Y también te preocupa el trabajo que ya has hecho porque, considerando lo que dejaste y lo que te llevaste, considerando el daño que has causado, si lo decimos tal y como es, chiquilla, necesitarás convencerte de que tu trabajo es lo bastante bueno como para justificarlo.

Pagaron la cuenta.

Acey depositó ambas manos sobre los hombros de aquella mujer mayor que ella y la atrajo hacia sí estrechamente con un abrazo mitad masculino y mitad maternal, y el camarero les trajo la vuelta.

En Sagaponack, Esther se vestía con ropa de safari y hablaba por teléfono.

Le dijo a Klara durante el desayuno: «¿Quién te corta el pelo? ¿Han detenido ya al asesino en serie que te corta el pelo?»

En casa de alguien, Klara había charlado con una mujer a la que resulta que conocía de antes, una pintora de sus primeros tiempos, de las zonas industriales del East River, cerca de la terminal del ferry, donde había vivido Klara después de su divorcio, con una ducha artesanal y sin calefacción, cincuenta dólares al mes, y había conocido pintores y escultores, gente que trabajaba con objetos hallados, y la calle estaba pavimentada con viejos bloques de piedra utilizados en otra época a modo de lastre, y a veces solían reunirse en la azotea, tres o cuatro pintores y alguna esposa o algún marido, con un par de críos y un perro que alguien se encargaba de cuidarle a un amigo, y las dos mujeres recordaban que Klara nunca se sentaba en la parte inclinada del tejado, en la tela alquitranada que ascendía hasta el borde, porque le asustaban los bordes, y reinaba una sensación de trayectos marítimos y nuevos trabajos, y más lejos, al Norte, situada más allá de la azotea, entre la azotea y el enorme puente, se extendía la masa poliédrica de las torres del centro.

El viento soplaba día y noche, y Jack dijo: «Estoy razonablemente seguro de que esa que hay ahí es como-se-llame, la que solía estar casada con la mujer de las bolsas de papel. Fue un escándalo monumental. Ella era la heredera de la industria papelera y me senté junto a ella durante la cena: esto ocurrió, Dios se apiade de mí, hace veinticinco años. Esther sabe de quién estoy hablando. Un escándalo de altura. Esther, ayúdame a acordarme.»

Lo que ocurría con Jack era que sonaba borracho cuando no lo estaba, y luego hablaba con una claridad magnífica y refinada cuando estaba totalmente beodo.

Estaban en un pequeño local a nivel de sótano de Chinatown, comiendo unos fideos anchos realmente sabrosos, *chow fun* o *chow fon* (la carta estaba manchada). Era un lugar con mesas de formica y cartas manchadas y carente de licencia para vender alcohol, y Miles sostenía un palillo con sabor a menta entre los dientes.

—Tengo que enseñarte una película que es una película por la que me vas a odiar.

—No es posible que estemos hablando de Normal —dijo ella.

—Rodamos como unas once horas en Normal. Es infatigable, esta mujer, y es que nació así. Es tan incansable como una ley física, pero aún no sé con qué contamos. Podría ser una mierda.

—Y entretanto.

—Esto otro es algo que vas a odiar, pero no hay ninguna posibilidad de que no lo veas, porque tienes que verlo.

Cedía ante Klara de diversas maneras, unas más sutiles, otras menos, y forzaba tibias discusiones que se sabía incapaz de ganar, enfrentando ciertas cuestiones a la fuerza de ella, algo que debería haberla irritado pero que no lo hacía. Por otra parte, se mostraba atento, llevando siempre su marca de cigarrillos y ayudándole con su conversación a atravesar aquel período latente de su carrera, aquella época de leve desesperación.

Llevaba a cuestas su resfriado, siempre estaba ahí, la voz un poco ronca, los ojos apagados por la medicación, y después de lo de Acey se fueron todos a una discoteca de por ahí y ella se dedicó a ver cómo bailaban Acey y Miles, que tenían un aspecto espléndido juntos, que qué curioso, claro, porque no había nada entre ellos, o quizá no tan curioso. Las luces centelleaban y la música estremecía las paredes.

Era el verano de las azoteas, inerte, y estaba sentada en una azotea de Chelsea a la espesa sombra de un emparrado sujeto por postes y vigas de madera de secoya y un tallado de cedro que los elementos habían tornado de un color gris hueso.

Un poeta atravesó el terrado, caminando sobre la delgada superficie de pizarra desde el extremo más alejado.

Dijo: «Están escribiendo el nombre de Marie.»

Y Klara atisbó por la abertura que había a la entrada de la fronda, bordeada de gruesas hojas arrugadas, hojas de parra o de quién sabe qué variedad de vid autóctona, y vio el humo que dejaba escapar un avión para escribir el nombre de Marie.

Y el World Trade Center, alzándose en el extremo sur, con sus torres que parecían siamesas vistas desde aquel ángulo, unidas por una grúa móvil a la altura de la cadera.

Qué reconfortante resultaba que alguien hubiera construido aquello, acarreando toda esa madera y esa tierra los cinco pisos por una estrecha escalera, instalando los postes y las viguetas, y las parras plantadas en barriles cortados por la mitad, viejos barriles de whisky panzudos y manchados, y siguió allí sentada a la mesa, comiendo nachos y bebiendo sangría; los otros, claro: a Klara le gustaba el vino sin mezclar.

Era el verano de las noches negriazules, con ambiciosos truenos resonando por el Este, roncos y falsos, y la estructura de la ciudad bajo ellos: un tipo decapita a su amante, coloca el objeto en cuestión en una caja y se lo lleva en tren hasta Queens.

Sin olvidar al poeta borracho en un banco de hierro y la diminuta mujercita que le fotografiaba obsesivamente.

Klara observó cómo el humo del avión comenzaba a disolverse, flotando a la deriva. Un gato recorrió el repecho más alejado, un animal abandonado y habituado a las callejas y a los jardines traseros, y no supo por qué, nunca sabemos por qué, pero su madre formaba parte de aquel momento, irritada por algún motivo, y un vecino con un zapato especial, un hombre con un zapato elevado, un zapato ortopédico, cosas, formas, masas, recuerdos, todo el entramado de los estados incompatibles.

Incluso ese aire ponzoñoso sustenta el nombre de una mujer.

Miles la llevó al estudio de un artista de vídeo que conocía. No un estudio, de acuerdo, sino más bien un conjunto de habitaciones de lo más corriente, todas repletas de equipos y escenarios de televisión. Allí vivía y trabajaba. Comenzó a llegar gente. Había gente que ya estaba allí, pero comenzaron a llegar otros, y el aire se inundó de un aroma punzante, el olor básico de la marihuana arrollada y compartida por la comunidad, y la sensación de un acontecimiento que bien podría haber consistido en la proyección nocturna de una película: sólo que no era un grupo tan deslavazado, sino personas de ojillos astutos, recelosas de su propia expectación.

Se sentaban casi todos en el suelo. En una habitación había unas pocas sillas plegables y un sofá, y algunos se agrupaban en los rincones, pero la mayoría se sentaban en el suelo, un suelo cubierto de manchas de refrescos y de una mugre indescriptible. Por todo el piso podían verse televisores apilados, además de los que había instalados sobre las mesas junto a ejemplares de la *Guía TV*, y había aparatos con orejitas de conejo, y unas pocas consolas antiguas de caoba y todos los tamaños de pantalla posibles, desde el más diminuto portátil importado hasta el inmenso rostro de proscenio del dios del hogar.

Y una pared entera en una de las habitaciones: había una pared de televisores, acaso cien aparatos idénticos apilados desde el suelo hasta el techo.

Klara y Miles se refugiaron en un rincón, y ella había comenzado a desentenderse del acontecimiento mucho antes de llegar porque en algún momento le habían dicho de qué se trataba, pero aun así tenía que verlo, por muchos que fueran sus recelos.

Se trataba de un acontecimiento raro y extraño. Consistía en la proyección de una copia de contrabando de una película casera de ocho milímetros que duraba unos veinte segundos. Se conocía con el nombre de película de Zapruder, y nadie ajeno al Gobierno la había visto.

Claro está que el acontecimiento poseía una distinción propia, un matiz de especial intensidad. Pero si los asistentes pensaban que eran afortunados de estar allí, también experimentaban una especie de miedo flotante, una subida de temperatura propia de los años sesenta, con un matiz claramente intrépido.

La película empezó a proyectarse en una habitación, pero no en las otras, y derrapaba y saltaba, completamente a trompicones, un plano realizado con una cámara casera de Súper-8, y la limusina descendía por la calle, emborronada por los destellos del sol, y la cabeza se salía del encuadre y luego reaparecía y luego la fuerza del disparo que le mató, el que le dio en la cabeza, y los presentes en la habitación exclamaron ohh, y luego el próximo ohh, y cinco segundos más tarde, en la habitación del fondo, sonó también ohh, el mismo ritmo de respiración cada vez, como resoplidos de incredulidad, y una mujer sentada en el suelo se dio la vuelta y se cubrió el rostro porque era algo completamente nuevo, entiendes, suprimido durante todos estos años, aquél era el famoso disparo a la cabeza y tenían que enfrentarse a su impacto: aparte del hecho de que era al presidente a quien disparaban, más allá de los límites externos de este hecho, tenían que contender con el impacto que cualquier disparo de alta velocidad y de cierta ingeniería letal es capaz de producir en una cabeza humana, y la rotura de los tejidos y del cráneo suponía una revelación terrible.

Y, oh mierda, oh Dios, había procedido de delante, ¿no es cierto?

Y eso era lo otro, entre todas las cosas de la secuencia que comenzaba en el fotograma 313, y qué os parece, diría Miles más tarde, tenía que haber un trece en alguna parte del asunto.

Volvía a tener dolores de espalda y dormía esporádicamente, y a veces le dolía sentarse en las sillas. Le dijeron que acudiera a clases de yoga. Le hablaron de tés de hierbas y de masajes magnéticos.

Acudió al hospital para ver a Jack Marshall, que se estaba recuperando de una operación de corazón, y acudió en compañía de Esther, que pensaba que las visitas hospitalarias eran algo extraído de la época de los antiguos faraones, cuando tenías que maquillarte el rostro y ataviarte reposadamente, y llevar libros, rompecabezas y flores, y llevar contigo un sacerdote para que murmurara ciertas frases.

Esther no parecía tener ni idea de cómo funcionaban los hospitales, y se desplazaba con unos andares encogidos, manteniéndose apartada de las puertas que daban a las habitaciones de los enfermos, temerosa de vislumbrar algo o de contagiarse de algo, tomándoselo todo como algo personal: como un desafío a su ignorancia de tales cuestiones.

Jack dijo que catéter era la palabra más fea que existía en el idioma.

Le dijeron que comiera cereales integrales, que tomara baños calientes, que viera a un tipo de Finlandia experto en lumbares.

Acudió a la inauguración de Acey, por supuesto, organizada en una nueva y popular galería de la parte alta de Manhattan a comienzos del otoño, y encontró a Acey sensacional en un traje de lino blanco con una banda de lentejuelas, y toda la obra consistía de pechos y culos con forma de corazón, un ataque lúbrico en el que las partes anatómicas de la mujer, sus apretadas túnicas y sus labios carnosos y sus tetas alucinantes, se convertían en una especie de política.

Aquello no resultaba reconfortante, pensó Klara. Si las mujeres poseen una condición denominada incompleción de la que algunas se recuperan sin problemas y otras no, aquellos cuadros lo exhibían, lo adoraban, te lo restregaban por la cara. Y Acey localizaba sus argumentos de composición y perspectiva en esa extraña presencia física, en los enormes culos descentrados, en los falsos alineamientos, en la relación de los pechos con el cuerpo, el modo en que Jayne salía oblicuamente del Jaguar, demasiado ávida, sus rodillas y su pecosa entrepierna casi reventando la tela que la oprimía.

Era una cuestión de líneas de fuerza. Aquélla era una mujer que vivía ajena a las necesidades burocráticas del deseo masculino, fuera de minuciosos ceremoniales y de manos lujuriosas.

Acey empleaba tonos pálidos, tonos color carne, completamente ajenos al pop, montones de arenas y de ámbares y un hermoso rosa quemado, una franja tostada por el sol que recorría la parte superior de todos sus lienzos, algo triste y marchita, y en general levemente desdibujada y desdoblada, como de fotocopia en color. Ése era el toque revelador: tienes la copia de Jayne, la diosa reproducida, y es tanto más fuerte por su falta de originalidad.

Fueron a una discoteca de por ahí y contempló a Miles y a Acey mientras bailaban y mostraban un aspecto absolutamente magnífico juntos y se sintió un poco celosa, claro está, y seguía sintiéndose celosa medio minuto después —no tanto celosa como rencorosa— cuando Acey se puso a bailar con una mujer.

Les vio ondular y reverberar bajo los destellos de las luces, sintiendo a la vez admiración y rencor, fascinada por el espectáculo de la pareja, la otra mujer en vaqueros y sandalias trenzadas, la hija de algún diplomático, pensó Klara, con esos cabellos que colgaban en espiral, y cuán desenvueltos parecían en su aspecto físico, con una gracia que era como de abandono pasajero, escrutándose mutuamente los ojos bajo los destellos estroboscópicos enfebrecidos, y se sintió aguijoneada por su reacción.

El ascenso de Acey, el nombre de Acey en el aire, su insolente talento y su sensación de libertad y su aplomo y cómo lo quiere todo y probablemente lo conseguirá y allí bailando como a franjas bajo las luces con la chaqueta abierta y la música haciendo retumbar las paredes.

Lo más gracioso es que Esther no bromeaba. Se presentó un sacerdote procedente de quién sabe qué capilla de actores, todo organizado por Esther, aunque Jack no había ido a la iglesia en los últimos cuarenta años salvo en lo referido a las misas de gallo navideñas, a las que asistía, como suele decirse, religiosamente.

Se sentaron y charlaron acerca de las canciones de las comedias de Broadway. Jack se sentía demasiado débil para cantar o contar chistes. Era como un gran cuarto de ternera apaleado y extendido. Esther le mantuvo cogido de la mano hasta que tuvo que salir a fumar un cigarrillo. Lo había dejado pero había vuelto a empezar, y el sacerdote salió con ella y Klara le ajustó la almohada a Jack.

Y cuando abrazó a Acey al final de la velada: era el final de la velada de Klara porque la música de aquel lugar era una forma como otra cualquiera de ataque cerebral y tenía que salir de allí a toda prisa, y cuando abrazó a Acey y le dijo que la exposición era magnífica y le deseó todo lo mejor, el resultado fue una experiencia de oscuros matices y significados a medias y una inmensa cantidad de sentimientos que la llevaban a ofrecer su afecto a una amiga a regañadientes.

Decidió ir a Los Ángeles con Miles. Miles se había quedado sin dinero para Normal, Illinois, e intentaba conseguir financiación de un gángster israelí que vivía en L.A. O acaso había dos hombres, no estaba segura, un israelí y un gángster, y decidió que iría con él. No le gustaba la idea de ir, pero decidió que iría impulsada por una sensación de inactividad o de Dios sabe qué estado de ánimo exactamente: tampoco estaba segura de eso.

Y el poeta borracho sobre un banco de hierro forjado, el visitante rumano en la azotea y cómo una mujer a la que nadie conocía disparó siete rollos de película para luego marcharse sin pronunciar palabra.

Durante los tres días que pasó allí. Estuvo allí con un propósito mínimo y pasajero, por lo que no tenía por qué importar lo que viera u oyera, pero en algún momento a lo largo de aquellos tres días alguien mencionó las Watt Towers y Klara pensó que probablemente debiera ver el lugar, porque hacía años que oía hablar de aquellas torres y pensó quizá, si tengo tiempo, pero luego se olvidó del tema.

En otro momento recibió una llamada de Nueva York y quién era, alguien ansioso por leer las críticas de la exposición de Acey, las primeras que aparecieran, y eran malas, eran ácidas y agrias, y Klara llamó a unas cuantas personas que le dijeron que el boca a boca que corría por la ciudad era aún peor.

Hablaban con una excitación controlada, con ese tono de documental jadeante en el que adaptas tus placeres a las pausas formales.

Aguardaron, a la espera de oírla responder algo similar, lo que le hizo sentirse absolutamente repugnante. Esperaban oírla regocijarse como ellos, seguirles el juego, observando eso sí el debido protocolo.

Eso había sido el penúltimo día. El último día fue a ver las Watt Towers. Miles la llevó hasta allí y le dijo que pasaría a recogerla una hora más tarde. No tenía ni idea. Ignoraba que algo tan anclado en lo cotidiano pudiera poseer un carácter tan épico. Todo cuanto sabía acerca de las torres era que el tipo trabajaba solo, que había sido un inmigrante, durante muchos años, una cantidad inimaginable de años, y que había empleado cuantos materiales fue capaz de rescatar y encontrar.

Se paseó, tocando cosas, frotando las palmas de las manos sobre las relucientes superficies. Le encantaban los dibujos obtenidos a base de incrustar alfombrillas de yute en el cemento. Le encantaban los verdes trozos de vidrio y los culos de botella con que se adornaban los arcos. Y una de las torres más altas, con sus repujados de átomos arremolinados. Y la pared sur, como una casita de caramelo adornada de guijarros y conchas.

Ignoraba qué era aquello exactamente. Era un parque de atracciones, un terreno sagrado como un templo y quién sabe qué más. Un bazar de Delhi y un pasacalle italiano, quizá. Un lugar acribillado de epifanías, eso es lo que era.

Pasaban gatos por delante de ella, había gatos por todas partes, dormidos al sol o intentando que alguien les acariciara, gatos callejeros procedentes de aquellas calles hirvientes, gatos de gueto, y experimentó una suerte de descarga estática por su cuerpo al ver las columnas cuajadas de vidrios rotos, trozos de espejos desechados, y las baldosas, como enloquecidas colchas de retales, y el arco que había dibujado sobre la verja principal con latas de Canada Dry.

Experimentó una corriente estática, una profundidad de espíritu, una delectación que adoptaba una forma próxima a la indefensión. Como cuando de niña te ríes sin poder evitarlo, derrumbándote contra el hombro de tu mejor amiga. Aquellas sensaciones la debilitaban, le debilitaba lo que veía y lo que sentía. Tocaba y oprimía. Alzaba la mirada a través de las riostras de la torre más alta. Cuán espléndida era la independencia de la que se había visto dotado aquel hombre, o por la que más probablemente había luchado, y ahora sentía deseos de marcharse. No tenía necesidad de seguir allí por más tiempo. Una hora ya era demasiado, y aguardó en la entrada, canturreando, esperando la llegada de Miles.

Aquella noche cogió el teléfono e intentó localizar a Acey, se pasó una hora haciendo llamadas, despertando a gente, hasta que entró Miles arrastrando los pies y se quitó las botas sin moverse del sitio, con un gesto líquido de la mano, un gesto repetido.

Dijo ella:

—Mira, tus calcetines son del mismo color que la alfombra. Eso debe de significar que es hora de marcharse.

Él le contó lo que había hecho aquella tarde. La había pasado junto a una piscina vacía, a propósito de lo cual: un tipo allí presente había descrito cómo había fingido su propio suicidio por ahogamiento para luego desaparecer sin dejar rastro.

—Estás hablando a toda velocidad —dijo ella.

Y había un judío que decía, el israelí con pasta, Hay quien finge su propio suicidio, yo finjo mi propia vida.

Llamó una vez más a Nueva York y averiguó que Acey se había marchado a algún sitio, o que tal vez no le apetecía hablar, sencillamente.

Miles quería hablar. Miles estaba derrotado, estaba agotado pero también espídico, con los nervios de punta por la cafeína y el tráfico de la autopista y todas las demás sustancias controladas que hubiera andado inhalando. Tres días de Dios sabe qué al límite de su trabajo. Estaban en un apartamento prestado y tenía que levantarse pronto para ir a Normal, y se abría un espacio entre su cansancio y sus excitadas terminales nerviosas que supieron llenar persuasivamente mediante el sexo. Lo hicieron y siguieron haciéndolo y hablaron y volvieron a hacerlo. Se lo pasaron de maravilla, o al menos eso pensó ella: no estaba segura de cómo estaba resultando para él. Se mostraba intenso y algo febril, y padecía de su endémico resfriado común, y cuando hablaba era desde un plano polifónico, empinado y desesperado, y cuando follaba lo hacía con fuerza y distraídamente: no distraídamente pero de un modo desenraizado, como enceguecido en el sentido de que no había nada fuera del acto en sí, vivían para las caricias, para el ronquido nasal, y finalmente se durmió, y luego se durmió ella, y apenas llegaron a tiempo de coger sus respectivos aviones a la mañana siguiente.

¿Cómo era todo, visto desde el aire? El vasto oeste barrido, con sus llanuras y montañas, en las que casi podías detectar el contenido mineral, el esquisto de las tierras baldías: era de esas bellezas inmensas y generalizadas que te dejaban levemente agotado porque no conocías el lenguaje natural, los nombres de las formaciones y de los pliegues montañosos.

Y el padre de ella, con su explorador hopi, hopi o navajo: sus diapositivas tridimensionales de un explorador tocado con un pañuelo y situado al borde de un cañón. Sentado en la cocina, pasando sus diapositivas a través del aparato que sostenía en la mano. Se había especializado en diapositivas del gran Oeste. Lo llamaba gran Oeste, y lo era, lo es, sus diapositivas tridimensionales de la ruta que desciende por el cañón a lomos de mula, o El Cañón Revestido de la Capa de Terciopelo del Crepúsculo, que era exactamente lo que hacía, su Oeste completamente inalcanzable, y solía sentarse en la cocina porque allí había mejor luz.

Ella no conocía el Oeste, ni había volado nunca sobre él con un tiempo tan despejado. Mostraba un aspecto joven e intacto, poseía ese carácter extraño de mundos que nunca hemos visto, no nos pertenecía desde allí arriba, poseía una fluidez demasiado nueva y extraña: aún no lo habíamos colonizado.

Klara recordó quién era. Se apartó de la ventanilla y era una escultora, aunque no siempre lo creía, una artista: a veces les creía cuando le decían que no lo era.

Pensó en su trabajo, en la torcida métrica de la arcilla y de los trastos viejos, de su cruda poesía, pensó en óxido y podredumbre y en bastones forrados de algodón. Ansiaba experimentar de nuevo la necesidad de trabajar. Quería salir corriendo del aeropuerto para coger un taxi que la llevara a casa. Necesitaba sentir cómo aquello comenzaba a suceder, esa sensación digna de fe, esa novedad, como una inundación de vida tras los ojos.

Llamó a gente, buscando a Acey, y la localizó unos días después, y la encontró amarga y poco comunicativa y sin ganas de hablar. Pero Klara le habló. Se le daba bien. Había hablado mil veces así con Teresa, la hija empeñada en ser desdichada.

Aquella noche cenaron juntas y hablaron un poco más. Klara controlaba la situación. Engatusándola y animándola. Se le daba bien. Estaba más que dispuesta a ayudar y la estaba ayudando.

El camarero se detuvo junto a ellas para recitar los platos del día. Algo más abajo, en la misma calle, había un incendio, o una falsa alarma, y una voz amplificada que brotaba de uno de los camiones absorbiendo todo cuanto la rodeaba, y los días tardaban menos en oscurecerse, y las calles comenzaban a adquirir una textura medieval, con mujeres extrañamente abrigadas, enfundadas como tuaregs, que vivían en coches abandonados, atentas y mudas, y las que bailaban en los pasillos del metro para obtener unas monedas, y las que tenían sus propios programas de radio, que se podían escuchar sin necesidad de tener una radio porque te perseguían calle abajo en la interminablemente inspirada catástrofe de Nueva York.

Al cabo de un rato algunas personas se levantaron para ir de un lado a otro. No se marchaban, casi nadie lo hacía. La película se repetía indefinidamente y ellos se paseaban por ahí, abandonaban sus rincones y visitaban las otras salas o se plantaban frente a la pared de televisores. Eran como turistas que recorrieran las estancias de una pequeña colección privada, el museo Zapruder, una única obra en exhibición permanente, los veintitantos segundos de una película casera corriendo sin parar.

Corría sin parar, hombres imbuidos del poder del Estado, la película emborronada por la luz del sol, viajando en sus coches con sus confiadas esposas, con esa calidad agitada de las tomas de cumpleaños.

O se sentaban en el suelo y se pasaban un porro y se limitaban a seguir mirando con una expresión de sobrecogimiento adquirido, ahí llega el coche, ahí está el disparo, y resultaba impresionante que hubiera fuerzas en su cultura capaces de demostrar más imaginación que ellos, de convertir sus terrores más enloquecidos en algo fútil y sin importancia.

En algunas pantallas la película se proyectaba a velocidad normal; en otras, a cámara lenta, y el coche descendía por Elm Street y dejaba atrás el cartel de la autopista y la cabeza se sumergía fuera de campo y reaparecía y el disparo resultaba inesperado.

Diferentes fases de la secuencia proyectadas sobre pantallas distintas, y la mirada del espectador podía saltar de Zapruder 239 a 185, y descender hasta el disparo en la cabeza, y luego a los fotogramas iniciales, y en la pared de televisores las escenas y los fotogramas estaban programados según un modelo. El muro de televisores era como un tablero de juegos formado por verticales, diagonales, etcétera, tarots superpuestos de un destino elemental, o películas sincronizadas y proyectadas en forma de X, pero fueran cuales fuesen sus algoritmos había cien imágenes proyectándose a la vez, ahí llega el coche, ahí está el disparo, y aunque estaba incluido en la película, Klara estaba segura de que había un anuncio de Hertz sobre el depósito de libros: lo había visto en fotografías y lo había olvidado hasta ahora, y pensó que se trataba de otra peculiaridad transitoria, por nimia que fuera, aquel cartel de alquiler de coches aposentado sobre el cortejo.

Había un hombre y una mujer en un armario, con la puerta abierta, aparentemente colocados y no especialmente llamativos, apenas se les veía. Pero Klara pudo vislumbrarlos casualmente al pasar.

Sabía que durante la cena oiría a Miles extenderse sobre las secretas manipulaciones de la historia, o los intentos por hacerlo, o sobre cómo los expertos se mostraban incapaces de conseguir una copia nítida de la película, o lo que fuera. Pero de hecho la película resultaba poderosamente abierta, deslumbrante y torpe y completamente inmersa en ser lo que era, en ser una película. Acarreaba una especie de vida interior, algo desconectado de esas cosas que denominamos «fenómenos». La película parecía adelantar algún razonamiento en torno a la naturaleza del propio cine. El avance del coche a lo largo de Elm Street, el movimiento de la película a través del cuerpo de la cámara, una oscuridad compartible: era una muerte que parecía alzarse del flujo de restos de las profundidades de la mente, provenía de alguna noche de la mente, había en ella algún truco de emulsiones que lograba mostrar el fantasma de la consciencia. O eso pensó ella, maravillada. Pensó, maravillada, si aquella película casera era el crudo retrato viviente de la tecnología de nuestra propia mente, la suerte de complot letal que se proyecta en nuestra mente, por lo familiar que resultaba, la película: parecía algo que pudiéramos ver, no ver sino saber, un modelo de las noches en las que nos sentimos próximos a nuestra propia muerte.

Alguien le pasó un porro, y ella se lo pasó al siguiente.

En un gran aparato de televisión, la pantalla estaba dividida en cuatro partes, y el disparo a la cabeza se proyectaba en todos los retazos y, «Es un lenguaje ajeno», dijo Miles, lo que no era sino su modo de decir descabellado, o demasiado, o todas esas otras cosas que solían decirse, y ante ellos se desarrollaba un suceso que había tenido lugar a comienzos de los sesenta, visto con retraso, algo que ahora señalaba el fin conceptual y que conllevaba todo el delirio que flotaba a lo largo de la época, y la gente se paseaba por ahí y charlaba, un hombre y una mujer vislumbrados en el interior de un armario con la puerta abierta, remotos, y el aroma a marihuana iba haciéndose más intenso, y la gente decía, «Vámonos a comer», o lo que fuera que dice la gente cuando algo comienza a acabarse.

Se proyectaba continuamente, un hombre de cuarenta y tantos años vestido con traje y corbata, y ahora todos los aparatos lo mostraban a cámara lenta, sentado en su coche junto a su confiada esposa, y la película adquiría una cualidad de elegía, corriendo cada vez con más lentitud, acabándose, con una sensación de grandeza realmente, el lujoso brillo del automóvil y el asesinato de una silueta surgida de la más oscura tradición: una grandeza, una majestuosidad, la terrible ducha de tejidos y de cráneo, tan poderosamente lenta, en Elm Street, y buscaron algo de comer y fueron al piso, donde jugaron a las cartas durante un par de horas sin hablar de Zapruder.

Se casó con Carlo Strasser en su apartamento de Park Avenue frente a un juez de paz y veinticinco amigos de la pareja. La hija de Carlo estaba presente, la más joven de sus tres hijos, una preciosa muchacha larguirucha que vivía en Bruselas con su madre. Era uno de esos días otoñales de Nueva York. También compareció la hija de Klara, con cosa de media hora de retraso, pero deslumbrante y animada, completamente alegre: abrazando a los presentes a izquierda y derecha y bailando con Jack Marshall después de la ceremonia.

Era uno de esos tensos días otoñales. La novia llevaba una vieja chaqueta de brocado que en otro tiempo había pertenecido a su madre, y a alguien más antes de eso, una prima segunda o una tía abuela, y quizá a alguien más incluso, antes de América. La gente se detenía a comer allí donde encontraba un hueco, de pie, o pulcramente sentados en las sillas del vestíbulo, y el baile no duró mucho: tampoco se había planeado como un acontecimiento demasiado prolongado.

Cuando los invitados se hubieron marchado, decidieron dar un paseo, la novia, el novio y las hijas de ambos, y tras una noche de viento constante el aire se sentía limpio y la luz era tan precisa que las distancias del parque parecían encogerse. Comenzaron a formarse nubes, cúmulos propios del buen tiempo, navegando a la deriva sobre su poderosa proa. Era uno de esos días en Central Park en los que reina una sensación destilada de percepción, una frugalidad, con todas las líneas firmes y no repetidas, y las hojas comenzaban a caer, los cornejos y los zumaques, y nada se desperdiciaba ni pasaba desapercibido.

Qué agradable ser de nuevo una familia, aun fugaz e incompleta, con hijos expedidos e hijos sometidos a estrechos horarios, sin saber cuándo volverán a verse todos de nuevo. La hija de Carlo hablaba un inglés cortante y eficaz. Se mantenía junto a su padre y seguía los gestos de su mano cuando le señalaban las vistas. Por encima de las copas de los árboles podían distinguir los edificios de la Quinta Avenida, la oscura fachada uniforme, y más allá las buhardillas y los templetes situados en el extremo occidental del parque, y Klara imaginó los porteros que andarían por allí silbando, los taxis que pasarían junto a ellos a toda velocidad: le encantaban los llamativos cuerpos amarillos de los taxis neoyorquinos.

Era uno de esos días de luz y de matices en los que todo cuanto ves posee una poderosa intención. Asida de la mano de Teresa, charló de sus visitas a este o aquel lugar y ambas intercambiaron promesas y resoluciones, anotando mentalmente cuanto decían. Y qué agradable, qué raro eso de estar doblemente emparejado de ese modo, marido y mujer, madre e hija, y observó que Carlo cojeaba levemente al caminar y le divirtió pensar que nunca lo había notado: se sentía libre de sentirse divertida, se sentía como qué demonios, al fin y al cabo no es más que el matrimonio.

Caminaron tras un hombre acompañado de un perro lobo, un perro tan enorme como los de cualquier anuncio de vodka.

Klara se echó a reír sin motivo. Quizá se reía sin motivo y quizá porque había notado que su marido padecía una cojera. Los otros pensaron que se reía de alivio, que se reía poseída por el espíritu de un día que había sido como un torbellino, y ello les hizo sonreír a todos con expresión benévola. Pensaron que se reía por haber dejado atrás tantas comprobaciones de aviones que llegaban tarde y haber escuchado las protestas de la empresa de *catering* y haber encontrado el receptáculo adecuado para todas las malditas flores. Finalmente relajándose con un paseo, pensaron. Riéndose con áspero alivio. Pensaron que conocían el misterio que representaba vivir en su piel.

PARTE 5

MEJORES PRODUCTOS PARA UNA VIDA
MEJOR GRACIAS A LA QUÍMICA

SELECCIÓN DE FRAGMENTOS, PÚBLICOS
Y PRIVADOS DE LOS CINCUENTA Y LOS SESENTA

1

3 DE NOVIEMBRE DE 1952

Mirabas las colinas, las colinas ondulantes que hacían que te preguntaras quién eras y cómo habías llegado hasta allí. Las colinas no se hallaban más vinculadas a tu vida de lo que pudiera estarlo un calendario con una fotografía de colinas, viejas colinas ondulantes sobre un río, clavadas en la pared de alguna cocina.

Sentía que el río estaba por allí, en algún sitio, por la frescura del viento, e inhalé profundamente varias veces porque me encontraba al norte del estado y allí se suponía que el aire era sano.

Staatsburg estaba a ciento veinte kilómetros de casa, más lejos de lo que nunca había estado, y me instalé en la residencia y asistí a clases para obtener mi diploma de estudios secundarios y no hubo tarde en que no acudiera al viejo granero en el que estaba instalado el rudimentario gimnasio, con su cuadrilátero de boxeo en un extremo y unas espalderas en el opuesto.

Cometes tus crímenes en la ciudad y te envían al norte del Estado para que aspires profundamente y endereces tu vida.

Jugaba al baloncesto con los miembros de una banda callejera llamada los Alhambras, un nombre que habían tomado de un cine de Harlem. Estaban cumpliendo una condena para negros, decían. Habían pasado por la Casa Juvenil y por cierto número de reformatorios, educándose en el alfabeto del crimen, y corríamos arriba y abajo de aquel gimnasio polvoriento, desembarazándonos de los efectos de nuestras transgresiones.

Éramos todos juveniles, de menos de dieciocho años. Yo era un delito E, homicidio por negligencia, reducido de la acusación de homicidio en segundo grado, y jugábamos partido tras partido en aquel medio campo, empleándonos a fondo y respirando el aire sano, peleándonos de vez en cuando.

Allí podías pegarte con un tipo y luego olvidarlo, dejarlo todo atrás en el campo de baloncesto o en el cuadrilátero, porque ya te habías flagelado mentalmente lo bastante a cuenta de lo que habías hecho en la calle, fuera cual fuese tu error, producto de la ira o de la desolación o de una aberración colosal, y acaso habías alcanzado ya una madurez temprana en el terreno del rencor: en la importancia de mostrarse selectivo.

Cuando entré en el reformatorio quería que las cosas tuvieran sentido. Procuraba hacer bien mi cama, con las esquinas cuadradas, y guardaba mis prendas de ropa en el cubículo con un criterio estudiado.

Me convertí al sistema nada más llegar. Salía con las cuadrillas encargadas de la reparación de los caminos y procuraba ser siempre el más dinámico en la rutinaria tarea de romper el asfalto a pesar de mis ojos llorosos y de los estornudos que me provocaban los arbustos de ambrosía.

Creía en la severa lógica de la corrección. Estudiaba mis lecciones todas las noches y me ejercitaba sobre el suelo y en las espalderas del gimnasio, adiós a los malos comienzos, a los comienzos sangrientos, y me sentía preparado para aquello, para ejercitarme en las duras superficies de una carretera campestre bajo el espeso halo de un día de mediados de verano, sintiendo cómo el alma muerta iba vaciándose lentamente de mí, el residuo sedimentario de lo que había sido, dispersándose en el aire agitada por los insectos y el polen.

En otoño, las colinas adquirían color, y adquirían en tu vida prácticamente el mismo significado que un poema escrito en un calendario, cuatro versos sobre las colinas onduladas redactados con el inglés de un Ronald Colman.

En Staatsburg oí numerosas historias acerca del *doojee*, que era uno de los noventa y nueve nombres de la heroína, pero no les conté la historia que hacía que a mí me temblaran las rodillas, la historia del terror que me producían las jeringuillas y las drogas.

En Staatsburg tenían una psicóloga que quería que le hablara del tiroteo. Creía que sería el camino de mi salvación. Le dije, no tía, olvídame, hablemos del tiempo. No le dije nada que pudiera utilizar a mi costa.

No quería tratamientos infantiles. Yo estaba allí para cumplir mi condena, de uno y medio a tres años, y todo cuanto exigía del sistema era método y regularidad. Cuando la cocina se incendió me sentí decepcionado. Me lo tomé personalmente. No podía comprender cómo un personal bien adiestrado podía permitir que ocurriera algo así. Cuando tres chicos se escaparon montados en la trasera de un camión de panadería, chicos de quince años, los Jóvenes Callejeros, como a veces llamaban a los Alhambras, pensé que aquello era un, qué, un descuido increíble, una catástrofe, amontonados en la trasera de un camión Silvercup: me sentí conmocionado ante tal grado de negligencia.

Aquel día, en el gimnasio, jugamos en nuestro medio campo empleando nuestras habituales habilidades de combate, atropellando al lanzador, recorriendo el contorno de las espalderas con los codos enhiestos, pero nos faltaba intensidad, y el juego se interrumpió de repente un par de veces para que los jugadores pudieran comentar la fuga. Contaron chistes, doblándose de risa, pero pensé que el chiste había tenido lugar a expensas nuestras. No debíamos de valer mucho cuando el sistema diseñado para aislarnos fallaba constantemente.

Durante todo aquel invierno apaleé nieve y leí libros. Los renglones impresos, los caracteres alfabéticos, las paladas, los ejercicios maquinales de los libros de texto, las novelas que leía, los diccionarios que encontraba en la minúscula biblioteca, la naturaleza y las formas de los libros, la rutina de las paladas en la nieve profunda: así comencé a forjarme una personalidad individual.

Pero antes de que llegaran las nieves y el suelo se endureciera instalaron el campo de golf. Un minigolf, un golf de fantasía. Descargaron el equipo en un campo próximo al comedor un hermoso y límpido día de noviembre. Castillos y rampas de contrachapado. Cachivaches suficientes como para construir nueve hoyos. Pequeñas norias y puentecitos y qué sé yo. Observé cómo todo iba cobrando forma sumido en una especie de incredulidad. Me sentía engañado y traicionado. Yo estaba allí acusado de un crimen grave, un homicidio del tipo que fuera, la destrucción de una vida según el nivel burocrático que quisieran, y allí era donde debía estar, confinado al norte del Estado, pero las personas que me habían puesto allí se burlaban de mi conciencia.

El club se llamaba Troubadour y se encontraba en West Holly-wood, y el hombre ascendió al escenario, desenroscó el micrófo-no de su soporte y lo blandió sobre la muchedumbre, bendicien-do a todos, y ellos pensaron acaso que necesitaban de esa bendi-ción precisamente aquella noche, porque el Presidente se había dirigido a la nación seis horas antes, a las cuatro hora del Pacífico, con motivo de una cuestión de la mayor importancia a nivel na-cional.

El hombre escrutó la multitud y se acarició la barbilla; había adoptado una posición de ladeado abandono y llevaba un traje oscuro de corte europeo, desprovisto de hombreras y con solapas estrechas. Lucía una delgada corbata de punto y esa expresión de neoyorquino levantino: sí, ante ellos se hallaba el célebre e infame cómico Lenny Bruce, y todos aguardaron a que se encargara de decirles cómo se sentían.

Todo porque los rusos habían instalado misiles en Cuba. Y el agrio discurso del presidente Kennedy formaba aún una especie de muro auditivo que atravesaba la sala. Capacidad de ataque nu-clear. Plena capacidad de respuesta. Términos resonantes y cuida-dosamente labrados. Aquella audiencia se hallaba habituada a un grado de temor distinto. Actores y músicos en paro, guionistas ocupados en redactar el borrador número noventa y dos, agentes con eczema, atractivas prostitutas rubias de cuerpos playeros acompañadas de chulos repulsivos y malévolos. Y Lenny muestra una leve sonrisa y contempla al grupo como si fuera capaz de dis-tinguir el pegajoso núcleo de su alma colectiva. Como siempre, unos cuantos adictos bien educados. Acaso una pareja de turistas con peinados de colmena que han entrado allí por equivocación acompañadas de los patéticos vendedores que tienen por mari-dos. Y tiene que haber un actor conocido que padezca la sífilis y otro que se haya visto reducido a anunciar jabones. Todos necesi-taban a Lenny para que les ayudara a adaptarse a ese fenómeno global y total que está teniendo lugar ahí fuera, con los bombar-deros estratégicos rodando sobre las pistas y los submarinos Pola-ris haciéndose a la mar, como cuando oyes *inmersión, inmersión, inmersión*, un diálogo extraído de todas las películas de sumergi-bles que se han filmado pero que ahora está sucediendo de verdad, por más que ellos lo encuentren singularmente irreal: los Titanes y los Atlas en posición de disparo.

Lenny los examina unos instantes, como si quisiera que el momento destilara su propio portento y significado. No resulta en absoluto obvio lo que va a decir hasta que lo dice, extendiendo el labio inferior y prestando a su voz un timbre autoritario.

—Buenas tardes, queridos conciudadanos.

Y tan pronto como la dice, la frase se torna retroactivamente inevitable, porque ni que decir tiene que tales fueron poco antes las primeras palabras del Presidente, y ello basta para desatar unas cuantas risas tímidas que Lenny ahoga en sus inicios. No es su intención ofrecerles una imitación de Kennedy.

Retrocedió para distanciarse un poco más del borde del escenario. De la muchedumbre se alzaba una nube de humo que luego permanecía flotando en el haz de luz del pequeño foco que lo iluminaba, y Benny adoptó su propia voz, con sus vocales arrastradas y sus agudos matices nasales.

—Hay algo de todo esto que me gusta. El hecho de encontrarnos al borde del precipicio. Es excitante, tío. Para que luego hablen de vivir peligrosamente. Sí, ya sé, algunos fumáis hierba los sábados por la noche. Para crear ambiente. Y una noche os metisteis accidentalmente por Watts con el coche y desde entonces no habláis de otra cosa. Se os pusieron los pelos de punta. Negros con sombrero hongo. Pero no, sí, de lo que hablábamos; dejadme que os explique cuál es el peligro en este caso. El verdadero peligro no es cómo estéis, sino la situación en la que os sitúen contra vuestra voluntad. Este acontecimiento es infinitamente más profundo y más electrizante que cualquier otra cosa que prefirierais hacer con vuestras vidas. ¿Sabéis a qué nos enfrentamos? Nos enfrentamos al hecho de que veintiséis tipos de Harvard tienen que encargarse de decidir nuestra suerte.

Se volvió hacia bastidores y señaló una presencia en sombras mientras una burbuja de hilaridad ascendía flotando de entre aquellas cabezas agrupadas.

—No te fastidia. Tíos que asisten a clubes gastronómicos y sociedades secretas. Se dan la mano de un modo especial, propio de su fraternidad, algo tan complicado que tardas tres minutos en realizar todos los movimientos que conlleva. Te saltas el gesto de un dedo y ya estás jodido para toda la vida: date de baja en el club de campo, olvídate de tus *stock options* y de tu generosa jubilación, dedícate a contemplar la decadencia de tu mujer tan pronto como comience a beber en secreto. Hay que estar al día para no perder el contacto. Estos tipos llevan calzoncillos de pantalón con diseños geométricos en los que aparecen impresas las rutas de escape que tienen asignadas el día en que despeguen los misiles.

Lenny era un tipo apuesto de pelo oscuro y ojos hundidos, y su aspecto era el de un tahúr de billares que con el tiempo hubiera aprendido estafas más complicadas y malévolas. Sus cejas aparecían enarcadas con gesto cosmopolita y parecían desafiar abiertamente su siniestro aspecto: si eres lo bastante idiota como para creerte mi timo, es problema *tuyo*, panoli.

Y dijo, «Imagínenselo», e hizo chasquear los dedos, dejando así escapar el genio encerrado en la botella. «Veintiséis tipos vestidos con trajes a lo Clark Kent que están listos para penetrar en un búnker de lujo situado a casi un kilómetro de profundidad bajo la Casa Blanca; entretanto un decorador maricón se entretiene en realizar un repaso de última hora de la lista que tiene en la mano. Veamos, paredes color melocotón, fantástico. Encontré el candelabro en una pequeña abadía cercana a París. Nada de chatarra de esa del Hilton para *mi* refugio antiatómico.»

E incluso aquellos miembros del público ya familiarizados con las habituales improvisaciones de Lenny, con los interminables matices y modulaciones e identidades asumidas de su aparato vocal, con su aluvión de palabras y tensiones coloquiales, experimentaron una leve sacudida medicinal al escuchar el tono de la voz del decorador.

—Las alfombras, fantásticas. Resultado del trabajo de auténticos esclavos persas. Y las ventanas en arco. De acuerdo, estamos doce pisos bajo tierra, pero la tela de las cortinas le pareció demasiado irresistible para dejarla pasar. La mesa del comedor es de caoba de plantación: once frascos de encausto Lemon Pledge. El centro de mesa, diseñado por él mismo en el apogeo de su carrera. Una enorme masa de carne de cangrejo tallada con la forma —esto va a encantarles, de puro potente y conmovedor—, sí, de Kennedy y Kruschov luchando en pelotas. Y a tamaño natural.

Y Lenny ejecuta una pequeña reverencia pivotando sobre sí mismo para dar tiempo a que el público conciba la imagen.

—Pero bueno, tampoco es cosa de quedarse aquí con la boca

abierta. Bajarán en cualquier momento. El Presidente, el Secretario de Estado, la Junta de Estado Mayor, este tío, ese tío, el tipo que posee los códigos secretos para el lanzamiento: por cierto, que se trata de un judío que ya sabe hacer sus cosas en el retrete, así que no hay posibilidad de que se cometan errores. Veamos, ¿qué más? La vajilla está bien, la cubertería está bien. Los bombones para después de la cena... a ver: ¿qué les doy, moka o café?

Volvió a pronunciar las palabras de apertura, verificando al mismo tiempo el estilo y el tono de la frase.

—Buenas tardes, queridos conciudadanos.

La multitud rebulle con expectación: quizá esperaban que siguiera por la línea presidencialista, pero él volvió a desecharla y permaneció allí, las caderas vibrantes, moviéndose con una especie de oscilación que parecía servir de motor a cada nuevo pensamiento.

Y adoptó entonces un falsete horriblemente estridente.

—*¡Vamos a morir todos!*

Aquello le hizo estallar. Se dobló por la cintura, muerto de risa, blandiendo el micrófono como si se tratara de un contador geiger, agitándolo sobre la tarima.

—A ver si os enteráis, JFK tiene a esa especie de toro ruso desafiándole, están los dos nariz con nariz, y se trata de un tío con el que Jack no sabe cómo tratar. ¿Qué debe decirle? ¿Me he camelado ya a más debutantes antes que tú? Nos hallamos ante un minero de carbón, un tío que se dedicaba a pastorear animales de granja descalzo a cambio de unos pocos kopeks. Dicen que solía meterle el puño a su vaca por el culo para fertilizar su huerta. ¿Qué puede decirle Jack? ¿Vengo de que una secretaria me haga una paja en el ascensor de la Casa Blanca? Estamos ante un tío que caga con la puerta abierta en las ocasiones de Estado. Un tío que se folla a las copas que gana jugando a los bolos.

Los asientos del Troubadour eran, en su mayor parte, sillas plegables, y cuando se reía la cantidad suficiente de gente podía oírse un gemido asmático procedente de las tablillas y las bisagras. Y el público, allí sentado, pensaba, ¿Hasta qué punto puede tratarse de una crisis real cuando estamos todos aquí, jajajá y jajajá, en un club de Santa Mónica.

—*¡Vamos a morir todos!*

A Lenny le encanta el matiz postexistencial de esta frase. En su trémulo chillido la audiencia capta la idea de la destrucción de la singularidad y la libre elección. Distinguen la sustitución del aislamiento humano por una desolación masiva y uniforme. Sus seguidores más próximos son los que más se ríen. La hinchada alimenta su vanidad. Están incluidos en la incineración del propio Lenny. De todos los Lennies. El drogata perseguido. El antihipócrita. El satírico que se escarba la nariz. Lenny, el maestro de las caderas. Lenny, el mecánico del culo, el que se fija en las chicas en los vestíbulos de los hoteles. Lenny, la venganza divina.

—Impotentes. Comprendan que así nos recuerdan nuestro estado básico. Presentándonos regularmente una sucesión de crisis. ¿Es horizontal? Una gran potencia enfrentada a la otra. ¿O vertical, de arriba abajo? —al llegar a este punto pareció perder el hilo de la argumentación—. Los Estados Unidos están organizando un bloqueo naval. Perfecto, magnífico, chanchi. ¿Han oído lo que ha dicho? —Y aquí Lenny hace su imitación de jefe de Estado con voz de bajo—. Cualquier material militar de carácter ofensivo que navegue hacia Cuba será detenido en el mar por la flota de los Estados Unidos.

Se sacude una mota de polvo imaginaria de la solapa para señalar un cambio, un recurso nuevo, y prosigue:

—Y ahí, en Centralia, está esta mujer, escuchando el discurso. Oye, peligro máximo. Oye, abismo de destrucción. Trabaja sirviendo empanadillas de carne en la cafetería del colegio y regresa a casa agotada y enciende el televisor y es el presidente de los Estados Unidos diciendo, Abismo de destrucción. Y ella se queda sentada, aún con el uniforme de la cafetería, se quita los zapatos y se escarba los pies. Se llama Bitty. Está pensando que han debido de hacer venir a Lawrence Welk para que este millonario católico pueda hablar de abismos de destrucción. Y luego piensa, Espera, ¿no es eso el título de una película? Claro que sí, uno de esos cínicos y horribles dramas policíacos filmados pretenciosamente en blanco y negro. Lo vi en compañía de las Madres con Distrofia Muscular del Oeste de Kansas. El discurso prosigue y prosigue mientras Bitty intenta asimilar la enormidad: y el Presidente dice algo acerca de una rápida y extraordinaria acumulación. Misiles soviéticos en Cuba. Pero piensa que debe de estar hablando acerca de la grasa de su horno. Sí, esa acumulación grasienta ya empieza a fastidiarme, tío. Se ha comprado un limpiador de hornos que está deseando probar. Trabaja cincuenta y dos veces más rápido que el más poderoso de los ácidos industriales. Intenta concentrarse en el discurso del Presidente, pero todo lo que dice le parece un anuncio de repelente contra insectos o de inhalador para la garganta. Y ahí está sentada Bitty, en Emporia o Centralia, hasta que se levanta de la butaca y va hasta el teléfono y llama a su amiga DeeAnn. DeeAnn es la experta local en cine. DeeAnn critica películas para el boletín laboral de la cafetería, La Empanadilla Semanal. Y Bitty dice al teléfono: ¿Quién trabajaba en esa película de la que está hablando el Presidente en televisión? Y DeeAnn dice, ¿Me estás hablando de películas en un momento como éste?

Lenny dobló las rodillas, extendió ambos brazos y sus labios adoptaron un rictus quebrado y despavorido.

—¡*Vamos a morir todos!*

Le gustaba tanto la frase que resultaba un poco desasosegante, especialmente en la voz de DeeAnn, capaz de destrozar un orinal a veinte metros. Una hora después, tras los diversos números, los apartes escatológicos y las voces improvisadas, era esa frase aislada lo que se quedaba en las mentes de los oyentes cuando acudían a sus coches para regresar a Westwood o Brentwood o a donde fuera, o cuando se tiraban media noche vagando por las autopistas porque sabían que no serían capaces de conciliar el sueño, y qué mejor lugar para imaginar el destello y la explosión, a qué otro sitio podían ir para ensayar el fin de la historia, o incluso verlo: tal era el sentido último de las autopistas, y siempre lo había sido, y ellos lo habían sabido siempre a cierto nivel inexplorado. Y así, se pasaron media noche conduciendo, al principio malhumorados, luego furiosos, más tarde fatalistas y al final simplemente asustados, sus pechos sobrecogidos por la certeza de lo poco que costaría hacer que todo sucediera: la primera noche en la que lo Impensable asomó por encima de la línea del horizonte, agazapado como un animal, y durante el recorrido no dejaron de oír la áspera entonación de aquella voz indiscutiblemente judía repitiendo la frase que les había hecho desternillarse de risa, increíblemente, apenas unas horas antes.

Era un gesto carente de historia.

Sopesabas el arma, y la apuntabas y distinguías cómo su rostro formaba una sonrisa interesada. Pero después de eso te encontrabas en territorio desconocido. El más retorcido de los rictus de mierda. Pero luego apretabas el gatillo. El gatillo tenía un tacto duro y áspero. Y después de que te esforzaras por apretar el gatillo te veías en otro lugar, asimilando el ruido y el movimiento, el gesto, la sacudida que experimentaba al caer, aunque sacudida no es la palabra adecuada: se trataba de un movimiento que escapaba a tu competencia como testigo a la hora de comprenderlo y describirlo.

En Staatsburg tenían a la mujer de la oficina, la doctora Lindblad, y yo tenía citas regulares, toc-toc, y ella auscultaba a la víctima del tiroteo mientras yo intentaba verle las piernas.

Olvida durante un minuto que fuiste tú quien le disparó.

No puedes describir el movimiento adecuadamente porque pertenecía a un nivel de realidad que no habíais ensayado ninguno de los dos. El súbito gesto del brazo, el brazo derecho, como un látigo, desbaratado, como el mecanismo descontrolado de una máquina, y el espasmo de todo el cuerpo, una cosa arrítmica, algo ajeno a los límites de la experiencia.

No hay que olvidar que estaba sentado en una silla. Y la silla se movió de un modo similar al ocupante. La silla podía haber sido una versión del hombre, hasta tal punto fue drástica su caída sobre el muro.

Y, por supuesto, tu propia impresión, el trauma de la percepción: ¿cómo puedes saber qué está pasando cuando tú mismo estás conmocionado?

Dijo la doctora Lindblad:

—¿Cree que le gustaría tener hijos algún día?

—No lo sé. No he pensado en ello. No —dije—. Creo que no. ¿Niños? No quiero niños. No quiero ser padre.

—¿Por qué motivo?

—Por qué motivo. Lo ignoro. ¿Después de lo que he hecho? No creo que debiera ser padre. ¿Qué opina usted?

—¿Qué ha hecho usted, Nick?

Le sonreí. Me gustaba la doctora Lindblad. No era guapa,

pero estaba bien equipada. Los Jóvenes Callejeros, los miembros de la banda, la apreciaban, porque sabía escuchar sus historias sin emitir juicios. Sabía realizar delicadas maniobras de distracción con su rabia y su vergüenza y sus hoscas excusas. No intentaba obligarles a moderar su sentido de la inevitabilidad. Estaban en guerra con la sociedad, ¿qué necesidad había de fingir lo contrario? Yo no le decía nada, pero me gustaba acudir a su consulta y oler la cera del mobiliario y examinar los títulos de los libros y atisbar la silueta de sus pechos bajo el tejido de la confortable blusa que hubiera escogido para ponerse ese día.

Uno de los Callejeros miró por la ventana y dijo, «Vaya película de Disney, tío». Se refería al campo de golf en miniatura. «Y se supone que nosotros somos los enanitos.»

Quería que mi proceso correccional fuera consistente y sólido. Habían intentado juzgarme como a un adulto a pesar de que en aquel entonces sólo tenía diecisiete años y yo coincidía con su razonamiento, basado en la consideración de que, independientemente de los atenuantes, el crimen mostraba un matiz despiadado. Cuando un juez determinó que la fiscalía no podía hacer tal cosa, decidieron juzgarme por homicidio y, una vez más, pensé por qué no, si tenemos en cuenta lo absurdo del hecho, pero mi abogado Imperato, un hombre de mandíbula cetrina que acarreaba un portafolios medio pelado, consiguió un acuerdo y me acusaron de algo más leve, por lo que ahora me encontraba contemplando un campo de golf en una tibia mañana de verano, a pocos días de mi puesta en libertad, y vi que alguien había pintado nombres sobre todos los muros y molinos, los alias de miembros de la banda, todo vivas para los Alhambra, y los chavales los miraban y los señalaban y se doblaban de la risa y pensé que había llegado el momento de iniciar mi ronda de contritas despedidas.

Porque eras a la vez el que había disparado y el testigo, y por tanto era posible separar ambos papeles. El segundo se había visto imposibilitado de impedir los actos del primero. El segundo no había podido detener el acto, no había sabido cómo enfrentarse a él y, finalmente, no había sabido percibirlo. Era algo demasiado profundo, incluso cuando sucede ante los ojos, tus ojos. Ese acto terrible y espasmódico, como un gemido de abandono, la resignación de la vida y del aliento ante tan vehemente profundidad gestual, el hombre por un lado y la silla por otro.

La doctora Lindblad podría haber dicho: «El gesto resulta extremo porque la mente se está cerrando. Es el fin de la consciencia. Y el cuerpo se descontrola. El cuerpo te muestra lo que le está sucediendo a la mente. El modo en que el dolor de una persona obliga al cuerpo. Tal es el aspecto de la consciencia. Así es como golpea y se defiende cuando el fin es súbito y violento y la mente no está preparada.»

Y yo podría haber dicho: «¿Se refiere usted al súbito fin de su mente o de la mía?»

Pero ni lo dijo ella ni lo dije yo, porque por entonces yo no hablaba mucho. Los Callejeros hablaban. Le contaron que estaban en estado de guerra total con la sociedad. Le dijeron que así seguirían hasta que estuvieran muertos. La sociedad los prefería muertos. Los Callejeros eran demasiado listos como para no saberlo. Le dijeron que les soltarían y que volverían a la calle, que no era sino otro departamento del sistema penal y viceversa, y que volverían y harían lo que siempre habían hecho, le dijeron. Pasarían droga, robarían, llevarían pistola y seguirían en general con su guerra.

El libro encaja con la mano, encaja con el individuo. El modo en que sostienes un libro y pasas las páginas, la mano y los ojos, los movimientos mecánicos de rastrillar la grava en una ardiente carretera comarcal, las marcas de las páginas, el modo en que cada página es igual que la siguiente, pero también totalmente distinta, las vidas que aparecen en los libros, las colinas cada vez más verdes, las viejas colinas ondulantes que te hacían sentir que estabas convirtiéndote en otra persona.

La doctora Lindblad intentaba modelar mi alma. Creía en mi salvación. Investigó todas las fuerzas que intervenían en mi historia y me dio libros para leer, y yo los leí, y me adelantó ideas sobre lo que había ocurrido, y yo reflexioné sobre ellas. Pero no estaba seguro de aceptar la idea de que tras de mí había una historia. Ella utilizaba la palabra un montón, y para mí resultaba difícil imaginar que tras todos los avatares y el aburrimiento de aquellos años, ese enmarañado aburrimiento y también los buenos tiempos y los estallidos y esas mismas noches de mierda... no comprendía cómo el deshilachado embrollo de mi espíritu nocturno podía poseer forma o coherencia alguna. Quizá conservaba algún historial en sus archivos, pero lo que yo sentía acerca de mí mismo era que me había recostado contra una pared en una callejuela estrecha para pasar algunos años dedicado fundamentalmente a esperar sin esperanza.

Pero sentías algunas cosas, ¿verdad? Sentías la extraña fascinación de su moribunda caída, los brazos enloquecidos e indisimulados que no sabes cómo contemplar.

Me dijo que mi padre era la tercera persona que había en la habitación el día en que disparé a George Manza. Francamente, no tenía la menor idea y me medio reí, ya saben, como cuando uno aspira jocosamente una nerviosa bocanada de aire a través de la nariz. Me contó que, de un modo u otro, ambos acontecimientos estaban relacionados, queriendo decir que seis años después de la desaparición de Jimmy yo había disparado a un hombre que no conocía a mi padre, o que apenas le conocía, o que le había visto en la calle unas cuantas veces, y que ése era un vínculo que quería investigar.

—Tienes una historia —me dijo—, y eres responsable ante ella.

—¿Qué quiere decir con responsable?

—Que eres responsable ante ella. Que se te pueden pedir cuentas. Que se espera de ti que la expliques. Le debes tu más completa atención.

Siguió hablando de historia, enfundada en su estrecha blusa. Pero lo único que yo veía era aquel hombre disparatadamente armado, su cuerpo girando en un sentido y su silla en otro. Y todo cuanto veía era la desdibujada aspereza de aquellas estrechas calles, cada vez más angostas, cerrándose sobre sí mismas, y la estúpida y triste uniformidad de los días.

Entonces vinieron y me dijeron que me concederían inesperadamente la libertad condicional, un día cualquiera del verano. No estoy muy seguro de cómo me sentó aquello. Me dijeron que me enviaban con los jesuitas, a un gélido extremo del mundo situado en algún lugar próximo a un lago de Minnesota.

2

8 DE OCTUBRE DE 1957

Aquella tarde, los Demings estaban en casa, ocupados en diversas tareas de su dúplex suburbano, un largo y achatado edificio colonial de dos colores dotado de un ventanal, un tejadillo para el coche y un brillante revestimiento.

Erica estaba en la cocina preparando *mousse* de pollo con gelatina para la cena. Tres tazas de consomé de pollo o tres cubitos de caldo de pollo disueltas en otras tantas tazas de agua hirviendo. Dos paquetes de gelatina al limón. Una cucharadita de té llena de sal. Una pizca de cayena. Tres cucharadas de vinagre. Tres tazas y media de crema batida. Dos tercios de mayonesa. Dos tazas de pollo hervido y cortado en dados. Dos tazas de apio picado. Dos cucharadas de pimiento picado.

Luego, se hierve, se sirve, se remueve y se mezcla. Se rellena el pollo con la gelatina sazonada y fría. Se extiende sobre un molde de 20 × 10 y se enfría hasta que esté sólido. Se desmolda. Si se quiere, puede adornarse con hojas de lechuga fresca y con aceitunas rellenas. Da para seis ensaladas a modo de entrante.

No utilizar la botella para guardar nuevos líquidos.

Erica era capaz de hacer cosas con la gelatina que dejaban a la gente sin aliento. Incluso ahora, mientras preparaba la mousse de pollo para su enfriamiento final, había nueve vasos perfectos en el Kelvinator bicolor. Sería su postre durante las tres noches siguientes. Los vasos se dejaban inclinados formando un ángulo de cuarenta y cinco grados contra la pared del refrigerador u otro objeto cualquiera. Este método, aprendido de su abuela y de su madre, permitía a Erica preparar postres de gelatina en diversas combinaciones de franjas diagonales de colores escogidos entre seis sabores distintos. Por ejemplo, ponía gelatina de frambuesa negra, ligeramente espesada, en un vaso. Luego lo dejaba en la nevera con una inclinación de cuarenta y cinco grados. Cuando la gelatina ya se había enfriado y endurecido, añadía una capa de gelatina de lima y, a continuación, quizá de naranja o de fresa y plátano. Al final del proceso, se encontraba con nueve postres a franjas, todos distintos y todos pintorescamente atractivos.

Hacer cosas con gelatina era el mejor modo de mejorar su estado de humor, que hoy era curiosamente lúgubre, sin que ella misma supiera el motivo.

Desde la ventana de la cocina podía ver el jardín, pulcro y recortado, de setos bajos, abierto y accesible. Los árboles que lo bordeaban eran nuevos, como todo lo demás en aquella zona. Las calles estaban llenas de árboles jóvenes y pequeños arbustos y una sensación de espacios abiertos, de poder verlo todo a la primera, sin nada oculto ni amurallado ni protegido del resplandor.

Nada oculto ni secreto con la excepción del joven Eric, sentado en su habitación, protegido por las cortinas de fibra de vidrio y haciéndose una paja en el interior de un condón. Le gustaba utilizar condones porque tenían un lustroso brillo metálico similar al de su sistema armamentístico favorito, el Honrado John, un misil tierra-tierra dotado de una cabeza nuclear de hasta cuarenta kilotones.

Evítese el contacto con los ojos, las heridas abiertas o las llagas sin cicatrizar.

Arrellanado en una butaca ancha, pensó que nadie habría sido capaz de adivinar qué estaba haciendo, especialmente en lo que se refería al condón. Nadie podría adivinarlo, saberlo, imaginarlo o asociarlo con él. Pero qué ocurrirá, pensó, si un día te mueres y resulta que todo lo que has hecho en privado resulta ser del dominio público en el más allá. Que todos saben automáticamente todo cuanto hiciste cuando pensabas que estabas completamente a salvo, sin que nadie te viera o pudiera espiarte.

Una exposición prolongada al sol puede resultar en rotura.

Al Honrado John le ponían apliques térmicos para calentar el combustible sólido antes de disparar. Luego, retiraban los apliques y lanzaban el misil desde la rampa que lo ceñía, situada en algún lugar del Mundo Libre. Y el vuelo infalible del misil, el modo en que describía precisos volúmenes de espacio matemático, tan angélico y resplandeciente bajo el sol, desviándose de su apogeo para caer sobre la tierra, y el modo en que la bola de fuego se expande sobre su columna de humo y su rugido, como un yo qué sé carente de rostro y de nombre. Le entraban ganas de volverse católica.

Sin contar con que, avanzada la semana, podría preparar con los restos tres ensaladas de mousse de pollo.

Fuera, bajo el tejadillo, su esposo Rick bruñía su Ford Fairlane descapotable y bicolor recién comprado, tan nuevo como las casas y los árboles, con sus neumáticos de costados blancos y sus franjas cromadas que crujían cuando el automóvil estaba en movimiento.

Erica guardaba sus moldes de gelatina en el armario beis concha de mar colgado sobre el mostrador. Tenía moldes de todos los tamaños con formas de flauta, de anillo, de corona... Tenía notas y diagramas, técnicas de moldeado, folletos de oferta en los que se anunciaban moldes decorativos especiales que tenía intención de rellenar y enviar a su mejor conveniencia.

En caso de ingestión, indúzcase el vómito de inmediato.

Eric se acarició el pito escrupulosamente, con ademán sombrío y metódico. Había tenido que acostumbrarse a las sensaciones del condón, a su tacto gomoso, tumefacto y frustrante. En el suelo, entre sus pies, yacía una fotografía de Jayne Mansfield con las tetas asomando por una túnica de lentejuelas. Hubiera querido enfundarle el pene entre los pechos hasta que... *wheee.* Pero cuando terminara no se limitaría a salir por la puerta. Hablaría con sus tetas. Se mostraría tierno y amoroso. Les contaría cuáles eran sus ansias, sus esperanzas y sus sueños.

Había un molde que Erica nunca había utilizado, porque tenía una forma como de misil teledirigido que le hacía sentirse incómoda sin saber por qué.

El rostro de la fotografía era todo labios pintados y pestañas borrosas, y llegado un cierto punto de su asunto Eric desvió la atención de aquellos pechos desbordantes y se concentró en la Jayne facial, en sus cejas, sus pestañas y sus labios fruncidos. Los pechos eran reales, pero el rostro era un rompecabezas de mil cosas termoplásticas. Y mientras iba desarrollándose su erotismo, fueron los maquillajes cerúleos, los vestigios de rímel, los brillos y las cremas los que se convirtieron en el suave y húmedo mecanismo de su descarga.

Su empleo deliberadamente incorrecto mediante la inhalación del contenido puede resultar perjudicial o mortal.

Erica vestía una vaporosa falda azul y una blusa botón de oro que casualmente hacía juego con los colores de su Fairlane.

Rick seguía bajo el tejadillo, limpiando los cromados con una gamuza. Era algo que, básicamente, habría podido seguir haciendo eternamente. Podía contemplar su reflejo, bizco e hidrocefálico, en una franja de cromo, y sentir así parte de la potencia del aparato, sus caballos, el rumor decibélico de su doble escape, la tensión del pedal de la transmisión Ford-O-Matic. Lo traicionero de aquel coche era que, sí, podías conducirlo con prudencia hasta la consulta del dentista, y a veces lo compartías con los Anderson o llevabas a Eric a la feria de ciencias, pero bajo sus rutinarias funciones familiares latía el poder agazapado de una máquina capaz de devorar el paisaje con la capota bajada.

Peligro. Producto envasado a presión.

Una de las palabras favoritas de Erica era tejadillo. Le sugería comodidad y espacio, modernidad, algo de lo que los demás no disponían. Otra palabra que le encantaba era fresquera. El Kelvinator contaba con una amplia fresquera, y le encantaba decirle a los hombres que tal cosa o tal otra estaban en la fresquera. No en la nevera, en la fresquera. Las zanahorias están en la fresquera, Rick. Ahí fuera, en el camino viejo de la granja, con sus porches desvencijados y su hierba sin cortar y los baptistas de Duck River celebrando sus ceremonias en un edificio achatado y rodeado de hierbajos camino del vertedero, había personas que no sabían lo que era una fresquera, que tenían cajas de hielo en lugar de refrigeradores, o refrigeradores sin fresqueras, o que tenían fresqueras en sus refrigeradores pero no sabían para qué servían ni cómo se llamaban, que ponían trozos de mantequilla en la fresquera en lugar de lechugas, o huevos en lugar de zanahorias.

Entró él, procedente del tejadillo.

—Las zanahorias están en la fresquera, Rick.

Siempre le gustaba mordisquear una zanahoria después de encerar y bruñir el coche.

Permaneció allí, contemplando la blanca masa de estroncio que yacía sobre un lecho de lechuga en el interior de un molde situado en el centro de la mesa.

—¿Qué es eso?

—Mi mousse de pollo con gelatina.

—Qué bien —dijo él.

A veces se refería a ella como su mousse de pollo con gelatina y a veces como su mousse de gelatina con pollo. Era una de tantas cosas buenas de la gelatina. La palabra podía ir en cualquier lugar, al principio, en el centro o al final. Era una palabra sencilla de usar, al igual que tantas otras cosas que hoy en día lo son, al igual que el mundo, que puede abrirse ante ti sólo con pulsar un botón.

Puede producir decoloración de la orina o las heces.

Eric avanzó pegado a la pared y se deslizó al interior del cuarto de baño con el pringoso condón en la palma de la mano. Lo lavó en el lavabo y a continuación se lo enfundó en el dedo medio y lo apuntó hacia el interior de su boca para secarlo con el aliento. En la versión cinematográfica de su vida, se imaginaba todo proyectado sobre una pantalla de Cinemascope, todas las cosas que había hecho en secreto a lo largo de los años; ahora que está muerto, todos sus actos quedan abiertos al público, y todos sus parientes muertos, así como sus amigos, maestros y párrocos, pueden observarle con el dedo enfundado en un condón y metido en la boca mientras él jadea rítmicamente para terminar de secarlo.

Oyó a su madre que le llamaba por su nombre.

Tenía que lavarlo y reutilizarlo debido a que era el único que tenía y se lo había pedido prestado a otro chico, Danny Anderson, que lo había escamoteado del escondrijo de su padre, debajo de los calcetines arrollados, y que juraba no haberlo utilizado jamás personalmente, algo que sin embargo no podría comprobarse hasta que Eric muriera y tuviera ocasión de examinar las filmaciones del otro.

Manténgase fuera del alcance de los niños para evitar el riesgo de asfixia.

Eric escondió el condón en su dormitorio, en el interior de una caja de naipes. Luego, contempló largamente la imagen de Jayne Mansfield antes de deslizarla entre las páginas del atlas que descansaba sobre su mesa. Reparó en que sus pechos no parecían tan reales como se le habían antojado en su previo estado de vulnerabilidad emocional, cuando tenía el pito en la mano. Le recordaban algo, ¿pero qué? Y entonces lo supo. Las defensas de los parachoques de un Cadillac.

Entró en la cocina y abrió el refrigerador para comprobar qué había en su interior. Los brillantes colores, los nombres y logotipos de los productos, la colección de formas familiares, el brillo de oropel de las cosas envueltas en papel de aluminio, esa sensación general de fulgor benevolente, de sorpresa visual, ese sentido de una minivacación que se extiende por los estantes y las rendijas, de un mundo intacto y permanentemente renovable. Pero había algo más, algo levemente inquietante. La vibración, quizá. Quizá se trataba del flujo de información contenido en aquella vibración interminable y motorizada. Abres la enorme puerta como quien abre una caja fuerte y percibes el fresco aliento de esos sistemas en funcionamiento que convierten la corriente eléctrica en potencia, que conversan día y noche entre sí salvando espacios sobrehumanos, algo a lo que aún se sentía ajeno y no adaptado, algo que le confundía casi imperceptiblemente.

Sólo que su Kelvinator no era blanco, por supuesto. Al menos, no por fuera. Era de tonos rosa camafeo y amanecer perlado.

Examinó el interior. Vio los nueve vasos inclinados y notó un ligero mareo. A veces, los postres de gelatina inclinados le desorientaban. Era como si una fuerza de ciencia-ficción hubiera penetrado en la casa y hubiera torcido algunas cosas sin alterar la posición de otras.

Se sentaron a cenar y Rick hundió la cuchara en la mousse y repartió las porciones. Bebieron té helado con una rodaja de limón en el borde de cada vaso, uno de esos detalles que Erica realizaba sin esfuerzo.

Rick dijo a Eric: «¿A qué te has dedicado toda la tarde? ¿Muchos deberes hoy?»

—¿Qué hay, papá? Ya te he visto sacándole brillo al coche.

—Tengo una idea. Después de cenar, cogeremos los prismáticos y nos iremos hasta el camino viejo de la granja, a ver si podemos verla desde allí.

—¿Ver qué? —dijo Erica.

—La luna nueva. ¿Qué va a ser? El satélite que han colocado en órbita allá arriba. Dicen que resulta visible en las noches claras.

Y fue entonces cuando Erica comprendió por qué el día le

había resultado ensombrecido y ominoso desde el momento en que había abierto los ojos para contemplar las paredes de amarillo mikado patinado de verde. Sí, aquel satélite que habían puesto en órbita unos días atrás. Rick se tomaba en él un interés científico y quería que Eric hiciera lo mismo. Por supuesto que Rick se sentía sorprendido y disgustado, igual que ella, pero estaba dispuesto a plantarse en un prado perdido e intentar avistar el objeto mientras pasaba flotando sobre ellos. Erica experimentó una aguda punzada de contrariedad. Era de ellos, no de nosotros. Volaba a una velocidad increíble sobre el polo norte, *bip, bip, bip*, pasando justo por encima de nuestras cabezas aunque, obviamente, sólo a determinadas horas. No comprendía como algo así era posible. ¿Nos aguardaban aún más sorpresas, cosas que no nos habían contado? ¿Tenían fresqueras y tejadillos? No resultaba fácil asimilar las noticias.

Rick dijo: «¿Qué opinas, Eric? ¿Te apetece ir?»

—Sí, papá. Ge, ge, ge, genial.

El silencio se abatió sobre la mesa, desbancando el temor de Erica ante el Sputnik. Opinaba que el ocasional tartamudeo de Eric tenía algo que ver con todo el tiempo que pasaba solo en su cuarto. En opinión de Rick, estudiaba demasiado. Algo había que estaba haciendo demasiado, pero Erica intentaba no formarse imágenes demasiado detalladas.

No agujerear ni arrojar al fuego.

El muchacho podía sentarse en el salón y contemplar su superconsola de televisión, a juego con el nudoso revestimiento de pino, y era capaz de anticiparse a los diálogos de todos los programas. Noticias, partidos, comedias. Imitaba todas las voces de los locutores y actores, pronunciando las palabras casi simultáneamente, sin tartamudear jamás.

Todos los demás chicos comían galletas Oreo. Eric comía galletas Hydrox porque el nombre le sonaba a combustible para cohetes.

Uno de los guantes de la cocina había desaparecido —tenía varios pares— y quiso creer que Eric lo habría cogido prestado para alguna tarea relacionada con la química. Pero le daba miedo preguntarlo. Y no creía que le apeteciera mucho recuperarlo.

El día anterior había sumergido una galleta Hydrox en leche, la había sostenido goteando sobre el vaso y había dicho con acento espeso: «Serrr muy fueno ponerrr luna rrrusa en sielo amerrricano.»

A continuación, le había propinado un mordisco y se la había tragado.

Los hombres se marcharon a la caza del satélite en órbita. Erica recogió la mesa, se puso los guantes de goma y comenzó a fregar los platos. Rick le había tomado el pelo varias veces a cuenta de los guantes. La cocina, por supuesto, estaba equipada con lavavajillas automático. Pero ella, como ama de casa, sentía el impulso de realizar un primer lavado y frotado manual, porque si no retiras hasta las últimas briznas de materia orgánica de las púas del tenedor y de las sartenes antes de conectar el lavaplatos, éstas podían seguir persiguiéndote a la mañana siguiente.

Lávense los ojos con agua y consúltese de inmediato al médico.

Y los guantes la protegían del agua caliente y del contacto con los restos de comida. Erica adoraba sus guantes. Los guantes eran básicamente indestructibles, fabricados del mismo material que se utiliza para los mostradores y los tubos de los televisores, para los aislamientos eléctricos del sótano y los neumáticos vulcanizados del coche. Los guantes eran importantes para ella a pesar de su tacto, húmedo y seco a la vez, una sensación que desafiaba la contradicción innata que producía.

Todas las cosas que la rodeaban eran importantes. Las cosas y las palabras. Palabras en las que creer y por las que guiarse.

Tejadillo	Coches compartidos
Fresquera	Reuniones de bridge
Segmentado	Alfombras de telar ancho

Cuando terminó con la cocina decidió aspirar la alfombra del salón, pero pensó que ello no haría más que empeorar su malhumor. Recientemente había comprado un nuevo aspirador con forma de satélite que le encantaba empujar por la estancia porque emitía un suave zumbido y tenía un aspecto futurista y esperanzador, pero ahora, después del Sputnik, se veía obligada a contemplarlo con arrepentimiento, como un objeto ruidoso y lleno de autorremordimiento.

Sillas apilables	Tabique divisorio
Cojines esparcidos	Exprimidor
Tabiques de almacenaje	Placa de galletas

Pensó que le animaría hacer algo para la reunión del sábado en la iglesia; algo que pudiera alegrar un poco el acontecimiento.

No utilizar en espacios cerrados.

Prepararía media docena de cuencos de su ensalada antipasto con gelatina. Seis paquetes de gelatina de limón. Seis cucharaditas de sal. Seis tazas de agua hirviendo. Seis cucharadas de vinagre. Doce tazas de cubitos de hielo. Tres tazas de salami cortado en lonchas finas. Dos tazas de queso suizo muy picado. Una taza y media de apio picado. Una taza y media de cebolla picada. Doce tazas de aceitunas maduras cortadas.

Recordó haber llegado a casa un día, seis meses atrás, y haber encontrado a Eric con la cabeza metida en el cuenco de su ensalada antipasto. Le dijo que estaba intentando comérsela desde dentro hacia fuera para probar una teoría científica suya. La explicación había sido tan absurda y poco convincente que le resultó extrañamente verosímil. Pero no se lo creyó. No sabía qué creer. ¿Constituía aquello una forma de curiosidad sexual? ¿Habría estado imaginando la gelatina como si fuera alguna parte de la anatomía femenina susceptible de ser lamida? ¿Estaría realizando algún acto antinatural de estimulación oral? Tenía los labios y la lengua manchados de pringue gelatinoso. Le miró. Tenía un sexto sentido para la gente. Erica poseía empatía con las personas. Pero hubo de ponerse los guantes sólo para hablar con él.

Se puso a trabajar en la cocina, aguzando constantemente el oído a la escucha del reconfortante sonido de sus hombres regresando a casa, las puertas cerrándose bajo el tejadillo, el sólido chasquido de piezas bien diseñadas que encajan con firmeza.

14 DE AGOSTO DE 1964

El negro carismático se dirigía a la multitud frente a la iglesia.

En plena calle, los jóvenes blancos se apoyaban sobre los muros de ladrillo y los coches aparcados, jóvenes con el pelo cortado al rape y vestidos con chinos o vaqueros, o agachados sobre el bordillo, y entre ellos algunos hombres de mayor edad, la mayoría de los cuales mostraban una leve sonrisa, dura y salitrosa y una mirada aguzada con la que seguían a los manifestantes que abandonaban la terminal de autobuses.

Más allá de las residencias de ladrillo y de las zonas deportivas del campus, un grupo de negros hacían corro junto a un automóvil estacionado frente a una destartalada casa de madera que se alzaba en una callejuela perpendicular a Lynch Street. Un tipo con un bastón. Un tipo con tirantes azules. Un tipo con pajarita negra, camisa blanca y sombrero de paja de ala ancha. Un par de jóvenes sentados en los parachoques, charlando con una mujer ocupada en devorar un melocotón sobre los escalones del porche.

Dijo el líder carismático: «Nos han hecho correr tanto que ahora ya se nos da bien.»

Los manifestantes llegaban a la ciudad provistos de mochilas y pancartas. Algunos de ellos emprendieron la dirección del campus antes de que se pusiera el sol. A lo largo del camino podía distinguirse la presencia de una serie de policías vestidos con camisas blancas, fumando, algunos, y aparentemente desatentos a los manifestantes, que avanzaban en dos columnas desdibujadas en dirección a la voz del orador.

El joven orador decía: «Nos han hecho correr hasta que se nos da tan bien que ya no necesitamos su inspiración.»

En la terminal de autobuses Greyhound, cierto número de manifestantes se separaron del resto y comenzaron a sentarse por el suelo de la sala de espera sólo para blancos.

Pero, realmente, el porche no tenía escalones. Tenía un par de piedras sueltas dispuestas contra el paramento de ladrillo, y allí es donde se sentó la mujer.

Los estudiantes se unían a la multitud frente a la iglesia para escuchar al orador, y algunos golfillos salieron de Cooper's, donde habían estado jugando al billar, y se acercaron a contemplar la muchedumbre.

Los hombres y mujeres seguían avanzando por las calles y los blancos se sentaban en el bordillo para mirarles, aparentemente incapaces de dejar de sonreír.

Frente a la terminal de autobuses había cuatro policías de tráfico apoyados sobre un coche patrulla y charlando distraídamente, las culatas de sus escopetas apoyadas sobre la cadera, apuntando hacia arriba.

Decía el joven orador: «Pero para cuando algunos ya estábamos a punto de convertirnos en corredores olímpicos, algunos de nosotros decidimos que había llegado el momento de sentarse.»

La mujer acabó su melocotón y conservó el hueso en la mano, y cuando uno de los hombres sentados en el parachoques dijo algo insolente, o ambiguo, o malévolo, le arrojó el hueso a los pies con un movimiento desdeñoso.

Alguien ajustó el micrófono del orador y la voz comenzó a oírse desde más lejos, hasta alcanzar a los guardias nacionales que descendían de los camiones estacionados al final de una calle bloqueada.

Una mujer negra contemplaba la escena desde la terminal. Había llegado procedente del Norte tras un viaje en diversos autocares y ahora se encontraba en la terminal, precisamente, a punto de sentarse en el suelo. Observó a los policías locales deambular entre los manifestantes y alzar en vilo a un joven cogiéndolo por un brazo y una pierna para luego intentar brevemente transportarle en dos direcciones al mismo tiempo, hasta que se pusieron de acuerdo. Eran un par de policías en manga corta, y en ningún momento miraron al chaval, que se dejó acarrear sin ofrecer resistencia mientras le sacaban al centro de la calle.

El negro carismático decía: «En esta cultura circula un cierto convencimiento de que los negros deberíamos desarrollar el deseo de la muerte.»

Los guardias formaron y se dispusieron a fijar sus bayonetas, y su comandante, ataviado con su uniforme marrón de verano y su sombrero de campaña, se mantuvo próximo a ellos sin dejar de mirar a su alrededor en busca del coche blindado.

La voz electrónica flotaba sobre las cabezas de la multitud de manifestantes, estudiantes y lugareños.

En el suelo de la terminal, la mujer esperó a que la policía llegara hasta ella y la trasladara al camión y la llevara a la cárcel. Se llamaba Rose Meriweather Martin, se la conocía como Rosie y era agente de seguros en Nueva York.

—Lo más interesante es que no es eso lo que dice el hombre blanco. Es lo que dicen los negros. Si quieren matarnos, en otras palabras, que estemos dispuestos a morir. O lo que decían. Porque ni de coña lo decimos ahora.

Un vehículo blindado se desplazaba a lo largo de las calles. Estaba dotado de ventanillas a prueba de bala y de troneras para disparar, y los hombres que viajaban en su interior contaban con ametralladoras y escopetas de gas.

Los jóvenes blancos comenzaron a apartarse de los muros y de los coches aparcados. Se levantaron del bordillo y se sacudieron los pantalones y se dirigieron al extremo más alejado de la calle, ya desinteresados por los manifestantes o aún interesados pero de modo distinto.

La mujer del porche vio a algunos jóvenes que corrían en la oscuridad, golfos o estudiantes, mirando atrás mientras corrían, y los tipos apoyados contra el coche aparcado también los vieron pero no se incorporaron ni hablaron ni se alejaron. Era su coche, su calle, y necesitaban calibrar la situación.

El joven negro decía: «No estoy diciendo que no haya que resistir. No estoy diciendo que nos pongamos en posición fetal para que nos pongan el revólver amartillado en la cabeza. Os diré lo que realmente digo.»

Los blancos no contemplaban a los manifestantes como gente que acudía a la ciudad para promover la agitación y causar problemas. Ya no. Habían dejado de leer los carteles relativos a los derechos de los votantes y el derecho a la libertad de voto. Habían dejado de sonreír al paso de monjas blancas junto a curas negros. Lo que ahora les interesaba era la tanqueta blindada, de siete metros de largo y con los focos encendidos.

—Y no estoy diciendo que tengáis que sentir amor hacia esas porras con las que os golpean.

La vieron pasar y comenzaron a seguirla, algunos, vagamente.

Los guardias llevaban cascos de reglamento y empezaban a ponerse las máscaras antigás, y los manifestantes que seguían frente a la terminal llevaban blancos cascos estriados que parecían cascos de construcción.

Rosie Martin les vio acercarse, policías locales en parejas que iban recogiendo manifestantes y llevándoselos a camionetas de transporte.

Negros con los faldones de la camisa al viento, volviendo la vista mientras corrían, y la mujer del porche alcanzó acaso a oler algo que se quemaba.

Las máscaras antigás eran artilugios aparatosos dotados de abultados visores y voluminosas narizotas. Los guardias que invadían la zona iluminada próxima al campus de la universidad para negros parecían insectos. Las máscaras tenían solapas abatibles para la boca y depósitos de filtrado que sobresalían por el costado izquierdo como latas de piña.

Frente a la terminal un hombre yacía con los brazos extendidos mientras los guardias le golpeaban.

Otro hombre, un joven negro de camisa a rayas, tenía a dos guardias tirando de él en sentido contrario; le sujetaban por un brazo y una pierna. Un manifestante le sujetaba por la otra pierna e intentaba arrebatárselo para devolverlo a la multitud congregada frente a la iglesia Mount Calvary.

Alguien arrojó una botella, y la mujer del porche la oyó romperse sobre el asfalto. Se puso en pie e intentó observar qué ocurría allí fuera. Voces, gente corriendo, gente acercándose a ella y luego volviendo sobre sus pasos.

—Os diré lo que realmente digo. Digo que no hay nada de qué preocuparse en el mundo por mucho que las pruebas a vuestro alrededor parezcan demostrar lo contrario. Porque cada vez que veáis a blancos y negros juntos sabréis que se han reunido en un intento por mejorar la situación. Así lo dice en la Constitución.

Otra botella rota.

Y en la terminal Rosie Martin les vio arrastrar a una mujer boca abajo, la cabeza por delante.

Los guardias irrumpieron con la bayoneta en ristre entre la multitud que se extendía frente a la iglesia, seguidos por una nube de gas.

En la terminal un policía comenzó a golpear a la gente en los brazos y en las piernas. Rosie le contempló con serenidad, contando el número de manifestantes sentados que le separaban de ella.

El orador carismático dijo: «Ellos nos rocían, yo hablo. Y voy a seguir hablando mientras tenga una laringe en condiciones. A los negros nos encanta rapear», dijo.

Los manifestantes se sentaban, se diseminaban, algunos entraban en la iglesia, otros corrían en dirección contraria, y los guardias arrastraban a otros por el suelo en dirección a la calle cortada.

En la terminal, los policías habían sacado sus porras y avanzaban encorvados entre los manifestantes, quienes seguían sentados, inclinados hacia delante, con los brazos sobre la cabeza.

El gas avanzaba por las calles abrasando los ojos de los presentes, que sentían como si una ola de calor se los arrancase. Las calles estaban llenas de hombres y mujeres que corrían. El gas avanzaba y ellos se desperdigaban por los callejones, a tientas, semiasfixiados, tosiendo espasmódicamente, u optaban por caminar, algunos, a trompicones en dirección a la iglesia.

Rosie sabía que se la llevarían a la cárcel en una camioneta de basuras y que allí la introducirían en una celda atestada y le darían un colchón que apestaría a pis, porque era algo que se comentaba de siempre.

Los negros bajaban corriendo por la oscura calle, y los hombres apoyados en el coche comenzaron por fin a moverse. El hombre de los tirantes azules entró en una casa de madera, y el hombre del sombrero de paja se metió en el coche y subió las ventanillas y luego volvió a salir, y los demás se apartaron del parachoques y se dirigieron al porche desde el que la mujer contemplaba la calle.

Las mujeres exigían las mismas condiciones de detención que los hombres. Para ellas, era algo incuestionable.

Los guardias se agruparon en torno a la tanqueta, como un enjambre de insectos, y examinaron las oscuras callejas en busca de jóvenes que pudieran estar tirando piedras o de hombres que hubieran salido de los bares, de las discotecas aún con sus latas de Colt 45, y oyeron al orador que decía: «Para ellos es una cuestión de mente sobre materia, y consideran que la materia somos nosotros.»

Rosie se vio arrastrada por el culo hasta la calle y una vez allí la hicieron girar varias veces sobre sus propias nalgas y la dejaron tirada. Divisó barricadas *sawhorse* y coches de policía, gente arremolinándose y peleando y fotógrafos que disparaban sus flases, y creyó notar un primer sabor a gas.

La gente corría hacia la iglesia tropezando, abriéndose paso entre las filas de guardias.

Vio al hombre con muletas que sólo tenía una pierna, una figura ya familiar después de una semana de autocares y manifestaciones de un estado a otro. Y vio cómo le golpeaban. Vio a un tipo delgado al que un policía pegaba con una porra; le asestó dos golpes, tres, hizo una pausa y volvió a pegarle, con unos ojos que parecían salírsele de las órbitas.

La mujer del porche percibió el ardor del aire y entró, y los hombres entraron con ella. Junto a ella pasaban corriendo jóvenes, estudiantes y manifestantes, y uno de ellos se detuvo el tiempo suficiente como para arrojar una botella a sus espaldas.

El gas, llamado CS, aturdía a la gente casi de inmediato y producía picores en las zonas húmedas de la piel.

Rosie olió el gas, notó su sabor antes de verlo. Un policía tenía a un tipo tendido boca abajo sobre el capó del coche patrulla, inmovilizado por una llave, y próximo a él había otro que sostenía dos escopetas, la suya y la de su compañero, el que sujetaba al manifestante.

La tanqueta avanzaba lentamente a través de las calles. Los focos instalados sobre el techo iban girando de un lado a otro.

La iglesia iba llenándose de gente que intentaba escapar del gas, que avanzaba por las callejuelas adyacentes a Lynch Street, de Jackson, Mississippi, en aquella húmeda noche de verano, con las radios sonando y los niños asomados a las ventanas de las chabolas para ver a los hombres que corrían en la oscuridad.

Rosie echó a correr. Vio al policía golpeando metódicamente al hombre: tres, cuatro veces, una pausa, y corrió hacia ellos.

El gas poseía un brillo especial, un fulgor nocturno, y los hombres con máscaras de insecto salían de la nube, vivos y nítidos.

El hombre que había subido las ventanillas del coche, un tipo de sesenta años que llevaba una camisa blanca y un sombrero de paja, enfiló la calle sin asfaltar en dirección a su casa notando el sabor del gas y tapándose el rostro con el sombrero y tropezando accidentalmente con una botella de refresco que alguien había arrojado y que yacía aún intacta sobre el polvo.

Vio al policía golpear al hombre en la cabeza y los brazos tres, cuatro veces con su porra y luego detenerse, y se abrió paso entre un par de caballos y corrió directamente hacia ellos, sintiéndose veloz, ligera e imparable.

El gas avanzaba por las calles en corrientes y oleadas, estrechándose al penetrar en los callejones e inundando los espacios más angostos.

No tenía ni idea de qué pensaba hacer cuando llegara allí, unos cuatro segundos después.

19 DE DICIEMBRE DE 1961

Charles Wainwright hablaba por teléfono con un cliente de Omaha, aplacándole, mimándole, bromeando y realizando promesas que no podría cumplir. Se sentía levemente despegado de los temas que trataban, y sus ojos flotaban en la placentera estela de un largo almuerzo líquido.

Se oyó a sí mismo diciendo: «Así, a ojo, yo diría, Dwayne, que podremos presentar esta campaña, hablo de tiempo, dentro de cuatro semanas y media. Cuatro semanas como mínimo. Acabamos de incorporar a nuestro mejor director de arte a la cuenta. Tres semanas si contamos con intervención divina, ya que, dicho sea de paso, Dios mantiene un apartamento en Nueva York, ya sabes cómo cambia esta ciudad. No pero, en serio, el tipo del que te hablo ha ganado premios, y en estos momentos le tengo en su despacho haciendo esbozos.»

En ese instante, Pasqualini, el director de arte, asomó la cabeza por la puerta.

—¿Qué es la muerte? —dijo.

Wainwright sonrió y se encogió de hombros.

—El modo que tiene la naturaleza de decirte que no trabajes tanto.

Charlie hizo un brusco gesto con la cabeza en señal de hilaridad y Pasqualini se alejó por el pasillo para contarle el chiste a algunos de sus colegas más veteranos, sus compañeros, los tipos con cuello de trabilla y sonrisas cromadas: los que apuraban *gibsons* de un trago y decían, Gracias muchas.

Charlie, de hecho, pensó que el chiste se adaptaba magníficamente a aquel entorno. ¿Acaso no estaba demostrado que todas las mañanas el *Times* tendía a presentar las necrológicas y la sección de anuncios en páginas opuestas?

Charles Wainwright era supervisor de cuentas de Parmelee Lockhart & Keown, una agencia de mediano tamaño situada en el edificio Fred F. French de la Quinta Avenida de Nueva York.

Últimamente, la compañía había sufrido algunos contratiempos. Y cada vez que les retiraban una cuenta, un profundo silencio se adueñaba de los enmoquetados pasillos. Los empleados se instalaban junto a los carritos de café sosteniendo sus aromáticas tazas. Contaban chistes con un regusto amargo. Los ejecutivos realizaban llamadas telefónicas a puerta cerrada. Los aprendices de montador se sentaban en su departamento con la radio apagada y las luces amortiguadas. Los redactores salían a almorzar y volvían a las tres horas completamente curdas. Se sentaban en sus cubículos y contemplaban los memorandos clavados con chinchetas en su plancha de corcho preguntándose por qué se habían vendido, si es que eso era lo que se sentía al ser un vendido.

A veces, Charlie tenía que despedir a gente. En cierta ocasión, despidió a tres personas en un mismo día, dos antes de comer y una después de la comida. Despidió a un hombre alto y a otro bajo en la misma semana. Eran los despidos a lo Mutt & Jeff. Despidió a un tipo que se estaba recuperando de un infarto y a una mujer que acababa de morir. Ignoraba que Maxine había muerto y se vio obligado a despedir a la secretaria causante de la equivocación.

Dijo Charlie al teléfono: «Si quieres que hagamos la presentación aquí, te conseguiré una mesa en Las Cuatro Estaciones, Dwayne, con lo que podrás jugar a hacer piececitos con mi secretaria inglesa. O puedo llevarte los proyectos hasta Omaha. Cuánto me gusta pasar el tiempo con... no, en serio, ¿qué haces los domingos, Dwayne? ¿Acercarte al parque para admirar el cañón?»

Aquello era una frase extraída de un LP de Lenny Bruce, pero Charlie no consideró necesario mencionar la fuente. Le caía bien Dwayne Sturmer, un tipo majo para cualquier director de publicidad. Y su cuenta era bastante sustanciosa: la división de fertilizantes de jardinería de una gigantesca compañía química. Los creativos de la empresa querían iniciar una pequeña campaña del estilo Bombardee Su Jardín, una pequeña alusión al hecho de que los ingredientes de aquellos fertilizantes podían, mezclados con *fuel oil*, producir un estrépito considerable al contacto con el fuego.

Un joven empleado de la sección de derechos de autor, Swayze, asomó la cabeza por la puerta.

—Anoche salí con una modelo sueca.

Charlie sonrió y esperó. El chaval hizo una pausa para incrementar el efecto de sus palabras.

—Cuando le toqué el Volvo, saabrió.

Había sido Charlie el que había vetado la campaña de Bombardee Su Jardín ya desde la cuna. Los creativos querían contratar a George Metesky como presentador: un planteamiento tan suicida que a Charlie le resultaba en cierto modo entrañable. George Metesky era el Bombardero Loco de los años cuarenta y cincuenta, célebre por haber provocado una serie de explosiones en lugares emblemáticos de Nueva York. Querían localizarle en la penitenciaría o en el loquero y elaborar toda la campaña en torno a sus antiguas y legendarias hazañas y a su defensa del producto.

Bombardee su jardín con Nitrotex.

Madison Avenue era cada vez más joven, y Charlie tenía cuarenta y seis años. Estaba casi a punto de verse arrojado a un banco de hielo con sus zapatos ingleses a medida y su reloj Patek Philippe. Pero, aun así, conservaba algunas cuentas sólidas y un soleado despacho de esquina con sofá de cuero ajado. Grabados de carreras de caballos y de uniformados lores en pos de sus sabuesos. Un arcón de barco pintado que había descubierto en una tienda de Londres. Y lo que le delataba como un tipo normal: una especie de santuario de béisbol compuesto por tres recuerdos populistas agrupados en un extremo de la estancia.

Primero, una litografía perteneciente a una edición limitada realizada con motivo del décimo aniversario y titulada *El lanzamiento que se oyó en todo el mundo*. La pieza incluía fotos de los Polo Grounds, de Ralph Branca lanzando, de Bobby Thomson bateando y de los compañeros de equipo de este último formados en línea de baile y aguardando para recibirle en el *home plate*.

Después, una foto de Thomson y Branca en un campo de golf con Dwight D. Eisenhower, todos con sus *drivers*, acompañados por un par de tipos del Servicio Secreto adosados a los bordes de la imagen: la mujer de Charlie la había encontrado en una tienda de saldos de Vermont.

Y, en tercer lugar, una mugrienta pelota de béisbol equilibrada sobre el borde de una taza de café que reposaba sobre el aparador, pelota que había comprado a un tipo que aseguraba que era el mismo objeto que Branca había lanzado y que Thomson había bateado tan heroicamente.

Sandy, su secretaria, irrumpió en el despacho ataviada con un vestido Mondrian y zapatos de color blanco.

—Dwayne, acaba de entrar mi secretaria. Lleva zapatos blancos. Es una fetichista de los pies y se muere por conocerte.

Le gustaba hacer rabiar a Dwayne, un hombre soltero y extremadamente tímido, rubicundo y permanentemente vestido con trajes de rayas de pijama que no precisaban plancha y zapatos del tamaño de torpederos chinos.

Sandy depositó unos cuantos informes de situación en su bandeja de entrada. Él siguió escuchando a Dwayne, que le hablaba de precios de anuncios y costes por millar. Sandy salió del despacho y él observó el malévolo contoneo de sus nalgas, adornadas de paralelogramos amarillos.

Querían haberle proporcionado a George Metesky una peluca, un bigote y unas gafas para hacer que se pareciera a Einstein.

Aquellas mentes creativas, con sus sublimadas formas de destrucción. Una campaña de cada tres incluía alguna clase de referencia a las armas. La agencia aún no se había recuperado de la campaña de la petrolífera Equinox Oil, un proyecto sumamente caro que había resultado en un anuncio de sesenta segundos rodado en la Jornada del Muerto, en los confines de Nuevo México. El lugar en el que se había ensayado la primera bomba atómica jamás construida. Un espacio en blanco sobre el mapa. Totalmente cerrado al público. La verdad es que Charlie pensó que la idea funcionaría. Llenas dos coches de gasolina de alto octanaje. Uno con Equinox, y el otro con cualquier marca de primera clase. Los haces correr a través del desierto. Ruedas el anuncio con helicópteros, grúas, *travellings*, cámara lenta, parada de imagen... con la última tecnología del momento. El coche blanco contra el coche negro. Una implicación evidente. Los Estados Unidos contra la Unión Soviética. Gana el primero que llegue al polígono de Trinity, el monumento que señala el lugar en el que estalló la bomba. Conseguimos el permiso del Departamento de Energía, del Departamento de Defensa, de la Comisión de Energía Atómica y del Servicio de Parques Nacionales. Rodamos la escena. Tardamos un montón de semanas. El coste por segundo supera al de las mayores épicas de Hollywood. Pero funcionará, chato. El desierto desnudo. Las reverberaciones del calor y los cráneos de vacas muertas. Las tormentas de arena. Los planos elevados: un coche adelantándose, el otro alcanzándole. Como fondo, la voz de un narrador pomposo que habla con acentos de guerra fría. ¿Cuál de los dos coches se quedará antes sin combustible? ¿Cuál llegará a su destino? Kilómetros por litro. La gran cuestión para el consumidor. Ni que decir tiene que el blanco superaba al negro y llegaba en primer lugar. Emitimos el anuncio. Sin parar. Pensábamos que la embajada soviética presentaría una queja. Contábamos con ello. Publicidad gratis. ¿Y qué ocurre? Ya lo creo que nos llegan quejas. Pero no de gobiernos extranjeros. Nos llama la Asociación Nacional para el Progreso de las Personas de Color. Nos llama el Congreso de Igualdad Racial. Por lo del coche blanco y el coche negro. Un impresionante zafarrancho de protestas. Amenazas de boicotear todos los productos Equinox. Retiramos el anuncio. Lo rodamos entero de nuevo y asumimos el coste nosotros mismos. Dos coches. Los dos blancos. Uno con la letra *A* pintada en el techo. El otro con la letra *B* pintada en el techo. Aprende la lección: no mezcles las metáforas.

—El coste por millar, Dwayne, no es más que un sistema largamente sobreestimado y destinado a ocultarnos la realidad de la situación —dijo, y aguardó a que Dwayne le preguntara cuál era la realidad de la situación—. Sólo hay una realidad. Quienquiera que controle tus ojos, domina el mundo.

Durante los días posteriores al partido había probablemente dos docenas de personas paseando por las calles: picapleitos, timadores, idiotas y granujas, todos los cuales afirmaban hallarse en posesión de la única y verdadera pelota. La misma que Charlie se esforzaba devotamente por creer que reposaba sobre su aparador.

Sí, la pelota que le identificaba como un tipo normal dotado de un aspecto tierno a pesar de su barniz de dureza. Se cortaba el pelo al estilo fascista en Spadavecchia de Milán: su *escuela*, realmente, pues Gianni andaba frecuentemente comprometido. Llevaba camisas a rayas con cuello blanco o camisas blancas con cuello azul. Vestía trajes tan compulsivamente fabricados a medida que no podía tirarse un pedo sin descoser las costuras. Jugaba al squash y al *handball*, hacía ejercicios de la aviación canadiense, se aplicaba agentes bronceadores en el rostro y en el cuerpo y se pasaba el invierno delante de una lámpara solar. Un tipo normal amante de los todoterrenos a pesar del alucinante MG que acababa de comprarse, perfecto para conducir alrededor de las colinas de las Berkshires, próximas a su residencia de vacaciones.

Un tipo de raza blanca, llorón y sentimental.

Sí, la pelota de béisbol que tan apasionadamente deseaba legar a su hijo Chuckie. A Charles Junior. Ya no era el chaval de antes, todo el día masticando chicle, sino un mal alumno de escuelas prestigiosas, de cuerpo oblicuo y disonante, con ojos explosivos y un modo peculiar de odiarte a distancia. Suspendido en Exeter, expulsado de Choate, no admitido en Andover. A Chuckie le daba lo mismo. Pero a Charlie no: a Charlie le dolía. ¿Cómo podía entregar un objeto tan entrañable, fuera cual fuese la ambigüedad que palpitaba en su corazón de caucho, a aquel chaval errante, inmaduro y casi adulto, a aquella persona desplazada en su propia existencia?

Pasqualini asomó la cabeza por la puerta de regreso al Departamento de Arte.

—¿Cómo se llaman los negros de dos metros de alto, un metro de ancho y ciento veinte kilos de peso que uno se encuentra en una callejuela mal iluminada?

Charlie sonrió vagamente, con el recelo de quien es consciente de la nueva moda de chistes referidos a los derechos civiles, y alzó la cabeza para indicar: ¿Cómo?

—Se llaman todos «señor».

Una vez había despedido a una mujer embarazada. Había despedido a un tipo emparentado con la familia real holandesa. Había despedido a un católico, a un protestante y a un judío en rápida sucesión. Había despedido a un hombre por caerse al agua durante una excursión náutica de la empresa y a otro por acudir a una entrevista con un cliente provisto de una pistola.

—Están realizando investigaciones, Dwayne, sobre algo que llaman descarga de retina. Fotografían en secreto a las mujeres que acuden a los supermercados. Tienen cámaras ultrasensibles disimuladas en las estanterías que graban los estímulos del fondo del ojo, movimientos oculares mucho más sutiles y reveladores que un simple guiño, y parece ser que las órbitas de las mujeres se vuelven locas ante ciertos colores, envases y diseños. Se trata, básicamente, de orgasmos del ojo, del cerebro y del sistema nervioso. ¿De qué nos sirven los resultados de estas investigaciones? Muy sencillo. Establecemos una correlación entre los episodios más significativos y los artículos que los han provocado, y a continuación diseñamos nuestros envases y productos de acuerdo con los resultados. Una vez que tienes al cliente agarrado por los ojos sabes que dominas por completo el proceso de marketing.

Sandy entró de nuevo en el despacho y comenzó a vocalizar un mensaje de aspecto complicado.

Pero si Charlie pensaba que la pelota era realmente auténtica, ¿cómo podía dejarla a la vista, sin protección alguna, en un lugar del que cualquier mujer de la limpieza podría arrebatársela para llevársela al hijo que tenía en casa porque no ganaba lo suficiente como para comprarle una pelota de béisbol?, o quizá un recadero de la cafetería de la esquina: visualizó a un tipo curtido deslizándose por los pasillos una tarde perezosa, llevando su encargo de café sin crema y una tostada en una bolsa blanca y examinando los alrededores en busca de algo que birlar.

—Quiere hablar conmigo, Dwayne. Sí, mi secretaria. ¿Alguna vez te he contado cómo escribe a máquina? Le gusta tener una de las piernas doblada sobre el asiento. Cuando aún no estaba acostumbrada a sentarse sobre un pie, hacía veinticinco palabras por minuto. Ahora llega a las doscientas.

A Charlie le fascinaban ciertas peculiaridades y rarezas de Sandy en su trabajo. Poseía esa característica tan inglesa de presentar un aspecto tremendamente fresco y recién lavado a pesar de transmitir la impresión de llevar ropa interior en pobre estado y de ducharse sólo ante la insistencia de sus compañeras de piso, Fiona y Georgina.

Charlie siguió hablando con Omaha mientras descifraba el mudo mensaje de su secretaria.

—Me dice que necesita marcharse temprano, Dwayne. Últimamente ha estado saliendo temprano con frecuencia. Y prolongando demasiado la hora de comer. Sabemos lo que eso significa, ¿verdad? Una aventura con un hombre casado.

Sandy fingió desplomarse, atónita ante el descaro del tipo. Ante su temeridad, su osadía, su jodido descaro neoyorquinoamericano. Charlie la obsequió con su sonrisa a lo Richard Widmark. No tenía necesidad de ella durante el resto de la tarde, pero le pidió que le encargara un zumo de naranja antes de marcharse.

Charlie quería asegurarse la cuenta de Minute Maid. No hacía más que pensar en zumo de naranja. Lo contemplaba, lo bebía, fantaseaba con él. Sabía muy bien cómo anunciar el zumo de naranja. Olvídate de Florida. Olvídate de esas absurdas vitaminas. Tienes que enfocarlo desde el punto de vista de su atractivo, de su impacto visual, porque se trata de una bebida hermosa y apetecible, y los ojos de las mujeres alcanzan elevados niveles de excitación cuando ven en el congelador esas brillantes latas de color naranja recubiertas de una delgada capa de hielo. Tienes que mostrarles la pulpa. Tienes que mostrarles el zumo chapoteando en el interior del vaso. Tienes que mostrarles el bigote que deja en el labio superior del ama de casa, ese resto que parece sugerir una mamada previa al desayuno. Claro está que el zumo concentrado no contiene pulpa. Y el zumo envasado posee apenas un leve vestigio de ella. Pero puedes sugerirlo, puedes inferir, puedes prometer al consumidor la experiencia de acitronados trozos de auténtica pulpa: un vaso de zumo, un recipiente que rebosa partículas de materia, como una maravillosa neblina anaranjada. Lo fotografías amorosa y microscópicamente. Si la lata o el envase pueden ser orgásmicamente visuales, también puede serlo el producto que contienen. No había nada que le gustara más a Charlie que un vaso de zumo de naranja bien achispado de vodka en las perezosas mañanas campestres de los domingos.

Quería conseguir la cuenta de Smirnoff. Vivían en una época dominada por cierto elemento de elegancia rusa. Yevtushenko ataviado con sus vaqueros del mercado negro. Aquellos sombreros rusos que habían comenzado a verse a comienzos del invierno y que aún estaban de moda en Nueva York y Chicago. Astracanes. Te levantabas una mañana y dentro de cierto nivel salarial un empleado de cada tres lleva puesto un sombrero ruso de piel de cordero.

—Dwayne, se ha marchado, amigo mío. Nos la ha arrebatado algún rijoso del Departamento de Redacción. Me apostaría cualquier cosa. Sandy opina que los escritores son fascinantes y nostálgicos porque corren el perpetuo riesgo de que les pongan de patitas en la calle.

Los gemidos de los autobuses se elevaban hacia el crepúsculo. Las luces de la oficina se habían encendido, y por todos los pasillos había chicas ocupadas en golpear las teclas cuadrangulares de sus máquinas IBM. Las bolas grabadas besaban la cinta y la cinta besaba el papel, un vínculo superior de trapos entretejidos similar a las camisas Oxford que vestían sus jefes. Cada dieciséis segundos, alguna de ellas se equivocaba de tecla y murmuraba una tibia maldición.

Los redactores casados se reunían con sus secretarias, o con las secretarias de otros redactores, o con las altas y esbeltas secretarias de los ejecutivos de cuentas, vestidas de blanco y bien habladas, y proseguían con el tierno régimen de sus almuerzos amorosos —el desayuno, se llamaba, o la *matinée*—, encontrándose en los pulcros apartamentos de las chicas, similares en sus dimensiones a los cubículos en los que trabajaban los redactores, aunque decorados de un modo más conmovedor y vulnerable, con carteles de Madrid clavados en las blancas paredes, o grabados ecuestres de Marino Marini o langostas de Bernard Buffet, o citándose en los apartamentos de mayor tamaño, ocupados por secretarias que contaban con compañeras de piso, lo que complicaba los horarios y hacía que los redactores ansiaran obtener un atisbo íntimo de alguna de las amigas, acaso descalza y vestida con una bata entreabierta, saliendo de la ducha después de haber trasnochado por culpa de alguna cita fracasada, apartamentos situados casi siempre en las oscuras traseras de edificios de ladrillo blanco de las calles Ochenta Este, con portales sin portero y unos ascensores diminutos que cada dos años acude a inspeccionar un tipo llamado A. Bear, según se indica en las recientes anotaciones adheridas a las paredes de los aparatos.

Y sí, es cierto, el propio Charlie ha practicado alguna vez esa clase de malversación erótica, a temporadas, con alguna que otra soltera de las que trabajan en el Departamento de Producción o en niveles similares de la casa madre, en las capas inferiores, mujeres solitarias y, a menudo, tampoco tan jóvenes. Pero ¿disfrutaba realmente de aquellos interludios o no eran sino tristes pasatiempos que se infligía a sí mismo en el desnudo espacio de un sofá convertible que al abrirse ocupa toda la habitación, de modo que tenía que caminar sobre el colchón para salir a hacer pis? Disfrutaba con su mujer de maravillosas sesiones de sexo en su cama antigua con postes labrados, de modo que, ¿qué estás haciendo aquí, Charlie, tirándote a esta malhumorada empleada del Departamento de Prensa? Era una curiosa forma de mortificación dentro de un patrón de conducta o una textura del ser demasiado transparente para que aquel publicitario la comprendiera.

—He aquí el reto, Dwayne. Hay que interpretar esa misteriosa corriente que se desliza en la noche y conecta entre sí a millones de personas a lo largo de la masa continental, obligándolas a adquirir un determinado producto nada más levantarse por las mañanas. Necesitan tenerlo y tú tienes que estar preparado para recibirlas cuando se presenten.

Dijo: «Productos envasados y analgésicos. Ésas son las dos cosas que mantienen este país en funcionamiento.»

Un curtido joven compareció en el umbral.

—¿Ha pedido usted un zumo de naranja?

Charlie rebuscó en el bolsillo hasta encontrar algo de cambio y pagó al sujeto. Sacó una tableta de antiácido extrafuerte del frasco que había sobre su mesa y se la tragó con aquel zumo aguachinado, medio rancio y carente de pulpa, en un intento de proporcionar algún alivio a su acidez de estómago.

Le contó a Dwayne un chiste verde y creyó percibir cómo el tipo adoptaba una complexión rosada, allí lejos, en la pradera. Sólo restaba marcharse. Charlie atravesó el semipretencioso vestíbulo, arreglado en un *art déco* babilónico, y dobló la esquina en dirección a su masajista sueca, que sometió sus doloridas lumbares a una sesión de diez minutos de kárate. A continuación, entró en Brooks Brothers y compró un par de camisas de tenis porque, ¿hay acaso algo más divertido que comprar por impulso? Atravesó Madison a paso ligero hasta llegar al Bar de Caballeros del Biltmore y, una vez allí, inhaló ansiosamente un Cutty con hielo y al cabo de medio minuto estaba saliendo por la puerta y patinando a través de la vasta nave principal de la estación Grand Central con la pelota de béisbol de Bobby Thomson embutida en el bolsillo del abrigo —un Burberry de entretiempo que amaba como a un hermano y que pegaba especialmente bien con el traje que llevaba puesto, de pana gris pizarra, cortado a medida para Charlie por un tipo que fabricaba solapas para la mafia— porque había decidido que ya no era seguro conservarla en el despacho y quería que su hijo la heredara, para bien o para mal, por amor o por dinero, ya fuera auténtica o falsa, pero por favor Chuckie no abuses de mi confianza, cualquier día puedo reventar mientras os esté pasando los champiñones rellenos durante la cena y esto es lo único que de verdad quiero que tengas y que conserves y que cuides, y atravesó la verja justo a tiempo de subir a su tren, el clímax evolutivo de todo el esfuerzo humano, y se dirigió al bar del vagón, lleno de tipos que más o menos se parecían a Charlie, año más año menos, cana más cana menos, incluso en los detalles de sus sueños más perversos.

El último expreso a Westport.

3

11 DE ENERO DE 1955

Circulaban historias en torno al Papa. Circulaban informes, cierta clase de rumores clandestinos capaces de atravesar el país, de parroquia en parroquia. El papa Pío estaba teniendo visiones místicas. Eso decía el rumor. Era testigo de una serie de acontecimientos sobrenaturales y veía cosas en mitad de la noche. Eso contaba la gente, no sé, las monjas, las viejas en las noches de novena, acaso también los parroquianos adinerados de complexión rosada y atlética, los miembros de los Caballeros de Colón. La gente oye esas historias y siente que algo se le alborota en el alma, algo ajeno a su vieja y amada vida de siempre, algo que sugiere una interpretación completamente distinta.

En clase, un alumno mencionó el tema al padre Paulus con motivo de un debate relacionado con la cuestión de la taumatología, o estudio de los fenómenos sobrenaturales.

El anciano sacerdote desvió la mirada por la ventana.

—Si tú te pasaras hasta las tres de la madrugada bebiendo vino tinto italiano, también tendrías visiones.

Más tarde, aquel mismo día, acudí a visitar al padre en su despacho, lo que supuso un trayecto de trescientos metros a través de una fuerte tormenta de nieve. Me había bajado las orejeras de la gorra y caminaba con un brazo alzado contra la cortante aguanieve, protegiéndome de la dureza física de las tempestades y los espacios abiertos, de la realidad de una masa de tierra llamada Norteamérica, nueva en mi experiencia.

El padre comenzó a hablar antes de que hubiera tenido tiempo de quitarme la chaqueta.

—Será cuando los pelos de la nariz empiecen a ponérseme como alambres. Entonces será cuando quiera retirarme al sur de Francia.

—La nieve en la explanada.

—Sí, ya sé.

—Los bancos están sepultados.

—Sí —dijo.

—Ahí fuera, justo al otro lado de esa ventana, me he dado cuenta de repente de que estaba caminando por encima de un banco.

—Sí. Siéntate, Shay, y cuéntame qué tal te va. Los progresos de un joven. Así se titulará esta sesión.

—He cogido prestadas un par de botas.

Le gustó aquella respuesta.

—¿Te sientan bien?

—No.

Aún mejor. Cada vez que me preguntaba por el estado de mi mente y de mi alma, algo que hacía raramente, y cada vez que yo le respondía desde un punto de vista práctico, como siempre hacía, parecía pensar que estaba trazándome una respuesta pragmática provocada por quién sabe qué instinto varonil cuando lo único que ocurría era que me sentía confuso y no hacía más que esforzarme por reunir un conjunto de palabras aceptable.

—¿Qué estás leyendo?

Le recité toda una lista.

—¿Comprendes lo que dicen esos libros?

—No —dije.

Volvió a sonreír. Creo que estaba cansado de chicos superdotados. Había trabajado con alumnos de inteligencia avanzada y ahora le apetecía charlar con los inadaptados que ocupaban el otro extremo del abanico, con los que eran una causa continua de problemas para sí mismos y para los demás.

—Algunas cosas, quizá. Aquello que no comprendo, lo memorizo.

Tenía un brazo apoyado en la mesa, y apoyó la cabeza sobre su mano inclinada. Esa vez no sonrió.

—No es para eso para lo que hemos fundado este lugar, ¿no te parece?

—Estudio como un loco, padre.

—Pero no puedes memorizar conceptos como quien recuerda las terminaciones de los verbos latinos.

Sus manos eran relucientes y pequeñas. Algunos de los otros

jesuitas llevaban camisas de franela y gruesos jerséis, pero el padre Paulus no se dejaba influenciar por el clima o la orografía o por la sensación de libertades especiales de la institución Voyageur. Iba vestido de negro y llevaba alzacuellos, algo que yo respetaba y encontraba reconfortante.

—Una de las cosas que buscamos aquí es producir hombres serios. ¿A qué clase de fenómeno me refiero? No es tan fácil definirlo. Alguien que, al final, desarrolla una cierta profundidad, una cualidad amplia, por así decirlo, que se convierta en una forma de respeto hacia otros modos de pensar y de creer. Démosle más amplitud a los elementos naturales del ser humano. Y ayudemos al joven a alcanzar una fortaleza ética que le convierta en alguien decisivo, que le muestre precisamente quién es, Shay, y cómo debe dirigirse al resto del mundo.

Uno, al no hallarse a la altura del nivel de la conversación, siempre tenía miedo de decepcionar al padre. De mostrarse blando cuando él buscaba reacciones más animosas o incluso algún acto absurdo, insolente y desenvuelto. Blando e incierto cuando él buscaba independencia y discusiones francas.

—En cuanto a mi propia vida, confieso que... sí, ¿por qué no? Oirás mi confesión, Shay. ¿Quién mejor que tú? Me ha llevado todos estos años comprender que no soy un hombre serio. Demasiada ironía, demasiada vanidad, demasiado poco... ¿qué? No lo sé: muchas cosas. Y nunca el menor asomo de ira, ¿entiendes? Como mucho una pequeña rabia, como la que siente el que tiene un uñero o una frustración mezquina. Uno termina por saber estas cosas. ¿Actúas tú obedeciendo tus principios? ¿O quizá elaboras motivos que te autojustifiquen tu mal comportamiento? Ésta es mi confesión, no la tuya, por lo que no tienes por qué responder nada. Al menos, no de momento. Más adelante, sí. Tú mismo sabrás en tu interior hasta qué punto has sabido responder a la vocación de convertirte en un hombre.

—Nada de ira —dije—. ¿A qué se refiere?

—Nada de ira. La ira y la violencia pueden ser elementos de tensión productiva para el alma. Pueden contribuir a la integridad de nuestra identidad. Uno de los modos que tiene un hombre para destrivializarse es pegarle a otro un puñetazo en la barbilla.

Debí de mirarle entonces.

—De eso no te cabrá duda, ¿verdad? A mí no me gusta la violencia. Me muero de miedo frente a ella. Pero creo que la contemplo como una fuerza expansiva para la personalidad. Y opino que la capacidad de un hombre para actuar contrariamente a sus tendencias en esta dirección puede constituir una fuente de virtud, un testimonio de su carácter y su autodominio.

—¿Qué hay que hacer entonces? ¿Pegarle un puñetazo al tío o resistir la tentación?

—Buena pregunta. Carezco de respuesta a eso. Tú tienes la respuesta —dijo—. Pero ¿hasta qué punto puede ser serio un hombre si no experimenta toda la medida de los apetitos e impulsos de su raza, aunque sólo sea para contenerlos y dirigirlos, de algún modo, hacia algo útil?

¿Quién mejor que tú para oír mi confesión? Había dicho eso, ¿verdad? Alguien que ha estado preso. Alguien que posee las respuestas. Claro está que yo no tenía nada que se asemejara siquiera a una respuesta, y me pregunté por qué pensaría él que yo estaba dotado de cierta sabiduría especial para haber hecho lo que había hecho.

—¿Te has topado alguna vez con la palabra veleidad? Posee un agradable matiz tomista. Es la voluntad en su grado más bajo. Algo nimio, un deseo, una tendencia. Si eres de voluntad débil, ¿entiendes?, terminas aposentándote en los más superficiales cambios y giros de tus propias inquietudes. ¿Comprendes algo de lo que te digo?

—Es su confesión, padre.

Su despacho estaba en un antiguo acuartelamiento, y la fuerza del viento hacía crujir y desplazarse las vigas.

—Aquino decía que sólo los actos intensos logran reforzar un hábito. No basta con la mera repetición. La intensidad contribuye a la consecución moral. Una voluntad intensa y perseverante. He ahí un elemento de seriedad. La constancia. Es un elemento. Un sentido de intención. Un objetivo autoescogido. Dime que todo esto no son más que paparruchas. Te respetaré si lo haces.

Estábamos a unos cincuenta kilómetros al sur de la frontera con Canadá, en un campamento disparatado constituido en su mayor parte por cuarteles y otras estructuras de madera, acaso un retorno a las raíces misioneras de la orden, con la excepción de que, en este caso, los nativos éramos nosotros. Pobres chicos de la ciudad que parecían prometedores; algunos de constitución frágil y memoria fotográfica que siempre iban ligeramente sucios; otros que eran inteligentes pero inestables; otros incapaces de adaptarse; otros cuya adaptación obedecía a órdenes del Estado; un grupo de latinos de un centro jesuita de Venezuela, elegantes jóvenes de estilo cosmopolita a los que se les helaban los cojones; y unos pocos campesinos de lugares no demasiado lejanos, tímidos a más no poder.

—A veces pienso que la educación que dispensamos es más apropiada para tipos de cincuenta años que piensan que se han equivocado con su vida la primera vez. Demasiados conceptos abstractos. Verdades eternas a diestro y siniestro. Uno aprovecharía más el tiempo mirándose los zapatos y enumerando las partes. Y tú en especial, Shay, viniendo de donde vienes.

Aquello pareció animarle. Se inclinó sobre la mesa y escrutó, ésa es la palabra, mis botas húmedas.

—Qué feas son, ¿verdad?

—Sí que lo son.

—Enumera sus partes. Adelante. Aquí no somos tiquismiquis. No somos tan intelectualmente esnobs que no podamos poner a prueba a un alumno cara a cara.

—Que enumere las partes —dije—. De acuerdo. Cordones.

—Cordones. Uno en cada bota. Sigue.

Alcé un pie del suelo y lo hice girar torpemente.

—Suela y tacón.

—Sí, continúa.

Volvió a depositar el pie en el suelo y contemplé la bota, que se me antojaba tan poco reveladora como un simple receptáculo cerrado de color marrón.

—Continúa, muchacho.

—No queda mucho más que nombrar, ¿no cree? La parte de arriba y la parte de delante.

—La parte de arriba y la parte de delante. Es como para echarse a llorar.

—La parte redonda de delante.

—Eres tan elocuente que tendré que detenerme un instante para recobrar la compostura. Has nombrado los cordones. ¿Cómo se llama lo que hay bajo los cordones?

—La lengüeta.

—¿Y pues?

—Sabía el nombre. Es sólo que no la veía.

Aparatosamente, se inclinó aún más sobre la mesa, abrazándola y estremeciéndose levemente como si estuviera sometido a una tensión terrible.

—No la viste porque no sabes mirar. Y no sabes mirar porque no conoces los nombres.

Alzó la barbilla con un gesto reprobatorio que era en gran parte teatral y retiró su cuerpo de la superficie de la mesa, sentándose de nuevo en la silla giratoria, mirándome de nuevo, girando una cuarta parte de círculo con ademán decisivo y alzando la pierna derecha lo suficiente como para que el pie, el zapato, se apoyaran sobre el borde de la mesa.

Un zapato negro de religioso, normal y corriente.

—De acuerdo —dijo—. Tenemos claro lo de la suela y el tacón.

—Sí.

—Y hemos identificado la lengüeta y los cordones.

—Sí —dije yo.

Deslizó el dedo a lo largo de una pieza de cuero que recorría la parte superior del calzado hasta terminar debajo del cordón.

—¿Qué es? —dije.

—Dímelo tú. ¿Qué es?

—No lo sé.

—Es la vuelta.

—La vuelta.

—La vuelta. Y esta sección rígida que hay sobre el talón es la contra.

—Eso es la contra.

—Y esta pieza que hay en medio, entre la vuelta y el trozo que bordea la suela. Eso es el cuarto.

—El cuarto —dije.

—Y la pieza que hay sobre la suela. Eso es el cinto. Dilo, muchacho.

—El cinto.

—Hay que ver cómo se disfrazan las cosas más cotidianas. Porque no sabemos cómo se llaman. ¿Cómo se llama la zona frontal que cubre el empeine?

—No lo sé.

—No lo sabes. Se llama la pala.

—La pala.

—Dilo.

—La pala. La zona frontal que cubre el empeine. Creí entender que no había que memorizar.

—No memorices las ideas. Y no nos tomes demasiado en serio cuando le hagamos ascos al aprendizaje de memoria. La memoria contribuye a construir al hombre. ¿Cómo se llama el sitio por dónde pasas los cordones?

—Eso debería saberlo.

—Claro que lo sabes. Las perforaciones que hay a ambos lados de la lengüeta.

—No logro acordarme de la palabra. Ojete.

—Quizá te perdone la vida, después de todo.

—Los ojetes.

—Sí. ¿Y las fundas de metal que hay en los extremos del lazo? Golpeó el extremo del cordón con la uña del dedo medio.

—Eso no lo adivino ni en mil años.

—El herrete.

—Ni en mil años.

—Herrete o cabete.

—Herrete —dije yo.

—Y el pequeño anillo de metal que refuerza el borde del ojete a través del que pasa el herrete. Esto que estamos haciendo es física del lenguaje, Shay.

—El pequeño anillo de metal.

—¿Lo ves?

—Sí.

—Eso es la virola —dijo.

—Dios mío.

—La virola. Apréndelo, sábelo y ámalo.

—Me estoy volviendo loco.

—Esto es la sabiduría arcana y definitiva. Y cuando llevo mis zapatos al zapatero y él los pone sobre el soporte para repararlos, ya sabes, esa pieza con forma de pie. ¿Cómo se llama eso?

—No lo sé.

—La horma.

—Me va a estallar la cabeza.

—Las cosas más cotidianas representan los conocimientos más olvidados. Esos nombres son fundamentales para tu progreso. Las cosas cotidianas. Si no fueran tan importantes no los definiríamos con un latinajo tan magnífico. Dilo —dijo.

—Cotidiano.

—Una palabra extraordinaria que sugiere la profundidad y el alcance de lo habitual.

Su alzacuellos le colgaba de cualquier modo bajo la nuez, y tenía la piel del cuello flácida y rugosa, y parecía que le estaba cogiendo por sorpresa, la vejez, llegándole tarde pero deprisa.

Me puse la chaqueta.

—Quería haberle traído un libro —dije.

Sus manos se conservaban jóvenes, sin embargo, cubiertas de un tono rosado y como de tiza más propio de un bebé. Sobre una mesa, en el rincón, había un tablero de ajedrez con las piezas enfrentadas.

—Venga mañana a Upper Red y se lo sacaré.

Upper Red era la residencia de la facultad. En Voyageur bautizaban los edificios según los rasgos del paisaje local: lagos, pueblos, ríos, bosques. No con nombres de santos, teólogos o mártires jesuitas. Según Paulus, los jesuitas se habían visto tan maltratados en numerosos lugares a causa de sus intentos por convertir y transformar —decapitados en Japón, destripados en el cuerno de África, devorados vivos en Norteamérica, crucificados en Siam, arrastrados y descuartizados en Inglaterra, arrojados al océano frente a las costas de Madagascar—, que los fundadores de nuestra pequeña institución experimental juzgaron conveniente ahorrarle al paisaje algunos de los emblemas más sangrientos de la historia de la orden.

—A propósito, Shay.

—Sí.

—¿No te vi ayer en aquel grupito, firmando un manifiesto en defensa del senador McCarthy?

—Estaba allí, sí, padre.

—Firmando un manifiesto.

—No me pareció mal —dije.

Él asintió, desviando la mirada a algún lugar situado a mi espalda.

—¿Sabes por qué le condenó el Senado?

—Los otros estaban firmando —dije yo—. Algunos de los sudamericanos.

Hablaba con tono levemente frenético, sabiendo lo estúpido

que sonaba aquello pero pensando que, de algún modo, aquella era la manera de exonerarme.

—De modo que firmaste. Los demás estaban cagando, padre, así que me puse a cagar.

Miró a mis espaldas, asintiendo con expresión razonable; yo di media vuelta y me marché.

Durante un rato, paseé arriba y abajo de la explanada bajo la tormenta de nieve. Luego, subí a mi habitación y arrojé la chaqueta lejos de mí. Quería consultar palabras. Me quité las botas y escurrí la gorra en el lavabo. Quería consultar palabras. Quería consultar veleidad y cotidiano y memorizar a esas puñeteras el resto de mi vida, deletrearlas, aprenderlas, pronunciarlas sílaba por sílaba: vocalizar, modular, emitir los sonidos, decir las palabras, sirviera para lo que sirviese.

Es el único modo que tienes en este mundo de escapar de las cosas que te han formado.

24 DE OCTUBRE DE 1962

Llegaron, en mitad de la lluvia, un grupo de gente joven con excepción de los columnistas del *Chronicle* y del *Examiner* y un par de poetas de barbas grises del City Lights, y esperaron todos a que saliera Lenny Bruce al escenario.

Estaban en Basin Street West, y al fondo del pequeño escenario se extendía un decorado de falso pedernal. Quería sugerir una atmósfera acogedora, pero el resultado era una horrible masa de abultadas rocas que hacía que el local pareciera una mazmorra o un búnker.

Allí sentados, aguardaron a Lenny. Los músicos de jazz emitían un leve aroma a marihuana. Había también unas cuantas muchachitas monosilábicas vestidas de un negro existencial, remilgados estudiantes de universidad dotados de gustos secretos y aberrantes y todo el personal de una pequeña revista llamada *Polyester Wok*, cinco personas de bien cuya ira hacia el mundo que les rodeaba se estaba viendo socavada por los acontecimientos de los últimos días.

De pronto, apareció Lenny sin que nadie le presentara, deslizándose al espacio iluminado por los focos y comenzando a hablar antes incluso de retirar el micrófono de su soporte.

—Están evacuando Norfolk, Virginia. ¿Han oído algo de eso? Norfolk. La enorme base naval en la que reposan los barcos, los destructores, los cruceros que ponen en práctica el bloqueo. Están evacuando a los funcionarios y a todo el personal no esencial. La pregunta es —y ladeó ligeramente la cabeza para poder contemplar a la audiencia en sentido oblicuo, con un leve ademán de burla—, ¿quién entra cuando ellos salen? En serio: se marcha el vecindario. Porque todos los negros indeseables de quinientos kilómetros a la redonda van a meterse en esas casas y van a echar a perder las propiedades y la Marina va a decir, Joder, tío, deja en paz a los submarinos rusos y a los mercantes. Apuntemos a Norfolk.

Lenny mostraba aquella noche un aspecto algo hinchado. Su rostro blanquecino parecía hecho de masa de pan, y su lenguaje corporal incluía un nerviosismo desacostumbrado.

—La propiedad lo es todo. Cada uno es producto de su propia geografía. Si eres un católico de Nueva York, eres judío. Si eres un judío de Butte, Montana, eres de lo menos judío que hay. Eres como un puré de patatas instantáneo. Y en eso consiste toda esta crisis, por cierto. Puré de patatas instantáneo. Toda esa tecnología de cosas rápidas y al instante, tío, porque ya carecemos de la capacidad de atención para desarrollar guerras normales, y en la versión cinematográfica aparece Rod Steiger haciendo de Kruschov, en plan jefe de Estado del Estudio de Actores. A ver si me explico, resulta profundo, incomprendido, habla con el acento apropiado, lleva la cabeza afeitada, grita como un poseso, parece motivado: el chico solitario de las minas de carbón que se abre paso despiadadamente hasta la cumbre, pero todo cuanto busca es una tipa divertida que le dé charla y le haga reír de vez en cuando. No nos hallamos ante un patán, mitad hombre y mitad salchicha. Steiger le representa como un tipo solitario, susceptible y sensible que tiene que llevar sobre las espaldas todo el peso de la historia rusa. Observamos su tierno lado femenino cuando tiene un romance en el armario de los abrigos con una agente doble norteamericana representada por una Kim Novak peinada como una tortillera.

Lenny imitaba las voces, los acentos. Técnicamente, no era preciso: mezclaba las culturas y las geografías y las referencias cruzadas para transmitir la multiplicidad de niveles de su interpretación.

En la audiencia había cierto elemento de corte *beatnik*, varios *postbeats* vestidos con viejas chaquetas de leñador de los años cincuenta, tipos con una mirada algo distante pero que aún se mantienen atentos a las maravillas del universo, y una mujer ataviada con una camisa de retales que lleva a su niño en un portabebés, probablemente el primer y último crío que asiste a un espectáculo de Lenny pero, claro, era San Francisco, y entre semana.

—Kennedy comparece en público y uno oye decir a la gente: ¡Le he visto el pelo! o ¡Le he visto los dientes! Están venerando la sagrada reliquia mientras aún está viva.

Según los dogmas *beatnik* era el enfermizo estado de Norteamérica lo que había producido la bomba. Aunque los *beats* se mostraban receptivos a los ataques de Lenny a la hipocresía y a otros temas relacionados, y aunque lamentaban sus detenciones por motivos de drogas y sus juicios por obscenidad, probablemente no les afectaban sus acentos rusos ni esas bromas y chistes étnicos que brotaban de él como la soda de una planta embotelladora. Todo el paisaje *beat* estaba dominado por la bomba. Siempre lo había estado. Los *beats* no necesitaban una crisis de los misiles para pensar en la bomba. La bomba era la referencia más próxima que tenían a la endeblez moral de América, a ese país culpable de la existencia de altas chimeneas industriales y de grandes sociedades impersonales, dominada por la revista *Time* y J. Edgar Hoover, en la que la gente se sentaba encogida sobre sus tazas de café a lo largo de un millar de cafés de carretera azotados por la lluvia en las praderas de jazz, trotskistas secretos y patéticas ninfómanas de coños budistas: cosas de las que siempre se burlaba Lenny. Lenny era un hombre del mundo del espectáculo, un hombre profesional, acicalado, frío y corrupto, un cómico funerario, y la bomba formaba parte de una sobrecogedora campaña publicitaria que se había salido de madre.

Aquella noche llevaba una chaqueta al estilo Nehru, una oscura túnica de cuello alto a la que le vendría bien un lavado y un planchado, y una gabardina blanca sobre los hombros: o había olvidado quitársela o acaso tenía intención de marcharse de allí apresuradamente.

Se lanzó a una divagación impresionista. Difícil de seguir. Algo relativo a casos judiciales, abogados y magistrados. Era como oír a alguien convencido de estar dirigiéndose a otra persona.

Luego se interrumpió y dijo: «Amadme. Para eso estoy aquí. Esta noche y todas las noches. Dejad de amarme y moriré.»

Aquello no era parte del número. El número seguía a aquello. Era un número que había ideado sentado en el diminuto retrete de plástico del vuelo desde Los Ángeles, con una luz roja junto a los ojos que destellaba mostrando el mensaje *Regrese a su asiento Regrese a su asiento*.

—El arcángel San Gabriel se aparece en el cielo, sobre La Habana. Los guardaespaldas de Castro le despiertan y él les dice, Dejadme en paz, pero ellos responden, es el mensajero de Dios, y Castro se monta en un helicóptero y sube a ver qué pasa. El ángel lleva una túnica blanca y sostiene una trompeta flamígera en la mano, y Castro se extraña de ver que el tío es negro. Piensa, estupendo, un negro que sabe hablar, podremos mantener una auténtica conversación sin gilipolleces. Y le dice al ángel, Escucha, yo no creo en Dios, pero déjame que te pregunte una cosa: ¿de parte de quién estáis vosotros en esta crisis? Y el ángel dice, Sólo te lo diré una vez: estamos de parte de quienes tengan béisbol y jazz. Dice Castro, nosotros tenemos béisbol y jazz. Lo llamamos música afrocubana y te encantaría, tío. Tiene un ritmo increíble. Y Gabriel dice: no me menosprecies cacho hijo de puta. Yo tocaba con Bird, por si no lo sabes. Sí, tocábamos juntos en Minton en los viejos tiempos. De acuerdo, ¿quieres saber de qué lado estamos? Estamos del lado de los que tengan madres y tarta de manzana. Y dice Castro, *No problema.*[1] Los rusos tienen madres y tarta de manzana. La llaman *yablochi pirog.* Dice el ángel, Muy bien, pero escucha, listillo, estamos del lado de los que tengan al Pato Donald, a Mickey Mouse y a la mafia. Y Castro dice, Maldita sea, a la mafia la echamos de Cuba, pero ¿cómo es posible que os aliéis con ellos? Dice el ángel, Porque Nuestro Señor Jesús tiene un cariño especial por la mafia, y dice Castro, ¿Y eso?, y dice el ángel, ¿Qué te crees, tío? Es italiano. Y dice Castro, Un momento. ¿Jesús, italiano? Responde el ángel: ¿cómo? ¿acaso no lo es? Parece un poco confundido. Comienza a sacudir la saliva de la embocadura de su trompeta, algo que Gabe siempre hace cuando se siente inseguro. Es muy susceptible en lo que se refiere a su cultura. Dice con tono defensivo, Todos los papas son espaguetis. Lo sabe todo el mun-

1. En español en el original. *(N. del T.)*

do, tío. Jesús es italiano. Es espagueti desde el comienzo de los tiempos, y si no, mira su complexión. Jesús vivía en Oriente Medio, dice Castro. Y dice Gabriel, Tienes que estar loco para contarme esas chorradas. El tipo es napolitano. Habla con las manos. Y Castro dice, pues si quieres saber la verdad, era judío. Y responde el ángel, Ya sé que era judío: un judío italiano. ¿Acaso no existen montones en Italia? Y dice Castro, ¿Por qué tengo que estar aquí escuchando todo esto? Estás completamente chiflado, tío. Y dice el ángel, ¿Acaso me estás diciendo que he creído toda mi vida que Jesús cambió el agua en vino en una boda italiana y que es *mentira*?

Lenny hacía aquel número con aire algo distraído, derrapando algunas frases aquí y allá, pero al fin y al cabo eso era algo que siempre hacía, algo intrínseco a su presentación a lo *beatnik*, como una especie de fuga del más allá dominada por los efectos de las drogas.

—¡Le vi los cabellos! ¡Le vi los dientes!

Y entonces recordó la frase de la que había llegado a enamorarse. Se agachó a medias, se tapó la cabeza con el impermeable y poco menos que se tragó el micrófono.

—*¡Vamos a morir todos!*

Sí, le encantaba decir aquello, vociferarlo, era algo magníficamente refrescante, algo que purificaba sus temores y los hacía públicos al mismo tiempo: algo propio de seres débiles, enfermos, cobardes, indefensos y patéticos pero, de algún modo, también noble, un prolongado y estentóreo grito, sincero y agudo, pleno de amargura y dolor, que poseía un dulce elemento de desafío.

Y su voz desencadenó un extraño latigazo de emoción a través de la audiencia. Todos sintieron el grito físicamente. El grito rebotó en su sangre y los unió entre sí. Aquello era la revolución de la psique, un lamento surgido de sus propias almas, de ese desesperado lugar sepultado al que uno exige el reconocimiento de sus derechos y necesidades primordiales.

En ese momento, se le ocurre una idea y la suelta sin pensar, como un boxeador que lanzara un golpe tan certero que le hiciera sonreír.

—Pero quizá algunos de nosotros seamos más impotentes que otros. Es una bomba blanca, no os lo perdáis —y aquí su voz cambia, adquiriendo un acento arrastrado y paleto—. Es nuestra bomba. Moscú y Washington. Pensadlo, tíos. Esta bomba la controlan los blancos.

La idea le entusiasma.

—Te fijas en Watts. Te fijas en Harlem. Y dices, como os folléis a nuestras titis, tíos, soltamos la bomba. Mejor terminar con el mundo que mezclar las razas.

Adopta una posición agachada de rapero chasqueando los dedos.

—Porque preferimos matar a todo el mundo antes que compartir a nuestras mujeres.

En ese momento las luces se apagaron. Así, de pronto. El foco, las luces de la barra, los indicadores de salida: todo. Podía distinguirse una vaga silueta, la de Lenny, desplazándose de un modo se diría que experimental hacia la enorme puerta de metal que se abría directamente a la calle, y es posible que los clientes de las primeras filas le oyeran mascullar, «Regresen a sus asientos, regresen a sus asientos».

El público rebulló, unos cuantos volvieron la cabeza, y varios se pusieron de pie con aire incierto. ¿Acaso estaban pensando, ya está, esto es la bomba, la detonación aérea? ¿Acaso el efecto electromagnético de las pruebas del océano Pacífico no había afectado las redes eléctricas de Honolulu hacía bien poco, apagando las luces y disparando las alarmas antirrobo de toda la isla?

Volvieron a encenderse las luces. El foco iluminaba un escenario vacío. La decoración mural nunca había mostrado un aspecto tan desnudo y tan falso. Y allí estaba Lenny, a eso de un metro y medio de distancia de la salida. Regresó lentamente al escenario, imitando los movimientos de una persona que retornara subrepticiamente a una estancia, aliviado y avergonzado, y todos aguardaron a que dijera algo que les compensara de los largos momentos de tensión y que les sacudiera de risa, y él subió al escenario y recogió de nuevo el micrófono colgante y se lo aproximó al rostro y el aparato comenzó a emitir chirridos y chasquidos, y entonces volvieron a apagarse las luces, y la imagen del rostro seboso de Lenny se quedó grabada en la retina de todos los presentes, con su media sonrisa asustada, y el bebé comenzó a llorar.

Cuando las luces se encendieron de nuevo, al cabo de veinte

segundos que fueron una eternidad, el escenario estaba vacío, y la puerta de metal abierta de par en par; era evidente que el espectáculo había concluido.

14 DE JUNIO DE 1957

Transcurrieron semanas en las que apenas dormimos. Permanecimos juntos a todas horas del día y de la noche durante tres o cuatro semanas, o casi, la mayor parte del tiempo en el coche de ella, comiendo y durmiendo en su interior, haciendo el amor en su interior, durmiendo y despertándonos y mirando a nuestro alrededor cuando aún era de noche, o aún de día, dependiendo, hasta que al final nos deteníamos por algún motivo, lógico o no, y la vida aminoraba su velocidad lo suficiente como para que las cosas pudieran volver a ocurrir normalmente en las habitaciones, pero sólo hasta que llegaba el momento de partir de nuevo, y entonces ella hacía rugir el motor del Mercury de 1950, con su chasis bajo y su motor ligeramente acelerado, y nos lanzábamos de nuevo hacia el Oeste.

—No me cuentes tus sueños —dije yo.

—Tienes que oírlos.

—No quiero oírlos.

—Serás hijo de puta, tienes que oírlos —dijo Amy—, porque todo lo que ocurra va a ocurrirnos a los dos.

—¿Acaso no sabes que a la gente no le interesa oír los sueños de los otros?

—Serás hijo de puta, ¿qué otros? ¿Quiénes son esas otras personas?

—Mira la carretera.

—Dijimos que compartiríamos hasta nuestros más pequeños pensamientos.

—Mira la carretera. Conduce —le dije.

Y en una ocasión la dejé en Santa Fe, donde vivían algunos amigos de su familia, y me quedé con el coche sin poner la radio ni leer los periódicos, y ella me alcanzó una semana después en un bar de mineros de Bisbee, Arizona, y jugamos coqueteando una partida de mentiroso y ascendimos por las elevadas y estrechas calles sintiendo algo tan potente, y sabiendo que el otro también lo sentía, que temimos ver incinerarse nuestras mejillas.

—Era un sueño de montaña. Un lugar elevado y despejado, próximo a un lago.

—¿Acaso ignoras que los sueños sólo interesan a quien los tiene?

—Te crees tan cosmopolita. Eres muy listo para ser un forastero.

—Conduce.

—Que no aprendió inglés hasta que no salió de Nueva York.

Amy era una mujer alta y competente, y le sentaban bien los vaqueros. Sabía hacer cosas y fabricar cosas e incluso su belleza era una belleza competente, una especie de habilidad franca, abierta y sincera, salpicada de unas cuantas pecas desvaídas y de una sonrisa lujuriosa.

Y en cierta ocasión estuvimos en Yankton, Dakota del Sur, a comienzos de aquel mismo verano, y el cine comenzaba a vaciarse, el Dakota, se llamaba, con una brillante fachada de baldosas y un cartel de Audie Murphy, y los jóvenes de Yankton se metieron en sus coches y se pusieron a conducir arriba y abajo por la avenida principal, y nosotros paseamos con ellos, casi durmiéndonos, y entramos en cines para automóviles y hablamos de la vida y recorrimos praderas y hablamos de películas y nos metimos en lavacoches automáticos y leímos poesía en voz alta, el uno al otro, mientras el agua jabonosa se deslizaba por las ventanillas.

Su coche era negro y de aspecto encapuchado, y nos creíamos fantasmas de la carretera, *djinns* capaces de mear sin ser vistos en el polvo del campo. Ella no quería que yo supiese que su padre le había regalado el coche. Por su licenciatura. Pero era algo que yo sabía porque uno de sus hermanos me lo había contado, y lo otro que sabía era que me dejaría plantado en cuanto concluyera el viaje.

—¿Sabes lo que resulta interesante de ti? Dices que quieres que compartamos hasta los más mínimos pensamientos. Pero lo más interesante de ti —dije— es que vas a olvidar todo lo que hemos dicho y todo lo que hemos hecho y todos los pensamientos que hemos compartido tan pronto como.

—No.

—Tan pronto como.

—No.

—Tan pronto como nos despidamos. Porque, ¿sabes lo que

eres? Una cabezota práctica más o menos calculadora que hace planes con diez años de antelación y que sabe lo que es cada instante.

—¿Y qué es?

—Algo de lo que exprimes hasta la última gota de jugo para así poder olvidarlo a la mañana siguiente.

Y una vez nos detuvimos en unos establos y ella intentó enseñarme a montar a caballo, pero yo me subí y luego me bajé y me negué a subirme más, y ella se marchó a las frescas montañas con el indio que dirigía las expediciones.

Dijo ella: «¿Y qué hay de malo en eso?»

—Lo decía por decir.

Dijo ella: «Exprimir cada instante. ¿Qué hay de malo en eso?»

—Me limito a decirlo.

—Y no te he contado todo. De modo que no me acuses.

—Me has contado todo por partida doble.

—Serás hijo de puta.

—Dime cosas que no me hayas dicho. Adelante. Asómbrame —dije—. No me estás asombrando.

Sabía hacer cosas y fabricar cosas, y le gustaba hablar de la familia Brookhiser, de sus abuelos, de las pioneras y de los buscadores de oro y de la progenie diseminada de los viejos y curtidos patriarcas.

Y una vez nos quedamos a dormir en casa de su hermano mayor, arquitecto, durmiendo en habitaciones separadas: parecía tener hermanos en todas partes. Aquél vivía cerca de Yuma, en una casa torcida que se había construido él mismo, torcida para llamar la atención, construida a base de traviesas de ferrocarril y estuco y forjados de estaño, y Amy, exaltada, contemplaba la casa de soslayo.

Estábamos medio locos de tanto conducir y de recorrer hablando la mitad de uno de los estados principales, casi sin parar, y soportábamos la química de todo un largo y brutal matrimonio comprimida en unas semanas, con esa tensión en el aire de lo que no ha terminado de ajustarse, y también teníamos la sensación de que no convenía dormir porque perdíamos un tiempo que podríamos haber empleado en decir algo espantoso pero importante.

Y una vez condujimos a lo largo de una carretera de tierra en algún lugar próximo a Ruby, Arizona, y vimos a cuatro hombres a caballo que conducían un toro, un toro jorobado de fenomenal tamaño, casi irreal, y nos detuvimos no sólo para mirarles y no sólo porque pensamos que un toro así podría cargar contra un vehículo en movimiento sino también movidos por un respeto extraño y pagano ante un animal tan sobrecogedor, un toro Brahma, y los vaqueros nos saludaron agitando la mano y siguieron conduciendo al animal por el sendero de tierra rojiza.

—Me asaltan rabietas mentales —dijo—. Me odiarías si contara esas violentas pataletas de celos y de sexo y de despecho y de desearle el peor de los males y la más lenta de las muertes a alguien próximo.

—Cuéntamelas.

—No te las contaré. Ni siquiera a ti. A ti menos que a nadie.

—Quiero que me las cuentes.

—No te las contaré salvo que me obligues a hacerlo.

A veces, Amy adoptaba una actitud esquiva. Tenía un ritual, un reflejo, no algo tímido sino más bien cauteloso y astuto, por el que se apartaba de mí cuanto más me necesitaba, aislándose despreocupadamente, con los ojos brillantes, alzando el hombro para apartar mis acercamientos. Podía mostrarse esquiva incluso en medio del acto, casi como si quisiera fingir que no estábamos haciendo eso sino algo totalmente distinto, yo qué sé, acaso manitas en el pasillo de un colegio, y a veces me rechazaba de plano, diciendo, No, no puedes, o, No, no quiero, incluso mientras yacíamos en el asiento, follando.

Pensé que tanto su rostro como el mío corrían el riesgo de entrar en combustión y desaparecer aquella noche de mediados de junio en que ascendíamos por las estrechas callejas de Bisbee, Arizona, aturdidos de amor, como semiborrados, después de tomarnos una cerveza y un emparedado en un oscuro bar repleto de mineros del cobre acompañados por sus perros infectados del gusano del corazón. Ignoraba entonces que fuera posible experimentar algo así, y experimentarlo juntos, nuestras cabezas medio idas y las mentes vacías, perdidas para todo lo que no fuera amor.

Dijo: «Sé a qué te dedicas. Te quedas despierto y me contemplas mientras duermes.»

—¿Cuándo duermes?

—Exiges demasiado. Básicamente, quisieras deslizarte hasta estar dentro de mí. Ansías seguir el camino de tu propia polla. ¿Cómo podría haber imaginado algo así?

—Conduce.

—No, pero ¿cómo podría haber imaginado algo así?

—No me mires mientras conduces.

—No, pero ¿cómo podría habérseme ocurrido que un día conocería a un hombre al que le gustaría seguirme al interior del baño?

—Conduce.

Dijo: «Querías meterte en los servicios de la gasolinera conmigo. Acabo de acordarme. Casi se me olvida. Porque pensabas que igual te perdías algo.»

Y una vez en que atravesábamos Bakersfield, California, el coche se recalentó y tuvimos que detenernos para recoger agua en un campamento de caravanas cuya existencia yo ignoraba por completo. Todas aquellas hileras de remolques llenos de gente ocupada en preparar perritos calientes a una temperatura de cuarenta y dos grados a la sombra. Una mujer en bañador planchando la ropa sobre una tabla de planchar frente a su remolque, rodeada de niños pequeños que montaban en triciclo. Era algo que yo no sabía que existía, en modo alguno, ni que jamás sería capaz de concebir, algo que me había pasado totalmente desapercibido, la existencia de gente que vive permanentemente en sus remolques, y Amy me llamó forastero de Nueva York.

Me dirigía a Palo Alto, yo, el editor de libros, aún un crío, con un atuendo pensado para alterar la naturaleza del aula, para abrirla y convertirla en algo fluido, casual y californiano, y ella se dirigía al Norte, hacia Seattle o Portland, no estaba segura de a cuál, o de regreso a Denver con un diploma en Ciencias de la Tierra y un cierto número de contactos profesionales de los que no revelaba ni palabra.

—Ignoro qué estoy haciendo aquí contigo. No sé nada de ti. Tanto tiempo y tanta charla y, básicamente, no sé nada de ti —dijo—, salvo por el hecho de que sabes muy bien cómo cabrearme.

—Bien. Te viene bien. Enfadarse es algo que renueva la sangre —le dije—. Según mi madre irlandesa.

—Tienes madre. Eso es esperanzador.

—Cabréate. Y mantente cabreada —dije.

No quería que me mirara mientras conducía, pero a veces era yo quien la contemplaba, invitándole a devolverme la mirada.

—Quiero que todo lo que nos pase nos pase a los dos —dijo ella.

—También yo —dije, y en aquel momento lo decía en serio, de verdad.

Ella notó el peso de la mirada y me observó en aquella carretera vacía con montañas de ramas de lavanda que se encaramaban sobre viejos cobertizos que señalaban el emplazamiento de una mina, y fue una mirada tan íntima y de tal alcance, tan llena de las cosas que habíamos hecho, que se convirtió en una especie de alocado desafío, en una forma de apuesta mortífera en la que uno de los dos tendría que ser el primero en interrumpir aquella mirada de amantes para ver si el coche se había apartado de su ruta hacia el Este mientras se aproximaba una camioneta de faros brillantes, a medio segundo de una muerte espectacular.

—¿Quién es el raro? —dije.

—Te quedas despierto para contemplarme mientras duermo. Sé que lo haces. Lo percibo durante el sueño.

—¿Soy el raro yo o eres tú la rara?

—Me seguiste al servicio de señoras.

—No, espera espera espera espera. ¿Percibes mi mirada mientras duermes y piensas que yo soy el raro? ¿Quién es el raro? —dije.

Y había veces en que te aislabas hasta de la más intensa respiración y percibías una especie de sombra blanquecina, como si te deslizaras hasta convertirte en una persona paralela, alguien formado por una luminosidad mental que pareciera hablar por ti.

O, «No puedes obligarme a hacer esto», decía, deslizando la mano por mi bragueta mientras yo intento conducir el coche.

Y una vez en que me quedé solo durante un día y una noche, sin poner la radio ni leer los periódicos y conduciendo sin rumbo por ahí durante horas, terminé por detenerme y estacionar el coche y me puse a pasear por unas instalaciones turísticas en las que crecían árboles de blanca corteza y en la que podían verse cubos de basura destinados a guarecer restos de comida y un hombre con aspecto de chiflado sentado en un banco, en algún lugar próximo a Fresno, pero quizá se hallaba tan sólo sumido en profundos pensamientos, o preocupado por algo, y sentí una tristeza que me fue imposible ubicar con exactitud, una sensación que podría haber sido mía o de ellos, de esas pequeñas familias que comían en platos de cartón, del desdichado individuo apoltronado sobre el banco, del lugar en sí, del banco en sí, de aquellos cubos de basura desprovistos de tapadera.

Compré una postal para enviársela cuando siguiera su camino y yo el mío, una postal en la que podía verse una mesa de cámping entre los árboles, y la guardé en un libro que llevaba en la bolsa hasta que tuviera tiempo de decidir qué clase de mensaje escribiría en ella.

4

28 DE NOVIEMBRE DE 1966

El primer hombre se hallaba de pie frente a la ventana de su lujosa suite del Waldorf. Contemplaba los taxis amarillos sumergiéndose en el crepúsculo sentimental, en esa peculiar luminosidad pródiga que se abate, agonizante, sobre Park Avenue una hora antes de que los habitantes salgan de la oficina para convertirse nuevamente en maridos y esposas, o en lo que sea que se convierte la gente mediante palabras murmuradas cuando las tardes se tornan veloces y susurrantes.

El segundo hombre permanecía sentado en el sofá con las piernas cruzadas, examinando los informes del FBI.

Edgar dijo: «Por supuesto, recordarías las máscaras.»

El segundo hombre asintió con la cabeza, sin que nadie lo percibiera.

—Junior, las máscaras.

—Las tenemos, sí. Estoy estudiando una nota interna de seguridad que resulta, de hecho, un tanto venenosa.

—Prefiero no enterarme. Archívala por ahí. Me encuentro demasiado bien.

—Una protesta. Hoy, frente al Plaza.

—¿De qué piensan protestar esos hijos de puta? Dímelo, te lo ruego —dijo Edgar con un tono de voz que había ido perfeccionando a lo largo de los años, una crispada jocosidad grabada en once clases diferentes de ironía.

—La guerra, por lo visto.

—La guerra.

—Sí, eso —dijo el segundo hombre.

Estaban alojados en el Waldorf, el hotel favorito de J. Edgar Hoover durante sus estancias en Nueva York, pero la celebración estaba teniendo lugar —el baile, la fiesta, el acontecimiento social de la temporada, de la década, de esa mitad de siglo, sin duda—, el baile estaba teniendo lugar en la sala de baile del Plaza.

Edgar cambió de tema, al menos mentalmente. Dirigió la mirada a lo largo de Park, observando cómo la tierra se curvaba en dirección a Harlem. Quizá aquella luz profunda y efímera le estaba poniendo nostálgico, o acaso era el ruido, el apagado clamor de las bocinas de los taxis que llegaba desde la calle, un sonido que a aquella distancia protegida resultaba extraña y humanamente feliz, con esos breves pitidos y llamadas que parecían conllevar un matiz de celebración.

Dijo: «¿Dónde estabas tú cuando Thomson consiguió el *homer*?»

—¿Perdona?

—¿Dónde estabas?

—¿Sí?

—Da lo mismo. Hablaba por hablar, Junior.

Clyde Tolson, conocido como Junior, era el más fiel ayudante de Edgar en el FBI, pero ya no se mostraba tan agudo como antes, su memoria fotográfica resultaba algo menos prodigiosa hoy en día. Pero si Edgar era chato y de constitución compacta, con cejas que recordaban las alas de los murciélagos, Clyde tenía la mandíbula alargada y era larguirucho, se diría que semicampechano, un tipo bastante amable al que le gustaba conversar: una vez más, a diferencia de su jefe, quien opinaba que uno se traicionaba a sí mismo, palabra por palabra, cada vez que abría la boca para hablar.

Edgar sostenía en la mano una botella de whisky. Examinó el vaso en busca de manchas y, a continuación, olfateó y probó el líquido, notando cómo los ardientes vapores le punzaban la lengua. La suite de cortesía, el relajante licor, la presencia de Junior en la estancia, la fiesta de la que todo el mundo hablaba desde hacía meses, una fiesta célebre desde mucho antes de tener lugar, los inesperados períodos de confusión aguda, de insomnio, de incapacidad para funcionar normalmente: sí, Edgar se encontraba notablemente bien aquella noche.

Hablador o no, le encantaban las buenas fiestas. Le gustaban en especial las celebridades, y aquella noche, en el Plaza, reinaría una considerable abundancia de esplendor animal. De personajes, de estilo, de ingenio con clase.

El cuerpo regordete del director aún albergaba la agazapada existencia de un frágil escolar, un solitario cripto-niño que despertaba a la vida en presencia de la gente del espectáculo y de otros iconos vivientes: actores infantiles, jugadores de béisbol, boxeadores, incluso caballos y perros de Hollywood.

Los personajes famosos eran espíritus superiores, hombres y mujeres que aliviaban la tensión de la época. Independientemente de su propia condición en cuanto a categoría y celebridad, Edgar experimentaba palpitaciones anales cada vez que charlaba con alguien realmente renombrado.

Clyde dijo: «Y esto también, por supuesto.»

Edgar no se volvió para comprobar qué estaba leyendo el segundo hombre. Por el contrario, se concentraba en examinar la moqueta. Las alfombras del Waldorf eran gruesas y acogedoras, nidos aptos para el desarrollo de todo tipo de bacterias. Cualquiera que supiera lo más mínimo acerca de la guerra moderna era consciente de que las armas basadas en organismos patógenos podían ser exactamente igual de destructivas que las bombas de megatones. En cierto modo, incluso peores, puesto que la sensación de infiltración constituía en sí misma una forma de muerte.

Clyde dijo: «Sabía que era un error revelar públicamente nuestros métodos para averiguar las cuentas del crimen organizado.»

—¿Qué métodos?

—Lo de escarbar entre sus basuras.

—Son titulares que venden bien.

—Y que crean una mentalidad de imitación. Ahora nos hallamos en una situación que es una auténtica pesadilla en términos de relaciones públicas. Nada menos que una así llamada «guerrilla» dedicada a investigar, ¿qué basuras diría usted, jefe?

—Por favor. Déjame disfrutar de mi copa. A cualquiera le gusta disfrutar de su copa cuando ya va acabando el día.

—Las tuyas —dijo Clyde.

Edgar no podía creer que había oído bien al tipo.

—Esto es lo que nos revela nuestra fuente confidencial —dijo Clyde, agitando la página que estaba leyendo para resultar lo más molesto posible—. Un equipo de guerrilla urbana proyecta un asalto a las basuras del número 4936 de Thirtieth Place, Northwest, Washington, DC.

Aquello era el fin del mundo por triplicado.

—¿Cuándo se supone que va a ocurrir eso?

—Es más o menos inminente.

—¿Has puesto vigilantes?

—En coches camuflados. Pero tanto si los detenemos como si no, encontrarán el modo de montar un espectáculo público con tus basuras.

—No sacaré la basura.

—Más pronto o más tarde, tendrás que hacerlo.

—La sacaré y la guardaré bajo llave.

—¿Y cómo se las arreglarán los basureros para recogerla?

Cuando los agentes del FBI recogían las basuras de algún capo mafioso en medio de la noche, siempre las sustituían por otras falsas para no despertar sospechas: aromáticos restos de comida, latas de anchoas, tampones usados previamente preparados por la división de laboratorios. A continuación, llevaban las basuras auténticas para que fueran examinadas por forenses expertos en cuestiones de juegos de azar, caligrafía, restos de papel, fotografías arrugadas, manchas de comida, manchas de sangre y todos los tipos secundarios conocidos de escritura siciliana.

—O haz esto —dijo Edgar—. Saca basuras simuladas. Cosas sin importancia. Sin interés periodístico.

—No podemos emplear métodos convencionales, por ingeniosos que sean, con esta gente. Porque lo que hacen ofende cualquier clase de enfrentamiento ordinario. Y por muy vigilado que esté el objetivo, más pronto o más tarde se harán con un cubo de basura y saldrán corriendo.

Edgar se desplazó hasta otra ventana. Necesitaba un cambio, como suele decirse, de escenario.

—Nuestra fuente confidencial indica que proyectan llevarse tu basura de gira. Van a alquilar salas en las principales ciudades. Van a contratar a sociólogos de izquierda para que la analicen artículo por artículo. Hippies dispuestos a frotarse el cuerpo desnudo con ella. Poco menos que a follársela. Poetas que escriban poemas al respecto. Y, finalmente, en la última ciudad de la gira, planean comérsela.

Edgar alcanzaba a distinguir parte de la fachada este del Plaza, a unas doce manzanas de distancia.

—Y luego defecarla —dijo Clyde—. En público.

El enorme tejado de pizarra, los aguilones y las buhardillas y los remates de cobre. Qué curioso que algo tan normal como sacar la basura pudiera convertirse de pronto en fuente de la más profunda ansiedad.

—Nuestra fuente confidencial afirma que piensan rodar un documental de toda la gira para su posterior difusión.

—¿Contamos con algún expediente relativo a estas guerrillas?

—Sí.

—¿Exhaustivo? —dijo Edgar.

En el interminable estuario en el que se entremezclan la paranoia y el control, el expediente era un recurso esencial. Edgar tenía numerosos enemigos vitalicios, y el modo de enfrentarse a esa clase de gente consistía en compilar expedientes exhaustivos. Fotografías, informes de vigilancia, alegaciones detalladas, nombres relacionados, transcripciones de cintas procedentes de pinchazos telefónicos, micrófonos, allanamientos... El expediente constituía una forma más profunda de la verdad, pues trascendía hechos y actualidad. Tan pronto como añadías un elemento al archivo —una fotografía borrosa, un rumor infundado—, éste adquiría una certeza promiscua. Era la verdad sin respaldo y, en consecuencia, resultaba indiscutible. Los supuestos hechos rezumaban del archivo y se deslizaban a lo largo del horizonte, consumiendo cuerpos y mentes a su paso. El archivo lo era todo; la vida, nada. En ello residía la esencia de la venganza de Edgar. Reorganizaba las vidas de sus enemigos, sus conversaciones, sus relaciones, sus mismos recuerdos, obligándolos a hacerse responsables de los detalles de su propia creación.

—Les detendremos y acusaremos —dijo Clyde—. No podemos hacer otra cosa.

Edgar se volvió, sonriendo.

—Podría llegar al punto de compadecer a la mafia en este tema —dijo.

Clyde sonrió.

—Siempre fuiste un medio gángster —dijo.

Ambos se rieron.

—Acuérdate de las metralletas que solíamos llevar —dijo Edgar.

—Siempre que había fotógrafos por las inmediaciones.

Una vez más, se echaron a reír.

—Allí estabas, justo a mi lado, con ese gesto heroico.

—Edgar y Clyde —dijo Clyde.

—Clyde y Edgar —dijo Edgar.

Cada vez que el flujo de necesidad de control del uno chocaba con el reflujo de paranoia del otro, surgía la satisfacción recíproca del expediente. Era posible alimentar ambas fuerzas con el mismo gesto.

—Me gustaban los años treinta —dijo Edgar—. No me gustan los sesenta. No, no me gustan en absoluto.

En cierto modo, la mesa instalada al fondo de la habitación procedía de los treinta. Estaba completamente equipada con recursos hechos a la medida de las exigencias de Edgar. Dos plumas negras de plumilla. Dos frascos de tinta azul marca Skrip Permanent Royal n.º 52. Seis lápices marca Eberhard Faber del n.º 2 bien afilados. Un par de soportes de escritura de color blanco y de 5 × 8 rematados en lino. Una bombilla nueva de 60 vatios en la lámpara de pie. El director no quería verse obligado a respirar el polvo de bombillas viejas y acostumbradas a iluminar la lectura de completos desconocidos. Periódicos, guías, biblias, literatura erótica, literatura subversiva, literatura clandestina, literatura: todo lo que la gente leía en los hoteles cuando estaba sola, pasando las páginas y respirando.

Clyde consultó la hora. Primero, la cena, los dos juntos, solos, algo que llevaban décadas haciendo. Luego, el breve trayecto hasta el Plaza.

Se llamaba el Baile Blanco y Negro. Una congregación cuasi divina de quinientas personas, con máscaras, por estricta invitación, esmoquin y máscara negra para los caballeros, traje de noche y máscara blanca para las damas.

La fiesta la daba un escritor, Truman Capote, para una editora, Katharine Graham, y los datos presuntamente ciertos que habían proporcionado los invitados habrían, sin duda, de estrechar el abismo que separaba el periodismo de la ficción.

Inicialmente, Edgar no estaba invitado. Pero no era difícil conseguir invitación. Una palabra de Edgar a Clyde. Una palabra de Clyde a alguien próximo a Capote. Figuraban en los archivos, por supuesto, gran número de aquellos que habían intervenido en la planificación del acontecimiento: todos catalogados y expedientados hasta la médula, y ninguno de ellos dispuesto a ofender al director.

Clyde acudió a la mesa para responder una llamada. La señora de las máscaras estaba de camino para tomarles las medidas.

Edgar reparó en que Clyde llevaba puesta una pajarita con diseño de gotitas. Aquellas pequeñas figuras le hicieron pensar en paramecios, unos organismos siniestros dotados de garganta y de ranuras de alimentación. En casa, Edgar contaba con un retrete elevado sobre una plataforma, lo que servía para aislarle de cualquier forma de vida de las que suelen desarrollarse en el suelo. Y había ordenado a su personal de laboratorio que le prepararan en la oficina un cuarto limpio hasta el punto de alcanzar insólitos niveles de higiene. Una habitación blanca de cuyo mantenimiento se encargaban unos técnicos vestidos también de blanco —y preferiblemente blancos ellos mismos—, que trabajaban en un entorno completamente desprovisto de contaminantes, polvo, bacterias, etcétera, con enormes focos blancos encendidos; una habitación que el propio Edgar gustaba de ocupar cuando se sentía vulnerable a las fuerzas que le rodeaban.

Entró por la puerta, Tanya Berenger, ataviada con un vestido largo y zapatos de rebajas. En su día había sido una conocida diseñadora de moda, pero ahora se había vuelto vieja y desaliñada, y vivía en una habitación de un lúgubre hotel de Times Square, el típico lugar en el que hay un recepcionista comiéndose un emparedado de lengua detrás del mostrador. La gente solía localizarla tres o cuatro veces al año para que les hiciera máscaras destinadas a acontecimientos especiales, y solía encontrar trabajo permanente fabricando accesorios sadomasoquistas para un club privado del Village.

Los dos hombres, con una mujer en la estancia, como siempre, alguien a quien no conocían, y sin nadie más presente, y carentes de una atmósfera de bienestar social, en fin, tendían a mostrarse rígidos y defensivos, como si se hubieran visto sorprendidos por un intruso armado.

Clyde no se apartaba de Edgar, percibiendo por parte de la mujer cierto potencial de comportamiento díscolo. Llevaba una considerable cantidad de maquillaje que parecía vertido de un bote de pintura y luego recocido. Y Clyde advirtió que uno de los bolsillos de su vestido estaba ligeramente descolgado y descosido.

Se dirigió a Edgar con una especie de afecto patético.

—Sabe que no puedo dejarle ninguna de mis máscaras, querido, sin antes consultar primero. Debo depositar las manos sobre la cabeza de carne y hueso. Malo es ya que tuviera que crear mi *objet* a partir de unas especificaciones escritas, como si fuera un fontanero instalando una pila.

Tenía un acento europeo, pero ya marcado y quemado por su larga residencia en Nueva York. Y sus cabellos tenían el brillo retocado de un cuervo muerto engarzado sobre un palo.

Clyde, por supuesto, había sido informado acerca de Tanya Berenger. Su presencia en los archivos era notable. Había sido acusada en diversas ocasiones de ser lesbiana, socialista, comunista, drogadicta, divorciada, judía, católica, negra, inmigrante y madre soltera.

Prácticamente todas las cosas que más desconfianza y temor le producían a Edgar. Pero fabricaba unas máscaras exquisitas, y Clyde no había dudado en contratarla para el trabajo.

Entró apresuradamente en el dormitorio de Edgar y cogió la máscara.

Cuando ella la tuvo en sus manos, miró a Edgar, miró la máscara y pareció sopesar la ecuación, y el director experimentó una peculiar tirantez en el pecho, preguntándose si sería merecedor del honor.

Ella sostuvo el objeto a la altura de la mirada, a quince centímetros del rostro, y observó a Edgar a través de los agujeros de los ojos.

Edgar, por su parte, contempló la máscara como si estuviera viva, como si fuera un ente propio que acaso pudiera llegar a tener la desfachatez suficiente como para ponerse en una única salida nocturna por la ciudad.

Era una máscara de cuero negra y lisa con asas a los lados y un ramillete de brillantes lentejuelas en torno a los ojos.

Dijo Tanya: «¿Quiere ponérsela o tener una charla con ella?»

Pero él no se sentía preparado.

—¿Tú crees que debo ponérmela, Junior?

—Échale valor.

Dijo Tanya: «Cuero. Resulta muy real, ¿no cree? Es como llevar puesta la cara de otra persona.»

Colocó la máscara sobre el rostro de Edgar, la banda elástica no demasiado tirante y el cuero vivo sobre su piel.

Luego, le asió por los hombros y le hizo girar lentamente hacia el espejo que había sobre la mesa.

Clyde rescató el vaso de whisky que el otro sostenía en la mano.

La máscara le transformaba. Por primera vez en varios años, no se veía como el ocupante de un cuerpo demasiado canijo con una cabeza inmensa y protuberante.

—¿Te parece bien si te llamo Edgar? ¿Quieres que te diga cómo te veo? Te veo como un hombre maduro y cuidadoso que tiene en su interior un matón sexy y motero pugnando por salir. Incluso las lentejuelas te dan un toque especial, ¿entiendes?

Él se sentía cremoso, arrobado y drogado.

Ella ajustó levemente la posición y Edgar, aun retrocediendo ante el contacto de sus dedos, experimentó un escalofrío de emoción. La mujer era insidiosa y corrupta, y aquello era como oír a tu abuela diciéndote porquerías al oído.

—Para mí eres un macho motero, ¿sabes?, de esos que llegan a la población dispuestos a erigirse en líderes de todos los sádicos y necrófilos.

Clyde observó con educada alarma cómo una cucaracha asomaba por el bolsillo de Tanya y comenzaba a descender lentamente por su costado. Tenía el tamaño de un negro de Harlem, con unas antenas capaces de sintonizar la BBC.

—Te queda de maravilla, tesoro. Tienes unos pómulos salvajes para un hombre de tu envergadura. Me encantaría hacerte una de rostro completo, ¿sabes? Con luces y sombras.

Clyde la asió suavemente del brazo, ocultando el costado de la cucaracha del campo de visión de Edgar.

—De hecho, ¿quieres que te diga una cosa? El baile de esta noche será un escenario perfecto para ti. Para mí eres muy claro, muy blanco y negro. Por lo que estarás totalmente en situación, ¿no te parece?

Tan pronto como se hubo marchado, ambos hombres se concentraron en los preparativos prácticos. Clyde reservó la mesa para la cena y sacó la ropa de gala. Edgar depositó la máscara sobre un tapete y tomó un baño.

Cuando terminó, se puso su algodonoso albornoz y se detuvo junto a una ventana para apurar el resto de su copa. Podía oír un sonido por encima del estrépito del tráfico, algo estridente que se elevaba en la noche. Nueva York aparecía menos jovial que otras épocas en las que los bares y los night-clubs eran dominio de hermosas y vivas mujeres y de hombres canallescos con sentido del humor.

—Junior, ese ruido. ¿Puedes oírlo?

Clyde entró en la estancia en mangas de camisa, con un cepillo para zapatos en la mano.

—Sí, apenas.

—¿Es posible?

—Sí, podrían ser los manifestantes del Plaza.

—El viento.

—Sí, el viento nos trae el sonido.

Oían las ráfagas rítmicas y duras de las voces entonando sus airados eslóganes, una y otra vez, más alto, desvaneciéndose con los cambios de viento, luego audibles de nuevo.

—¿Sabes lo que quieren, no? —dijo Edgar.

A lo largo de todo un atribulado siglo de guerras mundiales y masiva violencia por otros medios, había habido siempre una voz soterrada que se manifestaba junto con el sonido de los cañones y el ra-ta-ta-tá y que a veces crecía lo suficiente como para mezclarse con el fragor de la batalla. Era la pelea entre el Estado y los grupos secretos de insurgentes de mirada enloquecida nacidos en él —anarquistas, terroristas, magnicidas y revolucionarios— que se esforzaban por desencadenar un cambio apocalíptico. Y a veces, por supuesto, lo lograban. La apasionada tarea del Estado consistía en refrenarlos, estrechando el puño y preservando su derecho a controlar la mayor fuerza destructiva disponible. Con las armas nucleares, dicho poder se identificaba totalmente con el Estado. El hongo nuclear representaba la divinidad de la Destrucción y la Ruina. El Estado controlaba los medios del Apocalipsis. Pero Edgar, junto a la ventana, oía las viejas llamadas de alerta. Soñaba que acaso había llegado una vez más el día en el que las ideas se tornarían insurgentes y renacerían las bandas rebeldes, hombres y mujeres de cabellos largos, desaliñados y follando a diestro y siniestro, avanzando hacia la resistencia armada y organizada, intentando quebrantar al Estado e instaurar el fin del orden existente.

—Anhelan el poder necesario para estremecer al mundo. El viejo sueño bolchevique vuelve a soñarse una vez más y es respaldado por los comunistas. Y sabes por qué empieza, ¿verdad?

—En su mayor parte son chavales que se dedican a tumbarse

en mitad de la calle y a blandir flores frente a la policía —dijo Clyde—. Vietnam es la guerra, la realidad. Esto es la película, con sus guiones escritos y sus representaciones dramáticas. Los jóvenes americanos no quieren lo que podemos ofrecerles. Quieren películas, música.

Que Junior siguiera imaginándose sus ingeniosas elucubraciones. No comprendía que una vez que tienes condescendencia con el enemigo ya has iniciado el proceso de tu propia derrota.

—Comienza en lo más profundo de la persona —dijo Edgar—. Una vez que has cedido al caos de las pulsiones sexuales sientes la necesidad de ver cómo se desbarata todo. Confundes tu propio desconcierto con un concepto político, mientras que la verdad.

No concluyó la reflexión. Algunos pensamientos tenían que quedar sin verbalizarse, incluso sin completarse en la mente de uno. Tal era la esencia misma de su relación con Clyde: no manifestar el tema. No sentir los sentimientos, no obedecer a los impulsos momentáneos. Qué extraño y absurdo le resultaría todo aquello a los jóvenes que correteaban por la calle o vivían compartiendo habitaciones de seis en seis, o camas de tres en tres, y a muchas otras personas, si a eso vamos: qué triste y qué peculiar.

Clyde regresó a sus obligaciones, dejando al jefe junto a la ventana.

Edgar sentía que había cierta nobleza en un compañerismo constante que no sucumbía a las exigencias más viles. Presumía que Clyde opinaría lo mismo. Pero también era verdad que Clyde era el segundón, ¿verdad?, y acaso se limitaba a seguir los pasos de Edgar allí donde condujeran o no condujeran.

Seguía oyendo los cánticos intermitentes en el viento. Clyde se había metido en la ducha. Edgar se volvió para comprobar dónde había dejado la máscara y se vio a sí mismo inesperadamente reflejado en el espejo de cuerpo entero, al otro lado de la habitación, ataviado con su albornoz blanco y sus mullidas zapatillas. La imagen le sobresaltó.

Era él, claro está, pero en la figura de un bebé macrocefálico, asexuado y lo bastante recién nacido como para ser, en esencia, algo sobrenatural.

El aborto mimado de mamá Hoover.

Atravesó la estancia y cogió la máscara. Se fijó en que las estilizadas asas eran simples prolongaciones de cuero diseñadas para adornar las sienes.

Oyó a Clyde saliendo de la ducha.

Cuando eran más jóvenes y se iban de vacaciones juntos o hacían algún viaje de negocios, cuando compartían una suite u ocupaban habitaciones contiguas y dejaban abierta la puerta común para seguir charlando desde sus respectivas camas hasta altas horas de la noche, Edgar lograba a veces orientar los espejos de tal manera que pudiera obtener —reubicando el antiguo espejo de pie de un viejo establecimiento, por ejemplo, y trasladándolo sencillamente a otra habitación, o abriendo el armarito del baño y colocándolo en cierta posición mientras se afeitaba para que el espejo absorbiera la luz de la estancia contigua, o dejando un espejo de mano apoyado sobre una mesa— un atisbo, un vistazo, una fugaz visión de Junior mientras éste se vestía o se desnudaba o tomaba un baño, pero disponiéndolo todo de tal modo que el incidente pareciera casual por si el sujeto advertía que estaba siendo espiado, y algo casual no sólo desde su punto de vista sino también desde el punto de vista de la mente de Edgar, de modo que el reflejo de Junior fuera algo que hubiera podido simplemente atravesar su campo de visión en el transcurso normal de las cosas, durante un viaje oficial urgente, el cuerpo esbelto y viril de su compañero, o siguiendo los caballos al Oeste, a Del Mar, cuando ambos eran bastante más jóvenes.

Para entonces, Junior se estaba quedando calvo y tenía la nariz bulbosa, y caminaba algo encorvado. Pero también era verdad que Junior siempre había caminado algo encorvado para no parecer más alto que el jefe.

Edgar estaba en el dormitorio, con la puerta cerrada. Se situó frente al espejo, un hombre de setenta y un años ataviado únicamente con su máscara de motorista de lentejuelas y sus pantuflas forradas de lana, escuchando las voces de la calle.

9 DE ENERO DE 1967

Cuando concluyó su jornada de trabajo, Janet Urbaniak se calzó sus zapatillas de deporte. Había cuatro manzanas de edificios abandonados entre el complejo hospitalario en el que asistía a sus cursos y realizaba su adiestramiento profesional y la gran urbanización en la que vivía. Calles lúgubres y cubiertas de hierbajos, nieve amontonada que iba tornándose gris a causa de los humos de escape de los autobuses, nieve horadada y dorada con la orina de los perros, y solía haber también unas cuantas figuras acechantes vestidas con uniformes verdes, los últimos miembros perdidos de un batallón derrotado.

De modo que al concluir el día Janet se quitó los ligeros mocasines de uso diario y sacó las deportivas del armario, un par de sólidas zapatillas de tenis con suelas diseñadas para absorber los impactos y un tacto flexible y reconfortante. A continuación se situó frente a la puerta del hospital en compañía de otra estudiante de enfermería y ambas aguardaron a que los semáforos se pusieran verdes a lo largo de la semidesierta extensión que ocupaban las cuatro manzanas, uno de esos bulevares desalmados que encuentras en ciertas zonas de la ciudad en las que la arquitectura es desconfiada y rígida, y en las que uno siempre se siente como si hubiera un toque de queda.

Janet aguardó en el profundo e inquietante crepúsculo. Por fin, las luces se pusieron verdes, su compañera dijo, «Vamos, vamos, vamos, vamos» y Janet se lanzó a correr, confiando en no tener que detenerse, con las luces a su favor, alcanzando su máxima velocidad en cuestión de segundos y esforzándose por evitar las placas de hielo, mientras su compañera la contemplaba desde la distancia.

Algunas tardes, la mayor parte de las tardes, de lo que se trata es de evitar a los hombres. Para eso es para lo que corres, al fin y al cabo. Te ven venir con tus elásticas zapatillas azules y blancas y siempre tienen cosas que decir o gestos que hacer o simplemente miradas que lanzar, o a veces nada en absoluto, eres un fantasma, una sombra: un grupo de hombres congregados junto a una valla metálica o un aparcamiento y nunca estás segura de si es mejor desviarse formando un arco defensivo o seguir corriendo en línea recta porque la primera táctica puede ofenderles y la segunda podría despertar en ellos la tentación de tomarse alguna libertad o incluso podría resultarles agresiva por su indiferencia, y otras tardes es la nieve.

Es de la nieve o la lluvia o la basura o los perros callejeros de lo que hay que tener cuidado.

Pero los perros no son el motivo por el que corres.

Los perros te obligan a rebajar la marcha, a continuar tu camino andando. Son los hombres ociosos los que te hacen correr y los hombres que se encuentran ocultos en portales o en automóviles abandonados: tienen que pensar que corres por el placer de correr, tú y todas las demás, esa corriente vespertina de alumnas que recorren las cuatro manzanas de distancia.

Sólo somos corredoras, quiere una que piensen, nos están cronometrando.

Para entonces, Janet avanzaba a toda velocidad, respirando profundamente, concentrándose en la nieve y en los semáforos en verde, ojo avizor en busca de hombres que pudieran estar apoyados en una pared o saliendo de un coche: a lo largo de una carrera te encontrabas a menudo con un par de coches abandonados que en invierno hacían las veces de club social.

Cuatro manzanas bajo un cielo nórdico de nubes rasgadas. Cuando alcanzó la entrada de su edificio ya llevaba las llaves en la mano y entró y cogió el ascensor para subir, aún corriendo en cierto modo, con las llaves del apartamento en la mano, y quince segundos después de entrar en el salón y encerrarse con dos vueltas de pestillo, sonó el teléfono. Sólo entonces dejó de galopar su corazón.

Se trataba de una llamada rutinaria, otra estudiante del hospital que quería comprobar si había llegado bien. Le daban once minutos de puerta a puerta, incluido el ascensor y las llaves. El mismo complejo albergaba a cierto número de enfermeras estudiantes, y la rutina estaba diseñada para permitir que pudieran cambiar de papel sistemáticamente. Janet echaba la carrera, hacía la llamada y controlaba la situación de la corredora según el programa.

Lo calculaban todo y lo ponían en un cartel. A continuación, se ponían las deportivas y aguardaban la luz verde.

29 DE NOVIEMBRE DE 1966

El segundo hombre decidió presentarse tarde. Era de esa clase de decisiones en firme que a Clyde Tolson le gustaba tomar en circunstancias difíciles.

Con ello ponía a prueba su carácter. Y cuando eres un hombre al que se le describe alternativamente como dedicado, sumiso, obsequioso, servil y lameculos corrupto, en orden descendente de distinción, necesitas hacer un despliegue de carácter de vez en cuando.

Pero en primer lugar Clyde tenía que convencer al jefe de que perderse una hora o dos de fiesta no era algo que fuera a perseguirle durante los últimos años de su mandato.

Un destacamento de seguridad del FBI situado en el Plaza había informado de que la protesta estaba subiendo de tono, y de que los invitados, a medida que entraban, tenían que aguantar insultos en pareado, signos y gestos obscenos y escupitajos a corta distancia, así como esquivar de vez en cuando algún objeto volador.

Clyde no le veía la lógica a permitir que el director se metiera en semejante situación, y Edgar aceptó por fin ante el argumento de que la dignidad del FBI podría verse comprometida.

Así pues, ya era medianoche cuando ambos hombres recorrieron las desiertas calles del centro en su Cadillac negro a prueba de balas. Habían cenado sin prisa, bromeando con la encargada de los vinos y luego disfrutando de un brandy en el bar con viejos conocidos porque siempre había viejos conocidos en cualquier lugar al que acudiera J. Edgar Hoover, algunos de ellos fieles partidarios; otros, nombres incluidos en los archivos; unos pocos, enemigos de por vida aunque aún no lo supieran, y Edgar y Clyde estaban de buen humor a pesar de los informes que llegaban del lugar, ambos sentados en el mullido asiento trasero, vestidos de etiqueta por supuesto y con las máscaras puestas, como un encantador e insolente perseguidor del crimen sacado de los tebeos del domingo, un burócrata diurno que por las noches se convirtiera en el intrépido Hombre Enmascarado, recorriendo las calles de etiqueta con su hombre de confianza.

El conductor activó el intercomunicador para informarles de que les seguía un coche.

Clyde se volvió para mirar mientras el director se hundía en el asiento para situar la cabeza por debajo del nivel de la ventanilla.

—Es un pequeño Volkswagen escarabajo —dijo Clyde—. Pintado de arriba abajo en colores chillones. Psicodélico. Grandes bucles y franjas. No puedo ver el rostro del conductor.

El Cadillac se deslizó lentamente junto al Plaza. Los proyectores habían desaparecido, los medios de comunicación se habían marchado, no quedaba rastro de la multitud de curiosos que habían acudido convocados por las noticias del evento. Quedaban aún unos cuantos manifestantes apáticos, jóvenes ataviados con mugrientas prendas de hippy, y también policías, aún más ociosos, mostrando la eterna pesadez de una copiosa comida engullida rápidamente que luego permanece toda la tarde en el estómago, haciendo horas extra.

El enorme automóvil oscuro dio la vuelta a la manzana, equipado con un atomizador Arpège que difundía aromas de ambientador, y Clyde comprobó el resto de los accesos.

Los escalones del ala norte aparecían vacíos, y dio un golpecito en el cristal ante el cual el chófer se aproximó a la acera para que los dos hombres salieran y de repente apareció el VW, bloqueando el paso, y salieron unas cuantas personas de su interior, tres, cuatro, qué sé yo, seis personas, se trata de un vehículo de circo descargando payasos, unas siete personas que se amontonan sobre la acera y ascienden los escalones para flanquear la puerta.

Llevaban todos máscaras, rostros de niños asiáticos, algunas salpicadas de sangre, otras con los párpados cosidos, y comenzaron a gritar mientras Hoover y Tolson ascendían por la escalinata.

El primer hombre era torpe y lento y el segundo le asió del brazo para ayudarle y se dirigieron pesadamente hacia la entrada.

Oyeron: «¡Los desechos de la sociedad!»

Oyeron: «¡Un bebé asiático muerto por cada mocasín de Gucci!»

Clyde no estaba seguro de si los manifestantes sabían quiénes eran. ¿Era la máscara de Edgar suficiente disfraz para sus viejas y torcidas facciones mediáticas?

Oyeron eslóganes, insultos y términos técnicos.

Y siguieron subiendo, escalón por escalón, la mirada al frente, abriéndose paso con los brazos libres, mientras los manifestantes protestaban y silbaban.

—¡Vietnam! ¡Ámalo o déjalo!

—¡Asesinos blancos con pajarita negra!

Frente a la entrada había una joven embozada tras una máscara que representaba el rostro destrozado de un niño, y le dijo a

624

Edgar con cierta suavidad, cerrándole el paso y con voz serena, susurrando en realidad: «Nunca desapareceremos, viejo, hasta que estés enterrado junto con todas tus basuras.»

Clyde dijo: «Abran paso», como si fuera un camarero con una bandeja pesada, y un par de minutos más tarde, tras pasar por el servicio de caballeros para recobrar el aliento, el director y su ayudante se sintieron con ánimo suficiente para incorporarse a la fiesta.

Pero primero, Edgar dijo: «¿Quiénes eran esas tortilleras?»

—Se me ocurren una o dos posibilidades. Encargaré a alguien que lo averigüe.

—¿Oíste lo que dijo? Creo que están relacionadas con las guerrillas de las basuras.

—Enderézate la careta —dijo Clyde.

—Me gustaría mutilarlas del modo más lento posible. Durante semanas o meses, con una grabadora al lado.

Recorrieron el pasillo hasta la gran sala de baile. Habían andado quinientos pasillos de camino a otros tantos acontecimientos ceremoniales, cenas testimoniales y algún que otro homenaje ritual a las décadas de Edgar al frente del FBI, pero nunca habían oído un sonido como aquél.

Un rugido amortiguado, una especie de retumbar sordo que se mezclaba con un tintineo de araña de cristal y los acordes soñolientos de música de baile y una nota vocal de deleite: el atractivo, la seducción de una vida definida por su lejanía del cotidiano lastre de las penurias del mundo.

—Grabaciones de alaridos y gemidos —dijo Edgar— que me pondría para dormir mejor.

Se desplazaron a través de la sala, circularon, viendo prominentes personajes por doquier. La habitación era blanca y oro pálido, de techos altos, flanqueada por columnas griegas que reflejaban la luz ambarina de un millar de velas.

Mujeres con cuellos de cisne ataviadas con vestidos de satén estampado. Máscaras de Halston, Adolfo y Saint Laurent. La madre y la hermana de un presidente norteamericano y la hija de otro. Pequeños hombrecillos resecos podridos de activos. Aristócratas de la *jet-set*, un *maharajá* con su esposa, una baronesa de no sé qué con una máscara de cuentas. Célebres y escandalosos poetas alcohólicos. Resueltas mujeres, brillantes y elegantes, que dirigían revistas de moda y diseñaban moda. Peinados de Kenneth: mechas, rizos, crespones y bucles.

—¿Has visto?

—La anciana viuda —dijo Edgar.

—Con una máscara del todo a cien.

—Decorada con perlas.

Estrechaban manos aquí y allá, delicadamente, y obsequiaban con algún que otro cumplido a esta o aquella persona, y Clyde supo cómo se sentía el director, mezclándose con gente de los estratos sociales más extraños, los ungidos y los predestinados, dominados por sus auras como si fueran reyes incas, pero también los talentosos y originales y hechos a sí mismos, guapos y egocéntricos y despiadados de nacimiento, todos arrastrando cierto vestigio de radiación astral, y también los crueles y los obtusos.

Sí, Edgar sudaba de emoción.

Se detuvo a charlar con Frank Sinatra y su joven esposa, la actriz, vestida de ninfa, con un corte de pelo a lo chico y una máscara de mariposa.

—Jedgar, viejo lobo. No te veo desde.

—Sí, lo sé.

—*Tempus fugit*, ¿verdad, amigo mío?

—Así es —dijo Edgar—. Preséntame a tu encantadora.

Para entonces, Sinatra estaba en los archivos. Muchas personas de aquella estancia también lo estaban. Y ni una sola de ellas, imaginó Clyde, más competente en su área profesional que el propio Edgar en la suya. Pero Edgar no compartía su brillo. Edgar trabajaba en la penumbra, manipulando y esparciendo la ruina a su alrededor. Adornado por la lánguida y miserable gloria del funcionario. Nada de la actitud abierta y ufana de algunos de esos prepotentes cósmicos.

En el escenario, bajo el telón alzado, dos bandas se turnaban. Una orquesta blanca de música ligera y un grupo negro de *soul*. Todos los músicos iban enmascarados.

A la gente le encantaba la máscara de cuero de Edgar. Se lo decían. Una mujer con plumas de avestruz deslizó la lengua sobre las asas. Otra mujer le llamó Motero mío. Un dramaturgo gay puso los ojos en blanco.

Encontraron su mesa y se sentaron un instante, dando pequeños sorbos a sus copas de champán y mordisqueando aperitivos del bufé. Clyde mascullaba el nombre de las personas que pasaban bailando junto a ellos, y Edgar añadía comentarios sobre sus vidas, sus carreras y sus gustos personales. En aquellos casos en los que olvidaba algún rasgo anecdótico, Clyde se apresuraba a añadirlo.

Andy Warhol pasó junto a ellos provisto de una máscara que era una fotografía de su propio rostro.

Una mujer invitó a Edgar a bailar, pero él enrojeció y encendió un cigarrillo.

Lord y Lady Algo llevaban sus respectivas máscaras sujetas con varitas.

Una mujer llevaba un griñón de monja de lo más sexy.

Un hombre portaba una capucha de verdugo.

Edgar hablaba rápidamente, con su vieja voz entrecortada, como un reportero de radio recitando una serie de noticias de impacto. A Clyde le complacía ver al jefe tan animado. Divisaron a unas cuantas personas a las que conocían por motivos profesionales, rostros de la Administración, presentes y pasados, hombres situados en puestos delicados y críticos, y Clyde reparó en que el salón de baile parecía pulsar de intereses y apetitos entrelazados. Historiadores calvos socializando con la gente guapa de la sociedad y la moda. Había diplomáticos bailando con estrellas de cine, y premios Nobel contando anécdotas personales a magnates navieros, y el semimundo de Broadway y la industria del cotilleo alternaban con corresponsales extranjeros.

Reinaba la sensación inconfundible de que estaba a punto de producirse un gran momento. Una perspectiva sobrecogedora, pensó Clyde, porque suponía una continuación de la época Kennedy. En la que las categorías mejor cimentadas habían comenzado a parecer irrelevantes. En la que cierto movimiento fluido se había hecho posible. En la que el sexo, las drogas y las palabrotas habían comenzado a desestratificar la cultura.

—Creo que deberías salir a bailar —dijo Edgar.

Clyde le miró.

—Estamos en una fiesta. ¿Por qué no? Busca una dama adecuada y dale unas vueltas por la pista.

—Juraría que el tipo habla en serio.

—Luego puedes regresar y contarme de qué habéis hablado.

—¿Acaso crees que recuérdo un solo paso de baile?

—Solías ser bastante buen danzarín, Junior. Vamos. Demuéstralo. Es una fiesta.

En la pista, los invitados bailaban el *twist*, la articulada pantomima de los muertos que regresan a la vida para pasar un día. Al cabo de poco tiempo reapareció la orquesta blanca y la música derivó hacia *fox-trots* y valses. Clyde observaba la masa de bailarines que iban barajándose cuidadosamente, sin apenas tocarse, respetuosos de sus respectivos peinados y joyas y vestidos y máscaras y siempre alertas en busca de otros personajes tan fabulosos como ellos: las cabezas girando, los ojos brillantes en aquel inmenso remolino blanco y negro.

—Vamos, enseña tus auténticos colores —dijo Edgar con una sonrisa malévola.

Conque sí. Achispado y amargo. Muy bien, pensó Clyde. Si aquella noche se levantaban las viejas restricciones, ¿por qué no machacar un poco la pista?

Se aproximó a una mujer que no sólo iba enmascarada sino completamente disfrazada con ropas medievales, se diría, con un paño arrollado sobre la cabeza y una larga túnica lisa ceñida por la cintura y un apretado corpiño sosteniéndole los pechos.

La mujer le sonrió, y Clyde dijo: «¿Bailamos?»

Era alta y rubia. No llevaba maquillaje y hablaba desapasionadamente de la velada y de sus trampas. Una joven juiciosa de esas que podrían despertar la admiración de Edgar y, por tanto, también de Clyde.

Llevaba una máscara de cuervo.

Para entonces, la máscara de Clyde, un sencillo dominó, había ido a parar a su bolsillo.

—¿Nos llamamos por nuestro nombre? —dijo Clyde—. ¿O nos regimos por las estrictas reglas del anonimato?

—¿Existen reglas en vigor? No lo sabía.

—Estableceremos las nuestras —dijo él, sorprendido por aquella broma levemente *sexy* que estaba generando.

Siguió guiándola, entrando y saliendo entre parejas de cuerpos que flotaban fantasmagóricamente al son de una vieja balada de su juventud.

Clyde solía tener amigas. Pero cuando el jefe comenzó a cortejar a otras posibles protegidas, jóvenes y robustas agentes que cumplirían más una función social que administrativa, Clyde supo que había llegado el momento de someterse a la necesidad de Edgar de contar con un amigo inquebrantable y de toda confianza, un compañero en cuerpo y alma de férreas rutinas. La elección respondió a la profunda necesidad que sentía el propio Clyde de protección, de contar con un lugar en el costado más seguro del muro fortificado.

El poder hacía que le sentaran mejor los trajes.

Vio cómo Edgar se dejaba fotografiar en grupo en un extremo del salón. Clyde reconoció a la mayor parte de sus acompañantes y advirtió la avidez con que Edgar buscaba su compañía.

El poder de Edgar siempre había sido de doble filo. Contaba con el poder de su cargo, por supuesto. Y también con el que le proporcionaba su propia autorrepresión. Sus austeras medidas como director resultaban curiosamente legitimadas por su vida personal y por el rigor de su obstinado celibato. Clyde creía firmemente que Edgar se había ganado su poder monocrático a lo largo de sus días y noches de autonegación, a través del rechazo de impulsos inaceptables. El tipo era consistente. Todos los secretos oficiales del FBI habían nacido en carne y hueso del alma de Edgar.

Eso era lo que le convertía en un gran hombre.

Conflicto. La naturaleza de su deseo y sus infatigables intentos por desenmascarar a los homosexuales del Gobierno. El secreto de su deseo y el rechazo a caer en la tentación. Grandioso en sus propias convicciones. Grandioso en la severidad de sus juicios y en sus antecedentes tradicionales y en su orgullo de viejo americano, y grandioso en sus sutiles temores y sus tenebrosas vergüenzas y grandioso y triste y miserable en su rechazo al contacto físico y en otros mil suplicios demasiado profundos para ser nombrados.

Clyde hubiera hecho cualquier cosa que el jefe necesitara.

Arrodillarse.

Inclinarse.

Abrirse.

Extender la mano hacia atrás.

Pero el jefe tan sólo quería su compañía y su lealtad, hasta el último hálito de su aliento moribundo.

Clyde vio a otro hombre, y a otro más, con máscaras de verdugo. Y una silueta envuelta en un lienzo blanco.

—Y ese tipo que hay allí. Al que le están sacando una foto —dijo la joven—. Ésa es la persona con quien estabas sentado.

—El señor Hoover.

—El señor Hoover, sí.

—Y, junto a él, déjame ver. La esposa de un célebre poeta. El marido de una célebre actriz. Dos compositores sin relaciones conocidas. Un billonario con papada —Clyde era consciente de estar luciéndose—. Y un corredor de Bolsa con yate, a ver que piense, llamado Jason Vanover. Y su esposa, una pintora mediocre que se llama como se llame. Sax o Wax o algo por el estilo.

—Y usted es el señor Tolson —dijo la mujer.

Mira qué lista, pensó Clyde, que rara vez era reconocido en público. Se sintió levemente halagado, pero también algo desasosegado.

Estaban bailando con las mejillas juntas.

Vio a otra mujer con un vestido medieval modificado, algo más embozado y encapuchado, que le recordó... no, no el cuadro del siglo XVI al que tan morbosamente aficionado parecía Edgar, el Bruegel, con su panorámica paisajística de la muerte. (Edgar tenía postales, páginas de revistas, reproducciones enmarcadas y detalles ampliados, todo almacenado y colgado en su refugio del sótano. Y había instruido a Clyde para que hablara con autoridades de Madrid acerca del inapreciable original y del posible modo de obtenerlo como un presente para el pueblo norteamericano donado por el pueblo español a modo de agradecimiento por el escudo protector que le proporcionaban las Fuerzas Armadas de los Estados Unidos. Pero cuando un B-52 y un avión nodriza colisionaron durante un reaprovisionamiento rutinario a comienzos de aquel mismo año y cuatro bombas de hidrógeno se estrellaron contra las costas españolas descargando material radiactivo, Clyde se vio obligado a interrumpir todas las conversaciones.) No, Bruegel no. Aquella mujer de monjil atavío le traía a la mente nada más y nada menos que el contoneante humorista de moda: Lenny Bruce. Y no, Lenny Bruce no se encontraba entre los invitados del baile Blanco y Negro. Lenny Bruce estaba muerto. Había muerto varios meses atrás, en su domicilio de Los Ángeles, de intoxicación aguda por morfina, desnudo en el suelo de su cuarto de baño, las extremidades rígidas, la nariz destilando mucosidades, los ojos vidriosos y aún abiertos, la jeringa aún clavada en el brazo.

Una fotografía policial de 20 × 25 de su cuerpo hinchado —fotografía que bien podría haberse titulado *El triunfo de la muerte*— figuraba en los archivos personales del director. ¿Por qué? El horror, el estremecimiento, la infernal sensación de castigo religioso propio de la Edad Media. Y apenas unas horas después de que fuera descubierto el cadáver, comenzó a circular un rumor por los canales más habituales. No te lo pierdas. Lenny había muerto asesinado por oscuras fuerzas del Gobierno.

Lynda Bird Johnson pasó bailando junto a ellos en compañía de un agente del Servicio Secreto.

Los rumores no habían sorprendido a Clyde. No le era difícil detectar el aliento paranoide de la época. Y, de repente, se preguntó acerca de la mujer que sostenía entre sus brazos. ¿Había sido realmente él quien la había abordado sobre la pista de baile o había sido ella quien le había salido sutilmente al paso?

Un hombre con una máscara de esqueleto y una mujer con una capucha de monje. Allí, inmóviles, junto al estrado de los músicos.

—Sabe usted mi nombre —dijo Clyde—, pero me temo que yo ignoro el suyo.

—Lo que no sucede con demasiada frecuencia, ¿verdad? Sin embargo, había creído comprender que nuestras reglas tienden a favorecer la clandestinidad.

Bailaban al son de músicas de espectáculos de los cuarenta. La mujer estrechó su cuerpo un poco más contra él y pareció respirar rítmicamente en su oído.

—¿Había visto alguna vez tanta gente —dijo— reunida en un mismo lugar con el propósito de hacerse rica, poderosa y repugnante en compañía? Podemos mirar a nuestro alrededor —susurró— y ver a esos ejecutivos comerciales, a esos fotógrafos de moda, a esos funcionarios gubernamentales, industriales, escritores, banqueros, académicos, aristócratas exiliados con cara de cerdo, y conocer el alma de cada uno a partir del cuerpo arrugado por la amargura del siguiente, hasta conocer a todos a través del alma de uno solo. Porque todos son parte de la misma puta cosa —murmuró—. ¿No cree?

Vaya, poco le faltó para conseguir dejarle sin aliento, fuera quien fuera.

—La misma cosa. ¿Qué cosa? —dijo.

—El estado, la nación, la compañía, la estructura de poder, el sistema, la organización.

Tan joven, tan flexible, tan trivial. Percibió las tensiones eléctricas de sus muslos y de sus pechos atravesando su traje.

—Si me besas —le dijo— te introduciré la lengua por la garganta hasta el punto.

—Sí.

—De que te atravesará el corazón.

En ese instante, todo pareció suceder al mismo tiempo. Figuras ataviadas con rostros de cuervo y máscaras de calavera. Figuras envueltas en túnicas blancas. Monjes, monjas, verdugos. Y comprendió, por supuesto, que la mujer que bailaba entre sus brazos era una de ellos.

Se alinearon en una formación letal en mitad de la pista, interrumpiendo la música y relegando a los invitados a los bordes. Se hicieron con la sala, una compañía de figuras silenciosas, una plaga, una inundación de gérmenes, y Clyde miró a su alrededor en busca de Edgar.

La mujer se esfumó. A continuación, las figuras avanzaron por la pista, embozadas, enmascaradas, envueltas, disfrazadas. ¿Cómo habían logrado congregarse tan hábilmente? ¿Cómo habían logrado penetrar en el salón de baile, para empezar?

Buscó con la mirada al viejo Edgar.

Un verdugo y una monja realizaron un paso a dos, una sencilla ronda de pasos circulares, y los otros fueron uniéndose gradualmente a ellos, los hombres esqueleto y las mujeres cuervo, y al final lo que hicieron fue una grácil y pacífica pavana, cortés y mortífera y lenta, de gestos tan deliberados que parecían representados además de danzados, y Clyde vio a su joven compañera desplazarse sedosamente entre ellos.

Te introduciré la lengua por la garganta hasta el punto.

Los invitados contemplaban en trance, quinientos cuarenta hombres y mujeres según la cuenta exacta, y los músicos y los camareros y el resto del personal, y los hombres encargados de velar por las joyas de las mujeres, todos ellos parte de la audiencia de una distracción ajena a ellos mismos, respetuosos, mudos y semi-conmocionados.

De que te atravesará el corazón.

Cuando concluyeron, la compañía formó una fila y sus componentes se despojaron de sus tocados y sus máscaras. Acto seguido, abrieron la boca sin decir nada y contemplaron a los invitados con mirada vacua. Un instante prolongado, un largo silencio estupefacto entre las columnas del salón.

Partieron en fila india.

Un par de minutos después, Clyde localizó al jefe y se dirigieron juntos al servicio de caballeros para tranquilizarse.

—¿Disfrutaste del baile, Junior?

—Creo que sé quiénes son.

—¿No fue eso lo que dijiste la última vez que estuvimos aquí?

—Un grupo poco visto y aún menos conocido. Casi siempre se manifiestan en los campus. Nadie, y eso sí que es raro.

—¿Qué? —ladró el jefe.

—Nadie de Seguridad Interna ha averiguado el nombre del grupo. Se sabe que han escenificado protestas a base de representar todos los papeles, incluido el de la policía. Vuélvete.

—Encuentra los vínculos. Todo está vinculado. Los manifestantes contra la guerra, los ladrones de basuras, las bandas de rock, la promiscuidad, las drogas, los pelos.

—Tienes un poco de caspa en la chaqueta —dijo Clyde.

Entraban y salían hombres, transportando un murmullo resentido y uniforme dentro y fuera de la estancia alicatada. Se bajaban la cremallera y orinaban. Orinaban sobre montoncitos de hielo picado guarnecido de rodajas de limón. Se desabrochaban y abrochaban. Orinaban, se sacudían y se abrochaban.

Edgar permanecía frente a los espejos, aún enmascarado, y su figura impulsó a Clyde a pensar en el jardín secreto que había tras la casa del director, un sector vallado y fuera de la vista de los vecinos que nunca se mostraba a los invitados, en el que se alzaban estatuas de jóvenes desnudos en mitad de las fuentes o entre las hojas de copiosos emparrados. Más inspiradoras que excitantes, en opinión de Clyde. Representaban la imagen masculina como doble idealizado de Edgar. Un papel que en vida representaba el propio Clyde. Al menos, así solía ser en los días en que Edgar orientaba subrepticiamente los espejos para poder tenderse en la cama y, desde ella, contemplar a Junior haciendo sus flexiones en la habitación contigua.

Aquello había sido en 1939 en Miami Beach. Ahora era 1966 y estaban en Nueva York, viviendo entre la confusión y el escándalo.

Había permitido que aquella muchacha le sedujera y le tenta-
ra, y le había gustado, y se había sentido decepcionado de verla
esfumarse antes del beso, y le había tomado el pelo del modo más
antiguo que existe: aquella zorra deslumbrante, extremista, calculadora y despiadada.

Cuando regresaron al salón, la mitad de los invitados ya se
habían ido. El resto calculaba el tiempo que faltaba para su marcha de modo que su partida no pareciera influida por el espectáculo, la manifestación, lo que fuera: aquella burla de su elegante
y preciosa velada.

La banda de música de baile seguía tocando piezas danzables,
pero ya a nadie le apetecía bailar. Edgar y Clyde se sentaron a tomar una copa junto a un hombre color masilla en gafas ahumadas
y a su sobredisfrazada esposa: alas de satén, plumas de gallo y diamantes incrustados.

Posiblemente mafiosos, presumió Clyde.

Edgar se negaba a hablar con nadie. Sentado, bebía y odiaba.
En su mirada fulguraba el brillo de las Últimas Resoluciones. Clyde
conocía la mirada. Significaba que el director estaba meditando
sobre su féretro. Le proporcionaba una sombría satisfacción cavi-
lar sobre los detalles de su sepultura. Un féretro forrado de plomo
de al menos quinientos kilos. Para proteger su cuerpo de gusanos,
gérmenes, topos, ratones y vándalos. Estaban planeando robar su
basura, de modo que, ¿por qué no su cuerpo? Forrado de plomo,
sí, para mantenerle a salvo de una guerra nuclear, de la Destrucción y la Descomposición de la lluvia radiactiva.

Y cuando muriera, independientemente de en qué circunstancias, de pronto, todos aquellos elementos que despreciaban su
poder absoluto, invertirían su desconfianza y comenzarían a circular rumores de que el propio director había sido víctima de un
asesinato retorcido, ejecutado por autores desconocidos y pertenecientes al vasto y escalonado entramado del Estado.

Así lograría por fin el jefe atraer alguna simpatía, un viejo al
que sacrifican mediante un complejo plan, tan eficaz y fraudulen-
to como para que todo el mundo lo admirara aunque sólo lo cre-
yeran a medias. Y el propio Clyde estaba ya preparado para creerlo a medias.

Edgar muerto, Dios no lo quiera, al menos en los próximos
diez, quince, veinte años.

Quizá para entonces hubiera concluido la década de los sesenta.

La mujer de la máscara llamativa dijo: «¿Creéis que estarán esperando fuera, esos sinvergüenzas, para darme otro disgusto?»

El marido dijo: «Son casi las cuatro de la madrugada. Oye. Alguna vez tendrán que dormir.»

A las cuatro de la mañana estaban esperando fuera. Clyde y Edgar observaban desde el vestíbulo. Los últimos invitados salían lentamente, y los manifestantes coreaban cánticos e insultos, ataviados nuevamente con sus máscaras infantiles.

Una hora después, concluyó por fin. Edgar y Clyde salieron por la puerta principal y descendieron hasta el Cadillac mientras los desperdicios generados durante un día y una noche por la gran ciudad costera se deslizaban por la calle impulsados por el viento.

La limusina blindada regresó lentamente al Waldorf.

Sí, el director obtendría finalmente algo de compasión de las mismas personas que se burlaban de ellos. Con sus bromas obscenas y agresivas. Pero Edgar y Clyde no eran un par de reinonas chochas. Eran hombres investidos de una autoridad soberana. Y Edgar no estaba dispuesto a renunciar a su control mientras estuviera en este mundo.

Clyde divisó el escarabajo.

Desvió la mirada hacia Edgar, que seguía allí sentado, mudo y pensativo bajo su máscara de lentejuelas. No se había quitado la máscara desde la cena. Duro, frío, lacónico, transido por la furia interior de un dolor insoportable, conservaba puesta la máscara porque le aliviaba, aun temporalmente, del peso de su autoridad.

Y cuando Clyde reparó en el escarabajo, el pequeño y miserable Volkswagen, con sus garabatos y volutas fosforescentes, decidió no decirle nada a Edgar. El coche les seguía a una distancia de treinta metros, como una cucaracha brillante, lento e insomne e incansable.

No le dijo nada al jefe porque aquella noche se había visto dominada por la conmoción y el disgusto y quería absorber por sí solo aquellos siniestros momentos finales. Al fin y al cabo era Junior, y siempre se mostraría, voluntariosamente, necesariamente, por muy extenuado y burlado que se sintiera, como el compañero vitalicio, como el leal segundón.

5

25 DE OCTUBRE DE 1962

Era jueves. Habían experimentado por primera vez todo el grado de peligro el lunes por la tarde, cuando el presidente se dirigió a la nación por radio y televisión. El martes les dijeron que los barcos soviéticos se dirigían a Cuba cargados con misiles y cabezas nucleares destinadas a añadirse a las armas ya instaladas en la isla. El miércoles fue un día tenso. El miércoles se enteraron de que nuestro bloqueo naval había entrado en vigor y de que catorce buques soviéticos se aproximaban al perímetro de defensa.

Ahora era jueves. El jueves por la tarde, mientras los bombarderos del mando estratégico giraban sobre el Mediterráneo o recorrían las rutas árticas sobre Groenlandia o resguardaban las fronteras occidentales de Norteamérica, la población regresaba a sus casas con la radio puesta o los periódicos a escasos centímetros de los ojos.

Y a medida que la oscuridad descendía del amplio y diáfano firmamento sobre el lago, haciendo avanzar el crepúsculo, salieron los noctámbulos, deslizándose a lo largo de bares y de clubes nocturnos, mezclándose con los turistas y congresistas ansiosos de ver la movida. En las calles apartadas esquivaban taxis en movimiento y bordeaban el tránsito del vicio organizado, dirigiéndose a Rush Street, finalmente, donde estaba mister Kelly's, una célebre sala de la bulliciosa noche de Chicago.

Lenny Bruce descendió con aire abatido de su camerino de la segunda planta, atravesó con los ojos levemente enrojecidos la cocina, atravesó las puertas batientes e irrumpió en el escenario con paso furtivo.

Un camarero que portaba una bandeja le dijo: «Hoy tenemos un auténtico zoológico aquí dentro.»

A los quince minutos de comenzar su número, Lenny extrajo un preservativo del bolsillo e intentó acoplarlo sobre su rugosa lengua. A continuación trató de hablar a través de él, o desde él. Finalmente, lo hizo oscilar sujetándolo entre el índice y el pulgar, apartándolo de su cuerpo como si fuera un espécimen: es una medusa muerta que conserva el postrero reflejo de picar por última vez.

—Hay veintitrés estados en los que me arriesgo a que me detengan por agitar esto en público. Y ustedes pensarán, Por supuesto, en el cinturón bíblico del Sur. De hecho, en el cinturón bíblico no tengo problemas porque nadie sabe lo que es. Allí se envuelven el pito con plástico de cocina Saran Wrap.

Se estrechó a sí mismo las manos en señal de aleluya y retrocedió un paso incierto.

—Les juro que lo vi en la revista *Time*. Coges un rollo de Saran Wrap y arrancas lo que necesites para tu atributo en particular.

La palabra atributo despertó más risas que las referencias al Saran Wrap y a la revista *Time*.

—Como si fuera la carne que ha sobrado.

Sacudió las caderas para reírse, doblando la cintura como un musulmán en oración. Había unas cuantas personas de la audiencia, dos, tres, cuatro que parecían hundirse en sus asientos.

—Saran Wrap. Suena a interplanetario. Imagínenselo. Un pueblecito en algún lugar de Norteamérica. Un ama de casa tiende la ropa de una cuerda. Niños blancos y negros juegan pacíficamente en el patio del recreo. En los alféizares de las ventanas hay tartas de manzana puestas a enfriar. De repente, un silencio mortal. La gente detiene a medias lo que está haciendo. Un perro llamado *Skipper* se oculta bajo los escalones del porche. Y entonces, un destello cegador. Es una visita del espacio exterior. Criaturas del planeta Saran. Son muy delgados, y su piel es como una película. Dicen a los líderes de la Tierra, Tomen este nuevo material que acabamos de inventar y pruébenlo ustedes mismos porque a nosotros, francamente, nos da miedo.

Los pesados párpados de Lenny comenzaron a descender lentamente a medida que cambiaba de escena.

—Está documentado: hijos de campesinos y empleados de granja que se llevan trozos de Saran Wrap cada vez que tienen una cita. Hay equipos de sociólogos investigando la cuestión. Por no mencionar publicitarios encargados de la compañía Dow Chemical, que fabrica el producto, todos intentando colocarlo como envoltorio para alimentos *y* bolsa de desechos tan pronto como consigan desarrollar un lenguaje políticamente correcto. Grandes carteles de publicidad en la avenida Madison. Presentemos a un viejo y simpático médico rural con su bata de laboratorio. Sentado en su rústica consulta mientras arranca Saran Wrap del emparedado de pollo que le ha preparado su mujer y arrollándoselo distraídamente en torno al dedo. Frescura y protección. Incluyendo acaso alguna mención de la superpoblación. Y los publicitarios se emocionan con la idea. Lancemos uno de prueba, bla, bla, bla. Es casi subliminal, ¿comprenden?

Lenny gira sobre sus pies y señala a un comparsa fantasma entre bastidores. Aunque, de hecho, no hay bastidores. Tan sólo paredes y puertas.

Intentó enfundarse nuevamente el preservativo sobre la lengua.

—Nunca hay que subestimar el poder del lenguaje. Siempre llevo un preservativo conmigo para no inseminar a ninguna a base de charlar con ella. Imaginen a una inocente quinceañera que me pregunta cómo se va a State Street y ¡*zap!* Un nacimiento virginal.

Un pequeño revuelo en medio de la sala: podría ser alguien que se marcha o sencillamente un camarero haciendo ruido con los platos. Los camareros tienen instrucciones de trabajar en silencio durante las representaciones, pero aquella noche el público estaba formado por una hambrienta colección de glotones acostumbrados a comer con estrépito, a atracarse de solomillos, costillas asadas, colas de langosta, espaguetis e higadillos, y más o menos a batallar con la especialidad de Mister Kelly, la ensalada Reina Verde.

Dijo Lenny: «Si no me amáis incondicionalmente, moriré. Tales son los términos de nuestra relación.»

Aquella noche, Kelly's estaba lleno a rebosar, muy por encima del límite legal de ciento sesenta personas, algunos sentados, otros de pie, en filas de a diez junto a la salida de incendios. Y hacían ruido, bramando y mugiendo como reses trashumantes, hombres en viaje de negocios con gruesas venas palpitantes en las sienes, un grupo de acomodadoras del Lejano Oeste en viaje de turismo que medio esperan verse aludidas en alguno de los números de Lenny, y fíjense en esos tipos corpulentos con esos trajes enormes y zafiros en forma de estrella en sus dedos rosados, que acaban de llegar de los barrios mafiosos, con unas solapas tan anchas que les sirven de semáforos cuando sopla el viento. Y una mesa llena de promotores que mascan cigarros cubanos y que han ido al centro a pasar una noche de solteros. Y mujeres sofisticadas que escarban en los curiosos interiores de la psique de los hombres. Y una pareja de rollizos profesores de instituto en busca de unas cuantas risas, pensadores llegados del enclave humanista. Y Hugh Hefner con un grupo de modelos de *Playboy*, aspirantes a las páginas centrales y con permiso para salir de la Mansión, altas, jóvenes, rubias y tan inmaculadamente constituidas que parecen dibujadas con un aerógrafo. Y Hef con su rijosa sonrisa paternal, atenazada como una pinza de acero en torno a una pipa de brezo.

Sigue saliendo gente: claro está que esto no es nuevo en la historia de las actuaciones de Lenny Bruce. Dos mujeres y un hombre ofendidos ante el espectáculo de un hombre introduciendo la lengua en un Trojan.

Lenny los vio y se concentró en la mujer que cerraba la procesión. Robusta, digamos, y de huesos anchos.

—Fíjense en quién hace mutis. Saben quién es, ¿verdad? Se la puede reconocer por los carteles de Se Busca. Es la enfermera jefe de Josef Mengele. Acaba de llegar de Argentina con un viaje organizado. —Un instante de pausa—. Está visitando los mataderos, las prisiones y la funeraria. —Un instante de pausa—. Cuando aún estaba en activo, la llamaban Atila la Huna.

¿Quién más había en la sala? Algunos cómicos de segunda fila llegados para idolatrar a su supersalvaje. Compositores de jazz y gente de teatro. Algunos políticos impresentables con las beatas de sus mujeres: han venido convencidos de que Lenny es un cantante de baladas italiano cuyo verdadero nombre tiene algo así como once sílabas y no se puede pronunciar sin padecer una maldición.

¿Quién más? Un grupo de policías de la brigada del vicio del condado de Cook diseminados por la estancia con libretas de notas y magnetófonos, dedicados a registrar cualquier palabra denunciable.

Lenny continuaba interpelando a los que se marchaban.

—Abran paso, abran paso. Tienen que coger un avión para Buenos Aires dentro de diez minutos. Eichmann Air. Las azafatas llevan pijamas a rayas.

Así eran las actuaciones de Lenny. Si no te gustaba lo que hacía, eras un genocida. O el origen de la epidemia de polio del 52, y terminabas protagonizando un número improvisado, que en ese momento procedió a realizar, relativo a las luces intermitentes de los retretes de los aviones, una de sus recientes obsesiones.

Regresen a sus asientos regresen a sus asientos regresen a sus asientos.

Una vez, en Nueva York, se le habían marchado sesenta espectadores de golpe. Todo el pasaje de un autocar de la Grey Line se había levantado y había salido. Angelo, el *maître*, había mirado a Lenny y había dicho, ¿Es que tienes que decir cochinadas? ¿Quién nos va a compensar de las propinas, gilipollas?

Lenny lamía y frotaba el preservativo. Lo acariciaba, lo retorcía, lo hacía chasquear entre sus dedos.

—Acabo de darme cuenta. Ésta es exactamente la sensación que te proporciona el siglo xx.

A continuación, hizo una pausa con ademán pensativo, como si estuviera recordando algo. Se introdujo el condón en el bolsillo con aire ausente. Llevaba la misma chaqueta al estilo Nehru que se le había visto ponerse en San Francisco, su número de estadista del Gobierno hindú, y la prenda aparecía ya ajada y arrugada, parecía algo arrojado al arroyo y posteriormente recuperado. Lucía asimismo una gruesa medalla suspendida de una cadena, uno de los accesorios habituales de la vestimenta de Nehru. La medalla era un premio que te daban por llevar la chaqueta.

Sí, recordaba algo denso y pesado. A pesar de la semana de ansiedad que había pasado a causa de la crisis de los misiles, el apagón de Basin Street West, los interminables boletines de noticias procedentes de todas las regiones del planeta, un sistema de información que abarcaba desde monitores televisivos en las salas de embarque de los aeropuertos hasta los vendedores ciegos que anunciaban periódicos por las esquinas, sí, fuera cual fuese su nivel de angustia: *la confrontación nuclear había escapado de su mente.*

Más vale que no lo dudes. Sus barcos se aproximan a los que mantienen nuestro bloqueo.

Lenny asintió, se acarició el lunar de la mejilla, agitó los dedos y paseó la mirada sobre la masa de cabezas canturreando para sí mismo bajo aquella atmósfera de humo.

—¡*Vamos a morir todos!*

Lo dijo cuatro veces en total, con tono agudo y apasionado, alzando los brazos.

—Y comenzáis todos a tomároslo por lo personal —dijo—. ¿Cómo pueden arreglárselas para justificar la molestia de una guerra que va a estallar en pleno fin de semana? Lo teníais todo planeado. Viernes por la noche. Una película con vuestros selectos amigos cinéfilos. Uno de esos filmes suecos trascendentales en la pequeña sala que hay cerca de la universidad. Ursula Andress desnuda de la cintura para arriba y un ternero muerto echado al hombro. Sábado por la mañana. Veamos. Tintorería, Correos, supermercado, recoger los zapatos, sacrificar al gato, devolverle la llamada a mamá, en French Lick: sí, estoy bien, qué tal andas tú, bla, bla, bla, esta noche tengo una cita con una chica realmente magnífica, Raytheon, es mormona, ya sabes, no beben agua del grifo ni tocan el saxofón.

Lenny se interrumpió inesperadamente y se inclinó sobre el rostro de uno de los barones inmobiliarios acomodados junto al estrado, un tipo que tenía las mejillas hinchadas que uno a veces ve en los trompetistas cuando interpretan un solo cardíaco.

—Bastardo, espagueti, negrata, polaco, negro.

Las palabras carecían de otro contexto que no fuera el que Lenny llevaba consigo a todas partes. La cultura y sus términos cargados de significado. Miró nuevamente a su alrededor. Parecía precisar de un tipo de rostro determinado ante el que pronunciar su discurso.

Uno de los profesores de instituto le sonrió sugerentemente, y Lenny le obsequió obedientemente con un:

—Cabrón chupón dame una dosis cacho maricón.

Lo cierto es que las palabras resultaban fascinantes. Muchas personas jamás las habían oído pronunciadas frente a un auditorio —o al menos, no hasta entonces por un tipo vestido con una prenda hindú—, y se percibió una peculiar impresión de veracidad, de liberación quizá, o de apaciguamiento.

Tras aquel frenesí, Lenny continuó con eruditas variaciones sobre la palabra alemana *Sprachgefühl*, la sensibilidad para el lenguaje, lo que está de moda desde el punto de vista lingüístico: siempre anda leyendo cosas de estas en los aviones o en los hoteles, y cuando está en casa, en los humeantes amaneceres de Los Ángeles, cuando se encuentra a la espera de una mujer o de un camello.

De repente, se desencadenó una pelea en mitad de su actuación. Cerca de la salida de incendios. Cinco tipos corpulentos que formaban una masa de pelo y de puños. Lenny procuró excitarles aún más, insultando a sus madres, hasta que poco más o menos se deslizaron a través de la puerta.

Recordó nuevamente la crisis.

—Sí, conque vas a recoger a tu chica al apartamento que comparte con otras seis tías también mormonas. Menudo circo de chifladas. Todas tienen ojos extrañamente brillantes y son de un rubio sobrehumano. Constituyen la siguiente etapa de nuestra evolución después de los nadadores olímpicos. Están rozando la ciencia ficción, tío. Humanoides del espacio a la espera de una señal para conquistar el planeta. Creen que el agua del grifo es una conspiración gubernamental. Se hacen traer el agua por camión de un pozo de Utah. Raytheon es mona, sí, pero va tan primorosamente vestida que a uno se le encogen los huevos. Miras a esa chica y enseguida comienzas a añorar el antiguo esplendor de las prendas íntimas femeninas. El sistema nazi de correas y cadenas. Es como una vía de escape legal para tus ansias secretas de fascismo. Pero las chavalas ya no se lo creen. Todos esos complementos de cuero que hacen que merezca la pena ir a la guerra. Te la llevas a un tugurio del Sur cerca de la cárcel de mujeres. Ella pide el emparedado de manitas de cerdo. Vaya, parece que a la tía le mola la comida del Sur. Eso te sube la moral. Piensas en la atmósfera que os vais a encontrar cuando te la lleves a casa. Botella de Vat 69. Papel de fumar Zig Zag. Bolsita de hierba de las altiplanicies de los Andes. La atmósfera caldeándose. Ese jazz molón en el tocadiscos. Tocaremos a Miles, sí, de su período azul. Si Miles no la ablanda, será porque es una de esas lesbianas camioneras. Estás pensando en esas cosas universales en las que siempre han pensado los hombres y que siempre se han dicho unos a otros. Fóllatela. ¿Te la has follado? ¿Te la has beneficiado? ¿Te la has trajinado? ¿Hasta dónde has llegado? ¿Hasta dónde ha llegado ella? ¿Es una tía fácil? ¿Se apaña bien en el catre? ¿Os lo habéis hecho?

¿Os lo habéis montado? Es un lenguaje de almacenes. De venta al por menor. Te la puedes hacer. Puedes hacértela. Como una fábrica de ropa. Como trabajo a destajo. Él es un artista. Ella, una buena pieza. Un buen lote. Es un lote. No distingues entre la mujer y las prendas que viste.

Ése es el Lenny cristiano de sus comienzos, soltando excéntricos sermones a la chusma del desierto.

—Te subes a un taxi y ves que tiene la radio puesta. Kruschov ha escrito una carta a Kennedy. Quiere celebrar una cumbre. ¿Quién es este Kruschov, al fin y al cabo? Un patán con un traje de rebajas. Te preocupa tu cumbre, no la suya. El sentido real de la crisis de los misiles estriba en las oportunidades sexuales que te brinda. Te llevas a Raytheon a casa y la convences de que el planeta está a punto de saltar por los aires y, asombrosamente, la cosa funciona y a los cinco minutos la tienes desnuda en mitad del salón hecha un cúmulo de acentos y perfiles, como el método caligráfico Palmer, y tan rubia que parece radiactiva.

Lenny pasó bruscamente a observaciones improvisadas. Lo primero que le viniera a la mente. Cosas de las que se aburría en cinco segundos. Psicoanálisis, recuerdos personales, voces y acentos, gemidos de abuela, escenas de películas de prisiones, hasta cerrar finalmente el espectáculo con un monólogo que tenía una especie de sintaxis abreviada, una cosa desprovista de conexiones, tocando de oído, algo más cercano a la música que a la palabra, como un jazz hablado en el que los términos coloquiales generaran un argot equivalente, como los músicos cuando improvisan, los grupos en gira, la variación interior del acompañante, y cuando la multitud se dispersa se llevan ese mosaico de cambios a los clubes de *strip-tease* y a los restaurantes abiertos a última hora, los lugares en los que se congregan las aves nocturnas, y era el *hard bop* de Lenny, esos discursos suyos a la gente, lo que se lanzaba a la vasta noche de Chicago.

2 DE JULIO DE 1959

Detuvimos el coche a media manzana del puente y cambiamos a un taxi. Le dije la dirección al tipo y él me miró, la miró a ella, y asintió brevemente. Me habían dicho que era mejor atravesar la frontera en taxi, ya que si conducías tu coche sufrías grandes retrasos debidos a las inspecciones a que los agentes de aduanas sometían a tu coche al regreso, en busca de armas y drogas.

La población mostraba un extraño fulgor eléctrico bajo la luz de la tormenta. Tiendas de estuco azules y verdes en las que se exponían piezas de cerámica: cerámica, cobre, mantas, vidrio.

—Creo que me lo estoy pensando mejor —dije.

—Hazme el favor, ¿quieres?

—O igual me lo estoy pensando, punto. La verdad es que nunca lo había considerado en serio hasta ahora.

Amy era capaz de cargar sus claros ojos castaños de una profunda expresión de reproche.

—Estaba dando por supuesto de que esto era lo único que se podía hacer —dije—. Deberíamos haber conversado más al respecto.

El aspecto de ella era el que muestran las personas cuando quieren que seas consciente de hasta qué punto están esforzándose por no compadecerte. Una vez que atravesamos el pueblo y enfilamos la dirección de las pardas colinas, comenzó a caer la lluvia con fuerza. Unos seis minutos después, cuando el conductor detuvo el automóvil frente a una casa no precisamente pequeña situada tras unos árboles, el sol lucía cálido y brillante y el suelo humeaba.

La mujer que nos abrió la puerta miró a Amy y dijo: «Su nombre, por favor», con aire más o menos autoritario.

—Amy Brookhiser.

—Sí, venga usted conmigo.

Y eso fue lo que ocurrió. Amy entró con la mujer, que era o bien la enfermera, o la esposa, o la encargada o una combinación de lo anterior. Yo había pensado que podríamos decirnos mutuamente algunas palabras para reconfortarnos, o que yo podría decir algo incluso si ella no lo hacía, aunque ignoraba qué podría decir, pero para cuando quise darme cuenta se habían internado en el pasillo, doblaban a la izquierda y yo aún tenía las bolsas del equipaje en la mano.

Muy bien. Dejé las bolsas en el suelo, y entré en el salón, o sala de espera, y me senté en el sofá. No había revistas que leer. Todo el material de lectura estaba en la pared: refranes pintados y símbolos de ocultismo, todo lo cual resultaba inesperado. Círculos, galones, flechas, pájaros, mucha jerigonza mística. Yo me esforzaba por absorberlo todo. Cierta cantidad de aforismos con formas geométricas, palabras que describían triángulos y elevadas palmeras —árboles de la vida, quizá—, dichos en inglés acerca del tránsito del alma y el ojo de Dios, y ojos místicos y manos admonitorias en los cuatro muros y en el techo.

Intenté asimilar aquella sorpresa, preguntándome qué significaba y por qué nadie me había prevenido, y entonces fue cuando entró el médico. Un hombre con el que trabajaba en Palo Alto me había proporcionado su nombre y dirección, y yo había llamado y lo había organizado todo, y otras dos personas con las que hablé me habían dado también garantías de seguridad: todo muy seguro, limpio y profesional. Pero nadie había dicho nada de las paredes.

No parecía estar mirándome a mí.

Dijo: «Sí.»

Dije: «¿Doctor Swearingen?»

No estaba mirándome a mí.

Dijo: «Todo parece estar en orden.»

Dije: «¿Le pago ahora?»

Era como si sostuviéramos una conversación que discurriera al revés.

Se detuvo a reflexionar sobre la cuestión del pago, el semblante fruncido en una mueca mientras yo aguardaba, con la mano en el bolsillo de la cartera.

Llevaba una bata blanca y era alto, alto y encorvado, con una peculiar palidez y profundamente introvertido, pensé, de dos metros cinco o dos metros diez, un americano que practicaba abortos, según las personas con las que había hablado, respondiendo a un impulso de compasión y de sentido del deber, y ese día no se había afeitado.

Le aboné doscientos dólares en metálico y él dijo: «Debe contar con cierta hemorragia», quizá como forma de velar levemente la transacción, y a continuación desapareció por el pasillo.

Yo seguí allí sentado, con las imágenes y las palabras. No sabía qué pensar de nada de todo aquello. Ignoraba cómo llamarlo. Quizá Amy lo sabía, pero no contaba mucho. Todo cuanto Amy deseaba era acabar lo antes posible.

Yo estaba dispuesto a sacrificarme y a aceptar mi responsabilidad. Eso me decía a mí mismo. Quería afianzarme a algo sólido, a una esposa, pensé, con un niño.

Pero no era en absoluto sólido. Era algo absurdo, débil y sin valor. No duraríamos ni un mes juntos. Éramos dos personas inquietas y ávidas, éramos una aventura que había funcionado de modo intermitente a lo largo de dos años sencillamente porque ambos vivíamos en ciudades diferentes, y porque compartíamos un vínculo casi religioso con el riesgo, y ella era lo último que yo necesitaba en este mundo.

Y uno experimentaba una peculiar amargura ensombrecida, ¿verdad?, sentado en aquella habitación, una tristeza oscurecida por la distancia, e intentabas imaginarte en el centro de la vida no vivida de aquella criatura.

Dos habitaciones más allá, alguien estaba preparando la comida, lo que me perturbó. El aroma de los alimentos y los débiles sonidos de actividad, alguien abriendo las puertas de los armarios: todo aquello me descorazonaba y me confundía y me irritaba un poco.

Amy tenía veintiséis años, apenas le faltaban un par de semanas para cumplir los veintisiete, y vivía y trabajaba en Wichita. Yo tenía veinticuatro, vivía a eso de medio continente de distancia y sabía que ella nos medio odiaba a los dos por lo ocurrido.

Cuando Amy salió me di cuenta de que no había instruido al taxista para que nos recogiera, y aguardamos un rato hasta que la mujer hizo la llamada y alguien compareció.

Le habían puesto únicamente anestesia local porque tan sólo se hallaban equipados para eso, y no pareció adormilada durante el trayecto hasta la frontera. Antes bien, se mantuvo sentada sobre el borde del asiento, aferrando el respaldo de la butaca delantera y negándose a hablar.

Los aduaneros registraron el automóvil en busca de contrabando y revisaron sucintamente nuestras bolsas y en cuestión de minutos estábamos de regreso en nuestro coche alquilado.

Salimos de Del Rio y enfilamos hacia el Este por la 90. Amy durmió un rato y luego despertó y dijo que tenía sed. Algo más adelante, una camioneta comenzó a girar sobre sí misma, así, sin más, el único otro vehículo que había en la carretera, girando y coleando tras abandonar una rampa arenosa, y yo disminuí la marcha para poder contemplar lo sucedido de un modo objetivo.

—Pérdida de tracción —dijo Amy en voz baja—. Eso habría dicho el viejo abuelo Parker. Pérdida de tracción, sin duda.

Hablaba con voz queda y fatigada, y yo pasé lentamente junto a la camioneta, que apuntaba nuevamente hacia donde debía. En la cabina había dos adolescentes que intentaban recobrar la compostura en un frenesí de sonrisas idiotas, y yo comencé a buscar un lugar en el que Amy pudiera disfrutar de algo fresco y sano para beber entre allí y el aeropuerto.

27 DE OCTUBRE DE 1962

El hotel se llamaba Las Olas y, ¿por qué no? ¿Acaso no era aquello Ocean Drive, perteneciente al Ayuntamiento de Miami Beach?

Adinerados e irritados hombrecillos descendían de sus descapotables con sus empingorotadas esposas, mujeres tan exquisitamente bronceadas que parecían hojas de tabaco.

Chiquillos malcriados, astutos y de vuelta de todo, procedentes de ciudades del Norte, mostraban falsos documentos de identidad en la barra del bar. Vivían en las facultades de vacaciones de la zona y no veían el momento de ver el espectáculo de la gran sala.

Un contingente de cubanos entraron brevemente, se encaminaron al vestíbulo del hotel, calzados, vestidos, elegantemente tropicales, las mujeres con faldas blancas arrolladas en torno a la cintura y nacidas para el baile; los hombres cautelosos y escudados tras sus gafas de sol. Parecían los guardaespaldas en busca de algún jefe a punto de caer.

En el vestíbulo había una banda de música latinoamericana tocando mambos y chachachás, y podían verse muchas de las bombas sexuales de Long Island, todas en busca de un segundo marido. Viajaban en pareja o incluso en compañía de sus hermanas, como los cazadores con sus porteadores, una divorciada, una soltera: saliendo aquí con un ortodoncista y allí con un dudoso hombre de negocios. ¿Dice que es ejecutivo de una compañía que se dedica a suministrar ropa blanca a los hoteles? Pero ¿cuando le llame por teléfono? ¿Tengo que preguntar por Marty? Pero ¿se llama Fred?

Cubiertas de rímel, de maquillaje, exhibiendo sus uñas acrílicas, de coral, sus carmines y coloretes de tonos variados. Mujeres que siempre habían formado parte del grupo *in*, y algunas de ellas preferían el night-club al vestíbulo porque querían ver cómo era Lenny Bruce.

Primero te ríes, luego bailas.

La sala se llamaba El Patio, y la música de mambo procedente del vestíbulo seguía filtrándose sin cesar. A Lenny le sorprendió ver a unas cuantas personas de edad entre el público, unos cuantos bastones apoyados sobre las sillas, pero decidió no hacer ningún chiste de lisiados. No porque estuviera volviéndose cauteloso o blando. No, aquella noche había únicamente un tema, y era algo crucial para su existencia.

—Estamos a menos de doscientas millas de Cuba. Sé que ustedes lo saben. Y yo lo sé. Pero aún así tengo que decirlo. Tengo esos misiles apoyados sobre el hombro derecho, a ver si me entienden. Tienen un alcance de mil kilómetros, lo que en nuestro caso les sobra, pero así y todo me perturba, porque ni siquiera hemos perdido la guerra y ya estamos expresándonos mediante el sistema métrico decimal.

Se quedó allí, cabeceando, como si le hubiera afectado el cambio de hora, algo paranoide, ligeramente sobremedicado, la voz ahogada y los ojos lóbregos de una melancolía lunar.

—Y no nos matarán por ser judíos. Eso es lo más astuto. Nos matarán por ser norteamericanos. ¿Qué me dicen a eso?

Vaya manera de dar comienzo a una velada de diversión. Se produjo un prolongado y lúgubre silencio. Lenny giró hacia la izquierda, posó un instante en postura de discóbolo griego y, por fin, lanzó el torso hacia delante y golpeó el suelo con el puño.

Un universitario se echó a reír.

—Lo que más me gustan son los nombres de nuestros protectores. A ver qué te parecen, Jim.

Y extrajo un puñado de recortes de prensa del bolsillo del mugriento abrigo que llevaba. Masculló unas cuantas líneas de texto, hizo un par de comentarios a lo Mort Sahlish, dejó caer un recorte y le propinó una patada, hablando brevemente con su voz transilvana.

—Muy bien, pues esos hombres van a decidir vuestra suerte. Se pasan los días y las noches entrando y saliendo de solemnes reuniones. Camisas blancas, gemelos y corbatas a rayas. Pero de lo que se trata es de sus nombres. Adlai Stevenson. *Adlai*. Alucinas hasta los Capezios, ¿eh? Resulta tan exclusivo que carece incluso de género. Este chiquillo es tan especial que ni siquiera queremos que la gente sepa que es niño. Porque, al final, para que os enteréis, ser chico o ser chica es de una banalidad asombrosa. Y si alguien más utiliza este nombre dentro de un radio de cinco mil millas alrededor de nuestro Adlai, pagaremos por hacerle desaparecer. A él y a toda su progenie. Porque, para nosotros, esto es algo que tiene que ver con la familia. Se trata de eso, ¿comprendéis? *La cosa nostra.* Sólo que ellos no tienen por qué servirse de la extorsión y el asesinato. Lo hacen con nombres que a nadie se le han ocurrido anteriormente.

Las mujeres divorciadas se echaron a reír. Entre el público había granujas de los canódromos. Músicos en su noche libre. Salvavidas de piscina y bailarines en paro. Había dos mesas de agentes de viajes llegados desde Toronto a costa de la princesa: pensaban que Lenny era un cómico escocés que hacía imitaciones de la Familia Real.

—Bueno, fíjense bien. Dean Rusk. *Dean.* Alguien nacido para mandar, para aconsejar y para instruir. Nacido para ser calvo. No, sí, listo, pero también duro y astuto. Desconfiad de los hombres con nombre y apellido monosílabos. Son unos implacables hijos de puta. Pero ahora viene mi favorito, ¿vale? Sabéis lo que voy a decir, ¿verdad?

Una vieja se rió.

—Exactamente. McGeorge Bundy. *McGeorge.* ¿Cómo puede nadie sobrevivir a la niñez con un nombre así? ¿Es que se han equivocado al inscribirle en la partida de nacimiento? ¿Un error del sanatorio? Por supuesto que no. Lo hicieron. Le señalaron para la gloria. Y, por si fuera poco, tenía una abuela llamada McMary.

La vieja estaba encantada.

Lenny se entretuvo un rato rebuscando entre sus colecciones de recortes mientras mascullaba algo.

—Sí, no, aquí hay uno. Roswell Gilpatric. *Roswell.* No me estoy quedando con vosotros. Es verdad. Fijaos, aquí aparece en la Sala del Consejo. Sorprendido por la cámara. Secretarios, secretarios adjuntos, secretarios adjuntos en funciones, asesores en cuestiones rusas. Alexis Johnson. *Alexis.* Bromley Smith. *Bromley.* Llewellyn Thompson. *Llewellyn.* Cuatro eles hay en Llewellyn. Ya hacen falta cojones, guapa. Y en secreto, ¿sabéis?, no me queda más remedio que admirarles. Porque comprenden la lógica de cómo comportarte en este mundo sin sentimentalismos. W. Averell Harriman. *Averell*. He ahí un tipo que cuenta con una salida para él solo en la autopista del estado de Nueva York. Y aquí estamos nosotros, a tiro de piedra de Cuba. Ellos no se sienten atraídos hacia aquí, pero nosotros sí. Porque la bomba atómica es el Antiguo Testamento. Es la Biblia judía por excelencia. Nos sentimos cómodos con este juicio, con este castigo que pende sobre nuestras cabezas. Enfermedad y calamidades. Dinos algo, corazón.

Pero la paranoia y el sentido de la tragedia de Lenny tenían acaso una fuente más inmediata. En el aeropuerto le habían soplado que la policía del condado de Dade había emplazado detectives judíos entre el público. Sí, maderos que hablaban yidis y que estaban preparados para saltar a la menor sílaba ofensiva que pronunciara en su lengua suegra.

—¿Queréis nombres? Yo os daré nombres. Yo me llamo Leonard Alfred Schneider. ¿En qué estaba pensando cuando lo cambié por el de Lenny Bruce? Me estaba deslizando hacia el centro invisible. Yo soy igual que usted, amigo. No se meta conmigo, tío, ni insulte a mis antecesores. Yo no soy más que otro Lenny cualquiera. Otro Bruce más. Pero eso no es lo que hace la gente *predestinada*. McGeorge, Roswell, Adlai. Ellos se protegen de cualquier sucio contacto con el gran centro. Hace falta ser un genio. Da igual a qué iglesia vayan. Su nombre es su iglesia. No es sólo que no sean como Leonard Alfred Schneider. Es que no son como Lenny Bruce. Y, francamente, no se lo reprocho.

Había hablado en voz baja, en tono conversador, con su acento nasal, y no esperaba la enorme carcajada que siguió. Se guardó los papeles que había estado blandiendo. La música latina comenzó a retumbar entre las paredes y un alborotador interpeló a Lenny, un borracho que enarbolaba un impreso de apuestas arrollado, pero Lenny se limitó a descolgar el micrófono de su soporte y a bendecir al tipo.

A continuación hizo una imitación de la reina de Inglaterra haciendo un pedido de comida china a domicilio por teléfono.

Los agentes de viajes estaban encantados.

—Si se llaman ustedes Roswell o Bromley, es que tienen padres como Dios manda. Únicamente los progenitores más responsables bautizan a sus hijos con esa clase de nombres. Si usted es un Roswell, significa que no tiene uno de esos padres que acuden dos veces al año y luego le regalan al marcharse un juguete que acaba de salir. Toma, chaval, un detallito para solidificar nuestra relación. Tú examinas el artículo. Es una masa de vómito fabricada de goma. Toma, chaval, pónselo a tu madre en la cama.

Lenny chasqueó los dedos y dobló la espalda.

—Sucede que el Departamento de Defensa Civil está haciendo acopio de vómitos de goma en los refugios antinucleares de todo el país. Andan frenéticos, tío. Tienen que construirlos y equiparlos. Equipos de limpieza, equipos médicos. Fenobarbital para sedarte. Penicilina para, yo qué sé, para el prurito radiactivo. Cuando la radiación te haga sentir tan mal que no puedas ni siquiera vomitar, te entregarán un vómito de goma, para subirte la moral. Tras la destrucción en masa de un intercambio nuclear —miró el reloj— van a querer reconstruirlo todo. Y toda esta basura de la guerra fría va a valer un congo: recuerdos pintorescos. Esas señales negras y amarillas que habéis visto por todos sitios pero en las que no habíais reparado hasta hace seis días: Refugio Antinuclear, Piezas de coleccionista. Todos los cachivaches que andan almacenados en los trasteros y lavanderías que han designado como refugios. Barriles de agua potable. Galletitas saladas. Cacao para los labios, para después del resplandor. Retretes de cartón que sirven también como ensaladeras. A propósito —dijo.

Un camarero dejó caer una bandeja llena de bebidas.

—La Marina abordó ayer un buque en plena línea de cuarentena. El primero que abordan. Un destacamento armado. Podéis apostar a que allí hubo tensión, tíos. Resultó que el buque no llevaba misiles. Llevaba piezas de repuesto para camiones y papel higiénico. ¿Lo veis? Ahí lo tenéis: la vida normal y corriente intentando reafirmarse de nuevo. Tal es el significado secreto de esta semana. La historia secreta que nunca aparece en las crónicas escritas de la época ni en las declaraciones públicas de los poderosos. Esas bombas y esos misiles tan bonitos. Esos aviones y esos submarinos. ¿Alguna vez habíais visto algo tan maravilloso? Las armas cuentan con los mejores ingenieros y obtienen los nombres más poéticos. Entretanto, un granjero cubano cascarrabias está aguardando a que le envíen un carburador para su desvencijado tractor. Y, entretanto, ha tenido que limpiarse el culo con la cosecha de lechuga. No hacen más que recordarle que tiene que ser paciente, sí, mientras ellos solucionan sus relaciones a alto nivel —Lenny hizo una pequeña reverencia y giró sobre sí mismo—. ¿Os acordáis cómo os hablaba vuestra madre cuando estabais en el orinal? Vamos, tesoro, hazlo por mami —volvió a pivotar y a girar sobre sí mismo—. Y vosotros, los polis en misión especial. Los lingüistas de entre el público. Hay una cosa que deberíais saber. ¿La palabra *smack*, de heroína? Viene del yidis *shmek*. ¿Sabíais eso, expertos? Un hálito, un olfateo, como una esnifada. No te lo pierdas, tiene un *shmek* que le cuesta doscientos dólares. La próxima vez que detengáis a un drogata correligionario —la palabra despertó una risa entrecortada entre los chavales del instituto— y tengáis que meterle un dedo enguantado por el culo para comprobar qué clase de costo lleva ahí metido, ese olor que notaréis será *shmek*, amigos míos. Ni más ni menos que otro nombre para designar la vida cotidiana.

Los detectives no se rieron.

Una leve brisa marina sopló a través de la estancia, y para entonces la banda interpretaba chachachás. Una mujer que iba a sentarse no acertó con la silla. Desde el extremo de la barra comenzaron a llegar bailarines, bailarines que procedían del vestíbulo, uno, dos, chachachá, mientras Lenny agitaba los hombros y hundía las caderas. Los agentes de viajes votaron para ver qué hacían y a la vista del resultado pidieron otra ronda.

La música taladraba los muros como pedos de tamale y un par de chavalas de instituto se levantaron y se pusieron a bailar entre las mesas atestadas. Los bailarines originales se desplazaban agachados como boxeadores, avanzando por la barra con sus faldas de colores pastel y sus guayaberas blancas, mientras en California alguien reprogramaba los misiles de prueba con objetivos soviéticos.

Lenny aferró el micrófono y vociferó: *¡Vamos a morir todos!*

Se echaron todos medio a reír, medio a llorar. Él les hizo cantar a coro. El chachachá seguía inundando la estancia, y los bailarines seguían entrando en parejas perfectamente equilibradas, y los hombres y las mujeres sentados a las mesas se pusieron en pie y siguieron bailando sin moverse del sitio, haciendo ademanes pugilísticos con las manos. Uno dos chachachá. Se quitaron los zapatos y derramaron las copas. Lenny pronunció un monólogo en *spanglish* y a todos les encantó y se rieron y medio lloraron y un joven que estudiaba Gestión de Vestuario apuró un vaso de whisky seco, a un tiro de piedra de Cuba.

Es fabuloso, es maravilloso, es Miami.

6

DE OCTUBRE DE 1967

Marian Bowman estaba hablando con su madre. Estaban en el salón de la casa de esta última, la casa de su madre y de su padre, en la que había crecido, y había ramas de flores en casi todas las habitaciones, y en los jarrones de las mesas de los pasillos, pequeñas flores blancas agrupadas en manojos, plantas que su madre gustaba de presentar en toda su desnudez, libres de la ostentación de los arreglos habituales, quién sabe por qué motivos maternales, con los olmos ya amarillentos y los rojos robles relucientes en aquel espléndido día otoñal de Madison, Wisconsin, con los estudiantes corriendo como locos por las calles.

—De modo que has estado guardando secretos.

—Él no es un secreto —dijo Marian.

—Le has conocido durante todo este tiempo y tengo que enterarme ahora. Eso es un secreto.

—Le he conocido técnicamente todo este tiempo.

—¿Y cómo le conoces ahora?

Primero sonrió la madre; luego, la hija.

—No técnicamente —dijo Marian—. Y no es un secreto. No ha habido mucho que contar, eso es todo.

—Siempre hay algo que contar. ¿Qué percibo en esta relación? Te veo muy insegura. Tienes esa tendencia. Siempre la tuviste. De actuar contra los presentimientos. Porque... en fin, ignoro por qué lo haces exactamente.

Ahora oían las voces con más claridad, procedentes de los altavoces estéreo sujetos a las ventanas de los pabellones de Mifflin Street.

—No me he dado cuenta. ¿Quizá he expresado algún presentimiento?

—Sí. Y está claro que yo debo advertirlo. Y está claro que quieres que argumente en contra del tipo.

—Esto es completamente. No no no no —dijo Marian con voz apacible.

—No eres capaz de discutir con él y pretendes que yo lo haga.

—Y tú notas todo esto, más o menos.

—Nada de más o menos. Con toda claridad.

—¿Y qué se supone que debe suceder cuando te opongas a él? ¿Debo decir gracias madre me has salvado de un destino peor?

—Por supuesto que no. Le defiendes. Le apoyas.

—Defiende a su hombre. ¿Y tú, qué? ¿Tú infieres todo esto a partir de una conversacioncita sin importancia en la que apenas he dicho nada acerca de él?

—Dime que estoy equivocada —dijo su madre— y me esforzaré al máximo por creerte.

La madre se volvió hacia la ventana con expresión levemente irritada. Corrían por las calles. Probablemente, arrojaban ladrillos y producían incendios. Bajo el estrépito de la música que surgía de los altavoces, podía oírse una voz que hablaba por un megáfono.

—Eso es lo que llaman la Época de los Disturbios.

—¿Es que alguna vez he podido llegar a imaginar —dijo Marian— que Chicago pudiera ser una ciudad decente y pacífica?

—Ignoro si estamos en la época de los disturbios o no. Quizá tan sólo se trate de una fiesta callejera que la policía intenta contener. Aunque no, eso no puede ser. Las fiestas callejeras son en primavera.

—Te prometo regresar para el Día de Acción de Gracias si consigues que dejen de hacer ese ruido.

Su madre dijo: «¿Está casado?»

Y se arrepintió nada más hacerlo. Marian percibió el autorreproche en la inclinación de la mueca de su madre. Sí, un fallo poco corriente. Desautorizaba sus anteriores observaciones y no lo había reflexionado en lo más mínimo, era un lapsus, un fallo táctico, y el rostro de su madre adquirió un color plano. Porque, si estaba casado, primero, ¿por qué iba Marian a hablar de él sin mencionarlo?, y segundo, ¿por qué iba a hablar de él, punto?

—No, claro que no.

—Claro que no. Lo sé —dijo su madre.

Marian subió al piso superior sintiéndose mejor. Le encantaba su antigua habitación. Le gustaba volver porque las tranquilas calles seguían allí, en teoría, y los edificios universitarios, y porque su habitación estaba allí, siempre a su disposición, desocupada, sencilla, no especialmente cuidada, pero un lugar que nadie podía ver con sus ojos, un lugar que contenía una gran cantidad de eso que en conjunto denominamos hogar.

Comenzó a hacer la maleta para el viaje de regreso. Sacó algunas prendas de invierno del armario y a continuación se detuvo un instante para encender la radio. Sintonizó WIBA, la FM de Irás al Paredón, porque quería saber qué estaba sucediendo allí afuera, como punto de interés exasperado, pero también porque el ruido había aumentado de volumen.

Era demasiado pronto para hacer el equipaje, pero ella se dispuso a ello a pesar de todo. El hogar es ese lugar en el que siempre te aceptan, como dijo el poeta, o como dijo el padre de Marian parafraseando al poeta, pero el hogar también es ese lugar del que no ves el momento de largarte de una puñetera vez.

Tenía en Chicago un empleo que odiaba. Sólo que en realidad no lo odiaba: había adquirido gestos de descontento porque era algo que se suponía que tenías que hacer. Tenía veinticinco años y no veía el menor futuro en realizar un trabajo administrativo en una empresa de Bolsa. Pero en cierto modo era un buen trabajo, ya que la obligaba a ser disciplinada y responsable y pulcra, y de todos modos tampoco había nada más que le apeteciera hacer en ese momento.

La radio dijo: DíaDow DíaDow DíaDow DíaDow.

Ella rebuscó en la cómoda hasta encontrar un par de jerséis que parecían pasables, todavía, y cierto número de gorras multicolores que le parecieron tan graciosas como estúpidas.

La cómoda era el único objeto de la estancia que merecía ser examinado con detenimiento, pues se hallaba fuera del contexto de cualquier tipo de referencia personal: era un mueble de roble que contaba con un alto espejo rozado y sujeto por bisagras oscilantes a un precioso marco trebolado.

La radio dijo: Poliscerdos cerdos cerdos cerdos cerdos.

Comenzó a comprender que algunos de los ruidos de la calle, la música y las voces que partían de los altavoces que los estudiantes habían colocado en sus ventanas, procedían de la emisora que había sintonizado.

Siguió haciendo las maletas y escuchando.

La radio dijo: La ley universitaria 122 permite el uso de la fuerza contra los estudiantes. La ley universitaria 122 permite el uso de la fuerza contra los estudiantes.

Comenzó a comprender que era la Semana de Vietnam en los campus de todo el país. Y allí, en Madison, era Día Dow, una protesta contra las industrias químicas Dow, cuyos entrevistadores recorrían activamente el campus y entre cuyos productos se incluía una nueva y mejorada forma de napalm con un poliestileno añadido que permitía que la gelatina se adhiriera con más firmeza a la piel humana.

La ley universitaria 122 permite el uso de la fuerza contra los estudiantes.

Pensó, menuda sorpresa. Porque sonaba como si los estudiantes estuvieran destrozando el campus y parecía como si, poco antes, aquel mismo día, con las banderas del Vietcong en Linden Street y los mimos de blanco rostro peleando con la policía en Bascom Hill... ¿parecía como si qué?

La emisora anunciaba el Día Dow y parecía tomar parte activa.

La radio dijo: Poliscerdos cerdos cerdos cerdos cerdos.

Parecía como si durante la noche hubiera sucedido algo que había cambiado las normas de lo que consideramos concebible.

Comenzó a comprender que la revuelta que había ahí fuera, si es que eso era de lo que se trataba, estaba viéndose corregida y aumentada por una revuelta simulada en la radio, un audiomontaje de disparos, gritos, sirenas, bocinas y boletines de noticias intermitentes, quizá verdaderos pero posiblemente no.

Encontró el viejo abrigo que creía haber perdido —¿cómo es posible perder un abrigo?, le decía todo el mundo— cinco años atrás en el lago.

La radio dijo: Quitaos el cinturón y arrolláoslo en torno al puño.

Cuando su madre había servido el lomo de cerdo la noche anterior, su padre había mascullado, «muerte a los cerdos», y de algún modo no había pretendido ser gracioso, aunque cuando Marian se echó a reír él también lo hizo, con amargura.

La radio dijo: Es inminente un boletín de la ANFO.

657

Se suponía que tenía que asistir a clase por las noches, pero no lo hacía, para aprender acerca de acciones, valores, obligaciones y otros instrumentos de riqueza material disponibles para producir aún más riqueza, pero no lo hacía porque no lo hacía, sencillamente, pero no tardaría en hacerlo, y antes de mucho, sabiendo lo que sabía, esto es, que precisaba de fuerzas externas para contrarrestar sus tendencias.

Deseaba llamar a Nick, pero sabía que no le encontraría allí.

La radio emitía grabaciones de disparos, accidentes de automóvil, animosos diálogos de viejas películas de guerra.

Su madre la consideraba negligente e indiferente. Carecía de ambición, decía su madre.

La ley universitaria 122 permite el uso de la fuerza contra los estudiantes. La ley universitaria 122 permite el uso de la fuerza contra los estudiantes.

Escuchaba aquello porque estaba sucediendo allí pero también desconectaba de vez en cuando, dejaba vagar su atención como forma de autodefensa. Todo aquello, en cierto modo, la cansaba. Poseía esa clase de fatigosa insistencia que la impulsaba a desconectar.

Hizo la maleta y pensó en llamarle, aunque no estaba allí, para dejarle un mensaje con alguien de la oficina de la facultad, alguien listo y *sexy*, algo que a él no le gustaría nada, pero pensó que por qué no hacerlo a pesar de todo.

ANFO parecía un acrónimo de nitrato de amonio y fuel oil.

Devolvió los jerséis al cajón. Ya los cogería el día de Acción de Gracias si es que pensaba que le hacían falta y si es que no cambiaba de opinión respecto a cuán pasables eran, algo que estaba procediendo a hacer en aquel mismo momento.

La radio dijo, Kafka sin la *f* es kaka. Sí, estamos hablando de desechos, estamos hablando de fertilizantes, estamos hablando de desechos y de armas, estamos hablando de ANFO, la bomba nacida del culo de un cerdo de granja.

Poliscerdos cerdos cerdos cerdos cerdos.

Extrajo un paquete de cigarrillos de uno de los bolsillos de la maleta. Acto seguido, abrió una ventana y encendió uno. El ruido inundó la estancia, policías con megáfonos, boletines de noticias, música rock, y quitó la radio y se quedó junto a la ventana, fumando.

Había visto un Volkswagen escarabajo multicolor con rostros pintados en las ventanas, ese mismo día, en Babcock Drive.

Siguió allí sentada, echando el humo por la ventana porque su madre era supuestamente alérgica a él y, en todo caso, hubiera preferido que Marian no fumara, y estaban quitándose los cinturones y arrollándoselos en torno al puño.

Y un entrevistador de Dow se había quedado atrapado en Commerce Hall, la zona comercial, escuchando los petardos, si es que eso era lo que eran, que estallaban tras la puerta de la 104, en la que hablaba a un posible recluta sentado al otro lado de la mesa.

Había incendios de basuras en la parte baja de State Street.

Corrían rumores sobre el Teatro Terminal, un grupo que no reconocía su propia existencia, y un estudiante situado en una terraza de un segundo piso de Mifflin Street subió el volumen cuando vio a los policías con uniformes de antidisturbios avanzando calle abajo en columna de a dos.

Y a lo lejos, junto a la explanada de la biblioteca, miembros del Grupo de Mimo de San Francisco, si es que de ellos se trataba, iban apareciendo entre los policías, en actitud más o menos suicida, con las caras pintadas de blanco y provistos de flautas de Pan y vestidos de trovadores callejeros, disfraces extraños y mal ajustados de la época victoriana, con gorras de cricket, una docena de jóvenes de ambos sexos situados en la zona de escaramuza ocupada por la policía, parodiando los gestos de los agentes antes de que éstos les arrastraran hasta una furgoneta para darles una paliza.

Por doquier, la gente escuchaba la radio, el diálogo entre lo que era real y lo que estaba cortado y mezclado y procesado y reproducido, y los altavoces emitían *heavy metal* y una mujer leía en antena la información incluida en los paquetes de productos Dow con voz cálida y *sexy*.

La policía comenzó a disparar gases lacrimógenos y los estudiantes echaron a correr en dirección al gas movidos por una suerte de curiosidad turbulenta, o quizá porque el gas portaba una fragancia a manzanos en flor, créanlo o no, un agente de acción rápida que a la sazón se empleaba en Vietnam.

Sentido Común, Química Poco Común. Tal era el pegadizo eslogan publicitario de Dow, y la mujer lo leyó repetidamente en antena con su voz suave y sexy.

Dow tenía concertadas entrevistas en tres edificios distintos, pero la manifestación estaba desarrollándose en Commerce, y allí era donde había quedado atrapado el entrevistador, con una hamburguesa que se le estaba quedando fría dentro de una bolsa blanca.

Dos brigadas de policía se alinearon en forma de cuña.

Le dijo al potencial recluta: «Cuéntame qué va a ocurrir entre hoy y el día en que te licencies.»

El muchacho dijo: «Ahí fuera había uno con una rata viva.»

—Tratemos, creo, de no salirnos de la cuestión —dijo el entrevistador—, por nuestra, realmente, propia tranquilidad.

O corrían hacia el gas porque pensaban que la fuerza moral de su postura neutralizaría sin duda el efecto de los agentes químicos.

El Grupo de Mimo de San Francisco no tenía que estar en la explanada de la biblioteca. Eso era lo más interesante.

Y grupos afines desataban incendios aquí y allá, o rompían ventanas, pequeñas bandas con nombres como los Nueve de Mudville, sus miembros enmascarados con pañuelos empapados en bicarbonato y clara de huevo, a modo de remedio casero contra el gas.

Y brotaban largas columnas de humo blanco de los proyectiles que se abatían sobre los anchos jardines frente a Bascom Hall. Los estudiantes corrían ahora en dirección contraria, desplazándose en una masa agitada, algunos con tazas de plástico sobre la boca o los pañuelos en la mano, y otros paseando como si tal cosa sobre la acera entre las filas de policías con casco y el gas cada vez más espeso, que ya comenzaba a avanzar formando nubes hacia el salón de columnas, y un tipo que llevaba una guitarra horizontal sobre la cabeza lo observaba todo desde una farola.

Y la voz *sexy* de la radio repetía ahora el eslogan de DuPont. Mejores Productos para una Vida Mejor... Gracias a la Química. La mujer disfrutaba de la pausa. Prolongaba la pausa. Gemía durante la pausa. Hablaba con tono urgente y excitado hasta la pausa y entonces hacía una pausa y gemía lentamente y luego acababa finalmente de recitar el eslogan, saciada y exhausta y agotada de sus propios gemidos, y a continuación comenzaba de nuevo desde el principio.

El Grupo de Mimo de San Francisco tenía que haber estado

frente al viejo edificio de química. Eso era lo más interesante. Tenían que haber estado repartiendo copias de la ley universitaria 122 frente al viejo edificio de química, que era exactamente donde estaban, gritando que la ley universitaria 122 autoriza el uso de la fuerza contra los estudiantes. Resultaba interesante porque significaba que las personas de rostro blanco que había en la explanada de la biblioteca tenían que ser miembros del Teatro Terminal, el legendario grupo factual cuyo mismo nombre era objeto de conjeturas o representaba un aspecto más, quizá, de la marginalidad del grupo.

Rock and roll por todas partes, retazos de información brotando como serpentinas de los altavoces de las ventanas por todo el campus y en las calles cercanas.

La policía atacaba ahora con fuerza, con las porras en la mano, polis actuando sin órdenes o saltándose las órdenes, inevitablemente, arrastrados por su propio y desenfrenado impulso.

El entrevistador y el estudiante esperaron a que les rescataran y entretanto charlaron de cursos y profesores mientras un grupo de simpatizantes penetraba en el edificio provisto de petardos, trozos de tubería y pilas eléctricas R14, el equivalente casero de un ataque con morteros.

La radio informó de que Lyndon Johnson colgaba boca abajo de un helicóptero y que en ese momento oscilaba bajo la brisa por encima del laboratorio de primates, allí mismo, en Madison, completamente desnudo, tras haber sido secuestrado por desconocidos.

La radio informaba de que uno podía fabricar su propio napalm a base de mezclar una parte de detergente líquido Joy con dos partes de benceno o una parte de gasolina. Agítese con fuerza.

El VW fluorescente avanzaba por las calles, y Marian cerró la ventana y puso la radio y luego fue y arrojó la colilla por el retrete.

Comenzó a comprender que alguna persona o algún grupo se habían hecho con la emisora de radio, y a medida que iba muriendo el día un hombre recitó las instrucciones necesarias para fabricar una bomba con fertilizante. Cómo adquirir los nitratos, baratos, vienen envasados o al por mayor, de cualquier proveedor agrícola, y cómo añadir el fuel oil y qué hacer para encender la mezcla.

Se produjo un intervalo de interferencias y un breve silencio. Luego, la radio regresó a su modo de emisión normal.

¿Qué era aquello?

Tres voces cantando litúrgicamente, un sacerdote recitando la misma frase una y otra vez y dos monaguillos contestando sus respuestas preestablecidas.

Mejores productos para una vida mejor.

Gracias a la química.

Mejores productos para una vida mejor.

Gracias a la química.

Mejores productos para una vida mejor.

Gracias a la química.

Apagó la radio.

Entonces llegó su padre a casa y fue puesto al corriente por su madre y todos se sentaron a cenar el róbalo escalfado y la gipsófila y su padre dijo: «¿A qué se dedica?»

Marian pensó que tenía gracia, y acaso su padre lo pensó también, un poco. ¿Qué podía decir? Podía decir a lo que no se dedicaba. Eso llevaría bastante tiempo. Pero en cuanto a qué se dedicaba, bueno, siempre podía decir que era maestro en una escuela secundaria de Arizona. Pero no podía decir mucho más porque él mismo no le había contado más cosas.

Su madre hablaba de los huesos que les habían roto a los manifestantes, de los estudiantes heridos en la cabeza, apaleados, gaseados, sangrantes.

Su padre dijo:

—¿Sabes lo que significan para mí las heridas de los estudiantes? ¿Con qué puedo compararlas? Porque quiero ser justo con ellos. Es como la vida y la muerte de una mosca, en una pared, en un pueblo, en algún lugar de China. Eso es lo que me importan.

Mostraba una sonrisa vacua que a nadie le gustaba ver.

—Supongo que eso significa que no puedes ser budista. Porque los budistas, si no comprendo mal —dijo su madre, y dejó que la reflexión se desvaneciera flotando en dirección al techo.

Aquella noche, Marian, sentada en su dormitorio, marcó el número de Nick. Le contó cómo había sido su día. No había gran cosa que contar, porque había abandonado la manifestación. Se sentía necesitada, malhumorada y lunar, y no quería que la distrajeran.

A continuación le dijo que quería casarse. Quería casarse con él y vivir con él, en cualquier sitio, donde él quisiera, y no tener niños y no tener amigos y no ir nunca a cenar a casa de sus padres.

Al otro lado de la línea se produjo un silencio que no fue capaz de descifrar. Un silencio telefónico puede resultar difícil de interpretar, sombrío, profundo y a veces perturbador. Careces del elemento suavizador de los ojos e incluso de la mirada desviada mientras cavila. En el silencio no hay otra cosa que la profunda distancia que os separa.

Concluyeron la conversación a trompicones y de mala manera, y se sintió furiosa, colérica con él y consigo misma, en gran medida consigo misma, pensó, y decidió que volvería al trabajo, a la búsqueda de una perfección saludable, a ponerse en forma, a imponerse un mayor rigor.

Abrió la ventana y encendió un cigarrillo y se sentó a expulsar nubecillas de humo hacia el fresco aire nocturno.

6 DE FEBRERO DE 1953

Su madre no quería que jugara a las cartas en la esquina, ni siquiera con los chicos de la escuela católica, y esperó a que subiera las escaleras y se lo dijo.

Jugaba a un juego llamado Siete y medio, apostando apenas unas perras, sentado en el porche frente a la tienda de ultramarinos, congelándose sobre el suelo de piedra, y memorizaba las cartas que repartía la banca y ganaba regularmente, previendo la llegada de las figuras, que valían medio punto, pero ella le dijo que no jugara más.

Pero antes de que le dijera aquello, él, allí sentado, al frío, seguía memorizando sus cartas y haciendo sus apuestas. Cuando obtenía siete y medio, que era la mejor puntuación posible, le daba la vuelta a las cartas y decía «Siete y medio».

Pero cuando las tinieblas comenzaron a acechar a los jugadores, se vio obligado a abandonar la partida y acudir al carnicero en busca de la carne que su madre había comprado ese mismo día.

Ahora que Nick se había marchado al norte del estado, el carnicero se mostraba más simpático con él. El carnicero le preguntó si ya era lo bastante mayor como para empalmarse, y Matty dijo que tenía casi trece años, y el carnicero dijo *salut'*.

El carnicero dijo que necesitaba a alguien que le dijera qué se sentía al empalmarse, porque él ya lo había olvidado, y era lo mismo, más o menos, que había solido decirle a Nick cuando era Nick el que tenía que ir a por la carne, y a Matty le gustaba, con aquel aroma a sangre y a serrín.

Cuando regresaba a casa con la carne una mujer salió de la panadería y propinó a Matty un pellizco, le retorció la piel de la mejilla con los dedos, afectuosamente, como quien hace girar una llave, y le pidió que le diera recuerdos suyos.

Llegó a su calle y los chicos seguían jugando a las cartas frente a la tienda de ultramarinos, en la oscuridad, y algunos eran los mismos que le habían hostigado por jugar al ajedrez cuando aún jugaba al ajedrez, o porque no tenía padre, y se sentó de nuevo para jugar un par de manos, calculando que no era probable que la carne se estropeara en aquel frío gélido, y fue memorizando las cartas a medida que caían.

Luego, subió y su madre le dijo que no quería verle apostar. Le dijo que aunque fueran cuatro perras. Le dijo que hacía feo y que no servía más que para conducir a otra clase de cosas y a otra clase de compañías y le dijo que no quería decirle nada delante de los demás niños, tanto si asistían a la escuela católica como si no, y él se quedó allí escuchándola sin soltar la carne.

Estaban los dos solos, y quería obedecer. Podía sentir el peso solemne de la situación, el alcance de la partida de Nicky, pero siempre había chavales jugando a las cartas en los escalones y por las esquinas, y no estaba seguro de decir que no cuando le invitaran a jugar. Y no porque no pudiera recordar las cartas. No era por algo tan traicionero. Era por algo completamente distinto. El hecho de que su hermano hubiera hecho lo que había hecho y estuviera en un reformatorio del norte del estado le convertía en algo parecido a un héroe, y los chiquillos de las manzanas circundantes querían conocerle.

Por eso es por lo que pensó que podría resultar difícil obedecerla, mientras sostenía las huesudas chuletas de cordero entre los brazos.

No puedes librar una guerra sin acrónimos. Según Louis T. Bakey, eso es un hecho demostrado en lo que se refiere al combate moderno.

¿Y de dónde proceden estas palabras comprimidas?

Proceden de remotos niveles de desarrollo, de técnicos y de cabezas pensantes en su universo computarizado: hombres con gafas y cuellos de cigüeña que trabajan sistemas con tantos niveles e interconexiones que las series de palabras resultantes deben ser atomizadas y rediseñadas, simplificadas y reducidas en cuanto al número de letras.

Pero los acrónimos también proceden de las bases, ¿no es cierto?, al menos ocasionalmente. Fijaos en el viejo Louis, atado y apretujado en el asiento de eyección de proa, en la parte inferior del fuselaje, revisando la lista de control. Y las tripulaciones en alerta acuarteladas por todo el mundo, esperando a que suenen las alarmas. Y los tipos que, en primera línea, cargan las armas y aprovisionan los motores de combustible. Son hombres que experimentan una intimidad absoluta con los sistemas de armamento que preparan y pilotan. Algo que proporciona a sus acrónimos un algo de peculiar.

Y a ello se debe que el bombardero de elevada altitud estacionado ahí fuera, en la pista, con su tripulación de seis hombres, incluido Louis, un B-52 enorme, inmenso, de alas majestuosas y presto a volar, se conozca con el nombre de BUFF entre decenas de miles de hombres de todo el ejército: *Big Ugly Fat Fuck* o Enorme, Gordo y Feo Hijo de puta.

En la cabina, el piloto y el copiloto sincronizan sus relojes por segunda vez. Los tripulantes, en sus diferentes puestos, realizan los procedimientos habituales, el ametrallador flotando en solitario en la torreta de cola, situada al final de un pasadizo por el que hay que avanzar a rastras, el oficial de defensa electrónica encajado en un cubículo de la parte posterior del puente superior, y abajo, en el negro agujero, Bakey, que dejó escapar un bostezo, contempló todos los paneles, conmutadores y monitores que le rodeaban en un panorama más o menos uniforme de jerga de aviónica y propinó un leve empujón al navegante, estrujado contra él.

—Chuckman, hoy me siento de un humor muy en plan chochito.

—Vaya momento cojonudo para pensar en esas cosas.

—Yo no pienso en nada. Son los pensamientos los que me vienen.

—Teniendo en cuenta que nos toca pasarnos aquí atados las próximas.

—Ahí está la belleza y la putada del asunto. El modo en que te vienen los pensamientos. Por sí solos, sin que nadie haga nada.

—Sin contar el plan de vuelo. Doce horas, Louisman.

—En otras palabras quieres decir que.

—Que te guardes de momento esos pensamientos.

—Que me guarde esos pensamientos —dijo Louis—. Que los meta en el microondas.

—Exacto.

—Primero las bombardeamos.

—Y luego nos las follamos —dijo el navegante.

Por muy grosero que fuera el acrónimo, no había nada desagradable en las pinturas que adornaban la zona del fuselaje anterior a las ventanillas de la cabina de mando. Una rubia alta, joven y de largas piernas, del estilo de las animadoras, con una breve faldita y una blusa sin espalda, con las manos en las caderas y las piernas separadas y una mirada provocativa en el rostro, de las que quieren resultar *sexy* pero no saben muy bien cómo, la clásica vecinita de al lado. Con el nombre pintado con caligrafía natural sobre la hilera de símbolos de misiones completadas, treinta y ocho en total.

Long Tall Sally.

El piloto avanzó hasta la pista y la torre de control le dio permiso para despegar.

El copiloto dijo: «Cinco, cuatro, tres.»

El piloto aceleró al máximo.

El copiloto dijo: «Uno, cero, rodando.»

Cuando el avión pasó rugiendo junto al mojón número 7, después de recorrer más de dos kilómetros de pista, el copiloto dijo, sintiendo una masa inmensa y agitada que hacía que sus dientes parecieran salírsele de las encías porque las más de doscientas veinticinco toneladas de aquel Enorme, Gordo y Feo Hijo de puta pugnaban por alzarse sobre las hierbas del campo, el copiloto dijo: «Despegue.»

Y entonces el oscuro corpachón comenzó a alzarse como una aparición de entre las brumas, su enorme ala doblándose y los alerones extendiéndose y las ruedas perdiendo el contacto y luego el tren de aterrizaje elevándose y los chorros humeantes de etanol negro y el tempestuoso rugido que hizo agitarse las viviendas.

En el agujero, el navegante, Charles Wainwright Jr., conocido como Chuckie, continuó escrutando los innumerables diales, mandos y relojes, una vida entera de indicadores agrupados ante él y sobre él y a un costado: el costado que no ocupaba Louis Bakey, el bombardero y encargado del radar.

Chuckie revisó los mandos y luego se metió con su amigo, recomendándole que se casara con una mujer decente de creencias religiosas.

—No la tomes ahora conmigo —dijo Louis—. No necesito ninguna esposa. Ni necesito una iglesia. Tú eres el único que necesita esas cosas.

—Yo, Louis, ya tengo una esposa.

—A la que no apreciabas desde el punto de vista intelectual.

—Tuve que pasar por mi fase ingrata. Estaba acabando algunas cosas —dijo Chuckie.

Los dos hombres habían sido compañeros de tripulación desde la época de Groenlandia, pilotando a través de espejismos árticos y galernas de cincuenta nudos. Actualmente, sus misiones de bombardeo resultaban comparativamente rutinarias, o acaso un nivel distinto de realidad en cualquier caso, más sencillo de proyectar como si se tratara de una película.

—Sé lo que necesitas —dijo Louis—. Una mujer que esté dispuesta a aceptar todas las memeces de tu pasado. Necesitas descargar todo eso sobre alguien inocente. Necesitas a una dulce jovencita que haya nacido para comprenderte. Como el bombón ése que llevamos pintado en el morro de este trasto.

Louis dijo bombón con voz negra y despreciativa. Dado que Louis era un negro despreciativo, el hecho en sí no resultaba sorprendente. Bambáh. Y no es que su personalidad no tuviera un aspecto espiritual con el que Chuckie conectaba. Bastaba escuchar sus historias de las primeras pruebas de la bomba A en Nevada: historias que había contado docenas de veces a lo largo de los años en cuarteles solitarios de Groenlandia, Goose Bay y cierto número de remotas bases de la Fuerza Aérea Estratégica en América del Norte.

—No creo que debas despreciarla.

—Despreciarla. Mira tú qué bien —dijo Louis—. Prefiero despreciarla que desvirgarla, si quieres que te diga la verdad. Me parece demasiado huesuda para mi gusto. Y, además, tiene un nombre que no le va.

—¿Qué significa eso?

—Me aburre pasarme la vida educando a estos chicos.

—¿Qué significa eso, Louis? Un nombre que no le va.

—Long Tall Sally.

—Por la canción del mismo título.

—Al menos sabe eso. Cielo santo.

—¿Acaso crees que no conozco a Little Richard y a su Ow-ow-ow-ow?

—Este chaval merece ser salvado —dijo Louis—. Pero a lo que voy.

—Solía esconder sus discos para que no los vieran mis padres. *Oh baby woo baby.* Tenía yo trece años.

—Has conmovido a este viejo negro, Chuckman. Pero a lo que voy es a que la Long Tall Sally de la canción y la Long Tall Sally que nos han pintado en el morro no son la misma hembra de esta nuestra especie.

—¿Por qué no? Mírala. Es larga, es alta, tiene unas piernas estupendas y tal y como yo la veo me parece que podría llamarse Sally. *Woo. We're gonna have some fun tonight.* Vamos a divertirnos esta noche.

—Vamos a divertirnos esta noche. Exactamente —dijo Louis—. Sólo que la Sally de la canción de Little Richard no va a dejarse ver en ningún coche ni en ningún cine al aire libre dándose el lote con un jovenzuelo como tú.

—¿Por qué no? —dijo Chuckie.

—Porque Sally es negra y es un bicho.

Chuckie examinó su pantalla de radar y corrigió en el ordenador la ruta del aparato durante los próximos tres mil kilómetros de curvo horizonte oceánico y atolones color de mango.

—¿Qué quieres decir con eso de que es negra?

—Lo digo porque la canción tiene un argumento que ha llegado a perderse con tanto uuuuú y tanto aaaaá.

—Esta canción lleva funcionando ¿cuánto, trece, catorce, quince años, quizá?

—Más o menos —dijo Louis.

—Y en todos estos años ni una sola vez me ha venido nadie a corregir el color de piel de la protagonista, ¿eh?

A través del interfono, dijo el piloto con voz relajada: «Me pregunto si eso de ahí abajo será Manila, navegante. Tiene una pinta preciosa.»

Era una broma pesada para la pareja embutida en la bodega, sin ventanas: no sólo carecían de vista exterior sino que estaban sentados mirando hacia atrás, y no sólo estaban sentados mirando hacia atrás sino que se verían forzados a soportar una eyección hacia abajo en caso de que los acertara un misil *sam* enemigo.

Otro acrónimo siniestro, diseñado para matar.

—Piloto, aquí el navegante —dijo Chuckie.

Ajustó su mira y solicitó un viraje mínimo para alinear la trayectoria real del avión con la ruta que acababa de trazar.

Luego dijo: «Louis, esa chica de ahí fuera nos trae buena suerte. Casi cuarenta misiones sin ningún incidente de importancia. No abuses de su buena fe. Es Long Tall Sally. La única y verdadera.»

Cuando se ponía nervioso, Louis hablaba entrecortadamente, con una especie de vocalización hiperarrastrada y salpicada de elementos de falsete irritado que mantenía constante como nota de referencia.

—Dice la canción. ¿Acaso tienes idea de lo que la canción dice? Una mujer en un callejón. El viejo tío John en el callejón con ella. Hecha para correr. Con todo lo que hay que tener. *Yes baby woo baby*. Vamos a divertirnos esta noche.

Estaban a cincuenta mil pies sobre el mar de la China meridional, volando en una formación de tres bombarderos llamada célula, y aquel día había quince células en el aire, y cada célula transportaba más de trescientas bombas, y la zona de destrucción resultante se conocía con el nombre de *sandbox* o cajón de arena, y Chuckie se sentía semidesconcertado mentalmente por la absurda conversación que estaba desarrollando con el viejo Louis, y al mismo tiempo se sentía triste y dolido en otra parte aún más cercana de su ser por la actitud que demostraba su compañero hacia la chica que adornaba el morro de su aparato.

—Se trata de una canción escrita por una mujer negra de Apaloosa, Mississippi. Richard añadió los toques finales. Te lo garantizo, hermano, esta Sally de la que hablamos no es ninguna rubia flacucha jugando a ponerte cachondo en el asiento trasero de un coche. Es una forma altamente desarrollada de entretenimiento.

Triste y dolido. La mente de Chuckie comenzó a remontarse a Groenlandia, a su anterior destino, un buen lugar en el que sobrevivir a la ruptura de un matrimonio. Sus descontentos humanos se veían atenuados bajo las heladas neblinas y ese mundo antinatural barrido de blanco y sometido a interferencias de radio y a vientos constantes y a un frío total y a objetos que no arrojaban sombras y a lecturas enloquecidas de las brújulas y de las pantallas de radar y a un BUFF que se estrelló sobre una placa de hielo con bombas nucleares activadas en su interior, anomalías visuales, o de la mente, o de los propios sistemas, y la experiencia le hizo percibir la espuma fantasmagórica de una especie de consciencia hippy superior. O acaso Groenlandia era tan sólo una delicada porción de un sistema de juegos bélicos que se desarrollaban en una habitación bien caldeada de algún instituto de defensa, con café de nueces y cruasanes.

Louis había comenzado a conversar con el piloto en lenguaje de bombas, lo que debía de significar que había llegado el momento de que Chuckie prestara atención.

Divorciado en una ocasión, expulsado dos veces de la universidad —de la que ya se había fugado una vez—, separado numerosas veces de sus padres, acusado de pequeños hurtos en tres ocasiones, ingresado una vez por sobredosis de barbitúricos, víctima de un intento de suicidio experimental cortándose las venas, frecuente vomitador de aceras frente a los bares... los cargos por hurto eliminados de su ficha gracias a ciertos amigos influyentes de papá.

—Sea como fuere, Little Richard tiene un público básicamente blanco —murmuró, dirigiéndose a Louis.

—Pero Long Tall Sally es negra. Más vale que no lo olvides.

Su magnífico padre, recientemente fallecido. No era mal tipo, ahora que estaba muerto. Pero tan rígidamente paternal en vida, todo él órdenes vacuas y falsa autoridad, que Chuckie sospechaba que no ponía realmente el corazón en ello. No, no culpaba a sus padres de todo cuanto había salido mal. Chuckie era lo bastante desdichado de por sí. Pero no podía pensar en su padre sin lamentar la pérdida de lo único que había querido conservar entre ambos. La pelota de béisbol que le había confiado, que le había entregado a modo de presente, de ofrenda de paz, de desesperado testimonio de afecto y de legado espiritual.

La pelota que más o menos había perdido. O que su mujer le había birlado cuando se separaron. O que había tirado accidentalmente al sacar la basura.

Uno de esos sucesos distraídos que parecían señalar la profunda naturaleza de la época.

Junto a él, Louis permanecía sentado en su puesto, con su sistema de descarga de bombas, y su panel de control, y sus indicadores de datos y su orinal y su taza caliente. Todo lo necesario para una enriquecedora existencia en los cielos.

Louis dijo: «Piloto, aquí el Bombardero Loco. Las soltaré en rápida secuencia. Ciento veinte segundos para el lanzamiento.»

Bobby Thomson y Ralph Branca no significaban nada para Chuckie. Un par de nombres vagamente reconocibles de su inestable niñez. El recuerdo de la propia pelota de béisbol, de la noche de la pelota de béisbol... vago, difuso e inestable.

Louis habló con un bostezo que cuajó sus ojos de lágrimas.

—Piloto, vire tres grados a la derecha. Manténgase ahí. Compuertas abiertas. Verificando. Sesenta segundos para el lanzamiento.

Tantas misiones, todas aquellas bombas indistinguibles. A Chuckie solían encantarle aquellas misiones de bombardeo, pero ya no. Solía experimentar un placer rencoroso, amargo y algo sádico, como si con ello obtuviera una revancha por la vida que había llevado, pagando el pato con el paisaje y con la población indígena. Había tenido el orgullo de formar parte de un ala que arrojaba millones de toneladas de explosivos de sus bodegas. Las bombas caían revoloteando sobre el EVN y el ERVN por igual —el Ejército de Vietnam del Norte y el Ejército Republicano de Vietnam— porque las tropas de uno y otro bando se parecían en gran medida entre sí, y dado que sus acrónimos contienen prácticamente las mismas letras, tienes que bombardearlos a todos para obtener resultados satisfactorios. Las bombas caían también sobre el Vietcong, el Viet Minh, los franceses, los laosianos, los camboyanos, el Pathet Lao, los jemeres rojos, los Montagnards, el Hmong, los maoístas, los taoístas, los budistas, los monjes, las monjas, los cultivadores de arroz, los ganaderos de porcino, las protestas estudiantiles y los resistentes y los floristas y los Chicago 7, los Chicago 8 y los Catonsville 9: todos, en gran medida, el enemigo.

Louis proseguía con su monólogo.

—Suavemente, suavemente, suavemente. En automático, ahora. Tono audible. Diez segundos, nueve, ocho, siete.

En esta misión, bombas de quinientas libras, esbeltas y estériles, ciento ocho unidades a un soñoliento toque de Louis, dirigidas a la ruta Ho Chi Minh, una misión basada en las absurdas lecturas de interpretadores de imágenes que se pasaban los días y las noches escrutando los imperceptibles borrones de fotogramas prácticamente idénticos de películas de reconocimiento que van desplegándose más o menos interminablemente ante sus ojos, pensó Chuckie, del mismo modo que las bombas se precipitan interminablemente de los B-52.

Louis proseguía con su monólogo.

—Seis, cinco, cuatro.

Y Chuckie pensó en la balada de Louis Bakey, una historia que el bombardero nunca se cansaba de contar y que el navegante nunca quería ver terminar porque era como un magnífico espiritual negro que hiciera que te picara todo el rostro de pura reverencia y sobrecogimiento.

Y el modo en que Louis sale renqueando de la escuela de bombarderos para verse de repente miembro de una tripulación de B-52 a veintiséis mil pies sobre el polígono de pruebas de Nevada, simulando en lanzamiento de una bomba nuclear de cincuenta kilotones.

Una simulación, ojo, pero al mismo tiempo un artilugio real de esa misma potencia está siendo detonado en la torre de lanzamiento situada justamente debajo del avión.

La idea es: veamos cómo responden el avión y la tripulación, el metal y la carne, al destello, a la onda, a la conmoción, al espectáculo, etc.

Y si salen del paso más o menos intactos, quizá algún día les dejemos arrojar su propia bomba.

El avión está completamente sellado a la luz. Las ventanillas están tapadas con cortinas acolchadas y forradas con papel de aluminio. La tripulación se tapa los ojos con almohadillas. Pequeñas almohadillas de nailon que a Louis le huelen intrigantemente a ropa interior femenina.

Un médico voluntario ocupa el asiento sobrante. De sus labios penden quince centímetros de cordel a cuyo extremo hay atada una etiqueta de té. Se ha tragado el resto del cordel, que ahora sostiene una placa de rayos X bañada en pasta de aluminio y cuelga en algún punto por debajo del esófago, para medir la radiación que atraviesa su cuerpo.

Louis lleva a cabo su cuenta atrás de pacotilla y aguarda el destello. Un joven fuerte e inmortal a cargo de una noble misión.

—Tres, dos, uno.

En ese instante, el mundo se ilumina. En el cuerpo penetra un resplandor que es como la mano de Dios. Y Louis puede ver los huesos de sus propias manos sin abrir los ojos, a través de las gruesas almohadillas que lleva adheridas al rostro.

Si muevo la cabeza, veo esqueletos danzando bajo el resplandor. El navegador, el instructor de navegación, el artillero electrónico. Cadáveres volantes.

Pensé, Jesús Dios mío. Juro por Dios que pensé que esto era el cielo. Me corre el sudor por el rostro y sale humo de los cortocircuitos y la detonación está haciendo que nos elevemos miles de pies en contra de nuestro mejor criterio.

Pensé que estaba volando a través del Día del Juicio con unos pechos femeninos de nailon aplastados contra la cara.

Y cuando nos alcanzó la onda expansiva, salimos disparados otros dos mil metros para arriba, y esta fortaleza volante parecía una hoja seca en una noche de viento.

Y yo seguía viendo a los muertos volantes a través de los ojos cerrados, esqueletos andantes con la rótula conectada al fémur, y oigo la palabra del Señor.

Y pensé que al ser negro, resultaría más difícil ver a través de mí. Pero podía verme los huesos a través de la piel. Este destello es demasiado brillante para andarse con distinciones raciales.

Todos iguales ante Dios, que nos sirva de lección.

Y el médico con el hilo colgando de la boca y la mano sujetando la etiqueta de té para no correr el riesgo de tragárselo todo, y alcanzo a ver la placa de rayos X a través de la piel, los huesos, las costillas y yo qué sé qué más, brillando como un amanecer en el desierto.

Cuando ya no hay peligro en quitarse las almohadillas y abrir los ojos, Louis abre los ojos y se quita las almohadillas y avanza hasta la cabina de mando y ayuda al copiloto a quitar las cortinas térmicas y allí está, vivo y blanco sobre sus cabezas, el hongo nuclear, hirviendo y hablando y crepitando como una todopoderosa visión de mierda.

Mis ojos se abrieron mucho y siguieron así y nunca han vuelto a cerrarse del todo. Porque he visto lo que he visto. Esa cosa tan enorme y tan alta y tan ancha sobre nosotros. Restallando y palpitando como vete tú a saber qué. Y pasamos volando justo al lado del tallo, que hierve y habla y crepita mientras eleva el hongo hasta la estratosfera.

El fémur conectado a la pelvis.

Al cabo de unos años he perdido la capacidad de escribir. No soy capaz de escribir mi nombre sin temblores y rayas. Ahora, orino a cámara lenta. Y mi ojo izquierdo ve cosas que debería estar viendo el derecho.

Y ésa fue la Balada de Louis Bakey tal y como se relató a un millar de aviadores en sus bases sometidas al aullido del viento durante los cortos días y los largos años de alerta constante en el oscuro y estoico corazón de los inviernos de la guerra fría.

—Bombas lanzadas —dijo Louis con voz neutra.

Pero para Chuckie ya no había esa malévola y ácida diversión. Ya no quería matar a más vietcongs. Y estaba desarrollándose en él una peculiar inquietud por el paisaje local. Estaba harto de matar a la selva, los árboles de la selva, los pájaros de los árboles, los insectos que viven toda su existencia kármica anidados entre las plumas de las alas de los pájaros.

El avión giró drásticamente.

—Louisman, ¿tú nunca te despiertas en medio de la noche?

—No empieces ahora conmigo.

—Pensando que tiene que haber una manera más productiva de pasar el tiempo.

—Eso mismo piensan los de ahí abajo.

—Estás dejando caer bombas sobre unas personas que ni siquiera te han hablado en mal tono.

—Gente que vive en túneles. Te diré lo que están pensando. Están viviendo en túneles que excavan en el suelo y nosotros estamos en un Enorme, Gordo y Feo Hijo de puta poniéndoles de

674

bombas hasta el culo. Y piensan que tiene que haber un modo más productivo.

Últimamente, durante estas misiones, Chuckie ha tenido en más de una ocasión fantasías de eyección. Revisa las protecciones de las piernas y las sujeciones de los tobillos y aprieta el gatillo y *bum*. Saldría despedido hacia abajo, al humeante cielo. Para descender flotando sobre el Golden Gate Park, en la divertida versión cinematográfica, con una rubia minifaldera llamada Sally que alza la mirada de un libro de Frantz Fanon, quizá, o de Herbert Marcuse, dos autores que a Chuckie le ha costado trabajo encontrar en la tienda de la base, hasta caer sobre las copas de los árboles con su paracaídas a topos.

No, nunca había sido aficionado al béisbol, pero había estado bien tener cerca aquella pelota: sí, había estado bien, aquella pelota ajada, recosida, vieja y viril, un fragmento de historia personal que significaba para él mucho más que las crónicas populacheras del propio partido.

El avión emprendió rumbo de regreso a Guam, que en inglés rima con bomba, pero ahora estaba pensando en Groenlandia, con su inmenso rostro sin sombras, sus ilusiones de luz, sus paisajes sin horizonte. Un lugar que nunca llegaba a ser más que un simple rumor incluso para los allí destinados, y especialmente para ellos: la clase de información no verificada que tanto le recordaba a su propia vida.

Por fin abandonaron los cielos. Al aterrizar, oyó el ardiente chirrido de las ruedas y sintió cómo el paracaídas de arrastre se abría con un chasquido y aguantaba el tirón. Sabía que el camión con el letrero de Sígueme estaría ahí fuera, en la pista, pero no podía verlo, por supuesto, encajonado como había de estar en la penumbra de aquel agujero durante algunos minutos, rodeado de sus acrónimos.

Louis dijo: «Me apetece chocho, Chuckman, y lo quiero ya. Pero tiene que ser con alguien que me respete y que respete lo que hago.»

—Y lo que representas.

—Y lo que represento. Muy bien, hijo. Ya veo que me vas entendiendo.

El camión decía Sígueme y la tripulación de tierra avanzaba ya hacia el aparato arrastrando mangueras, tubos, cables de comprobación, hombres dispuestos a seguir paso a paso una lista del tamaño de once novelas gruesas sobre el tema de la guerra y la paz.

—Porque si no me respeta —dijo Louis— me siento vacío cuando todo ha terminado.

—Conozco esa sensación.

—Es una sensación que nunca cambia.

—Primero nos las follamos.

—Luego las bombardeamos —dijo Louis.

Y no había de pasar mucho tiempo hasta que la inmensa fortaleza volante rodara nuevamente por la pista, rebosante de municiones, con todos sus remaches soportando el esfuerzo del despegue, arriba, ya, remontada: un mortífero poder en el cielo.

7

9 DE NOVIEMBRE DE 1965

Era un sitio al que podrías ir a parar si no conocías el vecindario, un bar miserable bajo un paso elevado. A primera vista podría confundirse con uno de esos bares de la Octava Avenida que nunca parecen cerrar, el Red Rose, o el White Rose, o el Blarney Stone, adonde acuden los fontaneros y los sastres, o los ferroviarios de regreso de las vías, o los insomnes de ningún lugar, un emparedado y una cerveza, o una copa y una cerveza, pero este lugar pertenecía a otra categoría diferente, era un lugar situado prácticamente fuera del tiempo, era el Bar Tropical de Frankie, situado en el Lower East Side, y a quién veo al entrar por la puerta si no a Jeremiah Sullivan, hablando de miseria, porque no tenía muy buen aspecto.

—¿Es cierto lo que ven mis ojos?

Dije:

—Hola, Jerry.

—¿Nick Shay? ¿De dónde demonios sales?

Dije:

—Hola, Jerry. ¿Dónde estamos?

—Yo sé dónde estoy. ¿Dónde diablos estás tú? Oigo rumores de vez en cuando. California, Arizona. Vi a tu madre hace tres, cuatro años. ¿Cuánto tiempo ha pasado? ¿Quince años?

Dije:

—Voy a estar una semana en la ciudad. Realizando un trabajo de investigación para una compañía del Medio Oeste. ¿Y tú?

—No te muestres tan calmado. Quince putos años, casi. ¿Qué tomas?

—¿Qué tomas tú?

—Más vale no preguntar —dijo él.

—Yo tomaré lo mismo.

Miró a su alrededor en busca del *barman*, pero había desaparecido. Al fondo de la barra, un hombre con la cabeza vendada intentaba colar una moneda de rebote en un vaso pequeño. Y no lejos de donde se encontraba Jerry había dos mujeres sentadas en sendos taburetes, un par de asistentas irlandesas de la zona, cabría suponer, sólo que no se mostraban acogedoras ni charlatanas ni interesadas en lo que decían los demás, tan sólo dos viejas marchitas habituadas a aquella marcha.

Intercambiamos los datos puros de residencia y empleo y, a continuación, Jerry me proporcionó un elaborado informe sobre personas con las que había crecido, noticias que debía de haber estado reservando, probablemente, para una ocasión como aquélla. Los pantalones del traje le colgaban flácidos bajo la panza, y llevaba el nudo de la corbata a medio camino entre el cuello y la cintura.

—¿Estás casado, Nick?

—No.

—¿Sales con alguien en particular?

—No. Hace poco conocí a una mujer en Chicago. Pero la respuesta es no. No soy de los que se casan. No me veo a mí mismo casado. No me siento atraído por el matrimonio. Ni siquiera pienso en él.

—Ni en tus sueños más quiméricos. Yo sí estoy casado. Dos niños. Te enseñaría las fotos pero no creo que te apetezca ver fotos.

Apareció el camarero y me sirvió un aperitivo que rebosaba del borde del vaso. Era ya avanzada la tarde y la luz era débil, y tras la barra del bar podía verse un mural sin terminar en el que habían pintado una palmera, y un sombrero de verdad colgado de una viga. Jerry dijo que aquello solía ser un club de jazz que quebró casi de inmediato, y cuando decidieron prescindir de la música y cambiar de clientela, él descubrió que seguía acudiendo. Necesitaba una hora entre la oficina y la familia para estar solo, dijo, y pensar.

Tenía razón. No me apetecía ver fotos.

—Tengo treinta años —dijo él—. Cuando mi padre tenía treinta y cinco ya parecía un anciano.

—Sólo te lo parecía a ti. Estabas en primero. Todos parecían ancianos.

—No, estaba viejo. Estaba consumido. Me alegro de verte, Nick. Pienso en ti. Regreso allí. Aquello estaba tan atestado en otra época. Ahora está vacío.

Habíamos acudido juntos al colegio, con las monjas, y luego Jerry se marchó a un instituto católico y yo me pasé a la enseñanza pública y empezamos a vernos raramente, en el vestíbulo de un cine tal vez comprando una Coca, él con sus amigos, yo con los míos, y se producía una peculiar sensación de separación, no antipática pero sí profunda, que obedecía en parte a los distintos colegios, la divergencia entre sus costumbres y sus actividades, pero también algo irreconciliable, el estilo, los amigos, el futuro.

—Has estado fuera la hostia de tiempo. La hostia de tiempo. Igual de repente te apetece volver —dijo.

—¿A vivir aquí? Olvídalo. No. Me gusta como se vive por ahí.

—Por ahí. ¿Qué hay por ahí?

—Todas las cosas de las que nunca has oído hablar.

—Si nunca he oído hablar de ellas, tampoco serán muy allá, ¿no? —dijo.

Solíamos llamarle Jerry, *el Saltarín* porque mostraba tics y guiños constantes, y aún lo hacía, advertí, aunque ahora llevaba gafas y un anillo de instituto.

No le hablé de los jesuitas. Demasiado interesante. Me habría retenido allí durante horas. Le hablé del proyecto en el que estaba trabajando, destinado a alterar los métodos tradicionales de enseñanza escolar, contándole que había estado visitando colegios situados en guetos y en zonas marginales de la ciudad, allí y en Filadelfia, como colaborador independiente de una firma de ciencias del comportamiento de Evanston, Illinois.

—Y das clase.

—He enseñado, he enseñado. Y probablemente vuelva a hacerlo —dije— más pronto o más tarde. En escuelas secundarias. Instrucción cívica e inglés. Pero me apetece enseñar latín.

También aquello era demasiado interesante. Debería haberse sentido realmente divertido, pero era demasiado interesante para eso. Durante cierta época, Jerry parecía haber estado llamado por la vocación, o al menos eso se decía, o a lo mejor eran los Hermanos Cristianos de Irlanda, y eso le pintaba en el rostro una expresión de total desconcierto, al pensar en el Nicky que había conocido y en el Nicky del que había oído hablar más tarde, que enseñaba latín en un aula.

—¿Visitas a tu madre?

—Ayer fui a verla —dije.

—¿Aún vive en el 611?

—Allí sigue.

—Me gusta volver —dijo—. Comer en la avenida Arthur. Siempre a pie. Y llevo a los niños al zoológico.

—Hay que verlo ahora. Está desapareciendo.

—Solía haber tanta gente. ¿O son imaginaciones mías? Las noches de verano. Fantásticas. Me alegro tanto de verte, Nick. Voy a tomarme otra. Tómate otra.

Me apetecía acabar la primera y marcharme, o no acabármela pero marcharme. En esa clase de encuentros casuales, si dejas que duren cinco minutos más de lo debido te echan a perder la noche y, de paso, el día siguiente.

Se ajustaba las gafas sin cesar.

Un hombre solitario, sentado a una mesa, gemía para sí un monólogo incoherente según el cual le seguían a todas partes, grababan sus pensamientos secretos y le enviaban a ciegos clarividentes para que le espiaran con sus perros y sus lápices y sus platillos, y todo aquello se lo hacían en los autobuses y el metro, en los dos sitios.

—Jerry, deberías irte a casa y jugar con tus críos. Cuando tengas cincuenta o sesenta años, ya tendrás tiempo de venir aquí y pensar en el pasado.

Pero no quería irse a casa. Quería recitar los destinos de un centenar de almas relacionadas entre sí, la masa callejera que retumbaba en su mente. Los muertos, los casados, los mudados a Jersey, el chico con cinco hermanas que se convirtió en revienta cajas, el as del *handball* que luego se estableció como quiropráctico, la pretenciosa rubia de primaria que había terminado casada con un boxeador portorriqueño.

—Deberíamos ir allí, Nick, en serio. En metro tardaríamos tres cuartos de hora. Podemos cenar en Mario's. Haré unas cuantas llamadas. Reuniré a algunos de los chicos. Les encantará. Vendrán a vernos. En serio, tío. Vamos, termínate eso y nos vamos.

Su voz parecía impregnada de una lógica urgente. Se mostraba defensivo, algo irritado y medio borracho, fascinado por el plan pero algo enfadado de antemano, malhumorado ante la posibilidad de que yo no comprendiera lo hermoso y lo inevitable de un trayecto hasta el Bronx, que me mantuviera inmune al poder de los viejos tiempos: percibía ya la amenaza de una hiriente ofensa.

—Venga, en serio. Tomaremos el metro. Iremos a ver a Lofaro. Algunas de las caras de antaño. Les encantaría verte, Nick.

No quería ofenderle, ni que pareciera que me situaba al margen de aquello, o por encima. Jerry sabía que había estado en un reformatorio y más o menos aislado de las noticias y los rumores, y ahí me tenía ahora, con una chaqueta de tweed, haciendo un trabajo que me gustaba, con buen aspecto, había dejado de fumar, no me pasaba con la bebida, conocía a una mujer con una voz sexy de violonchelo y probablemente me acostaba de modo regular con ella, y sin embargo miradle a él, un buen chico, católico, que se ha vuelto rancio y fofo, que odia volver a su casa, a su mujer y a sus dos hijos en Jackson Heights, que enciende un cigarrillo con la colilla del anterior y bebe hasta perder el conocimiento, que vende espacios publicitarios para una emisora de radio de las del fondo del dial, y todo porque nunca ha matado a un hombre.

—Tenemos que hacer esto —dijo Jerry—. Tomaremos un taxi... yo pago.

Un tipo llamado Jorge inició una conversación con el camarero. Jorge llevaba el pelo sujeto con una cinta y parecía un enfermo sexual. Yo no contemplaba a aquellas personas exactamente como habituales. Eran infieles. Ésa era la palabra, de alguna manera, procedente del latín tardío, en lo más hondo, y eso es lo que eran, almas atrapadas intentando salir a la superficie, y comencé a comprender que Jerry acudía allí para poder dejar a un lado la autocompasión y las preocupaciones cotidianas que le corroían, para estar con gente dispuesta a hablar con él en una especie de canto llano ilusorio, con una voz ininterrumpida sin sentido ordinario ni una métrica exacta pero surgida de un interior aún más profundo del que podía soportar oír en sus propias palabras.

Las luces se atenuaron y parpadearon.

Jerry estaba hablando conmigo, y Jorge estaba con una mujer que decía algo al camarero acerca de la temperatura óptima para la cerveza, y fue entonces cuando las luces se atenuaron, parpadearon y se apagaron.

Jerry decía: «Sobre la marcha. Haré algunas llamadas. Localizaré a algunos tipos. Me haré con cómo-se-llama, con Allie. Estas cosas, amigo mío, son cosas a las que nadie tiene derecho a negarse.»

En ese momento se apagaron las luces.

El hombre que había al extremo de la barra dejó de intentar colar monedas en su vaso.

Alguien dijo: «¿Qué pasa, se ha ido la luz?»

Jerry y yo dimos un sorbo de nuestras copas.

El camarero dijo: «¿Sabéis qué os digo?»

Alguien comenzó a hablar en el servicio de caballeros, en voz suficientemente alta como para que le oyéramos.

El camarero dijo: «Desde aquí se diría que se ha ido la luz en toda la manzana.»

La primera voz dijo: «¿Qué pasa, se ha ido la luz?»

—Deben de estar trabajando en algo que ha provocado un cortocircuito —dijo el camarero—. Y yo sin velas.

La voz procedente del cuarto de baño sonaba cada vez más alta y más airada.

Una de las viejas le dijo algo a la otra. Ninguna había pronunciado palabra hasta entonces.

Jerry y yo dimos un sorbo de nuestras copas.

—Pero ¿sabéis qué? —dijo el camarero.

Jorge había comenzado a hablar en español.

El camarero apareció con una linterna que había encontrado al fondo de la barra y la encajó entre dos botellas sobre la estantería que había debajo del mural.

La mujer que estaba con Jorge también hablaba español, pero mal, dirigiéndose al tipo de los servicios.

El camarero se acercó al umbral.

—Pensaba que a Allie lo habían matado en Corea.

—Ése fue Viggiano. Corea.

—Pensaba que había pisado una mina.

—Ése fue Mike. Pisó una mina. Viggiano.

Las dos viejas habían vuelto a callarse. Se habían ajustado a la oscuridad y seguían allí sentadas, bebiendo.

—O sea, que me dices que todos estos años.

—Te has paseado por ahí pensando en una víctima de la guerra que no es.

—O la guerra que es pero el tipo que no es.

—Salgamos fuera —dijo—. Quiero ver qué está pasando.

—Ya no tendré que lamentar lo de Allie.

—Creo que se ha ido la luz en toda la manzana. Allie se dedica a vender pescado en el puesto que su padre tiene en el mercado. Lo encontraremos. Le llamaré.

Sacamos las copas a la acera. La manzana estaba a oscuras y toda la zona estaba a oscuras. Eran más de las cinco, ya sin luz, y los semáforos estaban igualmente apagados, y podíamos oír el latido de las bocinas de los coches en la entrada al puente, sobre nosotros y en dirección oeste.

La gente salía de las viviendas y los comercios, la cerrajería, la tienda de ultramarinos, la oficina de cambio de cheques, arremolinándose sobre la acera y charlando entre sí. Si dirigíamos la mirada a lo largo de una calle de edificios de alquiler que se extendía en dirección este podíamos ver el río, una angosta franja brillante que formaba una especie de suavidad, de susurro visual tras los oscuros y voluminosos contornos en primer plano.

—¿Se ha ido la luz en Brooklyn? Creo que se ha ido la luz en Brooklyn.

—En Brooklyn, desde luego, no hay luz.

La gente hablaba entre sí y alzaba la mirada periódicamente. Miraban en dirección al firmamento del centro de la ciudad o intentaban avistar la punta de la isla, que por supuesto permanecía oculta tras un grupo de edificios, pero siempre hacia arriba, para ver el cielo, señalando y charlando.

Yo regresé al interior y deposité mi copa sobre el mostrador. Dejé un poco de dinero cerca del vaso. Seguía habiendo alguien en el servicio, alguien airado que hablaba en español, diciendo algo acerca de su madre, o de la madre de alguien, y supuse que no conseguía encontrar el papel higiénico o que no lograba hallar el pestillo, pero eso era una cuestión de la que tendrían que ocuparse los infieles.

Luego me situé en el umbral y contemplé a Jerry mientras hablaba con el camarero y con otras tres o cuatro personas, veinte metros calle arriba, y los coches que pasaban los alumbraban a intervalos, y se les veía animados, excitados por la inmensidad de las circunstancias, por las fuerzas que allí intervenían, hablando y señalando.

Eché a andar por la calle en dirección opuesta. Al cabo de media manzana atravesé la calle hasta la acera opuesta y pasé bajo uno de los arcos del puente, llegando así a una zona llena de basura casera y coches destrozados y montones de escombros vertidos por los equipos de construcción, y al norte del pasadizo podía ver la silueta de las torres del centro, nítidas y aplastadas contra el cielo a franjas, y oí cómo iba creciendo el sonido de las bocinas, ese dinosaurio agonizante que era la circulación atascada en plena hora punta, llamadas y respuestas por doquier, y salí por el otro extremo, donde los faros de coches que apenas se movían, de coches detenidos por completo, creaban un río de luz de bario que señaló mi avance a lo largo de las calles.

29 DE OCTUBRE DE 1962

Estaba de regreso en Nueva York, la matriz de la consciencia, para un espectáculo de medianoche en el Carnegie Hall, con casi tres mil personas, encaramado al enorme escenario que dominaba el foso de la orquesta, frente a dos hileras de palcos y una zona de butacas en la que la gente atestaba los pasillos y las salidas.

Lenny Bruce en concierto.

—New York, New York, lo decimos dos veces. La primera, para tentarles a abandonar Kansas. La segunda, sobre su tumba.

Se agitaron en sus asientos.

—New York, New York, como los curas cuando se ponen a recitar sus latinajos. Bla, bla, bla; bla, bla, bla. Lo dice dos veces porque está hablando de mierda, de pis y de corrupción, y quiere estar seguro de que le habéis entendido.

Su gente estaba allí. Los chicos de Artistas y Repertorio procedentes del edificio Brill, los colegas que se trabajaban todos los agujeros de Nueva Jersey, los actores y futuros actores y actorescamareros y taxistas con carné del sindicato. Los calvos incipientes del Upper West Side estaban allí, con sus desgreñados papillotes y sus señales de sufrimiento y las mujeres que iban con ellos: rizosas, deslenguadas, cabezotas, con cuerpos turgentes y rostros anchos y auténticos y un modo metálico de reírse.

Lenny llevaba un traje blanco y ajustado, bien planchado, y una camisa de chulo, color pardo rojizo, con cuello vuelto, como un hombre que intenta recordarse a sí mismo que es indestructible.

Era medianoche y llovía copiosamente, pero estaban todos allí, músicos y paisanos, cronistas de las revistas más selectas, una selección de personas con rostros blancos como la tiza y heridas de aguja bajo las ropas, y cierta cantidad de otros personajes incorpóreos que acababan de fumarse quién sabe qué DMT, el veloz agente químico ultrapotente fabricado por la NASA para llevarnos a la luna y traernos de vuelta tanto si queremos ir como si no.

Alzó la vista, la bajó y la paseó a su alrededor.

—Qué semana más loca, más histérica y más morbosa. Estamos todos agotados. Hemos estado a minutos de distancia de unos buenos fuegos artificiales. Pero ahora, pero ahora, pero ahora.

Dejó vagar la mirada más allá de las esbeltas columnas, hasta llegar a las profundidades de la tercera galería, y luego contempló los rostros que colgaban de la balaustrada, en lo más alto, jóvenes levemente relucientes por el reflejo de los focos que colgaban en las alturas de las paredes de ambos costados.

—*¡No vamos a morir!*

Ejecutó unos pasos de danza de ministril, con la boca abierta, la mano en alto, los dedos extendidos, y siguió allí riéndose durante un rato.

—Sí, nos han salvado. Todos los tipos de la Ivy League, con sus trajes a rayas y sus calcetines negros que llegan hasta la rodilla, de tal modo que cuando cruzan las piernas en televisión no tengamos que ver un trozo de piel paliducha entre el calcetín y la pernera del pantalón. Es tan vulnerable, oigan, ese trozo de piel blancuzca. Las piernas de los poderosos tienden a carecer de pelo, lo que les hace sentirse secretamente débiles y afeminados, por lo que se aseguran de llevar calcetines lo suficientemente altos. Y las ligas son peligrosas por ese mismo motivo. No, sí, nos han salvado. Lo han logrado. Los rusos aceptan retirar los misiles y poner fin a la construcción de bases de misiles en Cuba. Kruschov está vomitando en sus *latkes*. Está tomando baños calientes para relajarse. Como un saco de plástico lleno de maíz en plena ebullición.

Los fanáticos adolescentes de Lenny estaban ahí, chavales de Brooklyn y de Queens que repetían sus números palabra por palabra, memorizándolos de los discos y, aún más religiosamente, de las escasas cintas magnetofónicas grabadas a escondidas por traficantes de bienes de contrabando. Y chicos del Bronx que se pasean por el Grand Concourse para verse todas las pelis extranjeras que echan en el Ascot, en la confianza de ver algo de teta: Lenny era su cortador de diamantes, su maestro, impasible y maldito, en verdades fuera de lo corriente.

—Nos han salvado, con sus gafas de concha y sus razonables cortes de pelo. Han asistido como invitados a un millar de cenas para adiestrarse en cómo solucionar crisis de misiles. Ahí está la cosa, tío. Estamos en la cumbre de la civilización occidental. Esto no es el arte de segunda fila de los museos ni los libros de esas bibliotecas que tienen los servicios atestados de vagabundos callejeros. Olvídense de todo eso. Olvídense de los campos de deporte de Eton. Lo que cuenta es dónde se sienta cada uno para la cena. Ahí es donde les hemos ganado. Porque han logrado soportarlo. Porque les hemos puesto a prueba en el escenario más cruel que existe. Allí donde intervienen fuerzas tremendas y se desarrollan acontecimientos cruciales. Cenas, no se lo pierdan, en el pasillo norte. Vuestra madre siempre os decía: Sal por ahí a relacionarte, tesoro. Y en su voz había ansiedad y cierto terror disimulado. Porque sabía cómo funciona. Relaciónate o muere. Y por eso hemos ganado. Porque esos hombres fueron bautizados y educados para este momento. Sí, puestos a prueba en un millar de cenas formativas. Todo comenzó en la adolescencia. Sentados junto a adultos que no conocían de nada y obligados a darles conversación. Qué cosa más sádica para decirle a un chaval joven. *Dale conversación*. Algunos eran incapaces de hacerlo. Algunos se derrumbaban y eran enviados a estudiar para ingeniero agrónomo. Fumaban raíces y hojas y se dejaban crecer el vello de la cara. Desarrollaban relaciones de compromiso con animales. Pero los otros. Los otros. Los otros se masturbaban con marchas militares y se casaban con sus primas segundas y se volvían fuertes y dominantes. Sabes que se trata de hombres poderosos cuando sus mujeres juegan al *bridge* con las cortinas cerradas. La luz del sol les produce migrañas. Retuercen sus pañuelos al hablar. ¿Recuerdas cómo tu tía Tovah retorcía su pañuelo, sentada en su silla? Ponte derecho, decía. Habla con la gente, decía. Inténtalo. Por mí, tesoro.

A lo largo de la larga noche, demasiado larga, tres horas sin parar, demasiado larga porque tiene que ser demasiado larga, acaban de sobrevivir a una crisis y tienen necesidad de mostrarse inmoderados, y demasiado larga porque Lenny, sencillamente, es incapaz de parar, alza la mirada desde debajo del arco del proscenio y contempla el techo ornamentado y las doradas hileras de palcos y sabe que ése es el templo de Casals y Heifetz y Toscanini, y pensarlo le produce algo parecido a una descarga, y demasiado larga porque lleva toda la semana alimentándose de exhalaciones de temor y ahora se siente resucitado, vivo, dispuesto a pasarse la noche aullando.

Los disc jockeys estaban allí, tipos que tocaban jazz a altas horas con voces roncas y sugerentes. Había celebridades repartidas por la orquesta, llamada el Parquet, con P mayúscula. Se veían parejas de razas mezcladas, todas exhibiendo una aguzada naturalidad. Gente a la que le aburrían las comedias normales. Personas que querían verse desafiadas y atacadas, que querían oír cómo otros denunciaban sus bienintencionados sentimientos como simples charlas de cenas liberales.

Lenny desenroscó el micrófono de su soporte y les bendijo a todos.

—Déjenme que les cuente la historia oculta de esta semana. El presidente llamó al Papa.

Un rumor de expectación que, sin embargo, le desconcierta, porque no está de humor para papas.

—Sí, han mantenido comunicaciones secretas durante toda la semana, pese a todas esas chorradas que hablan de la separación de la Iglesia y el Estado. Siempre se respaldan unos a otros, esos cuervos.

Los papas resultan automáticamente graciosos. No necesitan de Lenny para proporcionarle dignidad a su número.

—El Papa tiene submarinos, no sé si lo sabían. Una palabra tuya, Johnny, y te los mando. Aniquilaremos a esos hijos de puta. Santidad, tío, estoy asombrado. ¿Tienes una flota de submarinos propia?

Lenny perdió el interés. Pasó a hablar de sermones y admoniciones, de rollos sobre patriotismo, comunismo, impuesto sobre la renta y mujeres que se introducen cigarrillos en el chocho y expulsan aros de humo perfectos. Y cuando decía algo gracioso o alcanzaba un ocasional relámpago de intuición y los demás aplaudían, decía: «No, por favor. Déjenme volar solo.»

—Siempre lo he sabido. Lo he sabido desde la infancia. Soy tan corrupto como ellos. He crecido aquí. La policía es deshonesta, y yo también. Los políticos mienten, y yo miento mucho más. Quiero suicidarme en televisión para que la gente pueda acostarse con la imagen de un pecador muerto en el borde de sus ojos.

Vieron al donjuán con ojos de cama. Vieron y oyeron al fogoso adolescente con voz gangosa por las vegetaciones, el chiquillo que quiere hacer reír a su madre. Oyeron al parlante frenético enredado en sus propias y discontinuas ideas. Vieron al holgazán derrotado, todo él lasitud y atención agotada, oyeron al adalid que defendía las palabrotas, al filósofo social, al abogado de estilo personal, al judío autocrítico, al moralista cristiano y comentarista de cuestiones raciales.

—Anoche, aterricé procedente de Miami y tomé un taxi directo al teatro Apolo, donde me reuní con algunos amigos para el espectáculo nocturno, porque me encanta esa escena, y salimos después de la representación, y yo iba con mi maleta y con mi percha de viaje y era tarde y hacía frío, por lo que no había manera de encontrar un taxi, porque los taxis no van a Harlem, así que comenzamos a deambular por ahí, ¿entienden?, y nos cruzamos con un viejo que está bailando *rap* en una esquina frente a un público de tres personas. Tiene como cien años, y está predicando a tres pobres de espíritu, y es como Hyde Park Corner, sólo que en negativo.

Lenny realizó una digna imitación de la voz de un predicador callejero, lo que resultó sorprendente y fuera de lugar, porque incluso si hubiera comenzado su carrera como mimo, imitando a Cagney y a Bogart con acentos alemanes, y aunque se hubiera puesto al día con frecuencia, representando toda clase de tipos contemporáneos, hoy en día un blanco cómico no tenía por qué recurrir a imitar la voz de un negro, ¿no es cierto?

—El viejo sostiene un billete de un dólar por los bordes. El billete es aún más viejo que él. Se asoma por encima del borde y dice: De curso legal. Dice, un nombre, debo admitir, que no le hubiera puesto yo. Dice, todos hemos visto en los noticiarios las máquinas que imprimen dinero sin parar, como botellas de soda a las que les ponen el tapón, sólo que a la velocidad del relámpago, e imprimen, imprimen e imprimen, pero adónde va todo eso a parar es mi pregunta. Yo no he visto ninguno. ¿Ustedes han visto alguno?

Lenny imitó la voz, levemente encorvado bajo el inmenso telón, con su traje blanco a la italiana y sus botas negras de marica, las que tienen esos bucles estúpidos adornando la parte trasera.

—Dice, Nadie sabe el día ni la hora. Está ahí, de pie, con un traje oscuro y arrugado y pinzas de bicicleta en los tobillos. Compréndanme cuando les digo que sentí el impulso de darle todo cuanto poseo. No por piedad ni caridad ni ninguna otra gilipollez cristiana. Por afecto. Por gratitud hacia su presencia física y sonora en aquel lugar y en aquel momento. Porque esto es New York, New York, y lo decimos dos veces porque la mitad somos nosotros y la otra mitad ellos, a todas horas, no se lo pierdan, con pinzas para bicicleta. El tipo es un actor y lleva perfeccionando esa escena durante décadas y yo permanezco allí escuchándole y de algún modo curioso me oigo a mí mismo, de acuerdo, me veo a mí mismo, me imagino a mí mismo a los diez o doce años de edad, escuchando una voz como la de aquel anciano. Es su voz y su semana. El día y la hora. Y él sostiene el billete de un dólar. Cuando llegue el momento, dice, el mundo estará dividido entre los que han podido leer el mensaje y los que no.

Una larga pausa. Silencio en la sala. Lenny parecía medio ausente en sus ensoñaciones, en sus conjuros, y quizá la gente comenzó a sentirse incómoda porque no parecía capaz de dejar de imitar aquella voz. Era como si la voz se hubiera cruzado con la suya. Como si las voces cruzadas fueran inevitables, tanto si uno lo sabía como si no, tanto si te gustaba como si no, y tal vez aquel viejo negro hablaba a veces con la voz de Lenny, él solo, sin saberlo, en su habitación, a otro nivel, oyendo mentalmente las torpes escalas, el ir y venir de la música aflautada de Lenny, mientras Lenny imitaba la voz del viejo, hablaba con la voz del viejo, inevitablemente.

—Luego nos miró; volvió la mirada hacia el costado que ocupábamos. Estamos allí un negro, un blanco y dos mujeres blancas, sólo que una de las mujeres se ha pasado todo el tiempo que lleva en la acera buscando un taxi. Nos miró brevemente. Reparó brevemente en nosotros. Pareció reconocernos con aquella breve mirada. A continuación, se volvió hacia su público original, esas tres personas perdidas en mitad de la calle, esos desdichados del mundo perdido, el país perdido que existe aquí mismo, en Norteamérica. Y siguió con su *rap*, y ellos siguieron allí, escuchando.

Lenny imitó la voz aún durante un rato y cuando terminó hubo de hacer una nueva pausa para regresar al escenario, la sala y el público.

—Sentí deseos de entregarle mi percha de viaje llena de trajes, mi maleta llena de drogas, mi casa en las colinas de Hollywood. Le escuchamos durante sólo ocho, nueve minutos. Menos. Un taxi se detuvo y nos marchamos y no pienso volver porque... no sé por qué, sólo sé que no lo haré. Derrotado por aquella escena. Su vida, su *rap*. Debería contar chistes de polacos que cambian bombillas.

Por fin, risas.

—Debería contar chistes de camareros chinos.

Contó un chiste relativo a un camarero chino. La gente se rió considerablemente. Hizo un popurrí de escenas de películas y les encantó. Recuperó números que solía hacer cuando llevaba un abrigo de piel de camello, zapatos de ante y un mostacho brillante de chupacoños. Ellos se reían, él se deprimía. Realizaba los viejos números con adecuada y picante ironía, pero ello sólo los hacía reír más y le deprimía más a él. Ellos se reían, él sangraba. Lenny se sentía fatal. Se suponía que tenía que sentirse feliz y revitalizado, pero no era así. Habían sobrevivido todos a una semana infernal y él había estado arrastrándose por cuatro clubes de una costa a otra en estado de descontrol creciente y ahora había acabado todo y estaba a salvo y estaba en concierto y debería haberse puesto ahí en medio a cantar, *No vamos a morir, No vamos a morir, No vamos a morir*, encabezando el cántico de todos, como un mantra lleno de alegría o de alegría fingida al mismo tiempo porque esto es New York, New York, y no queremos tener que elegir.

Cuando pensaba que iban a morir había cantado la estrofa de la muerte repetidas veces.

Pero eso había pasado. Todo eso quedaba olvidado. Había otras cuestiones, más profundas y más vagas. Todo, nada, él.

—He venido aquí esta noche a que me amaran como nadie ha sido amado nunca. Amadme como jamás habíais amado a nadie hasta ahora. Haga frío o calor.

En sus ojos podía verse una súplica inconsciente.

—Padres, hijos o amantes. Quiero verme arrastrado por el amor como si fuera una riada.

Regresen a sus asientos regresen a sus asientos regresen a sus asientos.

Aquellos viejos chistes le hacían sentirse mal. Y las carcajadas eran peores que los chistes. Las risas le entristecían y descorazonaban. Más o menos a mitad de la frase, cambió a algo que había estado pensando antes de toda aquella mierda con los misiles, sentado en un retrete de Los Ángeles, porque ahí era donde sus mejores ideas parecían cobrar forma.

De hecho, se había referido a ello distraídamente aquella misma tarde, poco antes. Obtuvo una reacción que pareció indicar que estaban interesados y agotados.

Decidió ir desarrollando el número sobre la marcha.

Bien. Se trata de una virgen analfabeta y de ojos tristes que vive en un burdel de uno de los distritos más pobres de San Juan. Posee un talento especial que no tiene nada que ver con el sexo *per se*. Una especie de número de salón, ¿vale? Los hombres pagan la mitad de su salario semanal para entrar juntos a una habitación desnuda del sótano donde la chica, inocente y de piel suave, se levanta la falda, se baja las bragas, arrebata a la *madame* un cigarrillo encendido y se inserta el filtro en el chocho. Los hombres la contemplan con la boca abierta. Se trata de un Kent largo con filtro de micronita. Luego, encoge los músculos de sus labios, o lo que sea, e inhala, por así decirlo, vaginalmente; a continuación, se retira el cigarrillo y comienza a expulsar una serie de magníficos aros de humo. Los hombres dejan escapar una exclamación ahogada. Perfectos círculos redondos que se alzan de su lanoso sexo, aún fino y poco poblado.

El público de Lenny no dejó escapar una exclamación ahogada como hicieran los hombres del burdel, pero sobre la sala se aposentó una especie de inquietud subrayada por alguna que otra risa nerviosa aquí y allá.

Algunas personas interpretan el don de la muchacha desde un punto de vista religioso. Piensan que es una profecía, un signo del cielo de que el mundo está a punto de acabarse. Dios ha elegido a una pobre huérfana, analfabeta y mal alimentada, para transmitir un profundo mensaje al mundo. Porque, ¿acaso no es posible que todas aquellas oes que expulsa su útero se refieran a la letra griega que representa El Fin? Otros, periodistas, científicos, sacerdotes, dicen... son hombres que han acudido al burdel para ser testigos del acontecimiento y dicen que los aros que está expulsando no son representaciones de la letra griega Omega. Son simples oes de sopa de letras, por muy perfectamente formadas que estén. Esa gente dice que cuando la muchacha sea capaz de expulsar omegas griegas de verdad, con su forma de herradura, ¿entienden?, la rebaba a cada lado de la abertura, que entonces empezarán a creer en los milagros.

Puro material Lenny Bruce. A esto es a lo que han venido, ¿no? ¿Quién más hace esas cosas? Si resulta repugnante, tanto mejor. Si para ti es insultante como persona, levántate y márchate y llévate contigo a tu marido y a sus crucigramas.

El caso es que un rico viudo norteamericano se presenta una noche, con sus amigos, y la muchacha le mira a la cara orgullosamente, *con dignidad*.[1] A continuación, se inserta el extremo del cigarrillo en el chocho y expulsa un anillo en el interior de otro anillo y añade un tercero, diminuto, en el centro. El millonario se sorprende ante aquel espectáculo de feria, pero está secretamente intrigado y se sorprende regresando allí una noche tras otra, solo, y no tarda mucho en enamorarse de la muchacha, sí, de sus ojos límpidos y de los hoyuelos de sus rodillas y su encantador y lanoso pubis. Decide rescatarla de esa vida de miseria y poco menos que se la compra a la madame por una enorme suma de dinero, y se la lleva a su mansión de la colina, desde la que se ve el río Hudson y contrata equipos de médicos, tutores, psicólogos y expertos en nutrición y allí la ve desarrollarse intelectualmente y crecer hasta convertirse en una saludable jovencita que habla cuatro idiomas y parece dotada para el oboe.

Lenny se detuvo un instante, señalando así que el final, la moraleja, debería implicar cierta reversión al tipo primitivo, algo que la chica hace que demuestre el poder de un único hábito incomprensible sobre no importa cuánta influencia de civilización.

Dijo entonces: «No, sí, esperen. Es todo al revés. No es la chica la que vuelve atrás. Es el hombre. No se lo pierdan. Es de esos tipos que se cuestionan todo lo que hacen. Y comienza a preguntarse. ¿Era una chiquilla mal encaminada o una artista? ¿Era carne de presidio o era una santa? En otras palabras, ¿no habría cometido un terrible error llevándola a su casa y educándola y eliminando los cigarrillos de su vida? Comienza a recordar aquellas noches deliciosas de San Juan.» Lenny proporcionó al nombre de

1. En español en el original. *(N. del T.)*

692

la ciudad un auténtico trueno gutural. «Sí, aquellas noches en el sótano de aquel burdel apestoso en el que trabajaba. Admítelo, imbécil. Has destruido una extraña, mágica, hermosa y peculiar perversión para sustituirla con un aburrido oboe. Que, dicho sea de paso, se pasa el tiempo tocando. Y que, en cualquier caso, no es sino una versión desubicada del enorme Kent, normalizado y concertado.»

Lenny permaneció de costado, acariciándose la mandíbula con el micrófono en la mano.

—Ansía ver aros de humo saliendo de su chocho, de su chisme. En primer lugar, el cigarrillo entre aquellas piernas larguiruchas. Luego, los aros que se elevan en el aire. Cuando se la compró a la madame, la chica estaba a punto de lograr que se conectaran entre sí, lo que constituiría bien un símbolo de la Santísima Trinidad, Padre, Hijo y Espíritu Santo, o el logotipo de la cerveza Ballantine: Pureza, Cuerpo y Aroma. De un modo u otro, imagínense lo que hubiera disfrutado viéndolo.

Desvió la mirada entre bastidores, pensando.

—Contraen matrimonio en una ceremonia libre de humos que celebran en el jardín. La noche de bodas, ella, que aún es virgen, se sitúa en camisón junto a la ventana que da al Oeste. Entra él, en pijama y chaqueta de esmoquin, sosteniendo un cigarrillo en una boquilla, un Kent largo aún apagado.

Pero no estaba seguro de cómo terminarlo.

—Saca el cigarrillo de la boquilla y lo alarga en dirección a ella mientras atisba la oscura turgencia bajo su camisón. Ella retrocede, horrorizada. Dice, Debes de estar loco. Lo dice en cuatro idiomas. Dice casi todo en cuatro idiomas, una costumbre que a él ya empieza a cabrearle.

Y entonces Lenny tuvo una idea mejor, más profunda, más desafiante.

—Esperen, escuchen, no. El millonario es un mito, ¿no es cierto? Le hemos metido en la historia porque necesitábamos a un filántropo rico y débil, a un respetable gilipollas que por mucho que se engañe a sí mismo acaba por mostrar su corrupción. Nos lo hemos inventado. Por esta vez, digamos la verdad.

Percibió la decepción entre el público. Querían oír lo de la noche de bodas, el camisón, el tocador, el final desenfadadamente cruel, como ese número que solía hacer sobre el muchacho criado por lobos y que alguien se encuentra en estado salvaje: le alimentan, le enseñan, le educan y termina graduándose con mención honorífica en el MIT y muere al cabo de una semana persiguiendo a un coche por la calle.

—Digamos la verdad —dijo—. Nadie salvó a la chica de una vida de perversión. Escapó ella sola del burdel por su propia iniciativa. Fue ahorrando las raquíticas propinas que los clientes le entregaban y tomó un avión a Nueva York con Cucaracha Airlines para encontrar a su madre, que no estaba muerta: he ahí otro mito facilón.

Mierda, estaba echándoles a perder la diversión. Podía sentir cómo se enfriaban hasta los de los asientos de más arriba, donde sus admiradores adolescentes esperaban alguna ordinariez final, inclinados sobre la barandilla, algún final épico para psicópatas.

—Nunca trabajó en un burdel —dijo Lenny—. Nunca se bajó las bragas ni expulsó aros de humo del chocho. Lo cierto es que ni siquiera vivió nunca en San Juan, chatos.

Le encantaba decir San Juan. Y, sí, estaba echando abajo toda la estructura. Podía percibir el desconcierto de los demás y no se lo reprochaba.

—Hagámosla humana. Es una persona real, como nosotros. Cojan el metro hasta el sur del Bronx, donde vive con una madre drogadicta a la que no consigue desenganchar. Tiene ya casi la edad suficiente, por lo que los hombres comienzan a fijarse en ella. Su madre viene y va. Desaparece, y luego regresa. La compañía telefónica les corta la línea. El casero viene a verlas. O a echar notificaciones de expulsión por debajo de la puerta, porque uno nunca le ve. Es una corporación llamada Inmuebles XYZ con una dirección que es una lista de Correos en Groenlandia. La chiquilla se refugia en solares abandonados, en aquellos dédalos de callejuelas, porque su madre ha vuelto a marcharse y teme que el casero la haga arrestar. Hagámosla humana. Bauticémosla con un nombre.

Pero no le puso nombre. No lograba pensar en ninguno. Al menos en ninguno real. Por el contrario, regresó a sus viejos chistes. Contó un chiste de suegras y todos se rieron, porque la verdad es que era gracioso. Contó un chiste de madres judías que era aún mejor y les encantó, se rieron, y poco a poco fue regresando a su antiguo estilo, con chistes relativos a la raza, el sexo, la religión, y volvía a ser el Lenny gracioso y ofensivo y, finalmente, la velada concluyó entre grandes carcajadas y aplausos, con vítores de los chiquillos del gallinero, y con Lenny en aquel grandioso escenario, estúpidamente ataviado con su traje blanco, pequeño y arrepentido, y por fin dio media vuelta y desapareció entre bastidores.

9 DE NOVIEMBRE DE 1965

Horas más tarde, seguía andando. Pasé junto a mi hotel y seguí caminando, un edificio anónimo próximo a Times Square, donde me darían una vela y me mostrarían la puerta que conducía a las escaleras, pero yo quería seguir caminando, y donde sólo tendría que subir cinco pisos, pero necesitaba adentrarme en la noche y ver aquello.

Vi taxis que llevaban iluminado el cartel de fuera de servicio, pero la gente los cogía de todas maneras: se limitaban a abrir la portezuela y a entrar, pues los taxis eran cautivos del tráfico y no podían esquivarles y salir corriendo, y me levanté el cuello de la chaqueta y caminé un rato en dirección este, pasando junto a una enorme multitud que había cerca de la biblioteca principal hasta que por fin me di cuenta de que era una parada de autobús, había seiscientas o setecientas personas en la parada, fácilmente, agrupadas de un modo más o menos ordenado, cubriendo la acera y la escalinata de la biblioteca, mientras el viento azotaba la Quinta Avenida y ellos esperaban el autobús.

Carecía de abrigo. Mi abrigo estaba en Evanston, Illinois. Me arrebujé en la chaqueta y vi gente cruzando por el puente de Queensboro, ocupando el puente entero, caminando en fila de a ocho o de a nueve, quizá cincuenta filas, seguidos por un grupo de coches que avanzaban arrastrándose, seguidos a su vez por otro grupo de peatones. Regresaban a casa, a Queens. Entonces fue cuando tuve la idea y experimenté aquella punzada de remordimiento.

Me detuve a cenar en un restaurante iluminado con velas y decorado al estilo de los setenta, donde me sentaron con otros tres porque esa noche tocaba compartir mesa. No hubo más que un tema de conversación, claro, al menos durante un rato, y nos preguntamos hasta dónde se aplicarían las normas de oscurecimiento nocturno y si se trataría de un sabotaje, y dijo alguien, un editor literario ataviado con pajarita, que así era el título de una de las primeras películas de Hitchcock, con Sylvia Sidney, y empezó a nombrar compulsivamente al resto del reparto: una película que empieza con una escena en la que se van las luces. Nos saltamos el postre y el café en beneficio de los que aún aguardaban haciendo cola y yo me tomé una copa en un bar cercano y pensé que Jerry tenía razón, Jerry Sullivan, ahí estaba la punzada, el sentimiento de culpa: deberíamos ir al Bronx esta noche, Jerry y yo, no intentar parar un taxi sino realizar el trayecto caminando, algo enloquecido y emocional, una caminata a través de una ciudad que se ha vuelto oscura y fría.

Pero entonces pensé, estúpido, no, olvídalo: acabaríamos desinteresándonos por el camino o nos meteríamos en alguna pelea con chorizos o rateros o, sencillamente, nos cansaríamos, o se cansaría Jerry, ¿y qué pasaría entonces?

Un hombre dirigía el tráfico con un periódico enrollado, un tipo algo panzudo pero bastante ágil, esquivando y revolviéndose, enfrentándose al caos de la calle Ochenta y seis, un hombre que hacía caso omiso de las bocinas y sustituía a un centenar de semáforos con gestos extravagantes, ataviado con un abrigo de cuello de terciopelo, la gente deteniéndose a contemplar su brillante bastón, una profunda y fervorosa sensación general arropando toda su actuación, una actuación minuciosa y hábil pese a ciertas florituras teatrales, algo que se extendía a través de la gente de la calle.

Pero aquello también habría resultado grandioso de algún modo, pensé, algo hermoso, caminar hasta Manhattan y luego hasta el Bronx, como gesto, como recuerdo, hasta alcanzar el antiguo vecindario, precisamente esta noche, con el mundo a punto de venirse abajo, pero ¿qué haríamos cuando llegáramos allí, a las dos de la madrugada?

Los peatones circulaban pegados a sus transistores, porque había estaciones que contaban con energía auxiliar y había hombres con la cabeza arropada por una bufanda que vendían linternas y velas, y había velas en miles de ventanas, y gente haciendo cola para comprarlas frente a los todo a cien, y cada dos esquinas largas colas frente a las cabinas telefónicas.

La red eléctrica estropeada. ¿Qué significaba aquello? Todo el sistema y sus conexiones internas, estropeado. O acaso carente de conexiones suficientes. Sylvia Sidney en la oscuridad.

Desde ciertos puntos de observación, la ciudad era una colección de tétricas siluetas, secretas y apartadas, sus egos de neón interrumpidos. Aquella noche se veía el cielo. Al otro lado del parque, las torres aparecían aplanadas hasta formar una especie de terciopelo nocturno grabado, letal y carente de las interferencias que hacen palpitar las ardientes noches.

Oí el sonido de tambores, de redobles; no eran golpes en *staccato* sino baquetas, tal vez, golpeando algo suave y sordo. Procedían del parque.

Yo era un forastero allí. Conocía Manhattan, pero sólo a nivel de calle, irregularmente, y me sentí un poco aislado, y el sitio me asustaba por su sensación de sabiduría, su desenvuelta ufanía, un estilo de mente y de aspecto que puede resultar más difícil de aprender que un dialecto del Transvaal. Todo el mundo se sabía las mismas siete cosas. Pero podías tardar años en recorrer la lista, y para entonces el número habría cambiado, o quizá toda la lista.

Salieron del parque a la altura de la calle Noventa, una banda de hippies que desfilaban a la luz de las velas con sus flautas, sus tambores y sus panderetas, unas cincuenta personas entonando cánticos, y un hombre con una aguja ensartada en la lengua, y una mujer con una serpiente en torno al cuello, y una nube de humo acre que despedía cierto aroma a delito menor, y había niños paseando y bebés transportados en arneses y soportes, y los paseantes entonaban una especie de sílaba tarareada, algo hechizante que me sonó como *bomb*, una vibración dotada del todo grávido de una oración, repetida una y otra vez, pero ¿no podían estar cantando nada ominoso, verdad, con niños sujetos al pecho y a las espaldas?

Y quizá Jerry había estado en lo cierto. No tenía derecho a rechazarle. Esa idea suya tan formidable de irse hasta el Bronx... me sentí culpable por escabullirme y traicionar tan dulce proyecto.

Les observé avanzar en dirección sur a lo largo de la linde del parque. Las calles comenzaron a oscurecerse, vacías de tráfico y de faros, y comenzó a reinar una extraña calma salpicada de aprensión. ¿Cuántos miles, cuántos cientos de miles, atrapados en los metros o en ascensores atestados, esperando? La sospecha eternamente rezumada, la parálisis, esa cosa implícita en toda ciudad que funciona a golpe de botón, que un día se detendrá de repente, dejándonos indefensos en la oscuridad absoluta, y entonces empezamos a preguntarnos, como yo, cómo funcionaba todo en cualquier caso.

Continué por la calle Noventa y seis en dirección este. Un trayecto muerto y vacío. Tiendas cerradas, paradas de autobús desiertas, cabinas de teléfono libres. El ego, desaparecido, y el vértigo también, una ciudad privada de su ritmo merengue, y un automóvil se detuvo sobre la franja central, un sedán anónimo que iba en dirección contraria, y el conductor sacó la cabeza a aquel viento que soplaba en ráfagas y me gritó algo.

Dije:

—¿Qué?

—¿Que adónde vas? Te llevo. Barato.

Le miré. Me alegré de haberme separado de Jerry. Aquello hubiera sido mortal. Hubiera sido una mierda. No hubiera sido capaz de escuchar toda aquella mierda. Me subí al coche y le dije al tipo dónde estaba mi hotel. Quería llamar a Marian desde mi habitación, si es que funcionaban los teléfonos, a Marian Bowman, y contarle lo que estaba pasando aquí y preguntarle si sabían allí algo al respecto.

Había un agujero en el salpicadero, allí donde debería haber estado la radio. Pero le pregunté al tipo si había oído alguna noticia.

—Todos sin luz. El Estado de Maine sin luz. Boston, Massachusetts, Pensilvania, vive mi hermana. Ontario, Canadá. Muy grande, este asunto.

Me recliné en el asiento, vi pasar las calles y contemplé aquello que alcanzaba a vislumbrar a la luz de la luna.

Nos casaríamos tres años después. Nuestra hija nacería en 1970, el mismo año en que un pequeño grupo de radicales volaran el Centro de Investigaciones Matemáticas de la Armada en la Universidad de Wisconsin, en la célebre ciudad natal de Marian, una de las diez grandes, a base de pegarle fuego a un coche lleno de fertilizante agrícola y fuel oil. Un muerto, cinco heridos.

Tendríamos un hijo dos años después. Hijos. Algo para mí remoto, allí sentado, en el coche de aquel rumano. O griego. El matrimonio, remoto. La paternidad, una vaga sensación de arrepentimiento en el olor de la cocina de otro país. Las décadas no exactamente poco prometedoras, pero lejanas, y acaso también poco prometedoras, en aquel Manhattan fantasmagórico, con apenas unos cuantos remolones aún en movimiento y una oscuridad tan completa que parecía poseer masa física.

Mirando por la polvorienta ventanilla del griego, podía ver el pasado sin cesar, pero no podía evocar el futuro, ni aun en brillantes pinceladas de tebeo, el domingo potente y luminoso del mundo.

Viajamos sin hablar el resto del camino.

Y la enormidad de la noche. Uno podía notar la noche expandiéndose, de pie en la acera, cerca de Times Square, con una sirena sonando a media milla de distancia.

Observé las velas alineadas sobre la mesa del vestíbulo. El vestíbulo estaba vacío, y las velas alcanzaban a iluminar incluso la parte alta de las paredes. Apareció el recepcionista, procedente de algún cuarto remoto.

—Podría acompañarle arriba pero francamente.

—No hace falta.

—He subido a tanta gente que he perdido la cuenta.

—Cogeré una vela, eso es todo.

El recepcionista tenía una linterna. Hizo un gesto mientras hablaba, y el haz de luz recorrió el pequeño vestíbulo.

—Me he hecho daño en la espalda de tanto subir —dijo—. Pero he encendido estas velas para que se las lleven los clientes, por si venía alguien sin cerillas y no las podía encender.

Cogí una vela y ascendí por las escaleras hasta la quinta planta. Cuando entré en la habitación, me dirigí derecho a la ventana para comprobar cómo se veía la noche desde allí.

No llamé a Marian. Sentía una sensación de soledad, a falta de otra palabra mejor, pero ésa es la palabra, de hecho, algo que me esforzaba por no admitir nunca y de lo que sabía zafarme, pero a veces incluso eso no bastaba, y no la llamé porque no pensaba rendirme mientras veía caer la noche.

Recorre la curva que forma la base del muro del estadio bajo las banderolas blanquiazules, intentando descubrir una presa fácil.

Se ha internado en la multitud, en la gran masa en movimiento, codos y hombros, rostros que aparecen súbitamente, miradas que se cruzan, y siguen descendiendo del tren elevado, hombres y muchachos, charlando y vitoreando, y van formando la cola de las gradas a pesar de que no abrirán las verjas hasta las nueve de la mañana, dentro de varias horas, y llegan desde el metro y de las calles del barrio mientras él sigue andando un poco más, atrapado por la emoción de la muchedumbre, con las banderas ondeantes y los emblemas que adornan los altos muros, y ve una segunda y larga cola, éstas para las localidades de pie, con hombres que comen y beben, algunos sentados en sillas de playa y cubiertos con mantas, y atraviesa nubes de humo de tabaco y distingue petacas de whisky aquí y allá, con sus caperuzas sujetas por cadenas.

¿Y qué hace ahora? ¿Buscarse un marchoso de Harlem, a un hincha de los Giants arrebolado de victoria y dispuesto a gastarse unos dólares en un auténtico *souvenir* único en el mundo?

No funcionará, piensa Manx. Un negro no va a creerse ni una palabra de lo que diga. Pensará que soy un cretino que intenta colar un timo de poca monta. Un negro le mirará de arriba abajo con esa precisa mirada que tienen para detectar cualquier escandaloso ardid tramado contra su persona.

No. Hay que ir a un blanco. Es la única manera. Además, la mayoría son blancos, así que es una cuestión de porcentaje.

Una feliz algarabía. La calle alberga una tumultuosa algarabía, un incansable rumor de charlas y cantos y personas llamándose entre sí, repletas de optimismo.

Manx se aproxima a dos hombres. Lo hace obedeciendo a

un impulso, movido por el espíritu de por qué no, y también porque no quiere pasarse toda la noche estudiando rostros y calculando posibilidades, aunque eso es exactamente lo que debería estar haciendo, y lo sabe, y había planeado hacerlo, pero los mejores planes, como dijo el poeta, tienen la manía de desbaratarse.

Su mano aferra la pelota. Mantiene la mano fuera del bolsillo de la chaqueta y aferra la pelota a través del tejido.

Con espíritu optimista. En la arrolladora presencia de dos grupos de hinchas, los Giants y los Yankees, ambos ganadores ese mismo año: un dichoso rumor, constante e invitador que le pone contento y le proporciona ánimo.

Se aproxima a dos hombres que hacen cola frente a una de las taquillas. Perdonen. Tengo algo que podría interesarles. Habla con ellos. Les cuenta lo de la pelota, ésta es la pelota que el tío en cuestión mandó a las gradas, el *home run* que ganó el partido, y cuanto más habla, más inverosímiles le suenan sus propias palabras. Le cuesta trabajo creer que es él quien habla. Su voz le suena como algo que pudiera surgir de un colchón de aire al retirar el tapón.

Los dos hombres parecen retroceder un paso, por más que probablemente no se trate tanto de un movimiento físico como de una maniobra cuya intención capta en sus ojos.

—Les cuento lo que hay. Por raro que les suene —dice—, eso es lo que ocurrió en el estadio que hay al otro lado del río —y sabe que para entonces lo que intenta es recobrar un cierto respeto por sí mismo, la venta es lo de menos.

Uno de los tipos dice:

—Creo que no. No. No me interesa. ¿Te interesa a ti?

El otro tipo dice:

—No me interesa.

Manx extrae la pelota del bolsillo. No está seguro de por qué lo hace ya que lo único que demuestra es que tiene efectivamente una pelota, al menos tiene una pelota, y la sostiene de un modo muy parecido a como lo hiciera su hijo Cotter antes, por la tarde, sujetándola con una mano, haciéndola girar con la otra, la mirada dura y desafiante.

A continuación da media vuelta y se aleja, percibiendo sus miradas, reconociendo sus sonrisas con tanta claridad que sería capaz de dibujarlas con un lápiz, erizándosele levemente el vello de la nuca y empequeñeciéndose a cada paso.

Camina cierto trecho.

Siempre ha pensado que le gustaría hacerse con una petaca que fuera lo bastante plana como para llevar en el bolsillo y que tuviera una tapadera sujeta mediante una cadena.

Vuelve a introducirse la pelota en el bolsillo y atraviesa las vallas de madera extendidas junto a la puerta número 4.

No te fastidia esos tíos que vienen aquí creyéndose que son los reyes del mundo.

Recuerda que debería escribir una carta excusando a su hijo de asistir al colegio porque tiene treinta y nueve de fiebre, un secreto del que no debe enterarse la madre del niño. No de la fiebre, sino de la carta. La fiebre es un acuerdo inventado.

Permanece allí de pie un rato, mirando. Y entonces se le ocurre una idea. Observa y piensa, aquí hay una muchedumbre y yo tengo una cosa que todos ellos, desde el primero hasta el último, querrían poseer, pero quién va a tragarse una historia caída del cielo. Y entonces se da cuenta de lo que debería hacer. Se le ocurre una idea. Se le ocurre contemplando a la multitud. Debería estar buscando a parejas de padres e hijos.

Un hombre que la consiga para su hijo.

Apela a lo que sea del tipo, a su rango de padre, a su punto débil, a sus ganas de presumir un poco, de impresionar al chico, de hacer aquella noche aún más especial.

Y, sí, hay hombres que han acudido esa noche con sus hijos, como una aventura, ya saben, hay bastantes hijos presentes, como algo que quieres que tu chaval experimente, velar toda una noche para conseguir entradas para las Series Mundiales.

Incluso si el hombre no se lo cree, el hijo sí se lo creerá, ¿entienden? Y Manx se imagina a sí mismo elaborando una pequeña conspiración, el padre y el timador trabajando en equipo para que el chaval se crea que la pelota es genuina.

Hace falta esa clase de imaginación para conseguir un negocio.

Comienza a merodear por las colas, a estudiar los posibles objetivos que hacen cola a lo largo de la elevada pared, observando los rostros y las actitudes, no quiere apresurarse, sigue el muro en dirección oeste y divisa algo que quizá es lo que está buscando, finalmente, el chaval tendrá unos once años, el hombre está sacando un emparedado de una bolsa de deporte y están los dos completamente ausentes de sus intenciones.

Pone en práctica su entrada, lo más difícil a su juicio, explicando los detalles, y dirige la mirada alternativamente al hombre y al muchacho, intentando enganchar a los dos, y no le parece que la cosa vaya mal; el hombre parte el emparedado y le da la mitad al chiquillo, y ambos miran a Manx sin dejar de comer.

Escuchan y mastican, y Manx intenta leer en sus rostros. Se siente estorbado, sin embargo, por los nombres de los jugadores que intervienen en el momento álgido, no conoce sus nombres, sus rostros, sus números, todas esas cosas que los hinchas saben desde que son niños hasta el momento de su muerte, y ello dificulta su narración y la entorpece, y él intenta compensarlo sacando la pelota.

Ahora habla el hombre, con la boca llena de comida.

—Así que eso es lo que me cuenta usted. Dice usted que. En otras palabras.

Tras sus dientes pueden avistarse carnes blancas y lechuga.

—Exacto. Lo ha comprendido —dice Manx, oyéndose a sí mismo adoptar un tono agudo que quiere ser alegre y optimista.

Pero el hombre no está mirando la pelota. Está mirando a Manx.

—Y se supone que yo tengo que quedarme aquí.

Manx comienza a comprender, a quemarropa, que aquel tipo es un conductor de autobús o un operario de alcantarillas o un albañil.

—Escuchando estas gilipolleces.

El hombre mastica y habla.

—Creo que más valdrá que te largues de aquí, amigo, antes de que llame a la poli.

Manx devuelve la pelota a su bolsillo.

—A los hijos de puta como tú los ponen detrás de unos barrotes que es donde teníais que estar.

Hablando de ese modo delante de su propio hijo.

El chaval está hambriento; devora la lechuga como un cortacésped.

Ahí están los dos, comiendo, mirando a Manx, y el hijo se parece hasta tal punto al padre, grueso y rubicundo, que Manx siente el impulso de aconsejarle que no crezca.

Se creen los reyes del mundo.

Se tira una hora, revisando las colas, rodeando tres veces el estadio, hablando con unos y con otros, sopesando el carácter individual de cada uno, a ver qué tal marcha la cosa, pero no marcha bien, concediéndose otros cinco minutos contados en el reloj del ala sudoeste, y luego otros cinco minutos más, diciéndose que si en los próximos cinco minutos no descubre a alguien con un saludable muchachote a remolque se rendirá y volverá a casa, y luego un minuto más, y luego otro, merodeando entre las colas, iniciando acercamientos que no se resuelven, y a eso de una hora más tarde está hablando con un hombre y con su hijo, los dos sentados frente a la zona de las gradas, cerca del final de una cola muy larga, provistos de un saco de dormir para el chico y de una trenca para el hombre, y Manx se está trabajando el tema de los nombres.

—Se lo digo con toda sinceridad.

—Un momento. Dice usted que esta pelota de béisbol que tiene.

—Justo justo justo. Pero no conozco el nombre de jugador, entiende, que es por lo que digo que le soy sincero.

—¿Se refiere a Bobby Thomson?

—Eso es. Perfecto. Ahora ya me siento mejor.

Manx, comprenden, cree que puede mostrarse sincero con aquel hombre. Exponerle sus propias limitaciones. Él ni es un hincha ni tiene por qué pretender serlo. Y al mismo tiempo, sólo que más profundamente, piensa que es una estrategia que podría funcionar, un plan, un ardid: muéstrale al tipo tus debilidades y se tragará tu historia entera.

—Yo soy de los que opinan que si se quiere hacer un negocio hay que poner todas las cartas sobre la mesa. Y le diré lo que pienso. Que mañana van a presentarse ciento y la madre en la entrada del club. Con una pelota cada uno, diciendo, tengo el *ace*.

—Cuando, de hecho, según sus palabras —dice el hombre.

—Cuando, de hecho, el *ace* está en el hoyo —dice Manx, introduciendo la mano en el bolsillo y sacando la pelota.

El hombre sonríe. El hombre tiene las caderas apoyadas contra el muro y el propio Manx se encuentra agachado, sosteniendo la pelota con un leve temblor, para crear un efecto cómico, sosteniendo la mirada del hombre, mostrándole una intensidad falsa, que los dos saben falsa, tan sólo por motivos de efecto, y el hombre alarga la mano para que le dé la pelota, divertido pero escéptico, queriendo decir en otras palabras que por ahora seguirá el juego.

Pero Manx no le entrega la pelota.

El muchacho, incorporado en el saco de dormir, se esfuerza por permanecer despierto.

—Fíjese en esta mancha de alquitrán —dice Manx. Y se la muestra al hombre y se la muestra al chico—. Creo que debería quitarla teniendo en cuenta que aquí no pinta nada.

Y se humedece el pulgar con una floritura e intenta quitar el leve rastro de alquitrán, porque Cotter debe de haber hecho botar la pelota en la calle, pero tan sólo consigue tiznar la zona y tiene que preguntarse por qué está molestándose en acicalar la pelota.

—Por cierto —dice el tipo, acaso para distraer a Manx de su azoramiento—. Me llamo Charlie.

—Llámame Manx. Y el chico. ¿Cómo te llamas, hijo?

—Díselo.

—No —dice el muchacho.

—Menudo bribón tenemos aquí —dice Manx—. ¿Qué edad tiene este bribonzuelo?

—Ocho años —dice el hombre.

—Ocho. Se imagina, ocho años. Se imagina, asistir al primer partido de las Series Mundiales y ver a todos esos jugadores famosos. Algo que recordará durante el resto de su vida.

—Se llama Chuckie.

Manx mira a Chuckie. El chaval estaría mucho mejor durmiendo en su casa en una cama cálida con dibujos de perritos por toda la pared. No pasa nada. De lo que estamos hablando aquí no es del presente sino del futuro. Lo que papi intenta es configurar una memoria para su niño.

—Ocho años. El Yankee Stadium. El estadio más famoso del país.

Manx deposita la pelota en la mano del hombre.

—Pero si se presentan una docena de personas en la entrada del club con otras tantas pelotas —dice Charlie—, ¿cómo convenzo a nadie? ¿O cómo me convenzo a mí mismo de que ésta es la pelota de Bobby Thomson? ¿O de cualquier otro?

Manx permanece agachado, como un jugador de dados.

—Míralo de esta manera —dice, y no rehúye la pregunta porque lleva esperándola desde que atravesó el puente desde Harlem—. ¿Te creen a ti o a mí? ¿A quién creen? Ponte en su lugar, amigos tuyos, gente de la oficina. Me miran a mí y te miran a ti. ¿A quién van a creer?

Manx sabe que la lógica de su argumentación no tiene absolutamente nada que ver con la cuestión de la historia real de la pelota. Pero cree que puede contar con que ese tipo capte el tema subyacente, el giro mental.

—Y yo mismo, personalmente, me lo creo —dice—, porque mi propio hijo me contó qué pelota era esta. Y no hay la menor posibilidad de que mintiera a su viejo en una cosa así. Miente a veces, claro. Miente acerca del colegio. Se salta el colegio y cuenta una mentira. O una visita al dentista.

—Pero esto es béisbol —dice Charlie, servicial.

—Exactamente. Pero debo admitir que al principio no estaba convencido. Como tú. Como cualquiera. Era el primero en tener mis dudas. Pero luego oí al chico.

—Y percibiste que era verdad.

—Exacto, lo percibí. Lo supe. Porque lo noté en sus palabras.

—Y también lo viste.

—Lo vi allí mismo. No me mentiría acerca de esto. Buen chico para lo que de verdad cuenta.

—Y esto es béisbol. Cuenta.

Manx se deja reconfortar por la cooperación del hombre porque no quiere sufrir otro desengaño. Pero al mismo tiempo no quiere ver a Charlie como un primo, como un paleto con trenca que se deja convencer con cuatro palabras. En este caso, se trata de palabras ciertas, pero ¿qué diferencia hay? Manx ha contado mentiras portentosas que resultaban mucho más creíbles saliendo de sus labios que cualquier cosa que pueda decir acerca de aquel objeto esferoide.

El hombre está estudiando la pelota.

Manx decide cerrar la boca durante quince segundos. Darle tiempo a la situación para que adquiera solemnidad. Darle tiempo al cliente para enamorarse del producto.

—Bueno, veo aquí verde, una especie de pequeña mancha de pintura verde aquí, cerca de la costura, entre la costura y la marca

—dice Charlie—, y sé de buena tinta porque alguien lo dijo en la radio que la pelota chocó contra un pilar al entrar en las gradas. Y los pilares son de color verde, también lo sé de buena tinta, en el Polo Grounds.

Manx pega un saltito sin cambiar de postura. Se siente eufórico al oír aquello. Es como si tuvieran que convencerle a él mismo, como si la observación del hombre fuera la confirmación que necesita para ver a Cotter como un muchacho sincero, transformado de chiquillo embustero que se salta los torniquetes sin pagar en un chaval recto, veraz y responsable, por fin.

El hombre alza los ojos de la pelota y mira a Manx. Es una mirada que dice, quiero creer. Y a Manx no se le ocurre nada que decir, ni que le maten, literalmente, que pueda ayudar al hombre a dar ese último paso y cerrar el trato del todo.

Charlie se encarga personalmente de la tarea, dice algunas cosas bastante convincentes, esta vez a su hijo, acerca de la compañía que ha fabricado la pelota y del nombre del presidente de la liga, que figura estampado en la pelota, y otras cuestiones y detalles, todos los cuales encajan, al parecer, y el niño se muestra soñoliento, frío e indiferente, y Manx mira a su alrededor en busca de un vendedor de chocolate caliente, ya que qué tiene de malo mostrarse considerado.

—Escasean los vendedores esta noche.

—Ha tomado un poco de sopa.

—Si yo fuera vendedor estaría aquí con la familia en pleno. Pondría a la mujer y a los hijos a trabajar.

—Ha tomado sopa caliente de un termo. Está bien.

Pero Chuckie dice:

—Pues yo creo que no estoy tan bien.

—Tú mantente despierto. Te quiero despierto para esto.

Manx comprende que eso lo ha dicho más para él que para el crío. El hombre y el niño se limitan a cumplir con las formalidades. El niño, ni siquiera eso. El niño dejó de escuchar al hombre cuando aún llevaba pañales.

Chuckie se desliza en el interior del saco de dormir con esa expresión amotinada que adoptan los críos el día en que comprenden que no son propiedad de nadie.

—Quiero que recuerdes todo lo que pase aquí esta noche —dice Charlie.

Pero el muchacho ya se ha arrebujado: incluso su cabeza se ha desvanecido bajo la franela.

—Tú eres padre, deberías saberlo —dice Charlie.

—Qué me vas a contar.

—Qué peligroso es, en todos los aspectos, intentar criar a un niño.

—Por una parte, parece que no crecen nunca. Pero por otra, vuelan.

—Yo sólo tengo éste.

—Yo, aquí donde me ves, cuatro.

—Cuatro —dice Charlie, y su rostro refleja admiración, comprensión y cierto asombro también, así como algo que Manx no alcanza a identificar del todo: quizá tan sólo la conciencia de dos vidas tan distintas, algo que no tiene nada que ver directamente con el número de hijos.

Hay un fuego prendido en un bidón de aceite, y Manx se aproxima al bordillo, aferra el bidón oxidado y lo arrastra hasta la cola de hinchas que aguardan, con fuego y todo. Siente, cual un pensamiento posterior, cómo el metal le quema la mano, le quema como el infierno de los libros de ilustraciones, pero los hinchas se muestran impresionados ante su gesto, se multiplican amplias sonrisas, es de esa clase de cosas que señalan por derecho propio una noche como ésta, y Charlie parece encantado.

Pero no se trata tan sólo de vidas distintas. Modos completamente diferentes de pensar y de obrar. Y Manx no está seguro de si ello debería entristecerles. Está dispuesto a hacer lo que haga falta.

—¿Qué clase de asientos esperáis conseguir?

—Gradas. Me encantaría conseguir asientos reservados, pero hace tiempo que se agotaron. Está todo agotado menos las gradas y las localidades de pie, y sé que Chuckie no me lo perdonaría nunca si le obligo a verse un partido entero de pie.

—¿Después de pasarse una noche durmiendo en la acera? No se lo reprocho.

Charlie sonríe de nuevo y lanza un manotazo caprichoso a la rodilla de Manx. A continuación, alarga la pelota a Manx, pero sólo porque al mismo tiempo está echando mano al bolsillo para sacar algo. Resulta ser una petaca, un objeto encantador, diminuto y plateado, dotado de una tapa con cadena como las de las cantinas militares, sólo que plana, reducida, cara, fácil de llevar en el bolsillo, un tónico para días deprimentes.

—Vaya, vaya, ¿qué tenemos aquí? —dice Manx.

—Te dejo que adivines.

—Podría decir zumo de naranja.

—Aún es temprano para desayunar.

—Podría decir té de especias de la India milenaria.

—Ya es tarde para tomar el té —dice Charlie.

Se lo están pasando en grande, el uno en cuclillas contra la pared, el otro agachado como si fuera a tirar los dados, y en el saco de dormir el bulto inmóvil, quién sabe si huraño o dormido.

Charlie dice:

—Te cedo los honores —y alarga la petaca a Manx, quien arroja de nuevo la pelota a Charlie, y su pequeño y nebuloso intercambio adquiere una profundidad peculiar, como una especie de señal, como un acuerdo totalmente ajeno a la transacción que se está llevando a cabo, y Manx se siente algo más animado.

Desenrosca la tapa y la deja colgando, y a continuación olfatea el contenido del recipiente como un buen conocedor.

—Me da la sensación de que esto es lo que llaman bebidas espirituosas.

—Whisky irlandés —dice Charlie.

—Geniales, los irlandeses, ¿verdad?

—Tantos inventos inmortales —dice Charlie.

—Bien dicho, amigo mío.

Comparten una sonrisa de complicidad. Y Manx alza la petaca e inclina la cabeza y engulle un trago no demasiado sustancial, por cortesía, y se la entrega de nuevo a Charles.

Ahora le llama Charles, por la cosa social, como caballeros que compartieran una copa en el club.

Y espera a que Charles beba. Un punzante momento de la verdad. Manx ha depositado sus labios sobre el borde de la petaca y ahora aguarda a que Charles haga lo mismo.

Un momento de suspense breve, profundo y consciente.

Ni siquiera limpia el borde. Sencillamente, inclina la petaca y echa un trago, demasiado largo, del que sale lloroso y atragantado pero también feliz. Ambos hombres felices, pasándoselo de maravilla.

—Se me ha ido por mal sitio —dice el hombre, esforzándose por pronunciar las palabras.

—Pasa en las mejores familias.

—Gajes del oficio —dice el otro, jadeante.

Le alarga la petaca. Manx echa un trago digno de un marinero y disfruta ávidamente de sus efectos, ay sí, a medida que el irlandés le ventila una serie de conductos fundamentales de la cabeza y el pecho.

Se van pasando la petaca durante un rato.

—Uno de los míos es chica —dice Manx—. Rosie. La mejor hija que podrías soñar.

—¿Qué edad?

—Qué edad —dice él.

Siente que sus ojos adoptan una expresión desvaída.

—Posiblemente el doble que el tuyo. El tuyo tiene ocho, ¿no? Imagínate, ocho años.

Se pasan la petaca.

—Te seré sincero —dice Charlie—. Tú has sido sincero conmigo. Lo menos que puedo hacer es decirte lo que pienso.

A lo largo de la cola pueden verse personas acurrucadas; unas duermen, otras esperan amodorradas, ya sin charlar, las cabezas abatidas, algunas fumando, la mayoría dormidas sobre mantas o gruesas *parkas* o simplemente cabeceando, los ojos entrecerrados, y se oyen una tos y un gemido y una radio que toca música latinoamericana pero no demasiado fuerte, y se desperezan y se adormecen y sobre las vallas se erige un policía a caballo, y Manx cambia ligeramente de postura para admirar la inmovilidad de aquel enorme animal castaño, una inmovilidad sepulcral distinta de la de los hombres cuando permanecen inmóviles, o de la de los perros si a eso vamos, o de la de los peces de las peceras, no tanto apaciguado y tranquilo como inmóvil de un modo propio, grandioso y potente, destellando sus flancos.

—Te seré sincero —dice Charlie— porque, ¿qué sentido tiene todo esto si no somos sinceros?

—Adelante, tío.

—Ignoro si me estás diciendo la verdad. Pero la pelota se parece a las pelotas que emplearían en cualquier partido de la Liga Nacional de 1951. Lo cual es un punto a tu favor, de importancia relativamente menor, porque hay pelotas y hay pelotas.

—Y hay rompepelotas.

Se pasan la petaca.

—Y el otro punto, el más importante, es que te miro y no creo estar viendo a un timador ni a un mentiroso.

Una breve pausa.

—Pues eres el primero —dice Manx.

Se echan a reír, se detienen y ríen de nuevo. Es una de esas bromas que reverberan durante diez o veinte segundos, rebotando por las inmediaciones, un significado resaltando el eco del segundo, y para entonces ya es simplemente cuestión de cerrar el trato.

—¿Cuánto? —dice Charlie.

Manx desvía la mirada. Sus tácticas y sus planes no habían llegado tan lejos, y no sabe decir cuánto. Pero siente que sus nervios se tensan. Tras él, el caballo emite un sonido parecido a un resuello.

—Eso depende por completo de ti —dice, y se siente inmediatamente engañado de un modo no específico.

Charlie sostiene ahora la pelota con ambas manos, oprimiéndola contra la barbilla.

—No sé qué es lo que estoy comprando, ¿entiendes? —dice—. Ésa es una consideración que hay que tener en cuenta. Andaos con ojo, compradores, y todas esas cosas, ya sé. Pero estamos hablando de un objeto que en conciencia debe tasarse con el corazón.

No estará usted pretendiendo regatearme, ¿verdad, jefe?

—Depende por completo de ti. Porque me fío de tu buen criterio. Sabes de béisbol. Eres un hincha. Quiero que esto pertenezca a un hincha —dice Manx.

Siente su mirada a la deriva, enfocando su interior, y experimenta cierta tensión en el pecho.

Charles. De repente, Charles se torna seguro y decidido. Ha habido como una tregua, ya saben, al salir a relucir el dinero. Pero de pronto Charles se desliza pared arriba para hundir las manos en los bolsillos y se muestra animado y presuroso.

Manx inclina la petaca y bebe.

Saca billetes de dos o tres bolsillos, desarruga uno de cinco y alisa uno de uno. Manx estudia la cola de cabezas soñolientas, de hombres expulsando vaho a la fría atmósfera, durmientes y soñadores profundamente inmersos en la noche.

La suma a la que llegan tiene el siguiente aspecto. Uno de diez, dos de cinco, otro de diez, dos de uno, una moneda de veinticinco centavos, dos de cinco y una monedita de diez.

Y el chaval que asoma súbitamente del saco.

Charlie dice:

—Quiero que te lo quedes todo porque es todo cuanto tengo. Incluso lo suelto. Quiero que te quedes incluso con lo suelto. Porque tengo aquí el dinero de las entradas —se golpea el pecho—, y aquí las llaves del coche —se palmea un muslo—. Y quiero que te quedes hasta con el último centavo que llevo en los bolsillos.

Manx piensa de acuerdo. Intenta que sus ojos no revoloteen mientras cuentan. Piensa que aquello es más de lo que habría podido conseguir por aquellas palas para la nieve que birló del cuarto de herramientas del edificio. Mucho más. Un montón más, de hecho.

Del saco sobresale la pequeña e irritada cabeza.

—Quiero que nos vayamos a casa —dice Chuckie.

Manx coge el dinero. Se humedece el pulgar para contarlo de tal modo que lo vea el crío. Le cuenta al crío unas cuantas cosas, sintiéndose bien, intentando conseguir que se ría a medias.

Le dice a Charlie:

—Acabas de comprarte un recuerdo del gran partido. Hay que celebrarlo, viejo amigo.

Se pasan la petaca, y aquello es lo único, en el curso de aquella larga noche y de aquella madrugada, que parece interesar a Chuckie, el espectáculo de dos hombres engullendo alcohol directamente de la botella.

El sonido que emiten al abrir la boca para exhalar los vapores es mitad suspiro mitad dolor, los ojos fruncidos y rojizos.

Charles arquea sus pobladas cejas.

—Y ahora que la pelota es mía, ¿qué hago con ella?

Manx recupera la petaca.

—Enséñala por ahí. Cuéntaselo a tus amigos y a tus vecinos. Y luego métela en una vitrina, con tu mejor vajilla. Ya has visto esas multitudes como locas por la calle. Esto es más tremendo que algunas guerras que he visto.

Manx no tiene idea de qué quiere decir con eso. El irlandés comienza a hacerse oír. Advierte que Charlie se siente ligeramente desanimado en ese momento. Charlie está pasando probablemente de la etapa de semicredulidad a la de incredulidad. Se siente como un novato y un primo al que un granuja le ha arrebatado su dinero honradamente ganado mediante un cuento tan alucinante que le daría vergüenza contárselo a sus amigos.

Como dicen por ahí: andaos con ojo, compradores.

Intenta recordar esa palabra que significa que algo verá incrementado su valor con los años. Pero el irlandés no sólo habla, también piensa, y en cualquier caso no es probablemente una buena idea decirle cosas reconfortantes a Charlie en este momento. No conseguiría más que sus palabras sonaran a falso, ¿no es cierto?

Se miran a los ojos. Charles tiene la pelota y la petaca, y Manx tiene el dinero. De acuerdo. Se trata de una de esas ocasiones accidentales en las que el humor se apacigua una vez que se ha completado la transacción. Normal. El muchacho se ha quedado dormido, y su rostro resulta parcialmente visible tras la capucha, y Manx se pregunta si recordará algo de todo aquello alguna vez en su vida o si el episodio ya se encuentra sumergido en las zonas oníricas de su mente, la vaga silueta de un hombre agachado que forma parte de la noche.

Charles mira a Manx y sonríe complicadamente, con un toque de afecto ahogado en la mezcla.

A continuación se estrechan la mano en silencio y Manx se pone en pie y se larga, sintiendo un leve dolor en las pantorrillas y un dolor más grave, concentrado y consciente en la mano izquierda por haber arrastrado el bidón de la hoguera a lo largo de la acera. Se pondrá un poco de mantequilla cuando llegue a casa.

Avanza junto a los cuerpos agachados y arropados y junto a las humeantes barbacoas en las que algunos se han preparado la comida, y deja atrás al policía encaramado a las alturas de su caballo y regresa a través del puente hasta llegar a Broadway y divisa al Este una debilísima línea de luz en el cielo.

Se le ocurre. Se le ocurren un montón de cosas, todas ellas embotadas por el alcohol, pero se le ocurre que no desea tener que estar esperando al tren en una plataforma vacía bajo la calle.

Echa andar calle abajo por Broadway y comienza a preguntarse por qué el hombre le daría las monedas sueltas que llevaba en los bolsillos. No había necesidad ninguna de que las monedas cambiaran de mano. Quizá se debiera simplemente a lo que dijo el tipo, a un impulso del corazón de entregar todo cuanto llevas encima, hasta la camisa, o quizá se trata de dos hombres que llegan a un acuerdo honesto y uno de ellos lo convierte en un regalo.

Camina, le apetece caminar, pero no le apetece llegar a casa, jamás, necesariamente. Tiene que reflexionar acerca de todo aquello, determinar cómo puede arrogarse el derecho de meterse en asuntos de dinero con objetos que pertenecen a su familia, de la que, en cualquier caso, aún es el cabeza.

Estar sin dinero le hace sentirse culpable. Pero consigue un poco de dinero y te sientes aún más culpable.

Orina sin disimulo en un callejón.

También se le ocurre que podría subirse a un autocar Greyhound y marcharse de allí, cabalgar sobre ese perro esquelético en dirección a la dulce lejanía. El modo en que sus propios hijos se le rebelan a veces. Esa hostilidad en sus miradas.

Escribirá la carta de Cotter. Para excusarle por faltar al colegio. Como si hubiera tenido treinta y nueve de fiebre.

A ver si así el chaval se siente más conforme con todo.

También se le ocurre que está aproximándose a la esquina en la que hablaba el predicador la tarde anterior, o esa noche, y entonces se da cuenta de que no, de que está confundido: aún está diez manzanas al norte de allí. En ese momento lo olvida y mira a su alrededor en busca del hombre. El hombre, claro está, se ha marchado a dondequiera que suela marcharse, y en cualquier caso aquella no es su esquina, y nada se mueve con excepción de un coche o dos, automóviles guiados por conductores misteriosos que surgen de la penumbra, vivos como insectos a cualquier hora de la noche.

Treinta y dos dólares y pico.

Experimenta la familiar punzada de la traición. Ha estado comiéndole el coco. Engañándole cuanto ha podido. Pero lo importante es que la pelota va subir de valor. Y el dinero se deprecia minuto a minuto.

Mira en los portales en busca del predicador, porque quiere entregarle el dinero. Quitárselo de encima. Quiere embutir el dinero en las ropas del hombre para terminar con ese asunto. Dárselo a alguien para el que posea un interés científico.

Qué gilipollez, tío.

El dinero es suyo y se lo quedará él. Tomará un autobús que salga hacia algún sitio. O una habitación en alguna callejuela de mala muerte a menos de dos kilómetros de casa. Encontrará una mujer capaz de verle cuando pasee la mirada por la habitación.

Una vez más, olvida dónde está. Camina, quiere caminar, está escribiendo mentalmente la carta.

Ruego excusen la falta de asistencia de mi hijo en el día de ayer.

Oye el zumbido y el estrépito de un camión de la basura a la vuelta de la esquina, no sabe muy bien cuál. Coches que se desplazan, trenes que pasan por debajo de la calle, y él la única alma viviente a pie.

El viejo Charles se estará desternillando por haber engañado a Manx. Le dirá a su hijo: nos hemos quedado con ese idiota.

Lo suficientemente plana como para poder llevarla cómodamente en el bolsillo, con una tapa provista de cadena.

Enfila su calle y pasa junto al taller de zapatería y la academia de belleza.

Le duele la mano, las zonas que entraron en contacto con el metal ardiente.

Cuando llega a su edificio comienza ya a haber luz. Entra y sube las escaleras, cada escalón le lleva básicamente un año, o eso le parece a Manx, hasta que alcanza su piso a la edad de ochenta. Entra por la puerta, quedo como una sombra, un silencio con un par de ojos, y atraviesa lentamente la cocina.

En el dormitorio, suena el despertador.

Se sienta ante la mesa de la cocina y espera. Sale ella en camisón y zapatillas, Ivie, la mujer, quien advierte que no se ha acostado y le contempla lentamente.

—¿Qué es eso? —dice.

—Tengo que untármelo con un poco de mantequilla.

—Está llena de ampollas. No me gusta el aspecto que tiene.

—No es más que una quemadura superficial.

—¿Era hoy noche de elecciones? Pensé que las hogueras se hacían en noches de elecciones. No me gusta nada el aspecto que tiene.

—Tú sigue vistiéndote. Ya me ocuparé yo.

—Ni hablar, y menos con mantequilla. Eso son cuentos de vieja —dice ella—. En vez de curarte te hará más daño.

Saca la fruta del frutero, lo llena con agua fría y saca una bandeja de hielo del congelador.

—Si esto no funciona, te llevamos a Urgencias.

—Yo no necesito ninguna urgencia.

Ella deja caer diez o doce cubitos en el agua y toma asiento junto a él, sujetándole la mano en el interior del agua helada y contemplándole detenidamente. Se guarda las preguntas —si es que las tiene— para más adelante.

Puede que el dolor esté cediendo levemente, puede que no. El agua está tan fría que sólo nota el frío. Intenta sacarla del frutero, pero Ivie la mantiene allí sujeta, oprimiéndola firmemente con su propia mano, y Manx desvía la mirada, demasiado fatigado para resistirse.

—Esto sólo ayuda cuando la quemadura es reciente —dice ella—. Si la quemadura no es reciente, habrá que ver qué pueden hacer en Urgencias.

—Y yo te repito que no necesito ninguna urgencia.

Permanecen así sentados durante un rato, la mano de ella oprimiendo la suya contra el hielo, que va derritiéndose, hasta que tiene que vestirse para ir a trabajar. Manx continúa sentado a la mesa, contemplando su mano sumergida en el agua y esperando a que se levante su hijo.

PARTE 6

ARREGLO EN GRIS Y NEGRO

OTOÑO 1951 - VERANO 1952

1

Bronzini opinaba que caminar es un arte. Salía prácticamente todos los días, después del colegio, dejando que el recorrido produjera una mezcolanza de sonidos y formas y movimientos, dejando caer las voces y desplegarse los aromas de maneras distintas, pero no demasiado distintas, de un día para otro. Se detenía a charlar con jugadores de naipes en un club social y observaba a una mujer comprando una platija en el mercado. Pelaba una mandarina y se preguntaba cómo un pez plano que yacía vidriosamente sobre el hielo picado, algo que le había sido arrebatado al oscuro mar con una red, podía resultar tan elocuente. Su ausencia de vida constituía una fuerza en esos ojos abultados. Un vacío tan intenso. Pensó en el viejo gesto de mirar algo por segunda vez, en cuán cómicamente encarnaba el instante perdido allí donde solía haber una vida.

Observó cómo un muchacho con delantal envolvía el pez en unos titulares de portada.

Incluso en aquel vecindario compacto había calles que revisitar y hombres que realizaban trabajos interesantes, diurnos, pintores vestidos con monos o tipos equipados con mazos con los que podría pasar el rato, sicilianos destrozando una acera, sus rostros veteados de polvo de cemento. Cuanto menos se gana en un trabajo, pensó Bronzini, más duro es y más impresiona verlo realizar. O un camarero fumando un cigarrillo durante una pausa, uno de esos tipos que envejecen rápidamente y están permanentemente fatigados. Los camareros llevaban vidas agotadoras, tres empleos, dolores de espalda y problemas con los pies. Estaban más cansados que los hombres que llevaban pañuelos rojos y blandían los mazos. Fumaban y tosían y le decían lo cansados que estaban y buscaban un trozo de acera en el que poder ubicar la flema que siempre estaban escupiendo.

Devoró el último gajo de mandarina y abandonó el mercado

con la espiral de piel aún en la mano. Caminó lentamente en dirección norte, contemplando distraídamente los escaparates. Había puntos plateados entre los cabellos de su mostacho de cepillo, tan pocos que aún podían contarse, y llevaba lentes sin montura con patillas de acero porque a los treinta y ocho años, o eso decía su mujer, quería convencerse a sí mismo de que era mayor, que se hallaba bien aposentado en sus satisfacciones, las cosas más irritantes por fin despachadas y hechas.

Oyó voces y dirigió la mirada al interior de un callejón lleno de niños que jugaban. Una barrera de circulación indicaba que se trataba de un área reservada para juegos y prohibía el paso de coches y camiones. Con los coches, cada vez más coches, con el apetito de categoría social, Bronzini podía advertir que la presión para liberar las calles de niños llegaría a devorar incluso aquellas pequeñas zonas.

Imaginó un trozo de pavimento señalado con tiza que alguien recortara, alzara y enviara cuidadosamente envuelto a algún museo de California en el que compartiría la apacible luz del sol con tallas en mármol de la antigüedad. *Dibujo callejero, rayuela, tiza sobre asfalto pavimentado, Bronx, 1951.* Pero ya no lo llaman rayuela, ¿verdad? Aquí es *patsy* o *potsy*. Es *buck-buck*, no salto de la rana. Es el escondite: cuentas hasta cien de cinco en cinco y luego te internas por las callejuelas, trepando por los postes y saltando por las vallas y metiendo la cabeza en cubos de carbón para encontrar a los que se esconden.

Bronzini aguardó y siguió mirando.

Niñas jugando a las tabas y saltando a la comba. Chicos jugando al balón prisionero, las canicas y a las chapas. Cinco chavales, cada uno de ellos con el pie en un segmento de círculo, cada segmento señalado con el nombre de un territorio. China, Rusia, África, Francia y México. El chaval que *la lleva* permanece de pie en el centro del círculo con un balón en la mano y entona lentamente las palabras de aviso: *Declaro la guerra a.*

Bronzini no tenía coche, no conducía, no quería coche, no necesitaba un coche, no lo aceptaría aunque se lo regalaran. Deja de caminar, pensaba, y estás muerto.

George, *el Camarero* fumaba cerca de la entrada de servicio del restaurante en el que trabajaba. Era como un rostro sobre un poste, un hombre que aún estaba en la treintena pero que tenía algo de rancio y de no espontáneo, una tensión interna que le mantenía aislado. Vestía su cuerpo enclenque con una camisa blanca, chaqueta y pantalón negros y, por encima del uniforme, sus rasgos prominentes, de aspecto algo exangüe.

Bronzini se acercó, se detuvo junto a George y los dos permanecieron largo rato sin hablar, unidos por la peculiar solidaridad que podrían compartir dos extraños que ven quemarse una casa.

Tres niños y una niña jugaban a «la pelota en el río» junto al costado de un edificio, con cada crío ocupando una de las separaciones de la acera. Uno de ellos hacía botar diagonalmente una pelota sobre el pavimento de tal modo que rebotara sobre la pared y se desviara hacia el terreno de otro jugador.

Era George, *el Camarero*[1] también en otro sentido, pues su vida parecía suspendida en una pavorosa incertidumbre. ¿Qué espera George? Bronzini no podía evitar reconocer allí un desafío. Le gustaba arrancar algunos comentarios a aquel hombre taciturno, provocarle, hacerle comprender que su deseo de carecer de amigos no era fácil de respetar allí.

En ese momento el segundo jugador hizo rebotar la pelota sobre el terreno de otro compañero, golpeándola con fuerza o suavemente, rozando la parte inferior de la pelota para darle efecto, y así arriba y abajo del río.

—Lo que tienen estos juegos —dijo Bronzini— es lo mucho que significan para uno mientras los está jugando. Toda tu inventiva. Toda tu energía. Pero cuando te haces un poco mayor y dejas de jugar, se te van por completo de la cabeza.

De hecho, apenas había jugado esporádicamente, de pequeño, pues de vez en cuando se encontraba postrado —esa palabra terrible— en cama, con tratamientos para el asma, para resfriados recurrentes, gargantas doloridas y tos continua.

—Todo el día en los cubos de la basura. Convertíamos la basura en juegos. Extraíamos el corcho de los tapones de las botellas, pero ni siquiera me acuerdo de para qué lo utilizábamos. Corchos, gomas elásticas, latas, medio patín, sintasoles viejos que recortábamos para fabricar pistolas de juguete. Las pistolas de juguete eran peligrosas.

---

1. *Waiter*: en inglés significa «camarero», y también «persona que espera». (*N. del T.*)

Consultó el reloj mientras hablaba.

—Has mencionado el corcho —dijo George.

—¿Para qué era el corcho?

—Utilizábamos el corcho para fabricar jaulas para las moscas. Dos trozos lisos de corcho. Luego conseguíamos alfileres de la modista: andaban tirados por todo el suelo de la tienda.

—Dios mío, tienes razón —dijo Bronzini.

—Clavábamos los alfileres entre los discos de corcho. Un disco era el suelo y otro el techo. Los alfileres eran los barrotes.

—Y entonces esperábamos a que una mosca aterrizara en alguna parte.

—Un moscardón sobre la pared. Ahuecas la mano y la deslizas lentamente por la pared, cogiéndole por detrás.

—Y entonces metíamos a la mosca en la jaula.

—Metíamos a la mosca en la jaula. Y añadíamos unos cuantos alfileres más —dijo George— para cerrarle todas las salidas.

—¿Y entonces, qué? No lo recuerdo.

—La veíamos zumbar.

—La veíamos zumbar. Muy educativo.

—Zumbaba hasta que se moría. Si tardaba demasiado en morir, alguien encendía una cerilla y a continuación metíamos la cerilla en la jaula.

—Dios mío, qué horror —dijo Bronzini.

Pero estaba encantado. Estaba consiguiendo que George hablara. Cómo los chiquillos se adaptan a las superficies disponibles, sirviéndose de los bordillos, los porches y las tapas de las alcantarillas. Su habilidad para capturar un mundo lleno de agujeros e invertirlo delicadamente para fabricar algo cerebral, codificado, liso y luego pasarse el resto de sus vidas intentando repetir el proceso.

Al otro lado de la calle, George, *el Peluquero* barría el suelo de su local. Voces de una emisora italiana escapaban débilmente a través de la puerta. Bronzini vio entrar a un hombre, un vigilante del instituto, y George dejó la escoba, extrajo una limpia sábana de lino de un cajón y la desdobló y extendió, perfectamente a tiempo, en el instante en que el cliente se aposentaba sobre el sillón.

—A lo mejor te enteraste, Albert. Se murió el jorobado, el que solía tallar cosas en pastillas de jabón.

—Nos estamos remontando unos cuantos años atrás.

—Tallaba mujeres desnudas en trozos de jabón. Cosas anatómicas. El jorobado que solía sentarse frente a la tienda de ultramarinos.

—Attilio. Le dabas una pastilla de jabón y siempre te tallaba algo.

—Murió ese otro como-se-llame, el jugador de *softball*, el lanzador que tiraba como un molino de viento. Le había alcanzado metralla en la guerra. De hecho le había alcanzado metralla en el corazón durante la guerra. Pero no le ha matado hasta ahora.

—Jackie algo. Tú y él.

—Solíamos trabajar juntos en la playa. Pero apenas le conocía.

George solía vender helados en la playa. Bronzini le había visto numerosas veces caminando dificultosamente por la arena con una pesada nevera de metal colgada de la espalda y un casco colonial en la cabeza. Y camisa y pantalón blancos y ese día que a alguien le dio un calambre mientras George vendía polos en la sección 10.

—¿Recuerdas el ahogado? —dijo Bronzini.

Jugaban al *salugi* en la calle. Dos chavales se habían apropiado de un libro escolar perteneciente a una de las niñas, una que asistía a un colegio católico y llevaba delantal azul y camisa blanca. Se arrojaban el libro entre sí y ella iba corriendo de uno a otro hasta que comenzaron a tirar el libro por encima de su cabeza y a su espalda. El libro tenía una gruesa cubierta de papel marrón acartonado que, hubiera jurado Bronzini, había sido fabricada por la propia chica, doblando y plegando el áspero material, escribiendo su nombre en la portada con tinta azul: número, curso y tema. *Salugi*, gritaban, esa extraña palabra, acaso alguna corrupción de la palabra italiana *saluto*, tal vez un saludo burlón: hola, tenemos tu sombrero; ahora, intenta recuperarlo. Otro muchacho se unió al juego mientras la chica corría de uno a otro, los brazos en el aire, persiguiendo al libro volador.

O hindi o persa o un término circunstancial de Northumbria que había viajado a lo largo de los siglos. Había tantas cosas que saber, cosas que él moriría ignorando...

—¿Y qué fue del chico? —dijo George—. Oigo cosas que no sé si son buenas o qué.

—Va saliendo adelante. Tan pronto estoy complacido un día como exasperado al siguiente.

—Respeto a la gente capaz de jugar a ese juego. Cuando pienso que el chaval tiene ¿cuántos años?

—Precisamente eso intento yo no perder de vista, George.

—Oigo decir que vence a jugadores experimentados. Eso podría ser bueno o malo. Y no es que me las dé de experto. Pero pienso que a lo mejor debería estar aquí en la calle, con el resto de los niños.

—La calle no está preparada para Matty.

—Deberías hacerle ver que existen otras cosas.

—Hace otras cosas que no son jugar al ajedrez. Grita y vocifera.

George no sonrió. Había tomado distancia, aislándose en sus viejas ensoñaciones mientras succionaba los últimos humos difusos de su cigarrillo. Una calada de más. A continuación, dejó caer la colilla y la pisó con la punta de metal de su ajada bota, la frontera del George uniformado, surcada de arrugas y abierta en el empeine.

—Hora de asomar la jeta ahí dentro. Pórtate bien, Albert.

—Hablaremos de nuevo —dijo Bronzini.

Atravesó la calle, para poder saludar con la mano a George, *el Peluquero*. Cómo se adaptan los críos, aprovechando los muros de ladrillo y las farolas y las bocas de incendio. Observó a una chica que ataba un extremo de su comba a los barrotes de una ventana e instruía a su hermano pequeño para que agitara el otro extremo. A continuación, se situó junto al centro de la cuerda y empezó a saltar. Ni historia ni futuro. Contempló a un chiquillo que jugaba a pelota mano contra sí mismo, ejecutando mates contra un muro. La ligereza de la bola de caucho, la clásica pelota rosa, rebotando en la fachada de ladrillo. Y la intensidad de aquel momento en el área de juegos. Incapaz de imaginar que alguna vez sobrepasarás la marca de lápiz que tu madre ha pintado en la cocina para señalar tu estatura.

El Peluquero devolviendo el saludo. Bronzini avanzó hasta la esquina, pasando junto a un hombre que descargaba bidones de queso búlgaro de oveja del maletero de un automóvil destartalado. Se encaminó nuevamente hacia el Norte, notando en la mano el dulce sabor de la piel. Observó que aún llevaba consigo la monda de la fruta. Le hizo pensar en Marruecos. Nunca había estado allí, ni en demasiados sitios que digamos, y se preguntó por qué el más leve hálito a mandarina habría de traerle a la mente un paisaje de arenas rojizas que reverberaban hasta el infinito.

Churro, media manga, mangotero, adivina lo que hay en el puchero.

El límpido grito le alcanzó en el instante en que arrojaba la piel hacia unos cartones apilados frente a la entrada de un sótano. Los niños saltan sobre las espaldas de sus compañeros. Por lo general, el más gordo es el encargado de hacer de apoyo, reclinado contra un muro o una farola mientras los demás chicos del equipo se agachan uno tras otro y sus rivales corren y van saltando uno por uno, desplomándose sobre ellos con gritos de excitación. Con los niños agachados tambaleándose bajo el peso, el líder del equipo montado levanta un brazo y hace la pregunta. ¿Churro, media manga o mangotero? Bronzini intentó recordar si el muchacho que sirve de punto de apoyo, el maltratado y sufriente gordito al que le resbalan natillas por el mentón, se llama oficialmente cabeza o cabecera. Los chavales del Bronx, decidió, no saben lo que es una cabecera. Para ellos el gordo era una funda rellena de plumas.

Las cuatro y veinte. Faltaban diez minutos para la cita, y sabía que incluso si llegaba más tarde de la hora especificada no lo haría con retraso, pues era indudable que el padre Paulus llegaría aún más tarde. Bronzini envidiaba los despreocupados retrasos de la gente que llegaba tarde. ¿De dónde sacan valor para retrasarse, de someternos nuevamente a esa grosería a los que esperamos? En un escaparate colgaban una cabra y cuatro conejos boca abajo, atados por las patas traseras, menos conmovedores en su muerte que la platija del mercado: un pelaje sucio, sin brillo ni atractivo. Envidia y admiración al mismo tiempo. Daba por supuesto que aquellas personas se negaban a dejarse dominar por las mezquinas exigencias del tiempo y de la conciencia.

El carnicero compareció en el umbral de su tienda, arrebolado y ronco, ruidoso, sucio, feliz en su delantal sin lavar, un hombre de vida urgente, dotado de algo interior que pugnaba por salir, oprimiendo la concavidad de su pecho.

—Albert, últimamente ya no te veo.

—Me estás viendo ahora. Me ves constantemente. La semana pasada te compré un asado.

—No me hables de la semana pasada. ¿Quién se acuerda de la semana pasada?

El carnicero interpelaba a la gente que pasaba. Vociferaba al otro lado de la calle para insultar a un hombre o dirigirse a una mujer con bien ilustrados detalles acerca de la misma. La voz áspera y rasposa de saliva. Otras mujeres fruncían los labios, divertidas y asqueadas.

—¿Qué le das de comer últimamente a ese genio que tienes?

—No es mío —dijo Bronzini.

—Da gracias. Si ese chaval fuera mío me lo llevaría al campo y le abandonaría en la ladera de una montaña. Pero esperaría a lo más crudo del invierno.

—Una vez a la semana, le dejamos masticar un lápiz.

—Dale un poco de *capozella*. Le crecerán los huevos.

El carnicero señaló con un gesto el animal que colgaba en el escaparate. Bronzini imaginó la cabeza asada, aún caliente del horno, servida en un plato frente a Matty. Dos cabezas cocidas mirándose la una a la otra. Y Albert diciéndole al chico que tiene que comerse los sesos y los ojos y las glándulas principales o se acabó el ajedrez.

—Le va a producir al lápiz una intoxicación por plomo.

El carnicero siguió allí, junto al escaparate, los brazos cruzados y las piernas separadas. Encajaba perfectamente con los animales suspendidos. Bronzini admiró su aptitud y su equilibrio. La gracilidad masiva del carnicero, mira cómo corta la chuleta, es como una parte integrante del tajo, de esa masa temblorosa de músculos y despojos: su facilidad y su gracia, la sensación de que hubiera nacido para la tarea en cuestión proporcionaba cierto sentido a aquellas bestias evisceradas.

Bronzini pensó que el corazón y los pulmones del carnicero debían colgar también fuera de su cuerpo, como los de un santo, para demostrar lo íntimo de su vínculo con los sufrimientos del mundo.

—Sé bueno, Albert.

—Pasaré mañana.

—Saluda a tu mujer —dijo el carnicero.

Bronzini consultó nuevamente el reloj y luego se detuvo en una confitería para comprar el periódico. Estaba intentando llegar tarde, pero sabía que no podría conseguirlo. Una fuerza extraña le impelía a entrar en la pastelería no ya puntual, sino con dos minutos y medio de adelanto, lo que suponía unos veinte minutos de espera hasta que llegara el sacerdote. Ocupó una mesa en el oscuro interior y desplegó el *Times* sobre el ajado esmalte.

Una camarera le trajo café y un vaso de agua.

La primera página le sorprendió, dominada por un par de titulares a tres columnas. A su izquierda los Giants han ganado el título, venciendo a los Dodgers en un dramático *home run* en la novena manga. Y a la derecha, maquetado simétricamente, con el mismo tipo y cuerpo de letra, con el mismo número de líneas, la URSS detona una bomba nuclear —*buum*— pero los detalles se mantienen en secreto.

No podía comprender cómo el *Times* retiraba una noticia de las páginas deportivas para superponerla a noticias de tan ominosa trascendencia. Comenzó a leer la crónica del ensayo soviético. No podía evitar que la imagen le viniera a la mente, la nube que no era una nube, el hongo que no era un hongo, la sensación de estar buscando débilmente un lenguaje que pudiera corresponderse con aquella masa visible en el aire. Y de repente, ahí estaba el sacerdote, con aspecto alborotado, Andrew Paulus S. J., bajito y acogedor, la cabeza impulsada hacia delante y un cierto brillo de saliva en su sonrisa.

Llevaba libros y carpetas resbalándole por la cadera, pero se las arregló para extender un amasijo de dedos impecablemente limpios que Albert estrechó con las dos manos, oprimiéndolos y agitándolos, medio levantándose de la silla. Se produjo un momento torpemente ceremonioso de saludos superpuestos y de preguntas de compromiso, con un libro que se cae, seguido de una veloz competición por recogerlo, hasta que los dos hombres se encontraron acomodados a la mesa, con todos los objetos apartados a un lado. El sacerdote dejó escapar, como suele decirse, un suspiro. Llevaba un alzacuellos fijado a una especie de babero llamado *rabat* y, sobre él, una chaqueta oscura con pañuelo en el bolsillo y habría podido pasar por el elegante patrón de George, *el Camarero*, vestido de blanco y negro.

—¿Me he retrasado mucho?

—No se ha retrasado en absoluto.

—Estoy haciendo un seminario sobre el conocimiento. Maravilloso, pero pierdo la noción del tiempo.

—No, llega pronto —dijo Bronzini.

—Cómo sabemos lo que sabemos.

Había que contemplar a Andrew Paulus con detenimiento para descubrir vestigios de envejecimiento. Su piel, lisa y curiosamente reluciente, poseía un barniz de cocción que la mantenía rosada y fresca. El cabello de color castaño claro le caía de forma desigual sobre la frente formando rizos de adolescente. Bronzini se preguntó si aquello sería lo que le pasaba a los hombres que renuncian al contacto y al amor desconcertantes de una mujer. Siguen siendo niños, preservados bajo una luz limpia y fría. Pero por todas partes había sacerdotes de parroquia, vacilantes y de ojos acuosos, hablando con una voz monótona que descendía del púlpito como un susurro. Decidió que aquel hombre era no tanto juvenil como carente de edad. Debía de ser treinta años mayor que Albert, pero no le temblaba una sola pestaña, ni adornaba su mandíbula la menor brizna de cabello blanco.

—¿Ha leído el periódico, padre?

—Por favor, ya nos conocemos demasiado. Ahora deberás llamarme Andy. Sí, le he echado una larga ojeada a un *Daily News* que me han prestado. Lo llaman «El disparo que se oyó en el mundo entero».

—Me pregunto cómo detectamos los indicios de la explosión. Debemos de tener aviones volando cerca de sus fronteras dotados de instrumentos capaces de medir la radiación. O espías bien situados, quizá.

—No no no no. Estamos hablando del *home run*. Del heroico disparo de Bobby Thomson. Los periódicos lo han titulado así para la posteridad.

Bronzini tuvo que hacer una pausa para asimilar aquello.

—¿«El disparo que se oyó en el mundo entero»? ¿Tan interesado está el resto del mundo? Eso es béisbol. Apenas me había enterado. Apenas sabía que hubiera pasado algo. ¿En el mundo entero? A punto he estado de pasarlo por alto por completo.

—Cabe asumir que el término obedece a lo repentino del golpe y a la velocidad con que hoy en día se transmiten las noticias. Nuestros militares en Groenlandia y Japón se enteraron sin duda del *home run* por la radio de las Fuerzas Armadas. Tienes razón, por supuesto. Nadie habla de esto en las cafeterías de Budapest. Aunque el hecho es que el pobre Ralph Branca es medio húngaro.

Hijos de inmigrantes. Tanto Branca como Thomson. Bobby nació en Escocia, creo. Comprenderás por qué nuestras victorias y nuestras derrotas tienden a tener impacto mucho más allá de nuestras fronteras.

—¿Es aficionado al béisbol, entonces?

—Tan sólo en distantes recuerdos. Pero sí, he devorado las informaciones publicadas hoy al respecto. En la radio no hablan de otra cosa. Algo ha hecho que el acontecimiento cayera como una bomba en la imaginación pública. Durante todo el día, ha reinado como una especie de temblor en el aire.

—Yo no sigo el juego para nada —dijo Bronzini.

Se sumió en un silencio lleno de remordimientos. La muchacha apareció de nuevo, hosca, ataviada con una blusa informe y arrastrando los mocasines al andar. Tan sólo cuatro mesas, la de ellos la única ocupada. El escueto decorado, el espesor del tiempo detenido en la atmósfera, las trazas de olor familiar, incluso el descontento de la hija... todo desarrollaba un tema, una ausencia de pintoresquismo que, pensó Albert, el sacerdote probablemente percibiría y aprobaría.

—Pero no estamos aquí para hablar del juego del béisbol —dijo Paulus.

En otras pastelerías, el cura había manifestado abiertamente su placer con gemidos y exclamaciones al escoger un dulce de la vitrina, pero hoy parecía apaciguado; hizo una seña en dirección a los biscotes de almendras y pidió a la joven que trajera más café. A continuación, se reacomodó en la silla y depositó ambos codos firmemente sobre la mesa, una pequeña chanza visual, y enmarcó su rostro entre las manos ahuecadas: el jugador tenso frente al tablero.

—He estado llevándole a clubes de ajedrez —dijo Bronzini—, tal y como comentamos la última vez. Necesita desarrollarse de un modo armónico. Con oponentes más fuertes en un entorno organizado. Pero no va tan bien como yo esperaba. Ha perdido unas cuantas veces.

—¿Y cuando no está jugando?

—Pasamos el tiempo estudiando, ensayando.

—¿Cuánto tiempo?

—Por lo general, tres días a la semana. Un par de horas por visita.

—Esto es completamente ridículo. Sigue.

—No quiero forzar al muchacho.

—Sigue —dijo Paulus.

—Al fin y al cabo sólo soy un vecino. Puedo presionar lo que puedo presionar y no más. Aquí no se trata de una tradición profunda. Se limitó a aparecer un día. Abracadabra y hala: un chaval de otro planeta.

—No nació sabiendo los movimientos, ¿verdad?

—Su padre le enseñó a jugar. Un corredor de apuestas. Evidentemente, conservaba todas las cifras en la memoria. Los apostantes, las apuestas, los equipos, los caballos. Era capaz de memorizar una página entera de números. O eso contaba la gente. Le ponías delante una hoja de apuestas con las carreras del día, la información de mañana, los jinetes, etcétera. Y era capaz de memorizar los datos de numerosas carreras en apenas unos minutos.

—Y desapareció.

—Desapareció. Hace como unos cinco años.

—Y el chaval tiene once, lo que significa que papaíto apenas tuvo tiempo de enseñarle nada.

—Para bien o para mal, a intervalos, yo he sido su mentor desde entonces.

El sacerdote hizo un gesto de apaciguamiento, una mano alzada que descartaba la necesidad de explicaciones adicionales. La muchacha les trajo café solo muy fuerte, un vaso de agua y un platito de galletas.

—La madre es una católica irlandesa. Y hay otro hijo. Uno de mis antiguos alumnos. Un semestre, nada más. Listo, diría yo, pero perezoso y desmotivado. Tiene dieciséis años y puede dejar el colegio cuando le apetezca. Y ahora estoy hablando por la madre. Se pregunta si estaría dispuesto a dedicarle media hora. Háblele de Fordham. De lo que la universidad puede ofrecer a un muchacho así. De lo que le ofrecen los jesuitas. Nuestros dos colegios, Andy, frente por frente en la misma calle y tan apartados entre sí. Mis alumnos, algunos de ellos ni lo saben, son completamente ignorantes de que una universidad les acecha entre los árboles.

—Algunos de mis alumnos tienen el mismo problema.

Bronzini se acordó de reír.

—Qué desperdicio sería que un chaval así terminara en un almacén o en un garaje.

—Has presentado tu caso. Considera tu misión como cumplida, Albert.

—Moje la galleta. No tenga vergüenza. Moje, moje, moje. Estas galletas son descendientes directas de la miel y los pasteles de almendras que se cocían en hojas y se consumían durante los ritos de fertilidad romanos.

—Me temo que de la tarea de reproducir la especie tendrán que encargarse otros. Y no es que me importara el contacto temporal que conlleva.

Bronzini inclinándose hacia delante.

—En serio. ¿Alguna vez se ha arrepentido?

—¿De qué? ¿De no casarme?

Bronzini asintiendo, sus ojos implacables tras las lentes.

—No deseo casarme —y ahora le tocó el turno al sacerdote de inclinarse hacia delante, hundiendo los hombros, aproximando la barbilla al mantel—, tan sólo deseo follar —susurró eléctricamente.

Bronzini atónito y divertido.

—El término follar es tan asombrosa y subversivamente apropiado. Pero conjugar la palabra no es suficiente diversión. Me gustaría follarme a una estrella de cine, Albert. A la diosa más alta, más rubia y con más tetas que sea capaz de producir Hollywood. Quisiera follármela de la peor manera posible, y te hablo en todos los sentidos.

La pequeña cabeza de dientes prominentes revolotea sobre la mesa con expresión de radiante desafío. Bronzini se sintió recompensado. En el pasado había ido de tiendas con el cura en un par de ocasiones y le había visto degustar el otoñal y rosado jamón de Parma, cortado tan fino que casi era transparente, y había opinado acerca de las morcillas de cerdo y las láminas de bacalao seco. El visitante parecía complacerse en la textura europea de la calle, en las cosas hechas lenta y amorosamente, como en el pasado, en cosas transmitidas, impregnadas de usos establecidos. Éste es el único arte que he llegado a dominar, padre, el de recorrer estas calles y dejar que mis sentidos recaben todo cuanto sucede aquí por tradición. Y condujo al sacerdote hasta la ácida peste del mercado de pollos y le empujó en dirección a la vieja báscula que colgaba del techo con un ave debatiéndose en el plato, explicándole que el pollero cobra otros veinte céntimos por matar y destripar al animal —diga algo en latín, padre— y percibió el estremecimiento del cura cuando aquel napolitano imperturbable le retorció el cuello al animal: un hombre nudoso con plumas en la camisa.

—Si yo no fuera un marido tan aburrido podríamos sentarnos aquí y contar historias hasta bien entrada la noche.

—Las tuyas reales; las mías, imaginarias.

La confesión del padre resultó a la vez graciosa y triste, y confirmó a Albert que se trataba de un compañero privilegiado, ya que no aún de un leal amigo. Le gustaba hacer de guía entre los complejos sedimentos que les rodeaban, las pequeñas historias ocultas en un gesto o una palabra, pero comenzaba a temer que la reacción de Andy nunca iría más allá de cierto interés de compromiso.

—Y cuando era joven.

—¿Si me enamoré alguna vez? Prendado a los siete u ocho años, algo devastador. Un amor de verdad, Albert. Antes incluso de la invasión de las hormonas. Una chica que se llamaba no sé muy bien cómo.

—Sé de un paseo que deberíamos dar. Muy cerca de aquí, hay una calle reservada para juegos infantiles. Lo de los niños jugando en las ciudades se está convirtiendo en una costumbre agonizante. Acabemos aquí y marchémonos. Otra media taza.

Hizo un gesto dirigiéndose a la camarera.

—¿Conoces ese cuadro antiguo, Albert? Niños jugando a sus juegos. Cientos de niños que llenan la plaza del mercado. Un cuadro que tendrá unos cuatrocientos años de antigüedad y en el que resulta chocante reconocer muchos de los juegos a los que jugábamos nosotros. Juegos que aún se practican hoy en día.

—Me considera pesimista.

—Los chiquillos siempre encuentran el modo. Esquivan el tiempo, por así decirlo, y los estragos del progreso. Yo diría que operan en un esquema temporal completamente distinto. Imagínate a ti mismo en una zona de árboles tirando piedras contra la copa de un castaño para obtener los frutos más gordos. Se dice que están en las alturas. Todo el día tirando piedras, si es necesario, para luego llevarse a casa la castaña de mayor tamaño y sumergirla en agua salada.

—Nosotros usábamos vinagre.

—Vinagre, pues.

—Los italianos —dijo Albert.

—Sumergirla para que se vuelva dura y digna del combate. Y luego agujereándola de parte a parte y ensartando un robusto cordón de zapato a través del orificio, un cordón lo bastante largo como para poder arrollárselo dos o tres veces en torno a la mano. Es un recuerdo completamente vívido en mi mente. Y atar un nudo, por supuesto, para que la castaña no escape del cordón. Un nudo de cuero, a ser posible.

—Y entonces comienza el juego.

—Sí, tú agitas la castaña y yo la aplasto lanzando la mía con una especie de diabólico giro de muñeca. Pero la cosa consiste en encontrarlas, sumergirlas, dedicarles tiempo. El tiempo, tal y como lo conocemos hoy en día, aún no existía entonces.

—Todos los años, por estas fechas, me recorría el zoológico para recoger castañas caídas —dijo Bronzini.

—Con flores rojas.

—Con flores rojas.

—Tiempo —dijo el sacerdote.

Al otro extremo de la estancia, la muchacha llenaba tazas frente a una máquina. El padre Paulus esperó a que deslizara la suya sobre la mesa para dejar que el aromático vapor se esparciera frente a su rostro.

Entonces dijo:

—Tiempo, Albert. De hecho, los dos tenéis que estar dispuestos para pagar un precio mucho más alto. Horas y días. Días enteros con el ajedrez. Días y semanas.

Bronzini encontró finalmente un hueco.

—¿Y si yo no estuviera dispuesto? ¿Lo está usted? O si no puedo. Si no puedo hacerlo. Si no estoy a la altura de la tarea. ¿Usted sí, Andy?

El sacerdote examinó el nudo de la corbata de Albert.

—Creí que buscabas consejo.

—Y así es.

—Por favor. ¿Piensas que he considerado siquiera convertirme en tutor del chico? Albert, por favor. Da la casualidad de que yo ya tengo mi vida.

—Está mucho más adelantado que yo, padre. Usted es jugador de torneo. Comprende la psicología del juego.

Paulus se enderezó en el asiento, retirándose formalmente, o eso pareció, hacia un nivel de discurso más objetivo.

—Las teorías en torno a la psicología del juego, francamente, me dejan frío. El juego es emplazamiento, situación y memoria. Y la necesidad de ganar. La psicología está en el jugador, no en el juego. Debe disfrutar en compañía del peligro. Tiene que poseer instinto asesino. Debe ser orgulloso, arrogante, agresivo, despreciativo y dominante. Voluntarioso en extremo. Todos los pecados, Albert, de tipo no carnal.

Corregido y desinflado. Pero Albert pensó que lo había estado pidiendo a gritos. Las observaciones de aquel hombre estaban dirigidas a su propia y complaciente desenvoltura, por supuesto, no a la del muchacho. Su satisfactorio y distendido ritmo.

—Promete una fuerza de maestro, al menos en potencia.

—Escucha, estoy dispuesto a asistir a una competición o dos. A aconsejarte, si me es posible. Pero no quiero convertirme en su profesor. No no no no.

Apareció entonces la abuela con una botella de anís abierta que mostraba el borde cristalizado. Cuando Bronzini le preguntó qué tal se encontraba, ella hizo oscilar la cabeza hacia delante y hacia atrás. El licor era un detalle reservado para los clientes selectos y había que ganárselo a base de tiempo. Escanció un chorrito ceniciento en cada una de las tazas y el sacerdote enrojeció ligeramente, tal y como siempre parecía hacer en la estrecha compañía de personas que eran notablemente distintas. Sus vidas desconocidas le desconcertaban, haciendo que su sonrisa se congelara y dando a sus mejillas un rubor formal de deferencia.

La mujer se marchó sin decir palabra. Ellos la observaron deslizarse en la lóbrega habitación interior con la parsimonia de la luna.

—Ignoro qué contarte sobre el hermano mayor —comentó Paulus.

—Da igual. Si pregunté fue sólo porque la madre había preguntado. Todo se explicará al final.

—Tenemos una idea, algunos, que está comenzando a tomar forma. Una nueva clase de *collegium*. Un contacto más estrecho, una estructura mínima. La posibilidad de enseñar latín como si fuera una lengua viva. Podríamos enseñar matemáticas como una forma artística, junto a la poesía y la música. Enseñaremos disciplinas que la gente no es consciente de necesitar. Todo esto se hará en zonas del interior. Buscaremos una clase especial de alumno. Circunstancias especiales —dijo Paulus—. Algo que es. Algo que ha hecho. Pero algo.

Cuando se pusieron en pie para marcharse y el sacerdote recogía sus libros, Bronzini alzó su taza, la del cura, y apuró sus sedimentos con un rápido movimiento de la cabeza hacia atrás: posos de café impregnados de anís.

Se estrecharon la mano e intercambiaron vagos planes de mantenerse en contacto. A continuación, el padre Paulus emprendió el corto trayecto que le devolvería al campus de Fordham y Albert advirtió que había olvidado su propia sugerencia acerca de visitar el terreno de juegos cercano. Una lástima. La despedida podría haber sido más cálida.

Pero al pasar junto a la calle descubrió que ya estaba casi vacía. Algunos chavales seguían jugando al *ringolievio*, ahora lentamente y casi a ciegas, el gordito torpe cazado en la trampa, sempiternamente atrapado, siempre *llevándola*, la mole grasa ligeramente epicena, la clase de chico que siempre está agachándose para estirarse un calcetín y recibe un rápido puntapié de los más ladinos y sádicos.

¿Es eso lo que significa *llevarla*? Castrado, asexuado, despersonalizado.

Ahora estaba oscuro. Un nuevo día de juegos ya terminados, al menos casi todos: a medida que descendía por la avenida podía oír las voces de los niños que le seguían. Y cuando concluye por completo nos descubrimos a nosotros mismos abandonados a nuestra adolescencia saturada. Qué herida a la que sobreponerse, este tránsito fuera de la infancia, pero una herida hermosa, pensó, pura e irrepetible. Tan sólo queda la costra, apenas visible, la sustancia exudada.

Ringolievio Coca-Cola un dos tres.

Un leve aroma de *knishes* y perritos calientes del chiringuito que hay bajo la bolera. Entonces Albert cruzó la calle en dirección al parque de Mussolini, como lo llamaban los chavales, donde unos cuantos ancianos descansaban en los bancos con sus ejemplares plegados de *Il Progresso*, cual inspectores del aire fresco, jubilados, indiferentes y ociosos, fumando y hablando y sonándose en mitad de la calle, inclinándose sobre el bordillo con la vieja *shnozzola* aferrada entre el índice y el pulgar, soltando la filamentosa sustancia.

Albert hubiera querido quedarse un rato por allí, pero no vio a nadie conocido, por lo que se unió al pequeño ejército de trabajadores que regresaban del trabajo doblando la esquina de la Tercera Avenida, procedentes de los autobuses y del metro.

Hora, por fin, de volver a casa.

Rosemary Shay, sentada, manipulaba sus cuentas. Tenía el marco apoyado en dos caballetes. Había apretado los cuatro tornillos que sujetaban el marco, tornillos de esos que tienen una palomilla en un extremo. Había enganchado el tejido a los bordes del marco. Tenía la aguja de madera que empleaba para coser las cuentas sobre la tela, siguiendo el dibujo: cuentas verdosas ensartadas en un hilo de seda.

Oyó a Nick que hacía algo en la mesa de la cocina.

Dijo:

—Deberías ir a buscar la carne.

Siguió trabajando con sus cuentas y oyéndole hacer lo que fuese que estaba haciendo. Sonaba como si escribiera algo, pero no para el colegio, pensó.

Dijo:

—Está pagada. Y cierran pronto, así que deberías ir pensando en marcharte.

Trabajando con sus cuentas, con sus retales. Jerséis, vestidos y blusas. A veces hacía ajuares completos, cobrando en negro, igual que hiciera Jimmy.

Siguió con su trabajo y oyó que Nick, por fin, salía por la puerta. A continuación, acudió a examinar el trozo de papel que había dejado sobre la mesa. No tenía para ella el menor sentido. Flechas, garabatos, números, cifras rodeadas, un número de teléfono con el prefijo de Merian, letras seguidas de números, unas cuantas sumas y restas sin complicaciones: todo frenéticamente garabateado sobre la página.

Escuchando la radio, regresó a su trabajo. Ganaba un sueldo oficial, sus ingresos declarados, como telefonista de un abogado de la localidad y mecanografiando además testamentos, actas y contratos de arrendamiento, en su mayor parte, e impresos de inmigración, y escuchando los chistes que contaba el abogado. Se sabía todos los chistes nuevos y contaba con una reserva de otros mil ya antiguos, y le gustaba cantar *The Darktown Strutters' Ball* en italiano, algo que hacía más o menos automáticamente, como respirar o mascar chicle.

El empleo le venía bien porque le mantenía en contacto con otras personas y porque tenía la ventaja de poseer un horario relativamente flexible. Y el dinero, claro está, era una cuestión de vida o muerte.

Bronzini emprendió el camino en dirección a Tremont, pasando junto a edificios de apartamentos dotados de escalones de acceso y escaleras de incendios, dejando atrás cierta cantidad de casas individuales, algunas con un rosal o un árbol de sombra, pequeñas casas de madera en las que comenzaban a crecer otra clase de cosas, antenas esqueléticas y aladas.

Estaba pensando en lo de *llevarla*. Una de esas preguntas con las que tan deliciosamente se torturaba. Otro jugador te da y resulta que *la llevas*. ¿Qué significa eso exactamente? Aparte de la noción de hallarse neutralizado. Eres alguien sin nombre, atormentado. *La llevas*. Aquella cuyo nombre es demasiado poderoso para pronunciarlo. Cuando atrapamos a alguien, le damos. *La llevas*, chata. Atormentado y maldito.

Una mujer golpeó su ventana con una moneda, llamando a su hijo a cenar.

Un poder pavoroso en esa palabra, porque te separa de los demás. Huyes de llevarla, de que te alcancen. Pero una vez que *la llevas*, despojado de tu nombre, ni chico ni chica, es a ti a quien hay que temer. Eres el poder tenebroso de las calles. Y experimentas una especie de demonismo al perseguir a los jugadores, intentando depositar sobre ellos tu mano malvada, para así esparcir tu sombra, tu maldición. Pronuncia las sílabas lentamente, si puedes. Como un susurro de muerte, quizá.

A media manzana de su edificio, en una calle donde los italianos iban escaseando y comenzaban a verse judíos. Lo bastante cerca como para ver a su madre en la ventana del primer piso, incorporada en su cama especial, sus cabellos blancos brillando bajo la suave luz.

El béisbol es, ay, tan simple. Tocas a un hombre y sale. Qué diferente de *llevarla*. Qué genio espectral en el término, en esa curiosa parte de la niñez que sabe ver más allá de las canciones infantiles y las palabras sin sentido, más allá de los escondites y las búsquedas y los fingimientos para descubrir algo viejo y rancio, un sobrecogimiento medieval, pensó, o algo aún más antiguo que se arrastra bajo la piel de medianoche.

El joven encendió el fósforo con una mano. Había aprendido a hacerlo cuando empezó a fumar, haría cosa de un año, aunque le parecía que había fumado toda la vida, Old Golds, aislando la cerilla con la solapa y luego doblándola contra el raspador y arrastrando la cabeza con el pulgar. Luego arrimó la cerilla encendida al cigarrillo, protegiendo toda la carterilla con la mano ahuecada, sin soltar el fósforo. Encendió el cigarrillo, agitó la mano para apagar la cerilla y se dignó a utilizar la otra mano para arrancarla y arrojarla al infierno de las cerillas.

Necesitas dominar esas habilidades inútiles para impresionar a los demás en las calles.

El profesor de ciencias desvaneciéndose en el atardecer, en dirección sur, y su antiguo alumno Shay, un mediocre aprobado en Iniciación a la química, avanzando por la misma calle en dirección contraria, internándose en la zona de tiendas, succionando ávidamente su cigarrillo, la cabeza llena de números.

Desde el partido del día anterior Nick no ha dejado de ver el número trece. El partido, los vítores multitudinarios, el modo en que se inclinó sobre su transistor, a punto de echar hasta la primera papilla por el tejado. Durante todo el día, no habían hecho más que aparecer treces. Hubiera necesitado un lápiz para anotarlos todos.

Branca lleva el número trece.

Branca ha ganado trece veces en lo que va de año.

Los Giants habían iniciado su carrera por el título trece partidos y medio por detrás de los Dodgers.

El mes y el día del partido de ayer. Diez tres. Suma las cifras y te da trece.

Los Giants han ganado noventa y ocho partidos este año y han perdido cincuenta y nueve, incluyendo los anulados que ha habido que volver a disputar. Nueve ocho cinco nueve. Suma las cifras, invierte el resultado y a ver qué te sale, caraculo.

La hora del *home run*. Tres cincuenta y ocho. Suma las cifras de los minutos. Trece.

El número de teléfono al que llamaba la gente para obtener las puntuaciones manga por manga. ME 7-1212. La M es la decimotercera letra del alfabeto. Suma los cinco dígitos y aparece de nuevo el viejo trece.

El nombre de Branca: aquí es donde empezó ya a volverse loco. Tomas el nombre de Branca y le asignas un número a cada letra según su posición en el alfabeto. Allí fue donde comenzó a pensar que estaba igual de loco que su hermano, calculando posiciones de ajedrez o probabilidades o lo que fuera que hacía el chaval. Tomas el nombre de Branca. La B es un dos. La R un dieciocho. Etcétera, etcétera. Acabas sacando treinta y nueve. ¿Y qué es treinta y nueve? Treinta y nueve es el número que, dividido por el día del mes del partido, te da trece.

Thomson lleva el número veintitrés. Réstale el número del mes y ya sabes qué te sale.

Dos tipos empujaban un automóvil para arrancarlo. Nick estuvo a punto de acercarse a ellos para echarles una mano, pero se lo pensó mejor. Había terminado con el béisbol, pensó, el último y delgado hilo que le conectaba con otra vida. Vio al viejo que se vestía de sacerdote, más o menos, poniéndose una casulla a veces, con zapatillas, o uno de esos sombreros con alas que llevan los curas, bendiciendo a las puñeteras multitudes, o andrajoso atuendo de calle, normal y corriente.

Entró en la carnicería. La campana de la puerta repicó; tras el mostrador estaba el carnicero, el Primo Joe, destazando un lomo de cerdo.

El otro carnicero dijo:

—Anda, mira quién está aquí.

Lo dijo como quien dice algo de pasada, sin dirigirse a nadie en particular.

El Primo Joe alzó la mirada.

—Mira quién está aquí —dijo—. Nicky, ¿qué te cuentas?

El otro carnicero dijo:

—Oye. Prefiere que le llamen Nick. ¿Es que no lo sabes?

—Oye. Conozco a este tío desde que tenía cuatro años. Es un diablillo esquelético. ¿Cuánto tiempo llevas viniendo aquí, Nicky?

Nick sonrió. Sabía que no era otra cosa que un objeto estacionario, una superficie para sus pullas cruzadas.

—Le he visto con esa chica con la que suele salir, Loretta —dijo el segundo carnicero.

—¿Tú crees que se la beneficia?

—Sé que es así. Porque me fijo en su cara cuando pasan.

—Anda, Nicky, cuéntamelo. Dame gusto —dijo el carnicero—. Porque estoy llegando a esa época en la que te toca disfrutar oyendo a los otros, ya sabes, hacer vete a saber qué cosas que a mí ya no me es posible.

—Yo creo que es un chupacoños. Y de los que prometen.

—¿Es verdad eso, Nicky?

Nick se sentía cada vez de mejor humor.

—Creo que se lo está haciendo con tantas que a los demás ya no nos quedan —dijo el segundo carnicero, Antone, apenas visible tras el mostrador.

—Dame gusto, Nicky. Me paso el día aquí de pie, viéndolas pasar. Mujeres altas, mujeres bajas, chavalas de Roosevelt, chavalas de Aquino. Y ya sabes qué me digo a mí mismo. ¿Cuál es la mía?

—La tuya la tiene Nicky. Y la mía también.

—De él me lo creo.

—¿Y sabes por qué, Joe?

—Porque hace cosas que no debería hacer.

—Porque tiene esa sonrisa de chochito cuando pasa. Lo cual sólo puede significar una cosa: que al chaval le gusta comer en la Y.

—*Sboccato* —dijo el carnicero jovialmente, reprendiendo a Antone, rascando la palabra de lo más profundo de la garganta. Malhablado.

Nick se dirigió a la puerta, la abrió, esperó a que pasara una señora y lanzó la colilla sobre la acera.

—¿Quién dice que no es el mejor? —dijo Antone.

—¿Vas a clase, Nicky?

—Va cuando va. ¿Quién dice que no es el mejor? —dijo Antone—. Daría mi brazo derecho.

Antone extrajo un saco de la vitrina. Contenía chuletas, pechugas y beicon fresco. Lo pasó por encima del mostrador y se lo alargó a Nick.

—¿Quién dice que no eres el mejor? —dijo.

—Pórtate bien —dijo el Primo Joe.

—El brazo derecho, daría. No te pierdas cómo es el chaval.

Un regusto a sangre y a polvo flotaba en el aire.

—Recuerdos a tu madre, ¿oyes?

—Pórtate bien, ¿vale?

—Pórtate bien —dijo el carnicero.

Bronzini yacía sonriente en la enorme bañera, una reliquia de hierro colado apoyada sobre cuatro patas con zarpas y bolas, asomando únicamente la cabeza.

A su alrededor se deshacían bolas de sal efervescentes.

Su mujer apoyada contra el umbral de la puerta, Klara, con la hija, de dos años, aferrada a la pierna, la niña repitiendo palabras que ha oído pronunciar a papá desde las profundidades.

—Mandarina —dijo Albert.

Aquello era la felicidad tal y como se supone que tenía que haber evolucionado desde que fue concebida por primera vez en las cuevas, en las chozas de barro de la sabana. Mamelah y nuestra preciosa *bambina*. Y su propia madre, espantosamente enferma pero en casa al fin, susurrante, una potente y mortal presencia en la casa. Y el propio Albert en el baño caliente, de regreso de la caza, de nuevo en el núcleo fundamental.

Resumió el encuentro con el padre Paulus. Klara, semidesplomada, pareció varias veces a punto de hablar, el modo en que su cuerpo comienza a deslizarse por una superficie, inquieto y escéptico.

—Un hombre impresionante. La próxima vez quiero que vengas. O igual le invito a venir aquí.

—Mejor que no venga aquí.

—Doctor en filosofía por Yale. Graduado *magna cum laude* en teología sagrada por no sé qué institución jesuita europea. Lovaina, creo —y formó la palabra como si se tratara de algún vocablo privilegiado—. Enseña humanidades en Fordham.

—Pero no se siente inclinado a echarte una mano con el niño.

—Ayudará. Vendrá a un torneo. Mandarina —dijo a la niña, y sacó los brazos del agua.

Klara alzó a la pequeña por encima del borde de la bañera y Albert se sentó y la tomó en brazos, poniéndola derecha, los pies enfundados en calcetines blancos rozando apenas la superficie, para que pudiera caminar por ella, riéndose, desplazando pequeñas olas con los dedos. Y entonces se sintió como una foca madre, sí, como una madre, no un escandaloso semental o como sea que llamen a los machos... tendría que consultarlo.

—¿Conoces ese viejo cuadro —dijo él— que muestra docenas de chiquillos jugando en una plaza de pueblo?

—De hecho, conozco cientos. Doscientos por lo menos. Bruegel. Lo encuentro malsano. ¿Por qué?

—Salió en una conversación.

—Ignoro lo que dice la Historia del Arte de este cuadro. Pero para mí no es tan distinto del otro Bruegel famoso, ejércitos de muerte desfilando por el paisaje. Los niños son gordos, retrasados, un poco siniestros para mí. Es como una especie de amenaza, como una locura. *Kinderspielen*. Parecen enanos haciendo algo horrible.

Sostenía a la niña y ésta pataleaba, sujetándola sobre la superficie, luego dejándola caer un centímetro para que pudiera chapotear levemente, riendo cuando el agua le golpeaba en la cara.

—Gordos y retrasados. ¿Has oído eso, chiquitina? La verdad es que cada vez pesa más, ¿verdad? Uau. ¿A que sí, mi tesoro?

Más pronto o más tarde la letanía cotidiana de preguntas delicadas y respuestas cortantes.

—¿Y mi madre?

—Descansando.

—¿Ha venido el médico?

—No.

—¿No ha venido el médico?

—No.

—¿Cuándo viene?

—Mañana.

—Mañana. ¿Y se ha asomado la señora Ketchel?

—Se ha asomado, exactamente.

La niña anadeó por la superficie y él la alzó en el aire para que Klara pudiera cogerla. Ella la pasó por encima del borde de la bañera y se las arregló para quitarle los calcetines mojados un segundo después de aterrizar. Uno de los miles de desafíos a la muerte que atraviesan madre e hija a lo largo del día. Aullidos y extremidades dobladas y cierta insistencia física por parte de la mujer. Todo ello llevado a cabo en un remolino compacto que deslum braba a Albert y le hacía inclinarse por encima del borde para espiar los dos calcetines diminutos tendidos sobre las baldosas, a modo de confirmación.

Su madre padecía una afección neuromuscular, miastenia grave, y pasaba la mayor parte del tiempo tendida sin poder hacer nada, los párpados caídos, los brazos demasiado débiles para moverse excepto en sílabas gestuales cada vez más lentas, reducidas a unidades, y evidentemente con visión doble.

Recitó una vez más la palabra para la niña mientras salían del baño.

Se había llevado allí a su madre, imponiéndose sobre el fatalismo de ella y sobre los inconvenientes prácticos de su mujer. Eres el hijo, te ocupas de los padres. Y la enfermedad, el drama de un cuerpo en decadencia, el modo en que la inminencia de la muerte la hacía parecer santa, hierática como un icono, como una beldad severa e inexpresiva y esmaltada. Albert, que rechazaba cualquier forma de adoración organizada y creía que Dios era una ilusión de masas, se sentaba y la contemplaba durante horas, la peinaba, recogía su diarrea empapando en ella pañuelos de celulosa, le hablaba en el italiano de la niñez, y sentía que la casa, el piso, estaban impregnados de una reverencia, antigua, triste, pesada y ominosa: algo de otro mundo, ahora que ella estaba allí.

Las sales habían dejado de burbujear, y permaneció allí un rato. Sentía cómo el bienestar comenzaba a disiparse. Tal vez ocurría que las tardes tenían algo que le producía una tristeza transitoria. Oyó a Klara, que preparaba la comida en la cocina. Cosas de ella que debía mantener a distancia. Sus estados de humor, sus vacilaciones. Pensó en su propia situación. En las cosas a las que había de enfrentarse. Su complacencia, su despiste, su posición en el colegio, su alcoholismo clandestino.

Le vino a la cabeza súbitamente, cuando le vino. Mandarina. Aquella tarde, en el mercado, pelando el holgado fruto y devorando sus dulces gajos, levemente picantes a medida que el zumo resbalaba por su garganta, y cómo el aroma parecía alentar una esencia, pero por qué, de Marruecos. Y entonces lo supo, de modo incontrovertible. Mandarina, Tangerina, Tánger. El puerto desde el que partía por primera vez la fruta, en dirección a Europa.

Se sentía mejor, muchas gracias.

El modo en que el lenguaje se imbrica en los sentidos. De un tornasol de arena deslumbrante a mentes caprichosas como la suya, al tacto, al gusto y a la fragancia. Pensó que se quedaría aún un rato más, dejando que el baño asumiera el control total, facilitando y atenuando, antes de ponerse sus ropas y penetrar en las complicadas cajas en las que la gente conduce su vida.

Nada se adapta al cuerpo tan bien como el agua.

2

Luego irían a buscar el coche, pero primero se quedaron un rato por ahí, dejando que cayera la noche, sentados frente al 611.

JuJu no se sentó hasta extender previamente su pañuelo sobre los escalones. Estaba hablando de los nuevos modelos de automóvil, todos recién lanzados, éste tiene potencia, ése lo que tiene es manejo, con voz apasionada y ferviente.

—Cualquiera diría que estás a punto de sacar la cartera —dijo Nick—. Ya sabes cuándo.

Scarfo estaba en la esquina, a eso de diez metros de distancia, comiéndose una manzana acaramelada, un tío ya adulto, sosteniéndola lejos de sí e inclinándose para morderla.

—Ahí dentro no hay nada más que caucho.

Veían a la gente que regresaba del trabajo. Nick se había sentado a horcajadas sobre la barandilla de hierro, justo encima de JuJu. Hacía frío y todos se apresuraban en volver a casa, funcionarios, conductores, empleados textiles, ascensoristas. Nick les contemplaba y fumaba.

—Ése eres tú —dijo.

—¿Qué estás hablando?

—Dos años como mucho. Ése eres tú —dijo él—. Incluso podría ocurrir antes.

—Es un empleo. Tienen empleos. ¿Qué esperas que hagan?

—Te diré lo que pienso.

—Guárdame una calada de ese cigarrillo.

Vieron a Scarfo hablando con el zapatero, con el brazo de la manzana extendido.

—Cualquier cosa es mejor que lo que hacen. Eso es lo que pienso.

—Están trabajando. Déjales trabajar.

Nick les observaba y fumaba, secretarias, operarios de mantenimiento, cajeros de banco, mensajeros, mecanógrafas del departamento de mecanografía, taquígrafas del departamento de taquigrafía.

—No es el trabajo. Son los horarios —dijo Nick—. Salir todos los días a la misma hora. Fichando, cogiendo el metro. Es el metro. Entrando juntos. Saliendo juntos.

—Pero tú necesitas algo mejor.

—Mejor, peor, qué diferencia hay.

Cuando aspiró la última calada, Nick sostenía la colilla entre el pulgar y el dedo medio, el dedo encorvado para lanzarla, de modo que aspiró la calada y la lanzó con un único movimiento prolongado, enviándola al bordillo.

—Gracias —dijo JuJu.

—¿Por qué?

—¿Prefieres vivir del paro veinte semanas al año antes que tener un empleo fijo con un sueldo decente?

—Te diré lo que preferiría. Preferiría que la del abrigo verde me chupara la polla.

—¿Dónde?

—La del abrigo verde.

—¿Dónde?

—Al otro lado de la calle —dijo Nick.

—¿Te gusta eso?

—Oye, que tampoco he dicho que quiera casarme con ella.

—¿No podías haberme guardado una calada?

—¿Cómo? ¿Me la has pedido, acaso?

—Es tremendamente bajita —dijo JuJu.

—Mejor. Así puede chupármela sin agacharse.

—Se ahorra el desgaste de las rodillas.

—Dios crea personas pequeñas por algún motivo.

Scarfo llevaba unos pantalones limpios y planchados con raya y unos zapatos de calidad, y comía con el cuerpo torcido para evitar mancharse la ropa. Estaba hablando con el zapatero de algo y el zapatero le escuchaba allí plantado, rechoncho e inexpresivo.

—¿Tienes dinero para gasolina? —dijo JuJu.

—Para donde vamos, no necesitamos gasolina.

—¿Adónde vamos?

—A los billares —dijo Nick.

Vieron cómo el zapatero reflexionaba. Era como ver a un bulldog cagando.

El número de personas que regresaban del trabajo había disminuido, y ahora apenas pasaban unos cuantos. Era la víspera del día de Acción de Gracias, y se suponía que uno debía experimentar algo acerca de tener un día de fiesta, un día libre, prepararse para el gran acontecimiento con los parientes que han acudido de visita, pero Nick, pero Nicky había iniciado sus propias fiestas un par de semanas atrás, cuando dejó de ir al colegio, y tampoco tenía parientes de visita, lo que no dejaba de ser de agradecer.

Propinó a JuJu un golpecito en el hombro. Se encaminaron a Quarry Road, una extensión de hierbajos frecuentada por muchos dueños de perros. Allí era donde el Chevrolet del 46 les esperaba, al pie del elevado muro de piedra que rodeaba el hospital de incurables.

Eran demasiado jóvenes para tener carnet de conducir, pero daba lo mismo porque el coche, al fin y al cabo, era robado.

Lo habían visto estacionado cerca del zoológico unas tres semanas atrás, con las llaves, puestas, ya casi de noche, y Nick se había introducido en él, por impulso, algo que ni siquiera tienes tiempo de desafiarte a hacer, y había puesto en marcha el motor. JuJu se quedó mirándole un instante y entró a su vez. Vito Bats estaba con ellos y también subió. Condujeron por ahí durante gran parte de la noche y les seguía pareciendo un chiste, una escapada, y echaron gasolina a escote y condujeron un rato más y luego dejaron el coche abandonado junto a un solar. Nick se llevó las llaves, y al día siguiente seguía allí. Cogieron un juego de matrículas del coche del tío de Vito, que estaba aparcado, más o menos, durante el invierno, y las cambiaron por las matrículas originales. Conducían fundamentalmente por la noche, porque la audacia inicial había dejado paso a un sentimiento responsable de propiedad, y recorrían sólo trayectos limitados, porque parecía más seguro y porque no tenían dinero para gasolina y tampoco tenían adónde ir, al fin y al cabo.

JuJu arrancó el coche y se quedaron allí, oyendo el ruido del motor.

—Has visto lo que le estás haciendo a esa alfombrilla. Solamente han pasado tres semanas y la estás destrozando. Estáis desgastando las franjas con los pies. Tú y ella. Utiliza el asiento trasero, animal.

—El asiento trasero es enano.

—*Animale.*

—Aquí hay más sitio.

JuJu y su novia se pasaban horas en el asiento delantero, Gloria, besándose hasta altas horas de la noche, las manos del joven exploratorias, pero eran sus pies el origen del problema, era el frotamiento de sus pies bajo la pasión infructuosa lo que estaba destrozando la almohadilla antideslizante de la alfombra.

—Explícale que si se deja, Gloria, díselo educadamente, pero díselo, que el desgaste del coche se reducirá a la larga. No tendréis esa frustración que luego descargáis con el mobiliario.

—Con el mobiliario.

—Que se deje o que no entre. Díselo monamente. Porque no podemos tener a esta chica destrozándonos la propiedad.

JuJu metió la marcha y condujo las dos manzanas que les separaban de los billares. Aparcó lejos de la farola. Se bajaron del coche, lo examinaron y luego cruzaron la calle y ascendieron el largo tramo de escalones rematados de acero, atravesaron la elevada puerta de metal y se internaron en la atmósfera levemente humosa de la enorme sala, donde una figura solitaria jugaba agachada sobre una mesa, con la bola blanca rodando en la penumbra.

Una mujer golpeó el cristal con una moneda y Klara alzó la mirada. La mujer le saludó con la mano, la señora algo, y Klara sonrió y siguió su camino. Esperaba compañía y ya era tarde.

Se detuvo en la tienda de ultramarinos para comprar unas cosas y luego subió los escalones de la puerta principal y allí estaba la madre de Albert, incorporada junto a la ventana, vestida con un camisón blanco de hospital y contemplando el exterior, con una medalla religiosa colgando del cuello. Parecía una visión o alguien a la espera de una visión.

Klara no quería darle a aquella chocante escena ningún título sacado de una galería renacentista porque habría estado feo. Pero el hecho era que la mujer, al fin y al cabo, estaba en exposición.

Aquella tarde era la señora Ketchel quien hacía compañía a la madre de Albert. La niña estaba al cuidado de una muchacha eficaz y fiable que vivía en el edificio.

Klara puso un poco de orden en la casa, no mucho, y luego se detuvo en la habitación de invitados para observar el esbozo que había en el caballete, un estudio de aquella misma estancia. Llevaba ya algún tiempo bosquejando la habitación. Pintaba estudios del marco de la puerta y de las molduras de las paredes, pintaba las maletas apiladas en un rincón.

Cuando Rochelle llamó al timbre estaba en la cocina, fumando.

—Vaya, Klara. Conque estás aquí.

—No investigues muy de cerca. No he limpiado.

—¿Para qué limpiar cuando se trata de una vieja amiga?

Se sentaron en el salón a tomar café y algo de comer.

—Conque aquí estás.

—Exacto. ¿A qué, a seis manzanas de donde crecimos?

—Se me hace raro volver. Todo el mundo es tan feo. Te juro que no me había dado cuenta.

La auténtica Rochelle. Eso era lo que Klara quería, sin saber si iba a conseguirlo.

—Tienes casa nueva —dijo.

—Riverside Drive. Cómo he podido tener tanta suerte, lo ignoro.

—Tienes un aspecto muy parisino, o algo. Por el pelo quizá, o por la ropa. ¿Qué es?

—Una vez que empiezas, ya no puedes parar. Es como una enfermedad —dijo Rochelle—. Aún conservas ese aspecto cimbreante que me ha hecho morir de envidia toda la vida.

El marido de Rochelle era constructor. Ella le llamaba Harry el de los Terrenos. Viajaban a Florida y a las Bermudas y compraban juntos ropa interior femenina en la Quinta Avenida.

—Conque aquí estás, Klara. Enseñando arte.

—Hay un centro comunitario. Me traen a los críos, algunos pataleando y otros gritando. Pero otros vienen tan contentos. Les encanta dibujar.

—De modo que resulta gratificante.

—En general sí. Me divierto.

—Te diviertes. Luego está bien. Y Albert. También él es profesor. Todo el mundo es profesor. Hay medio mundo enseñando al otro medio.

—Albert es un profesor de verdad. Un profesional.

—¿Esa que hay ahí es su madre?

—Una mujer potente, de hecho, incluso en esas condiciones. En diversos sentidos, la admiro. No aguanta gilipolleces de nadie.

—¿Se está muriendo ahí dentro?

—Sí.

—¿Vas a dejar que se muera en casa?

—Sí.

—En ese sentido, siempre fuiste abierta de miras. ¿Tienes algún amante, Klara?

—No hace ni diez minutos que estás en casa. La respuesta es no.

—¿No quieres preguntarme si yo tengo rollos?

—Sé lo que debo decir. Estarías loca si tuvieras un rollo. ¿Poner en peligro todo eso? ¿Harry, el piso, la lencería? Pero en fin.

—Una o dos veces. Necesito algo por las tardes o me siento inútil.

Rochelle quería ver sus cuadros. Había varios lienzos de pequeño tamaño apilados contra la pared de la habitación de invitados y se quedaron allí un rato, mirando. La tensión que producía en Rochelle el ansia de hacer el comentario oportuno le incrustaba la cabeza en el pecho.

—Harry quiere invertir en arte.

—Dile que se busque un asesor.

—Le diré que son palabras tuyas.

Klara le enseñó algunas pinturas al pastel.

—De modo que Albert es un encanto, ¿no? ¿Le gusta que pintes?

—Opina que me relaja.

—Así que te gusta. Entras aquí y te pones a pintar. Te imagino, Klara. Aquí, pensando, midiendo con el pincel. Pruebas esto, pruebas lo otro. Una vez dejé que un ascensorista se me frotara contra el muslo, en Florida.

Tomaron otra taza de café y subieron al piso de arriba para ver a la hija de Klara. Estaba en el suelo, jugando con piezas de rompecabezas, y se quedaron media hora conversando con la canguro y viendo cómo la niña se construía un mundo ajeno al del rompecabezas.

—Klara, dilo. Debería tener un hijo.

—Eres la última persona a quien se lo diría.

—Gracias. Amigas hasta el final. Dame un abrazo y me marcharé a casa contenta.

Bajaron a la calle y se quedaron charlando en el portal. Tres hombres empujaban un coche para hacerlo arrancar. Caía una leve capa de nieve.

—De modo que no aguanta gilipolleces, la madre de Albert. Condúceme a su lecho de muerte antes de que sea demasiado tarde. Igual es capaz de decirme algo que debiera saber.

Cuando se hubo marchado Klara entró en la habitación de invitados y se quedó contemplando los esbozos que había realizado. La puerta, el picaporte, las paredes, el marco de la ventana.

Envió a la señora Ketchel a su casa y se sentó con la madre de Albert hasta que oscureció. Luego, entró en la cocina a preparar algo de cenar. Pero primero encendió la lámpara que había junto a la cama para que Albert pudiera ver a su madre cuando subiera las escaleras.

El jugador de billar era George Manza, George, *el Camarero*, y estaba jugando solo al fondo de la sala. No era hombre dado a mezclarse con los habituales, y además era un maestro. Era raro que alguien entrara allí capaz de jugar a su nivel.

Nick se situó cerca de una mesa en la que estaban jugando al *gin rummy*, pero en realidad estaba viendo jugar a George. Carambola a la seis, la blanca magníficamente situada, y luego un *massé* que Nick apenas lograba visualizar a pesar de que acababa de verlo.

Un día, hacía ya casi un año, George se había acercado inesperadamente a Nick y le había pedido que le acompañara a la oficina del paro. Tenía que rellenar unos impresos para que le pagaran las veinte semanas siguientes y aunque no lo dijo claramente Nick comprendió que necesitaba ayuda para leerlos y rellenar los datos. Nick comprendía asimismo que un hombre ya mayor no quisiera recurrir a alguien de su edad para esa clase de ayuda. Acudieron a las oficinas, rellenaron los impresos y George no se sintió violento. Desde aquel día siempre tenía una buena palabra para Nick, algún consejo que darle, recuerdos a tu madre, ve al colegio.

Dice alguien:

—¿Qué es esto, la semana de jode-a-tus-colegas?

Mike, *el Libro* estaba tras el mostrador, debajo del televisor, un tipo de baja estatura y mandíbula cuadrada que siempre se afeitaba con un día de retraso. Los billares eran un complemento a la actividad de Mike como corredor de apuestas. A veces, dejaba a Nick y a sus amigos que jugaran al billar con la luz apagada, lo que significaba que no tenían que pagar.

Cruzó la mirada con Nick y ladeó la cabeza, y cuando Nick se acercó le dijo algo.

—¿Qué?

—Se llama robo. ¿Conoces la expresión?

—¿A qué te refieres?

Mike se inclinó sobre el mostrador y habló en voz baja.

—¿Crees que no se corre la voz? ¿Qué te pasa, si puede saberse? Pensé que eras un tipo listo. De ese cretino de JuJu no me esperaría otra cosa, pero de ti me asombra.

—Mike, ese coche está para tirar. Sinceramente, no creo que el tipo pensara volver a utilizarlo. Dejó las llaves en el coche para que alguien se lo llevara. Es de esa clase de coches que lo mejor que puedes hacer es llevártelos al bosque y pegarles un tiro. Le hemos ahorrado el mal rato.

—Te parecerá menos gracioso cuando estés en comisaría. Me imagino a tu madre, Nicky.

El perro se acercó y olisqueó los zapatos de Nick, un animal callejero, un perro perdido que Mike, *el Libro* había recogido un día. Alguien le bautizó como Mike, *el Perro*.

—De acuerdo. Ya veré qué hacemos.

—Deshaceros de él. Eso es lo que vais a hacer.

—No voy a necesitarlo más. Voy a buscarme un empleo. Podré coger taxis siempre que lo necesite.

—Vas de listo. Como tu padre.

Nick no estaba seguro de si le había gustado oír eso.

—A tu padre le gustaba acorralarse en un rincón y luego salir como podía. Siempre andaba al límite. Aunque tampoco es que le conociera tanto. Los dos trabajábamos en lo mismo, pero él estaba en el centro y yo estaba aquí, y siempre procuraba guardar las distancias, tu padre. Como si estuviera en otro sitio a pesar de hallarse junto a ti.

—Algo haré.

—A ver qué es.

—Estoy a punto de conseguir un trabajo. Mi vida criminal es historia, Mike.

Para entonces, había gente jugando en otras dos mesas, y cuando JuJu comenzó a disponer las bolas en una tercera, Nick se acercó a echar una partida.

Dijo:

—Mike está al corriente.

—¿Cómo? ¿Lo sabe?

—Creo que todo el mundo lo sabe. ¿Cómo no iban a saberlo? Hasta el puto perro lo sabe.

—En ese caso hemos tenido una suerte jodida —dijo JuJu—. Dejamos otra vez las llaves puestas y nos marchamos.

—Buena idea. Dame la llave. Yo lo haré —dijo Nick.

A mitad de la partida se acercó al teléfono sujeto a la pared y llamó a Loretta. George, *el Camarero* le vio y alzó su taco, y Nick le saludó llevándose los dedos a un sombrero imaginario.

—Loretta. ¿Qué estás haciendo?

—Probándome esos zapatos que me compré.

—Esos zapatos.

—Los que me compré. Estabas tú conmigo.

—De eso hace tres días.

—Bueno, pues todavía estoy probándomelos. ¿Y qué?

—¿Estás sola?

—Está aquí mi madre.

—¿No estás sola?

—Está aquí mi madre.

—¿Está ahora en casa?

—Vive aquí. Es su casa. Está en su derecho.

—Pensé sólo que de haber estado sola.

—Está aquí mi madre.

—Podría venirme.

—Te digo que está aquí. Estaba aquí cuando lo preguntaste por primera vez y sigue aquí todavía.

—Bueno, pues reúnete conmigo en el coche. Estoy aparcado frente a Mike's.

—¿Que me reúna contigo en el coche? ¿*Ahora* quieres reunirte conmigo?

—Daremos un paseo.

—¿Y qué pretendes que diga? ¿Mami, voy a buscar una botella de leche?

—Mañana es fiesta. No tienes que levantarte para ir al colegio.

—Tengo que levantarme para comprar el pavo. Vienen a comer veintidós personas. Tengo que estar en pie a las seis y media. Quizá cuando todos se hayan marchado. Mañana por la noche.

—Ponte esos zapatos —dijo él.

Se acercó a ver cómo manejaba George su mesa. George tenía el rostro blanquecino y los ojos hundidos, y habló con Nick apuntando a la bola con la nariz.

—¿Qué significa eso de que ya no vas al colegio?

—Nunca más, nunca más. Menuda pérdida de tiempo, ¿no crees?

—Sigue en el colegio.

—Sigue en el colegio. Muy bien, George.

—¿Tienes trabajo?

—Tengo una cosa que haré a tiempo parcial.

—¿Qué?

—En un almacén de helados. Empaquetando y desempaquetando.

—¿Sindicado?

—¿Cómo, sindicado? El sindicato quiere que los empaquetadores de helados pasen veinte minutos dentro y otros veinte fuera. Para que no se les enfríe el pito. De modo que la compañía está contratando a idiotas como yo.

George golpeó la cuarta bola con una floritura, alcanzando casi el techo con el taco. Era interesante ver a un tipo retraído como George convertirse en un hombre-espectáculo frente a la mesa.

—Quieres tener algo de dinero.

—Eso es.

—Y no piensas en si la situación está bien o mal ni en si puede ser malo para tu salud.

—Eso es.

—Pero te van a pagar una mierda. ¿Qué te pagan?

—Una mierda.

—Y te van a tener metido en el congelador durante períodos peligrosos. Déjame que hable con un tipo que conozco. Igual puedo conseguirte algo mejor. Trabajarás como una mula de carga, pero por lo menos no tendrás que llevar guantes.

Vito Bats había ocupado el lugar de Nick en la otra mesa. Nick se acercó y le observó, fumando, señalando los errores que veía en su juego.

—Lo sabe todo el mundo —dijo.

—No tenemos más que abandonarlo —dijo Vito—. No volveremos a acercarnos a él. Retiraré las placas de mi tío hoy mismo, de noche. Si ven un coche sin matrícula se lo llevará la grúa. Adiós y ahí te pudras.

—Nunca vas a conseguir echar un polvo, Vito. Ninguno de los dos. Ese coche es vuestra única esperanza.

—Prefiero morir hecho un santo en mi ataúd que ir a la cárcel con diez mil chiflados.

—Dame las llaves. Se lo he dicho a JuJu. Dame las llaves y me encargaré de todo.

—Dame las matrículas de mi tío Tommy y a lo mejor te doy las llaves.

—Llévate las putas matrículas. Yo me quedo con las llaves.

—Te llevas un *u'gazz'*. Eso es lo que te llevas.

—Cabezota. Dame las llaves.

—*U'gazz'*. ¿De acuerdo?

—¿Ves ese palo? El palo que tienes en la mano. El palo que tienes en la mano.

—Lo único que estoy diciendo, Nicky.

—Chupacoños. Dame las llaves.

Estaba hablando con Vito a pesar de que sabía que era JuJu quien tenía las llaves. No quería poner a JuJu en una situación en la que pudiera ver herida su dignidad o su orgullo. Pero Vito, con esas gruesas gafotas y esos labios enormes, esos labios de pez... esos labios húmedos que siempre estaba lamiéndose.

—Si no me dais las llaves, ¿sabéis qué pasará con ese palo? El palo que tienes en la mano. Te dejo que adivines dónde va a acabar.

George, *el Camarero* pagó y se marchó, y al poco rato llegaron los tahúres, parpadeando bajo el humo, los tahúres de apuestas altas que jugaban al póquer hasta las cuatro, las cinco de la madrugada, con las fichas amontonadas en el bote y un tipo llamado Walls sentado junto a la puerta.

Walls llevaba un calibre 38, o eso se decía, en algún lugar de su cintura.

Cuatro de los jugadores estaban allí, frente al mostrador, hablando con Mike, y al cabo de un rato llegaron dos más y las luces que iluminaban los billares comenzaron a apagarse y los billaristas fueron diseminándose.

Alguien canta con límpida voz de tenor:

—«La noche era azul como el terciopelo.»

Walls estaba sentado junto a la puerta, distinto de los otros, de rostro estrecho y mandíbula alargada, con el pelo muy cortado. Nick le observó desde el mostrador, y Walls captó la mirada y alzó levemente las cejas. En otras palabras, ¿hay algo que quieras decirme?

Nick sonrió y se encogió de hombros mientras recogía su cambio.

—Sé bueno —dijo Mike.

Vito cogió prestada una pequeña navaja del llavero de Mike y los tres ladrones salieron a retirar las placas.

Mike, *el Perro* fue con ellos.

Nick les miró mientras trabajaba, señalando los defectos del procedimiento. Orinó contra la pared del hospital, lo que llamó la atención del perro, y luego regresó al coche, donde aún estaban ocupados con las matrículas, y siguió haciendo comentarios a su antojo.

Dijo Vito:

—¡Eh! No seas tan *scucciament'*, ¿vale?

—Dame las llaves —dijo Nick.

—No hemos terminado.

—Ni vais a terminar nunca. Porque no sois más que una mierda con forma humana. Sois una mierda humana y cuando tengáis veintiún años vais a casaros con vete a saber qué furcias, Vito. Que Dios os bendiga. Lo digo en serio. A vosotros y a vuestros encantadores hijos.

Cuando terminaron de retirar las placas, JuJu le alargó las llaves a Nicky. Ahora era su coche, una mole verde carente de documentación, con el depósito casi vacío.

Nick dijo que devolvería el perro a Mike y los dos partieron por caminos opuestos. Nick cruzó la calle con el perro a su lado.

Comenzó a ascender las escaleras mientras hablaba con el perro y cuando ya había recorrido las tres cuartas partes la puerta se abrió con un crujido y apareció el tipo al que llamaban Walls, con la mano en la chaqueta.

Nick le sonrió.

—Paseando al perro —dijo.

Walls retrocedió para dejar paso al animal. A continuación, volvió a ocupar el umbral.

—Pensé que eso era una cosa que se hacía con el yo-yo.

—Eso es —dijo Nick—. Pasear al perro. Pero me temo que mis días de yo-yo pertenecen al pasado.

Walls sonrió imperceptiblemente. Nick se aproximó y atisbó por la abertura, en la confianza de que Mike le viera y le invitara a contemplar el juego un rato.

Walls sacudió la cabeza sin dejar de sonreír, y Nick asintió y descendió las escaleras. Se introdujo en el coche, lo puso en marcha y lo condujo hasta su estacionamiento original, a dos manzanas de distancia. A continuación bajó del vehículo, lo rodeó para inspeccionarlo en busca de esto y lo otro y regresó a la entrada del edificio, donde se sentó de nuevo encorvado sobre la barandilla de metal fumándose un último cigarrillo antes de subir.

3

El afilador iba y venía. Matty era el encargado de estar al tanto de su campana y de bajar con los cuchillos que ella le había dejado sobre la mesa: cuchillos que hay para afilar y dinero para pagar, todo dispuesto.

De regreso a casa, vio a los inspectores del aire fresco aposentados en la esquina, en su mayoría hombres de edad madura. Salían incluso cuando hacía frío siempre y cuando brillara el sol, y se quedaban allí, respirando vapor, cambiando imperceptiblemente de posición según el arco del sol, y cuando subió los cuchillos seguían sobre la mesa, sin afilar, y había dinero en billetes y en monedas, treinta y cinco centavos por hoja, intactos y sin gastar, y Matt estaba en el salón, frente al tablero, esperando al señor Bronzini.

Rosemary se quitó el sombrero y el abrigo y no dijo nada. Entró en el dormitorio, donde tenían el marco extendido entre los dos caballetes, encendió la radio y se aplicó a su labor de ensartar perlas.

Lo que sabía del afilador era que procedía de la misma región que la familia de Jimmy, cercana a un pueblo llamado Campobasso, en las montañas, donde a los niños les enseñaban desde pequeños a afilar cuchillos.

Se tardaban dos horas en engarzar un jersey. Escuchaba la radio, pero sin escucharla realmente, ya saben, dejando que las voces avanzaran y retrocedieran. Guiaba la aguja por el tejido y pensaba en las historias de Jimmy. Solía esforzarse por mantenerle alejado de sus pensamientos, pero no era posible, ¿verdad? Jimmy desplazaba a la radio de su mente.

Dijo:

—¿Qué pasó con los cuchillos?

En la habitación contigua se produjo una larga pausa.

Dijo él:

—Nunca llegó a venir. Yo no oí el timbre.

Dijo ella:

—Siempre viene los martes. No falla un solo martes. Desde que estamos aquí, viene siempre los martes a no ser que coincida con Navidad.

Aguardó su respuesta. Podía percibir la capitulación y el resentimiento del muchacho, la pequeña silueta agazapada y encogida en completa inmovilidad.

—¿Me equivoco o es hoy martes? —añadió, lanzando una pulla final.

Vio a las palomas brotar súbitamente del tejado situado al otro lado de la calle, estallando como si fueran fuegos artificiales, cincuenta o sesenta aves, y luego el largo mástil que oscilaba sobre el reborde, tan largo y flexible que se combaba por su propio peso.

El señor Bronzini llamó a la puerta y Matty le franqueó el paso.

Las mujeres italianas del edificio, y casi todas lo eran, la llamaban Rose. Pensaban que era su nombre, o una de ellas lo pensaba y las otras habían seguido su ejemplo, y ella nunca las corregía porque... sencillamente, no lo hacía.

Ni los buenos días. Comenzaron directamente a hablar de una operación, de una maniobra de un par de días atrás. A veces, el señor Bronzini se olvidaba de quitarse el abrigo antes de sentarse ante el tablero.

Jimmy solía decir siempre *carte blank*.

El muchacho que criaba las palomas se mantenía invisible tras el muro, agitando el mástil para guiar el vuelo de las aves.

Frente al tablero, se sumieron en un largo y reflexivo silencio; a continuación, comenzaron a hablar a la vez, blablablabla.

Ella engarzaba las perlas en el jersey.

No quería convertirse en un personaje lacrimoso de los que todo el mundo siente lástima hasta el punto de que atraviesas la vida arrastrando un peso del tamaño de una casa.

Jimmy solía decir, Aquí tienes algo de dinero, tienes *carte blank* a la hora de gastarlo. No quiero ni enterarme, decía.

Oyó a una mujer que gritaba a su hijo desde el pasillo de la escalera. Había asomado la cabeza por la puerta y gritaba al crío, que bajaba galopando por los escalones.

—¡Estoy haciendo salsa! —gritaba la mujer.

¿Cómo era posible que nos riéramos tanto? ¿Cómo es posible que la gente acudiera con los bolsillos vacíos y los dolores de espalda y sus matrimonios semifracasados y que al cabo de veinte minutos estuviéramos todos riéndonos?

Habían iniciado la leyenda según la cual memorizaba todas las apuestas. Pero no era así. Aún cuentan historias acerca de su memoria, sobre cómo recorría los edificios de apartamentos aceptando apuestas de cortadores, barrenderos y vendedores y grabándose mentalmente todas las cifras. Pero no lo hacía. Llevaba por todos lados trocitos de papel en los que había apuntado las apuestas.

Oyó a las mujeres hablar de la preparación de la salsa, hablando con un marido o con un niño, y Rosemary comprendió la importancia de aquello. Significaba, No se te ocurra llegar tarde a casa. Significaba, Te estoy hablando en serio, de modo que presta atención. Era un reclamo especial, una llamada al deber familiar. Al placer, sí, de la comida casera, de toda la historia de la comida, de la historia de la cocina, del gusto y el picante del ajo. Pero también existía un deber, una exigencia. La familia requiere esta noche la presencia de todos sus miembros. Porque para aquellas personas la familia era un arte y la mesa de la cena era el lugar en el que se manifestaba.

Decían, Estoy haciendo salsa.

Decían, ¿Quién es mejor que yo?

No había sucedido con violencia. Era algo que se negaba a creer, que se lo hubieran llevado en un coche. El tipo salió a buscar cigarrillos y, sencillamente, no se detuvo.

No quería que sus hijos la notaran perezosa, desanimada, demasiado pensativa, retraída, irritada, vacía.

Oculta, oculta. Pero resultaba duro.

Le dijeron que se cambiara el pelo. Las mujeres del edificio. Le dijeron que llevaba un peinado como el de Mother Hubbard.

No, no estaba vacía. Tan sólo tensa durante gran parte del tiempo, oyendo en su interior una voz que no había oído nunca, su propia voz, sólo que cortante y crispada y monocorde.

Escuchó al señor Bronzini, que estaba en el salón. Hablaba de la certeza de una posición. La radio emitía un serial titulado «Horizontes brillantes» o «Mañanas brillantes» o «Días más brillantes», y toda posición posee su propia certeza, le decía a Matty. Lo que buscas es una profunda certeza, no una certeza superficial. Buscas una posición que merezca la pena defender hasta la muerte.

Estos alimentos, esta comida familiar, esta salsa de carne recociéndose en una enorme cazuela con salchichas y costillas y cebollas y ajo, aquello constituía su lealtad y su vínculo y su bienestar, y el aroma impregnaba los pasillos cada vez que Rosemary ascendía las escaleras o preparaba solomillo, albóndigas, albahaca, y el sabor contenía una ironía que resultaba dolorosa.

Solía venir a casa y desnudarse, Jimmy, y de sus ropas caían trozos de papel, fragmentos de papel, apuestas escritas en clave, su propio sistema cifrado de nombres de personas, nombres de caballos, equipos y apuestas y sumas de dinero.

Decían, Fíjate bien en lo que haces.

Cómo era posible que se pasara las noches riéndose de sus historias acerca de un día en el distrito textil, o del día en que acudió al famoso restaurante de Toots Shor, fuera del distrito, el célebre Toots Shor, ajeno por completo a su territorio, pero Toots Shor le había conocido, le había tomado simpatía, y quería animarle un poco la cosa, y era un apostador fuerte, muy fuerte, y Jimmy se acercaba de vez en cuando a la calle Cincuenta y uno Oeste para anotar las apuestas limitadas de Toots Shor, un tipo enorme e inactivo con una cara que parecía un accidente de tráfico, y Jimmy le contaba historias de los muertos de hambre con dinero que se quedaban bebiendo en el bar hasta las cuatro de la madrugada.

Estoy haciendo salsa, decían.

La esposa del señor Imperato, el abogado para el que trabajaba en su horario normal, llamaba un par de veces a la semana y decía, Dígale que estoy haciendo salsa.

Ensartaba las perlas siguiendo los modelos de los libros. Las palomas se elevaban y giraban, y el mástil oscilaba sobre el muro.

Algunas mujeres tienen un hombre en su vida, y él, ese hijo de puta, era el de la suya.

Al señor Imperato le gustaba bromear sobre nuestros célebres antepasados. Abraham Linguini y George Westinghouse.

Cuando hacía calor Matty se instalaba ante el tablero en calzoncillos, qué poca cosa parecía, tan flaco y tan pálido, pero sus ojos se concentraban con tanta fuerza y tanto ardor sobre las piezas que a ella le parecía fácilmente posible que ahí dentro pudiera haber alguien más, alguien enviado a poseer al niño.

El truco era, la cosa consistía en que él no era centro de la familia cuando estaba. El centro era ella, el centro inamovible, la fuerza. Ahora que se había marchado, ya no conseguía sentirse tranquila, ni especialmente central. Ahora el centro era Jimmy. Ahí estaba el truco, el misterio. Jimmy era el latido, el latido ausente.

Era una promesa pero también una llamada del deber. Dígale que estoy haciendo salsa.

Decían, Fíjate bien en lo que haces.

Era como la amenaza que dirigirías a un hijo o una hija que no están portándose bien. Compórtate. Cambia de actitud. Fíjate en lo que haces.

Decían, ¿Quién es mejor que yo?

Constituía una forma de declarar la importancia de los pequeños placeres. Una comida, un abrigo con cuello de piel sintética, una silla frente al ventilador en los días de calor.

No había sucedido con violencia. Era la pequeña historia de un hombre débil que se había marchado. No era nada del otro mundo. Nada que ver con tipos armados que le atan a uno adoquines a los tobillos. Era algo discreto y mediocre.

Si eras capaz de percibir el alma de una experiencia, entonces tenías derecho a decir, ¿Quién es mejor que yo?

Jimmy hablaba un poco de dialecto. *Abruzzese.* Solía bajarse los cuchillos y hablar con el afilador y le satisfacía emplear el dialecto. Charlaban mientras el tipo afilaba los cuchillos, y era algo que Jimmy no hacía con otros hombres que venían más a menudo y que procedían de la misma región, o procedían sus familias. Charlaba con el afilador porque sólo le veía de vez en cuando y así lo prefería.

La llamaban Rose. Eran en su mayor parte resueltas y fuertes, poseían nervio y personalidad y voces tonantes; no todas, pero sí la mayoría.

Ella engarzaba sus perlas, trabajaba sus retales, siempre según los libros, como Jimmy.

Él dormía de un tirón. Nunca se levantaba por la noche. Bebía café y dormía como si nada. No parecía sentir el frío. Andaba descalzo sobre el suelo frío, dormía en calzoncillos en aquellas noches de invierno en las que ella, finalmente, oía el calor silbando por las tuberías, hora de levantarse para ir a misa.

Alguien apostó una cantidad importante a un caballo llamado *Terra Firma* y empezó a preocuparse cuando llegó el primero.

Escuchó a Matty mientras analizaba una posición. De vez en cuando, interrumpían el juego y comentaban las jugadas.

No era ningún *braggadocio*. Contaba historias apacibles y furtivas hasta bien entrada la noche.

Oculta, oculta. Pero resultaba duro.

Charlie Dressen, un hombre del béisbol, apostaba a los caballos. Jimmy le llevaba las apuestas. Llevaba las apuestas de Toots Shor. Se dejó setecientos dólares en un abrigo que ella llevó al tinte. El abrigo era su banco privado, sólo que nunca se lo había dicho a ella, y ella llevó el abrigo al tinte y cuando se enteró de lo del dinero volvió allí y le dijeron, ¿Qué dinero, señora? Había un bolsillo interior cuya existencia ella ignoraba. ¿Qué dinero, señora?

Engarzaba las cuentas con una aguja de mango de madera, siguiendo el diseño grabado sobre el tejido.

Pero ¿cómo es posible que nos riéramos tanto? ¿Cómo es posible que la noche de los setecientos dólares nos fuéramos a bailar y nos riéramos y nos emborracháramos?

Él no era un botarate de los que gustan de correr riesgos a lo tonto, pero sonó la flauta por casualidad y comenzó a notar la presión de sus obligaciones de pago.

Quién es mejor que yo, decían.

He ahí una afirmación que ella no podía realizar, en parte por su personalidad y también porque no podía sentir la satisfacción ordinaria de las cosas tal y como solía hacer. No lograba sentirse favorecida ni seducida.

Desapareciendo, había sustituido su vida por otra. La voz que resonaba en su cabeza no era la misma voz que había oído antes de su partida.

Pero ¿cómo es posible que nos fuéramos a un restaurante de comida alemana de la calle Ochenta y seis y que luego nos fuéramos a bailar al Corso, en esa misma calle, cuando acabábamos de perder setecientos dólares?

Hoy en día se sentía menos ella y más otra gente. Se estaba convirtiendo en otra gente. Tal vez por eso la llamaban Rose.

Nick paseaba por los pasillos del colegio. A las puertas de Navidad, los alumnos de los colegios católicos ya estaban de vacaciones, Matty estaba de vacaciones, la zona comercial estaba decorada con luces y guirnaldas, los comerciantes sacaban los árboles de Navidad a las cinco de la mañana, podías olerlos de lejos, y vendían anguilas para Nochebuena y piceas y pinos balsámicos apilados contra la pared, procedentes del Norte, y chavales que descargaban cajas de uvas de California para los clientes que preferían fabricar su propio vino.

Nick paseaba por los pasillos, fumando, y de una de las aulas salió Remo, vestido con unos pantalones ajustados y con esa chaqueta Eisenhower que nunca se quitaba.

—¿Qué estás haciendo aquí?

—Dando un paseo —dijo Nick.

—¿Das paseos sin salir?

—¿Acaso has salido tú? Hace un frío del carajo. ¿Qué haces tú aquí?

—Oye. Éste es mi colegio. ¿Qué estás haciendo tú?

—Dando un paseo —dijo Nick.

—Tengo un pase para ver al médico.

—La enfermera. A ésa sí que te gustaría verla.

—Guárdame una calada —dijo Remo.

—¿Dónde está la economía doméstica?

—No lo sé. Al final del pasillo, quizá. Me han contado que estás trabajando.

—En una planta de helados.

—¿El sueldo es bueno?

—Olvídalo.

—¿Será por lo menos un trabajo fijo?

—Hace falta estar en forma. Como en los muelles —dijo Nick, y se sintió como un hombre, diciendo aquello—. Un tipo dice Tú, tú, tú y tú. Todos los demás, a casa.

Remo parecía impresionado.

—¿Te dejan probar la mercancía?

—De hecho, si quieres que te diga la verdad.

—¿Qué?

—La robamos y la vendemos. Pero es preciso trabajar deprisa.

Remo no sabía si creerse aquello. Alargó la mano para coger la colilla de Nick y éste se la dio. Le propinó dos ávidas caladas y a continuación la dejó caer, la pisó, exhaló el humo y entró en la consulta del médico.

Cuando sonó la campana y las aulas se vaciaron, Nick divisó a Loretta y Gloria y los tres salieron juntos a Fordham Road.

—El padre de Allie ha acertado un número —dijo Gloria.

—Ya lo sé. Me lo han contado.

—Había apostado cinco dólares. ¿Puedes creerlo?

—Es cierto. Lo sé de buena tinta —dijo Nick.

Un tipo mayor llamado Jasper, conocido donjuán, aguardaba sentado en un Ford descapotable con la capota bajada y el motor en marcha, escuchando la radio. Las dos muchachas pasaban discretamente junto a él, en silencio, por mutuo consentimiento, intercambiando mudos pensamientos acerca de Jasper.

—¿Quién ha puesto cinco dólares? —dijo Loretta—. Pusieron cincuenta centavos. Para poner un dólar tienen que sentirse muy, muy afortunados.

—Tuvo un sueño —dijo Nick.

—Tuvo un sueño. ¿Qué clase de sueño?

—Qué clase de sueño. Soñó con el número. ¿Qué otra cosa iba a soñar?

—Para haberse gastado cinco dólares —dijo ella— ha tenido que ser un sueño muy convincente.

—Fue en Tecnicolor —dijo Gloria.

—Yo, si sueño con un número pienso que me voy a morir en esa fecha —dijo Loretta—. Y ese tipo va y le entrega cinco dólares a un gángster.

—Un gángster. ¿Cómo que a un gángster? Le dio el dinero a Annette Esposito.

—¿Quién es ésa?

—Una chica de la escuela católica. Acude al colegio de mi hermano —dijo Nick—. Le lleva los números a su padre, y se hace la ruta todos los días.

—Con el uniforme del colegio —dijo Gloria.

—Los clientes quieren un corredor del que puedan fiarse.

Pasaron junto a White Castle, donde había unos chavales comiendo hamburguesas de serrín. Gloria atravesó la calle y entró en su edificio.

—¿Dónde está tu radio? Solías llevar tu radio todo el tiempo —dijo Loretta.

—Tenía una radio en el coche. Era todo lo que necesitaba.

—Mejor así —dijo ella.

—¿Piensas que mejor así?

—Me siento aliviada —dijo—. Aquel coche, Dios mío. Le pasaba de todo. Por no añadir que era robado.

—¿Acaso no nos lo pasamos bien en aquel coche?

—Ir al cine con él estaba bien. Pero no lo de aparcar en calles oscuras, como criminales.

—Es lo que éramos —dijo él.

Ella se echó a reír. A ambos lados de los incisivos tenía dos dientes que no eran del todo idénticos, y él pensaba que le daba una sonrisa sexy.

Doblaron en dirección este y vio un camión de la basura y al padre de JuJu, que era basurero, saltar del vehículo, atravesar la acera, abrir la tapa de un cubo, cargarlo a hombros hasta el camión y vaciarlo en la parte trasera.

—¿Ves a ese tipo? Ése es el padre de JuJu —dijo, con un atisbo de orgullo en la voz.

Le produjo admiración la elegancia de los movimientos, el prolongado y continuo movimiento corporal entre la entrada del sótano y el camión, el modo en que el hombre había acarreado el cubo a través de la acera, todo con los antebrazos, y la libertad que tenía para hacer ruido, arrastrando el cubo y poniendo en marcha la trituradora, y luego el acto de elevarla y vaciarla, fundamentalmente con los hombros, y el modo de alzar la tapa al principio, un gesto semidespreciativo pero también grácil, producto de la clase de trabajo que desarrollaba.

Y el acto de arrojar el cubo contra la verja de hierro que protegía los escalones del sótano. Otro de los privilegios del puesto, pensó Nicky.

Llegaron al edificio de la muchacha y entraron.

Loretta se detuvo en el pasillo y se volvió para que él la besara, y él la besó, arrinconándola contra los buzones, con los libros de ella entre sus cuerpos deslizantes.

—¿Quién hay en casa? —dijo él.

—Están todos en casa.

Él la oprimió contra los buzones y pudo oír el roce de su falda al apoyarse ella sobre las ranuras del metal por las que mirabas para ver si tenías correo.

—¿Aún piensas que es mejor que no tenga mi coche?

—Estamos en pleno día, con coche o sin coche.

—Podríamos aparcar en el estacionamiento de Orchard Beach. Tú, yo y las gaviotas.

Ella le besó.

—Pues roba otro coche —dijo con voz arrulladora.

Él abrió los ojos mientras la besaba y vio que ella le miraba con esos enormes ojos castaños que parecían estar pensando siete cosas a la vez. Ella sabía que había hecho cosas con otras chicas, pajas, mamadas, lo que sea, metiéndola, sacándola, dejándola dentro, a pelo, con condón, con vete a saber qué, y sabía quiénes eran las chicas, de la avenida Washington, de la avenida Valentine, una de Kingsbridge Road, porque alguien se lo había dicho a alguien que se había asegurado de que llegara hasta ella, porque Gloria había hecho un comentario a JuJu, como en uno de los seriales radiofónicos que oía su madre mientras engarzaba sus cuentas.

—¿Nos vemos mañana? —dijo ella.

—Yo trabajo mañana.

—Están todos en casa. ¿Qué quieres que haga?

—Y yo tengo que trabajar. ¿Qué quieres que haga?

—¿Cuándo fue la última vez que te lavaste el pelo? —preguntó.

Paseó durante un rato y acabó penetrando en el zoológico, de modo impulsivo, entrando por la enorme puerta de bronce, y pasó junto a los leones marinos bajo un viento frío y cortante, en un momento en el que el lugar aparecía prácticamente desprovisto de presencia humana. Echaba de menos su costroso Chevrolet; sin placas de matrícula, sin seguro, sin permiso de conducir, la transmisión hecha polvo, la puerta del copiloto que se abría sin avisar cada vez que doblaba a la izquierda, conduciendo únicamente por la noche con ademán furtivo y tenebroso, casi siempre solo, fumando, con una radio que se apagaba con frecuencia.

Se sentía irritado por algo, pero era otra cosa, no era el coche ni la chica: era algo que ocupaba su mente incluso durante el sueño.

Caminó durante media hora y luego se detuvo junto al estanque de aves salvajes. Cuando iba a la escuela primaria había venido al zoo con un chico llamado Martin Mannion, y Martin Mannion había saltado una verja, un día como aquél, ventoso y desierto, y Martin Mannion se metió en el recinto del búfalo y se puso a agitar la chaqueta frente al animal, el bisonte, y la enorme bestia hirsuta, que parecía extraída de una moneda de cinco centavos, lo contempló con indiferencia y Martin Mannion se cabreó tanto que se sacó el pito y se puso a mear.

Comenzaba a oscurecer. Allí, frente a la orilla del estanque, encendió otro cigarrillo y volvió la espalda al viento.

—Llámame Alan, dice.

—Llámame Alan.

—Le digo, ¿qué es Alan? Dice, mi nombre.

—Mi nombre.

—Le miro. Le digo, ¿cómo va a ser ese tu nombre? Tú ya tienes nombre.

—¿Qué ha sido de Alfonse?

—Le digo, ¿Qué ha sido de Alfonse? Has sido Alfonse durante dieciséis años. Tu abuelo se llamaba Alfonse.

—Los dos.

—Dos abuelos Alfonse. ¿Qué ha ocurrido? Y dice, yo no soy ellos.

—Ese bizco miserable.

—Yo no soy ellos, dice.

—Es un mierda, eso es lo que es.

—Llámame Alan, dice.

—Yo no soy ellos.

—Le partía la cabeza.

—Yo no soy ellos.

—Le digo, ¿quién eres tú?

—Es un mierda, eso es lo que es.

—Le digo, ¿quién eres tú, *stunat'* si no eres ellos?

Giulio Belisario, JuJu, nunca había visto un cadáver, ni siquiera en un velatorio, y la experiencia le interesaba.

—¿Quién se va a morir —dijo Nicky— sólo para que tú puedas satisfacer tu curiosidad?

—Me perdí lo de mi abuela porque tenía sarampión.

—Por mucho que miro no veo ningún voluntario. ¿Te has enterado de lo del padre de Allie?

—¿De qué?

—¿No te has enterado?

—¿Se ha muerto?

—Ha acertado un número.

—Iba a decirlo.

—Va a comprarse un Buick. Un día es el pescadero. Y al siguiente.

—Iba a decirlo. Justamente ayer le vi en el mercado. ¿Cómo iba a estar muerto?

—¿Cuánto se tarda? —dijo Nicky.

—Lo decía por decir.

—Un día está vendiendo *scungilli*. Y al siguiente, anda y que os den.

—¿Quién hay mejor que él? —dijo JuJu.

—Me compro un Buick de cojones. Apartaos, paletos.

Estaban en la tienda de comestibles del edificio de Nicky, el 611. La mujer del tendero, la mujer de Donato, único nombre por el que la conocían, toleraba su presencia porque le caía bien la madre de Nicky. Fuera, había un grupo de cinco tipos ya mayores, y uno de ellos, Scarfo, se dedicaba a dar grandes saltos a instancias de los otros. Scarfo quería hacer las oposiciones para el Servicio de Limpieza, y le habían convencido de que tendría que saltar uno ochenta sin carrerilla, de modo que ahí estaba, con su abrigo bueno y sus pantalones planchados con raya, saltando baldosas de la acera para ver si podía conseguirlo.

Los dos jóvenes permanecían en el interior de la tienda, fumando y observando.

—Vi a tu padre —dijo Nicky.

—Está haciendo la recogida por el barrio, temporalmente.

—¿Ha encontrado alguna vez algo en la basura?

—¿Qué iba a encontrar que le interesara traer a casa? Olvídalo.

—Podría hallar algo valioso.

—A mi madre le daría un ataque de histeria. Olvídalo.

La esposa de Donato les dio un trozo de salami y ellos siguieron contemplando los saltos de Scarfo.

Matty se mordió el puño de la camisa, un chaval canijo de ojos vivos, y miró al señor Bronzini, que sonreía con malicia.

—Me has matado —dijo Albert.

—Lo vi todo.

—Vine, viste, etcétera. Me has matado.

Sabía que a Matty le encantaba oír aquello. Le encantaba jugar al ajedrez y le encantaba oír decir al perdedor que está muerto. Porque eso era lo que estaba, *kaput*, y era Matty quien le había aplastado.

La madre del muchacho les contemplaba desde el umbral.

—¿Cuántos movimientos te ha llevado? No, no me lo digas —dijo Albert—. Quiero conservar un poco de autoestima.

Matty y su madre estaban encantados.

—Está comenzando a pensar sistemáticamente —le dijo Albert—. Creo que es signo de que pronto empezarán de nuevo a ocurrir cosas buenas.

Los adultos se sirvieron una taza de té y Matt se quedó junto al tablero, su cabecita angelical flotando sobre los peones y las torres. Últimamente, el muchacho había perdido con más frecuencia, incluyendo una cruel derrota en el Club de Ajedrez de Manhattan, y ello constituía una decepción aún más profunda y completa debido a que había aparecido el padre Paulus.

Llegó, vio, apenas dijo nada y se marchó.

Al cabo de un rato Albert se marchó a la avenida Arthur, donde vio al castañero que empujaba su asador sobre ruedas, un artilugio de tebeo de cuya torcida chimenea de metal manaba una columna de humo. En un extremo llevaba colgada una cesta de frutas en la que transportaba las castañas y las batatas crudas.

Compró unas cuantas castañas que inmediatamente comenzó a agitar en el interior del envoltorio de papel porque estaban al rojo y se las llevó a la peluquería.

George, *el Peluquero* le condujo a la trastienda, donde se sentaron ante una mesita para comerse las castañas regadas con gesticulantes sorbos de Old Mr. Boston, un whisky de centeno desconocido para la aristocracia bostoniana.

Albert sabía que George tenía en algún lugar una esposa en su casita, y una hija casada en otro sitio, pero aparte de eso era imposible imaginar al tipo fuera de su local. Robusto, calvo, desprovisto de cualquier exceso de personalidad, encajaba completamente con las masivas butacas de porcelana, dos de ellas, con el calentador de vapor para las toallas, con el techo de estaño repujado, con el estante de mármol que había bajo el espejo, con los armaritos de vidrio tintado y con la navaja de hueso, el afilador de cuero, los peines de carey, las tijeras y las pinzas, la taza, la brocha, el jabón de afeitar, los aromas a hamamelis, brillantinas y talcos.

George, *el Peluquero* sabía quién era.

—Biaggio ha acertado un número —dijo.

—¿Qué Biaggio?

—Ha acertado un número. Seiscientos a uno.

—¿Biaggio el del mercado de pescado?

—Ha acertado un número —dijo George.

Cuando acabaron las castañas rellenó los vasos y ambos permanecieron allí, dando sorbos en silencio, pensando en alguien que ha acertado un número.

—¿Y cómo está tu mujer? —le dijo a Albert.

—Mi mujer.

—Sí, ¿qué tal va el matrimonio? —dijo.

La radio estaba sintonizada con la emisora italiana, y un locutor se despedía con repetidos gritos de *baci a tutti*, lo que a Albert, sumergido en el reconfortante efecto del whisky, le parecía absolutamente perfecto.

—Es un tema tan inmenso.

—Desde luego. ¿Qué más?

—Grande, grande, grande, grande.

—Demasiado, demasiado —dijo el peluquero.

—Sólo puedo decir una cosa.

—Sólo hay una cosa que decir.

—Todos los matrimonios, todos los matrimonios, no ya sólo el tuyo y el mío.

—Exacto.

—¿Cómo lo diría, George? *Un po' complicato*.

—Desde luego. ¿Qué más se puede decir?

—¿Que no sepamos ya?

—¿Que no sepamos ya? —dijo el peluquero.

Albert se lamió el polvillo de las castañas de los dedos. Entraron una mujer y su hijo y George se dirigió hacia el salón del local, y Albert apuró la copa y le siguió, porque no quería abusar de la hospitalidad del peluquero.

Se puso a conversar con la mujer mientras George disponía el asiento especial para niños. Luego, se puso el sombrero y el abrigo y se marchó. Se detuvo en el parque Mussolini y estuvo un rato charlando con los viejos. Pasó el falso cura, Benedetti, vestido con una chaqueta de leñador y una boina negra y portando un breviario. Movía los labios como si rezara, pero llevaba el libro oprimido contra el pecho.

Albert tenía que sentarse. Advirtió que se sentía levemente mareado, *Umbriago*, alcalde de Nueva York o de Chicago, y se sentó en un banco y aguardó a que se le pasara la sensación.

Los otros hombres se diseminaron. El sol iba ocultándose tras la enorme mole del hospital de incurables y ahora hacía más frío, con ráfagas de viento, y los hombres se encaminaban a un club social con planta de calle, o a una confitería, o a casa.

Pasó una grúa a velocidad endiablada, resuelta a llegar al accidente antes que la competencia.

Albert se sentó en el banco y aguardó a que se le despejara la cabeza. Lo importante es sentarse y esperar; ser paciente. La otra cosa importante es no vomitar. Cada dos por tres ves a tíos inclinados sobre el bordillo, vomitando. No quería imaginarse a sí mismo como esa clase de hombres.

Se sentó allí, sintiéndose mejor, sintiéndose algo menos mareado ahora y casi bien en conjunto. *Baci a tutti*, pensó. A todos los transeúntes, sí, besos, y los rostros se confundían en su mente, los panaderos, abuelas, barrenderos, los curas reales y los que no lo son.

Los chavales lo llamaban potar. Creo que voy a potar, Johnny.

Se detuvo un coche y oyó la ronca voz del carnicero que le interpelaba.

—Albert, *che succese*?

—Hola Joe. Feliz Navidad.

—Está nevando. Vete a casa.

—Estoy bien, estoy bien, estoy bien.

—¿Quieres que te lleve?

—Vete, vete, vete, vete. Feliz Navidad. Me encuentro bien, adiós.

Oyó que llegaba el tren a la estación, a una manzana de distancia. Lo oyó chirriar mientras doblaba la curva y entrar retumbando en la estación y siguió allí sentado, bajo el aullido del viento, aguardando a que la cabeza se le despejara por completo.

4

Había mil noches de mierda idénticas en las que jugaba al rummy con un tipo llamado Fontana en la tienda de suministros de fontanería del padre de Fontana, a cinco centavos simbólicos el punto, o que se iba a jugar al billar y a comerse un trozo de pizza en el Half Moon con JuJu y Patsy, noches que siempre acababan mal, de algún modo decepcionantes, y una vez telefoneó a Loretta desde la confitería y le dijo que se estaba sujetando la polla con la mano y estudió la pausa que se producía al otro extremo del hilo, sabiendo que estaba en una habitación en compañía de su madre, sus hermanos, su abuelo y a saber quién más, y a veces bajaba y se quedaba fumando solo, a última hora, en el portal de la tienda de Donato, escupiendo de vez en cuando briznas de tabaco al viento.

Ahora tenía algo de dinero. Entregaba casi todo lo que ganaba a su madre, pero al menos tenía algo en el bolsillo con sus casi diecisiete años de edad, y se marchó al cine y se sentó en el gallinero con Allie y Ray, dos tipos que respondían a la pantalla, pero al cabo de un tiempo ¿qué podías decirle a una película que no fuera el mismo comentario de mierda que ya habías hecho mil veces antes?

Klara estaba en la habitación, en la habitación de invitados, en la habitación que estaba pintando centímetro a centímetro, plantada frente al caballete, trabajando.

Sí, Albert opinaba que pintar la relajaba. Era un descanso, pensaba, del resto de las cosas que hacía.

Se detuvo cuando llegó la hora de recoger a la pequeña. Por un instante, no logró recordar dónde la había dejado. Arriba, con la chica de siempre, o al otro lado de la calle, con la señora cuyo marido fabricaba abrigos para rabinos.

Se supone que un pintor tiene que tener su trazo. Klara opinaba que ella lo que tenía era un garabato.

Subió, recogió a la niña y bajó de nuevo diciendo algo así como, Es hora de que las niñitas duerman la siesta. Pero Teresa no estaba dispuesta a dormir la siesta. Hora de irse a mimir. Pero Teresa hizo saber a su madre que tal cosa no iba a tener lugar de momento. No suavizó sus síes y sus noes. Era como una herida abierta de necesidades y deseos y poderoso rechazo.

Klara se sentó junto a la cama para hablar con ella. Al cabo de un rato, se dirigió a la habitación de invitados y se detuvo frente al caballete y contempló lo que había pintado. ¿Qué había pintado? Decidió que prefería no saberlo.

Fue a ver cómo estaba la niña, que para entonces ya se había dormido. Luego se asomó a ver a la madre de Albert. La señora Ketchel, la mujer que le hacía compañía, se estaba poniendo el abrigo. A cada día que pasaba, la señora Ketchel parecía estar poniéndose el abrigo un poco antes. Técnicamente, los días se estaban alargando, por lo que quizá la señora Ketchel tenía tantas otras cosas que hacer para rellenar su creciente duración que ya no podía sentarse con la madre de Albert durante períodos largos.

Klara opinaba que la niña se parecía a su abuela. Cierta melancolía en sus ojos, pensó. Pero eso no puede ser cierto, ¿no?, tratándose de una criatura tan joven. Algo sombrío, un sentimiento pesante de desolación. Pero se lo estaba inventando, ¿verdad?, cada vez que buscaba signos y ominosas manifestaciones.

Se sentó en la habitación con la madre de Albert. La mujer estaba despierta y volvió la cabeza para mirar a Klara, un movimiento incompleto que la llevó al borde de la extenuación, claro está que extenuación era todo cuanto le quedaba, aunque tampoco eso era verdad. Sus gestos aún tenían fuerza. Vacilantes, pero fuertes. Denotaban a una mujer voluntariosa, capaz de despedir a poblaciones enteras con un rítmico gesto de la mano.

Los gestos no se referían a cosas prácticas. Poseían un alcance que se extendía hasta otro nivel. La mano que se desliza bajo el mentón. Los labios fruncidos hacia el exterior. El modo en que los ojos se cierran y la cabeza se yergue.

A Albert. Cuando llegue el momento de morir, me moriré.

A los amigos que se sentaban a hacerle compañía. Dios no lo sabe todo. Sólo sabe lo que tiene que saber.

A Albert. ¿Por qué quieres hablar de tu padre cuando todo lo que veo al oír su nombre son oportunidades perdidas?

A Albert. Ten cuidado. Sólo te digo eso.

A Klara. Ve y vive tu vida. No merece la pena que desperdicies conmigo tu tiempo ni tu atención.

Esto último es un gesto de la mano y de la mirada que ambas mujeres saben insincero.

Klara no le dijo a Albert que a veces encontraba curiosamente reconfortante sentarse junto a su madre. Entre los dos tenían un único progenitor, agonizante. Le ponía a la mujer discos de Perry Como. Entraba con la niña para que la abuela pudiera tocar sus manos y su rostro. La mujer no veía bien, o veía dos cosas allí donde sólo sucedía una, y su mano sobre el rostro de la niña parecía desencadenar un prodigio de retrospectiva.

Su piel se estaba tornando más oscura, sus cabellos más blancos, las manos salpicadas de manchas y rojeces, pero aún había en ella algo fuerte, algo que Albert parecía temer, un juicio, una especie de convicción marchita.

Tenía un gesto que parecía señalar un estado de desesperanza demasiado profundo para poder enfrentarse a él con palabras.

Klara se sentaba junto a ella y conversaba un rato. Dejaba la ventana ligeramente abierta para que escapara el aire rancio, esa consunción lenta. Oyó sirenas de bomberos a cierta distancia y vio cómo iba amortiguándose la luz.

A veces, acudía de visita la hermana de Albert, Laura, incapaz de aceptar aquella muerte inminente, asustada, dependiente, traicionada, y a Klara no le resultaba imaginar que cuando llegara el momento intentaría saltar a la fosa.

Qué extraño resultaba verse allí, escuchando a Perry Como con una mujer a la que no conocía, que estaba muriéndose, y con todo lo demás también, aquella butaca, aquella lámpara, aquella casa y aquella calle, preguntándose cómo había sucedido.

Cuando Albert regresó a casa ella estaba en la cocina.

—¿Cómo está?

—Durmiendo.

—¿Ha comido algo?

—Le preparé un poco de sopa.

—¿Se la comió?

—Parte se comió, parte la derramó. La canguro le ha pegado el resfriado a tu hija.

—Yo se lo curaré —dijo él.

Le oyó contarle historias a Teresa, relatos absurdos que a él le habían contado de niño, personajes con nombres graciosos que rimaban entre sí, intensificando la pronunciación de ciertas palabras para lograr un mayor efecto, su voz redonda y melódica, pero ella cerró la puerta de la cocina porque ya no quería seguir oyéndolo.

La voz de contar cuentos, la voz escenificadora era demasiado típica de Albert: resonante de música incidental e intrigas fantásticas. Puso la cena sobre la mesa y pronunció su nombre.

Charlaron mientras cenaban, de cosas intrascendentes. Ella se fumó el último cigarrillo del día en la habitación de invitados, contemplando la pared. Apagó el cigarrillo aplastándolo contra el espejo del baño y a continuación lo arrojó al retrete, tiró de la cadena y se fue a la cama.

El primero entró corriendo en la zona de recreo, el de la gorra oscura. Nick golpeaba al otro mientras ambos resbalaban sobre la superficie helada.

Nunca había visto al tipo hasta entonces, por eso le pegaba. Le hizo caer de rodillas, o el tío se resbaló y se arrodilló, y entonces Nick volvió la mirada a la zona de recreo. JuJu estaba persiguiendo al primero, pero se resbaló y cayó, con una de las piernas volando por el aire. JuJu permaneció allí sentado un instante, viendo cómo el tío corría hacia los escalones y luego descendía al nivel inferior. La zona de recreo aparecía blanca y desierta, los columpios vacíos, los asientos cubiertos por dos centímetros de nieve.

El otro seguía de rodillas, y parecía turbado de encontrarse allí. Nick se agachó, se preparó y le lanzó un puñetazo. Sabía que no era necesario hacerlo, pero sólo había conseguido pegarle puñetazos de refilón y quería asestarle uno como es debido. Era una oportunidad que no quería dejar pasar de asestarle un buen golpe a alguien. Le golpeó debajo del ojo, con un contacto breve, y el tipo osciló sobre las caderas, se llevó las manos al rostro y Nick se sintió mejor.

JuJu abandonó la zona de recreo y extrajo de la nieve un poco de mierda de perro congelada. No llevaba guantes. La alcanzó y la aplastó sobre la cabeza del tío, introduciéndosela en el cabello y en las orejas.

Dijo:

—Toma, *stroonz*. Esto es para ti.

A continuación se lavó las manos en la nieve y ambos se dirigieron al local de Mike para hacer unas carambolas.

Matty se anudó la corbata azul. Los alumnos de la escuela católica vestían camisa blanca y corbata azul. Durante mucho tiempo su madre había tenido que hacerle el nudo de la corbata. Y no conseguía determinar cómo ponerse la chaqueta, como sostenerla para que un brazo determinado penetre en una determinada manga, y a veces tenía que colocar la chaqueta extendida sobre el suelo, sentarse delante de ella y luego encajar los brazos con los orificios, como dejándose caer de espaldas sobre la prenda.

Imagínense lo que dijo Nicky al contemplar semejante espectáculo.

Pero aquello era algo ya superado. Había superado las rabietas, casi del todo, y las huelgas de silencio a las que sometía a su madre cuando se enfadaba con ella, y esas veces en que cerraba con pestillo la puerta del baño e intentaba asfixiarse con la cortina de la ducha.

Había superado las rabietas porque no jugaba al ajedrez. Según el señor Bronzini, era un año sabático. Una de esas palabras suyas que precisan ser deletreadas, explicadas y escenificadas. Matty tenía su propia palabra. Chalado.

No soportaba perder. Era demasiado atroz. Le debilitaba físicamente y le irritaba a más no poder. Le hacía tambalearse por el piso agitando los brazos. Su hermano le golpeaba en la cabeza y ello le enfadaba aún más. Carecía de la altura y el peso necesarios para contener toda aquella rabia. Sobrepasaba el punto de las lágrimas. La derrota hacía que se le estremecieran todas las extremidades. Le faltaba aire. No lograba comprender por qué alguien tan pequeño, tan joven y tan poco preparado tenía que agacharse al paso de esa fuerza irresistible que representaba perder.

Se puso la corbata y se marchó al colegio. Pero antes deslizó la nueva chapa sobre su cuello, la del ataque nuclear, con su nombre y el de su colegio inscritos en la superficie, y luego se puso la corbata y recorrió las cinco manzanas que le separaban de la escuela.

Matty se sentaba en la fila contigua al guardarropa y era uno de los tres alumnos que abrían y cerraban las puertas correderas del mismo en ciertos momentos predeterminados. Trabajaban en equipo, con un zumbido y un golpe. Era su responsabilidad.

Catherine Conway era la encargada de sacudir los borradores todos los viernes por la puerta trasera, sobre el patio del recreo, entrecerrando los ojos bajo la nube de polvo de tiza.

Richard Stasiak era el encargado de abrir y cerrar las ventanas. Agarraba el palo, equipado en uno de sus extremos con un gancho, encajaba el gancho en la arandela de las ventanas y tiraba o empujaba. Richard Stasiak era alto y corpulento, y se trataba de una tarea lógica para él.

Y se sentaron ante sus pupitres, cuarenta chicos y chicas, todos de sexto curso, en aquel día gris y melancólico, las espaldas rectas, los pies juntos, y contemplaron a la hermana Edgar.

La hermana deambulaba por el espacio comprendido entre su escritorio y la pizarra, desplazándose en un murmullo de algodón monocromo, tras el destello de sus manos impolutas. Recitaba preguntas del Catecismo de Baltimore y sus alumnos respondían con una única voz cristalina.

Matty creía en el Catecismo de Baltimore. Contenía todas las preguntas y todas las respuestas y también albergaba amor, odio, condena y lavado de pies ajenos, incluía látigos y espinas y resurrecciones, tenía ángeles, pastores, ladrones y judíos, acogía el más elevado hosanna.

Ignoraba el significado de aquello, el más elevado hosanna, pero le daba miedo preguntar. Todos tenían miedo. Llevaban una semana atemorizados, desde que la hermana había golpeado la cabeza de Michael Kalenka contra la pizarra después de que éste respondiera con insolencia a una pregunta fácil. Estaban estudiando la Creación y la Caída del Hombre, lección quinta del Catecismo de Baltimore, y la hermana señaló una ilustración del libro en la que aparecía un hombre y una mujer relativamente desnudos bajo un manzano con una serpiente arrollada en una rama, y llamó a Michael Kalenka y le pidió que identificara al hombre y a la mujer, la pregunta más fácil que había hecho en su vida, y

Michael Kalenka se puso en pie y observó la imagen y reflexionó y alzó la mirada y volvió a reflexionar y la hermana dijo:

—Los primeros padres de todos nosotros.

Y Michael Kalenka reflexionó y sonrió y dijo:

—Tarzán y Jane.

La hermana se abalanzó sobre Michael Kalenka y arrastró al muchacho bajo los pliegues de su hábito. Permaneció prácticamente oculto a la vista hasta que la hermana le impulsó súbitamente de cabeza contra la pizarra. El impacto sonó fuerte y auténtico. Se oyó un sonido tan real, un golpe y una resonancia que hicieron vibrar la pared, haciendo que los demás chicos y chicas se desfondaran en sus asientos, semilíquidos, con los ojos muy abiertos. Anulada por completo la rigidez de sus posturas. Y Michael Kalenka se incorporó aturdido, como una marioneta, con expresión humilde y arrepentida, sonriente pero básicamente aturdido, torcido y con los brazos de trapo.

La hermana les hacía preguntas del catecismo y ellos respondían al unísono. A Matty le gustaba aquello. Escuchar las preguntas asignadas y recitar las respuestas adecuadas era lo mejor del tiempo que pasaba en el colegio.

La hermana se sabía el catecismo de memoria y Matty se sabía la lección del día de memoria. Ahora tenía más tiempo para los deberes y albergaba un respeto secreto hacia la hermana Edgar, conocida en todo el colegio como la hermana Manojo de Huesos debido a los ásperos contornos de su semblante, a la blancura de su complexión y al modo en que sus esbeltas manos parecían siempre dispuestas a administrar un contacto solemne, un frío y huesudo «tula» que te obligaba a «llevarla» para siempre.

Le gustaba el modo en que la respuesta a cada pregunta repetía la pregunta antes de revelar la respuesta.

Decía la hermana:

—¿Qué queremos decir cuando afirmamos que Jesucristo vendrá de los cielos para juzgar a los vivos y a los muertos?

Y la clase replicaba al unísono:

—Cuando afirmamos que Jesucristo vendrá de los cielos para juzgar a los vivos y a los muertos queremos decir que el Día del Juicio, Nuestro Señor acudirá para juzgar a todos los que alguna vez han vivido en este mundo.

Y entonces la hermana les ordenaba depositar sus chapas sobre la camisa para que ella pudiera verlas. Quería asegurarse de que todos llevaban sus respectivas chapas. Las chapas estaban diseñadas para ayudar a los equipos de rescate a identificar a los niños que pudieran resultar perdidos, desaparecidos, heridos, mutilados, paralizados, inconscientes o muertos en las horas siguientes al comienzo de una guerra atómica.

La hermana iba y venía por los pasillos, inclinándose para leer todas las chapas. A la distancia más próxima olía a ropa lavada, almidonada y planchada al vapor, y sus uñas aparecían lustradas hasta el punto de adquirir una calidad vidriosa, y las cuentas del rosario que pendía de su cinto como un llavero contracultural de los sesenta eran dolorosamente brillantes, y cuando escuchabas la proximidad de su rumor olía aún más íntimamente a polvos dentífricos y a agentes de limpieza y a la penitencia de una piel bien frotada.

Decía:

—Malhadado sea el niño que no porte su chapa o que porte la chapa de otro.

En otras clases había ocurrido que un niño y una niña intercambiaran sus chapas para representar una especie de caricia atómica.

Cuando la hermana concluyó su inspección no dijo nada, lo que sorprendió a la clase. Estaban esperando un simulacro, el simulacro de todos a cubierto, que ya habían realizado antes de que llegaran las chapas. Ahora que tenían las chapas, con sus nombres inscritos en aquel estaño etéreo, el simulacro no parecía un ejercicio remoto sino algo que les concernía de cerca, como la guerra nuclear.

Por el contrario, regresó al catecismo, a las preguntas y respuestas, hasta que Annette Esposito, una alumna de octavo, entró con una nota del director. La hermana leyó la nota y miró a Annette Esposito y dijo:

—¿Qué es esto?

Al principio nadie supo a qué se refería. Luego, la clase comprendió que estaba contemplando el pecho de Annette Esposito, sus pechos, que se adivinaban como bultos bajo su jersey azul.

—¿Qué es todo esto? Deshazte de eso. No quiero verlo la próxima vez que tengas que venir aquí.

Los niños y las niñas se hundieron en sus asientos, algo molestos de ver a Annette Esposito presentada como un fenómeno de la naturaleza. Sus ojos se tornaron huidizos y brillantes. Se mordían los nudillos y emitían pequeños sonidos húmedos y guturales. Cuando Annette Esposito salió por la puerta, no sin cierta fiereza, con cierto balanceo de indignación, los hombros echados hacia atrás, todos los ojos de la estancia convergieron sobre ella, anclándose en sus pechos, por supuesto, algo que no constituye un objeto de contemplación habitual en sexto curso.

La hermana no realizó el simulacro. Antes bien, ordenó escritura, demostrando sobre la pizarra la cursiva elegancia de su propia caligrafía. Les mostró la inclinación, los bucles, subrayando la necesidad de mantenerse entre las líneas, indicándoles que sacaran las plumas e imitaran los movimientos que hacía ella en el aire, y ellos obedecieron, adiestrando las muñecas, trazando las curvas al unísono, conformando una tempestuosa T mayúscula que parecía un bote de remos en mitad de una tormenta.

Matty seguía sentado en su sitio, hechizado, escribiendo en el aire con la vieja Parker Vacumatic de su hermano, un antiguo modelo veteado en verde con un alfiler en forma de flecha, pero se desinfló cuando sonó la campana de la comida y la hermana curvó un dedo en su dirección.

—Matthew Shay.

Su propio nombre le paralizó, viniendo de sus labios.

—Ven a verme antes de abandonar el aula.

De acuerdo con sus dos colegas, abrió las puertas del guardarropa y cogió su abrigo y aguardó a que se vaciara la estancia y se presentó ante el pupitre de la hermana.

La hermana tenía los ojos azules y afilados, y unos labios delgados y una nariz algo rugosa a la altura del puente.

—Ayer, en el recreo. Estabas agachado junto a muchos otros. Mirando una revista.

El terror de encontrarse a solas con la hermana Edgar.

—Querría saber ciertas cosas. En primer lugar. El nombre de la revista.

Se apoyó sobre una esquina de la mesa, haciendo girar delicadamente las cuentas del rosario, el enorme crucifijo oscilando temblorosamente con el cuerpo de Cristo colgando de la cruz.

—En segundo lugar. Un resumen de su contenido.

Las respuestas desfilaron por su mente.

1. La revista *Cinelandia*.

2. Fotos a página entera de los rostros de Rita Hayworth y Lana Turner. También, de Mario Lanza, *The Heart Stood Still*. Contenía artículos acerca de actores de los que nunca había oído hablar. Había anuncios de pajaritas y calzones de baile franceses.

¿Qué haría si le preguntaba sobre eso?

La hermana aguzó la mirada, esperando. Él mantenía las manos a la espalda para ocultar sus uñas roídas y las briznas de piel muerta que pendían de los dedos.

¿Tendría que explicar que un calzón de danza es cuando bordan la imagen de una pareja bailando el fox-trot en la pernera de una prenda íntima femenina?

¿Y qué ocurriría si la revista estaba prohibida por la Legión de la Decencia y la hermana le preguntaba a quién pertenecía? Aunque ella nunca lo diría así, sino con mejor sintaxis.

—Matthew. ¿Sí?

Si tenía que optar entre mentirle a la hermana Edgar o chivarse de un compañero de clase tendría que chivarse, de inmediato y sin remordimiento alguno. ¿Y qué pasaría con los anuncios que había en la contraportada de la revista: cremas para el busto y mejoría del contorno del pecho?

Matthew-sí no era una pregunta. Era una exhortación a la urgencia y a la verdad. Y él le reveló el nombre de la revista y quién aparecía en la cubierta y qué contenía el interior, ateniéndose a los romances y a las historias de amor de las estrellas, y la hermana pareció interesada y complacida.

Él, sorprendido y estimulado, se mostró menos cauteloso y describió los hogares de Hollywood de ciertas estrellas, y la hermana le fue formulando pequeñas preguntas capciosas, intentando disimular su interés a base de mirar por la ventana, y él se tornó confiado y expansivo y comenzó a hablar veloz y casi descontroladamente, inventándose las cosas cuando no conseguía recordar los detalles de una historia o una fotografía, experimentando una especie de euforia desesperada, mientras la hermana se bebía sus palabras.

La hermana sabía muchas cosas sobre las estrellas. Sus aromas favoritos y las peores picaduras de insecto que habían sufrido, y sus recuerdos de las noches del instituto. Su vida básica y cotidiana en las clínicas de cirugía estética y sus trágicos matrimonios. Miró por la ventana y le formuló preguntas arteras, dejando caer pequeños comentarios aquí y allá.

Él era capaz de mantenerse ajeno a la escena, oyendo su propia voz, contemplando a aquel locuaz muchacho tan tranquilo en compañía de aquella monja de hábito. Pero no se había confiado por completo. Al fin y al cabo, era ella, con sus hábitos y su toca. El tejido le intimidaba. La mujer era todo tejido. Era como un muro de tejido lavado. Una mujer de hábitos.

En el patio, después de comer, Richard Stasiak hizo algo increíble. Matty lo vio sin saber durante unos instantes qué era lo que acababa de ver. Richard Stasiak llevaba unos calzoncillos tan mugrientos, tan ásperos y tan andrajosos que se desabrochó la cremallera, se metió la mano en el pantalón, sacó los raídos calzoncillos de un tirón y se los arrojó a Mary Feeley, que retrocedió llevándose las manos a la boca como si hubiera visto algo que era mejor no mencionar.

Acto seguido, regresaron todos a clase.

Todas las mañanas, Nick se dejaba recoger por otro de los empaquetadores de la planta, al que esperaba en una fría esquina bajo la oscuridad para luego ir juntos al quinto coño del Bronx, donde uno de los ríos describe un rizo en el interior del otro y la planta de helados yace entre los hierbajos como una prisión de pigmeos del Zambeze, y era mejor que coger el tren con todos los demás forzados de la hora punta.

Después del trabajo le dejaron cerca del zoológico y se fue caminando en dirección oeste hasta más allá del colegio de su hermano, donde vio a un tipo en un coche empujando otro coche con seis ocupantes. Llegó hasta el edificio en el que vivían y torció en la tienda de Donato y recorrió otros treinta metros por la estrecha calle para luego doblar en una abertura que daba a un tramo de escalones de cemento y a la red de callejuelas que recorrían los entresijos de los cinco o seis edificios que allí se agrupaban.

Los traspatios, se llamaban.

Edificios apretados, cuerdas de tender la ropa, una luz inclinada, retazos de hierbajos, unos pocos jardines en potencia, unos ailantos desnudos y las escaleras contra incendios, que dibujaban motivos de luz y sombra sobre los muros y las superficies pavimentadas.

Nick agachó la cabeza para pasar bajo la ropa tendida y atravesó estrechas aberturas. Había puertas cerradas con candado y puertas abiertas de par en par. Había pasillos que conectaban los cuartos de herramientas de los sótanos, y trasteros para guardar los cubos de basura, y viejos hornos de carbón que ahora albergaban las calderas, y habitaciones destinadas a almacenar los inventarios de los comerciantes callejeros: un olor que era en parte basura y en parte piedra húmeda, un moho invasivo y un frío espeso, una sensación de que todo cuanto ha ocurrido allí permanece suspendido en el aire, empapado e impregnado de una mezcla de olor a hongos y a humedad y a posos de café y a fregonas en pilas inmensas.

Había pasado la niñez a caballo entre las calles y los traspatios, con algún que otro rato reservado para los tejados y las escaleras de incendios.

Pasó junto a un cuarto de calderas y abrió una puerta al final de un pasillo. George, *el Camarero* estaba sentado en un pequeño almacén que utilizaba a modo de segunda vivienda, según decía él. Al ver a Nick en el umbral le hizo un gesto con la cabeza para que entrara. George había llegado a un acuerdo con el encargado del edificio. La habitación tenía un catre, una mesa, una ratonera, un par de sillas, un par de bombillas colgadas del techo y todo un muestrario de botes de pintura y herramientas de fontanería, y Nick estaba casi seguro de que el acuerdo incluía una mujer que acudía allí a visitar a George, una mujer a la que pagaba a cambio de sexo, y el encargado le dejaba utilizar la habitación a cambio de un poco de lo mismo, periódicamente: la mujer se ocupaba del encargado y luego le pasaba la factura a George.

—Me imaginé que estarías aquí.

—Aquí estoy —dijo George.

—Tengo un sexto sentido para estas cosas.

—Ves a través de las paredes.

George empujó un mazo de cartas hasta el centro de la mesa y Nick tomó asiento.

—No, sólo un sexto sentido. Lo de las paredes aún lo estoy ensayando.

—¿Y te ha revelado, ese sentido tuyo, lo que ocurrió en los billares en mitad de la noche?

Era un solterón inveterado, George, y tenía dos trabajos y vi-

vía con su abuela de ochenta años y, a veces, cuando no estaba
trabajando, se pasaba días jugando al billar. Y cuando no estaba haciendo ninguna de esas cosas, Nick le encontraba allí y jugaban
los dos a un juego de naipes llamado *briscola* que en dialecto se
pronunciaba *breeshk*, un juego que jugaban los viejos, y lo jugaban sólo por pasar el rato, algo que había peores modos de hacer,
porque había algo en George, *el Camarero* que a Nick le resultaba
interesante.

—¿Cuándo, anoche?

—Anoche. Entraron a robar.

—¿Entraron a robar en los billares?

—Tres hombres con pistolas —dijo George, e hizo un sonido
como de música de película.

—Tres hombres con pistolas. ¿Tú estabas allí?

—Entré a trabajar en el restaurante a las seis, volví a las once,
eché una partida y luego me marché a casa. Ocurrió mucho más
tarde. Atracaron a los del póquer.

—¿Atracaron a los del póquer?

—¿Es que vas a seguir repitiendo todo lo que digo?

—Me asombra lo que oigo.

—Y protegidos con medias.

—Y protegidos con medias. ¿En qué consiste eso?

—Medias de señora, medias de nailon.

—¿En la cara? —dijo Nick.

—No, en las piernas. Madre mía, y yo que te creía un chico
listo.

—Me asombra lo que oigo. En la cara.

—En la cara. Para ocultar sus rasgos.

—Protegidos con medias. Tres hombres. ¿Dónde estaba cómo-se-llame? El tipo de la puerta, que siempre se supone que está
armado y es peligroso. ¿Dónde estaba el tal Walls?

—No se presentó.

—Walls no se presentó. Qué interesante.

—Limpiaron la mesa a base de bien. Y luego, limpiaron a los
jugadores uno por uno, vaciándoles los bolsillos. Finalmente, limpiaron a Mike, *el Corredor*, que llevaría encima lo que llevara encima, es decir, el producto de un día entero. Recibos de billar y
apuestas.

—¿Cuánto?

—Todo. Según dicen, más de doce mil. Según dicen. ¿Quién sabe cuánto?

—Doce mil.

—Tres hombres con pistolas. *Pistolas.*[1]

Y George se puso a realizar movimientos giratorios con los dedos a la altura del cinturón, como si fuera un bandido mexicano presumiendo de armas: rara vez se comportaba con tanta frescura.

Nick barajó y dio cartas.

—Iba a haber traído unas cervezas —dijo.

—¿Quién va a venderle cerveza a un menor?

—Le dije a la mujer de Donato que tenía diecinueve. Me dice, ¿Qué te piensas, que estoy *stunat*?

—Pero te vende la cerveza.

—Me vende la cerveza.

—Lo hace por despecho.

—¿Contra quién?

—Contra el mundo —dijo George.

—Protegidos con medias. Asombrado me tiene.

Jugaron a las cartas durante un rato, hasta que George se inclinó y abrió el cajón que había a un extremo de la mesa y tanteó el interior en busca de cigarrillos sin separar los ojos de las cartas.

—¿Ahí es donde guardas los condones?

—¿A ti qué te importa lo que guardo ahí?

—¿Quién es ella? Confía en mí. ¿A quién iba a contárselo? ¿Es esa con la que te vi remando en el parque un día?

—Si me viste con una mujer en público, eso significa que no es la misma mujer que viene aquí. Y no me has visto remando con nadie, tío listo.

—George, estoy hablando en serio.

—¿Cómo?

—¿Sirves a los amigos?

George le miró sin parpadear con sus profundos ojos vacuos.

—No es una chica. Es una mujer. Y no es para ti. Estoy rozando ya los cuarenta, Nicky. Tú sigues pudiendo conseguir lo que quieres sin tener que pagar por ello.

Quizá era eso lo que le interesaba a Nick. El hecho de que

---

1. En español en el original. *(N. del T.)*

George fuera el hombre más solitario que había conocido nunca. George parecía solitario en sus paseos, en su voz, en su postura y en el modo en que toda una sala, la sala de billar, con sus sonidos restallantes, sus insultos y sus roncas risotadas, en el modo en que su rincón de la sala se te antojaba diferente, aunque estuviera echando una partida con otra persona. George llevaba consigo esa condición a dondequiera que fuera, y no parecía molestarle. Eso era lo más interesante. Tal vez el hecho de vivir de aquel modo era elección suya, o tal vez no, pero de un modo u otro daba la sensación de encontrarse tan conforme.

—Hablando de comprar cerveza.

—Sí, ¿qué?

—Esa mierda de trabajo que te has buscado. En mi opinión, habrías hecho mejor quedándote en la escuela.

—¿Qué pasa con esa mierda de trabajo?

—He estado hablando con gente. Ganarías más dinero con un camión. No de cerveza, sino de soda. Repartiendo por tiendas y supermercados. 7-Up.

—Cuando lo bebo me lloran los ojos.

—Con esto sí que te llorarían. Descargas las cajas llenas de botellas y luego cargas las que están vacías. Te haces un hombre.

—¿Me hago un hombre cómo?

—A base de fuerza bruta, así es cómo. En verano te quieres morir. Yo lo hice un verano. Joder, no podía creérmelo. Perdí ocho kilos en los primeros dos días.

Nicky no creía necesario tener un empleo de por vida y fundar una familia y vivir en una casa con la cena puesta en la mesa todas las noches, y pensó en George, un tipo mayor que había sobrevivido a la pérdida de todo aquello: no a la pérdida, sino al desconocimiento. Jugaba a las cartas, jugaba al billar, echaba un polvo, conseguía unos dólares para el bolsillo... tampoco es que le quedara tanto tiempo para pensar. Que os den por culo. Me moriré solo. Eso era lo que decía George en el fondo de su corazón.

—¿Qué tal es el sueldo?

—Mejor que el que tienes ahora. Y más constante. Y más seguro, salvo por la hernia que te saldrá en las cuatro primeras semanas. Sin contar el infarto del verano. Te harás un hombre, Nicky.

—Te lo agradezco.

—No hace falta que digas nada. Quizá te contraten, quizá no.

—Quiero que sepas que te lo agradezco.

—Te echarán una ojeada. El tipo lo único que piensa es en follar. Mejor sería encontrar un polaco en cualquier parte.

A Nick le gustó aquello. Jugaron un rato más a las cartas y de repente advirtió que George le miraba de una forma extraña, como si estuviera midiéndole.

—¿Crees que guardo preservativos en ese cajón de ahí?

—Yo qué sé.

—¿Quieres ver lo que guardo ahí?

—No sé, George. Desde luego, ¿por qué no?

—No, creo que no debes ver lo que guardo ahí.

—En serio, ¿por qué no?

—No. Gran error. Hablarías.

—No hablaré. ¿A quién iba a decírselo?

De acuerdo. George estaba jugando con él, aunque su expresión no cambiara en ningún momento. Ruda, desgastada, fatigada, con la calva creciente y los largos dedos manchados de alquitrán de cigarrillos.

—Porque me fío de ti, Nicky.

Metió la mano en el cajón y la sacó con una caja de cerillas de cocina y una cuchara.

—Solíamos llamarlas luciferas, a las cerillas de madera éstas.

El utensilio era una cuchara corriente que mostraba una mancha en forma de nube en el fondo de la concavidad, tan sucia como los dedos de George, pero más oscura y marmórea.

—Te estoy mirando —dijo Nick.

—¿Te interesa?

—Me interesa —dijo él.

George introdujo la mano en el cajón y extrajo una banda elástica de aspecto clínico, algún tipo de sujeción. La arrojó junto a las cerillas y miró a Nick.

—Sigo mirándote.

—¿Estás mirando?

—Estoy mirando.

George volvió a meter la mano y sacó una aguja hipodérmica, una aguja y una jeringa polvorienta, y las alzó frente al rostro de Nicky.

—¿Estás mirando? Mira.

A Nick le llevó un minuto comprender todo aquello. Aquello era nuevo para él. Drogas. ¿Quién utilizaba drogas en aquel barrio? Se sintió estúpido y confuso y súbitamente muy joven.

—¿Tú te pones esta cosa?

George extrajo una bolsa del bolsillo de la camisa. La sacudió varias veces y volvió a dejarla caer en su interior.

—*Heroína* —dijo.

Nick se quedó realmente estupefacto. Como si alguien acabara de golpearle con una porra en la cabeza. Bang. Estuvo a punto de llevarse una mano a la nuca.

—Déjame verla —dijo.

George extrajo de nuevo la bolsa y se la alargó. Nick alzó la solapa e intentó olisquear el polvo.

—¿Qué estás oliendo? No huele.

Se la devolvió.

—¿Y cómo es eso?

—¿Cómo es qué?

—¿Cómo es que te metes esto?

George se remangó el brazo izquierdo. Mostraba marcas y cicatrices puntiagudas, y en la parte interna del codo podía verse una masa oscura, una ulceración de vasos reventados y de devastación en general.

A continuación, blandió la aguja: aquello le divertía.

—Me has preguntado si sirvo a los amigos. ¿Qué clase de servicio?

—Eh. Vete a paseo.

—Te iniciaremos despacito. Subcutáneo. Sin penetrar en las venas.

—Detesto las agujas, George. Aparta esa cosa de mi vista.

—Tienes que accionar el émbolo, ¿ves?

—De verdad, no me apetece esto.

—Vamos. Te ataré el brazo.

George enarboló la goma elástica y Nick sintió la necesidad de ponerse en pie y trasladarse al otro extremo de la estancia. Al otro le gustó.

—¿Cómo es posible? —dijo.

—Como es posible cómo es posible. A uno le apetece echar un polvo. Así es como es posible —dijo George.

Durante años, los niños jugaban al escondite por los traspatios; por entonces, se jugaban partidas de dados con apuestas de cinco o diez centavos y tipos mayores que en los días de calor se tomaban unas cuantas cervezas a la sombra, y mujeres que se asomaban por las ventanas para tomar un poco de aire fresco y protestar por las palabrotas.

—¿Eres capaz de meterte eso en el brazo? Tío, me muero de miedo sólo de verlo.

George sonrió. Estaba contento. Volvió a guardar el instrumental en el cajón y encendió un cigarrillo y permaneció allí sentado, rodeado de humo.

Hablaron del robo y al cabo de un rato el tono de la conversación volvió a ser normal.

—Tengo que irme —dijo Nick.

—Sé bueno.

—Te veré en donde Mike.

—Sé bueno —dijo George.

Nick torció por el oscuro pasillo y salió a un pequeño patio en el que los cubos de basura se agrupaban contra el muro y ascendió por las escaleras traseras y atravesó la gruesa puerta de metal para acceder a su edificio.

George le había puesto efectivamente en su sitio. George le había enseñado una lección en el terreno de las cosas serias.

Ocurrió ya casi finalizado el día, cuando nadie se lo esperaba. Tal era su intención, por supuesto. Ocurrió de manera rápida y rotunda e inesperada.

La hermana se volvió de la pizarra en la que había estado dibujando una sentencia compuesta, una estructura de tiza tan compleja y tan repleta de yuxtaposiciones internas que comenzaba a parecerse a las fachadas llenas de escaleras contra incendios de los edificios que habitaban la mayoría de aquellos chicos y chicas.

Hizo una pausa, tan sólo durante el tiempo necesario para que supieran que se avecinaba algo, pero no tanto como para que pudieran adivinar de qué se trataba.

Luego, dijo:

—¡Todos a cubierto! ¡Todos a cubierto! ¡Todos a cubierto!

Durante un largo instante, todos se quedaron demasiado

asombrados para pensar como es debido. Lentos, sorprendidos, aturdidos y estupefactos.

Comenzaron a abandonar sus asientos, derribando libros y chocando unos contra otros, escabulléndose en dirección a las tres paredes previamente designadas, tal y como les habían enseñado a hacer, saltando como si fueran participantes de una carrera de sacos.

La cuarta pared era la de las ventanas, la que les habían dicho que evitaran.

Matty vio a Francis X. Cavanaugh estrellarse contra el borde de un pupitre con los huevos por delante y experimentó un estremecimiento simpático en la entrepierna.

Y la voz penetrante de la hermana a través de la estancia, agachados y a cubierto, agachados y a cubierto, y los chicos rebullendo en busca de una posición y luego lanzándose a profundas genuflexiones, la cabeza contra el suelo, los ojos cerrados, las manos protegiendo el rostro del destello de la explosión.

Pasó largo tiempo hasta que estuvieron todos situados e instalados e inmóviles.

Matty tenía la cabeza junto a la base del guardarropa más próximo a su mesa. Le gustaba agacharse y ponerse a cubierto. Reinaba una sensación de acción al unísono que encontraba gratificante. En realidad, no era tan distinto de abrir y cerrar las puertas del guardarropa con dos de sus compañeros de clase, ni de recitar las respuestas de la misa cuando la hermana formulaba las preguntas del catecismo. Experimentaba la sensación reconfortante de las cifras. Se sentía a gusto y a salvo en el suelo, en posición más o menos idéntica a la de los demás. Tras los primeros momentos de sorpresa y confusión, se habían calmado todos. Esa era la primera norma en caso de ataque nuclear. Mantened la calma. No os excitéis ni excitéis a otros. Otra norma: no toquéis nada.

Experimentaba una curiosa sensación de pertenencia en aquellos ejercicios de protección. Eran una comunidad de personajes similares que hacían cosas igualmente similares, la cabeza baja, los codos apretados, el pompis en el aire. El muchacho hipercerebral de las treinta y dos piezas y los trillones de combinaciones gustaba de anidar en su espacio designado y escuchar cómo la voz de la hermana repetía todos los avisos y órdenes como una sirena que ascendiera y descendiera bajo la bruma dopplerizada de otro día cualquiera.

Mantened la calma.

No toquéis nada.

No contestéis al teléfono.

Desenchufad la tostadora.

No conduzcáis vehículos de motor.

Llevad un pañuelo para oprimirlo contra la boca.

En su postura de oración podían haber sido cualquier persona procedente de cualquier lugar. Los fieles de la antigua Samarkanda inclinándose ante su ayatolá. Lo único que importaba era la abyecta suplicación, la adoración de la nube del poder absoluto: cuarenta cuerpos que latían suavemente dispuestos contra la pared.

Les indicó que regresaran a sus lugares habituales. Ellos se incorporaron, recogieron los libros que se habían caído y se acomodaron en sus asientos con cierto aire de perrillo apaleado, observando a la hermana Edgar para comprobar hasta qué punto debían sentirse como unos estúpidos.

Nunca terminéis una frase con una preposición y nunca comencéis una frase con la palabra Y.

La hermana no estaba contenta con su actuación. Se inclinó sobre la mesa con las manos tan tensas que podían ver los nudillos blancos sobre la superficie de madera.

Aguardaron a que les ordenara repetirlo de nuevo.

5

—Eh, Bobby.

—Estoy ocupado.

—Eh, Bobby.

—Estoy ocupado.

—Eh, Bobby. Queremos decirte una cosa.

—Os he dicho, ¿no?, que estoy ocupado.

—Te lo quiere decir JuJu. Eh, Bobby. Escucha.

—Marchaos por ahí, ¿vale?

—Eh, Bobby.

—A tomar por culo.

—Eh, Bobby.

—¿Es que no veis que estoy trabajando?

—Eh, Bobby. JuJu quiere decirte una cosa, sólo una.

—Qué.

—Eh, Bobby.

—De acuerdo. Qué.

—Sólo una.

—De acuerdo. Qué.

—Cágate en la mano y aprieta bien lo que salga —dijo Nick.

No sabía cómo llamarlo, una liviandad, una emanación, algo dotado de una variación interna, un árbol en flor o una lluvia fragante, y se puso de pie sobre el escalón y observó al hombre que al otro lado de la calle raspaba el óxido de su escalera contra incendios, en el cuarto piso.

Un camión aparcó frente a la tienda de comestibles, dos números más abajo. El hijo del tendero salió a la calle y abrió la trampilla de la acera y alzó las dos puertas de metal. Los hombres descargaron cajas de soda y las transportaron con un carrito hasta el local, el más viejo, o aferrándolas por las asas, el más joven, y las introdujeron en el sótano de almacenaje por la trampilla.

Klara encendió un cigarrillo y pensó en cruzar la calle y recoger a la criatura, que hoy estaba a cargo de la mujer del sastre, era miércoles, porque ya casi era la hora.

El más joven interrumpió su tercer o cuarto viaje al sótano para acercarse al escalón.

—¿No querrías guardarme una calada, verdad, de ese cigarrillo?

Ella le miró, asimilando la pregunta.

—Me da corte pedírtelo —dijo él.

Ella le miró, asimilando su húmeda camisa y su mono desgastado, el modo en que sostenía la caja a la altura del vientre, las hinchadas venas de los antebrazos bajo las mangas recogidas.

—Esa calada podría representar la diferencia —dijo— entre la vida y la muerte.

Dijo ella:

—¿En qué dirección?

Él sonrió y desvió la mirada. Luego, la miró y dijo:

—Cuando te apetece fumar, ¿qué importa?

Ella alargó la mano y le ofreció el cigarrillo, pero él no soltó la caja para cogerlo. Por el contrario, ascendió dos escalones y la miró a los ojos y con ello le dio a entender que tenía que situar el cigarrillo entre sus labios o rehuir la oferta.

En un primer momento, no hizo ni lo uno ni lo otro. Aspiró ella misma otra calada y dijo:

—¿No tienes miedo de que entorpezca tu desarrollo?

Seis días después, o siete, salió del piso y echó el cerrojo. Había alguien en el escalón, atisbando al interior del vestíbulo. Supo exactamente de quién se trataba y qué hacía allí, y le saludó con un gesto que podía ser tanto un encogimiento de hombros como un ademán de bienvenida. A continuación, introdujo la llave en el pestillo que acababa de cerrar y lo abrió de nuevo.

Él la siguió al cuarto de invitados, y ella se volvió y vio que estaba allí. Era bastante corpulento, y la alzó contra la pared. Ella sacudió las piernas para librarse de los zapatos y aferró sus cabellos, un puñado, y le apartó el rostro para poder contemplarlo.

Cuando estuvieron casi desnudos se detuvieron para observarse mutuamente. No había ni cama ni sofá, y apenas se tocaron, su mano sobre el brazo de ella, que lo retiró. Aguardaba el momento de perder el control, pero éste no llegaba. Él depositó la mano sobre su brazo y ella la apartó. Él se encogió de hombros y se echó a reír, como diciendo qué pasa aquí. Ella le puso una mano sobre el pecho. Podía conseguir que dejara de reírse simplemente con tocarle.

Dijo:

—¿Acaso eres un chico al que se supone que conozco? ¿Quién eres tú? Tampoco es que me importe un cuerno.

Era de piel más bien oscura y cuerpo atlético, y volvió a arrinconarla contra la pared. Ella se apartó el cabello del rostro. Pensó que mientras le mantuviera en aquella habitación nadie podría decir que estaba pasando nada demasiado alocado. Estaban en el cuarto de invitados, en el estudio de pintura. No debía estar allí desnuda pero, aparte de eso y de sus pies descalzos sobre el frío suelo, nada especialmente extraño estaba ocurriendo.

Le metió mano por todas partes. Olía a cigarrillos y a algo más, a un peculiar aroma corporal mezclado con sudor. Se besaron durante lo que parecieron ser horas. Pareció que tardaban horas, con aquellos largos besos en la boca en los que tenía la sensación de desaparecer, distante, vacía, sintiendo la brusquedad de las manos de él sobre sus pechos, pero también práctica de repente, sí, rechazándole y acudiendo al armario del pasillo para coger el colchón de repuesto de la cama del niño, un legado judío de generaciones.

Entró de nuevo en el cuarto y le entregó el colchón, arrollado y atado con un trozo de cordel. Él lo sostuvo verticalmente y fingió follárselo, con la lengua fuera.

Ella reparó en la estancia. Él desanudó el cordel y extendió el pequeño colchón en el suelo y se arrodilló, esperando. La habitación estaba preciosa con aquella luz, con aquellas franjas de sol, líneas y espacios negros, claroscuro, y se acercó a él, con desconfianza por supuesto, y le indicó que se acuclillara.

Ignoraba qué sucedería a continuación, segundo por segundo, y continuó resistiéndose incluso mientras se aproximaba a él, mordiéndole y acariciándole, la palabra caricia, la palabra polla, medio resistiéndose a todo lo que le hacía, oliendo trabajo y sótanos en su cuerpo, habitaciones agrias empapadas de polvo.

Se tocaban por todas partes, húmedos y escandalosos, aspirando el aire como quien bebe agua, profundamente, como a base de chasquidos, de porciones deglutidas. Había venido a que le exploraran un poco. A ella le gustaba detenerse y observarle o incluso desviar la mirada, o guiar su mano, o escapar a la cocina en busca de un vaso de agua y luego verle beber y pensar que tampoco estaba pasando nada del otro mundo que pudiera definir, a excepción del hecho de estar desnuda en su propio estudio.

Luego, volvieron a recorrerse frenéticamente, enlazados entre sí, todo nuevo por segunda vez, y ella cerró los ojos para verse juntos, algo que casi podía hacer, algo que podía hacer durante breves intervalos, sus cuerpos ladeados, inclinados y oblicuos, a un lado y a otro, esto coexistente con aquello, allí pero también aquí, como amantes picassianos enfrentados.

Cuando él partió en busca del cuarto de baño ella pensó que se sentiría rara y chiflada y enloquecida, por fin, pero se limitó a esperarle en el colchón, fumando.

—Trece pulgadas, tenemos.
—Trece pulgadas.
—Cómo se dice. Almirante.
—Almirante. ¿Qué es, mejor que capitán?
—Claro. Sin nieve.
—Trece pulgadas. ¿Qué clase de pulgadas? ¿Quieres trece pulgadas? Agáchate.
—Oye. ¿Tú y qué ejército?
—Inclínate. Ya verás si te doy nieve.
—¿Tú y qué ejército?
—Tienes un almirante. Te doy un Motorola.
—Ni toda tu familia junta llegan a las trece pulgadas. Incluyendo a tu abuelo y a su mono amaestrado.

Bronzini se plantó frente a su clase, cuarenta y cuatro almas estoicas en la hora de ciencias naturales. La mayoría de dieciséis años de edad, algunos mayores, de dieciocho incluso, los más estúpidos, los atontados, rezagados en algún lugar de aquella larga marcha en pos del conocimiento.

Tras su escritorio, habló dirigiéndose a las paredes y el techo, a las ventanas del fondo del aula. Habló a la atmósfera espesa de humo de autocar de Fordham Road y a la universidad que se extendía más allá, entre los árboles, donde los veteranos llevaban togas de diplomado y donde los nombres de los alumnos muertos en la Primera Guerra Mundial reposaban grabados en mayúsculas sobre los postes de piedra que señalaban el límite sur del campus.

Universitas Fordhamensis.

—No podemos comprender el mundo con claridad sin comprender cómo está organizada la naturaleza. Necesitamos contar, medir y probar. He ahí el método científico. Ciencia. La observación y descripción de los fenómenos. Fenómenos. Sucesos perceptibles mediante los sentidos. Las estaciones tienen sentido. Llegado un cierto momento, el frío amaina, los días se hacen más largos. Ocurre todos los años en las mismas fechas. En la última clase hablamos de la diferencia entre equinoccio y solsticio, y confío en que aún lo recuerden, señorita Innocenti. Los planetas se desplazan siguiendo órbitas fieles. Podemos predecir su tránsito en el firmamento. Y podemos admirar los fenómenos matemáticos que intervienen en ello. El tránsito elipsoide de los planetas en torno al sol. La elipse. Un círculo levemente aplastado. Aquí detectamos forma y orden, observamos las leyes de la naturaleza en su espléndida armonía. Piensen en el ritmo de las olas. En el nacimiento de los niños. Cuando una mujer está a punto de dar a luz, Applebaum, mire hacia adelante, decimos que está llegando a término. La precisión de la naturaleza se torna evidente en el proceso del nacimiento. La mujer se adapta a ciertas etapas. El feto crece y se desarrolla. Podemos predecirlo, podemos decir más o menos esta semana o la semana que viene va a nacer el niño. Llegar a término, señorita Innocenti, siga usted masticando chicle sin parar. Llevar el feto a término. Nueve meses. Dos kilos setecientos gramos. Los números son necesarios para encontrarle sentido al mundo. Pensamos en cifras. Pensamos en décadas. Porque necesitamos principios organizadores, Alfonse Catanzaro, sí, para no sentirnos tan confusos.

Una voz surgió al fondo del aula.

—Llámele Alan.

Un revuelo de risas atravesó la estancia como el viento sobre la hierba de las dunas. Bronzini no tenía que enfrentarse a problemas graves de disciplina. Los alumnos percibían su desgana ante la confrontación y veían en su discurso suave y soñoliento, a veces desvariado, una especie de huida privada de la tarea cotidiana que no era muy distinta de la suya propia.

Una segunda voz, cerca de la ventana, una voz de chica, con tono remilgado.

—No me llaméis Alfonse. Llamadme Alan. Quiero ser actor de películas.

Una oleada más profunda de carcajadas esta vez, y Bronzini se compadeció del chico, del flacucho de Alfonse, pero no les riñó, siguió hablando, sobreponiéndose al rumor momentáneo: el flacucho y taciturno Alfonse, trágicamente salpicado de violáceas manchas de acné.

—Necesitamos cifras, letras, mapas, gráficos. Necesitamos fórmulas científicas para comprender la estructura de la materia. E es igual a MC al cuadrado.

Escribió la ecuación sobre el encerado.

—¿Cómo es posible que unas pocas marcas escritas en una pizarra, unos pocos signos tortuosos, puedan cambiar la forma de la historia humana? Energía, masa, velocidad de la luz. Protones, neutrones, electrones. ¿Cómo es de pequeño el átomo? Os lo diré. Si las personas tuvieran el tamaño de átomos —piense en esto, Gagliardi— la población de nuestro planeta cabría en la cabeza de un alfiler. Olvidaos de las vastas cantidades de energía contenidas en la materia. La materia. Algo que posee masa: un sólido, un líquido, un gas. Olvidaos de lo que ocurre cuando dividimos el átomo para liberar esta energía. Energía. La capacidad de un sistema físico para realizar un trabajo. Quiero saber cómo es posible que unas pocas marcas escritas en una pizarra o en un trozo de papel, un poco de negro sobre blanco, o de blanco sobre negro, puedan albergar tanta información y contener unas implicaciones tan devastadoras. Olvidaos de la energía que encierra el átomo. ¿Qué me decís de la energía que encierra esta ecuación? He aquí el verdadero poder. Cómo opera la mente. Cómo la mente identifica, analiza y representa. Su belleza y su poder. Los prodigios de imaginación requeridos para reducir las complejas formas de la naturaleza, todas esas mágicas acciones invisibles del interior del átomo: para expresar todo esto con un bing y un bang sobre una pizarra. El átomo. La unidad de materia considerada como fuente de la energía nuclear. Los griegos del siglo quinto antes de Cristo propusieron el concepto del átomo. De antes de Cristo, señorita Innocenti. Antes de que se inventara el chicle. Algo pequeño, pequeño, pequeño. Algo que está dentro de algo que está dentro de algo. Abajo, abajo, abajo. Debajo, debajo, debajo. La próxima clase, capítulo siete. Venid preparados para un examen oral.

Apenas un gemido audible.

—La mayor vergüenza pública posible —dijo Bronzini.

Salieron en tropel del aula a los prolongados pasillos, donde otros cuatro mil como ellos comenzaban a apelotonarse bajo el vasto clamor hormonal que señala la condición de la puesta en libertad.

Aún era invierno, pero hoy flotaba algo suave en el aire, esa ficción rítmica de la primavera temprana por la que tan dulce resulta dejarse engañar, y Albert emprendió su ruta habitual en dirección a los barrios de tiendas, curioseando en los comercios y en los clubes sociales.

Allí, se comió una galleta al *pignoli* y preguntó a la mujer por su hijo, de servicio como artillero en Corea. Allí se acarició el bigote y contempló divertido a un protestón cascarrabias, un hombre que había entrado a vociferar por la contrariedad más insignificante, escupiendo con ojos enrojecidos.

En la charcutería habló con una pareja de recién llegados, calabreses, una mujer y su hija a remolque, y ello le hizo remontarse a su madre y a su hermana a lo largo del túnel de la memoria, ante el modo en que la niña se colgaba de su madre.

Ahora, la madre yacía en una sepultura de Queens, en una amplia pradera de lápidas y cruces, miles de almas ya retiradas del bullicio ordinario, un pueblo soberano que jamás se quejaba.

Compró carne aquí, pescado allí, y se encaminó de regreso a casa. Pensó en esa fiesta de todos los veranos en la que los miembros de la banda de la iglesia recorrían las calles tocando melodías tristes y sentimentales que sacaban los rostros de las mujeres a las ventanas abiertas de los edificios. Los músicos tenían por costumbre aminorar el paso en cierta calle residencial y detenerse ante una residencia particular, una casa de madera dotada de porche delantero y de matojos de rosas, el domicilio del importador de aceite de oliva. Cuando acababan de tocar, la familia les invitaba a pasar y ellos entraban con sus uniformes de pantalón negro y camisa blanca, cargando con los instrumentos. Qué costumbre tan antigua y dignificada la de aquellos ancianos, con el trombonista obeso y el más joven aplastado por el bombo que llevaba atado al torso, todos entrando al fresco de la casa, arrastrando los pies, para que les den un vaso de vino tinto.

JuJu no quería seguirle al interior, pero no le quedaba otro remedio. Una vez que Nick entraba, JuJu tenía que entrar también.

Había dicho que quería ver a una persona muerta, y Nick iba a mostrársela. Penetraron en la antesala de la funeraria próxima a la Tercera Avenida, donde había veinte o treinta hombres fumando y charlando.

—Quizá esto no sea una buena idea —dijo JuJu.

—Tú limítate a no reírte.

—¿De qué voy a reírme?

—Muestra un poco de respeto —dijo Nick—. Queremos que piensen que somos de la familia.

Nick le empujó y entraron en el velatorio. Las mujeres, sentadas en sillas, repasaban las cuentas del rosario, y había sofás a lo largo de las paredes, mujeres jóvenes que mostraban un extraño aspecto vestidas de negro, ajenas a todo contacto, con varias niñas entre ellas, todas con aire grave y pálido.

Se aproximaron al féretro y miraron en su interior. Era un anciano, con las fosas nasales muy abiertas y las manos de un carpintero o un constructor, con dedos cobrizos, ásperos y resquebrajados.

—Aquí tienes tu cadáver. Empápate.

Se arrodillaron ante el ataúd.

—No tiene tan mal aspecto —dijo JuJu.

—Me parece que le han depilado las cejas.

—Pensé que sería diferente —dijo JuJu.

—¿Diferente en qué?

—No lo sé. Blanco —dijo JuJu—. Que tendría la cara blanca como la tiza.

—Los maquillan y los arreglan.

—Blanco y tieso, pensé.

—¿No te parece tieso, este hombre?

—Casi podría estar dormido. Si es que dormía con traje.

—De modo que estás decepcionado.

—Estoy un poco, sí, decepcionado.

—Por qué no lo dices más alto —dijo Nick—, para que nos saquen a la calle y nos den una paliza.

—Esto ha sido una mala idea por tu parte.

—Deberíamos haber traído un sobre —dijo Nick.

—Esto ha sido una mala idea. ¿Qué clase de sobre?

—Si somos de la familia —dijo Nick—. Un recordatorio o algo de dinero.

—Pensé que lo de los sobres era cuando te casabas. No cuando te morías.

—Los sobres es cuando haces lo que sea. Siempre andan dándose sobres.

—Esto ha sido una mala idea. Yo me marcho.

—Es demasiado pronto. Reza algo. Muéstrales que estás rezando. Muéstrales respeto —dijo Nick—. Mujeres de luto. Si no mostramos respeto, nos descuartizan.

En un rincón de la sala de billar un tipo llamado Stevie expectoró una masa de flema perlada, lo llamaban ostra, y la escupió por el cuello de su botella de Coca.

Dijo JuJu:

—¿Te pido un trago de refresco y me haces esto?

—Oye. Tampoco te he dicho que no.

—Pero ¿haces esto? ¿Escupes dentro?

—Me has pedido un trago. Y yo digo. Toma dos tragos.

Stevie se aclaró una nueva ostra de la garganta, la escupió en el interior de la botella y se la alargó a JuJu.

—Pero ¿haces esto? Expectoras esa cosa enorme sin pensar que nadie va a beber de una botella que contenga esa masa flotando dentro.

—Quieres un trago. Oye. Toma un trago. Toma lo que quieras.

—De modo que me regalas todo tu refresco, es lo que dices. Toma lo que quieras. Si es que estoy lo bastante chiflado como para bebérmelo.

—Lo que es mío es tuyo —dijo Stevie.

JuJu le obsequió con una sonrisa falsa, con una mirada de carácter burlón. A continuación, se bebió todo el contenido de un largo trago. Dejó escapar un pequeño eructo gaseoso y le devolvió la botella a Stevie lanzándosela por el aire.

Nick le contemplaba, admirado.

Aquella noche, algo más tarde, llevó a *Mike el Perro* a dar un paseo. Caminó a lo largo del muro del hospital y a continuación enfiló en dirección este a lo largo de las calles desiertas. Se detuvo al otro lado de la calle frente al edificio en el que vivía la mujer. En la habitación de la parte delantera había una cama sin sábanas, una cama vacía con el respaldo enderezado, fácilmente visible a la derecha del poyete, las cortinas medio echadas, una lámpara encendida no lejos de ella, y permaneció allí un rato, fumando.

Cuando regresó con el perro, dos hombres descendían los escalones del salón de billar. Creyó reconocer a uno de ellos del juego de póquer, y descendían por los escalones con una especie de fragor que hizo retroceder al perro.

Mike estaba solo, en el mostrador, haciendo sus cuentas.

—¿Adónde le has llevado, al servicio de caballeros de la estación Grand Central?

Nick indicó con un gesto del pulgar a los hombres que acababan de salir.

—¿Conozco a esos tipos?

—No lo sé. ¿Conoces a esos tipos?

—Negocios de altura, ¿eh?

—La verdad es que más vale que te lo cuente —dijo Mike—. Te vas a enterar de todos modos.

—¿De qué?

—¿Te acuerdas del tipo que se sentaba junto a la puerta cuando jugábamos la partida?

—Claro. Walls.

—Walls no estaba aquí la noche del atraco.

—Recuerdo que me pareció curioso.

—A muchos les pasó lo mismo. Y muchos de los que estaban aquí esa noche pensaron que era uno de los tres atracadores.

—Un momento. Iban encapuchados, ¿no es cierto?

—Podría haber sido Walls. Encapuchado o no encapuchado. Y ni que decir tiene que nadie ha visto a Walls desde entonces. De modo que puedes imaginar el interés que reina sobre su paradero. Por no hablar del hecho de que dos de los jugadores son personas muy cercanas —dijo Mike— a la organización.

—A la organización. ¿Y ahora?

—Han visto a Walls.

—Han visto a Walls. Le han encontrado.

—Y la ha cagado. En una tienda de comestibles portorriqueña a cosa de kilómetro y medio de aquí.

—¿Qué está haciendo en una tienda de comestibles portorriqueña?

—Comprando plátanos. Mira tú. ¿Cómo demonios quieres que lo sepa?

Nick se echó a reír. La noticia le excitaba. La encontraba reconfortante a pesar de que le gustaba Walls, admiraba a Walls de las pocas palabras que habían intercambiado en aquella única ocasión. Le habían encontrado y le habían matado. Se dijo que a la mañana siguiente tendría que acordarse de comprar el periódico lo primero. Tenía que salir en los periódicos, una cosa así.

—Y se llevó también tu dinero —dijo Nick—. No sólo el que había en la mesa.

Mike se subió a una silla para apagar el televisor, que estaba puesto sin sonido.

—No tengo intención de celebrarlo —dijo—. Ésta es la clase de cosas que atraen la atención de quien no deben. Tengo una comisaría a la que untar para que no me cierren. Bastante malo fue ya el atraco. Estas cosas atraen la presencia de detectives de homicidios y de periodistas.

—¿Cómo lo han hecho?

—Cómo lo han hecho. Le han disparado. Bang bang.

—Ya sé. Pero ¿cómo? ¿Cuántos tíos? ¿Con qué clase de armas?

Una fotografía de un cuerpo ensangrentado con una toalla cubriéndole la cabeza por la cosa de la decencia.

—¿Alcanzaron a alguien más? ¿Huyeron en un coche, dos coches?

—No lo sé. No he preguntado.

—¿Estaba armado, el tal Walls, cuando le dispararon?

—No lo sé —dijo Mike.

—¿Le dispararon en la cabeza o qué?

—Nicky. He dicho que ya está bien. Vete a casa y duerme un rato.

Fueron a ver una película al centro y pasearon por Times Square observando a la gente, de todas clases, sintiéndose superiores y estúpidos al mismo tiempo.

Tomaron el metro elevado de regreso a casa ya bien entrada la noche con JuJu y Ray sentados el uno junto al otro y Nick extendido al otro lado del pasillo en el largo asiento de rejilla.

—Sabéis, estaba pensando —dijo JuJu—. Nunca debimos entrar allí. Hacer el tonto, hacer el tonto, hacer el tonto. Ya está bien, digo yo. Pero no es algo que debiéramos haber hecho.

—Te sientes culpable —dijo Nick.

—Ese tipo ahí tumbado. Habría que dejarle en paz. Si hubiera sido un gilipollas que no hubiera hecho nada en toda su vida, a lo mejor habría sido distinto. Pero era un trabajador. Ahí tumbado.

Nick adoptó la postura de un cuerpo embalsamado.

—Te sientes culpable. Ve a la iglesia y confiésate. Te sentirás mejor —dijo.

Ray Lofaro no tenía la menor idea de qué estaban hablando. JuJu se negaba a decírselo por principio, y Nick no se lo decía por no molestarse.

Era un tren local, y no llegaba nunca.

Pasaron junto a los oscuros edificios del bajo Bronx, junto a los miles que dormían en sus camas, y Nick se puso en pie e intentó destrozar la rejilla, primero con las manos, lo que resultaba difícil, y luego a base de pisotearla y de emplear las manos de nuevo para tirar de las varillas trenzadas.

Un hombre que viajaba en el otro extremo del vagón se levantó y se marchó al siguiente, y Nick le miró, tratando de decidir si había que considerarlo como un insulto o no.

Luego volvió a pisotear el asiento, retrocediendo un paso y empleando el tacón del zapato para hundir el respaldo del asiento. Se sirvió de ambas manos para arrancar briznas de rejilla con una serie de largos y secos chasquidos.

Sus colegas no tenían nada que decir.

Se bajó una parada antes de lo habitual y le observaron salir por la puerta. Se dirigió al edificio en el que ella vivía. Se detuvo al otro lado de la calle, fumando, observando el inmueble. La lámpara seguía encendida en la habitación de delante, pero la cama había desaparecido.

Sabía que la madre del señor Bronzini había muerto recientemente. Su propia madre se lo había dicho. Y al cabo de un día o dos comenzó a establecer la conexión de que la cama era la cama de la anciana, que el apartamento era el apartamento del señor Bronzini, que la mujer que se había follado en el apartamento era la mujer de Bronzini.

Descubrió que no tenía excesiva importancia. Había pasado junto al edificio unas cuantas veces, de día, y nunca la había visto. Se había instalado sobre el poyete una o dos veces para fumar y la mujer no había salido. Últimamente, había adquirido la costumbre de detenerse en la oscuridad para contemplar el edificio, casi siempre después de medianoche, esas putas noches siempre iguales, pasando el rato antes de irse a la cama.

Tenía diecisiete años y algunos meses. Pronto le llamarían a filas, lo que probablemente no era mala cosa. Su amigo Allie andaba ahora de uniforme, acababa de terminar la instrucción y estaba camino de Corea, donde se beneficiaría a las mujeres más guapas, decía, y dejaría a las segundonas para Nick y los demás.

Permaneció allí, fumando. Contempló su edificio y pensó en mil cosas a la vez, razonables, disparatadas, estúpidas, y pensó en la mujer.

6

El solar estaba a menos de una manzana de la entrada del colegio, una zona de escombros dotada de un nivel superior y un nivel inferior, gruesas rocas, hierbajos y paredes en ruinas, señales de viejas basuras reventadas aquí y allá, bolsas de papel marrón arrojadas desde los edificios adyacentes, y aquí era donde los chiquillos libraban batallas a pedradas y los que eran algo mayores asaban batatas en el frío del atardecer y donde un chico llamado Skeezer se había comido un saltamontes vivo, lo que constituía una leyenda en numerosos barrios, el chaval con los jugos del saltamontes resbalándole por el mentón, pero en este caso había adultos fiables que lo habían presenciado, y donde otras historias más tenebrosas habían tenido lugar, un hombre que dormía en una zanja todas las noches y los tíos del otro salón de billar, el Major, que se habían llevado a una chica a las ruinas, tarde, una noche de verano, y se habían turnado para hacérselo con ella, y quién era la chavala, y lo había hecho voluntariamente, y otras historias de los descampados.

Era una extensión aislada de terreno que llamaban los solares del mismo modo que a los callejones traseros los llamaban los traspatios, y aquí es donde a Matty le reventaron la mano en un juego de cartas llamado adiós dedos.

Entró en el apartamento y se dirigió a la habitación de su madre, ocupada en engarzar sus perlas, y le puso la mano delante de los ojos.

—¿Qué es eso?
—¿A ti qué te parece? —dijo él.
—Sangre.
—Pues eso.
—En ese caso, más vale que vayas a limpiártela.
—¿No te interesa saber qué fue lo que ocurrió?

—¿Qué ocurrió?

—Da lo mismo —dijo.

Se sentó en el salón y examinó las señales y los arañazos, los rastros embarrados de sangre seca. Experimentaba un placer autocompasivo al hacerlo, incluso una fascinación, un apego animal que casi le impulsaba a lamerse las heridas, pero en ese momento entró su hermano, más pronto que de costumbre, e intentó ocultar la mano.

—¿Qué es eso?

—Nada.

—Enséñamela, gilipollas.

—Tengo que lavármela, eso es todo.

—Tienes que ponerte yodo en eso. Déjame ver.

—No necesito yodo —dijo él, con una suave insistencia.

Extendió la mano y apartó la mirada al mismo tiempo, como con delicadeza.

—Necesita ponerse yodo —dijo Nick a la madre.

—¿Qué eres, el repartidor del 7-Up?

—Yo-do, yo-do.

Matty se empequeñeció en su asiento mientras su hermano le examinaba las heridas. Las manos de Nick estaban igualmente sucias y magulladas y eran mucho más grandes, cinco, seis años más grandes: las manos de un hombre, casi, con ampollas en las palmas y cortes producidos por vidrios rotos.

—¿Cómo te lo has hecho? ¿Le has pegado un puñetazo en la boca a alguna niña?

—Una partida de cartas en los solares.

—¿Vas a los solares?

—Suelo quedarme en el borde.

—¿Sabe ella que vas a los solares?

—No llego a entrar del todo.

—¿Crees que ir allí es una buena idea?

—¿A ti qué te parece?

—Me parece que sigas yendo. Pero ándate con ojo. Allí acuden chavales de todas partes. No saben que eres mi hermano.

Nick se aferró la mano para examinar su aspecto.

—Ya no me duele tanto como antes.

—Has estado jugando a adiós dedos.

—Exacto.

—Y terminaste con cartas en la mano y el ganador te sacudió cuántas veces.

—Podía elegir.

—Ya me conozco esa clase de elecciones.

—Puede pegarme nueve golpes de través con el borde del mazo de cartas o cuatro golpes de través y luego una puntilla con el mazo plano.

—Con la parte roma. Te pega en los nudillos con toda su fuerza.

—Eso es —dijo Matty.

—Dime una cosa. ¿Cómo pudiste perder una partida a un juego de críos, con un cerebro como el tuyo, se supone, jugando con esa panda de mocosos?

—Tampoco eran tan críos —dijo Matty.

Nick le sostuvo la mano. A lo largo de los años, Nick le había sacudido más de un pescozón, golpes con el dedo medio dotados de la fuerza de una pedrada. En numerosas ocasiones Nick le había echado de una silla para sentarse él. Nick le había sostenido una vez por fuera de la ventana por pegar mocos en el umbral de una puerta. Muchas veces, Nick le había pegado patadas en el culo por el único motivo de pasar por la misma habitación en la que estaba él.

—Creo que aquí lo que hace falta es yodo.

—No necesito yodo —susurró.

Contempló su mano en la de Nick. Su hermano olía a esfuerzo y a calor y a salami picante, al salami rojo con especias que comía en el trabajo.

Entró la madre y observó la mano.

Dijo:

—Mercurocromo.

Nick apartó la mano.

—Yodo —dijo.

—Primero que se lave la mano con jabón y agua fría, Matthew, ¿me oyes? Luego, que se la seque.

—Y luego que se ponga yodo.

—No quiero yodo —dijo Matty—. Quiero mercurocromo.

—Yodo. Es más potente, es mejor, es más efectivo, quema.

—Mercurocromo —dijo Matty.

—Entra directamente en la herida, la limpia y la quema.

—Mercurocromo —dijo Matty.

Pero no quería que su hermano le soltara la mano, no quería que se la soltara aún.

Klara se detuvo en la azotea para observar cómo las nubes de tormenta se acumulaban, azuladas y aceradas, como el cielo de una costa remota, un cielo de aspecto demasiado opulento y salvaje como para poder estar allí.

Cerca, la niña jugaba con el hijo de un vecino sobre una manta.

Había descolgado la colada y la había puesto en una cesta, pero no quería entrar todavía. El viento cobraba fuerza, y a lo largo de toda la manzana podía ver mujeres en los tejados dedicadas a descolgar prendas de las cuerdas oscilantes, agachándose bajo las sábanas henchidas, y podía oír a otras mujeres que tiraban de las cuerdas de la ropa que se entrecruzaban entre las ventanas y los postes de las callejuelas, la chirriante cantinela de viejas cuerdas que se deslizaban por los bordes ahuecados de todas aquellas ruedas oxidadas.

Echaba de menos a la madre de Albert. Ahora le resultaba inquietante entrar en la habitación principal, un lugar extrañamente vacío, primero la cama vacía y ahora ni siquiera la cama, tan sólo un suelo carente de algo que lo llenara.

También resultaba curioso que no hubieran querido deshacerse de la cama, ninguno de los dos. La habían conservado durante semanas, elevada a su ángulo diurno, las horas en las que a ella tanto le gustaba cerrar los ojos y sentir el sol en su rostro.

La blancura de su camisón y de sus cabellos y de las sábanas blancas y de las sábanas que se agitaban en las azoteas y las mujeres que las azotaban para reducirlas a un tamaño manejable.

Las primeras gotas le golpean, gruesas y chapoteantes.

Había subido allí una vez, hacía poco, más o menos escondiéndose de su propia vida, y vio al joven apostado al otro lado de la calle, fumando bajo la farola.

La mayor parte del tiempo, cuando pensaba en él, si es que pensaba, pensaba en él en movimiento, pensaba en sus manos encallecidas recorriendo su cuerpo y en la suciedad profundamente incrustada en sus dedos, pensaba en el movimiento de sus hombros y en el modo en que la contemplaba sobre el puño apretado.

Le había gustado verle junto a la farola, contemplando el edificio. Luego, reflexionó sobre ello y ya no le gustó tanto. Pero había sido la única vez que le había visto allí.

Los dos niños no querían entrar, pero la lluvia se aproximaba.

Había resultado fácil en cierto modo, natural en cierto modo, no distante ni completamente extraño. Al principio había pensado que sería agradable pensar en él como El Joven, como un personaje de novela sobre la adolescencia, pero tan sólo pensaba en él en movimiento, anónimo, real, una especie de borrón giratorio que revoloteaba en algún lugar sobre su hombro, algo que su mente condensaba de entre todo aquel placer y humedad.

Miró por encima de la balaustrada y vio a tres niñas que jugaban a las tabas sobre una escalinata al otro lado de la calle, cada una sentada en un escalón distinto, la niña que tenía la pieza inmóvil y acuclillada, tan sólo su mano se movía entre las tabas esparcidas, frenéticamente, y Klara podía oírlas contar los puntos y los premios y los fallos, mientras iba elaborándose una discusión clara y afilada.

No quería más, quería menos. Eso era lo que su marido no conseguía comprender. Soledad, distancia, tiempo, trabajo. Algo de ahí fuera que necesitaba respirar.

Llevó la cesta de la ropa hasta la puerta y se limitó a ponerla bajo techo. Para entonces, las azoteas circundantes estaban casi vacías, y el aullido de las cuerdas había cesado. Incluso desde aquella altura, podía oír el golpeteo de las tabas. Una mujer golpeó la ventana con una moneda para arrancar a su hijo de la calle.

En ese momento comenzó a llover con fuerza. Klara tomó a su hija y se introdujo la manta bajo el brazo y sujetó al otro niño de la mano y los tres echaron a correr muertos de risa, atravesando el tejado bajo el cielo atronador.

Durante la cena, le había confesado haberse comportado como una egoísta.

—No creo que eso sea del todo cierto —dijo él.

Partió un crujiente trozo de pan en dos, algo que hacía de modo ritual y con tal profundidad de hábito constante que no alcanzaba a imaginarle consumiendo una comida completa, con todas sus alternancias e intervalos, sin ese ademán esencial.

—La pintura es un desastre. No estoy consiguiendo nada. Instalaremos a Teresa en esa habitación.

—Dale tiempo —dijo él—. Y, en cualquier caso, ¿qué pretendes conseguir? Hazlo por el placer cotidiano. Por el modo en que te ayuda a pasar el día.

Tenía un pequeño grabado que representaba un cuadro de Whistler, la célebre Madre, y lo colgó en un rincón del cuarto de invitados porque pensaba que en general nadie se fijaba en él y porque le gustaban sus equilibrios formales y su certero y apagado colorido y por lo increíblemente moderna que resultaba esa pintura, la mujer sentada con su cofia y su amplio vestido oscuro, una figura rescatada de su época y transportada a las abstractas perspectivas del siglo XX, mucho antes de estar preparada para ello, parecía, pero a Klara también le gustaba ver más allá de los componentes tonales, de la elevada teoría del color, de la teoría del propio cuadro, acaso: contemplar las profundidades de la pintura, la madre, la mujer en sí misma, el aspecto anecdótico de una mujer en una silla, pensando, inmensamente interesante, tan recatada, a lo cuáquero, tan inmóvil, aparentemente lejana pero tan sólo porque se encontraba perdida, pensaba Klara, en el recuerdo, atrapada en el ámbito de un trance de la memoria, una presencia poderosa y elegíaca a pesar de las prioridades doctrinales del pintor, del hijo.

—No, ya haremos algo con ese cuarto. A eso es a lo que debería dedicarme. A hacer de este lugar algo medianamente habitable.

—Aún tenemos que arreglar la habitación de la entrada —dijo él.

—Aún tenemos la habitación de la entrada, que es una especie de tierra de nadie. Yo me encargaré de la habitación de la entrada. Y luego, del cuarto de invitados.

—Y yo incrementaré mis propios esfuerzos. Jefe del Departamento de Ciencias. Lo convertiré en mi objetivo. Y este verano nos iremos de viaje. A España o a Italia. A donde quieras —dijo.

A ella le gustaba verle comer por lo profundamente que lo hacía, manipulando y saboreando las cosas, manejando los utensilios, masticando denodadamente la comida, por el modo en que se detenía distraídamente con el vaso de vino a dos centímetros de los labios, aguardando, paladeando, con una sensación de tierra y de la conexión que nos une a ella, así era Albert frente a un plato de calamares en su tinta: tierra y mar y el modo en que contemplaba la comida sobre el plato, aspirándolo todo antes de tocar siquiera el tenedor.

—A España —dijo—. Madrid. El Prado.

Y dejó escapar una risita con cierta frialdad, con el timbre vacuo que empleaba cuando quería castigarse a sí misma.

—Quiero estar mirando cuadros hasta no poder más.

Más tarde le vio en la calle con un amigo, deslizándose en dirección a un almacén de excedentes militares, y se detuvo allí mismo, en su camino, y él casi tropezó con ella antes de darse cuenta de quién era, y se detuvo y mostró apenas una levísima sorpresa, y su amigo también se paró, y ella los rodeó y atravesó la calle.

Al día siguiente, cuando miró por la ventana, le vio inmóvil junto a la farola. Le vio allí, fumando, mientras colocaba cortinas nuevas en la habitación delantera. Un camión de Railway Express pasó entre ellos. Y entonces él alzó la mirada y la vio. Tiró el cigarrillo con un gesto de la mano y cruzó la calle.

Extendió el colchón en el suelo. Nick la observó y se quitó la camisa por encima de la cabeza. Luego, volvió a mirarla. Ella permaneció allí, con la cabeza gacha, como si intentara recordar algo, y finalmente se desabrochó un botón del costado de la falda.

No terminaba sus besos. El hecho le resultó interesante y también algo desconcertante, diferente de la última vez, en que se habían besado casi hasta hacerse viejos. El modo en que tendía ahora a interrumpirlos y desviar la mirada justo cuando él pensaba que el beso estaba caldeándola y ablandándola, y el aspecto que ella misma mostraba al hacerlo, despegándose como si estuviera herida, o casi, y él se sorprendía de lo distinto de su aspecto, no era como el de la última vez sino más pálido, quizá, las manos livianas y exangües, dos cosas blancas que flotaban junto a él, y unos ojos levemente saltones que parecían ver cosas cuya presencia él no advertía.

Pero los ojos también se desviaban, y eso era igual que antes, y la sonrisa torcida, el ligero rictus en las comisuras de los labios. Algunas cosas eran iguales. Los pechos eran iguales, el culo y los pechos y el vello, y el asomo de lengua replegada cuando la besaba.

Ademanes cuyo significado no lograba determinar.

Y la otra sonrisa, en la que sonreía privadamente al verse los dos juntos, o ante lo que fuera que le provocaba la sonrisa, sonriendo para sí misma como si ya hubieran transcurrido tres días desde entonces, tres días después del suceso, y estuviera recorriendo el pasillo de unos grandes almacenes pensando en lo que habían hecho, pero aún no habían transcurrido tres días, aún estaba teniendo lugar aquello, y le tenía las pelotas cogidas con la mano, oprimiéndoselas suavemente.

Una mujer desnuda era algo impresionante.

Nunca lo había visto desde aquella perspectiva, a plena luz, sin prendas a medio quitar ni una toalla playera sobre el regazo ni una sesión de sexo en la oscuridad de un coche. Aquello era todo su cuerpo desnudo a la luz del día, de pie y tumbado y de frente y de espaldas y abierto y mostrándose y caminando hacia él y diferente cuando caminaba, más resuelto de lo que ella era en realidad, sin bamboleos, de movimientos suaves, con partes que no oscilaban. Sabía estar desnuda. Diríase que se había criado desnuda en aquella estancia, una chiquilla flacucha, probablemente, cuando era niña, y aún flacucha en cierto modo, con un vientre algo prominente y avergonzada de sus pies, pero superadas ya su timidez y sus desproporciones físicas, y casada por supuesto, habituada a que la vieran, y carecía de curvas y de ondulaciones, pero tenía buen aspecto desnuda y cuando follaban se apretaba a él como luchando por abrirse paso hasta la luz, como una inmensa y húmeda polilla apergaminada.

Recogió una de sus medias del suelo y se la puso sobre la cabeza. Ella sonrió y desvió la mirada, y pareció querer decir algo y al final cambió de opinión. Él se la embutió en la cabeza de tal modo que la contemplaba más o menos desde el talón. Hizo la pantomima de extraer una pistola de la sobaquera y apuntarle con ella.

—Todo lo que tengas. Dámelo o te mato.

—Resulta difícil tomarse esto en serio, al menos teniendo en cuenta el aspecto que tienes.

—Eh. Señora. Esto es lo que hacen.

—¿En los atracos, quieres decir?

—Eso es. Pero déjame que te diga. Tienen que andar muy necesitados de dinero para ponerse esto en la cabeza.

—Bueno, ésa está usada. No se ponen medias usadas, ¿verdad?

—No creo que esos tipos sean melindrosos. Se ponen lo que encuentran por ahí.

—Debo admitir que eres un hombre nuevo.

—¿Crees que me reconocerías si entraras en casa y me sorprendieras con esto puesto?

—No. Pero tampoco te reconocería sin ello.

Se quitó la media y se sentó en el colchón. Ella se marchó en busca de un vaso de agua y la observó mientras salía de la habitación, el culo apenas oscilante, y se rodeó la polla con la media y luego la arrojó a un lado.

Esa clase de efluvio tibio, ese aroma levemente fatigado, la fragancia del nailon aún en su rostro, apesadumbrada, cansada, con un día de sudor entre las hebras, suya y próxima, y algo que sabía acerca de ella que la hacía menos ajena.

Pero aún era una extraña. Era algo de lo que no querrías hablar con tus amigos, y eso no dejaba de ser raro. Y era algo que tampoco tenías que decirte a ti mismo que estaba pasando en realidad. Sencillamente, ocurría. Pasaba y punto, eso era todo, con la puñetera madre del Whistler colgando de la pared.

La observó entrar de nuevo en la estancia.

Dijo:

—Sabes, mi hermano, cuando aún era un crío, se puso un día no sé dónde a mirar a una niña que estaba haciendo pis, una chiquilla que probablemente era hija de algún vecino, y se bajó las bragas y se subió al retrete y se puso a hacer pis, y mi hermano que ve aquello y luego entra en una habitación llena de adultos, tal y como luego me contaron la historia, y espera a que dejen de hablar hasta que al final dejan de hablar y le miran y él dice, Mary Feeley no tiene pajarito.

Ella le alargó el vaso. Era uno de los discursos más largos que jamás había pronunciado, Nick, a excepción de los chistes que a veces contaba. Luego, alargó la mano, cogió sus pantalones arrebujados en el suelo y tanteó los bolsillos en busca de un paquete de tabaco.

Se sentaron en el colchón con las rodillas en contacto, fumando y compartiendo el agua.

—¿Sabes por qué fumo Old Gold? No es algo que le diría a cualquiera.

—Pamplinas. ¿Por qué? —dijo ella.

—Era la marca que solía patrocinar a los Dodgers en la radio. Old Gold. Somos hombres de tabaco, no sacamuelas. Los Dodgers eran mi equipo. Eran. Ya no.

—Menudo secreto de Estado me estás contando.

—Eso es. Ahora tienes que contarme tú algún secreto tuyo. Me da igual que sea grande o pequeño.

—¿Cómo te llamas?

—Nick.

—Nick, no puedes venir más aquí. Es demasiada locura. Se acabó, ¿de acuerdo? Lo hemos hecho y ahora tenemos que dejar de hacerlo.

—Podemos hacerlo en otro sitio —dijo él.

—No hay otro sitio. No. Creo que no.

Olvídate del cuerpo. Nunca ha contemplado tan detenidamente el rostro de una mujer. El modo en que cree saber quién es al observar su rostro, lo que come y cómo duerme, sólo viendo aquella sonrisa distraída y esos pelos despeinados, los cabellos que le caen sobre el ojo derecho, el modo en que su semblante se convierte en todo eso que no sabe definir con palabras.

—Nick Shay —dijo, con cierto retintín, con un toque de intención vengativa, porque ella sabía lo de las clases de ajedrez, por supuesto, y reconocería el apellido de Matty, y sabría que Nick era el hermano mayor, y sentiría el estrecho peligro de todo ello.

Pero no pareció importarle lo más mínimo. Del mismo modo que a él no le importaba que ella fuera la mujer de un conocido, a ella le daba igual que fuera el hermano de alguien.

—En ese caso, más vale que me vaya —dijo.

—Sí, creo que ya es hora.

Agarró sus pantalones y se vistió y la dejó desnuda en el colchón, sentada como ladeada sobre un costado, las piernas juntas y dobladas, expulsando humo y apartándoselo del rostro con la mano con la que sostenía el cigarrillo, y ni siquiera se le ocurrió mirar atrás.

7

Rosemary estaba sentada en el bufete que había sobre la panadería, ordenando documentos en un viejo archivador, y entró su jefe, el señor Imperato, de regreso de una de sus inusuales mañanas en el tribunal. Era un tipo palurdo que contaba chistes como un profesional, siempre dispuesto a gastar una broma. Era calvo, tenía los pies planos, vestía con descuido y era despistado en el trabajo, a veces, pero cuando llegaba el momento de contar un chiste oía la música de las esferas celestes. Jamás estropeaba un final ni escamoteaba una pausa. Imitaba voces, acentos, hombres, mujeres, pájaros parlantes, sin desmayo, sus ojos animados por una vivacidad especial.

—Huele a pan —dijo.

—Ése es el problema de estar encima de una panadería. No hago más que comprar pan. A mis hijos no les da tiempo a comérselo.

—¿Qué ha comprado?

—Es para la cena.

—Enséñemelo. ¿Es redondo o alargado?

—Acuérdese de lo que le hizo a mi pan la última vez. Es el pan de la cena. Déjeme en paz.

Cuatro o cinco años atrás el señor Imperato había contratado a un detective privado en nombre de ella para intentar localizar a Jimmy. El mayor secreto de su vida, algo que sólo conocían el abogado y el detective. Cuando se demostró que el esfuerzo no había servido para nada, el señor Imperato pagó personalmente al hombre y le dijo a ella que podía pagar lo que le debía realizando ciertas labores administrativas. Había estado trabajando con él desde entonces y él jamás le había deducido aquellos gastos del salario porque necesitaba, decía, a alguien que le riera los chistes.

—Voy a comprar un ventilador más grande.

—Yo creo que nos hace falta —dijo ella.

—Me he comprado uno para casa. Los críos se sientan delante de él, a veces. La tele está estropeada. Le digo a Anna. Los chavales están viendo el ventilador.

—Yo no quiero televisores en casa.

—No hay más remedio que tener uno —dijo él.

—Yo no lo quiero.

—Los niños lo quieren.

—Matty lo quiere. Sube a casa de un vecino para ver los combates de lucha libre.

—Yo nunca me pierdo la lucha libre si puedo evitarlo. No hay más remedio que tenerlo. Los niños lo necesitan. Si algo hay que tener, es eso.

Cuando se marchó a casa con su pan, Rosemary subió las escaleras y dejó atrás su piso, ascendiendo por los desgastados escalones, contemplando las coladas tendidas tras los cochambrosos cristales de la escalera, porque había una cosa de la que quería hablar con la señora Graziani, la del último piso.

Carmela sacó un bizcocho y preparó café y las dos se sentaron en la cocina.

—Cómo puedes subir estas escaleras todos los días.

—Tres, cuatro veces —dijo Carmela—. Conozco a cada escalón por su nombre. Les he puesto nombres a los escalones.

—Y Mickey está mucho mejor desde la operación.

—Si a eso se puede llamar sentirse mejor. Porque estos hombres, lo único que quieren es una habitación para sentarse a jugar a las cartas, durante diecisiete horas son capaces de jugar. Jugando a las cartas hasta caer rendidos.

—Pero se llevó un buen susto. Si aún puede jugar a las cartas, es que es tanto más fuerte. Estuviste a punto de perderle.

—A ése yo creo que no le pierdo ni marchándome a la China —dijo la mujer.

Por lo general, Rosemary se sentía mejor después de visitar a Carmela. La mujer mantenía un contencioso constante con los hombres, no tan sólo con su marido y con el desdichado de su hijo, Cosmo, sino con todos los hombres, y Rosemary, aunque sólo coincidía con ella en un dos por ciento de las veces, se sentía de algún modo más limpia, purificada como mediante la confesión, cada vez que tomaba café con Carmela.

—Quería preguntarte. ¿Te has enterado de lo de la mujer del 607? ¿La abuela?

—No hay nada de lo que enterarse —dijo Carmela.

Y realizó un gesto, una mano deslizándose bajo la barbilla, una señal que significaba que no se trata de una historia que debamos tomarnos en serio. El signo de nada. Un gesto despreciativo, tal y como Rosemary entendía aquellas cosas.

—Así que tú no piensas que.

—Si creyera que hay algo en todo ello, sería la primera en ir allí y esperar a que apareciera y postrarme de hinojos para agradecerle a Dios este milagro.

La mujer del 607, rezando su rosario en el sótano de la angosta casa de madera ocupada por dos familias y dos abuelos, había alzado la mirada de sus cuentas y había visto un santo en el umbral, San Antonio, y Rosemary necesitaba consejo en esa materia, un sentido del nivel de aceptación que estaba dispuesta a arriesgar.

Carmela le puso cuatro cucharadas de azúcar en el café.

—¿Sabes qué pienso yo, Rose? *Domani mattin'*. En otras palabras, desde luego, mañana por la mañana vendrá otra vez, esta vez con un ángel tocando la trompeta.

Aquella reacción le resultó frustrante. A pesar de su inveterado escepticismo, Carmela era un personaje habitual de las misas tempranas, y Rosemary querría que se tomara la historia más seriamente, o que aceptara las afirmaciones de la abuela, por lo menos, largos períodos de oración con otras viejas, todas de luto, recitando los misterios.

Carmela le dijo por duodécima vez que saliera y viera gente.

—Aún eres joven, Rose.

—No soy tan joven.

—No discutas conmigo. Necesitas pasar menos tiempo en casa y más tiempo haciendo amigos. Le estás entregando toda tu vida a esos dos chicos. A ese Nicky, odio decirlo.

—Entonces no lo digas.

—Odio decirlo, Rose.

—No lo digas.

—Ese chico tiene no-sé-qué escrito en el rostro. Sabes exactamente a qué me refiero.

—Trabaja duro. Me entrega el dinero sin protestar.

—O el otro. No sé.

—Si no lo sabes, Carmela.

—No lo sé, Rose. El otro. Pero es en Nicky en quien me fijo. Me fijo en ese chico.

—Tiene gracia, porque ¿sabes qué? Yo no me fijo en él. Se levanta nada más amanecer. Se marcha a trabajar. Me entrega el sueldo. Me entrega el sobre con la paga. Y encima no tengo que oír una palabra de protesta.

—La madre siempre es la última que se entera.

—Creció muy deprisa, Nicky. Ya es un adulto. Es más responsable que otros diez años mayores que él. Creció como un relámpago, este chico.

—Lo siento, Rose, pero yo a ése le vigilaría.

El hijo de Carmela se había pasado un año en la clase de cestería y otro año en recuperación de lectura y un tercer año cayéndose por un tramo de escaleras y recuperándose en cama, tres comidas al día en la cama, y vivía ahora con sus abuelos, en el norte del estado.

Y me dice que está preocupada por los míos.

No, aquello no fue una de las habituales visitas reconfortantes a la mujer del piso de arriba, y en los días que siguieron, días cálidos y atardeceres frescos, el camión cisterna rociando las calles y el polvo y la suciedad corriendo por las alcantarillas, hubo muchas ocasiones en las que Rosemary pasó junto a la estrecha casa, la del 607, y pensó en la anciana, Bettina, rezando su rosario en el sótano con sus amigas, los cinco misterios gozosos, lunes y jueves, los cinco misterios dolorosos, martes y viernes, los cinco misterios gloriosos, y así, pero también es cierto que probablemente no obedecían ninguna rutina establecida, no, nunca lo harían, aquellas mujeres, porque eran mujeres como ésas las que se ponían hábitos de monje para la fiesta de San Antonio, tanto las mujeres como sus niños, hábitos marrones y pies descalzos, con la estatua oscilando sobre ellos, y todo ello resultaba increíble y extraño e impresionante, pensó Rosemary, y las mujeres como aquéllas siempre rezarían sus oraciones sin pensar en horarios ni programas.

Le daba vergüenza llamar a la puerta, pero le gustaba pensar en las mujeres sentadas en torno a la mesa, con cuentas grandes para el Padrenuestro y cuentas pequeñas para el Avemaría.

Ella misma carecía de tiempo para hacer aquello todos los días. Tenía sus propias cuentas que atender. Tenía la estructura y la tela enganchada a sus bordes y la aguja con el mango de madera que empleaba para engarzar las cuentas en la tela, cuentas iridiscentes para decorar un vestido, y nunca se preguntaba realmente quién se lo pondría.

Le daba demasiada vergüenza interpelar directamente a la abuela, que en cualquier caso no hablaba inglés. Treinta y cinco años en este país y no hablaba ni tres palabras de inglés. Pero en cierto modo era un síntoma de su fe, una indicación de lo que en realidad tenía importancia. Lo que importaban era los misterios, no la lengua con que los recitaras.

Los inspectores del aire fresco paraban en la esquina casi todos los días, tres o cuatro o cinco hombres, y Rosemary pasaba junto a la casa estrecha y pensaba en lo que supuestamente había ocurrido allí.

A veces, la fe necesita de un signo. Hay veces en las que quieres dejar de contribuir a tu fe y dejarte sencillamente transportar por un viento que te lo revela todo.

—Tal vez, no sé, durante un octavo de segundo, pensó ella que le había chasqueado los labios. O que le había hecho un ruido con la lengua.

—¿Y entonces qué?

—Entonces comprendió que se me había quedado algo de comida entre los dientes y que la estaba desalojando. De esas veces que la desalojas con la lengua. Pero me miró y vio quién era y decidió que prefería darse por insultada.

—Puedo comprenderlo.

—Puedes comprenderlo.

—Puedo comprenderlo porque incluso aunque no la insultaras podías haberlo hecho.

—No lo hice. Pero podría haberlo hecho. Es lo que estás diciendo.

—Te conozco desde hace veinte años. Y podrías haberlo hecho.

—A ver si me entero. No lo hice. Pero podría haberlo hecho.

—Exacto. Porque de ti me lo creo.

—Pero no lo hice.

—Pero podrías haberlo hecho.

—Independientemente de que tuviera que desalojar una brizna de comida.

—Independientemente de que Jesucristo caminara sobre las aguas. Porque podrías haberlo hecho.

—De modo que ahí es adonde quieres que vayamos a parar.

—¿Adónde quiero que vayamos a parar?

—Al punto en el que yo tengo que decir algo. ¿Y sabes qué tengo que decir? Y os lo digo a ti y a tu hermana. A las dos.

—Ten cuidado.

—Vais a oírmelo con mucha claridad. Y va por ti pero sobre todo por tu hermana.

—Ándate con ojo, Anthony.

—Que os den por culo, hijas de puta.

—Anthony. Qué error estás cometiendo.

—A ti y a tu hermana. Que os den por culo.

—Tú, que te conozco de hace veinte años.

—Y a vuestra madre también, ya puestos.

—Que creas que pienso escuchar esto de un mentecato como tú.

—Y a vuestra madre —dijo él.

Pasó un chaval con un guante de béisbol enganchado al cinturón, comiéndose un helado.

El estibador se hallaba al otro lado de la calle, con su masiva cabeza bigotuda, un italiano llegado apenas un año atrás, que trabaja en los muelles de Jersey, fuerte como un camión hidráulico.

Dos tipos empujaban un coche en cuyo interior no había nadie.

Nick se detuvo frente a la tienda de ultramarinos comiéndose un emparedado enorme y sosteniendo en la mano una cerveza que le había vendido la esposa de Donato y que mantenía oculta en una bolsa de papel marrón.

Los inspectores del aire fresco.

Sammy Bones, que había corrido por el campo durante un partido en los Polo Grounds para que lo sacaran en televisión, sólo que ninguno de sus conocidos estaba mirando y desde entonces está *arrabbiato*, agresivo como un perro rabioso.

Una niña con su vestido de confirmación, un vestido blanco

y medias y zapatos blancos, y con lazos rojos en el pelo y flores blancas envueltas en crujiente celofán rojo.

JuJu pasó por allí, le arrebató a Nick el emparedado de la mano y examinó su interior.

El viejo de los escalones, al otro lado de la calle, que extiende pulcramente su pañuelo en el escalón superior y a continuación se sienta y llena su pipa con tabaco de cigarrillo y con los restos de un cigarro DeNobili deshecho, la perpetua pestilencia de esos italianos, y con cualquier otra cosa que haya podido encontrar que no esté ni mucho menos pensada para la pipa.

—Vas en serio con el tema de las pesas.

—Estoy haciendo ejercicios de pesas y mi madre sujeta la barra cada vez que grito. Flexiones supinas —dijo JuJu con tono levemente esnob.

—¿Cuántos bocados piensas darle a mi emparedado?

—Estoy siguiendo una tabla completa. Deberías venir.

—Oye. Tengo que trabajar, recuerdas. Me paso el día levantando cajas de 7-Up.

—Eso no es una tabla —dijo JuJu.

—Antes me muero que levantar pesas.

—Ves, he ahí una actitud que demuestra tu ignorancia acerca del tema.

—Prefiero que me corten en pedacitos.

—Demuestras tu ignorancia.

—Prefiero ser ignorante. Mira a ésa. La de la blusa amarilla. Ésa gasta un 95D.

—¿Por qué? ¿Se las has medido?

—¿Cómo que si se las he medido? Tengo buen ojo.

—Eres capaz de distinguir una copa D de una C desde esta distancia.

—Antes me como un plato de callos que levantar pesas —le dijo Nick.

La mujer del portero mirando plácidamente por la ventana del 610, la que llaman hermana Katy. De modo que cuando se emborrachaba y se ponía a gritar, aproximadamente una vez al mes, los críos le cantaban, Canta, canta, hermana Katy.

—¿Te vende cerveza en un domingo? ¿Cuando aún no es la una de la tarde?

—¿Qué dices de cerveza? Esto es limonada.

Un niño vestido con un traje blanco y una corbata roja y un brazalete rojo, y el cabello engominado, intentando zafarse de su madre, que enarbola el bolso para golpearle con él en la cabeza.

—¿Cuál es tu nombre de confirmación?

—Qué cojones va a ser eso asunto tuyo.

En primer lugar el aire cerrado del largo tramo de escaleras y el sabor metálico del aire y el denso rumor distante de voces masculinas en una tarde animada, el fragor confuso de voces espesas, y el humo de la enorme sala y un partido de béisbol en televisión y un jugador que empolva cuidadosamente el bate, como un soldado en quién sabe qué antigua y excéntrica guerra, y las hermosas bolas numeradas y el tapete verde y el soñoliento recorrido de un jugador que estudia su próximo tiro, y el interminable chasquido de las bolas al chocar entre sí, los sonidos de contacto del taco, las bolas, las bandas, el restallido de la bolsa.

Aquella noche Nick disputó una partida con George, *el Camarero*. George hacía de aparcacoches en la pista de carreras las noches que libraba en el restaurante y contaba historias acerca de los automóviles que estacionaba, contando cómo oprimía al máximo el acelerador y cómo pisaba de golpe el freno, historias que sonaban a chiste verde, los cromados y las tapicerías y su forma de manipular los coches, como si fueran tetas y culos.

Nick contemplaba a George con cierto recelo desde el episodio de la aguja. Se sentía en cierto modo proscrito, menos libre y relajado, pero George nunca se refería a ello y ni siquiera parecía recordarlo.

Con todo, percibía que había perdido algo de categoría frente a George al mostrar aquella extrañeza y confusión.

Nick alzó los ojos del tiro que estaba preparando. Algo había en el rostro de George que le hizo seguir su mirada hasta el otro extremo de la estancia.

—¿Quién es ése?

—¿No le conoces?

Mike estaba hablando con un hombre cerca de la barra, un tipo corpulento ataviado con una chaqueta demasiado ajustada de dos colores y una camisa con el cuello abierto.

—Tira ya —dijo George.

Anunció la siete por la banda.

—Ése es Mario Badalato —dijo George.

Tiró.

—No está mal —dijo George—. ¿Te suena el nombre?

No estaba seguro, pero negó con la cabeza.

—Es un nombre que a lo largo de los años se ha visto conectado con esa vida tan especial, ya sabes.

Nick se desplazó agachado hasta el extremo más alejado de la mesa, estudiando su próximo tiro.

—¿Sabes a qué me refiero? Padre, tíos, primos, hermanos.

—Esa vida tan especial.

—En la vida meterías la cuatro. Deberías estar estudiando cualquier otra cosa menos la cuatro —dijo George—. La gente que lleva esa vida.

—Esa vida —dijo Nick.

—*Malavita*. La que, una vez que uno entra, ya no hay quien salga.

Nick lanzó una ojeada al individuo en cuestión, de cuarenta años acaso, robusto y grueso, dotado de una densidad corporal carente de adiposidades y flacideces; dura, sólida, construida a base de la mala fortuna de otros como él, a base de esos desdichados sucesos que ocurren en la ciudad y que te hacen más fuerte.

—Entretanto, deberías estar estudiando la dos. La cuatro no es tu tiro, Nicky.

—La bola dos.

—*Madonna*, ¿qué tengo que hacer, enviarte una comunicación grabada en oro?

—Esa vida —dijo Nick.

—Esa vida tan especial. Bajo la superficie de las cosas corrientes. Y organizada de tal modo que en cierta medida adquiere mayor sentido, si comprendes lo que quiero decir. Tiene más sentido que la vida de mierda que llevamos los demás.

Nick siguió estudiando la mesa unos instantes más.

—¿De modo que éste es el tipo que mandó a Walls, ya sabes, al hoyo?

—¿Qué voy a saber yo? Yo no sé nada, ni quiero saberlo, ni siquiera quiero seguir hablando más del tema.

—No más, no más.

—Tira —dijo George.

Mario Badalato. Era posible que el nombre le sonara de algo.

Echaron un par de partidas y George le fue dando pistas e indicaciones y un tipo de la mesa contigua cantaba al ritmo de una canción popular.

—No sé por qué pero tengo carmín en la bragueta. Qué chupada tan discreta.

—Casi hace tiempo de playa, George.

—¿Y eso te alegra? Odio la playa. Solía trabajar en la playa.

—No me digas que de salvavidas. Pobres niños ahogados.

—Qué listo. Solía vender helados. Hace años de esto. Treinta y cinco grados y con una nevera a la espalda que pesaba una tonelada.

—Aún hay tíos de ésos.

—Teníamos que llevar salacots. Como en África.

—Aún los llevan.

—No quiero volver a ver una playa en mi vida. Ahí te viene bien la nueve. Mira. Tienes un tiro precioso.

Para George ya era hora de volver al restaurante. Estaban disputando una partida de gin rummy, y Nick se quedó mirándola hasta que se aburrió y llamó al perro para sacarlo a dar una vuelta.

Se puso a pasear por el parque Mussolini mientras el perro se dedicaba a escarbar en los macizos de tierra. Vio pasar una grúa que iría fácilmente a ochenta por hora, y el conductor rodeó la rotonda como un jinete de rodeo, inclinado como para saltar. Un tipo llamado Grasso se le acercó, habían estado en la misma clase en tiempos, y señaló en diagonal a dos tipos que había al otro lado de la calle, en el restaurante, frente a la barra exterior, comiéndose algo de pie, dos negros con chaquetas deportivas.

—Salen de la bolera. Se acercan al mostrador y piden yo qué sé qué.

—¿Les habías visto antes?

—¿Aquí? Nunca habían venido aquí.

Los dos tipos depositaron sus tazas de cartón sobre la barra y se encaminaron hacia la Tercera Avenida, y Nick y Grasso les siguieron con el perro pisándoles los talones. Los tipos sabían que había alguien tras ellos. Tampoco es que se volvieran. Pero Nick advirtió cómo dejaban de hablar y cómo sus zancadas parecían, tal vez, algo más tensas.

—¿Qué pone en las chaquetas?

—Hawks, creo.

—¿Habías oído hablar de ellos? —dijo Nick.

—Nunca. ¿Hawks? ¿Qué coño, Hawks? Aparte de que no creo que sea un equipo. Opino que será una banda.

Pasaron junto a la funeraria y recorrieron una manzana y media de la Tercera Avenida a lo largo de las sombras a franjas del metro elevado y finalmente los dos tipos se detuvieron y se volvieron hacia ellos.

Nick y Grasso se acercaron.

—¿Hawks? ¿Qué es eso de Hawks? —dijo Grasso.

No respondieron. Uno de ellos ya estaba preparado, el otro aún se lo estaba pensando.

—¿Vivís aquí, los Hawks? Porque no me parece haber visto anteriormente a ningún Hawk.

No respondieron.

El perro les dio alcance y comenzó a olisquear los pies de uno de los tipos.

—Sería mejor, ya sabéis, especialmente de noche, que os quedarais en vuestro barrio. Y por el día también —dijo Grasso—. Pero especialmente de noche, porque de otro modo la gente puede pensar lo que no es.

El tren pasó sobre sus cabezas con un traqueteo estruendoso y todos aguardaron a que se hubiera alejado. Pero los dos tipos seguían sin decir nada.

—Sigo sin saber qué significa Hawks. Lo he preguntado educadamente. Pero no oigo que nadie me lo explique.

Los coches escurriéndose en torno a los pilares del paso elevado para girar. Y *Mike el Perro* olisqueando el zapato del tipo y el tipo como sacudiéndolo, con una especie de temblor que hizo retroceder al animal, y Nick se adelantó y le propinó un puñetazo.

Un coche se detuvo a mitad de la curva.

Nick se adelantó y le golpeó una vez, un golpe entre regular y bueno que le alcanzó en la sien cuando intentaba agacharse para esquivarlo, y el coche se detuvo de repente y de su interior descendieron cuatro sujetos que dejaron las puertas abiertas en mitad de la calle.

Eran tipos procedentes del otro salón de billar. Turk y sus amigos caraculos, y uno de los negros echó a correr, pero el otro permaneció allí, mirándoles airadamente, seis blancos y un perro marrón más o menos rodeándole.

Nick medio sonrió a Turk.

—Le había dado una patada a mi perro —dijo.

El que aún estaba allí era el que había recibido el golpe, y miraba a Nick, iracundo, y Nick se encogió de hombros y sonrió, y el tipo se volvió y se alejó lentamente y los otros cuatro sujetos aspiraron profundamente y se ajustaron los pantalones y regresaron al interior del coche. Las portezuelas se cerraron con sendos portazos y el vehículo se alejó.

Grasso dijo:

—Ese puto Turk.

—Desde luego.

—No sé qué rey de mierda se cree que es en este planeta.

—Desde luego —dijo Nick.

—¿De dónde has sacado ese animal?

—Vive donde Mike.

—Nunca había visto un bicho tan feo.

Nick fingió asestarle un golpe en la cabeza y regresaron caminando hasta las calles iluminadas, seguidos por el rugido del paso elevado.

Cosa de un mes más tarde el hombre estaba de regreso en el salón de billar, una noche, ya tarde, apoyado en la barra con Mike, los dos comiendo *ziti* al horno en platos de estaño.

Mike encendió la lámpara de la mesa en la que estaba jugando Nick.

Cuando Nick alzó la mirada, dijo:

—Ven aquí.

Nick se acercó con andares presumidos, como si estuviera a punto de conocer a su futuro suegro.

—Aquí, Mario, tiene algo que decir de lo que deberías enterarte. Mario conoció a tu padre poco después de la guerra. Durante la guerra y después de la guerra.

Badalato estaba situado de espaldas a la sala, y Nick rodeó la barra y se aproximó a Mike para poder verle la cara al tipo.

Tenían ante sí sendos vasos de vino, algo que Nick nunca había visto allí y también un bote de pimentón que se pasaban el uno al otro mientras comían de pie. Cada bocado de *ziti* arrastraba tras de sí largas hilachas de mozzarella.

—Conocí a tu padre, a Jimmy. Me gustaba Jimmy.

Nick no podía evitar ser consciente de la importancia del momento, un hombre que lleva esa vida tan especial que está a punto de hablarle de su padre.

—Ya me ha dicho Mike. Me ha dicho, el hijo de Jimmy viene por aquí. Jimmy Costanza. Y yo le dije, Hace tiempo que no le oía nombrar. Me gustaba Jimmy, le dije.

Y la importancia del propio sujeto, las gruesas manos y las espesas cejas y la densa cabellera y la nariz ligeramente achatada, como la de un boxeador.

— Y le dije, ¿qué le dije? Que Jimmy tenía talento, ese tipo, el señor invisible.

Nick no podía evitar ser consciente del peso del momento. Pero también despertaba en él recelo, se mostraba dubitativo, quería decir algo trivial porque todo lo que tenía que ver con su padre despertaba en él un sentimiento de aprensión.

—Por lo que me dice Mike, crees que no fue algo que decidiera tu padre. El modo en que desapareció. Alguien le metió en un coche. Eso es lo que tú crees, en tu papel de hijo, que le pasó al hombre. Y que se lo llevaron a algún sitio. Pero tengo que decirte una cosa.

Badalato dio un sorbo de vino del pequeño vaso cuadrangular.

—Nadie podría haberle hecho nada a tu padre sin que yo me enterara. Debo decírtelo. Me habría enterado. Y aunque no lo hubiera sabido con antelación, lo que no es muy probable, pero incluso aunque así hubiera sido, me hubiera enterado después. ¿Comprendes lo que te digo? No es posible que algo así hubiera sucedido sin que yo me enterara más pronto o más tarde.

El cálido aroma de la comida estaba despertándole a Nick el apetito, y no pudo evitar preguntarse cómo podían haber llevado la comida hasta allí desde un restaurante y que aún siguiera humeando.

—Me caía bien tu padre. No creo que Jimmy tuviera enemigos de importancia. Debía dinero, ¿y qué? Cuando alguien te debe dinero, llegas a un acuerdo. Hay modos para hacer estas cosas mediante sencillos métodos de negocios, del mismo modo que Mike tiene su negocio, del mismo modo que un comerciante de tejidos tiene su negocio. Compras un traje, dejas tanto de depósito y pagas tanto al mes. Te compras un coche y lo mismo.

El hombre miraba a Nick mientras hablaba. No pretendía parecer superior ni desenvuelto. Quería establecer una conexión sincera y decir lo que tenía que decir.

—Jimmy no estaba en situación de poder insultar a alguien tanto como para que tuvieran que molestarse en hacerle algo. No pretendo ofenderte pero era un tipo de poca monta. Su negocio era muy reducido. Corría las apuestas de clientes pequeños. En su mayor parte apuestas mínimas. Eso es lo que hacía. Tíos que barren las fábricas y gente así. Tienes que entenderlo. Jimmy no estaba en situación de verse amenazado por nadie de importancia.

Nick le observó mientras se llevaba a la boca un nuevo bocado. No podía evitar sentirse agradecido. El tipo estaba allí de pie, hablándole. Estaba dedicando tiempo a contarle algo que pensaba que aplacaría la inquietud mental de Nick.

—Se lo agradezco —dijo.

—Me gustaba tu padre. Y yo mismo sé lo que es perder un padre a tan temprana edad. En mi caso, por culpa del cáncer.

—Que me dedique su tiempo. Se lo agradezco.

—Olvídalo. Anda a terminar tu partida —dijo el hombre.

Nick aún conservaba el taco en la mano. Señaló con un gesto la luz de la mesa de billar.

—Mike, prométeme que no me cobrarás el rato que habéis pasado comiendo *ziti*.

A los dos les gustó aquello. Regresó a la mesa y concluyó la partida con Stevie y Ray. Querían saber de qué había estado hablando con los dos tipos del mostrador.

Él pensó en responder con una broma idiota pero no dijo nada.

Le agradecía el tiempo, sinceramente, pero no se creía en la obligación de aceptar la lógica del argumento. Aquella lógica, decidió, no le convencía.

Allí jugaban a las cartas, al *pinochle*, y bebían vino casero, en el cuartito situado bajo la zapatería, junto al oscuro pasillo que conducía a los traspatios.

Bronzini acudía a mirar, y ocupaba el asiento de los que se iban, pero en general era un mirón, no se mezclaba con nadie, y se contentaba con disfrutar de la compañía y con probar el vino, a veces bueno, a veces demasiado fermentado, más adecuado quizá para aliñar las ensaladas.

Tenía prisa por hacerse viejo, le dijo Klara. Por qué si no iba a sentarse allí con los abuelos del barrio, algunos de los cuales casi le doblaban la edad, por qué iba a pasarse tardes enteras discutiendo y charlando sin sentido.

Fuera, bajo el espeso y parsimonioso calor, los gatos dormían a la sombra y los viandantes caminaban pegados a los muros de los edificios, si es que salían, moviéndose torpemente bajo la inesperada canícula.

Allí abajo, en la habitación del sótano, la atmósfera era seca y apacible y reinaba un fresco de cripta, apacible salvo por las voces, claro, y a él le gustaban las voces, ruidosas, groseras, divertidas, a menudo poderosamente argumentativas, menudos oradores todos aquellos tipos, actores, declamadores, maestros del insulto, siempre en busca de un instante de trascendencia.

John, *el Portero* dejó escapar un pedo mastodóntico.

Les habló de la basura que solía manejar en la época en la que había trabajado de portero en el centro, temporalmente tan sólo, en un gran edificio de apartamentos, con ascensores, conserjes, tintorerías a domicilio, taxis a diestro y siniestro.

Mannaggia l'America.

Este condenado país tiene basuras comestibles, basuras que son mejores que lo que en otros países se sirve en la mesa. Tienen basuras con las que uno puede amueblar la casa y dar de comer a sus hijos.

Jugaban y apostaban y emitían sonidos sibilantes para reconocer, efectivamente, el opulento botín de ropas que la gente tira a la basura y que uno puede ponerse con toda tranquilidad.

Albert les hablaba de los antiguos mayas. Aquella gente no enterraba a sus muertos con relucientes joyas ni con otros objetos de valor. Empleaban objetos viejos y rotos. Enterraban jarrones quebrados con los muertos, o tazas desportilladas y brazaletes sucios. Utilizaban a sus muertos como un perfecto sistema para deshacerse de la basura.

La historia satisfacía a los jugadores. Resultaba de lo más satisfactoria. La falta de respeto hacia los muertos era como una agradable broma, cruel y divertida, especialmente para hombres ya de cierta edad. Una broma a costa de los muertos era una broma estupenda. Una broma con cojones.

Allí, Albert se sentía aislado de un modo sumamente reconfortante, con el chasquido de las cartas, los jugadores apostando cantidades con ademán dramático, el vino impregnando su organismo, y supo finalmente por qué había algo familiar en aquellas tardes perdidas bajo el taller de zapatería.

Era como la infancia, pensó. Aquellos días de cama en los que se había visto aislado entre sábanas y almohadones, rodeado de libros y ajedrez, deliciosamente enfermo a veces, con una fiebre que le contraía sobre sí mismo, unos sudores desbordantes y unos sueños de colores líquidos, solitario pero no desdichado, su habitación un mundo, un lugar seguro para dar rienda suelta a la imaginación.

Liguori ya no bebía vino, el grabador, porque tenía mal el hígado. Hablaba de los músicos callejeros que solían acudir por allí, un violinista y un trompetista, y de cómo la gente envolvía monedas en trozos de papel y las arrojaba por las ventanas.

—*Quanta sold'?*

Solía decir su mujer, Cuánto va a costarme oír tocar el violín a este *cafone*? Pero ya habían dejado de ir por allí. Estaban todos malos del hígado, o apenas tenían un estómago sano entre todos, o el ruido del tráfico, según Albert, hacía inútil cualquier intento por escuchar música.

Los jugadores hablaban casi siempre en inglés, pero recurrían al dialecto cuando alguna idea necesitaba de un empujón o de un impulso para situarse en un ámbito más familiar. Y era curioso cómo Albert, con poco menos de cuarenta años, experimentaba sus vejeces en su interior, especialmente allí, a medida que las voces le remontaban a sus primeros recuerdos, las mismas palabras arrastradas, las vocales elididas, el lenguaje vulgar, con lo que el inglés se convertía en el sonido del presente y el italiano le hacía retroceder en el pasado, con la más mínima entonación, como un lenguaje inexorablemente marcado por el pasado.

Alguien desalojado de su vivienda, echado a la calle, con sillas, mesas, cama, a la vuelta de la esquina: la cama, decía John, el portero. Con su estructura, su somier, su colchón, sus almohadas, todo en mitad de la acera.

Porca miseria.

Qué terrible era aquello, qué absoluta humillación para el espíritu. Eres como un museo de la pobreza. La gente pasa y mira.

La cama, los platos y los vasos, la maleta con la ropa, un par de zapatos viejos en una bolsa. Imagínense, los zapatos. Y pasan junto a ti y miran. Quién dice esto, quién dice lo otro, quién se sienta en su silla, quién señala desde un coche. Debería darles vergüenza mirar así. Los zapatos de un hombre sobre la acera.

Siempre estaba el tema del vecindario y de quién se iba y quién se incorporaba, rozando los límites. *Tizzoons*. Una palabra que Albert hubiera querido que no emplearan. Una palabra de dialecto del Sur, corrompida, arrastrada, insultante, derivada de *tizzo*, presumía él, un ascua o un rescoldo, y ampliada a dimensiones humanas en *tizzone d'inferno*, canalla, villano. Pero la palabra que empleaban sugería algo infernal, algo diabólico que la hacía aún más impronunciable, en cierto modo, que negrata. Pero la pronunciaban, claro está, aquellos hombres, aquellos inmigrantes hijos de inmigrantes, las hordas que amenazan el apacible sueño de la sociedad, los que se pasan la vida llegando e instalándose. *Tizzoon*. Disfrazaban la palabra. Aguzaban los ojos y apenas movían los labios. Pero la pronunciaban, la medio siseaban de un modo que hacía que Albert prefiriera no haberles oído.

Spadafora les habló de una máquina de lavar que era automática, en la que la mujer sólo tiene que ajustar un control y salir por la puerta y la máquina, lava, aclara, centrifuga, seca y se detiene: todo automático.

Sacudían la cabeza y emitían sonidos sibilantes y musitaban maldiciones de rutina, asombrados de la suerte que tenían de encontrarse allí, asombrados y confusos, buscando el modo de acostumbrar su escepticismo a las maravillas que día a día se desenvolvían ante sus ojos.

En aquella ocasión, el vino no era tan bebible como otras veces. Era el vino del propio zapatero, Guido, y en cualquier caso tampoco estaban en época de vino, y Albert anhelaba ser una persona más responsable. Ansiaba ser un alma seca y sabia (Heráclito), menos negligente e indeciso, más dispuesto a vislumbrar el corazón de los temas complicados.

Tenía que mear, y el portero le dijo que había una pila que podía utilizar y le indicó cómo llegar a ella a través de aquel laberinto de pasillos.

Pasó junto a cuartos de almacén y cubos de basura vacíos.

Luego, salió a un patio y vio la puerta que había descrito el portero y entró en el edificio colindante.

Durante largo tiempo quiso creer que ella era la encargada de albergar las ambiciones que a él le correspondían. Pero ahora ya no estaba seguro de ello. Había pensado que ella querría verle presentándose como candidato para jefe del departamento, que se comprara un coche, que se comprara una casa. Y pensó que aquellas ambiciones iban a quedar sin cumplirse, lo que la convertía en una persona irritada y distante a veces. Pero ahora ya no estaba seguro.

Recorrió los pasillos de los sótanos, bajo hileras de tuberías de cobre. Encontró el cuarto de las escobas y orinó en la pila. Allí estaba su niñez, en las voces de su madre y de su padre, reservadas, suspicaces, asustadas a veces, y en los sonidos sibilantes que emitían para señalar la desconfianza que les producía ese mundo desconocido que se extendía a su alrededor.

Oyó el sonido de una radio a la vuelta de una esquina y decidió seguir la procedencia del mismo, música, dulzura, cuerdas, la cabeza despejada y la vejiga vacía, el sempiterno Albert gregario, curioso por ver qué clase de compañía podría encontrar allí.

Dobló la esquina y se detuvo junto a una mesa desechada a la que le faltaba una pata.

George Manza, George, *el Camarero*, estaba sentado en una silla en medio de un cuartucho destartalado. Había algo en él. No estaba amodorrado ni abstraído, pero había en él algo. Estaba despierto, pero no reaccionaba. Y había algo que impedía hablar a Albert.

Permaneció en el umbral, observando.

Reinaba en la estancia una cierta miseria anónima. Era una habitación en la que uno podía probablemente pasar un rato sin llegar a determinar con claridad qué contenía. Una colección de objetos perdidos y encontrados, de cosas misceláneas y de colores anónimos y desvaídos, y cosas que estaban allí almacenadas no para su futuro uso sino porque a algún sitio tenían que ir a parar.

George estaba sentado de perfil, levemente agazapado y respirando a través de la nariz, lentamente, aspirando y espirando en largos intervalos, desarrollando una pequeña existencia con cada inspiración.

La puerta estaba entreabierta, y Albert observó el interior.

Apenas había siete centímetros entre la puerta y el marco, cinco, siete centímetros tan sólo, pero lo suficiente como para ver lo que hubiera que ver. Ignoraba qué podía ser exactamente.

El hombre contemplaba la pared de enfrente con la mirada fija. Había algo tan descarnado en su aspecto que Albert pensó que no tenía derecho a ver aquello. Hacía varios meses que no veía a George, o incluso más, y George mostraba un aspecto diferente, más delgado, más menudo, severo, sentado bajo una radio instalada sobre un estante, una radio que emitía una música tan ajena a él que Albert experimentó el impulso de apagarla.

Pero permaneció donde se encontraba, en aquel pasillo oscuro. Estaba siendo testigo de algo completamente oculto, algo innombrable en aquel hombre postrado, en aquel hombre taciturno con el que tan difícil era trabar amistad. Se sintió culpable por espiar el interior de la estancia y culpable nuevamente por alejarse, por retroceder, pero retrocedió en silencio y giró en dirección a la luz de una bombilla que colgaba del techo.

Descendió por el pasillo que no era y llegó a un lugar aún más estrecho, con tuberías que recorrían las paredes horizontalmente y un hedor de cloaca que comenzaba a emerger a su alrededor. Pasó sobre una rejilla de desagüe en la que el olor era más profundo, un triste desecho humano, y tardó un rato en encontrar la puerta de salida.

Mike, *el Corredor* solía hacer una floritura con la mano. Un gesto amplio y romano, con la mano recta y paralela al suelo, como un gesto de enterramiento o un modo de aplicar la palabra *finis* a algo de importancia.

Aquella noche, Albert y Klara hicieron el amor a la luz de la luna. Resultó algo dulce y sencillo y aparentemente interminable, un amor tan perdido en el tiempo que ambos pensaron que habían encontrado una vida espiritual que les protegería de las imperfecciones humanas, con un pequeño ventilador zumbando en un rincón y un aria que flotaba procedente de una radio que alguien había sacado a una de las escaleras contra incendios.

No estaba seguro de quién era ella, tendida junto a él en la oscuridad, pero eso era algo que podían superar juntos.

8

Arriba, en las azoteas, en las playas del asfalto, se ponían aceite solar en los brazos y piernas y se sentaban en toallas, vestidas con pantalones cortos, las chicas, o vaqueros remangados hasta las rodillas, y se embadurnaban los rostros y se sentaban a escuchar un transistor portátil hasta que el calor era demasiado intenso para soportarlo y entonces se quedaban sentadas un rato más.

Cantaban las canciones más oídas de la semana al unísono con la radio, los cuarenta principales, y se sabían las letras, las pausas, los descensos y los giros, todas las entonaciones perfectas, pero sólo las canciones que les gustaban, por supuesto.

El alquitrán se reblandecía y humeaba, y el calor caía a plomo y los moscardones verdes se adherían a sus cuerpos y al otro lado de la calle el chaval de las palomas provocaba vuelos en espiral de sus aves con una vara de bambú, y a veces sacudía una toalla, y silbaba como un policía de tráfico, y su bandada se fundía en el aire con una bandada rival que anidaba a tres manzanas, un tumulto y un torbellino de cien aves, y otros pájaros más jóvenes se lanzaban a volar con la bandada que no era y resultaban capturados y a veces muertos, eliminados según las normas del volador rival de la azotea contigua, y al cabo de un rato las chicas tenían que marcharse porque el sol, sencillamente, resultaba demasiado abrasador, entonando las canciones con sus letras mientras enrollaban sus toallas.

Tomaron el autobús hasta la playa y la gente seguía subiendo y Nick se quedó atrapado al fondo del vehículo con Gloria en lugar de con Loretta. Se colgaron de las asas y cada vez que el autobús giraba o se detenía se producía cierto grado de contacto corporal que era inevitable, aunque podrían haberlo evitado, y Nick permanecía quieto como si fuera de mármol y Gloria sonreía y el viaje resultaba ser un trayecto poco más o menos que interminable.

La Sección 13 era la sección dragada de la playa pero emplazaron sus toallas en el primer hueco disponible porque estaban allí juntos y la playa estaba tan atestada como el autobús.

Había tíos que se subían a las espaldas de otros tíos y peleaban con las manos desnudas, los jinetes, en las aguas superficiales.

Toallas con radios, comida, sombrillas alquiladas, cuerpos arenosos apretujados, jugadores de naipes, gorras marineras, aceite solar.

Loretta salió del agua y él le arrojó una toalla, la única que habían llevado consigo, cuatro personas, y la observó mientras se situaba sobre ella, en una vasta nación arenosa de toallas, en aquella playa con forma de herradura que se extendía hasta sendos espigones de rocas en ambas direcciones, y contempló a Loretta mientras ésta se sacudía el agua del cabello y se introducía en los oídos los dedos envueltos en la toalla.

Un tío se puso a hacer el pino y se desplomó sobre una toalla que no era la suya y se cruzaron miradas y palabras y la gente se puso a sacudirse arena de encima.

JuJu se puso en pie para untarse el cuerpo con aceite.

—Vamos, que te vean —dijo Gloria.

—El levantador de pesas —dijo Loretta.

—Enséñales los antebrazos, JuJu.

—Tiene gracia lo que puedes hacer en una playa —dijo Loretta—: cosas que si las hicieras en la esquina de una calle te tirarían piedras.

—Vamos, flexiónalos, te están mirando —dijo Gloria.

Un vendedor de helados iba abriéndose paso entre las toallas, vestido enteramente de blanco, el rostro sonrosado bajo el sol del mediodía, y si te comprabas un polo doble era imposible alcanzar la segunda mitad sin que se te derritiera en la mano.

Nick se zambulló en el agua y sintió el golpe brutal al emerger, los pulmones tensos y los ojos abrasados de sal, el estimulante cambio entre dos mundos.

Las mujeres quitaban los bañadores mojados a sus hijos y los envolvían previamente en toallas y luego los vestían, con ropa interior y todo, aún enfundados en las toallas, como si realizaran números mágicos de contorsión en el desierto.

Loretta estaba tendida boca abajo en la toalla, dormida, la espalda encostrada de arena, y él se tumbó junto a ella y se apoyó sobre el codo, soplándole suavemente sobre el hombro.

En el viaje de vuelta tenían el asiento trasero del autobús para ellos solos, justo encima del motor, notando el calor que ascendía, y se amodorraron apoyados en los hombros unos de otros, los rostros crispados por el sol y una leve picazón en los ojos, fatigados, hambrientos, felices, mientras el autobús vomitaba calor bajo ellos.

Se detuvo en la oscuridad del pasillo y la observó.

—Gloria, eres malísima.

—No soy mala. Tú eres malo.

—Eres malísima.

—Si yo soy mala, ¿qué eres tú?

—Gloria, ven aquí, Gloria.

—¿Qué quieres?

—Ven aquí un momento.

—¿Que vaya para qué? ¿Para qué quieres que vaya?

—Eres una guarra, Gloria.

—¿Qué quieres?

—Eres una guarra, Gloria.

—Di algo agradable, Nicky.

Ella sonreía; él, no.

—Eres mala. Eres malísima.

—¿Yo soy mala? ¿Quién es el malo?

Meneaba las caderas bajo sus manos y sonreía.

—Eres una guarra arriba, abajo, a izquierda y a derecha. Eres una guarra absoluta se mire como se mire.

—Intenta decirme algo agradable para variar —le dijo ella.

Nick extrajo la última caja de botellas vacías a través de la trampilla y la deslizó en uno de los costados del camión. Luego, se sentó en el camión con Muzz, el conductor, al que le chorreaba el sudor por la camisa, comiéndosele los colores y tornándosela gris de arriba abajo.

—Por mí, vale.

—Vamos ya.

—Por mí, vale. Pero esto es ridículo —dijo Muzz.

—Vámonos, vámonos.

—Me levanté esta mañana. No podía creérmelo. Me dije a mí mismo.

—Conduce, conduce. Me estoy muriendo.

—¿Te has tomado tus comprimidos de sal? Tómate tus comprimidos de sal.

Cuando se detuvieron ante un semáforo, un coche les embistió ligeramente por detrás.

Muzz echó una ojeada por el espejo retrovisor.

—Me has dado en el parachoques, gilipollas.

El tipo del coche dijo algo.

—Me has dado en el parachoques, gilipollas.

El tipo dijo algo.

—¿Qué pretendes hacer? —dijo Muzz.

El tipo siguió hablándole a su parabrisas.

—Pregúntale —dijo Nick— dónde le han dado el carnet.

Muzz sacó la cabeza por la ventanilla pero no se volvió hacia el automóvil que les seguía.

—¿Dónde te han dado el carné para conducir esa mierda que llevas?

El tipo le dijo algo al parabrisas.

—Pregúntale si se lo han dado en unos grandes almacenes o dónde —dijo Nick.

Muzz miró por el retrovisor, aproximando el rostro a dos centímetros del cristal.

—¿En unos grandes almacenes, gilipollas?

El semáforo se abrió y los demás conductores accionaron sus bocinas.

—Enfádate —dijo Nick—. Dile que le vas a meter la palanca del gato por el culo.

Muzz tenía el rostro a dos centímetros del espejo y hablaba lentamente dirigiéndose al cristal. El sudor le corría por la hendidura de la rabadilla, hasta los pantalones. Los de detrás seguían tocando la bocina.

Ahora, la escuela estaba vacía, y la hermana recorría los pasillos a veces, mirando en el interior de las aulas. Los otros se habían marchado, estaban pasando el verano en la Casa General o visitando parientes en otros lugares o realizando estudios doctorales por los campus, compartiendo senderos a la sombra de los árboles con ateos y rojillos.

A veces le resultaba duro a la hermana Edgar, con las aulas silenciosas y los pasillos tan carentes de vida, saber quién era ella misma.

Había otro par de monjas que iban y venían, y estaba el portero filipino, Miguel, que fregaba los suelos de los pasillos aunque llevaran días sin pisarse, una práctica que la hermana, por supuesto, admiraba, porque nunca podías limpiar algo tan infinitesimalmente que no pudiera necesitar una nueva limpieza nada más terminar.

Sola en su celda, vestía una camisola sencilla y leía *El cuervo*. Lo leyó numerosas veces, memorizando sus líneas. Quería recitarle el poema a su clase cuando el colegio reabriera sus puertas. Su poeta homónimo, sí, y ese oscuro graznido del poema que le hacía sentirse nuevamente edgariana, moldeada, delineada, vocalizada, en ausencia de sus chicos y sus chicas.

Sus revistas de *fans* estaban apiladas en el armario. Había una imagen de Jesús apoyada sobre el candelabro. Un pequeño espejo solía colgar sobre el lavabo, pero la hermana lo retiró porque le desconcertaba verse sin velo. Cabellos, cuello, hombros, el semblante desnudo: todas aquellas eran cosas que había dejado atrás al tomar los hábitos. La conmoción del cuerpo, revelada. La subsistencia individual, con el pelo rapado y los hombros huesudos. Una imagen contra la que resguardarse, más desnuda aún que las aulas vacías del verano.

Memorizaba las líneas y ensayaba los ritmos y las repeticiones. Deambulaba por el suelo, organizándose un sistema de gestos e inflexiones. El sexto curso le correspondía a ella, y quería asustar un poco a los niños. Era la monja que les había tocado aquel año, y les daba clase de ocho asignaturas distintas. Un profesor de dibujo acudía cada dos semanas y también un profesor de música, con su diapasón bucal y su perfume afrutado. Por lo demás, era cosa de la hermana.

Les ponía notas incluso en Higiene, dependiendo de los días que hubieran faltado o llegado tarde, y del número de veces que hubieran solicitado ir al cuarto de baño, y el grado de suciedad y roña que llevaran incrustadas bajo las uñas o en las grietas de las palmas de las manos.

Y quería enseñarles a tener miedo. Ése era el núcleo secreto de su enseñanza, y comenzaría con el poema, la profecía, la soledad y la muerte, y les haría estremecerse en sus zapatos recién estrenados para el colegio.

Deambulaba por el suelo de la celda y recorría los pasillos vacíos y memorizaba las líneas. Pronto, regresaría, con sus uniformes azules y blancos, sus cuadernos nuevos, sus plumas acabadas de llenar, las oscilantes mochilas asidas por sus suaves puños, y ella los dispondría a lo largo de los muros según su estatura y los sentaría en orden alfabético e inspeccionaría sus manos y sus uñas y les golpearía en las palmas con una regla cuando fuera necesario.

Sabrían quién era ella, y ella también lo sabría.

Y les recitaría el poema, encorvando el dedo en dirección a sus corazones. Se convertiría a la vez en el poema y en el cuervo, en el ave de perfil romano, surgiendo del fondo infinito del cielo y abalanzándose sobre ellos.

En aquellas noches de verano, las mujeres de los pisos más elevados no podían fregar los platos porque la boca contra incendios estaba abierta, con los críos bailando sobre el abanico del chorro, y no había suficiente presión para impulsar el agua a través del edificio.

Todos los movimientos vueltos hacia el aire, la noche, las cabezas asomando por las ventanas, las mujeres comiendo melocotones en oscuras ventanas, riéndose allá arriba, entre las sombras, mujeres a la espera de un soplo de brisa y hombres en camiseta sentados en los escalones de la entrada con la radio puesta, escuchando un partido de béisbol que se disputaba en la aireada Cleveland.

Chavales corriendo, sudando, descamisados, un chiquillo con un puñado de costillas desnudas recorriendo su torso. Otros críos haciendo cola en la entrada posterior del camión *Bungalow Bar*, helados y polos de naranja, y ahí está el niño con la lengua manchada de tinta, siempre hay un niño que lleva la lengua manchada de tinta. Negro-azul de Waterman. ¿Qué hace, se lo bebe?

Mujeres en el porche descubierto de una casa particular, sentadas en la oscuridad y charlando.

Chavales algo mayores en bicicletas alquiladas, a diez centavos la hora, y niñas que se montan con algunos de ellos, sentadas de través sobre la barra, y los chiquillos que atraviesan el chorro de agua, haciendo feliz a todo el mundo, a los que están sentados frente a las casas, a las que asoman la cabeza por las ventanas, a las niñas que chillan desde las bicis y a los más pequeños, que se apartan para dejarlas pasar, todos felices unos con otros, y por fin ese crío que se ha puesto el bañador de su hermano y que sostiene una lata de café frente a la embocadura del poste para desviar el chorro de agua, para convertirlo en un géiser cada vez más ancho y más alto.

Luego, los jóvenes se detendrán en las esquinas para fumar a medida que van apagándose las luces, distrayendo la noche con sus chanzas, y la gente dormirá en las escaleras contra incendios, aquí y allá, porque afuera corre un soplo de viento. *Finalmente.* Una brisa de nada, apenas perceptible, que lo cambia todo.

Nick estaba sentado, leyendo una revista, mientras los golpes cavernosos rebotaban del muro del fondo, ocho pistas más allá.

—Nicky, ¿qué te cuentas?

—Qué hay, Jack. Me cuentan que ya eres un hombre casado.

—Fui y lo hice. No me arrepiento.

—¿Te deja salir a jugar a los bolos?

—Sólo a jugar a los bolos —dijo Jack.

Lonzo se hallaba agazapado al fondo de la pista, probablemente la única persona de raza negra que podía verse de modo regular en un radio de cinco o seis manzanas. Era un hombre desprovisto de edad: habría resultado difícil determinar si tenía veinticinco años o cuarenta y cinco, y trabajaba colocando los bolos, prácticamente todas las noches, de pie ligero, rasgos elegantes y levemente desfasado. Un poco *stunat'*, el tal Lonzo, y todos se esforzaban por tratarle bien, los clientes habituales de la bolera, porque llevaba la misma ropa durante numerosos días con sus noches y parecía carecer de un lugar fijo en el que dormir y a veces despedía cierta peste a whisky, cuando pasaba con pie alado junto a la barra en dirección a las pistas.

Entró JuJu y se sentó junto a Nick.

—¿Qué te cuentas?

—Cualquier día te toca a ti —dijo Nick—. Te veo casado y con tres niños. Cada vez más gordo y más calvo.

—Anda, vamos a tirar unos bolos.

—Olvídalo. No es lo mío. Te dejará salir a jugar a los bolos una vez a la semana.

—La gente se casa y tiene hijos. ¿Acaso no te parece normal?

—Para mí, jugar a los bolos es como levantar pesas.

—Hazme el favor.

—Es algo que prefiero que se me dé mal antes que bien.

—Anda, hazme este pequeño favor.

—Porque si se te da bien significa que algo anda mal contigo.

—Olvídalo, como si no lo hubiera mencionado, ¿vale?

—Prefiero que me corten en pedacitos.

—Cada vez que ves una película de Charlie Chan. Por cierto, ahora que lo pienso, ¿no me debes cinco pavos de la última vez que fuimos a jugar a los bolos?

—Eso no se paga —dijo Nick.

—¿Y por qué?

—Porque yo no me esfuerzo por ganar. Porque ganar insulta mi dignidad. Gáname al billar y te pagaré los cinco dólares. Si no, *u'gazz'*. Me niego a pagar.

Los habituales se provocaban unos a otros constantemente y decían cosas a las chicas que aparecían de vez en cuando y siempre observaban a los extraños con cierto recelo. Pero procuraban tener paciencia con Lonzo, el hombre sin edad, incluso cuando se mostraba lento o torpe colocando los bolos, una figura pajaril siempre agazapada al fondo de las pistas, de ojos blancos bajo la lluvia de madera.

JuJu encontró a alguien con quien jugar y al cabo de un rato Nick dejó a un lado la revista y se marchó.

—Eh. Sé bueno, ¿vale?

—Sé bueno, Jack.

—Sé bueno.

—Sé bueno —dijo Nick.

Reinaban por fin la oscuridad y el silencio, y ascendió por la estrecha calle en dirección a su edificio, pero al final se desvió por la puerta de una verja obedeciendo a un impulso y descendió los escalones en dirección a los traspatios.

No había luz en el pasadizo exterior, y fue tanteando las paredes en busca de la puerta de acceso al interior. Percibió el aroma a piedra húmeda en la zona en la que el portero había estado regando los suelos. Entró y pasó junto al cuarto de calderas hasta alcanzar la puerta que había al final del pasillo.

Aún le producían cierto desasosiego el sótano, la aguja, la goma y la cuchara, pero poco a poco iba desvaneciéndose en el tiempo, como algo medio perdido en el entramado de un millar de cosas.

George estaba como siempre en la habitación, haciendo un solitario.

—Supuse que estarías aquí.

—Aquí abajo se está fresco.

—Eso pensé —dijo Nick.

George recogió las cartas, las apiló y las barajó. Nick se sentó al otro extremo de la mesa y George repartió tres cartas por barba y volvió un as de tréboles e iniciaron una partida.

—El problema de las cartas, cuando juegas por dinero —dijo George—, y te concentras en todos esos números y colores durante horas y horas, cuando juegas al póquer hasta la madrugada, es que no hay quien pueda echar una puta cabezada al llegar a casa.

—Tienes la mente demasiado activa.

—No hay quien eche una puta cabezada.

—Tienes la mente a cien por hora.

—Pero si echas una partida amistosa de brisca. Puede que te quedes dormido al cabo de una hora o dos.

—¿Tienes problemas, por lo general, para dormir?

—Tengo problemas para dormir. Y también tengo problemas para mantenerme despierto.

Reían y jugaban a las cartas. Jugaron durante una hora y charlaron de cosas intrascendentes y se fumaron un par de cigarrillos cada uno y echaron las colillas en una vieja botella de cerveza.

—Está esto que quiero enseñarte. Lo encontré hace un par de días —dijo George—, en un coche que estaba aparcando junto a la pista de carreras. Se escurrió de debajo del asiento cuando di un giro rápido.

—Esos giros tuyos.

—Yo tengo cuidado. Oye. Si me comparas con otros.

—Respetas los coches que aparcas.

—A los dueños, no tanto. A los coches, desde luego.

Se echaron a reír. George alargó la mano hacia atrás y extrajo un objeto del estante inferior, de debajo de las latas de pintura y los rollos de linóleo.

Era una escopeta, recortada, con un cañón que apenas tenía cinco centímetros de longitud desde el mango y un mango tallado para parecer la culata de una pistola.

—¿Cómo? ¿La has encontrado?

—No quería dejarla en el coche, donde algún irresponsable.

—Déjame verla —dijo Nick.

Alargó la mano sobre la mesa para coger el arma. La sopesó, por así decirlo, entre los dedos y luego se puso en pie para sostenerla de un modo más natural.

—Una cosa sé acerca de las escopetas —dijo George—. Hay que disparar con los dos ojos abiertos.

—Recortarlas es ilegal, ¿verdad?

—Ésa es la otra cosa que sé. Una vez que la has cortado es un arma clandestina.

—A mí me parece vieja.

—Es vieja, está oxidada y desgastada —dijo George—. Es un trozo, básicamente, de chatarra.

Adoptó una pose con ella, Nick, como si fuera la pistola de un pirata o una vieja sílex de Kentucky, si es que así se llaman. Resultaba más natural con dos brazos que con uno, con la mano izquierda en el centro para afirmar la mira y apuntar.

La balanceó en la mano y la alzó. Vislumbró una sonrisa interesada en los labios de George. Tenía el arma apuntando a George. Estaba a un par de metros de George y George estaba en la silla y tenía el arma a la altura de la cintura, lo que significaba que la tenía apuntada a la cabeza de George.

En los ojos de George destelló un pequeño fulgor. Algo raro en George. Ese fulgor en la mirada. Y una expresión interesada recorrió sus labios. Una sonrisilla que no podía ser más mierderamente maliciosa.

—¿Está cargada?

—No —dijo George.

Aquello le hizo sonreír algo más abiertamente. Lo estaban pasando bien. Y tenía una expresión en el rostro que era más brillante y estaba más viva que ninguna otra que nadie hubiera visto en George. Porque le interesaba lo que estaban haciendo.

Nick apretó el gatillo.

En el intervalo alargado de una pulsación de gatillo, esa prolongada fracción de segundo, con una reacción del gatillo que es torpe y áspera, Nick penetró hasta las profundidades de la sonrisa del rostro del otro hombre.

En ese momento, la cosa se disparó y el estruendo retumbó en la estancia, e incluso con la silla y el cuerpo volando por los aires percibió mentalmente la huella del rostro arrugado de George.

El modo en que había respondido que no al preguntarle si estaba cargada.

Le había preguntado si el arma estaba cargada y el tipo había dicho que no y la sonrisa era consecuencia del riesgo, claro está, del espíritu de desafío de lo que estaban haciendo.

Sintió deslizarse el gatillo y a continuación el arma se disparó y él se quedó allí pensando débilmente que no lo había hecho.

Pero primero había apuntado a la cabeza del hombre y le había preguntado si estaba cargada.

Luego había sentido deslizarse el gatillo y había oído el estampido del arma y el hombre y la silla habían salido despedidos en direcciones opuestas.

Y el modo en que el tío le había dicho que no al preguntarle si estaba cargada.

Le preguntó si la cosa estaba cargada y el hombre dijo que no y ahora tiene un arma en la mano que parece haber sido disparada recientemente.

Apretó el gatillo con fuerza y fijó la mirada en la sonrisa que atravesaba el rostro del otro hombre.

Pero primero sostuvo el arma y la apuntó hacia el tipo y le preguntó si estaba cargada.

A continuación, el estampido retumbó en la estancia y él se quedó allí pensando débilmente que no lo había hecho.

Pero primero había apretado el gatillo con fuerza y fijó la mirada en la sonrisa y le pareció que reinaba un espíritu de desafío.

¿Por qué iba a decir el tipo que no, si estaba cargada?

Pero primero, ¿por qué tenía que apuntar el arma a la cabeza del tipo?

Apuntó el arma a la cabeza del tipo y le preguntó si estaba cargada.

Acto seguido, percibió el golpe del gatillo y penetró en la malicia de aquella sonrisa.

Se detuvo ante el cuerpo derrumbado sobre el lodo sangriento del suelo de la habitación, tampoco es que viera la habitación con claridad, y creyó oír un sonido de succión procedente del rostro del hombre, la placenta de un rostro, los restos faciales de lo que en otro momento fuera una cabeza.

Pero primero recorrió mentalmente la secuencia y seguía resultando igual.

Cuando le condujeron hasta el coche patrulla había gente en los escalones de las casas, en bata, algunos, y cabezas en numerosas ventanas, pálidas y contritas, y cierto número de jóvenes se habían acercado a las proximidades del coche, algunos a los que conocía bien y a otros sólo de pasada, y le escrutaron fijamente con expresión solemne, pensando esto es como una historia que ha ocurrido, aquí, en sus propias calles, remotas y corrientes.

EPÍLOGO

DAS KAPITAL

El capital elimina los matices de una cultura. La inversión extranjera, los mercados globales, las adquisiciones corporativas, el flujo de información mediante los medios de comunicación transnacionales, la influencia moderadora de un dinero electrónico y un sexo ciberespacial, dinero que nadie toca y sexo seguro mediante ordenador, la convergencia del ansia de consumo: no es que las personas ansíen necesariamente lo mismo, sino que ansían el mismo abanico de opciones.

Estamos sentados en un pub llamado el Football Hooligan. En la mesa de al lado hay un hombre y llevo un rato esperando que se vuelva hacia aquí para ver si se confirma el increíble parecido.

Estoy hablando con Brian Glassic, el viejo Brian, quien parece escuchar atentamente bajo la música. Esto es algo que llaman rock de culto, ruidoso, sí, pero en su mayor parte taladrante y repetitivo, en una especie de longitud de onda gélida, y Brian está sentado con la cabeza agachada, asintiendo de vez en cuando, ya sea en señal de acuerdo o de fatiga: no es fácil adivinarlo.

Algunas cosas se marchitan y palidecen, se desintegran estados, cadenas de montaje acortan sus turnos e interactúan con cadenas de otros países. Esto es lo que el deseo parece exigir. Un método de producción que satisfaga a la medida de las necesidades culturales y personales, y no las ideologías de uniformidad masiva propias de la guerra fría. Y el sistema finge aceptarlo, volverse más flexible e ingenioso, menos dependiente de categorías rígidas. Pero incluso a medida que el deseo tiende a especializarse, a volverse sedoso e íntimo, la fuerza de los mercados convergentes produce un capital instantáneo que atraviesa los horizontes a la velocidad de la luz, lanzados hacia una igualdad furtiva, un cepillado de detalles que afecta a todo, desde la arquitectura al ocio pasando por el modo en que la gente come y duerme y sueña.

Aquí, la gente come comida rápida de carácter étnico y bebe coñacs de cinco estrellas e inunda la pista de baile y algunos se caen y hay que arrastrarlos semiinconscientes hasta los rincones.

Tengo que bajar la cabeza para hablar con Brian, que parece estar zozobrando en el interior de su copa, pero resisto el impulso de remedar su cabeceo. Cierto es que en gran parte estoy citando observaciones que he oído ese mismo día de labios de Viktor Maltsev, un ejecutivo comercial, pero son observaciones dignas de repetirse, porque Viktor ha reflexionado sobre estas cuestiones en cada pliegue de cada clase de cambio que puede experimentar una sociedad.

Brian murmura que el lugar le parece siniestro. Yo contemplo a los chavales que ocupan el estrado de la orquesta, cinco o seis mozalbetes despeinados que visten pantalones caqui y cartucheras de bombas atravesadas sobre el pecho desnudo: probablemente chiquillos de instituto que han asumido una superficie de terror suicida.

Pero no es la música, dice, ni la banda ni sus atavíos. Y creo saber a qué se refiere. Es esa sensación de desplazamiento y de redefinición. Porque qué clase de designio azaroso puede situar un club como éste en el piso cuarenta y dos de un nuevo rascacielos de oficinas lleno de despachos de corretaje, compañías informáticas, compañías de importación y bancos extranjeros, donde guardias privados contratados por las diversas empresas para patrullar los pasillos se disparan a veces entre sí y donde el hombre de la mesa de al lado, calvo, con ojos rasgados y barba prominente, se vuelve hacia nosotros al fin para mostrar un parecido con Lenin claramente profesional.

Bajamos en el ascensor y salimos a la calle cargados con nuestro equipaje. No logramos encontrar un taxi, pero al cabo de un rato pasa una ambulancia y el conductor saca la cabeza por la ventanilla.

—¿Ustedes ir aeropuerto? —dice.

Nos acomodamos en el asiento trasero y Brian se queda dormido en una camilla plegable. Unos veinte minutos después, al mirar por la ventanilla de la puerta trasera veo un enorme cartel que anuncia un club de strip-tease.

BAILES AL DESNUDO EN LA AUTOPISTA DE LA INFORMACIÓN

Llegamos a Sheremetyevo y el chófer quiere dólares, por supuesto. Despierto a Brian, entramos en la terminal y nos las arreglamos para encontrar al tipo de la sociedad comercial. Nos dice que no hay demasiada prisa, dado que además nos hemos equivocado de aeropuerto.

—¿Dónde deberíamos estar, Viktor?

—No problema. Yo ya arreglado. ¿Fuisteis a club?

—El club era muy interesante —le digo—. Vimos a Lenin.

—Estar también Marx y Trotsky —dijo—. Todo muy loco.

Esto es lo que pensé cuando llegamos al aeródromo militar y embarcamos en un avión de carga que avanzó torpemente por la pista hasta elevarse oscilando bajo la neblina. Y cuando el aparato alcanzó la altura de crucero me levanté en busca de una de las claraboyas de las salidas de emergencia situadas tras el ala de babor y oprimí el rostro contra el vidrio para percibir la sensación de las grandes extensiones orientales, los interminables cinturones de longitud, las proyecciones cartográficas que se prolongaban más allá de los Urales y de las llanuras siberianas, una sensación que era producto, por supuesto, de mi propia imaginación, un atisbo a través del creciente crepúsculo de la masa de tierra que resultaba visible tras el limitado espacio de la ventanilla.

Y esto es lo que pensé cuando volví a sentarme.

Pensé que los líderes de las naciones solían soñar con imperios de vastos territorios: expansión, anexión, movimientos de tropas, unidades blindadas avanzando en hordas polvorientas sobre las llanuras, la marcha forzada de las lenguas y de los apetitos, la excavación de fosas comunes. Querían extender sus sombras a través de los territorios.

Ahora quieren...

Explico mis cavilaciones a Brian Glassic, sentado frente a mí en el costado opuesto del avión. Ocupamos bancos paralelos, como paracaidistas a la espera de alcanzar la zona de lanzamiento.

Dice Brian:

—Ahora quieren chips de ordenador.

—Exacto. Gracias.

Y Viktor Maltsev dice:

—Sí, es cierto que la geografía se ha retraído y empequeñecido. Pero aún tenemos fosas comunes, creo.

Viktor está sentado cerca de Brian, una figura delgada vestida con un abrigo de cuero. Tenemos que gritarnos los unos a los otros para oírnos por encima del rugido de los motores que atruenan el interior hueco del enorme carguero. Nos dice que el avión se diseñó originalmente para el transporte combinado de mercancías y tropas. Hay cables colgando y apliques que sobresalen del tabique. El avión es un gran cilindro, lleno de nervaduras y listones y partes vibrantes.

—¿Es un avión de la compañía, Viktor?

—Yo comprado esta mañana —dice.

—Y lo utilizarás para transportar material.

—Yo arreglo perfecto.

Su compañía de importación y exportación se llama Tchaika y quieren invitarnos a participar en un proyecto comercial. Nos dirigimos a un lugar remoto del Kazajstán para asistir a una explosión nuclear subterránea. Tal es la especialidad comercial de Tchaika. Venden explosiones nucleares al contado. Quieren que les suministremos los desechos más peligrosos que tengamos y ellos nos los destruirán. Dependiendo del grado de peligro, cobran a sus clientes —corporaciones, gobiernos, ayuntamientos— entre trescientos y mil doscientos dólares por kilo. Tchaika está relacionada con el complejo armamentístico del Estado, con laboratorios de diseño de bombas y con la industria marítima. Recogen los desechos en cualquier parte del mundo, los trasladan a Kazajstán, los entierran y los vaporizan. Nosotros obtendremos una comisión en calidad de agentes.

El avión se interna en una zona de fuertes turbulencias.

—En Phoenix están preocupados —le digo— por el alcance de vuestro capital de explotación. El tipo de equipos de seguridad que se necesitan para trasladar materiales altamente delicados puede resultar, Viktor, en unos gastos realmente vertiginosos.

—Sí sí sí sí. Nosotros expertos —despliega la palabra con un afán levemente defensivo, como si con ella resumiera todas las insuficiencias que hasta entonces le han ridiculizado—. Y tenemos montones de rublos que son también, debo decir, vertiginosos. ¿No leen *Financial Times*? Yo les enviaré.

Brian se ha tumbado de costado, aún enfundado en su abrigo y sus guantes.

—Me he olvidado —dice—. ¿Adónde vamos exactamente?

Grito a través del bamboleante corpachón del aeroplano:

—Al polígono de pruebas de Kazajs.

—Sí, pero ¿dónde está eso?

Grito:

—¿Adónde vamos, Viktor?

—Lugar muy importante no en el mapa. Cerca Semipalatinsk. Espacio en blanco en mapa. No problema. Nos recibirán.

—No hay problema —le grito a Brian.

—Gracias a los dos. Despertadme cuando aterricemos —dice.

Le observo cuidadosamente. Hace frío y estamos muertos de cansancio y miro a Brian. El hecho de saber lo que ha estado haciendo, la calculada violación de confianza: quiero mantenerme despierto mientras él duerma para observarle y afinar mis sentimientos y aguardar mi ocasión.

Viktor extrae una botella de Chivas Regal de su bolsa de viaje. Yo escenifico un cortés aplauso. Avanza hasta la cabina del piloto en busca de unos vasos, pero no tienen o no están dispuestos a compartirlos. Yo rebusco en mi bolsa y encuentro una botella de colutorio y le quito el tapón y me encamino a lo largo del pasillo sacudiendo la pieza de plástico estriado a medida que avanzo. Viktor escancia un poco de whisky en el tapón y yo regreso a mi sitio.

Carecemos de cinturones de seguridad y las turbulencias van a peor. He encajado el tapón en mi bolsa para que no se vierta el contenido. Estamos los tres solos con excepción de la persona o personas que pilotan el aparato y creo que nos sentimos un poco abandonados en el enorme espacio cilíndrico, más como viajeros en una terminal destartalada a altas horas de la noche que como afortunados pasajeros de un avión. Doy un sorbo al tapón de Chivas y escucho la estructura temblorosa que nos rodea, la esquemática armadura, esa especie de endoesqueleto arqueado capaz de emitir todos los gemidos que integran el cancionero de los vuelos tripulados. El whisky sabe vagamente a gárgaras de mentol.

—¿Qué hacías antes de trabajar para Tchaika?

—Enseño historia veinte años. Luego no más. Busco nueva vida.

—Hoy en día hay hombres como tú en muchas ciudades norteamericanas. Rusos, ucranios. ¿Sabes qué hacen?

—Conducen taxi —dice él.

Reparo en el modo en que sus ojos saltan a la busca de los míos, furtivamente, en un breve instante de fusión que le permite comprobar mi consciencia de su superior categoría.

Bebe de la botella.

Veo el avión como si me encontrara en una posición protegida del firmamento. Como una forma rauda que vuela en la oscuridad: estaba seguro de que ya era de noche. Es una masa de oscuro metal que vuela a través de la lluvia y del viento como si se tratara de una veloz escena de una antigua película en blanco y negro acompañada por una música urgente.

Viktor me pregunta si alguna vez he sido testigo de una explosión nuclear. No. Es interesante, dice, cómo las armas reflejan el alma de quienes las construyen. Los soviets siempre han querido una mayor capacidad, mayores existencias de almacenamiento. Tenían que convencerse a sí mismos de que eran una superpotencia. Capacidad de disparo. ¿Qué es exactamente la capacidad de disparo? No lo sabemos con exactitud pero coincidimos en que suena a masa proyectada, a voluntad proyectada de la colectividad. Los misiles soviéticos de largo alcance tenían mayor capacidad de disparo. Tenían que convencerse a sí mismos con cifras y masa y cantidad.

—¿Y los Estados Unidos? —le digo.

Sus ojos se desvían brevemente hacia mí, risueños como luces de carnaval. Fue Estados Unidos, dice Viktor, quien diseñó la bomba de neutrones. Innumerables neutrones zumbantes, una explosión reducida. El arma perfecta del capitalismo. Mata a la gente, respeta la propiedad.

Observo a Brian mientras duerme.

—Ahora contáis con vuestras propias armas capitalistas, ¿no es cierto, Viktor?

—¿Te refieres a mi compañía?

—Un pequeño ejército privado, según tengo entendido.

—También unidad de inteligencia. Para proteger nuestros bienes.

—Y acojonar a la competencia.

Me cuenta que el nombre de la empresa fue idea suya. Tchaika significa gaviota y se refiere poéticamente al hecho de que la actividad básica de la compañía son los desechos. Le gusta el modo que tienen las gaviotas de abalanzarse sobre las montañas de basura y de seguir a los buques a la espera del destello de las expulsiones que se realizan por la popa. Y además, es un nombre más bonito que Rata o Cerdo.

Miro a Brian. Es mejor que dormir. No quiero dormir hasta que haya acabado de mirar. Viajando con el tipo de Arizona a Rusia, juntos los dos a través de todas esas zonas horarias, compartiendo revistas e intercambiando artículos comestibles en sus pequeños receptáculos individuales, mi postre a cambio de sus rábanos porque yo estoy en forma y él no, de Sky Harbor a Sheremetyevo, todas aquellas horas y océanos y extensiones de tierra dividida, las casas y las vidas que hay bajo nosotros: quizá era tan sólo la disposición de nuestros asientos lo que me impulsaba a esperar antes de enfrentarme a él. Es demasiado molesto acusar a un hombre sentado junto a ti. Quería un cara a cara tranquilo en una habitación acogedora, donde fuera.

Nos veo volando a través de la oscuridad.

Le digo a Viktor que existe una curiosa conexión entre los armamentos y los desechos. Ignoro exactamente en qué consiste. Él sonríe y pone los pies sobre el banco, como una gárgola agachada. Dice que quizá los unos sean los mellizos místicos de los otros. Le gusta la idea. Dice que los desechos son los mellizos diabólicos. Porque los desechos constituyen la historia secreta, la infrahistoria, el modo en que los arqueólogos excavan la historia de las culturas tempranas, montones de huesos y herramientas rotas de todas clases, literalmente de debajo de la tierra.

Todas esas décadas, dice, en las que pensábamos constantemente en las armas sin pensar nunca en el oscuro subproducto que se multiplicaba.

—Y en este caso —digo—, en nuestro caso, en nuestra época. Lo que excretamos regresa para devorarnos.

Nosotros no lo excavamos, dice. Intentamos sepultarlo. Pero quizá no baste con eso. Por eso tenemos este concepto. Hay que matar al diablo. Y él sonríe desde lo alto del lugar en que se ha encaramado. La fusión de dos corrientes históricas, los armamentos y los desechos. Destruimos desechos nucleares contaminados mediante explosiones nucleares.

Atravieso la panza del avión para rellenar mi tapón.

—Resulta sencillamente obvio —dice.

Advierto que Brian tiene los ojos abiertos.

Regreso a mi sitio extendiendo un brazo para no perder el equilibrio, me siento cuidadosamente, vacilo un instante, apuro el whisky de un trago y parpadeo ligeramente.

Miro a Brian.

Digo:

—Con la primera bomba, Brian, tuvieron que fabricar el material del núcleo de cierto modo, por lo que tengo entendido. Tenían que acoplar esta parte con aquélla. Para así obtener la reacción en cadena crucial para la operación. Uno de los diseños incluía un elemento masculino que encajaba con el elemento femenino. El cilindro se instala en una abertura de la esfera. Lo disparan directo al interior. Muy sugerente. Verdaderamente, es como si no hubiera escape. Pollas y coños en todas partes.

Veo nuestro avión volando a través de la lluvia y el viento.

Porque en ese momento supe sin lugar a dudas, sentí la absoluta certeza de que Brian y Marian, cuyos nombres suenan tan bien juntos, un auténtico amigo de vez en cuando, supe que él y mi mujer eran cómplices de una profunda traición. A mi modo, descompuesto por el trayecto en avión, casi me sentía capaz de disfrutar de la situación en que nos habíamos encontrado. Me sentía tan desgastado por los cambios de huso, tan aturdido por la fatiga y la revelación, tan profundamente sumergido en el hedor de la trapacería de un amigo, que comencé a hablar sin parar, frenético e irreprimible, farfullando sobre el ruido de los motores, haciendo alusiones: alusiones insidiosas, referencias ingeniosas. Porque ahora lo sabía todo, y allí estábamos los dos, y no había ningún lugar al que pudiera huir para escapar de nuestra acogedora charla.

Al llegar a la verja nos proporcionan los distintivos que deberemos lucir, cintas de gasa que señalan la cantidad de radiación absorbida por el cuerpo durante un período determinado. Quizá ése es el motivo del peculiar aspecto del paisaje. Estas pequeñas etiquetas numeradas añaden un elemento de amenaza a la apagada maleza que se extiende ondulante hasta el cielo abrumador.

Brian dice que la verja parece la entrada a un parque nacional.

Viktor dice no os sorprendáis si un día veis aquí turistas.

El coche avanza conducido por un ruso, no un kazajstano. Viste uniforme bien planchado y porta un medidor de radiación junto a los distintivos que penden de su camisa. Lejos de la carretera vemos hombres con máscaras blancas y botas flexibles excavando la tierra, y cuando llegamos a un altozano alcanzamos a ver la vasta llanura de cráteres producida por las recientes pruebas, depresiones de distintos diámetros pero todas aparentemente concebidas: orificios de bordes blanquecinos que se forman cuando la tierra desplazada por las explosiones retorna deslizándose al terreno agujereado.

El conductor nos dice que el terreno de pruebas se conoce con el nombre del Polígono. Nos dice unas cuantas cosas más, y Viktor traduce algunas de ellas y otras no.

Más adelante vemos vestigios de antiguas pruebas sobre el terreno, y allí reina una atmósfera extraña e inquietante que me esfuerzo por analizar. Vemos los restos de un puente de ferrocarril, una escultórica extensión de oscuro metal calcinado que reposa sobre pilares de cemento. Una gravedad, una sensación de viejos secretos caducados en los que ya no cabe confiar. Vemos la achatada base gris de una torre de tiro, destrozada en su mayor parte décadas atrás para dejar este bloque de cemento cosido que se eleva apenas un par de metros sobre la superficie erizada, mostrando un aspecto aún extrañamente atónito, salpicada por vigas de metal que sobresalen. Culpabilidad en cada uno de los objetos tratados, en los postes desgastados por la intemperie y las vigas abandonadas al viento, cosas fabricadas y diseñadas por los hombres, antiguos proyectos que se han ido al traste.

Avanzamos en silencio.

Hay montones de tierra removida en torno a un búnker de observación señalado con pintura amarilla: amarillo de contaminación. Es un lugar extraño, congelado en el tiempo, un espécimen de nuestra capacidad de olvido a medida incluso que anotamos los detalles. Vemos signos de casas a lo lejos, objetivos arrancados de sus cimientos con gente aún en su interior, maniquíes, y en sus estantes productos situados allí acaso cuarenta años antes: marcas americanas, dice el conductor.

Y Viktor dice que aquello constituía un motivo de orgullo para el KGB: disponer escenas domésticas fieles a la realidad.

Y qué extraño resulta, qué extraño nuevamente, cada vez más, percibir esa especie de nostalgia por los objetos de los estantes de las casas que aún se mantienen en pie, Old Dutch Cleanser y Rinso White, todos esos iconos de los viejos tiempos, Ipana y Oxydol y Chase & Sanborn, aún intactos en aquellos remotos lugares próximos a Mongolia, y ¿recuerda alguien para qué estábamos haciendo todo esto?

Digo:

—Viktor, ¿recuerda alguien por qué hacíamos todo esto?

—Sí, por competición. Vosotros ganar, nosotros perder. Tienes que explicarme qué sienten. Los grandes vencedores.

Brian, sentado junto a mí, está dormido ahora.

Vemos un oxidado carro de combate con la torreta señalada con pintura amarilla. Hay carreteras que concluyen abruptamente, con hierbajos que se abren paso a través del asfalto.

El automóvil llega al lugar de la prueba, de nuestra prueba. Es una extensión de terreno levemente elevada, limpia de maleza y casi lisa. No tenía intención de ser el primero en descender del coche, y durante un instante nadie se movió. A media distancia se divisan torres de perforación.

En el llano hay una docena de caravanas dotadas de equipos destinados a analizar la explosión.

El conductor abre su portezuela y todos salimos.

El viento sopla con un zumbido laborioso. Varios técnicos y militares aguardan charlando en las inmediaciones. Viktor enciende un cigarrillo y se aproxima a ellos. Con su largo abrigo de cuero parece fuera de lugar. Más allá de la carretera vemos acantilados tiznados de blanco por detonaciones anteriores. Miro constantemente al chófer en busca de señales y presagios.

Viktor regresa y señala un rincón de la zona despejada donde gruesos cables se aferran a los equipos instalados en una pálida parcela de terreno. Dice que aquello es el punto cero. Los demás le escuchamos y asentimos bajo el viento.

Dice que el disparo se realizará sobre granito, aproximadamente a un kilómetro de profundidad. Se apilan desechos de reactores y núcleos de antiguas cabezas atómicas en torno a un artefacto nuclear de baja potencia. Dice que el orificio que han taladrado desde la superficie al punto de detonación ha sido sellado y condenado para evitar que emane la radiación.

El chófer se lleva una mano a la lengua y frota luego el dedo contra una mancha que lleva en la manga. Luego, regresa al coche y todos le seguimos.

Nos lleva hasta un complejo de búnkers situado a cierta distancia. Vemos allí reunidas a unas cincuenta personas. Generales con gorras engalonadas, especuladores del uranio, un hombre y una mujer del Bundesbank. Nos presentan a los asistentes. Muchos ufanos burócratas con cabezas intercambiables. Hay industriales, diseñadores de bombas, observadores oficiales, todos para supervisar la prueba. Y cada uno de nosotros porta un distintivo que mide la radiación. Sigo a Viktor al interior de una sala de conferencias en la que hay soperas y fuentes extendidas a lo largo de una mesa, atiborradas de platos ahumados. Conozco a ejecutivos de Tchaika y a altos funcionarios de diversos ministerios del Estado. Reina una atmósfera de palpable expectación. Oscuros jóvenes con gorras redondas sirven vasos de vodka a la pimienta en cuencos de cristal triturado. Hablo con un veterano del Polígono, un científico de armamento en busca de trabajo. Un ruso cuenta un chiste a un grupito de tipos robustos y yo me aproximo al borde y me asombro al oír el nombre de Speedy González entremezclado con el curso de la narración. Miro a mi alrededor en busca de Brian. Quiero que Brian vea esto. El chistoso va de uniforme, tiene el dedo medio apuntando hacia arriba y su rostro se va tornando más rubicundo a medida que se desarrolla el argumento. Dice la frase final muy bien, dirigiéndose al dedo que mantiene alzado, y la frase vuelve a mi mente al decirla él en ruso, aunque me vuelve en inglés, por supuesto, después de tantos años. Los hombres del grupo se agitan y oscilan, emitiendo ruidos oclusivos de sus redondas mandíbulas.

El caviar palpita en los cuencos helados. Hay geólogos y teóricos de juego y expertos en energía y un periodista con un contrato para un libro. Veo comerciantes de desechos e inversores capitalistas, *piroshki* y brochetas de cordero. Hay fabricantes de armas que han venido para pujar, dice Viktor, por las existencias no utilizadas de plutonio armamentístico que flotan en las lindes de la industria.

—Y esta explosión —digo—, ¿no está prohibida por los acuerdos internacionales?

—Prohibida, permitida. Somos excepción. El polígono de pruebas fue cerrado por decreto local. Pero nosotros somos la excepción. Es necesario realizar una demostración de prueba. Los desechos de plutonio están llegando a un punto muy enloquecido. En todo el mundo, ¿quién se fija? Acaso mil doscientas toneladas métricas.

—Más.

—Más. De acuerdo. Tiene que desaparecer de alguna manera.

Durante un rato, la comida me reconforta. Como todo cuanto se pone a mi alcance. Carne, pescado, huevos, tengo un apetito enorme. El vodka tiene un aspecto maravilloso, con una traslúcida suavidad de rubí que oculta su punzada y sus efectos. Me lleno casi hasta reventar, sintiéndome reconstruido, fundamentalmente bien y satisfecho, proteinizado, y observo cómo Viktor se mezcla con los jefes nucleares. Parece un poco perdido entre aquellos enormes corpachones. Necesita ajustarse a un entorno en el que los chanchullos y los trapicheos han salido de las sombras del mercado negro especulativo para crear una economía completamente abierta de saqueo y corrupción. No estoy seguro de que Viktor sea capaz de olvidar todas las cosas que tiene que olvidar si quiere convertirse en un hombre capaz de florecer aquí.

Hablo con una mujer que lleva un fragmento de hojaldre pegado a una de las comisuras de la boca. La comida nos salva de la condenación del paisaje, de los medidores de dosis que llevamos sobre nuestros cuerpos. Hablamos de esto. Qué agradable es que el recuerdo volátil de un placer cualquiera pueda reducir la exclusión, las fuerzas que hacen que nos resulte arriesgado inspirar un simple hálito de aire.

Me pongo a buscar a Brian Glassic. El complejo de búnkers está construido en varios niveles, con una gran sección claramente vedada a los visitantes: está sellada y guardada. Entro y salgo de salas de mapas, de dormitorios y de una consulta médica, avanzando por pasillos de cemento, agachando a menudo la cabeza bajo los umbrales más bajos. Un economista de las Naciones Unidas está buscando un retrete. Me deslizo por una trampilla que cuenta con una barandilla de hierro y peldaños claveteados y ahí está, en un cuartito, dormido otra vez.

Una silla, un catre y un lavabo. Llevo conmigo un plato de comida. No para él: comida para mí. Me siento y le miro dormir y me como mi comida. Lleva puesta su trenca, una de esas cosas tirolesas con capucha hechas de tejido áspero y con trozos de madera a modo de botones. Qué bien encaja con sus facciones pasadas de moda, alargadas e infantiles, que probablemente me sería posible aplastar con cinco puñetazos como es debido. Lo imagino con cierta satisfacción. Propinar un puñetazo fuerte. Pero ya no hacemos esas cosas, ¿verdad? Es algo que ya hemos dejado atrás. Cinco puñetazos sobre ese rostro sonrosado de cabellos canosos. Pero permanezco allí sentado y le observo, ya saben, y no estoy seguro de si quiero pegarle.

Brian pensaba que yo era el alma del hombre hecho a sí mismo. Quizá. Pero también me encontraba viviendo en un estado de muda separación de todas las cosas que él acaso citaría como los cimientos del hogar, del trabajo y de la realidad responsable. Cuando descubrí lo suyo con Marian percibí un cierto elemento de capitulación estoica. Sus nombres sonaban bien juntos y tenían la misma edad y con ello me veía relevado de mi falso papel de esposo y padre, de alto ejecutivo industrial. Porque incluso el trabajo es una pierna artificial. ¿Volví a sentirme libre ni por un instante, volví a sentirme yo mismo, al enterarme de la historia de su romance? Le observo dormir, pensando cuán satisfactorio resultaría propinar diez puñetazos bien fuertes sobre esos rasgos de colegial. Pero también resultaba satisfactorio, al menos por un instante, pensar en abandonarlo todo, dejar que se quedaran con todo, los hijos de los dos matrimonios, los nietos, podían quedarse con las dos casas, con los coches, por mí podía quedarse con las dos mujeres si quería. Nada de todo ello me pertenecía salvo en el sentido reflejado en los formularios que había rellenado.

No me hace falta levantarme de la silla para propinar una patada al costado del catre. Me limito a extender la pierna y golpearlo.

Y entonces le veo despertar.

—Conque. Es el amante más rápido de *Méhico*.

—¿Qué dices?

—Un viejo chiste. ¿No lo conoces?

—Dios mío, estaba soñando. ¿Qué estaba soñando?

—Un tipo está preocupado por su esposa porque un célebre donjuán anda haciendo de las suyas. ¿Cómo, no conoces el chiste? El de Speedy González. Es antiquísimo. Tardó décadas, este chiste, en llegar desde allí hasta aquí.

—¿Desde dónde hasta aquí?

—Que te den por culo. Desde allí.

Propino una nueva patada a la cama.

Dice:

—¿Qué?

—¿Cuánto tiempo, Brian?

—¿Cuánto tiempo qué?

—Lo de Marian y tú.

—¿A qué te refieres?

—¿A qué me refiero?

Pateo la cama. Él se incorpora, se tapa la cara con las manos y comienza a reír patéticamente.

—Solíamos charlar de vez en cuando. Eso es todo.

—No me contradigas.

—Solíamos intercambiar, de acuerdo, alguna confidencia de vez en cuando. Nos sentíamos cerca el uno del otro en ese sentido, pero no duró mucho.

—Me estoy fumando un puro y bebiendo un brandy. No me contradigas.

Me mira. No tengo ningún puro y estoy bebiendo vodka.

—Quiero decir que ¿tiene que ser ahora? ¿Es éste el momento de discutir el tema? ¿Aquí? ¿No podríamos pensar en buscar algo más apropiado?

—Me lo ha contado todo.

Aparta la mirada.

—Estoy dispuesto a mostrarme muy abierto al respecto, pero creo que debemos reconsiderar el momento —dice.

Me inclino hacia él con el plato en la mano izquierda y le pongo las esposas con la derecha. Le lanzo un derechazo con la mano abierta porque nos estamos mostrando abiertos al respecto, y le alcanzo con la muñeca en la mejilla, un golpe simbólico que me pone de mejor humor. Es incluso mejor que comer. Es mejor que la carne, el pescado, los huevos, las huevas y el vodka. Me hace sentir bien. Creo que ambos nos sentimos mejor.

Una vez que se hace a la idea de que le han golpeado vuelve a mirarme. Sé lo que ve cuando me mira. Ve a alguien mayor, listo para actuar, sentado entre él y la puerta. Ése es el mensaje que zumba en el aire. No las palabras, ni las historias personales, ni la ventaja o desventaja moral, ni ninguna maniobra de farol y contrafarol que pudiera adornar el momento. Es la fuerza del cuerpo. Es qué cuerpo aplasta al otro. Tampoco es que tenga nada, realmente, de qué preocuparse. Pero igual sí.

—Cuando dices que te ha contado todo.

—Me lo ha contado todo. Hablamos durante largo rato. La charla que tuvimos duró un par de días, con pausas. Habló mucho. Me contó todo. Luego, me metí en el coche de la compañía, fui al aeropuerto y allí estabas tú.

Me sonríe.

—Putas mujeres. No puedes fiarte una mierda de ellas.

Le golpeo en la oreja con la palma de la mano. Su cabeza salta con una fuerza impresionante. No es un golpe fuerte. Es un golpe simbólico, y la sacudida de la cabeza es exagerada.

—Ojo con lo que dices de ella, Brian.

Baja la mirada, en busca de un poco de compasión. Aquí está, hambriento, sediento, medio dormido, desaliñado, cautivo, por así decirlo, sujeto con unas esposas en una celda del sótano. Pero creo que no tiene ningún motivo serio por el que preocuparse.

—¿Te habló de la heroína?

—Me contó todo.

—Sólo fue una vez, te lo juro. Me acojonó por completo.

Alarga la mano y extrae algo de comida de mi plato y comienza a devorarla. Mantiene la cabeza baja, próxima al plato, comiendo y sirviéndose, y yo le dejo hacer.

—Lo siento, Nick. Mátame. Quiero que lo hagas. Pero tengo que decirte que no duró mucho. Y tengo que decirte que no siempre me encontraba... ¿cómo decirlo sin que vuelvas a pegarme?

—Me lo contó.

—No siempre me encontraba receptivo.

Le miro mientras come.

—Yo soy el que se mostraba reacio y el que tenía miedo de que te enteraras. Y como no te enteraste, te lo contó.

Alarga la mano y come, con la cabeza baja. Le dejo que se acerque al lavabo y que se moje la cara. Con bomba o sin bomba, dice, vaya panda de tíos aburridos los de ahí arriba. Regresamos a la sala con la comida. Los invitados se han diseminado a lo largo de diferentes zonas, bebiendo café o té o brandy, algunos, o sosteniendo platos de postre bajo la barbilla, los que están de pie.

Percibimos un movimiento sísmico, un temblor bajo los pies.

Se advierte un golpe de algodón pólvora, una oscilación o impulsión lejana que es también una sensación local, el sonido de un cuerpo hueco. Alguien dice «Da» o «Ja». Entonces, todos se dirigen a la salida, uno por uno, agachando la cabeza bajo los arcos, de habitación en habitación, intentando no mostrar demasiado entusiasmo, como una cadena de suspiros rumorosos, y nos reunimos en el exterior del complejo y dirigimos la mirada hacia el punto cero por más que no haya nada que ver, realmente, sino la inmensidad de las llanuras de Kazajstán.

Seguimos allí de pie, mirando, durante un rato, y algunos hablamos escuetamente, en voz baja, notando la atmósfera de expectación que ha quedado suspendida en el viento. No puede verse ninguna masa de nubes ascendente, por supuesto, ni se perciben ondas de sonido. Tal vez algo de polvo se alza del suelo aunque a lo mejor no es más que la reverberación del atardecer y diversas personas señalan con el dedo y pronuncian un breve comentario, y en el grupo reina una sensación plana, una decepción tácita, y al cabo de un rato regresamos al interior.

Pasamos la noche en la ciudad de Semipalatinsk bebiendo cerveza tibia y comiendo paté de caballo, y por la mañana, en lugar de volar de regreso a Moscú a primera hora de la mañana, Viktor Maltsev decide que hay algo que debemos ver.

Nos lleva a un lugar que llama el Museo de los Deformes. Forma parte del Instituto Médico, y noto que Brian comienza a echarse atrás, a quedarse levemente rezagado antes incluso de entrar en el museo propiamente dicho, una alargada nave de techo bajo llena de vitrinas repletas de fetos. Viktor es un hombre al que evidentemente le gusta profundizar en la textura de las experiencias. Los fetos, algunos, están guardados en frascos de pepinillos Heinz. Hay un espécimen con dos cabezas. Hay uno cuya cabeza posee un tamaño que es el doble del cuerpo. Hay una cabeza normal situada en un lugar erróneo, encaramada sobre el hombro derecho.

Contemplamos el interior de los frascos en silencio. Nos desplazamos lentamente de una vitrina a otra porque la ocasión parece exigir un paso solemne y no decimos nada y nos limitamos a observar los frascos y en ningún momento las paredes o las ventanas o unos a otros. Entonces Viktor dice algo pero no sobre los frascos. Habla de los años de las pruebas. Nosotros escrutamos los frascos y escuchamos a Viktor y avanzamos lentamente de una vitrina a otra. Quinientas explosiones nucleares en el polígono de pruebas, situado al sudoeste de la ciudad, e incluso cuando dejaron de realizar explosiones atmosféricas los túneles que excavaron para las detonaciones subterráneas no eran lo bastante profundos como para impedir la fuga de peligrosos niveles de radiación.

Me mira a los ojos cuando dice eso.

Luego están los cíclopes. El ojo central, las orejas bajo la barbilla, la boca ausente. Brian también se encuentra ausente. Le encontramos fuera, de pie junto al taxi y contemplando a través del humo de la fábrica las lomas que recorren la estepa. Pero no cogemos el taxi para ir al hotel en busca del equipaje y luego al aeropuerto. Viktor da instrucciones al chófer para que nos lleve a una clínica de irradiados situada en las afueras de la ciudad y nos trasladamos hasta allí levemente contrariados (Brian y yo) aunque tampoco es que nos hayamos resistido, aún demasiado paralizados por los frascos de pepinillos para poder quejarnos abiertamente.

Nos lleva, básicamente, a favor del viento. Y no es que la clínica se encontrara a favor del viento en los años en los que se producían detonaciones frecuentes. Por aquel entonces, la clínica probablemente no existía. No, era la gente la que estaba a favor del viento; los aldeanos que hoy son pacientes, y sus hijos y sus nietos, y Viktor nos conduce al interior y esta vez no se trata de un museo.

Viktor ha estado aquí cuatro veces, dice. Lo dice de un modo difícil de descifrar. Cada vez que ha venido al Polígono ha acudido también aquí. Estamos ante un hombre que intenta comercializar explosiones nucleares —sin duda con métodos más seguros— y acude aquí acaso a desafiarse a sí mismo, a demostrarse que no está ciego a las consecuencias. Son las víctimas las que están ciegas. Es el niño que tiene piel allí donde deberían estar sus ojos, una excrecencia de carne esponjosa, curiosamente conformada como el sombrero de una seta, que brota de cada una de sus cejas. Son los niños calvos alineados frente a una pared en calzoncillos, esperando a que les examinen. Es el hombre con la protuberancia bajo la barbilla, una cosa dotada de vida propia, algo embriónico y pulsante. Es la niña enana que lleva una camiseta propagandística del Festival de Gays y Lesbianas de Hamburgo, Alemania, arrastrando por el suelo. Es el alegre cretino que camina por los pasillos con los brazos cruzados. Es esa mujer que ha conservado los rasgos intactos pero que, de algún modo, sólo tiene media cara: todos los elementos encajados en un arco ladeado que flota sobre sus hombros como un cuarto creciente.

Lleva una camiseta igual que la de la enana, y Viktor dice que es el resultado de un negocio de importación que se fue al garete. Un hombre de negocios local adquirió diez mil camisetas sin saber que eran restos de una conmemoración gay europea. Todo muy loco, dice Viktor, traer estas camisetas a un lugar donde el Islam cada día es más fuerte.

Pero todo forma parte de la misma sensación surrealista, verdad, que se inició en la planta cuarenta y dos de aquel rascacielos moscovita.

La clínica alberga desfiguraciones, leucemias, cánceres de tiroides, sistemas inmunológicos que no funcionan. Los médicos conocen a Viktor y nos permiten pasear por aquí y por allá. Habla con los pacientes y las enfermeras. Dice que aquí existen enfermedades desconocidas. Y palabras que son igualmente ignotas o solían serlo. Durante muchos años, la palabra radiación estuvo prohibida. No podía pronunciarse esa palabra en los hospitales que rodeaban el polígono de pruebas. Los médicos sólo la utilizaban en casa, en presencia de sus esposas o sus maridos o sus amigos, y tal vez ni siquiera allí. Y los aldeanos no la empleaban porque ignoraban que existía.

Algunas de las habitaciones tienen alfombras en las paredes. Algunos ancianos tocados con solideos permanecen inmóviles en míseros pasillos.

Nos detenemos en la puerta de la cafetería y contemplamos a un grupo de jóvenes que están almorzando. Han perdido los cabellos, las uñas y los dientes, y están aquí para que los examinen. Miro a mi alrededor en busca de Brian.

—Enfermedades en todos sitios. Y os digo una cosa —dice Viktor—. Nos echan la culpa a nosotros. Dicen que esto es calculador. Los kazajstanos creen esto.

—¿Echan la culpa a quiénes?

—A los rusos. Dicen que intentábamos matar a toda la población. El Ejército Rojo no siempre evacuaba las aldeas antes de las pruebas. La gente ve el destello y luego una gran nube que se eleva en el aire. No saben qué es. El Ejército Rojo detonaba bomba de hidrógeno, de gran potencia, sabéis, y dejaban atrás a cien aldeanos para ver efecto con gente.

—¿Crees eso?

—Creo todo.

—¿Crees que era intencionado?

—Creo todo. Todo verdad. Cada vez que hacían una prueba, cientos de poblaciones y aldeas expuestas a radiación. Ministerio de Salud dice, de acuerdo, elevad el límite. Y cuando sobrepasan ese límite, de acuerdo, lo elevaremos de nuevo.

Viktor habla fundamentalmente para sí mismo, adivino. Pero también está hablando conmigo. Estos rostros y estos cuerpos albergan un enorme poder. Comienzo a sentir como si algo me abandonara. Una vieja capacidad de oposición, de resistir. Miro a mi alrededor en busca de Brian. Pero Brian no quiere ver desdentados a la hora del almuerzo. Está por ahí fuera.

Recorremos los pasillos, Viktor y yo.

Dice:

—Una vez que imaginan la bomba, escriben sus ecuaciones, ven que se puede construir, la construyen, la prueban en el desierto norteamericano y la arrojan sobre los japoneses, pero al principio, el hecho de imaginarla lo hace todo real —dice—. No hay nada en lo que creas que no se haga real.

Comienzo a verle como un hombre sumamente improbable, esbelto y de piel oscura, con las canas teñidas y la aparente necesidad de aparecer medio gangsteril en ese largo abrigo resbaladizo. A primera vista, parece encajar bien con esta época salvaje de privatizaciones, a la maratón de conspiraciones coreografiadas. A la conspiración del hazte-rico-rápidamente. A la conspiración de sólo-para-miembros y aplastad-a-los-débiles. El vómito de capital bruto. La conspiración de extorsión-muerte. Pero en el enfoque del momento por parte de Viktor existen ironías y vacilaciones. Demasiados años de un escepticismo que ha ido creciendo lentamente. Creo que está en un apuro.

Dice:

—Una cosa interesante. Hay una mujer en Ucrania que afirma ser el segundo Jesucristo. Va a ser crucificada por sus seguidores y luego se alzará de entre los muertos. Una persona muy seria.

Quince mil seguidores. ¿Puedes creértelo? Gente culta, muy normal. No sé. Después del comunismo, ¿esto?

—Después de Chernobil, quizá.

—No sé —dice.

No sabía, y yo tampoco. Llegamos hasta un patio desangelado, uno de cuyos extremos se abre a la ancha llanura que se extiende desnuda hasta las montañas. Los chiquillos jugaban en el suelo, seis niños y niñas a los que les faltaba un brazo, el izquierdo en todos los casos, convertido en un muñón bajo el codo. El niño sin ojos también estaba allí, agachado, de cara a los participantes, como si estuviera observando atentamente sus esfuerzos. De piel cobriza, vestido con ropas que eran probablemente de fabricación china, ambos zapatos con un orificio a la altura de la vira, los enormes dedos asomando, un catorceañero, según Viktor, que parecía tener nueve o diez años, pero sin retraso mental, la cabeza levemente sobredimensionada, el rostro y la frente salpicados de tumores, y aquellas bolsas esponjosas situadas sobre el lugar que deberían haber ocupado sus ojos.

Los niños están jugando a un juego de imitación. Un niño se cae y se levanta: todos se caen y se levantan.

Algo de aquella superposición hizo más profundo el instante, los rostros frente al paisaje, la inmensa amplitud, la extensión de los pastos y del cielo dividido que contiene todo lo que nos rodea, insoportablemente. Observé al niño, como un bulto agazapado, los brazos cruzados sobre las rodillas. Todas las palabras prohibidas, los secretos guardados en blanqueadas cámaras acorazadas, las conspiraciones semiolvidadas: todo está aquí ahora, impregnando invisiblemente la tierra y el aire, los repliegues de tuétano de los huesos.

Se agachó bajo el enorme firmamento desgarrado, las orejas gachas y la cabeza inclinada. El cielo aparecía dividido, partido diagonalmente, de un azul liso, un azul suave como la pizarra, como la cabeza de un arrendajo, y un amarillo que ni siquiera era amarillo, un enorme amarillo desolado deslizándose hacia el Este, una mancha humeante y dorada, y los niños de brazos anudados se desplomaron en hilera.

La mayor parte de nuestros anhelos no llegan a completarse. Tal es la melancólica implicación de la palabra: el deseo de algo perdido o huido o de otro modo inalcanzable.

Hoy, en Phoenix, a medida que los años escapan volando, a veces salgo a conducir a lo largo de la estricta tipografía del mapa y desciendo por calles bautizadas con el nombre de tribus indias, pasando frente a las compañías de tejados y de limpieza mediante chorro de arena, frente a la tienda de preservativos, ahora pintada con colores propios de sabores de helados, hasta distinguir finalmente el impresionante esqueleto de acero de la planta de desechos junto a Lower Buckeye Road, con los estorninos que sobrevuelan la zona y los aviones que, formando una larga fila, emergen de las brumosas montañas para descender a la senda de aproximación.

Marian y yo nos sentimos más cercanos el uno al otro, con una intimidad mayor a la que nunca habíamos disfrutado. Los dientes de la sierra ya se han desgastado. Viajamos a Tucson para visitar a nuestra hija y a nuestra nieta. Redecoramos la casa, construyendo nuevas estanterías sin parar, comprando nuevas alfombras con las que cubrir las viejas, y paseamos a lo largo de los canales de depuración a la luz del crepúsculo contándonos historias del pasado.

En la torre broncínea, me sitúo frente a la ventana y contemplo las colinas y las crestas, y en la calle la temperatura es de cuarenta y cinco grados y yo siempre llevo un traje, aunque sólo haya venido para revisar el correo y escucho el zumbido microtonal de los sistemas y experimento una apacible sensación de poder porque lo he hecho y he salido indemne, lo he hecho y he ganado, he entrado débil y he salido fuerte, y realizo mi imitación de un gángster para que la vea el ascensorista.

Separamos la basura doméstica según las normas. Aclaramos las latas usadas y las botellas viejas y las depositamos en sus cubos respectivos. Separamos el estaño del aluminio. Empleamos una bolsa de papel para las bolsas de papel, aplastando las más pequeñas y ordenándolas en la bolsa de mayor tamaño destinada a tal uso. Apilamos los periódicos, pero no los atamos con cordel.

Los largos fantasmas recorren los pasillos. Cuando mi madre murió me sentí lenta y duraderamente dilatado en el tiempo. Me sentí impregnado de su verdad, engullido como por el agua, el color o la luz. Pensé que al morir había penetrado el más profundo lugar que yo podía ofrecerle, la entidad vivificante, la cosa, si es que existe, que habrá de sobrevivir a mi propio estertor postrero, y me engrandece, amplifica mi sentido de lo que significa ser humano. Ahora forma parte de mí, total y consoladora. Y no siento amargura al reconocer que tenía que morir para que yo la conociera por completo. No es más que una afirmación del poder de lo que viene después.

En los mercados de Chicago comercian con basura. En Dallas fabrican heces sintéticas. Puedes vender tus testículos a una firma rusa que te abonará cuatro mil dólares, te los amputará quirúrgicamente y luego los triturará para extraer las sustancias vitales y comercializar el jarabe resultante como una crema de belleza rejuvenecedora con unos beneficios increíbles.

Sacamos el televisor de la fresca habitación que hay al fondo de la casa, el antiguo dormitorio de Lainie, nuestra hija, que ahora es el antiguo dormitorio de mi madre, el dormitorio con el humidificador y el espejo restaurado y la excelente, dura y saludable cama, y empleamos la estancia para construir estanterías.

He pasado a convertirme en una especie de ejecutivo emérito de la compañía. Acudo a la oficina de vez en cuando, pero fundamentalmente me dedico a viajar y a hablar. Visito a colegas y me traslado a centros de investigación, donde me presentan como analista de desechos. Les hablo de las bases militares abandonadas y convertidas en vertederos, del sistema de búnkers bajo una montaña de Nevada que habrá de acoger o no acoger miles de bombonas de desechos radiactivos durante diez mil años. Luego, comemos. Los desechos pueden o pueden no explotar, setenta mil toneladas de combustible usado, y vuelo a Londres y a Zúrich para asistir a conferencias bajo la lluvia y el aguanieve.

Reordeno los libros en las viejas estanterías y mezclo y emparejo otros para las nuevas, y a continuación me quedo allí, mirándolos. Me planto en el salón y observo. O paseo por la casa y contemplo las cosas que poseemos y experimento esa peculiar mortalidad que se aferra a cada objeto. Cuanto más delicado y raro es un objeto, más solitario me hace sentir, y ello es algo que no logro explicar.

Marian, mediada ya la cincuentena, tiene un aspecto esbelto y bronceado, y se muestra menos susceptible, claramente, y algo más mesurada en su perspectiva del momento. El momento, de repente, es algo que ya no importa. Conducimos por el desierto y a veces le cuento cosas que no sabía, o que sabía a un nivel ajeno al aprendizaje, del mismo modo que puedes saber que tienes sueño o que estás triste.

Cuando me topo con su nombre en un documento siempre vacilo, hago una pausa, su nombre en caracteres irregulares sobre un documento sellado, James Nicholas Costanza, el sello en relieve que convierte a las cosas en oficiales, el documento en el polvoriento cajón del fondo, la leve sensación de confusión hasta que compruebo de quién se trata.

A veces voy hasta allí y veo a los estorninos que vuelan sobre el vertedero, junto a calles con nombres de tribus indias, y a veces me llevo a nuestra nieta cuando viene a visitarnos y contemplamos la osamenta gris salvia de la planta de desechos y los aviones en sus rutas de aproximación y las espectaculares plantas desérticas diseminadas sobre los muros de tonos pastel que dominan la zona de estacionamiento.

Vuelo a Zúrich y a Lisboa para intercambiar ideas y plantear propuestas, y es esa clase de crisis desesperada, esa indocilidad de los desechos, lo que no parece estar sucediendo realmente salvo en los informes de las conferencias y los periódicos. No es tangible de ningún otro modo a pesar del amenazante peso y extensión del material, de la sustancia real y palpitante.

Todo el mundo está en todos sitios al mismo tiempo. A Jeff le gusta decir esto, nuestro hijo, que aún vive en casa y aún dice cosas con la timidez ligeramente afectada que ha conservado de la adolescencia, una cualidad que convierte casi todo lo que dice en una alusión zalamera a algún secreto que aún guarda.

En Dallas fabrican heces sintéticas. Han perfeccionado una forma de excremento humano simulado para poner a prueba distintas calidades de pañales y de otras prendas protectoras. El compuesto se vende en forma de mezcla seca compuesta de almidones, fibras, resinas, gelatinas y polivinilos. Hay que añadir agua para obtener la consistencia deseada. Por lo general, el producto resultante es de color marrón.

Nostra aetate, como suelen decir los papas. Nuestra época.

Salió a buscar un paquete de cigarrillos y nunca volvió. Fumaba Lucky Strike. Fumaba la marca en la que dicen, Enciende un Lucky: es hora de encender. Sé feliz: fuma Lucky. También decían eso.

Jeff tiene diversos trabajos a tiempo parcial, hace de camarero en un restaurante al aire libre no sé dónde, y pasa horas interminables frente al ordenador. Visita una página *web* dedicada a los milagros. Hay numerosos informes, nos cuenta, de gente que acude en masa a minas de uranio para curarse. Vienen de Europa, Canadá y Australia, con sus muletas y sus sillas de ruedas, y se sientan en túneles bajo las montañas de Montana, allí donde las emisiones de radón son varios cientos de veces superiores al nivel de seguridad federal. Intentan curarse de artritis, diabetes, ceguera y cáncer. Cuentan historias de perros paralíticos que se han levantado y han echado a andar. Jeff nos relata todo aquello y sonríe con aire avergonzado, ya porque lo considera increíble o porque lo considera increíble y encima se lo cree.

Hemos instalado estanterías en la fresca habitación del fondo, en el antiguo dormitorio de mi madre, y ya saben cómo pasa el tiempo cuando uno está rodeado de libros, ordenándolos y reordenándolos, cómo el tiempo transcurre intacto, emparejando y mezclando imaginativamente, hasta que uno se detiene en medio de la habitación y mira a su alrededor.

Les diré lo que añoro, los días de desarraigo, cuando todo me importaba un bledo, un pimiento, dos cojones.

Matt vino al funeral, cogió un avión la noche anterior con dos de sus hijos y luego se echó a llorar durante el entierro y ellos le vieron y se quedaron atónitos. Se quedaron impresionados porque le veían como un padre, no como un hijo, y apartaron la mirada y a continuación atisbaron de reojo y volvieron a desviar la mirada cuando se apoyó sobre mí y rompió en sollozos, y me vieron rodearle con el brazo y tuvieron que ajustar su mente a lo que veían, a la sensación de verle como un hermano y como un hijo.

Aún reacciono a lo que uno siente en la oficina, vestido con su traje recién planchado y percibiendo las redes que se entremezclan a su alrededor. Tiene que ver con el zumbido que te envuelve, procedente de los ordenadores y las máquinas de fax. Tiene que ver con los teléfonos portátiles encajados en sus cargadores, con los mensajes de voz y el correo electrónico: una sensación de orden y de autoridad reforzada por la propia oficina y por el rascacielos de bronce que alberga la oficina y por todos los puntos de contacto que titilan perdidos en el aire.

Retiramos el papel de cera de las cajas de cereales antes de sacarlas para que las recojan. Las calles están desiertas y oscuras.

Separamos el vidrio transparente del coloreado y realmente es notable el silencio que reina, una inmovilidad que se antoja antigua y aposentada, como un monumento, los desechos del jardín, las bolsas de papel bien aplastadas, esa hora posterior al crepúsculo en la que una pausa se instala en el mundo y olvidas durante un segundo dónde estás.

Se sientan en bancos de madera en las minas y aspiran el aire de radón y sumergen los pies en mortíferas aguas de radón y rezan y entonan cánticos y cantan poderosos himnos o tal vez canciones ordinarias, cancioncillas pegadizas, esa clase de canciones que la gente ha cantado siempre cuando hacen cosas en grupo.

Cuando hacemos excursiones prolongadas: hacemos largas expediciones en coche y dejamos atrás las residencias de jubilados para salir a la larga y recta interestatal en la que los cernícalos se posan espaciados sobre las líneas de alta tensión y a veces me aplico loción para el sol sobre los brazos y el rostro y entonces huele a playa, se extiende una sensación a calor y a playa, la capa de ese producto resbaladizo sobre el vello de mis antebrazos y el modo en que el tubo restalla y succiona cuando se queda vacío: todo me recuerda algo de tiempos remotos.

Ya nadie habla del Asesino de la Autopista de Texas. Nunca se le oye nombrar. El nombre solía flotar en el aire, siempre a punto de verse pronunciado, de reentrar en la franja de emisión y de desatar una breve excitación a lo largo de las prolongadas autovías, pero es evidente que los tiroteos han cesado, y el nombre ha desaparecido. Pero yo me acuerdo a veces de él y me pregunto si aún sigue ahí fuera, conduciendo y observando, en modo alguno satisfecho con su tarea sino simplemente aguardando.

Cuando le cuento cosas ella me escucha con expresión atenta y límpida, vigilante e inmóvil, y parece saber lo que voy a decir antes de que lo diga. Le hablo del tiempo que pasé en el correccional y por qué me enviaron allí y ella parece saberlo, a cierto nivel, de antemano. Me mira como si yo tuviera diecisiete años. Me ve con diecisiete años. Damos largos paseos a lo largo de la acequia de desagüe. Todas las alusiones y las insinuaciones, todas las cosas que espiaba en mí al comienzo del tiempo que hemos estado juntos, llegan ahora a alcanzar una cierta conclusión. Si no para mí, para ella. Porque yo ignoro lo que ocurrió, ¿no es cierto?

Apilamos los periódicos pero no los atamos con cordel, la eterna tentación.

Mecanografía diecisiete caracteres seguidos de *punto com miraculum.* Y los milagros se suceden. Una noche, durante la cena, nos cuenta un milagro sucedido en el Bronx. A Jeff le intimida el Bronx. Le intimida y le hace sentirse culpable. Opina que forma parte del gulag norteamericano, un lugar tan alejado de su experiencia que es imposible que aquellos que han emergido de él quieran pasar un rato en la misma habitación con alguien como él. Pero aquí estamos, a la mesa, compartiendo la comida, y nos cuenta un milagro que tuvo lugar a comienzos de la década y que aún es motivo de cierto debate, al menos en la red, en Internet. Una chiquilla fue víctima de un crimen espantoso. Encontraron su cadáver en un solar, rodeado de abundantes escombros. Fue identificada y enterrada. Se dedicó un mural cercano a su memoria. Y luego el milagro de las imágenes y el subsiguiente aluvión de gente y los que creen y los que no. Casi todos lo creen, parece ser. Le hacemos preguntas, pero se muestra vacilante con esta clase de cosas. Tímido. Siente que carece de las credenciales necesarias para relatar una historia tan intensa, tanto sufrimiento y tanta fe y tanta franqueza emocional como transpira el Bronx. Le digo que qué mejor lugar para el estudio de los fenómenos.

En la calle reina una temperatura de cuarenta y cinco grados, cuarenta y seis, y yo me traslado al aeropuerto y vuelo a Lisboa y a Madrid, o me detengo en el salón y contemplo los libros.

Jeff es un vagabundo. Visita los lugares, pero no emite. Recoge las ondas y los rayos. Añade componentes y funciones y se sienta frente a una masa creciente de *hardware* compatible. El auténtico milagro es Internet, la red, donde todo el mundo es todo el mundo al mismo tiempo, y él está allí, entre ellos, invisible.

Las intimidades que hemos llegado a compartir, el intercambio retardado de infancias y de otras épocas feroces, y algo más, un firme control de otra especie, una dirección distinta, no hacia atrás, sino hacia delante: el control de objetos que nos vinculan a una especie de presagio. Creo percibir la ausencia de Marian en los objetos de los muros y los estantes. Hay algo sombrío en las cosas que hemos coleccionado y que poseemos, los enseres domésticos, hay algo en la propia palabra, *enseres*, la cómoda lacada de la alcoba, que respira una especie de tristeza —las cosas que cuelgan de los muros y los artefactos y los objetos de valor— y experimento una soledad, una pérdida, tanto más grandes y extrañas cuanto más relativamente raro es el objeto en cuestión, y es la hora posterior al crepúsculo bajo un silencio que se antoja incesante.

Caminamos a lo largo de la acequia junto a troncos de árbol pintados de blanco: blancos bajo el sol.

La tierra se abrió y él penetró en su interior. Creo que debió de ser así no sólo para nosotros sino también para el propio Jimmy. Creo que se lo tragó. No creo que quisiera empezar de nuevo ni tener una nueva vida ni siquiera escapar. Creo que quería que se lo tragara. Vivía al día, paso a paso, y no se preguntaba qué sería de nosotros ni cómo se las arreglaría ella ni qué estatura alcanzaríamos ni si resultaríamos ser unos chicos listos. No creo que dedicara ni un minuto a pensar en esas cosas. Creo que sencillamente se lo tragó la tierra. El fracaso que eso conllevó para nosotros no es menor por ello.

Así es como me topo con la pelota de béisbol, reordenando libros en las estanterías. La observo, la aprieto con fuerza y la devuelvo a su estante, encajada entre un libro inclinado y otro derecho, un objeto caro y hermoso que conservo semioculto, quizá porque tiendo a olvidar por qué lo adquirí. A veces sé exactamente por qué lo hice y otras veces no, ese objeto hermoso manchado de verde cerca de la marca impresa, Spalding, y bronceado por casi medio siglo de tierra y sudor y cambios químicos, y lo devuelvo a su lugar y lo olvido hasta la próxima vez.

Decían, L.S./S.B.T.: Lucky Strike Significa Buen Tabaco, Lucky Strike, entre comillas, decían: «Está tostado.»

Los aviones aparecen por las montañas del Sur, reluciendo bajo la bruma a medida que se aproximan formando una larga hilera para aterrizar, y distingo el esqueleto de acero desnudo de la planta de desechos al final de la carretera. Aparco bajo los jardines escalonados que derraman buganvillas sobre los muros color pastel. Mi nieta está conmigo, Sunny, tiene ya casi seis años, y juntos contemplamos los trabajos desde la pasarela de la división de reciclaje. El estaño, el papel, los plásticos, el poliestireno. Todo se desliza por las cintas transportadoras, cuatrocientas toneladas al día, cadenas de montaje de basuras, seleccionadas, comprimidas, empaquetadas y transformadas al final en unidades cuadrangulares, productos una vez más, atados con alambre y pulcramente almacenados y listos para su comercialización. A Sunny le encanta el lugar, al igual que al resto de los niños que acuden con sus padres o sus maestros para subirse a la pasarela y visitar las instalaciones. Los tragaluces dejan pasar la brillante luz que ilumina el suelo de la planta, inundando las inmensas máquinas con un resplandor celestial. Quizá mostramos cierta reverencia ante los desechos, hacia las cualidades redentoras de las cosas que utilizamos y abandonamos. Observad cómo retornan a nosotros, iluminadas por una especie de valeroso envejecimiento. Las ventanas muestran un ancho y poderoso desierto y un firmamento enorme. El vertedero del otro lado de la carretera está cerrado ahora, lleno a rebosar, pero el gran canal de tierra sigue desprendiendo gas, metano, y su presencia produce una reverberación en la tierra y en el cielo que refuerza su aura de labor sagrada. Es como una fábula en el aire atormentado de una civilización fantasma, un reflejo de la ruina del desierto. A los críos les encantan las máquinas, las embaladoras y las tolvas y las largas cintas, y sus padres miran por la ventana a través de la neblina de metano y los aviones acuden desde las montañas y se alinean para aproximarse a pista y los camiones aguardan dispuestos en dos columnas frente a la planta, aportando la basura aún sin clasificar, la miseria visceral de nuestras vidas, y devuelven nuevamente al mundo las unidades empaquetadas y atadas, los abultados bloques del producto final, prístinos, papel por papel, estaño por estaño, y todos nos sentimos mejor al partir.

Bebo grappa de reserva y escucho jazz. Repaso los libros de las nuevas estanterías y me detengo en el salón y observo las alfombras y los objetos colgados de las paredes y sé que los fantasmas recorren los pasillos. Pero no estos pasillos ni esta casa. Están todos de regreso en esas estancias alineadas que se ocultan en el extremo más angosto de la noche, y yo permanezco indefenso en este lugar desértico, examinando los libros.

Añoro los días del desorden. Los quiero de vuelta, esos días en los que me encontraba vivo sobre la tierra, estremecido en el interior de mi piel, despreocupado y real. Era todo músculo y nada de seso, feroz y real. Eso es lo que anhelo, la ruptura de la paz, los días de desorden en los que recorría calles reales y hacía las cosas sin pensar y me sentía constantemente colérico y dispuesto, como un peligro para los otros y un misterio distante para mí mismo.

http://blk.www/dd.com/miraculum

Se llama Esmeralda. Vive en estado salvaje en el gueto interior, un trozo del sur del Bronx llamado el Muro: una chiquilla que rapiña en los solares en busca de ropa vieja, que recoge fruta estropeada de las bolsas de basura tras las bodegas, que a veces puede ser vista corriendo entre los árboles y los hierbajos, como una sombra en los muros desplomados de estructuras demolidas, ágil, una corredora prudente dotada de los andares dulces y elásticos de una criatura procedente de algún mito silvestre.

Las monjas han estado tratando de encontrarla.

La hermana Gracie, la más joven de las dos, está decidida a localizar y capturar a la niña para conducirla a un centro de ayuda o a su convento del centro del Bronx, a algún sitio seguro: para examinarla, para alimentarla como es debido y para llevarla al colegio.

La hermana Edgar distingue en la chiquilla una gracia radiante, un respiro de las interminables calamidades del Muro, incluso una fuente personal de esperanza, un aguijón para esa vieja y ajada fe. Los cielos tiemblan cuando un alma se balancea bajo el viento: hay que salvarla del peligro, aproximarla a los cirios y las cenizas y las palmas, a la creencia en un cuerpo místico.

Las monjas reparten comida entre la gente que vive en el Muro y sus alrededores, los niños asmáticos y los adultos aquejados de drepanocitosis, los casos de sida y los bebés cocainómanos, y todos los días, dos veces al día, tres o cuatro veces al día, pasan con su furgoneta junto al muro del recuerdo. El muro de seis pisos de un edificio de *okupas* en los que los artistas del bote de pintura dibujan un ángel cada vez que un niño del barrio muere a causa de las enfermedades o los malos tratos.

Gracie habla y conduce y grita por la ventana a los perros que defecan en la calle. Viste una falda y un chubasquero, porta un bote de aerosol defensivo. La vieja y esquelética Edgar viaja sentada junto a ella y percibe el aura de las calles y piensa en sí misma en el siglo anterior. Lleva su cinturón y su velo y no sabría vestirse de otro modo y ni siquiera estaría aquí si los niños estuvieran sanos y los perros fueran de clase media.

Gracie dice:

—A veces me pregunto.

—¿Qué se pregunta?

—Da igual, hermana. Olvídelo.

—Se pregunta si lo que hacemos sirve para algo. No logra comprender por qué la última década del siglo parece peor que la primera en algunos aspectos. Parece como si estuviéramos viviendo otro siglo en otro país.

—Soy una persona positiva —dice Gracie.

Edgar posee una risa de alta frecuencia capaz de viajar en el tiempo y en el espacio, una especie de cloqueo franco, estridente y rancio: cree que los perros son probablemente capaces de oírla.

—Sé que hay que seguir un procedimiento laborioso —dice— para conseguir un estado mental positivo. Me maravilla que le queden fuerzas para manejar el volante.

Esto cabrea a Gracie, que protesta un poco, respetuosamente, a medida que la furgoneta se aproxima al centro de recuperación de Ismael Muñoz.

Una masa de coches abandonados, convertidos en chatarra, coches apilados de cualquier modo y despanzurrados, setenta u ochenta vehículos, vergonzosos. Las monjas buscan instintivamente algún rastro de Esmeralda, que probablemente pasa las noches durmiendo en alguno de ellos. Luego, estacionan la furgoneta y penetran en el ruinoso edificio, ascendiendo tres pisos de destartaladas escaleras hasta el cuartel general de Ismael.

Edgar espera verle débil y enflaquecido, visiblemente frágil. Piensa que tiene sida. Es algo que percibe. Percibe cosas terribles. Se mantiene a distancia, examinándole. Una especie de ruina humana de aspecto afable, adornada por una camisa tropical y una barba hirsuta: hoy está de buen humor porque ha conseguido instalar en el edificio un sistema que produce suficiente electricidad como para alimentar un televisor.

—Hermanas, miren —dice.

Ven a un chiquillo de corta edad, Juano, que pedalea frenéticamente a lomos de una bicicleta estática. La bicicleta está conectada a un generador de la Segunda Guerra Mundial que Ismael consiguió a bajo precio en una liquidación del Ejército. El generador palpita en el sótano y hay cables que lo conectan con el televisor, y hay una correa sibilante que conecta el televisor con la bicicleta. Cuando el muchacho pedalea con fuerza el generador despide un chorro de electricidad que llega al televisor, un sólido y machacado modelo que dos de los otros chavales extrajeron de uno de los vertederos, donde yacía en una de las capas de la era geológica de los electrodomésticos construidos para el ocio.

Gracie se muestra encantada y se sienta con el equipo de los pintores, ocho o nueve chiquillos, para contemplar el canal de las noticias de Bolsa.

Ismael dice:

—¿Qué piensan? ¿He hecho bien? Esto no es más que el comienzo. Estoy planeando otras cosas más a lo grande.

Edgar, por supuesto, lo desaprueba. Ésa es su misión, desaprobarlo todo. Una de las severas bendiciones del Muro, un lugar no conectado a los servicios más habituales, es que no dispone de televisión. Y ahora, de repente, aquí está. Oprimes un botón y todas las cosas que habían permanecido siglos ocultas entran volando hasta la habitación más remota. Es una epidemia de contemplación. No hay grieta que se salve del escrutinio. En el útero, bajo el océano, hasta los enclaves más perdidos de la mente humana. Y si puedes verlo puedes obtenerlo. Un vistazo somero revela un elemento patógeno.

Ismael dice:

—Estoy planeando abrir un sitio *on-line* en poco tiempo, hermanas. Para anunciar mis coches abandonados. Montármelo a nivel, no sé, global. Chatarra para esos países destrozados que intentan construirse un ejército.

En la pantalla una imagen brinca y parpadea. Es la cabeza discoide de un hombre, un tipo que lleva una camisa blanca con cuello azul, o una camisa azul con cuello blanco: el color cambia con frecuencia. Habla del índice de cotizaciones mientras cifras y letras fluyen en sendas franjas a través de la parte inferior de la pantalla, una franja azul y una franja blanca, y los miembros del equipo contemplan la escena sentados. El chico de la bicicleta pedalea encorvado, impulsando furiosamente los pedales, y los nombres y los precios fluyen en dos direcciones con los títulos en activo resaltados mediante un parpadeo.

Ismael dice:

—Algunas personas poseen un dios personal, vale. Yo quiero agenciarme un ordenador personal. ¿Qué diferencia hay, no creen?

A Ismael le gusta provocar a las monjas. Edgar le observa cuidadosamente. Admira el muro pintado, los ángeles dispuestos hilera tras hilera, azul para los chicos, rosa para las chicas, pero desconfía del hombre que dirige el proyecto e intenta comprender su propio disgusto al ver a Ismael de buen humor y manifiestamente saludable.

¿Quiere la hermana verle mortalmente enfermo? ¿Opina que debería ser castigado por ser homosexual?

Todo el mundo observa el televisor menos ella. Ella contempla a Ismael. No muestra palidez, ni pérdida de peso ni lesiones ni otros síntomas visibles. Lo único que muestra es una sonrisa irregular que revela el descuido al que ha sometido a su boca.

¿Por qué desea verle sufrir? ¿No es él una de las fuerzas afirmativas del Muro en la medida en que gana dinero con su negocio de recuperación y lo emplea más o menos altruistamente, enseñando a su equipo de chiquillos sin hogar, algunos abandonados, una o dos preñadas, chiquillos escapados, expulsados: proporcionándoles un sentido de responsabilidad y autoestima? ¿Y acaso no ayuda a las monjas a dar de comer al hambriento?

Le examina en busca de marcas, de manifestaciones iniciales de incapacidad. Luego, mira furtivamente por la ventana en la confianza de descubrir a la elusiva muchacha. La hermana la ha visto unas cuantas veces desde aquella ventana, casi siempre corriendo. Correr es lo que hace. Es a la vez su belleza y su seguridad, su melodiosa esperanza, algo con especial mérito, una purificación, el descenso aéreo y ligero de algo divino que sopla por el mundo.

Dos de los carismáticos entran para ver la televisión. Son personas del piso superior gracias a las cuales funciona la única iglesia del Muro, una congregación de pentecostales que buscan el don del Espíritu, imponiendo las manos, gritando palabras, profetizando: todo ese paquete de conmoción y convulsión que hace que Edgar sienta el impulso de echar a correr y esconderse.

Ellos, claro está, la miran también con cierto recelo.

Ismael designa a cuatro miembros del equipo para que vayan con las monjas y distribuyan comida en la zona. Pero en ese momento el equipo está clavado frente al televisor. Animan a Juano a que pedalee más deprisa porque es la única manera de cambiar de canal y quieren ver dibujos animados o películas, algo con más elementos visuales que una cabeza.

Dicen:

—Dale, hombre. Más rápido, más rápido.

El chico de la bicicleta se encorva y pedalea, y la imagen tiembla levemente pero regresa al redondo rostro del locutor y a las líneas de precios en movimiento. Ismael se echa a reír. Le encanta el lenguaje de la compraventa y la imagen de esos grupos de letras que representan enormes entidades corporativas con sus aviones privados y sus limusinas y sus flotas de petroleros. Comienza a levantar a los chicos de aquel sofá sin cojines y a catapultarlos contra la puerta mientras los demás chavales y los carismáticos bailarines animan incesantemente a Juano.

Dicen:

—Más rápido, más rápido, vamos, tío.

El muchacho se esfuerza, saltando sobre el sillín, pero los números siguen fluyendo a través de la pantalla. La electrónica sube ligeramente, bajan los transportes, las industrias siguen más o menos invariables.

Tres semanas después Edgar, sentada en la furgoneta, observa a su compañera que sale del convento de ladrillo rojo: su paso fluido, sus piernas cortas y su cuerpo achaparrado. Gracie desvía el rostro mientras rodea la parte delantera del vehículo y abre la portezuela del conductor.

Se sienta frente al volante y lo aferra, mirando al frente.

—Me han llamado de la comisaría del Muro.

A continuación, alarga la mano hacia la portezuela y la cierra. Ase de nuevo el volante.

—Alguien ha violado a Esmeralda y la ha tirado desde un tejado.

Pone el motor en marcha.

—Y yo, aquí sentada, me digo, a quién mato.

Mira brevemente a Edgar e introduce la primera marcha.

—Porque es la única pregunta que puedo hacerme para no caer en la desesperación.

Viajan en dirección sur a través de las calles del barrio, los ladrillos de los edificios ahumados y desdibujados por la luz de la mañana. ¿Sabía Edgar que aquello iba ocurrir? Últimamente, sí, era como una certeza en los huesos. Percibe el calor de la ira y el dolor de Gracie. Durante los últimos días se había aproximado a la muchacha, Gracie, y había hablado con ella de lejos, y había arrojado una bolsa de alimentos y ropa a los zarzales que rodeaban a Esmeralda. Conducen todo el camino en silencio mientras la mayor de las monjas recita mentalmente preguntas y respuestas del Catecismo de Baltimore. La fuerza de estos ejercicios, que constituyen una forma de oración perdurable, descansa en las voces que acompañan a la suya, niños que responden a lo largo de las décadas, silabeando claramente en una réplica aflautada que es la lúcida música de su vida. Pregunta y respuesta. ¿Qué diálogo más profundo podrían concebir las mentes sanas? Alarga su mano hasta la de Gracie, posada sobre el volante, y la mantiene allí el tiempo que tarda el reloj del salpicadero en dar un parpadeo digital. ¿Quién nos ha hecho? Dios nos ha hecho. Esos rostros de ojos claros iluminados por la fe. ¿Quién es Dios? Dios es el Ser Supremo que hizo todas las cosas. Siente los brazos cansados. Tiene los brazos pesados y muertos y llega hasta la Lección 12 cuando los grandes edificios aparecen en el borde del horizonte, las ventanas superiores blancas de sol frente al amplio y oscuro marco de la piedra desgastada.

Cuando por fin habla, Gracie dice:

—Aún sigue ahí.

—¿Qué sigue ahí?

—Ese golpeteo del motor. ¿Lo oye? ¿Lo oye?

—No oigo nada.

—Ku-ku. Ku-ku.

Deja atrás los edificios y continúa en dirección al muro pintado.

Cuando llegan el ángel ya ha sido pintado en el lugar correspondiente. Una figura alada vestida con una sudadera rosa y unos pantalones rosa y turquesa pálido y un par de Air Jordans blancas de Nike con su prominente logotipo: era una chica a la que le gustaba correr, así que le han puesto zapatillas de deporte. Y el pequeño Juano aún pende de una cuerda, descolgado desde el tejado por la vieja grúa manual que emplea el equipo para subir los automóviles hasta la plataforma del camión. Ismael y otros se inclinan sobre el borde intentando corregirle las faltas de ortografía mientras él oscila ante el muro, inclinándose para pintar las letras entrelazadas que señalan la gran época, ya desaparecida, de los grafitos salvajes.

Las monjas descienden de la furgoneta y observan cómo el muchacho concluye de mala manera la última palabra . Luego, le ven ascender hacia el cielo bajo el viento cortante.

ESMERALDA LÓPEZ

12 AÑOS

POTEGIDA EN EL SIELO

Cuando llegan al tercer piso Ismael está fumando un cigarrillo con los brazos cruzados sobre el pecho. Gracie deambula por la estancia. No parece saber cómo empezar, cómo denominar la acción innombrable que alguien ha cometido con aquella criatura que tanto habían confiado en salvar. Deambula, aprieta los puños. Oyen el gemido gaseoso de un autobús urbano que pasa a unas manzanas de distancia.

—Ismael. Tiene que enterarse de quién es el tipo que lo ha hecho.

—¿Qué se piensa que es esto? ¿La policía de Los Ángeles?

—Usted tiene contactos en el vecindario que no tiene nadie más.

—¿Qué vecindario? El vecindario está ahí delante. Esto es el Muro. Bastante hago con conseguir que estos chiquillos escriban una palabra sin faltas cuando agarran el bote de pintura. Cuando yo pintaba nos hacíamos los vagones de metro en la oscuridad sin una sola falta.

—¿A quién le importa la ortografía? —dice Gracie.

A Edgar solía importarle, pero hoy no y tal vez no le importe nunca más. Se siente débil y perdida. El gran Terror es cosa del pasado, la gran sombra oblicua ya no existe: el objeto lanzado al cielo y nombrado en honor de una diosa griega pintada sobre un jarrón del año quinientos antes de Jesucristo. El terror es hoy local. Un ruido en el pavimento, cerca de ti, el tableteo de unos disparos desde un coche en movimiento, alguien que se lleva a tu hijo. Antiguos temores resucitados, me quitarán al niño, entrarán en mi casa cuando duerma y me arrancarán el corazón porque tienen trato directo con Satanás.

Pronuncia una oración desesperada.

Respóndenos, Señor, te lo suplicamos. Inunda de gracia nuestros corazones.

AUSTRAL

Diez años de indulgencia, un número formidable, si la oración se recita al amanecer, a mediodía y por la tarde, o lo más pronto posible a partir de entonces.

Una de las chicas pedalea sobre la bicicleta, Willie para los amigos, y les grita, *eh, aquí, mirad,* y se agrupan atónitos frente al televisor. Hay un boletín de noticias sobre el asesinato, su asesinato, una información televisiva de la CNN: la tragedia de la vida y la muerte de una niña sin hogar. El equipo se queda estupefacto al ver planos del Muro, dos segundos y medio de filmación que muestra el edificio en el que se encuentran, la fachada de ángeles pintados con aerosol, los solares de maleza con sus cavernas de murciélagos y sus ramas para los búhos. Observan y susurran, inmersos en una suerte de visión doble, las cosas que tan bien conocen vistas desde dentro ahora reconvertidas, nuevas y difundidas a nivel nacional. Permanecen allí, inmersos en la perspectiva de otras personas. En ese momento aparece la presentadora. Dicen a Willamette que pedalee con más fuerza, porque la imagen comienza a desdibujarse, y el cabello de color rojo eléctrico de la presentadora se difumina en torno a la cabeza como un halo luminoso, lo que le proporciona un aspecto aún más asombroso, y la mujer les describe sus propias vidas con un timbre de voz tintineante y virginal, una mujer de fisonomía tan extraña que se convierte ella misma en noticia, y Willie pedalea todo lo que puede y ellos la siguen animando a que no desfallezca.

La hermana no mira. No ve nada durante el resto del día ni al día siguiente ni durante las dos o tres semanas que vendrán a continuación. Ve el corazón humano expuesto como un músculo de cerdo sobre un tajo de mármol. Es lo único que ve. Cree estar cayendo en una crisis, comenzando a pensar que es posible que toda la creación no sea sino un chorro de materia vacua que por casualidad ha formado aquí un planeta esmeralda, allí una estrella muerta, con apenas desechos intermedios. A su vida le falta la serenidad de un diseño grandioso, la autoría, la forma moral, y cuando Gracie y el equipo llevan comida a los edificios Edgar aguarda en la furgoneta, es la monja de la furgoneta, y cuando Gracie mata una rata contra el bordillo Edgar ni parpadea.

No es una cuestión de falta de fe. Existe otra forma de fe, una segunda fuerza, insegura, desconfiada, una fe que es alimentada por las cosas que tememos en la noche, y cree que está sucumbiendo.

Primer golpe de tecla

Duerme en el tejado cuando no hace demasiado frío y allí es donde él la ve, en el tejado de un edificio tapiado que tiene intacta la escalera contra incendios. Está ahí arriba, deambulando, pensando en sus cosas, un hombre que entra y sale del Muro, un tipo furtivo, no le gusta que le miren, y cuando entras una búsqueda por nombre la pantalla te dice *Buscando*. Se tropieza con la muchacha dormida y siente surgir una cólera ya familiar y sabe que tendrá que hacer algo para castigarla. Se abalanza sobre ella en un abrir y cerrar de ojos. Ella intenta luchar pero no grita. La golpea con el puño, asestándole mazazos a la cabeza. La zorra se debate pero recibe los golpes. Quiere darle la vuelta y metérsela dentro. Ella lucha y susurra a gritos con una voz que le encoleriza aún más, como quién coño se cree que es, y la pantalla dice *Buscando*. De un modo u otro, va a darle una paliza, se resista o no, y desvía la mirada al hacerlo, furtivamente. Nada de contacto visual, puta. A la última mujer a la que miró fue a su madre. Después de hacerlo, metiéndola y derramándose, la golpea por última vez, con fuerza, puta, y la arrastra hasta el borde del tejado y la inclina hacia fuera y la deja caer. Estás muerta, zorra. Luego, vuelve a sus reflexiones nocturnas. La pantalla dice *Buscando*.

Luego comienzan las historias, y la voz circula de manzana en manzana, recorriendo iglesias y supermercados, acaso levemente confusa, cambiada aquí y allá, pero no profundamente desvirtuada: resulta evidente que la gente habla del mismo suceso misterioso. Y algunos van y miran y se lo cuentan a los demás, animando la esperanza que surge cuando las cosas sobrepasan sus límites.

Se reúnen tras la puesta de sol en un lugar ventoso situado entre las distintas aproximaciones al puente, siete u ocho personas que obedecen la voz de una o dos, luego treinta personas arrastradas por otras siete, luego una muchedumbre silenciosa que va creciendo pero que no por ello se muestra menos respetuosa, doscientas personas encajadas en una isleta entre el tráfico del fondo del Bronx, allí donde la autovía se arquea para descender del Terminal Market y las vías del tren se extienden hacia las bocanas, toda esa potencia industrial con su inquieta desolación: las rampas en las que crecen altos hierbajos y el horno de desechos, que despide humos tóxicos, y el viejo puente de ferrocarril que cruza el río Harlem, con una torre a cielo abierto en cada extremo, oscilando lentamente acaso bajo el viento persistente.

Vienen y aparcan sus coches, si es que tienen coche, seis o siete personas por vehículo, aparcan ladeados en un elevado remonte de las calles adyacentes a la fábrica, y se instalan en la isleta de cemento entre la autovía y el bulevar, sintiendo la frialdad del viento y paseando la mirada por encima del tumultuoso tráfico habitual hasta depositarla sobre un cartel publicitario que flota en la penumbra: un cartel instalado a buena altura sobre la orilla del río para atraer las miradas anestesiadas de los viajeros de los trenes que pasan incesantemente procedentes de los suburbios del Norte en dirección a la espesura del dinero y la opulencia de Manhattan.

Edgar se sienta frente a Gracie en el refectorio. Consume sus alimentos sin saborearlos porque decidió hace años que el gusto no es lo importante. Lo importante es limpiar el plato.

Gracie dice:

—No, por favor, no puede.

—Sólo para ver.

—No, no, no, no.

—Quiero verlo por mí misma.

—Es prensa amarilla. La peor clase de superstición de la prensa amarilla. Es horrible. Una absoluta ¿cómo se dice? Una absoluta abdicación, ¿entiende? Sea razonable. No abdique de su buen juicio.

—Podría ser ella a la que están viendo.

—¿Sabe qué es esto? Son las noticias de la noche. Son las noticias locales de las once, con todos sus grotescos elementos pulcramente espaciados para mantenerla enganchada durante la primera media hora.

—Creo que tengo que ir —dice Edgar.

—Esto es algo para que los pobres lo vean, lo juzguen y lo comprendan, y hay que contemplarlo desde esa perspectiva. Los pobres necesitan visiones, ¿entiende?

—Creo que se está mostrando condescendiente con la gente que ama —dice Edgar suavemente.

—Eso no es justo.

—Habla de los pobres. ¿Pero a quién si no iban a aparecerse los santos? ¿Se aparecen los santos y los ángeles a los magnates bancarios? Cómase las zanahorias.

—Son las noticias de la noche. Es la burda explotación del horrible asesinato de una niña.

—Pero ¿quién lo explota? Nadie está explotándolo —dice Edgar—. La gente acude allí a sollozar, a creer.

—Es el hecho de que las noticias se tornan tan poderosas que ya no precisan de televisión ni periódicos. Existe en las percepciones de la gente. Es algo que inventan, algo lo bastante fuerte como para parecer real. Noticias sin medios de comunicación.

Edgar se come el pan.

—Soy más vieja que el Papa. Nunca pensé que viviría lo bastante como para ser más vieja que un papa, y creo que necesito ver esto.

—Las imágenes mienten —dice Gracie.

—Creo que tengo que estar ahí.

—No rece a las imágenes, rece a los santos.

—Creo que tengo que ir.

—No debe hacerlo. Es una locura. No vaya, hermana.

Pero Edgar va. Se pone los guantes de látex y la capa de invierno y se dirige a la puerta, decidida a tomar el autobús y el metro, y Gracie no puede dejarla ir sola. Corre a la furgoneta sin quitarse el aparato para corregir la separación de sus dientes, algo que nunca lleva en público, y dejan atrás el Muro para internarse en calles oscuras y desiertas y la furgoneta se cala con un murmullo de desvanecimiento y recorren las últimas once manzanas con Gracie aferrada a su aerosol de defensa y a su teléfono portátil.

Una luna de color rojo anaranjado flota sobre la ciudad.

Gente bajo el resplandor de los coches que pasan, cientos que se agrupan en la isleta, con sus coches aparcados de cualquier manera, atravesados, peligrosamente próximos al tráfico rodado. Las monjas atraviesan corriendo el bulevar y se abren paso al interior de la isleta, y los presentes les hacen sitio, los cuerpos apretujados se separan para que estén algo más cómodas.

Siguen la mirada ardiente de la multitud. Permanecen allí de pie, mirando. El cartel está iluminado de forma irregular, oscuro en algunos sitios, con varias bombillas fundidas y no reemplazadas, pero los elementos centrales aparecen claros, una vasta cascada de zumo de naranja que se vierte diagonalmente desde la parte superior derecha sobre un vaso sostenido por una mano en la parte inferior izquierda: la mano perfectamente formada de una mujer caucásica de clase media. Unos sauces distantes y la vaga imagen de un lago definen el entorno social. Pero es el zumo lo que atrapa la vista, espeso y pulposo, con un tono ocre-rojizo que hace juego con la luna anaranjada. Y las primeras gotas minuciosamente detalladas que salpican el fondo del vaso con una lluvia vaporosa, cada gota embellecida con el meticuloso rigor de una pintura de una pintura realista. Qué despilfarro de esfuerzo y técnica, sin ahorrar refinamiento alguno: el equivalente, piensa Edgar, de la arquitectura religiosa medieval. Y las latas de tercio de litro de Minute Maid dispuestas al fondo del cartel, cien latas iguales, tan familiares en su diseño y su color y su tipografía que cobran personalidad propia, el alegre encanto de pequeños personajes pintados de naranja y negro.

Edgar ignora cuánto deben esperar o qué va a suceder exactamente. Pasan camiones de transporte bajo el rugiente crepúsculo. Pasea la mirada por la muchedumbre. Obreros, tenderos, tal vez algunos vagabundos y okupas pero no muchos, y entonces advierte la presencia de un grupo cerca de la parte delantera, un grupo que adopta fielmente la forma de proa de la isla: son los carismáticos del piso superior del edificio del Muro, vestidos en su mayor parte de blanco flotante, mujeres tubulares, hombres delgaduchos peinados a lo rasta. La multitud se muestra paciente, pero ella no, tensa de presentimientos, absorbiendo el punto de vista con que Gracie asimila la escena. Los aviones descienden de la oscuridad en dirección al aeropuerto que hay al otro lado del agua y rasgan el aire con su rugido ahogado. Las monjas ven a Ismael Muñoz a unos treinta metros de distancia, rodeado por su equipo —el propio Ismael tiene un aspecto algo fantasmal por los oscilantes haces de luz—, y Edgar dirige una mirada significativa a Gracie. Las dos contemplan el anuncio. Contemplan estúpidamente el zumo. Al cabo de veinte minutos se produce un revuelo, una especie de viento perceptivo, y la gente mira al Norte, los niños señalan al Norte, y Edgar alarga el cuello para divisar lo que están viendo.

El tren.

Percibe las palabras antes de distinguir el objeto. Percibe las palabras a pesar de que nadie las ha pronunciado. Así es como una muchedumbre convierte las cosas en una consciencia única. Y entonces lo ve, un tren de metro normal y corriente, de color plata y azul, sin pintadas, que se desliza suavemente en dirección al puente. Los focos delanteros recorren el cartel y Edgar oye un sonido procedente de la multitud, una exclamación ahogada que se deshace en sollozos y gemidos y el grito de alguna exaltación dolorosa e innombrable. Una especie de largo grito involuntario, el aullido de una fe liberada. Porque cuando las luces del tren iluminan la parte más oscura del cartel un rostro aparece sobre el neblinoso lago y ven que pertenece a la muchacha asesinada. Una docena de mujeres se aferran la cabeza, sollozan y gritan, y un espíritu, un aliento divino, recorre la multitud.

Esmeralda.

Esmeralda.

La hermana está en un estado de *shock* físico. Lo ha visto fugazmente, demasiado rápidamente para asimilarlo: quiere que reaparezca la chiquilla. Las mujeres alzan a sus bebés en dirección al cartel, al zumo vertido, para que los bañe de su bálsamo y su óleo bautismal. Y Gracie se dirige a Edgar cara a cara, sobreponiéndose a las voces y al ruido.

—¿Se parecía a ella?

—Sí.

—¿Está segura?

—Eso creo —dice Edgar.

—Pero nunca la había visto de cerca. Yo sí la he visto de cerca —dice Gracie—, y creo que no ha sido más que un efecto de luz. No de una persona en absoluto. No un rostro sino una mancha de luz.

Cuando Gracie lleva el aparato dental habla con una especie de ceceo burbujeante.

—No es más que la pantalla inferior —dice—. Un fallo técnico que produce la imagen subyacente, la imagen del anuncio anterior que aparece a través del actual.

¿Está en lo cierto?

—Cuando se derrama la suficiente luz sobre el anuncio actual, la imagen cubierta sale a la superficie —dice.

Los dientes de Gracie despiden un eco húmedo y sibilante.

Pero ¿está en lo cierto? ¿Acaso las noticias han transmitido su fiabilidad a las agencias que las difunden? ¿Acaso las noticias están inventándose a sí mismas en las órbitas de esa gente que camina y habla?

Edgar examina el cartel. ¿Y si no hubiera ningún anuncio anterior? ¿Por qué iba a haber otro anuncio bajo el anuncio del zumo de naranja? Sin duda, retirarán cada anuncio antes de instalar el siguiente.

Gracie dice:

—¿Y ahora, qué?

Permanecen allí de pie, mirando. Esta vez tan sólo han de aguardar ocho o nueve minutos hasta la llegada del siguiente tren. Edgar se mueve, intenta abrirse paso suavemente hacia el frente, y la gente le hace sitio, la ven: una monja vestida con su velo y su hábito y su capa oscura, seguida de una azorada acompañante que porta un abrigo de saldo y un pañuelo en la cabeza y sostiene un teléfono portátil.

La ven y la abrazan, y ella les deja hacer. Su presencia es una fuerza de confirmación: una figura procedente de una iglesia universal con sacramentos y cuentas bancarias secretas y una fabulosa colección de arte. Todo eso y ella prefiere seguir un sendero de pobreza, castidad y obediencia. La abrazan y la dejan pasar y se encuentra entre los miembros de la banda carismática, los evangelistas que se cimbrean sin moverse del sitio, en el momento en que los focos del tren derraman su luz sobre el cartel. Ve cómo el rostro de Esmeralda toma forma bajo el arco iris de generoso zumo y sobre el pequeño lago suburbano, y reina la sensación de que alguien habita en la imagen, un espíritu animador, pero antes de que transcurra un tierno segundo de vida, menos de medio segundo, la zona vuelve a quedar oscura.

Siente que algo estalla sobre ella. Un ángelus de luminoso gozo. Abraza a la hermana Grace. Se quita los guantes y estrecha las manos a su alrededor, estrecha las manos de ampulosas mujeres que hacen girar los ojos en las órbitas para elevarlos al cielo. Las mujeres le responden dándole dos sacudidas con ambas manos mientras de sus labios surgen palabras inventadas y murmullos en trance: están cantando acerca de cosas ajenas a los delirios ya conocidos. Edgar golpea el pecho de un hombre con los puños.

Descubre a Ismael y le abraza. Deposita la mirada en su rostro y respira el aire que él respira y le envuelve en su hábito recién lavado. Todo parece al alcance de la mano, todo parece estallar sobre ella, la amargura y la pérdida y la gloria y la desolada tristeza de una vieja monja, y una fuerza en algún profundo nivel de lamento que hace que se sienta inseparable de los estremecidos y los penitentes, de los estupefactos que se internan en el tráfico: por instantes se siente desorientada, ajena a los detalles de la historia personal, como un hecho desencarnado en forma líquida vertiéndose sobre la multitud.

Gracie dice:

—No sé.

—Claro que lo sabe. Lo sabe. La ha visto.

—No sé. Era una sombra.

—Esmeralda sobre el lago.

—No sé qué es lo que vi.

—Lo sabe. Claro que lo sabe. La vio a ella.

Esperan a que pasen dos trenes más. Las luces de aterrizaje aparecen en el cielo y los aviones siguen descendiendo hacia la pista que hay al otro lado del agua, un nuevo vuelo cada minuto y medio, sus rugidos amortiguados superponiéndose hasta que todo es un ruido continuo y fluido y el aire transporta el hedor humeante del combustible.

Esperan la llegada de un último tren.

¿Cómo concluyen finalmente las cosas, esta clase de cosas, cómo terminan por reducirse a un olvidado núcleo de fatigados fieles agrupados bajo la lluvia?

A la noche siguiente, un millar de personas invaden la zona. Aparcan sus coches en el bulevar e intentan abrirse paso al interior de la isleta pero la mayoría tienen que quedarse en el carril de desaceleración de la autovía, inquietos y atentos. Una mujer es golpeada por una motocicleta y cae rodando por el asfalto. Un muchacho es arrastrado cien metros, siempre son cien metros, por un coche que no se detiene. Algunos vendedores recorren las hileras de coches atascados ofreciendo flores, refrescos y gatitos vivos. Venden imágenes de Esmeralda grabadas sobre tarjetas de oración. Venden peonzas que nunca se detienen.

A la noche siguiente aparece la madre, la desaparecida madre *yonqui* de Esmeralda, y se derrumba con los brazos abiertos cuando el rostro de la niña aparece sobre el cartel. Se la llevan en una ambulancia que parte seguida de cierto número de unidades móviles de televisión. Dos hombres pelean con las barras de los gatos y bloquean el tránsito en uno de los carriles. Las cámaras de los helicópteros graban la escena y la policía extiende por la zona cintas anaranjadas que avisan del peligro: cintas del mismo color naranja que el zumo viviente.

A la tarde siguiente, el tablón está en blanco. Qué orificio abre en el espacio. La gente acude y nadie sabe qué decir o qué pensar, a dónde mirar o qué creer. El cartel es una pantalla en blanco con dos palabras solitarias, *Anúnciese aquí*, seguidas de un número de teléfono escrito en elegante tipografía.

Al anochecer, cuando aparece el primer tren, las luces no muestran nada.

¿Y qué recuerdas, después de todo, cuando todos se han marchado a casa y las calles están vacías de devoción y de esperanza, barridas por el viento del río? ¿Son tus recuerdos escasos y amargos y te avergüenzan con su mentira fundamental: todo matices y sombras imaginarias? ¿O aún permanece el poder trascendental, la sensación de un evento que ha transgredido las fuerzas naturales, de algo sagrado que palpita en el cálido horizonte, de la visión que ansías porque necesitas una señal para enfrentarte a tus dudas?

Edgar nota el dolor en sus articulaciones, su anciano cuerpo profundamente inmerso en los dolores rutinarios, dolores en las junturas de las articulaciones, afiladas sensaciones punzantes en los puntos en que se conectan los huesos.

Pero se aferra mentalmente a la imagen, al rostro fugaz del cartel iluminado, de su gemela virgen que es también su hija. Y recuerda el olor del combustible de los aviones. Es el incienso de su experiencia, el cedro y la goma quemados, un medio de conservación que conserva el instante intacto, todos los instantes, los éxtasis oscilantes que sacuden el alma y la intimidad muda, la camaradería de una fe profunda.

No resta nada más que hacer salvo morirse, y eso es precisamente lo que hace, la hermana Alma Edgar, esposa de Cristo, que fallece plácidamente durante el sueño mientras la primera y tímida nevada de otro oscuro invierno cae plácidamente sobre las calles desconocidas, torbellinos, cristales, copos de diversas formas, una pálida nevada diagonal que desaparece a medida que cae.

Segundo golpe de tecla

Con su velo y su hábito era básicamente un rostro, o un rostro y unas manos recién lavadas. Aquí, en el ciberespacio, se encuentra despojada de todo ese tejido replanchado a vapor. No está exactamente desnuda, pero sí abierta: expuesta a todas las conexiones que uno puede realizar a través de la *World Wide Web*.

Aquí afuera no existen el espacio ni el tiempo, o aquí dentro, o dondequiera que esté. Tan sólo conexiones. Todo está conectado. Todo el conocimiento humano reunido y entrelazado, hiperconectado, con páginas que te conducen de uno a otro, de un dato a otro, un golpe de tecla, un clic de ratón, una contraseña: un mundo sin fin, amén.

Pero ella está en el ciberespacio, no en el cielo, y percibe la tenaza de los sistemas. Por eso está tan inquieta. Reina aquí una presencia, algo implicado, algo vasto y brillante. Siente la paranoia de Internet, de la red. Está la perenne amenaza de los virus, claro. La hermana está enterada de todo cuanto se refiere a contaminaciones y a las medidas de protección que requieren. Esto es distinto: es un fulgor, una opulenta fuerza de empuje que parece fluir de un billón de nodos distantes.

Cuando, obedeciendo a un impulso, decides visitar la página de la bomba de hidrógeno, ella comienza a comprender. Todo lo que hay en tu ordenador, el plástico, la silicona y el *mylar*, todas las operaciones lógicas y las funciones de proceso, la memoria, el *hardware*, el *software*, los unos y los ceros, las tríadas contenidas en los píxeles que forman la imagen en pantalla: todo culmina allí.

En primer lugar, una luz como la del alba, una grandiosa aurora de gloria que se proyecta sobre el monitor en color. Todas las bombas termonucleares jamás probadas, todos los datos recogidos de cada lanzamiento, su nombre codificado, su potencia, su polígono de pruebas, Eniwetok, Lop Nor, Novaya Zemlya, su carácter ajeno, la remota condición de poblaciones lejanas implicadas en los propios nombres de los lugares, Mururoa, Kazajstán,

Siberia, y la meticulosidad extraordinaria de sus detalles, sistemas de lanzamiento y sistemas de descarga, ecuaciones y gráficos y secciones esquemáticas transversales, lanzamiento tras lanzamiento invocados con un clic, un golpe de tecla, Bravo, Romeo, Greenhouse Dog: y la hermana se encuentra básicamente dentro.

Ve el destello, el pulso termal. Oye cómo crece el rugido, la inmensa fuerza creciente que despide la tarjeta de sonido de 16 bits. Permanece inmóvil ante el destello y siente su potencia. Contempla el vapor expandiéndose. Ve la bola de fuego que se remonta, la sobrecalentada esfera de gas ardiente capaz de cegar a una persona con su belleza, sus chorreantes colores de sangre de Cristo, dorados y rojos solares. Ve la onda expansiva y oye los potentes vientos y percibe el poder de la falsa fe, la fe de la paranoia, y entonces la nube en forma de hongo se expande en torno a ella, la masa pulverizada de desechos radiactivos, de doce kilómetros, quince, treinta, con su tronco de flecos y su humeante sombrero de platino.

Las joyas caen rodando de sus ojos y ve a Dios.

No, un momento, perdón. Lo que ve es una bomba soviética, la de mayor potencia de la historia, un artefacto detonado sobre el océano Ártico en 1961, resguardada en el ordenador que contribuyó a fabricarla, cincuenta y ocho megatones: suma los dígitos y obtendrás el trece.

Poblaciones enteras potencialmente desolladas por el inmenso destello: los huesos, los huesos, entonan las mujeres tubulares. Y la hermana comienza a percibir las sombras secundarias que se ramifican desde el pavor de la explosión central. Cómo los sistemas entrelazados nos desmiembran, convirtiéndonos en seres difusos, exhaustos, dóciles, blandos en nuestro discurso interno, ansiosos de ser moldeados, de ser dominados: fáciles retiradas, convicciones a medias.

Disparo tras disparo, bomba tras bomba, y son bombas de fusión, recuerden, átomos ensamblados a la fuerza, y desde el momento en que detonan a través de la pantalla, una y otra vez, surge una nueva fusión en otro sitio. Nada de contacto físico, por favor, pero un acoplamiento al fin y al cabo. Un clic, un disparo y la hermana se reúne con el otro Edgar. Hermano de celibato y más o menos allegado, pero su opuesto biológico, su mitad masculina, muerto todos estos años. ¿Acaso ha estado esperando a que ocurriera esto? El bulldog del FBI, J. Edgar Hoover, el santo envilecido de la Ley, hiperconectado al fin con la hermana Edgar: ahora ya un único impulso fluctuante, un retazo de información codificada.

Al final, todo está conectado.

Hermana y hermano. Una fantasía del ciberespacio y un modo de ver el otro lado y un arreglo de cuentas que tiene que ver no tanto con el género como con la propia diferencia, con todas las rencillas, con todos los conflictos programados.

¿Es el ciberespacio algo contenido en el mundo o es al revés? ¿Qué contiene lo otro, y cómo saberlo a ciencia cierta?

Aparece una palabra en el flujo lunar del caudal de datos. La ves en tu monitor, reemplazando las detonaciones y explosiones de las torres, la activación de artefactos de gran potencia instalados en barcazas o colgados de globos, sustituyendo el detallado texto que acompaña a las bombas. Una única palabra seráfica. Puedes examinar la palabra mediante un clic, escudriñar sus orígenes, su desarrollo, su primera utilización conocida, su tránsito de un idioma a otro, y puedes invocarla en sánscrito, griego, latín y árabe, en un millar de lenguas y dialectos vivos y muertos, y localizarla en citas literarias, y seguir su rastro a lo largo del submundo de túneles que conforman sus raíces ancestrales.

Ajustar, acoplar firmemente, unir.

Y puedes mirar un instante por la ventana, distraído por el sonido de los chiquillos que juegan a un juego inventado en el patio del vecino, a una especie de fútbol tal vez, y hablan con tu voz, o a carreras de caballos entre la maleza del jardín, y es tu voz la que oyes, esencialmente, bajo el cielo iridiscente, y contemplas las cosas que hay en la estancia, fuera de campo, fuera de la *web*, la textura granulosa de la mesa del escritorio, viva bajo la luz, la espesa sustancia vívida de las cosas, la discusión de las cosas que hay que ver y devorar, el corazón de manzana que va tornándose sepia sobre la bandeja de la cena, y los densos grados de experiencia con un vistazo casual, la vela del monje reflejada en el costado del teléfono, horas señaladas con números romanos, y el brillo de la cera, y el rizo de la mecha trenzada, y el borde desportillado de la jarra en la que guardas los lápices amarillos, absurdamente torcidos, y las vidas desordenadas de la más simple de las superficies, la mantequilla derritiéndose sobre las migas del pan, y el amarillo del amarillo de los lápices, e intentas imaginarte la palabra de la pantalla convirtiéndose en algo de este mundo, trasladando todos sus significados, su sentido de serenidades y satisfacciones, a la calle, de alguna manera, su susurro de reconciliación, una palabra que se extiende eternamente hacia fuera, el tono del acuerdo o el tratado, el tono de reposo, la sensación de un silencio apaciguador, el tono de saludo y despedida, una palabra que transporta el ardor solar de un objeto profundamente sumergido en el mediodía, la discusión del contacto que une, pero no es más que una secuencia de pulsaciones sobre una pantalla de tonos apagados y todo cuanto puede hacer es tornarte pensativo: palabra que extiende un anhelo a través del salvaje ámbito de la ciudad, hasta los arroyos dormidos y los huertos, hasta las colinas solitarias.

Paz.

www.planetadelibros.com

www.australeditorial.com